紀念我父親胥洛謨・哈拉瑞（Shlomo Harari）

給予我的，充滿愛的回憶

BELIEVE IN READING

科學文化 164

人類大歷史

從野獸到扮演上帝

Sapiens

A Brief History of Hum

作者 —— 哈拉瑞（

譯者

誌謝

本書得以成書，要感謝下列人士的建議及協助：Sarai Aharoni、Dorit Aharonov、Amos Avisar、Tzafrir Barzilai、Noah Beninga、Tirza Eisenberg、Amir Fink、Benjamin Z. Kedar、Yossi Maurey、Eyal Miller、Shmuel Rosner、Rami Rotholz、Ofer Steinitz、Michael Shenkar、Guy Zaslavsky，以及耶路撒冷希伯來大學世界史課程的所有師生。

特別感謝賈德·戴蒙（Jared Diamond），他讓我學會了如何宏觀歷史；感謝Diego Holstein，他啟發了我寫下這個故事；並感謝Deborah Harris，她幫助我將這個故事說給更多人聽。

人類大歷史

從野獸到扮演上帝

目錄

Sapiens

人類之大歷史年表

（距今年代）

135億年	物質和能量出現。物理學之始。
	原子和分子出現。化學之始。
45億年	地球形成。
38億年	生物形成。生物學之始。
600萬年	人類和黑猩猩最後的共祖。
250萬年	非洲的人屬開始演化。出現最早的石器。
200萬年	人類由非洲傳播到歐亞大陸，
	演化為不同人種。
50萬年	尼安德塔人在歐洲和中東演化。
30萬年	開始日常用火。
20萬年	智人在東非演化。
7.0萬年	**認知革命：出現能夠描述非現實的語言。**
	歷史學之始。智人傳播至非洲之外。
4.5萬年	智人抵達澳洲。澳洲巨型動物絕種。
3.0萬年	尼安德塔人絕種。
1.6萬年	智人抵達美洲。美洲巨型動物絕種。
1.3萬年	弗洛瑞斯人絕種。智人成為唯一存活的人類物種。
1.2萬年	**農業革命：馴化動植物，出現永久聚落。**

5000年	出現最早的王國、文字和金錢、多神教信仰。
4250年	出現最早的帝國：薩爾貢大帝的阿卡德帝國。
2500年	出現最早的硬幣——通用的貨幣。
	波斯帝國：試圖建立普世的政治秩序——
	「為全人類的福祉而努力」。
	印度佛教興起：試圖建立普世的真理——
	「讓所有人類解脫痛苦」。
2000年	中國漢帝國。地中海羅馬帝國。基督教興起。
1400年	伊斯蘭教興起。
500年	**科學革命：人類承認自己的無知，**
	開始取得前所未有的能力。
	歐洲人開始征服美洲和各大洋。
	整個地球形成單一歷史場域。資本主義興起。
200年	工業革命。家族和地方社群被國家和市場取代。
	動植物大規模絕種。
現代	人類跨出地球的疆域。
	核武器威脅人類的生存。
	生物逐漸由「智慧設計」形塑，而非天擇。
未來	「智慧設計」成為生命的基本原則？
	智人被超人類取代？

第一部
認知革命

1.法國南部雪維洞穴（Chauvet-Pont-d'Arc Cave）大約三萬年前的人類手印。
可說是有人在告訴我們：「我到過這裡。」

第1章

人類：一種也沒什麼特別的動物

大約在一百三十五億年前，經過所謂的**大霹靂**（Big Bang）之後，宇宙的物質、能量、時間、空間，才應運而生。宇宙的這些基本特徵，就成了「物理學」。

在這之後過了大約三十萬年，物質和能量開始形成複雜的結構，稱為**原子**，然後進一步構成**分子**。至於這些原子和分子的故事、以及它們如何交互作用，就成了「化學」。

大約三十八億年前，在這顆叫做地球的行星上，有些分子結合起來、形成一種特別龐大而又精細的結構，稱為**生物**。生物的故事，就成了「生物學」。

到了大約七萬年前，一些屬於**智人**（*Homo sapiens*）這一物種的生物，開始創造出更複雜的架構，稱為**文化**。而這些人類文化繼續發展，就成了「歷史學」。

在人類大歷史的路上，有三大重要革命：大約七萬年前，**認知革命**（Cognitive Revolution）讓我們所謂的歷史正式啟動。大約一萬兩千年前，**農業革命**（Agricultural Revolution）讓歷史加速發展。到

了大約不過是五百年前，**科學革命**（Scientific Revolution）可以說是讓過往的歷史告一段落，而另創新局。這本書的內容，就是在描述這三大革命如何改變了人類和周遭的生物。

▍智人現身

　　事實上，人類早在史前就已存在：早在兩百五十萬年前，就已經出現了非常類似現代人類的動物。然而，即使經過世世代代的繁衍，他們與共享棲地的其他生物相比，也沒什麼特別突出之處。

　　如果到兩百萬年前的東非逛一逛，你很可能會看到一群很像人類的生物：有些媽媽一邊哄著小嬰兒、一邊還得將玩瘋的小孩抓回來，忙得團團轉；有些年輕人對社會上種種規範氣憤不滿，也有些垂垂老矣的老人家只想圖個清靜；有肌肉猛男搥著自己的胸膛、只希望旁邊的美女能夠垂青；也有年長充滿智慧的大家長，對這一切早就習以為常。這些遠古時期的人類已懂得愛和玩樂，能夠產生親密的友誼，也會爭地位、奪權力。

　　不過，這些天性和黑猩猩、狒狒、大象也沒什麼不同。這些遠古人類，和一般動物比起來就是沒什麼特別。他們萬萬沒有想到，他們的後代有某一天竟能在月亮上漫步、分裂原子、瞭解遺傳密碼，還能寫寫歷史書。說到史前人類最重要的一件事，就是他們在當時根本無足掛齒，對環境的影響也不見得比大猩猩、螢火蟲或是水母來得多。

　　生物學家把所有生物劃分成不同的**物種**（species，簡稱種）。而所謂屬於同一物種，就是牠們會彼此交配、能夠產出有生殖力的下一代。例如馬和驢，雖然有共同的祖先、也有許多類似的身體

特徵，也能夠互相交配，但牠們彼此卻是性趣缺缺，就算刻意讓牠們交配，產出的下一代會是騾，而不具有生育能力。因此，驢的DNA突變就不可能會傳給馬這個物種，馬的也不會傳給驢。於是我們認定馬和驢屬於兩個不同的物種，各有各自的演化路徑。相較之下，雖然鬥牛犬和西班牙獵犬看來天差地遠，卻屬於同一物種、有一樣的基因池。牠們很願意互相交配，而且牠們的小犬長大後，也能再和其他狗交配、子孫滿堂。

　　從同一祖先演化而來的不同物種，會屬於同一個屬（genus）。例如獅子、老虎、豹和美洲豹，雖然是不同物種，但都是「豹屬」（*Panthera*）。生物學家用拉丁文為生物命名，每個名字由兩個字組成，第一個字是屬名、第二個字則是種名。例如獅子就稱為*Panthera leo*，指的是豹屬（*Panthera*）的獅種（*leo*）。而只要沒有意外，每一位在讀這本書的讀者，應該都是一個*Homo sapiens*：人屬（*Homo*，指「人」）的人種（*sapiens*，指「明智」）。

　　許多屬還能再歸類為同一科（family），例如貓科動物（獅子、獵豹、家貓）、犬科（狼、狐狸、豺）、象科（大象、長毛象、乳齒象）。同一科的所有成員，都能追溯到某個最早的雄性或雌性祖先。例如所有的貓科動物，不管是家裡喵喵叫的小貓或是草原上吼聲震天的獅子，都是來自大約兩千五百萬年前的某一頭祖先。

　　至於智人，也是屬於某個科。雖然這件事看起來再平凡不過，卻曾經是整個歷史上最大的祕密。智人一直希望自己和其他動物有所不同，彷彿整個科就只有自己存在，沒有兄弟姊妹、沒有遠近親戚，而且最重要的是：沒有父母。但可惜這絕非事實。不論你是否接受，我們所屬的人科不僅成員眾多、而且還特別吵鬧——就是一堆大猿。與我們最相近的親戚，就是黑猩猩、大猩猩和紅毛猩猩。

其中，黑猩猩與我們最為接近。不過就在六百萬年前，有一頭母猿產下兩個女兒，一個成了所有黑猩猩的祖先，另一個則成了所有人類的祖奶奶。

家族祕史

智人還有另一個更見不得光的祕密。我們有許多堂表兄弟姊妹，而且沒什麼文明。但這還事小，我們其實還曾經有很多更相近的兄弟姊妹。

人類（human）已經習慣以為自己是唯一的「人」，是因為在過去一萬年間，「人種」確實只剩下智人一種。然而，human 一詞真正的意思是「屬於人屬的動物」，而在過去，這可不只有智人而已。此外，我們在最後一章也會提到，不久之後，很可能我們又得再和一些不屬於智人的人類開始競爭。為避免混淆，以下講到智人，講的就是 *Homo sapiens* 這個物種的成員，而講到人類，講的則是 *Homo*（人屬）的所有現存成員。

最早的人類是從大約兩百五十萬年前的東非開始演化的——祖先是一種更早的猿屬：*南猿*（*Australopithecus*）。大約兩百萬年前，東非的這些遠古人類有一部分離開了家園而踏上旅程，足跡遍及北非、歐洲和亞洲的廣大地帶。北歐的森林白雪皚皚、印尼的熱帶叢林溼氣蒸騰，想活命顯然需要不同的特徵，因此人類也開始朝著不同方向演化。於是人類發展出幾個不同的物種，而科學家也為每一種都取了華麗的拉丁名稱。

在歐洲和西亞的人類，成了 *Homo neanderthalensis*，意為「來自尼安德谷（Neander Valley）的人」，一般簡稱為*尼安德塔人*。比

起我們這種智人，尼安德塔人更為魁梧、肌肉也更發達，非常適應西方的歐亞大陸在冰河期的寒冷氣候。

至於在亞洲的東邊，住的則是**直立人**（*Homo erectus*），一共存續了將近兩百萬年，是目前所知存續最久的人種，而我們智人似乎也很難打破這項紀錄。光是一千年後還會不會有智人存在，現在看來都令人十分懷疑，所以和兩百萬年比起來，我們真的是小巫見大巫。

至於在印尼的爪哇島，則住著**梭羅人**（*Homo soloensis*），拉丁文意為「來自梭羅谷的人」，這種人很能適應熱帶的生活環境。同樣在印尼，還有另一個小島弗洛瑞斯（Flores），這裡住的遠古人類則是經歷了一場侏儒化的過程。曾有一段時間，由於海水的水位格外低，於是人類初次抵達了弗洛瑞斯，然後就絡繹不絕，當時島上和大陸的交通往來十分便利。但是後來海水再次上漲，有些人就給困在島上，物資十分缺乏。那些長得高頭大馬的人，需要的食物也多，於是最早在島上餓死；長得矮反而成了生存優勢。經過幾代之後，在弗洛瑞斯的人都成了小矮人。

科學家把這種獨特人種稱為**弗洛瑞斯人**（*Homo floresiensis*），身高最高不過一公尺、體重最重也不過二十五公斤。然而，他們仍然懂得如何製造石器，甚至偶爾還能在島上獵象。不過倒也公平，在這島上的象也是一種矮生種。

2010 年，科學家在西伯利亞的丹尼索瓦（Denisova）洞穴中，發現了一支已經變成化石的手指骨，為人類的大家族又添一種成員。手指骨的基因分析證實這個人種過去並不為人知，現在則命名為**丹尼索瓦人**（*Homo denisova*）。

全球還有太多洞穴、島嶼、以及不同的氣候條件，天曉得還有

多少我們失落的親戚，正等著我們去發現。

這幾個人種在歐洲和亞洲不斷演化的同時，其他在東非的人種演化也沒有停止，這個人類的搖籃繼續養育著許多新人種，例如：**魯道夫人**（*Homo rudolfensis*，「來自魯道夫湖的人」）、**匠人**（*Homo ergaster*，「使用工具的人」），還有我們自己這種人種，而我們也頗為厚顏的，把自己命名為**智人**，「明智的人」。

在這些人種當中，有些高大、有些矮小，有些會凶殘的獵捕、有些只是溫和採集著食物，有些只住在某個小島上，而大多數是在整個大陸上遷徙；但不論如何，他們都是「人屬」，也都是人類。

有一種常見的錯誤，認為這些人種是呈線性發展，從匠人變成直立人，從直立人再變成尼安德塔人，而尼安德塔人再變成我們。這種線性模型誤以為地球在某個時間點上只會有單一人種，而其他更早的人種不過就是我們的祖先。

但事實是，從大約兩百萬年前到大約一萬年前為止，整個世界其實同時存在多種不同的人種。這其實也十分合理。就像今天，地球上還是有許多種的狐狸、熊、或是豬，而在幾十萬年前的地球上，至少就有六種不同的人。從整個歷史來看，過去多種人種共存其實是常態，現在地球上只有「一種人」，這才是異常。

以下的章節很快就會提到，對於我們智人來說，不願想起這些過去的手足親情，背後其來有自。

▋「思考」的代價

雖然人種之間有諸多不同，但還是有幾項共同的人類特徵。其中最重要的一點，就是人類的大腦明顯大於其他動物。對於60公

斤重的哺乳類來說，平均腦容量是200立方公分。但是早在兩百五

十萬年前、最早期的男男女女，腦容量就已經有600立方公分了，

至於現代的智人，平均腦容量更高達1,200至1,400立方公分。而尼

斤重的哺乳類來說，平均腦容量是200立方公分。但是早在兩百五

斤重的哺乳類來說，平均腦容量是200立方公分。但是早在兩百五十萬年前、最早期的男男女女，腦容量就已經有600立方公分了，至於現代的智人，平均腦容量更高達1,200至1,400立方公分。而尼安德塔人，其實腦容量還更大。

這樣看來似乎再清楚也不過，物競**天擇**（natural selection）就該讓腦袋愈來愈大才是。人類深深迷戀自己的高智能，一心認為天擇當然是偏好腦袋愈大、智力愈高的演化方向。但如果真是如此，貓科動物也經過演化，為什麼沒有出現會算微積分的貓？究竟為什麼，在整個動物界，只有人屬演化出了比例如此龐大的思考器官？

答案在於：龐大的大腦也是龐大的負擔。大腦結構脆弱，原本就不利於活動，更別說還得用個巨大的頭骨把它裝起來。而且大腦消耗的能量驚人。對智人來說，大腦只占身體總重約2%至3%，但是在身體休息而不活動時，大腦的能量消耗卻占了25%。相比之下，其他猿類的大腦在休息時的能量消耗，大約只占8%。

由於人腦較大，遠古人類付出的代價有兩種：首先是得花更多時間尋找食物，其次是肌肉退化萎縮。這就像是政府把國防預算轉撥給了教育，人類也把手臂二頭肌所需的能量撥給了大腦裡的神經元。對於在非洲草原上，這究竟是不是好策略，事先只能說無人能知。雖然黑猩猩要講道理絕對講不贏智人，但牠卻能直接把智人像個布娃娃一樣扯個稀爛。

時至今日，人類大腦帶來的好處顯而易見，我們能製造出汽車和槍炮，讓我們的移動速率遠高於黑猩猩，而且從遠方就能將黑猩猩一槍斃命，無須和牠摔跤硬拚。只不過，汽車和槍炮是最近才有的事。在超過兩百萬年間，雖然人類的神經元網路不斷增長，但除了能用燧石做出一些刀具、能把樹枝削尖變成武器，人類的大腦實

2. 這些都可說是我們的兄弟姊妹,樣貌是根據推測重建的。從左至右,依次
是魯道夫人(東非)、直立人(東亞)、尼安德塔人(歐洲和西亞)。他
們都是人類。

在沒什麼特殊表現。那麼,究竟是為什麼,驅使人類的大腦在這兩
百萬年間不斷這樣演化?坦白說,我們也還不知道。

人類另一項獨有的特點,在於我們用兩條腿直立行走。能夠站
起來,就更容易掃視整片草原,看看哪裡有獵物或敵人,而且既然
手不需負責移動身體,就能發揮其他用途,像是丟石塊、或是打信
號。手能做的事情愈多,可以說人就變得愈厲害;於是人的演化也
就愈來愈著重在神經發展,也不斷對手掌和手指的肌肉做修正。於
是乎,人類的手開始能夠處理非常精細的任務,特別是能夠製造、
使用複雜的工具。最早有證據證明人類開始製作石器工具,大約可
追溯到兩百五十萬年前;而且工具的製作和使用,也正是考古學家
判斷遠古化石是猿人還是人猿的標準。

然而,直立行走也有不利的一面。原本,我們的靈長類祖先歷

經數百萬年，才發展出以四肢行走、頭部相對較小的骨架，而要將
這種骨架調整成直立，可說是一大挑戰，而且還得撐住一個超大的
顱骨，更是難上加難。於是，為了要能望遠、要能有靈活的雙手，
現在人類只得面對背痛、頸脖僵硬的苦惱代價。

　　這點對婦女來說，造成的負擔又更大。直立的步行方式需要讓
臀部變窄，於是產道寬度受限，而且別忘了嬰兒的頭還愈來愈大。
於是，分娩時的死亡成了人類女性的一大風險。而如果早點生產，
嬰兒的大腦和頭部都還比較小，也比較柔軟，這位母親就更有機會
度過難關，未來也可能再生下更多孩子。於是，天擇就讓生產開始
提前。與其他動物相較，人類可說都是早產兒，許多重要器官的發
育都還不夠完善。看看小馬，出生沒多久就能開始小跑步；小貓出
生不過幾週，也就能離開母貓自行覓食。相較之下，人類的嬰兒只
能說沒用得很，許多年間都得當個啃老族，來取得受撫養、受保護
和受教育的福利。

　　人類之所以會有如此突出的社交技巧（以及人類獨有的社會
問題），有一大原因也正出自於此。獨自一人的母親，如果還得拖
著孩子，就很難為自己和小孩取得足夠的食物。所以，想養孩子，
就需要其他家族成員和鄰居持續提供協助。要養活一個人，得靠全
部落共同的努力。於是，演化也就偏好能夠形成強大社會關係的種
族。此外，由於人類出生的時候尚未發育完全，比起其他動物，也
就更能夠用教育和社會化的方式加以改變。

　　大多數哺乳動物脫離子宮的時候，就像是已經上釉的陶器出
了窯，如果還想再做什麼調整，不是刮傷、就是碎裂。然而，人類
脫離子宮的時候，卻像是從爐裡拿出了一團剛熔化的玻璃，可以旋
轉、拉長，可塑性高到令人嘆為觀止。正因如此，才會有人是基督

徒或佛教徒、有人是資本主義奉行者或社會主義者，又或有人好鬥
好戰、有人愛好和平。

食髓知味

　　我們以為，能有比較大的大腦、會使用工具、有超凡的學習能
力、還有複雜的社會結構，都可說是人類巨大的優勢。而且似乎不
證自明，正是這些優勢使人類成為地球上最強大的動物。然而，其
實人類早就具有這些優勢，但是在整整兩百萬年期間，人類一直就
只是一種弱小的邊緣生物。大約在一百萬年前，雖然人類已經擁有
了容量較大的大腦和鋒利的石器，卻還是得一直擔心食肉動物的威
脅，他們很少獵殺大型獵物，維生主要靠的就是採集植物、挖尋昆
蟲、追殺小動物，還有跟在更強大的食肉動物後面，啃吃些剩下的
腐肉。

　　早期石器最常見的一種用途，就是把骨頭敲開，才能吃到裡面
的骨髓。有些研究人員認為，這正是人類最原始的專長。就像是啄
木鳥的專長是從樹幹裡啄出昆蟲，最早的人類專長就是從骨骼裡取
出骨髓。

　　骨髓有什麼特別的？假設我們現在看著一群獅子大口吃著一隻
長頸鹿。我們只能耐心等著，等牠們吃飽再說。但還別急，就算獅
子吃完了，旁邊還有鬣狗和豺在等著，而且牠們也不是好惹的；於
是牠們又把剩下的肉再吃乾抹淨。最後才輪到我們這群原始人，我
們走近長頸鹿的屍體，左看看右瞧瞧，最後只能想辦法去挖出唯一
還能吃的組織。

　　這一點對於瞭解人類歷史和心理學至關緊要。長久以來，智人

一直只是穩定位於食物鏈的中間位置，直到最近才有改變。在先前長達數百萬年期間，人類會獵殺小動物、採集種種能得到的食物，但同時也會遭到較大型食肉動物獵殺。一直要到四十萬年前，有幾種人種才具備實力，開始固定追捕大型獵物，而要到十萬年前智人崛起，人類才一躍而居於食物鏈頂端。

這場從中段到頂端的大躍遷，造成的影響翻天覆地。

其他在金字塔頂端的動物，例如獅子、鯊魚，得要花上好幾百萬年的時間，才終於透過演化站上頂峰。因此生態系有足夠的時間發展出種種制衡，避免獅子和鯊魚造成太大的破壞：隨著獅子愈來愈強壯，演化也讓瞪羚愈跑愈快、鬣狗愈來愈懂合作、犀牛脾氣愈來愈差。

相較之下，人類轉眼就登上頂峰，不僅讓生態系猝不及防，就連人類自己也不知所措。在過去，居於食物鏈頂端的食肉動物總是威風凜凜、霸氣十足，數百萬年的統治，讓牠們充滿自信。但相比之下，智人就像是香蕉共和國的獨裁者。我們在不久之前，還是大草原上的小可憐，整天充滿恐懼和焦慮；一朝躍居上位，不免倍加殘酷和危險。人類歷史上眾多的災難，不論是生靈塗炭的戰亂、或是生態遭逢的浩劫，其實都是源自於這場過於倉促的地位躍遷。

▍廚師的種族

在踏上食物鏈頂端的路上，知道用火，可說是邁出了一大步。早在大約八十萬年前，就已經有部分人種偶爾會使用火，而到了大約三十萬年前，對直立人、尼安德塔人、以及智人的祖先來說，用火已是家常便飯。到了這個時候，人類不僅用火當作可靠的光源

和熱源，還可以用這項致命的武器，與不懷好意的獅子一較高低。不久之後，人類甚至還刻意引火焚燒周遭的環境。只要悉心控制火勢，就能讓原本難以通行、不具利益的叢林，轉變成大片美好的原野，而且滿是獵物。此外，等到火勢停歇，這些石器時代的創業者走到還在冒煙的餘燼當中，就能得到烤得香酥美味的動物、堅果和塊莖。

然而，火帶來的最大好處在於能夠烹飪。有些食物，處於自然形態的時候，無法為人類所消化吸收，像是小麥、水稻、馬鈴薯，但正因有了烹飪技術，就成了我們的主食。火不只會讓食物起化學變化，還會起生物上的變化：經過烹調，就能殺死食物上的病菌和寄生蟲。此外，對人類來說，就算吃的還是以往的食物（例如水果、堅果、昆蟲和動物屍體），所需要的咀嚼和消化時間也能大幅縮減。例如，黑猩猩要咀嚼生肉，每天得花上五小時，但人類吃的是熟食，每天花上一小時就夠了。

烹調讓人類有更多能吃的食物種類，減少所需的進食時間，還能縮小牙齒、減少腸的長度。有學者認為，烹調技術的發明，與人體腸道縮短、大腦開始發育，有直接關係。不論是較長的腸道、或是較大的大腦，都必須消耗大量的能量，因此很難兼而有之。而既然有了烹調，人就能縮短腸道、降低能量消耗，於是可說是在不經意間，烹調就讓尼安德塔人與智人走上了讓大腦更大的道路。[1]

此外，用火也讓人與其他動物之間，首次有了明顯的不同。對幾乎所有動物來說，牠們的力量靠的都是自己的身體，像是肌肉的力量、牙齒的大小、翅膀的寬度。雖然動物能利用風和海流，卻無法控制這些自然界的力量，而且也無法突破先天上的身體限制。例如老鷹能夠找出由地面上升的熱氣流，只要展開巨大的翅膀，熱空

氣就會帶著牠們自然上升。然而，老鷹並無法控制熱氣流的位置，而且荷重能力幾乎完全得看翼寬來決定。

但人類用火的時候，可說是控制了一項既聽話、又有無窮力量的工具。不像老鷹只能被動使用氣流，人類可以選擇要在什麼地點、什麼時間放出一把火來，而且火的用途各式各樣、不一而足。最重要的是，火的能量並不會受到人類身體的構造或力氣所限。就算是柔弱的女子，只要有一塊燧石能敲出火花，或是有一根點火棍能夠摩擦起火，就能在幾個小時內毀掉整片森林。

懂得用火之後，人類有許多發展，已經行將水到渠成了。

▌兄弟的守護者

雖然用火帶來許多優勢，不過在十五萬年前，人類仍然是邊緣生物。這時的人類能夠把獅子嚇走、能在寒冷的夜晚生火取暖，偶爾還能把森林給燒了。但就算把所有人種全部加在一起，從東南亞的印尼群島、到歐洲西南角的伊比利亞半島，所有的人數加起來仍然不足百萬，這對於整體生態來說，根本微不足道。

這個時候，我們這個物種（智人）已經出現在世界舞臺上，但不過就是自顧自的待在非洲的一個小角落。我們還無法得知智人是在何時、由何種早期人類演化而來，但科學家多半都同意，大約到了十五萬年前，東非就已經有了智人，外貌和我們幾乎一模一樣。如果現代的停屍間裡突然出現一具智人的屍體，驗屍官根本不會發現有什麼不同。在有了火之後，他們的牙齒和頜骨比祖先小，而大腦的容量又較大，與我們現在相當。

科學家也同意，大約在七萬年前，智人已經從東非擴張到阿拉

伯半島,並且很快席捲整個歐亞大陸。

智人來到阿拉伯半島的時候,歐亞大陸多半都已經住著其他的人種。那麼,這些其他人種後來怎麼了?關於這點,有兩種完全不同的理論。第一種是**混種繁衍理論**(interbreeding theory),講的是不同人種一見鍾情、兩情相悅、三生有幸、互相交融。

混種繁衍理論認為,智人從非洲遷移到世界各地,與其他人種混種繁衍,而形成今天的人類。例如,智人抵達中東和歐洲的時候,就會遇上尼安德塔人。這些尼安德塔人的肌肉更發達、腦容量更大、也更能適應寒冷的氣候。他們會用工具、已知用火、打獵技巧高明,而且還有鐵證,證明他們會照顧病人和弱者(考古學家從尼安德塔人的遺骸發現,有些人有嚴重的身體殘疾,但活了相當大的歲數,可見有親屬提供照料)。許多漫畫都把尼安德塔人描繪成愚笨又粗魯的「穴居人」,但近來的證據證明並非如此。

根據混種繁衍理論,智人來到尼安德塔人的地盤時,兩個人種開始互通、繁衍,直到合而為一。但如果真是如此,今天的歐亞人就不該是純種智人,而是智人和尼安德塔人的混血兒。同樣的,在智人抵達東亞的時候,也會和當地的直立人混血繁衍,因此今天的中國人和韓國人也該是智人與直立人的混血兒。

另一種完全相反的觀點,稱為**替代理論**(replacement theory),講的是雙方水火不容、互有反感、甚至是種族滅殺。根據這一理論,智人與其他人種的生理結構還是有所不同,不僅交配習性難以相合,甚至連體味都天差地別。所以,想要天雷勾動地火,簡直是天方夜譚。而且,就算有一個尼安德塔人的羅密歐、配上了智人的茱麗葉,但因為兩個人種在基因上相去太遠,也無法產下可繁衍的後代。於是,這兩個人種還是涇渭分明。而等到尼安德塔人不管是

自然滅絕、或是遭到屠殺，他們的基因也同樣灰飛煙滅。

　　就這種觀點看來，智人所做的，就是取代了所有先前的人種，而不是和他們混種繁衍。如果真是如此，現今所有的人類只要追本溯源，都該能夠一路追到七萬年前的東非，都是「純種」的智人。

▍基因定序的兩顆震撼彈

　　這兩種理論何者正確，會對後面的推論造成極大影響。從演化的角度來看，七萬年其實一點也不長。如果替代理論正確，也就是說，所有現代人類的基因池大致相同，現在我們看到的各種種族差異就小到無足掛齒。然而，如果混種繁衍理論正確，那麼可能在數百萬年前，就已經種下了現代非洲人、歐洲人和亞洲人之間的基因差異。這點可以說是政治上一觸即發的火藥，可能發展出爆炸性的種族理論。

　　最近數十年來，替代理論一直是這個領域的大致共識，這項理論不只背後的考古證據更可靠，也更為政治正確——如果說現代人類族群各有明顯的基因差異，幾乎可說就是打開了種族主義的潘朵拉盒子，而科學家可沒這打算。

　　然而，有一項為尼安德塔人基因組定序的研究結果在 2010 年底發表，卻掀起了一片驚濤駭浪。遺傳學家終於從化石裡蒐集到足夠的尼安德塔人 DNA，能夠和現代人類的 DNA 全面比較，而結果令科學界一陣嘩然。

　　原來，就現代中東和歐洲的人類而言，擁有 1% 到 4% 的尼安德塔人 DNA。雖然這百分比並不高，但意義卻很重大。幾個月之後，從西伯利亞的丹尼索瓦人的手指化石中，取得 DNA、完成定

地圖 1：智人征服全球

序，結果又投下了第二顆震撼彈：結果證明，居住在大洋洲的現代美拉尼西亞人及澳洲原住民，最高擁有 6% 的丹尼索瓦人 DNA。

　　如果這些結果屬實（請注意，目前後續研究都仍在進行，可能進一步證實、但也可能修改目前的結論），就證明混種繁衍理論至少有部分正確。但這也不是說替代理論完全錯誤。畢竟，尼安德塔人和丹尼索瓦人的基因，仍然只占了現代人基因組的一小部分，要說智人真的和其他人種有「混種」的情形，也是言過其實。雖然這些人種之間的差異，沒有大到完全阻絕了繁衍後代的可能，但已經足以讓他們彼此興趣缺缺，罕有往來。

　　這麼說來，智人、尼安德塔人和丹尼索瓦人在生物學上的親緣關係，究竟該如何解釋？顯然，他們並不是像馬和驢一樣完全不同的物種，但他們也不像鬥牛犬和西班牙獵犬是同一物種的不同族群。畢竟，現實的生物界限並不是非黑即白，而是有重要的灰色地

3.尼安德塔男孩的樣貌推測重建
　圖。基因證據顯示，至少某些
　尼安德塔人可能擁有白皙的皮
　膚、柔順的頭髮。

帶。只要是由共同的祖先演化出的物種（例如馬和驢），都曾有某
段時間就是同一物種的不同族群，像是鬥牛犬和西班牙獵犬。而必
然有某個時點，雖然這兩個族群的差異已達到一定程度，但仍然能
夠交配，產下有生育能力的後代。接著，經過又一次突變，才終於
切斷了最後的連結，於是從此真正成為兩種全然不同的物種。

　　現在看來，大約五萬年前，智人、尼安德塔人與丹尼索瓦人正
是站在那個臨界點上。當時的他們幾乎、但還不完全是各自獨立的
物種。我們將在下一章看到，智人與尼安德塔人和丹尼索瓦人不僅
在基因序和身體特徵方面已大為不同，甚至在認知能力和社會能力
方面也相去甚遠。然而，看來還是有那麼極少數的情形，讓智人與
尼安德塔人產下了有生育能力的後代。所以這麼說來，這兩種族群
並沒有混種的情形，而是有少數幸運的尼安德塔人基因搭上了這班
智人特快車的順風車。

但想想，在歷史上曾經有過這麼一段時間，我們智人居然可以跟另一種不同物種的動物交配，還能生小孩，實在叫人感到有點不安、或是毛骨悚然。

▌唯我獨尊

　　然而，如果尼安德塔人、丹尼索瓦人和其他人類物種並沒有與智人混種，那他們究竟去了哪？

　　有一種可能，就是被智人給逼上絕路了。想像一下，有某個智人的部落來到巴爾幹半島的某個山谷，這裡數十萬年以來，都是尼安德塔人的家園。新來的智人開始獵鹿，而尼安德塔人傳統上都是靠著採集堅果和漿果為生。正如我們在下一章將會提到的，由於智人的技術進步、社交技巧高，在狩獵和採集上也都更為熟練，於是族群迅速成長茁壯。相形之下，尼安德塔人就顯得左支右絀，發現生活愈來愈困苦，連餬口都難上加難。於是，他們的人口數逐漸下滑，逐步走向滅絕；而或許極少數的例外，就是有一兩個尼安德塔人最後也加入了智人族群，成為智人部落的一員。

　　還有另一種可能，認為資源競爭愈演愈烈，最後爆發了暴力衝突，導致種族滅絕。畢竟，寬容可不是智人的特色。即使到了現代，不過是因為膚色、方言、宗教等等微小的差異，就足以讓智人彼此大動干戈，非要把對方趕盡殺絕。而遠古的智人面對的可是完全不同的人類物種，又豈能期待他們更加寬容？很有可能，當智人碰上尼安德塔人的時候，就發生了史上第一次、也是最嚴重的一次種族淨化運動。

　　尼安德塔人（和其他人類物種）究竟發生了什麼事？這足以引發許多歷史上的想像。如果除了智人之外，尼安德塔人或丹尼索瓦人也同樣存活了下來，這世界會是什麼模樣？如果世界上同時有好幾個不同的人類物種，我們會有什麼樣的文化、社會和政治結構？

　　舉例來說，宗教信仰會是什麼樣子？《聖經》會不會說尼安德塔人也和智人一樣有靈魂？耶穌犧牲自己，會不會是為了要洗淨丹尼索瓦人的罪？《古蘭經》會不會對所有人類物種一視同仁，都為他們在天堂預留位置？孔子會不會說，我們對尼安德塔人和丹尼索瓦人也要己所不欲、勿施於人？尼安德塔人會不會在羅馬軍團中服役，又會不會也服侍著中國龐大的帝國王朝？〈美國獨立宣言〉所揭櫫而堅信的「人生而自由平等」，指的會不會是所有「人屬」的物種？馬克思會不會呼籲，所有人類物種的工人都該團結起來？

　　在過去一萬年間，智人已經太習慣自己是唯一的人類物種，很難接受其他可能性。對智人來說，沒有其他同屬人類的物種，就很容易讓人自以為是造物的極致，以為自己和其他整個動物界彷彿隔著一條護城河。於是，等到達爾文提出智人也不過是另一種動物的時候，有些人就大發雷霆。即使到現在，也還是有許多人不願這麼相信。

　　如果尼安德塔人尚未滅絕，我們真的還會以為自己是獨一無二的生物，與其他動物都不同嗎？

　　很有可能對智人來說，雖然尼安德塔人和自己相似到不足一提，但也相異到無法忍受。或許正是基於「非我族類，其心必異」的念頭，我們的祖先才決定將尼安德塔人趕盡殺絕。

▌趕盡殺絕

不論究竟智人是否是罪魁禍首，但每當他們抵達一個新地點，當地的原生人類族群很快就會滅絕。梭羅人最後的遺跡，大約是五萬年前。丹尼索瓦人在那之後不久，也絕跡了。至於尼安德塔人，是在大約三萬年前退出了世界舞臺。而到了一萬兩千年前，像小矮人般的人類也從弗洛瑞斯島上永遠消失。

他們只留下了一些骨頭、石器、少許還存在我們DNA裡的基因，以及許多懸而未解的謎團。他們的離去，也讓我們智人成了人類僅存的物種。

究竟智人勝出的祕訣為何？為什麼我們能如此迅速抵達各個遙遠而生態各異的棲地，而且落地生根？我們是怎麼將其他人類物種趕出世界舞臺？為什麼就連身強力壯、腦部發達、不怕寒冷的尼安德塔人，也無法擋住智人的屠殺？相關的爭辯必然會繼續。而目前最可能的解答，正是讓人得以辯論的原因，就是：智人之所以能征服世界，是因為有獨特的語言。

第2章

知善惡樹

第1章提過，雖然智人早在十五萬年前就已經出現在東非，但一直要到大約七萬年前，才開始大規模遷徙到其他地區，造成其他人類物種的滅絕。而在先前的幾萬年間，雖然智人的外表已經與我們十分神似、大腦容量也差堪比擬，但他們與其他人類物種相比，卻占不了任何優勢，也沒什麼特別了不起的工具，甚至沒什麼特殊表現。

事實上，智人與尼安德塔人的史上第一次衝突，贏家還是尼安德塔人呢！大約十萬年前，有幾群智人率先離開東非，向北遷徙到地中海東部，侵入了尼安德塔人的領土，但是沒能攻下這個領地。他們失敗的原因，可能是當地人過於強大，可能是由於氣候過於寒冷，也可能是因為對當地的寄生蟲無法適應。不論原因為何，總之智人最後就是黯然離去，而尼安德塔人仍然是中東的霸主。

正因為智人的外在表現實在乏善可陳，讓學者推測，這些智人的大腦內部結構很可能還是與我們不同。雖然看起來和我們一樣，但認知能力（學習、記憶、溝通）卻仍然十分受限。換句話說，想

教遠古智人說華語、接受馬克思主義教條、或是明白演化論,應該
都是緣木求魚。(不過,就算是我們想要學習他們的語言、理解他
們的思維方式,可能也同樣困難無比。)

然而到了七萬年前左右,智人彷彿整個脫胎換骨。大約在那個
時候,智人再次從非洲出擊。這一次,他們不只把尼安德塔人和其
他人類物種給趕出了中東,甚至還趕出了這個世界。沒多久,智人
的領地就到達了歐洲和東亞。大約四萬五千年前,不知道用什麼方
法,他們越過了海洋,抵達了從未有人類居住的澳洲大陸。在大約
七萬年前到三萬年前之間,智人發明了船、油燈、弓箭,還有想縫
製禦寒衣物不可缺少的針。而且,第一項確實能稱為藝術或珠寶的
物品,正是出現在這段期間;同時,也有了確切的證據,證明已經
出現宗教、商業和社會分層。

▌語言誕生

大多數研究人員相信,這些前所未有的重要成就,是因為智人
的認知能力有了革命性的發展。學者認為,這些造成尼安德塔人滅
種、移居澳洲、雕出施泰德獅人雕像(見第32頁)的智人,已經和
你我同樣聰明、有創意、反應靈敏。如果我們能遇到施泰德洞穴的
藝術家,應當已經可以學習彼此的語言了。我們能夠向他們解釋我
們知道的一切事物,不管是《愛麗絲漫遊奇境》的冒險情節、或是
量子物理的複雜理論;而他們也能告訴我們,他們如何看待和理解
這個世界。

就是在大約距今七萬年到三萬年前,智人出現了新的思維和溝
通方式,這也正是所謂的**認知革命**。會發生認知革命的原因為何?

我們無從得知。最普遍相信的理論認為，因為某一些偶然的基因突變，改變了智人的大腦內部連結方式，讓他們以前所未有的方式來思考、用完全新式的語言來溝通。這次突變，幾乎就像是吃了《聖經》裡那棵知善惡樹的果實一樣。

為什麼這只發生在智人的DNA、而沒有發生在尼安德塔人的DNA？我們現在只能說，這就是純粹的偶然。這裡比較重要的，並不是突變的原因，而是突變帶來的結果。智人的新語言究竟特別在哪，竟讓我們能夠征服世界？[1]

智人的語言並不是世界上的第一種語言。每種動物都有著某種語言。就算是蜜蜂或螞蟻這些昆蟲，也有極精密複雜的溝通方式，能夠告知彼此食物所在。甚至，智人的語言也不能說是第一種有聲的語言。因為許多動物，包括所有的猿類和猴類，都會使用有聲語言。例如，綠猴（green monkey）就有各種不同的喊叫方式，傳達不同的訊息。像是動物學家已經確定，綠猴的某種叫聲代表著「小心！有老鷹！」而只要稍微調整，就會變成「小心！有獅子！」

研究人員把第一種叫聲放給一群綠猴聽的時候，綠猴會立刻停下當時的動作，很恐懼的望向天空。而同一群綠猴聽到第二種叫聲（警告有獅子）的時候，牠們則是立刻衝到樹上。雖然說智人能發出的聲音種類比綠猴多，但鯨和大象也不遑多讓。

愛因斯坦能說的聲音，鸚鵡都能說，而且鸚鵡還能模仿手機鈴聲、捧門聲、還有警笛的尖嘯聲。當然，愛因斯坦有很多地方比鸚鵡強得多，但不論如何，語言這點可是遠遠不及。那麼，究竟人類

---

[1] 在此及以下章節中，我們講到智人的語言，指的是智人基本的語言能力，而不是特指某種語言或方言。可以說，不論是英語、印度語或華語，都是智人語言的一種變種。顯然，就算是在認知革命剛發生的時候，不同的智人族群，講的就是不同的方言。

的語言有什麼特別的地方？

　　最常見的理論，是認為人類語言最為靈活。雖然我們只能發出有限的聲音，但組合起來卻能產生無限多的句子，各有不同的涵義。於是，我們就能吸收、儲存和溝通驚人的訊息量，並瞭解我們周遭的世界。綠猴能夠向同伴大叫「小心！有獅子！」但現代人能夠告訴朋友，今天上午、在附近的河彎，她看到有一群獅子正在跟蹤一群野牛。而且，她還能確切描述出位置，或是有哪幾條路能夠抵達。有了這些資訊，她的部落成員就能一起討論，該怎麼逼近河邊，把獅子趕走，讓野牛成為自己的囊中物。

4. 從德國施泰德（Stadel）洞穴發現的象牙製「獅人」雕像（也有可能是「女獅人」，大約距今三萬兩千年）。雕像有著人身獅頭，這大概是最早能無疑認定為藝術的物品之一。同時，也最早證明人類可能出現了宗教，以及能夠想像出不存在的事物。

█ 八卦當道

　　第二種理論，也同意人類語言是溝通、描述這世界的方式；然而語言要傳遞的最重要訊息，不是關於獅子和野牛，而是關於人類自己。我們的語言發展成了一種傳播八卦的工具。根據這一理論，智人主要是一種社會性的動物，社會合作是我們得以生存和繁衍的關鍵。對於每個人來說，光是知道獅子和野牛的下落還不夠，更重要的，是要知道自己的部落裡誰討厭誰、誰跟誰在交往、誰很誠實、誰又是騙子。

　　就算只是幾十個人，想隨時知道他們之間不斷變動的關係現況，所需要取得並儲存的訊息量就已經十分驚人。（如果是個 50 人的部落，光是一對一的組合就可能有 1,225 種，而更複雜的其他社會組合更是難以計數。）雖然所有猿類都對這種社會訊息有濃厚興趣，但牠們並沒有頗有效的八卦方式。尼安德塔人與最早的智人很可能也有一段時間，沒辦法在背後說彼此的壞話。然而，如果一大群人想合作共處，「說壞話」這件事可是十分重要。大約在七萬年前，現代智人發展出新的語言技能，讓他們能夠八卦達數小時之久。這下，他們能夠明確得知自己部落裡誰比較可信可靠了，於是部落的規模就能夠擴大，而智人也能夠發展出更緊密、更複雜的合作形式。[2]

　　這種「八卦理論」聽起來有點扯，但其實有大量的研究結果，支持這種說法。即使到了今天，絕大多數的人際溝通（不論是電子郵件、電話、還是報紙專欄）講的都還是八卦。這對我們來說，真是再自然不過，就好像我們的語言天生就是為了這個目的而生的。

　　你認為一群歷史教授碰面吃午餐的時候，聊的會是第一次世界

大戰的起因嗎？而核物理學家在研討會中場茶敘的時候，講的仍然
是夸克？確實有時候如此，但更多時候其實講的都是：有哪個教授
逮到老公偷吃、有哪些人想當上系主任或院長，或說又有哪個同事
拿研究經費買了一臺Lexus轎車之類。

八卦通常聊的都是壞事。這些嚼舌根的人，正是最早的第四
權，就像記者總是在向社會大眾爆料，從而保護民眾免遭欺詐和占
便宜。

集體想像

最有可能的情況是，無論是八卦理論、或是「河邊有隻獅子」
的理論，都有大部分屬於事實。然而人類語言真正最獨特的功能，
並不在於能夠傳達關於鄰人或獅子的資訊，而是能夠傳達關於一些
根本不存在的事物的資訊。據我們所知，只有智人能夠表達從來沒
有看過、碰過、聽過的事物，而且講得煞有介事。

在認知革命之後，傳說、神話、神、以及宗教也應運而生。不
論是人類、或是許多動物，都能大喊：「小心！有獅子！」但是在
認知革命之後，智人就能夠說出：「獅子是我們部落的守護神。」

「討論虛構的事物」正是智人語言最獨特的功能。

大部分人都會同意：只有智人能夠談論並不真正存在的事物、
相信一些還不可能的事情。如果你跟猴子說，只要牠現在把香蕉
給你，牠死後就能上到猴子天堂、有吃不完的香蕉，牠還是不會放
手。但這有什麼重要？畢竟，虛構的事物可能造成誤導或分心，帶
來危險。某甲說要去森林裡找仙女或獨角獸，某乙說要去森林裡採
蘑菇或獵鹿，聽起來似乎某甲就是活命機會渺茫。而且，我們都知

道時間寶貴，拿來向根本不存在的守護神禱告，豈不是一種浪費？何不把握時間吃飯、睡覺、做愛？

然而，「虛構」這件事的重點不只在於讓人類能夠擁有想像，更重要的是可以大夥兒一起想像，編織出種種共同共享的虛構故事，不管是《聖經》的創世故事、澳洲原住民的「夢世紀」，甚至連現代所謂的「國家」其實也是一種想像。這樣的虛構故事賦予智人前所未有的能力，讓我們得以集結大批人力、靈活合作。

雖然一群螞蟻、一窩蜜蜂也會合作，但是方式死板，而且只限近親。至於狼或黑猩猩的合作方式，雖然已經比螞蟻靈活許多，但仍然只能和少數其他十分熟悉的個體合作。智人的合作則是不僅靈活，而且能和無數陌生人合作。正因如此，才會是智人統治世界，螞蟻只能運食我們的剩飯，黑猩猩更被關在動物園和實驗室裡。

黑猩猩的社會

黑猩猩可以說是人類的表親，牠們通常是幾十隻生活在一起，形成一個小族群。這些黑猩猩彼此十分親密，會一起打獵、攜手抵抗外面的狒狒、獵豹、或是敵對的黑猩猩。牠們有一種階層式的社會結構，掌權主導的幾乎一定是雄性的首領（alpha male）。首領出現時，其他黑猩猩無論公母都會低下頭、發出呼嚕聲，以展現服從；而這與人向皇帝叩首、高呼萬歲，倒也類似。首領會努力維持手下族群的社會和諧。兩隻黑猩猩吵架的時候，牠會介入，制止暴力。而沒那麼仁慈的一面在於：特別好的食物全部為牠所有，而且牠還會看管著，不讓階級太低的公猩猩與母猩猩交配。

如果兩頭公猩猩要爭奪首領地位，通常會在族群中不分公母、

各自尋求支持者，形成團體。團體成員的連結，就在於每天的親密接觸，像是擁抱、撫摸、接吻、理毛、相互幫助。就像人類的候選人在選舉的時候，得到處握握手、親親小嬰兒，如果哪隻黑猩猩想要爭奪首領寶座，也得花上許多時間擁抱、親吻黑猩猩寶寶，還要拍拍牠們的背。

很多時候，公猩猩能坐上首領寶座不是因為身體更強壯，而是因為領導的團體更龐大、也更穩定。至於團體的作用除了爭奪首領位置，更幾乎滲透到日常活動的所有方面面。同一團體的黑猩猩更常彼此相處、分享食物，並且在碰上麻煩的時候互相幫忙。

以這種方式形成並維持的黑猩猩族群，大小有明確的限度。這種做法要能運作，族群裡每隻黑猩猩都得十分瞭解彼此，如果都沒碰過面、沒打過架、沒互相理過毛，兩隻黑猩猩就不知道能不能互相信賴、對方值不值得幫助，也不知道誰的階層比較高。

在自然情況下，黑猩猩族群一般是由20到50隻黑猩猩組成。而隨著黑猩猩成員數量漸增，社會秩序就會動搖，最後造成族群分裂，有些成員就會離開，另組族群、另覓家園。只有在極少數情況下，曾有動物學家觀察到超過100頭的黑猩猩族群。至於不同的族群之間，不僅很少合作，而且往往還為了領地和食物，打得死去活來。研究人員就曾記錄到，在不同族群之間可能有長時間的對抗，甚至還有一個「種族屠殺」的案例，一群黑猩猩有系統的幾乎殺光了鄰近的另一群黑猩猩。[3]

類似的模式，很有可能也主導了早期各人類物種的社會生活，其中包括遠古的智人。人類也像黑猩猩一樣有著社會本能，讓我們的祖先們能夠形成友誼和階層，共同打獵或戰鬥。然而，人類的社會本能也和黑猩猩沒有什麼不同，只適用於比較親近的小團體。等

到這個團體過大，社交秩序就會崩壞，使團體分裂。就算有某個山谷特別豐饒，可以養活500個遠古的智人，但他們絕對沒辦法和這麼多不夠熟悉的人和平共處。他們要怎樣才能決定要由誰當首領、能在哪裡打獵、誰又能和誰交配呢？

▌共同信念

等到認知革命之後，智人有了八卦的能力，於是部落規模變得更大，也更穩定。然而，八卦也有限制。社會學研究指出，藉由八卦來維持的最大「自然」團體大約是150人。只要超過這個數字，大多數人就無法真正深入瞭解所有成員的生活情形。

即使到了今天，人類的團體還是繼續受到這個神奇的數字影響。只要在150人以下，不論是社群、公司、社會網絡、或是軍事單位，靠著大家都認識、彼此互通消息，就能夠運作順暢，並不需要定出正式的階層、職稱、規範。[4] 不管是30人的一個排，甚至是100人的一個連，其實只需要一丁點的軍紀來規範，就能靠著人際關係而運作正常。正因如此，在軍隊的某些小單位裡，老兵的權力往往要比士官更大，士官長的權勢往往又比尉級軍官更大。而如果是一個小型的家族企業，就算沒有董事會、執行長或會計部門，也能經營得有聲有色。

然而，一旦突破了150人的門檻，事情就大不相同了。如果是一個師的軍隊，兵數達到萬人，就不能再用帶一個排或一個連的方式來領導。而有許多成功的家族企業，也是因為規模愈來愈大、開始雇用更多人員的時候，就碰上危機，非得徹底重整，才能繼續成長下去。

所以，究竟智人是怎麼跨過這個門檻值，最後創造出了有數萬居民的城市、有上億人口的帝國？這裡的祕密很可能就在於虛構的故事。就算是大批互不相識的人，只要同樣相信某個故事，就能共同合作。

　　無論是現代國家、中世紀的教堂、古老的城市，或是古老的部落，任何大規模人類合作的根基，都繫於某種只存在於集體想像中的虛構故事。例如教會的根基就在於宗教故事。像是兩個天主教徒就算從未謀面，還是能夠一起踏上十字軍東征，或是一起籌措資金蓋起醫院，原因就在於他們同樣相信「神化身為肉體、讓自己被釘在十字架上，救贖我們的罪」。所謂的國家也是立基於國家故事。兩名互不認識的塞爾維亞人，只要都相信塞爾維亞的國家主體性、國土、國旗確實存在，就可能冒著生命危險拯救彼此。至於司法制度，也是立基於法律故事。從沒見過對方的兩位律師，還是能同心協力為另一位完全陌生的人辯護，只因為他們都相信法律、正義、人權確實存在。（當然，他們也相信律師費這筆錢確實存在。）

　　然而，以上這些東西，其實都只存在人類自己發明、並互相傳頌的故事裡。除了存在於人類共同的想像之外，這個宇宙中根本沒有神、沒有國家、沒有錢、沒有人權、沒有法律，也沒有正義。

▌寶獅汽車的傳說

　　如果我們說「原始人因為相信鬼神，每次月圓會一起聚在營火旁跳舞，於是也鞏固了他們的社會秩序」，這件事人人都覺得不難理解。但我們沒看出來的是，現代社會運作的機制，其實還是一模一樣。以現代商業領域為例，商人和律師其實就是法力強大的巫

師。不同於過去部落巫師之處，是現代人的故事還更扯。例如寶獅
汽車（Peugeot）的故事，就是很好的例子。

　　從巴黎到雪梨，現在許多汽車、卡車、摩托車的車前蓋上，都
有一個很類似施泰德獅人的「寶獅」商標。寶獅汽車是歐洲一家歷
史悠久、規模宏大的汽車製造商，起源於法國杜省的瓦朗蒂蓋伊縣
（Valentigney），距離施泰德洞穴只有三百公里遠。寶獅一開始只是
小型家庭企業，現在已是跨國大企業，全球員工達二十萬人、而且
多半完全互不相識。透過這些陌生人極有效率的合作，2008 年寶獅
製造超過一百五十萬輛汽車，營收約五百五十億歐元。

　　該以什麼標準，我們才能說寶獅公司（Peugeot SA）確實存在
呢？雖然路上有很多寶獅製造的車輛，但顯然這些車輛並不代表公
司。就算全世界所有的寶獅汽車同時遭回收、打成廢鐵，寶獅公司
也不會消失。寶獅公司還是能繼續製造新的汽車，繼續編寫出新的
財務年報。雖然公司有工廠、機器、展示大廳，也雇了技工、會計
師和祕書，但就算把這些全部加起來，也不等於就是寶獅公司。即
使來了一場災難，讓寶獅公司所有員工全部不幸罹難，毀了所有的
裝配線和辦公室，公司還是可以借貸、重新雇用員工、重新蓋起工
廠、重新購買機器。另外，雖然寶獅也有經營團隊和股東，但這些
人也不等於公司。就算解散經營團隊，股東也把所有股票售出，公
司本身依然存在。

　　然而，也不是說寶獅公司無堅不摧、不可能摧毀。只要有個法
官下令強制公司解散，雖然公司的工廠仍然存在，員工、會計師、
經理和股東也繼續活著，但寶獅公司就會消失了。簡單說來，寶獅
公司與這個世界，其實並沒有什麼實體的連結。那它究竟是不是真
的存在呢？

5. 寶獅的獅子商標

事實上，寶獅公司只是我們的一個集體想像，這種想像在法律上稱為**法律擬制**（legal fiction）。像是公司，它不是一個實體物件，我們沒辦法明確指著它。公司是以一種**合法個體**（legal entity）的方式存在。這種合法個體就像你我，會受到所在國家法律的管轄，可以開立銀行帳戶、擁有自己的財產，要納稅，也可能獨立於所有股東或員工之外而遭到起訴。

寶獅屬於法律擬制的「有限（責任）公司」。而在這些公司背後的概念，可說是人類一項巧妙無比的發明。在這之前，智人雖然已存在許久，卻一直沒想到這件事。歷史上大多數時候，必須是一個有血有肉、有兩條腿、還有個大腦的人類，才能擁有財產。

假設在十三世紀有個法國人尚恩，開了一間馬車製造工作室，那麼他本人就是工作室。如果他賣的馬車才跑了一個星期就壞了，買家心情不好，告的就是尚恩本人。而如果尚恩當初是借了1,000金幣成立工作室，如今挨告、店倒了，他還得要賣掉自己的財產（包括他的房子、他的牛、還有他的土地等等），以償還貸款；甚至孩子都可能會被賣去當奴隸。如果這樣還不足以償還債務，就有

可能被國家關進牢裡，或被債主抓去當奴隸。只要是工作室造成的任何責任，他就得要無上限完全承擔。

如果活在那個時代，創業前可能都得思考再三。這種法律規定絕對沒有鼓勵創業的效果，只會讓人不敢投入新業務、承擔經濟風險。畢竟，如果可能搞得自己家破人亡、家徒四壁，這巨大風險和可能的收益相比，哪能說划算？

正因如此，人類才一起想出了「有限公司」這種概念。在法律上，這種公司是獨立的個體，而不等於設立者、投資者或管理者。在過去幾世紀間，這種公司已經成為經濟主流，我們太習慣於這種概念，而忘了這只存在於我們的想像之中。「有限公司」的英文稱為 corporation，這點頗為諷刺，因為這個字的語源是 corpus（拉丁文的「身體」），而這正是有限公司所沒有的。雖然公司並沒有真正的實體，但在法律上，我們卻將它稱為**法人**（legal person），好像真的是有血有肉的人一般。

在1896年的時候，法國的法律就已經是這麼認定。當時阿爾芒・寶獅（Armand Peugeot）繼承了父母的鐵工廠，做的是彈簧、鋸子和腳踏車，但他決定要跨足汽車業。於是，他成立了一家有限公司。雖然公司的名字和他的姓一樣，但公司並不等於他本人。如果公司做的某部車出了意外，買家可以控告寶獅公司，但沒辦法告到阿爾芒・寶獅本人。如果公司借了幾百萬元而破產了，阿爾芒・寶獅本人一毛也不用付給公司的債主。畢竟，那筆貸款給的對象是寶獅公司，而不是阿爾芒・寶獅這個人。也因為如此，雖然阿爾芒・寶獅已經在1915年去世，但寶獅公司至今仍然生氣勃勃。

所以，究竟阿爾芒・寶獅這個人是怎麼創造出寶獅公司的？其實，這和歷史上許多祭司和巫師創造神魔的方式，殊無二致，而

且就算到了現在，許多天主教的教堂每次週日禮拜，也是用這一套法門，來創造出基督的身體。說穿了，就是講故事，再說服聽眾相信這些故事。以神父主持禮拜為例，這裡關鍵的故事就是天主教會所傳頌的基督降生及死亡。根據這個故事，如果天主教神父穿著聖袍，神態莊重的在對的時間說出對的話語，再平凡不過的麵包和葡萄酒，就會變成神的身體和血。神父大聲宣告「Hoc est corpus meum!」（拉丁文的「這是我的身體」），一轉眼，麵包就成了基督的身體。而只要見到神父莊嚴神聖的遵守、完成這些程序，數百萬虔誠的天主教徒也會行禮如儀，好像上帝真的現身於這些變得神聖的麵包和葡萄酒之中。

至於對寶獅公司來說，關鍵的故事就是法國的法律制度——這是由法國國會編寫的。根據法國國會的說法，只要經過認證的律師遵守所有適當的禮儀和儀式，在一張印飾得華華麗麗的紙上，寫下種種必須的咒語和誓言，再在文件底端龍飛鳳舞般簽上姓名，就在這一分這一秒，新公司註冊成立！

1896年，阿爾芒・寶獅想開一間自己的公司，於是他雇了一位律師，好完成這些神聖的過程。等到律師正確執行了一切的儀式、宣告所有必要的咒語和誓言，千百萬奉公守法的法國好公民，也就表現得好像寶獅公司確實是存在的實體一般。

然而，要說出有效的故事，其實並不容易。難的點不在於講故事而在於要讓人相信。於是，歷史上也就不斷圍繞著這個問題打轉：究竟某個人是如何說服數百萬人去相信神、相信民族、或是相信有限公司這些故事？

只要把故事說得很成功，就會讓智人擁有巨大的力量，因為這能使得數以百萬計的陌生人合力行事，為了共同的目標而努力。想

想看，如果我們的語言只能形容一些像是河流、樹林或獅子之類真實存在的事物，要建立國家、教會、或是法律制度，豈不是比登天還難？

▓ 生活在雙重現實之中

多年來，人類已經編織出了極其複雜的故事網路。在這個網路中，像寶獅公司這種擬制的故事不僅存在，而且力量強大。這種透過故事創造的東西，用學術術語來說就稱為「小說」、「假象」、「社會建構」、或「想像的現實」。然而，所謂想像的現實並不是「謊話」。如果我知道附近的河裡沒有獅子，我卻說有，這叫做謊話。不過，謊話其實也沒什麼大不了的，像是綠猴和黑猩猩也都會說謊。曾有科學家發現，有綠猴在附近沒有獅子的時候，發出了「小心！有獅子」的叫聲，把附近另一隻猴子嚇跑，好獨享某根牠看到的香蕉。

所謂「想像的現實」指的是某件事人人都相信，而且只要這項共同的信念仍然存在，力量就足以影響世界。施泰德洞穴的藝術家可能真的相信有獅人守護靈的存在。雖然也有些巫師是騙子，但多半都是真誠相信有神與魔的存在。至於億萬富翁，他們多數也是真誠相信世界上有金錢和有限公司。而對於活躍的人權主義者來說，他們也多半真誠相信人權的存在。雖然其實所謂聯合國、利比亞和人權，都只是我們想像出的概念，但在2011年，我們說聯合國要求利比亞政府尊重其公民的人權，並沒有人會認為這句話是謊言。

從認知革命以來，智人一直就生活在一種雙重的現實之中。一方面，我們有像是河流、樹木和獅子這種確實存在的客觀現實；另

43

一方面，我們也有像是神、國家和企業這種想像中的現實。隨著時間過去，想像的現實也日益強大；時到今日，河流、樹木和獅子想要生存，有時候還得仰賴神、國家和企業這些想像的現實行行好、放它們一馬。

繞過基因演化

透過語文創造出想像的現實，就能讓大批互不相識的人有效合作，而且效果還不只如此。正由於大規模的人類合作是以虛構的故事（也就是神話）做為基礎，只要改變所講的故事，就能改變人類合作的方式。

只要在對的情境之下，這些故事就能迅速發生變化。例如在1789年，法國人幾乎是在一夕之間，相信的故事就從「君權神授」轉成「主權在民」。因此，自從認知革命之後，智人就能依據不斷變化的需求，迅速調整行為。這等於是開啟了一條採用「文化演化」的快速道路，而不再停留在「基因演化」這條總是堵車的道路上。走上這條快速道路之後，智人合作的能力一日千里，很快就遠遠甩掉了其他所有人類和動物物種。

其他同樣具有社會行為的動物，牠們的行為有相當程度都是出於基因。但DNA並不是唯一的決定因素，其他因素還包括環境影響以及個體的特殊之處。然而，在特定的環境中，同一物種的動物也傾向於表現出類似的行為模式。一般來說，如果沒有發生基因突變，牠們的社會行為就不會有顯著的改變。

舉例來說，黑猩猩天生就會形成階層井然的團體，由某個雄性首領領導。然而，**巴諾布猿**（bonobo，與黑猩猩同為一屬）的團體

就較為平等，而且通常由雌性擔任首領。雌黑猩猩並無法向巴諾布猿這種算是近親的物種學習，發動一場女權主義革命。相較之下，雄性黑猩猩也不可能召開猩民大會推翻首領，再宣布從現在起所有黑猩猩生而平等。像這樣的劇烈改變，對黑猩猩來說就只有DNA改變，才可能發生。

　　出於類似的原因，遠古人類也沒有什麼革命性的改變。據我們所知，過去想要改變社會結構、發明新科技、或是移居到新地點，多半是因為基因突變、環境壓力，而不常是因為文化的理由。正因如此，人類才得花上幾十萬年，才走到這一步。兩百萬年前，就是因為基因突變，才讓「直立人」這種新的人類物種出現。而直立人出現後，也發展出新的石器技術，現在公認為是這個物種的定義特徵。而只要直立人沒有進一步的基因改變，他們的石器也就維持不變，就這樣過了兩百萬年！

　　相反的，在七萬年前的認知革命之後，雖然智人的基因和環境都沒再發生什麼重大改變，但還是能夠迅速改變行為，並將新的行為方式傳給下一代。最典型的例子，就是人類社會總會出現不生育的菁英階層，像是天主教的神父、佛教的高僧，還有中國的太監。這些菁英階層雖然手中握有權柄，但卻自願或被迫放棄生育，他們的存在根本就直接牴觸了天擇的最大原則。

　　看看黑猩猩，牠們的雄性首領無所不用其極，盡可能和所有母猩猩交配，這樣才能讓群體中多數的年輕猩猩，都歸自己所有。但天主教的首領卻是選擇完全禁慾，無子無女。而且，他們禁慾並不是因為環境因素，像是嚴重缺乏食物、嚴重缺少對象等等，也不是因為有了什麼古怪的基因突變。天主教會至今已存在上千年，靠的不是把什麼「禁慾基因」從這位教宗傳到下一位教宗，而是靠著把

《新約聖經》和教律所營造出的故事代代相傳。

　　換句話說，過去遠古人類的行為模式可能維持幾萬年不變，但對現代智人來說，只要十幾二十年，就可能改變整個社會結構、人際交往關係和經濟活動。像是有一位曾住在柏林的老太太，她出生於1900年，總共活了一百歲。她童年的時候，是活在威廉二世的霍亨佐倫王朝統治下的德意志帝國（1871-1918）；等她成年，還經歷了威瑪共和（1918-1933）、納粹德國（1933-1945），還有共產主義東德；等到她過世的時候，則是民主統一德國的公民。雖然她的基因從未改變，她卻經歷過了五種非常不同的社會政治制度。

遠距貿易

　　這正是智人成功的關鍵。如果是一對一單挑，尼安德塔人應該能把智人揍扁。但如果是上百人的對立，尼安德塔人就絕無獲勝的可能。尼安德塔人雖然能夠分享關於獅子在哪的資訊，卻大概沒辦法傳頌（和改寫）關於部落守護靈的故事。而一旦沒有這種建構虛幻故事的能力，尼安德塔人就無法有效大規模合作，也就無法因應快速改變的挑戰，調整社會行為。

　　雖然我們沒辦法進到尼安德塔人的腦子裡、搞清楚他們的思考方式，但我們還是有些間接證據，證明他們和競爭對手智人之間的認知能力差異與極限。考古學家在歐洲內陸挖掘到三萬年前的智人遺址，有時候會發現來自地中海和大西洋沿岸的貝殼。幾乎可以確定，這些貝殼是因為不同智人部落之間的遠距貿易，才傳到了歐陸內部。然而，尼安德塔人的遺址就找不到任何此類貿易的證據，每個部落都只用自己當地的材料，製造出自己的工具。[5]

另一個例子來自南太平洋。在新幾內亞以北的新愛爾蘭島，曾經住著一些智人，他們會使用一種叫做黑曜石的火山玻璃，製造出特別堅硬且尖銳的工具。然而，新愛爾蘭島並不產黑曜石。化驗結果顯示，他們用的黑曜石來自超過四百公里遠的新不列顛島。所以這些島上一定有某些居民是老練的水手，能夠進行長距離的島對島交易。[6]

乍看之下，可能覺得貿易這件事再實際不過，並不需要什麼虛構的故事當作基礎。然而，事實就是所有動物只有智人能夠進行貿易，而所有我們有詳細證據證明存在的貿易網，都明顯以虛構故事為基礎。例如，如果沒有信任，就不可能有貿易，而要相信陌生人又是一樁很困難的事。今天之所以能有全球貿易網，正是因為我們相信某些虛擬的實體，像是美元、聯邦準備銀行，還有企業行號的商標。而在部落社會裡，如果兩個陌生人想要交易，往往也得先從共同的神明、傳說中的祖先、或圖騰動物，來建立信任。

如果相信這些事的遠古智人，要交易貝殼和黑曜石，順道交易一些資訊應該也十分合理；這樣一來，比起尼安德塔人或其他遠古人類物種，智人就有了更深更廣的知識。

從狩獵技術也能夠看出尼安德塔人和智人的差異。尼安德塔人狩獵時通常是獨自出獵，或是只有一小群人合作。但是智人就發展出需要幾十個人、甚至不同部落合作狩獵的技巧。其中一種特別有效的方法，就是將野馬之類的整個動物群給圍起來，趕進某個狹窄的峽谷，就很容易一網打盡。如果一切計畫順利進行，只要合作一個下午，這幾個部落就能得到上噸的鮮肉、脂肪和獸皮，除了可以飽食一頓，也可以風乾、煙燻或冰凍，留待日後享用。考古學家已經發現多處遺址，都曾運用這種方式屠殺了整個獸群。甚至還有遺

址發現了柵欄和障礙物，做為陷阱和屠宰場之用。

我們可以想像，尼安德塔人看到自己過去的獵場成了受智人控制的屠宰場，心裡應該很不是滋味。然而，一旦這兩個物種發生衝突，尼安德塔人的情勢可能不比野馬好到哪去。尼安德塔人可能會用他們傳統的方式來合作，集結50人前往攻擊智人；但創新又靈活的智人卻能集結起500人，同心協力禦敵，於是輸贏早已注定。而且，就算智人輸了第一戰，他們也會快速找出新的策略，在下一戰討回來。

認知革命有什麼影響？

新能力	明顯的好處
能夠傳達更大量關於智人身邊環境的資訊。	規劃並執行複雜的計畫，像是躲開獅子、獵捕野牛。
能夠傳達更大量關於智人社會關係的資訊。	組織更大、更有凝聚力的團體，規模可達150人。
能夠傳達關於虛構概念的資訊，例如部落的守護神、國家、有限公司、以及人權。	1.大量陌生人之間的合作； 2.社會行為的快速創新。

歷史學之始

　　智人發明出了許許多多的想像現實，也因而發展出許許多多的行為模式，而這正是我們所謂「文化」的主要成分。等到文化出現，就再也無法停止改變和發展，這些無法阻擋的變化，就構成了我們說的「歷史」或「歷史學」。

　　於是，認知革命正是歷史學從生物學脫離而獨立存在的起點。在這之前，所有人類的行為都只稱得上是生物學的範疇，也有人喜歡稱為「史前史」（但我傾向避用這個詞彙，因為這種說法暗示了即使在認知革命之前，人類也是自成一格，與其他動物不同）。認知革命之後，我們要解釋智人的發展，依賴的主要工具就不再是生物學理論，而改用歷史敘事。就像是如果要理解為何儒家或共產主義能在中國傳播，光知道基因、荷爾蒙和生物這些知識還不夠，另外也得考慮到各種想法、圖像和幻想的互動才行。

　　然而，這並不代表智人從此就不再遵守生物法則。我們仍然是動物，我們的身體、情感和認知能力仍然是由DNA所形塑。而我們的社會建構其實也和尼安德塔人或黑猩猩相同，我們愈深入研究其中的成分（像是種種知覺、情感、家庭關係），就愈會發現，我們和其他猿類並沒有太大的差異。

　　然而，這只是就個體或家庭的層級來作比較時，才會說沒有太大差異。像是一對一、甚至十對十來作比較的時候，頗令人尷尬的是，人類還真的跟黑猩猩沒什麼兩樣。我們和黑猩猩的不同，是要在超過了150人的門檻之後，才開始顯現，而等這個數字到了1,000或2,000，差異就已經是天壤之別。如果我們把幾千隻黑猩猩放到天安門廣場、華爾街、聖彼得大教堂、或是聯合國總部，絕對會亂

得一塌糊塗。相較之下，我們智人在這些地方常常有數千數萬人的集會，我們也能參與規模更龐大的貿易網、慶典、政治活動，而且秩序井然；這些活動如果只有幾個人零零星星參與，是絕對做不到的。人類和黑猩猩之間真正不同的地方，就在於那些虛構的故事，像膠水一樣把千千萬萬的個人、家庭和群體結合在一起。這種膠水，讓我們成了萬物的主宰。

當然，人類還是需要其他技能，像是製造和使用工具。然而光是製造工具，衝擊力還不夠，製造工具之後，還得結合眾人之力才行。但究竟是為什麼，我們現在有了配備核彈頭的洲際彈道飛彈，然而三萬年前僅只有燧石做的矛？畢竟從那時候到現在，人類生理上製作工具的能力並沒有顯著改變。如果要愛因斯坦和遠古人類比賽狩獵或採集的敏捷靈巧程度，想必遠遠不及。

講到底，我們和遠古人類的不同處，就在於與大量陌生人合作的技術有了大幅提升。遠古要做出一把燧石矛，只要有一個人、靠著幾位親近的朋友提供建議和協助，就能在幾十分鐘內完成。但現代要做出核彈，需要全世界上百萬個互不相識的人互相合作，有的是礦工，得開採位於地底深處的鈾礦，也有的是理論物理學家，要寫出長串的數學公式來描述次原子粒子的交互作用。

▌石器時代的祖先究竟做過什麼事？

講到認知革命之後，生物學和歷史之間的關係，我們可以簡單整理成三點：

第一、基本上，生物學為智人的行為和能力設下了基本限制，像是定出了一個活動範圍，而所有的歷史都在這個範圍之內發生。

　　第二、然而，這個範圍非常大，能讓智人有各種驚人的發揮空間。因為智人擁有創造虛構故事的能力，就能創造出更多、更複雜的遊戲，代代相傳之下，也就不斷的發展精進。

　　第三、因此，想瞭解智人的行為，就必須描述人類行為的演化過程。光是考慮人類在生物學上的限制，就像是今天要去播報一場足球世界盃賽事，卻只不斷報導關於球賽場地的資訊，而對球員究竟做了什麼，卻隻字不提。

　　所以，在這個歷史的活動場域中，我們石器時代的祖先究竟做過什麼事，就十分重要了。據我們所知，三萬兩千年前刻出施泰德獅人雕像的人類，無論是身體、情感和智力，都與我們類似。但他們一早起床是先做什麼？他們的早餐和午餐吃些什麼？他們的社會是怎樣？他們也是一夫一妻、核心家庭嗎？他們有沒有什麼慶典、道德準則、體育競賽和宗教儀式？他們有戰爭嗎？

　　下一章就像是要從時間的簾幕後方，探頭偷瞧一眼，看看從認知革命後、到農業革命之前，這幾萬年的生活情況。

第**3**章

亞當和夏娃的一天

想要瞭解人類的天性、歷史和心理，就得想辦法回到那些狩獵採集的祖先頭腦裡面，看看他們的想法。在智人的歷史上，絕大多數的時間都是靠採集為生。但是在過去兩百年間，有愈來愈多智人的謀生方式是在城市裡勞動，整天坐辦公桌；而再之前的一萬年，多數的智人則是務農或畜牧；但不論如何，比起先前幾萬年都在狩獵或採集，現代的謀生方式在歷史上，不過都只像是一瞬間的事罷了。

演化心理學近來發展蓬勃，認為現在人類的各種社會和心理特徵，早從農業時代之前就已經開始形塑。這個領域的學者認為，即使到了現在，我們的大腦和心靈都還是以狩獵和採集的生活方式在思維。我們的飲食習慣、衝突和性慾之所以是現在的樣貌，正是因為我們還保留著狩獵採集者的頭腦，但所處的卻是工業化之後的環境，像是有超級城市、飛機、電話和電腦。在這樣的環境下，我們比前人享有更多物質資源、擁有更長的壽命，但又覺得疏離、沮喪而壓力重重。

演化心理學家認為，想瞭解背後的原因，我們就需要深入研究狩獵採集者的世界，因為那個世界其實現在還牢牢印記在我們的潛意識裡。

貪食基因

舉例來說，高熱量食物對人不好，但為什麼老是戒不掉？現今的富裕國家都有肥胖的問題，幾乎像瘟疫一樣蔓延，還迅速將魔爪伸向開發中國家。

如果我們不想想採集者祖先的飲食習慣，就很難解釋為什麼我們一碰到最甜、最油的食物就難以抵抗。當時他們住在草原上或森林裡，高熱量的甜食非常罕見，永遠供不應求。如果是三萬年前的採集者，想吃甜食只有一種可能：熟透的水果。所以，石器時代的女性一旦碰到一棵長滿甜美無花果的樹，最明智的做法就是立刻吃到吃不下為止，否則等到附近的狒狒也發現這棵樹，可就一顆也吃不到了。於是，這種想大口吃下高熱量食物的直覺本能，就這樣深植在我們的基因裡。就算今天我們是住在高樓大廈，家家戶戶的冰箱早就塞滿食物，但我們的DNA還記得那些在草原上的日子。正因如此，我們才會不知不覺就吃完一整桶的哈根達斯冰淇淋，可能還配上一大杯可口可樂呢。

這種貪食基因（gorging gene）的理論已經得到廣泛接受。至於其他理論，爭議性就大得多。例如有些演化心理學家認為，古代的採集部落主要並不是由一夫一妻的核心家庭組成，而是一群人共同住在一起，沒有私有財產、沒有一夫一妻的婚姻關係，甚至沒有父親這種身分的概念。在這樣的部落中，女性可以同時和幾個男人

（和女人）有性行為、形成親密關係，而部落裡的所有成年男女則是共同養育部落的小孩。正由於男人都沒辦法確定小孩是不是自己的，對所有孩子的教養也就不會有大小眼的問題。

這樣的社會結構並不是什麼新世紀的靈性烏托邦，很多動物都有這種社會結構，特別是黑猩猩和巴諾布猿這些我們的近親，更是如此。即使在今日，還是有些人類社會採用這種共同教養制，像是位於委內瑞拉的巴里印第安人（Bari Indians）社會，他們相信孩子不是生自某個特定男人的精子，而是媽媽子宮裡所有累積的精子的結合。所以，如果想當個好媽媽，妳就該和好幾個不同的男人做愛，特別是在想要懷孕的時候，就該找上那些最會打獵的、最會說故事的、最強壯的戰士、最體貼的愛人，好讓孩子擁有那些最好的特質（以及最佳的教養）。如果你覺得這聽起來實在太蠢，請記得其實是要到現代胚胎學研究發展之後，我們才有了確實的證據，證明孩子只可能有一個父親。

這種**遠古公社**（ancient commune）理論的支持者認為，我們看到現代婚姻常有不孕的困擾、離婚率居高不下、不論大人小孩都常有各種心理問題，其實都是因為現代社會逼迫所有人類採用一夫一妻的核心家庭，而這其實與我們的生物本能背道而馳。[7]

許多學者強烈反對這種理論，堅信一夫一妻制和核心家庭就是人類的核心行為。這些學者主張，雖然古老的狩獵採集社會比起現代社會更為平等而共有共享，但還是由獨立的單位組成，每個單位就是一對會嫉妒的情侶、加上他們的孩子。也因為如此，今天多數文化仍然採用一夫一妻的核心家庭，男男女女都對彼此和孩子有強烈的占有慾，而且像是北韓和前敘利亞這些現代的國家，政治權力還是父死子繼。

想要解決這方面的爭議、瞭解我們的性慾、社會和政治，就需要更瞭解我們祖先的生活條件，看看從七萬年前的認知革命到一萬兩千年前的農業革命之間，智人究竟是怎麼過生活的。

考古會有偏差

但遺憾的是，我們對於那些採集者祖先的生活，幾乎沒什麼可確定的事實。無論是「遠古公社」或「不變的一夫一妻制」，都提不出確切的證明。在這些採集者的年代，顯然不會有文字紀錄，而我們的考古證據主要也只有骨骼化石和石器。如果器具用的是木頭、竹子或皮革等等比較容易腐爛的材料，就只有在很特殊的情況下，才可能保存下來。

很多人以為在農業革命前的人類都只使用石器，其實這是因為*考古偏差*（archeological bias）造成的誤解。所謂的石器時代，其實說是「木器時代」還比較精確，當時的狩獵採集工具多半還是木製的。

如果光從目前留下來的文物，推斷遠古的狩獵採集生活，就會差之千里。遠古的採集生活與後來的農業生活和工業生活相比，最明顯的區別在於極少使用人造物品，而且這些人造物品對他們生活發生的作用，相對來說並不大。在現代的富裕社會中，任何人一生都會用到數百萬件人造物品，從車子、房子到拋棄式尿布和牛奶盒不一而足。不管任何活動、信念、甚至情感，幾乎都會有人造物品介入。像在飲食方面，相關的人造品就多到難以勝數，從簡單的湯匙和玻璃杯，到複雜的基因工程實驗室和巨大的遠洋漁船，都軋上一腳。至於玩樂也有大量的娛樂用物品，從怪獸卡到十萬人的體

育場都是如此。想要浪漫一下、雲雨一場，又怎麼能不提到戒指、床、漂亮的衣服、性感內衣、保險套、時尚餐廳、汽車旅館、機場貴賓室、婚宴大廳、婚禮顧問公司？至於讓我們靈性充滿、神聖非凡的宗教，則有佛教的佛塔、道教的廟宇、伊斯蘭教的清真寺、印度教的僧院、裝飾華美的經卷、色彩豔麗的法輪、祭司的祭袍、蠟燭、香、耶誕樹、墓碑，還有金光閃閃的各種標示。

除了要搬家的時候，我們幾乎不會感覺到原來身邊有這麼多東西。採集者每個月、每個星期都要搬家，甚至有時是每天都得搬，所有家當就背在身上。當時還沒有搬家公司或貨車，甚至連駝獸都還沒有，所以他們必須把生活必需品減到最少。因此可以合理推測，他們的心理、宗教和感情生活多半不需要人造物品的協助。

假設在十萬年後，有個考古學家想知道現在的穆斯林的信仰和儀式，只要看看從清真寺遺跡裡挖出的各種物品，就能有個大致合理準確的猜測。然而，我們若想要理解遠古狩獵採集者的信仰和儀式，卻是難上加難。同樣的，如果未來有個歷史學家，想瞭解二十一世紀臺灣年輕人的社交活動，靠的卻只有紙本書信（因為所有的手機電話、電子郵件、部落格、簡訊都不會以實體方式留存），可以想見那位歷史學家可能會遇上多大的問題。

所以，想光靠現存的文物來瞭解遠古狩獵採集生活，就是會有這種偏差。想解決這個問題，方法之一就是去研究目前尚存的採集社會。透過人類學的觀察手法，我們可直接研究這些社會。然而，想從這些現代採集社會推論遠古採集社會的樣貌，還是需要多加小心考慮。

首先，所有能存活到近代的採集社會，多少已受到附近的農業社會或工業社會影響，因此很難假設現在的樣子和幾萬年前相同。

其次，現代採集社會主要位於氣候惡劣、地形險峻、不宜農業的地區，像是在非洲南部的喀拉哈里沙漠，就有一些社會已經適應了這種極端條件。但如果要用這些社會來推論當時居住在長江流域這種肥沃地段的部落，就會有嚴重的偏差。特別是，喀拉哈里沙漠部落的人口密度遠低於遠古時期的長江流域，這對於部落人口規模與結構等關鍵問題，影響重大。

第三，狩獵採集社會最顯著的特點，就在於它們各有特色、大不相同。而且還不是說不同地區才有不同；即使在同一地區，仍然會是兩兩相異。一個很好的例子，就是歐洲人首次移居澳洲時，發現當地原住民之間有許多差異。在大英帝國征服澳洲之前，整個澳洲大陸的狩獵採集者大約有三十萬人到七十萬人，分成兩百個至六百個族群，每個族群又分成幾個部落。[8] 每個族群都有自己的語言、宗教、規範和習俗。像是在澳洲南部阿德雷德附近，就有幾個父系的家族，他們會依據所在領土為標準，結合成一個部落。相反的，在澳洲北部的一些部落則比較屬於母系社會，而人在部落裡的身分主要來自他的圖騰，而不是他的領土。

不難想像，到了農業革命前夕，地球上的狩獵採集者大約有五百萬到八百萬人，有豐富多元的種族和文化多樣性，分成幾千個不同的獨立部落，也有數千種不同的語言和文化。[9] 畢竟，語言和文化正是認知革命的主要成就。而正因為虛構故事已經出現，即使是在類似的生態、同樣的基因組成下出現的人類，也能夠創造出非常不同的想像現實，表現出來就成了不同的規範和價值觀。

例如，我們有充分的理由相信，三萬年前住在現在臺北的採集者，他們說的語言會和住在現在臺中的採集者大不相同。可能有某個部落比較好戰、某個部落比較愛好和平。有可能在臺北的部落採

用公有共享，而在臺中的部落則以核心家庭為基礎。臺北部落可能會花很長的時間把自己的守護靈刻成木像，而臺中部落則是用舞蹈來敬拜守護靈。前者也許相信輪迴，而後者則認為那是無稽之談。在某個社會可能同性的性關係沒什麼大不了，但在另一個社會就成了禁忌。

換句話說，雖然用人類學方式觀察現代的採集社會，可以幫助我們瞭解一些遠古採集社會的種種可能性，[2] 但這絕非全貌，而且可說絕大多數仍有如以管窺天。有人激烈爭辯智人的「自然生活方式」該是如何，其實並未打到重點。從認知革命之後，智人的「自然生活方式」從來就不只一種。真正存在的只有「文化選擇」，而種種選擇就像是調色盤，色彩繽紛炫目，令人眼花撩亂。

▌唯一的家畜

但是，講到農業革命之前的世界，究竟有什麼是我們能確定的普遍現象？或許我們可以很確定的說，當時大部分人都是生活在小部落裡，每個部落小則數十人，最大不過數百人，而且所有成員都是人類。最後一點似乎像是廢話，但事實絕非顯而易見。在農業社會和工業社會裡，其實家禽家畜的數量已不下於人類、甚至還超過人類，雖然地位低於主人，但仍然是社會中的一份子。譬如今天的紐西蘭，雖然智人的人數有450萬，但綿羊可是高達5,000萬隻。

只不過，這個通則還是有一個例外：狗。

---

[2] 說到遠古採集社會的「種種可能性」，講的是對於任何一個社會來說，根據其生態、技術和文化的限制，都有種種信仰、習俗和經驗，像是光譜一樣在他們眼前展開。無論是社會或個人，面對著世界上的種種可能，通常都只能探索到其中的一小部分而已。

6. 這是不是史上第一隻寵物？

在以色列北部發掘出一座一萬兩千年前的墓穴（現為史前人類博物館
Kibbutz Ma'ayan Baruch Museum），裡面有一具年約五十歲女性的骨骸，
旁邊還有一副小狗的骨骸（右上角）。小狗埋葬的位置與女人的頭部接
近，而且女人的左手還搭在狗的身上，看起來似乎有著某種情感聯繫。
當然這也能有其他的解釋，譬如說，這隻狗是一份禮物，要送給看守天
堂入口的看門人。

　　狗是第一種由智人馴化的動物，而且早在農業革命之前便已
發生。雖然專家對於確切的年代還有不同意見，但已有如山鐵證顯
示，大約一萬五千年前就已經有了家犬，而牠們實際加入人類生活
的時間，還可能再往前推數千年。

　　狗除了能狩獵、能戰鬥，還能擔當警報系統，警告有野獸或人
類入侵。時間一代一代過去，人和狗之間也一起演化，而能和對方

有良好的溝通。最能滿足人類需求、最能體貼人類情感的狗，就能得到更多的照顧和食物，於是也更容易生存下來。同時，狗也學會了如何操縱人類，好滿足牠們的需求。

經過這樣長達一萬五千年的相處，人和狗之間的理解和情感遠超過人和其他動物的關係。[10] 有些時候，甚至死去的狗也能得到厚葬，待遇與人類差堪比擬。

▌最早的漁村

另一方面，同屬一個部落的成員彼此相熟，終其一生都和親友相處在一起，幾乎沒什麼孤單的時刻，也沒什麼隱私。雖然與鄰近的部落偶爾也得爭奪資源，甚至大打出手，但也常有一些友好的往來，譬如：可能互換成員、一起打獵、交易罕見的奢侈品、結起同盟，還有一起慶祝宗教節日。這種合作是智人的一大重要特徵，也是智人領先其他人類物種的關鍵優勢。有時候，與鄰近部落的關係實在太良好，最後就結合為一，而有了共同的語言、共同的神話、共同的規範和價值觀。

然而，我們其實不該高估這種對外關係的重要性。就算鄰近的部落在危急時刻可能會密切合作，甚至平常偶爾也會一起打獵或慶祝，但各個部落絕大多數時間仍然是完全各行其事，遺世獨立。

講到交易，主要是限於拿來表示身分地位的物品，像是貝殼、琥珀、顏料等等。沒有證據顯示當時的人會交易像是水果或肉類之類的消費品，也看不出來有某個部落必須依賴從另一部落進口貨物而生存的證據。至於社會政治關係，也同樣只是零星有之。就算部落有季節性的集會場所，仍然稱不上是固定的政治架構，也沒有永

久的城鎮或機構。

　　一般來說，一個人很可能好幾個月之間，都只會看到自己部落裡的人，一輩子會遇見的人數也不過就是幾百。智人就像星星一樣，稀稀疏疏的撒布在廣闊的土地上。在農業革命之前，整個地球上的人類數量還比不上現在的大臺北地區。

　　大多數智人部落總是餐風露宿、不斷在遷徙——也就是不斷追逐著食物，從一地前往另一地。因為食物來源總是隨著季節更迭、動物每年的遷移路徑、植物生長週期……而有變化。一般來說，他們是在同一個區域裡來來回回，面積大約是幾十到幾百平方公里。

　　偶爾，可能是遇上自然災害、暴力衝突、人口壓力，又或是碰上某個特別有領袖魅力的首領，部落也可能走出自己原有的領域。這些流浪正是促成人類擴張到全球的動力。如果某個採集部落每四十年拆夥一次，新部落往東移一百公里，經過大約一萬年後，就會從東非抵達中國。

　　在某些特殊情況下，如果某地的食物來源特別豐富，原本因為季節性而前來的部落，也可能就此落腳，形成永久的聚落。另外，如果有了烘乾、煙燻、冷凍（在北極地區）食品的技術，也可能讓人在某地停留更久。最重要的是，在某些水產水禽豐富的海邊和河邊，人類開始建立起長期定居的漁村。這是歷史上第一次出現定居聚落，時間要遠早於農業革命。

　　最早的漁村有可能是在四萬五千年前，出現在印尼群島的沿海地帶。也很可能就是從這裡，智人開始了第一次的跨海事業：前進澳洲。

▌到處採集知識

在大多數的居住地，智人部落的飲食都是見機行事，有什麼吃什麼。他們會抓白蟻、採野果、挖樹根、追兔子，還會獵野牛和長毛象。雖然現在流行的講法都把他們形容成獵人，但其實智人生活主要靠的是採集，這不僅是主要的熱量來源，還能得到像是燧石、木材、竹子之類的原物料。

智人採集的可不只是食物和原物料，同時還有「知識」。為了生存，智人需要對所在地瞭若指掌。而為了讓日常採集食物的效率達到最高，他們也需要瞭解每種植物的生長模式，以及每種動物的生活習性。他們需要知道哪些食物比較營養、哪些有毒、哪些又能拿來治病。他們需要知道季節的變化，怎樣的天候代表雷雨將至、或是乾旱將臨。他們會細查附近的每條河流、每棵核桃樹、每個睡了熊的洞穴、還有每一處燧石的礦床。每個人都得知道怎樣做出一把石刀，如何修補裂開的斗篷，如何做出抓兔子的陷阱，還有該如何面對雪崩、蛇咬、或是饑腸轆轆的獅子。這裡面任何一種技能，都得花上好幾年的指導和練習。

一般來說，遠古的採集者只需要幾分鐘，就能用燧石做出一根矛頭。但等到我們現代人試著依樣畫葫蘆，卻常常是手忙腳亂、笨手笨腳。我們絕大多數的腦袋裡，都不知道燧石或玄武岩會怎樣裂開，手也沒有靈巧到足以執行這項任務。

換句話說，採集者對於他們周遭環境的瞭解，會比現代人更深更廣、也更多樣。現代的工業社會中，就算不太瞭解自然環境，也能順利存活。像是如果你是電腦工程師、保險業務員、歷史老師、或是工廠工人，你真的需要瞭解自然環境嗎？現代人必須專精於自

身小領域的知識，但對於其他生活中的必需，絕大多數都是倚靠其他各領域的專家，每個人懂的都只限於自己的那一小方天地。就整體而言，現今人類所知遠超過遠古人類。但在個人層面上，遠古的採集者是有史以來，最具備多樣知識和技能的人類。

有證據顯示，自從採集時代以來、直到現代，智人的腦容量其實是逐漸減少的！[11] 不難理解，要在採集時代存活下來，每個人都必須要有高超的心智能力；而等到農業和工業時代開展，人類開始能依靠別人的技能生存下來，就算是低能力的人也開始有了生存空間。例如只要肯挑水、或是當個生產線的工人，就能活下來，並把自己那些平庸無奇的基因，傳衍下去。

採集者不只深深瞭解自己周遭的動物、植物和各種物品，也很瞭解自己的身體、感官和內心世界。他們能夠聽到草叢中最細微的聲響，知道裡面是不是躲著一條蛇。他們會仔細觀察樹木的枝葉，找出果實、蜂窩和鳥巢。他們總是以最省力、最安靜的方式行動，也知道怎樣坐、怎樣走、怎麼跑才能最靈活、最有效率。他們不斷以各種方式活動自己的身體，讓他們就像馬拉松選手一樣精瘦。就算現代人練習再多年的瑜伽或太極，也不可能像他們的身體一樣柔韌靈動。

▌最初的富裕社會

狩獵採集的生活方式依地區、季節都有所不同，但整體而言，比起後來的農夫、牧羊人、工人或上班族，他們的生活似乎要來得更舒適，也更有意義。

在現代的富裕社會，平均每週的工時是40到45小時，開發中

國家則是60小時以上、甚至到80小時；但如果是狩獵採集者，就算住在最貧瘠的地區（像是喀拉哈里沙漠），平均每週也只需要工作35到45小時。他們大概只需要每三天打獵一次、每天採集3到6小時。一般時期，這樣就足以養活整個部落了。而很有可能大多數的遠古採集者居住的，都是比喀拉哈里沙漠更肥沃的地方，所以取得食物和原物料所需的時間還要更少。最重要的是，這些採集者可沒什麼家事負擔。他們不用洗碗、不用吸地毯、不用擦地板、不用換尿布，也沒帳單得付。

這樣的採集經濟，能讓大多數人過著比農業社會或工業社會更有趣的生活。像是現在，如果在中國的血汗工廠工作，每天早上大約七點就得出門，走過飽受汙染的街道，進到工廠後，整天都用同一種方式不停操作同一臺機器，時間長達十小時，叫人心靈整個麻木。等到晚上七點回家，還得再洗碗、洗衣服。

而在三萬年前，如果是在中國的採集者，可能是大約早上八點離開部落，在附近的森林和草地上晃晃，採採蘑菇、挖挖根莖、抓抓青蛙，偶爾還得躲一下老虎。但等到中午過後，他們就可以回到部落煮午餐。接下來還有大把的時間，可以聊聊八卦、講講故事，跟孩子玩，或者就是放鬆放鬆。當然，有時候是會碰上老虎或蛇沒錯，但另一方面來說，當時倒也不用擔心車禍或工業汙染。

在大多數地方、大多數時候，靠著採集就已經能夠得到充分的營養。這其實很合理，畢竟這正是人類在先前數十萬年間的正常飲食，人體早就完全適應、而且如魚得水。骨骼化石的證據顯示，遠古時期的採集者比較少有飢餓或營養不良的問題，而且比起後來的農業時代，他們身高較高，也比較健康。雖然平均壽命顯然只有三十歲至四十歲，但這主要是因為當時兒童早夭的情形十分普遍，把

平均壽命的數值給往下拉了。只要能活過危機四伏而意外頻傳的童年時期,當時的人就大多能活到六十歲,有的甚至還能活到超過八十歲。

我們看看現代的採集社會,就知道了:只要女性能活到四十五歲,大概再活個二十年都不是問題,而總人口的 5% 至 8% 也都活到超過六十歲。[12]

採集者之所以能夠免受飢餓或營養不良的困擾,祕訣就在於多樣化的飲食。相較之下,之後農民的飲食往往種類極少,而且還不均衡。特別是在近代,許多農業人口都依靠單一作物為主要熱量來源,可能是小麥、馬鈴薯、稻米之類,這樣一來就會缺少其他人體所必要的維生素、礦物質或其他養分。例如在中國偏遠鄉間的傳統典型農夫,早上吃飯、中午吃飯,晚上吃的還是飯。而且還得夠幸運,第二天才能吃到同樣的這些東西。相較之下,遠古的採集者通常都會吃到數十種不同的食物,他們可能早餐吃漿果和蘑菇,中餐吃水果、蝸牛和烏龜,晚餐則是來份野兔排佐野生洋蔥。至於第二天,菜單又可能完全不同。正因為這樣的多樣性,確保了遠古的採集者能吸收到所有必須的營養成分。

此外,也因為採集者不依賴單一種類的食物,就算某種食物來源斷絕了,影響也不會太大。但如果是農業社會,一旦來場乾旱、火災、大地震,把當年的稻米或馬鈴薯摧毀殆盡,就會引發嚴重的饑荒。雖然採集社會還是難以倖免於自然災害,而且也會碰上食物短缺或饑荒的情形,但通常他們處理起來就是比較游刃有餘。如果主要食物短缺,他們可以去採集其他食物或狩獵其他動物,又或是直接遷徙到受影響較小的地區。

此外,遠古採集者也較少碰到傳染病的問題。農業和工業社會

的傳染病，多半來自家禽家畜，像是天花、麻疹和肺結核，但這些傳染病要等到農業革命之後，才會傳到人類身上。對於遠古的採集者來說，狗是唯一會近距離相處的動物，並沒有這些問題。此外，農業社會和工業社會的永久居住環境通常非常緊密局促，但衛生條件又不佳，正是疾病的理想溫床。至於遠古的採集者，他們總是一小群一小群在廣闊的大地上漫遊，疾病很難形成流行。

當時的世界同樣殘酷無情

正因為這些在農業時代之前的採集者，擁有健康和多樣化的飲食、相對較短的工作時數、也少有傳染病發生，使得許多專家將這種社會定義為「最初的富裕社會」。只不過，倒也不用把這些古人的生活想得太浪漫、太過美好。雖然他們的生活品質可能比起農業社會和工業社會更佳，不過當時的世界同樣殘酷無情，常常遇到物資匱乏、時節難過、兒童死亡率高——現在看來沒什麼大不了的小意外，當時可能就會輕易致命。

這些漫遊採集者的部落裡，人人關係親密，對大多數人來說可能是好事，但對那些少數惹人厭的成員來說，日子可就不好過了。偶爾，若有人年老力衰、或是有肢體殘疾，無法跟上部落的腳步，還會遭到遺棄、甚至殺害。如果嬰兒和兒童被視為多餘，就可能遭屠殺，而且宗教獻祭也偶有聽聞。

在巴拉圭叢林裡，曾有一個狩獵採集部落「亞契人」（Aché）存活到1960年代，他們讓我們得以一窺採集生活的黑暗面。根據亞契人的習俗，如果某位有價值的部落成員死亡，就要殺一個小女孩陪葬。人類學家訪問亞契人，得知某次有個中年男子病倒了，無

法跟上其他人的腳步，就被拋棄在路旁的樹下。當時樹上還有禿鷹等著想飽餐一頓。但那位男子鼓起精神、霍然痊癒，用輕快的腳步重新回到部落行列。他的身上還沾覆著鳥屎呢，結果綽號從此變成「禿鷹屎」。

如果某個亞契女性已經年紀太大，成了部落的負擔，部落裡的年輕男子就會潛伏在她背後，找機會一斧頭砍進她的腦子裡。曾有一個亞契人，告訴人類學家他在叢林裡的黃金年代：「我常常殺老女人，我殺過我的阿姨嬸嬸姑姑她們……女人都怕我……但現在跟這些白人在一起，我也變弱了。」如果新生兒沒有頭髮，會被認為是發育不良，必須立刻殺死。就有一位婦女回憶說，她的第一個女兒就是被活活打死的，原因只是部落裡的男人已不想再多個女孩。而另一次，有個男人殺了個小男嬰，起因只是他「心情不好，小孩又哭個不停。」甚至有個小孩遭活埋，原因是「那玩意看起來怪怪的，其他小孩也會笑它。」[13]

然而，也別太快就對亞契人下定論。人類學家與他們同居共處多年之後，認定在亞契成年人之間的暴力其實非常罕見。無論男女都可以自由改變伴侶。他們總是樂天知命且愉快，部落裡不分地位高低，想頤指氣使的人，通常就會受到排擠。雖然他們擁有的物質不多，但卻非常慷慨，而且不會執著於成功和財富。在他們的生活裡，最看重的就是良好的人際互動，還有真正的友誼。[14]雖然他們會殺害兒童、病人、老人，但他們想法的本質，其實和今日許多人贊成墮胎和安樂死，也沒有兩樣。

另外還該提的一點是，巴拉圭的農夫獵殺亞契人的時候，可是毫不手軟的。或許正因為亞契人必須迅速逃離這些敵人的魔爪，所以如果有成員可能造成部落的負擔，他們也就無法仁義以待。

事實是，亞契社會其實就像任何一個人類社會一樣複雜難解。我們要小心不能只有了膚淺的認識，就斷然將其妖魔化或理想化。亞契人既不是天使、也不是魔鬼，不過就是人類。同樣的，遠古的狩獵採集者，就是和我們一樣的人。

▍泛靈信仰

對於遠古狩獵採集者的精神和心理生活，我們知道些什麼？基於某些可量化的客觀因素，我們或許可以重建一些狩獵採集型經濟的基本架構。例如，我們可以計算每人為了生活，一天需要多少卡路里，一公斤的核桃可以提供多少卡路里，而一平方公里的森林又能提供多少核桃。有了這些數據，就能夠猜測核桃在他們飲食中的相對重要性。

只不過，遠古的狩獵採集者究竟是把核桃當作珍饈佳餚、還是無趣的主食？他們相不相信，核桃樹有樹靈？他們覺不覺得核桃樹葉很漂亮？如果當時有一對男女想約會，核桃樹蔭下究竟算不算浪漫？講到思想、信仰和感情，想一探究竟的難度絕對非同小可。

多數學者都同意，遠古的採集者普遍有泛靈信仰（animism，源自拉丁文的anima，意為靈魂或精神）。泛靈信仰者相信，幾乎任何一個地點、任何一隻動物、任何一株植物、任何一種自然現象，都有其意識和情感，並且能與人類直接溝通。因此，對泛靈信仰者來說，山上的一顆大石頭也可能會有欲望和需求。人類可能做了某些事就會觸怒這塊大石，但也有可能做某些事能取悅祂。這塊大石可能會懲罰人類，或要求奉獻。而人類也能夠安撫或略加威脅這塊石頭。

還不僅是石頭，不管是山邊的小溪、山腳下的橡樹、附近的小樹叢、林間的噴泉、通往噴泉的小徑、啜飲著泉水的田鼠、狼和烏鴉，也都有靈的存在。對泛靈信仰者來說，還不只實體的物品或生物有靈，甚至連非物質也有靈，像是死者的鬼魂、以及各種友善和邪惡的靈（也就是我們所說的天使、精靈和惡魔）。

泛靈信仰者認為，人類和其他的靈之間並沒有障礙，可直接透過言語、歌曲、舞蹈和儀式來溝通。所以獵人可以向一群鹿喊話，要求其中一頭犧牲自己。狩獵成功的時候，獵人可能會請不幸喪生的動物原諒他。有人生病時，薩滿巫師可以呼告造成疾病的靈，試著勸祂或恐嚇祂離開。有需要的時候，薩滿巫師還能請求其他靈的幫助。泛靈信仰的一個特點，在於所有的靈都位於當場當地，不是什麼萬能的神，而是某隻特定的鹿、某棵特定的樹、某條特定的小溪、某個特定的鬼魂。

此外，泛靈信仰者還認為，人類和其他靈之間沒有地位高下之別。非人類的靈之所以存在，並不是為了滿足人類的需要，祂們也不是什麼把全世界操之在手的萬能的神。這個世界可不是為了人、為了任何生命、或為了特定的靈而運轉的。

泛靈信仰並不是某個特定的宗教，而是數千種不同宗教、邪教或信仰的通稱。之所以都稱為泛靈信仰，是因為他們對於世界的看法、對於人類的定位所見略同。而我們說遠古的採集者應該屬於泛靈信仰者，就好像說在前現代的農民是「有神論者」一樣。**有神論**（theism，源自希臘文的theos，意為神）認為，宇宙的秩序繫於一小群超凡的實體（神）和人類之間的地位高下關係。

雖然說「前現代的農民往往是有神論者」這件事千真萬確，但光是這樣講，還不夠清楚。一般典型的有神論，包山包海。有神論

者包括十八世紀波蘭的猶太教拉比、十七世紀麻薩諸塞州要焚燒女巫的清教徒、十五世紀墨西哥阿茲特克的祭司、十二世紀伊朗的蘇菲神祕教派、十世紀的印度教戰士、二世紀祆教的商人，或是種種中國民間信仰的善男信女。

所有這些有神論者，都認為別人的信仰和儀式是詭怪的異端。而泛靈信仰者（遠古的狩獵採集者）的種種信仰和儀式，彼此之間的差異恐怕也不亞於此。遠古採集者的宗教經驗很可能也是動盪不安，充滿爭議、改革和革命。

我們小心歸納出這些通則，但大致上也只能做到這個程度了。想再深入描述遠古時代的精神靈性，都會淪為假設猜測，因為我們幾乎沒有證據能夠佐證；即使是那些極少數的文物和洞穴繪畫，也能有各種不同的詮釋方式，提供不了確切的佐證。有些學者聲稱，自己能夠知道採集者當時的感受；但我們從他們的理論中能夠瞭解的，與其說是石器時代的宗教觀，還不如說是他們的偏見。

面對各種墓穴文物、壁畫、骨頭雕像，與其猜測出堆積如山的種種理論，還不如坦然承認，我們對於遠古採集者的宗教，就只有一些模糊不清的概念罷了。我們假設他們是泛靈信仰者，但這能告訴我們的並不多。我們不知道他們向什麼神靈祈禱、慶祝什麼節日，也不知道他們遵守什麼戒律。最重要的是，我們不知道他們說了什麼故事。這是我們想瞭解人類歷史的一大空缺和遺憾。

採集者已有社會政治規範

對於採集者的社會政治世界，我們的所知同樣幾近於零。如同前面說過的，學者甚至連最基本的面向，都還無法達到共識，像是

私有財產、核心家庭、一夫一妻制等等是否存在。很有可能各個部落各有不同結構，有些階級井然，有些彈性較大。

在俄羅斯的索米爾（Sungir），考古學家於1955年發現了一處三萬年前的墓地遺址，屬於一種狩獵長毛象的文化。在其中一個墓

7. 法國拉斯科洞穴（Lascaux Cave）大約一萬五千年前至兩萬年前的一幅壁畫。我們究竟看到了什麼？這幅畫的意義又是什麼？

有些人認為畫中是一個鳥頭人身的男子，陽具勃起，正遭到野牛殺害。在男人下方是另一隻鳥，可能象徵著靈魂，在人死亡的那一瞬間由身體得到釋放。如果真是如此，這幅畫敘述的就不只是普通的狩獵意外，而是前往來世的過程。但我們無法判斷這些猜測究竟是否正確。這就像是羅夏克墨漬測驗（Rorschach inkblot test），主要能看出的是現代學者的偏見，而不是遠古採集者的信仰。

穴,他們發現一具年約五十歲的男性骨架,蓋著長毛象象牙珠串,總共約有3,000顆。死者戴著以狐狸牙齒裝飾的帽子,手腕上還有25只象牙手鐲。其他同個墓地的墓穴裡,陪葬物品的數量都遠遠不及該墓穴。學者推斷,索米爾長毛象獵人社群應該階級十分明顯,該名死者也許是部落的首領,甚至是幾個部落共同的領導者。畢竟光靠單一部落的幾十位成員,不太可能製作出這麼多的陪葬品。

考古學家後來還發現了一個更有趣的墓穴,裡面有兩具頭對頭的骸骨。一個是大約十二、十三歲的男孩,另一個是大約九或十歲

8. 狩獵採集者於大約九千年前,在阿根廷的「手洞」(Hands Cave)留下了這些手印。看起來,這些主人逝去已久的手印,似乎正從岩石裡向我們伸來。這可能是遠古採集者留下最感動人心的遺跡之一,但我們沒人知道這究竟想傳達什麼意義。

的女孩。男孩身上蓋著5,000顆象牙珠子，戴著狐狸牙齒裝飾的帽子，皮帶上也有250顆狐狸牙齒（這至少得用上60隻狐狸的牙）。女孩身上則有5,250顆象牙珠子。兩個孩子身邊滿是各種小雕像和象牙製品。就算是熟練的工匠，大概也需要45分鐘，才能做出一顆象牙珠。換句話說，要為這兩個孩子準備這些超過一萬顆的象牙珠，會需要大約7,500小時的精密加工，就算是一位經驗豐富的工匠，也得足足花上超過三年！

要說這兩個索米爾的孩童年紀輕輕，就已經證明自己是充滿威嚴的領導者或長毛象獵人，無疑是天方夜譚。所以，唯有從文化信仰的角度出發，才能解釋為什麼他們能得到這樣的厚葬。第一種理論是他們沾了父母的光。也許他們是首領的子女，而他們的文化相信家族魅力，又或是有嚴格的繼承順位規定。至於第二種理論，則是這兩個孩子在一出生的時候，就被認定為某些祖先靈魂轉世降生。還有第三種理論，認為他們的葬禮反映的是他們的死法，而不是在世時的地位。有可能這是一個犧牲陪葬的儀式（可能做為首領安葬儀式的一部分），所以才會格外隆重盛大。[15]

不管正確答案為何，這兩具索米爾的孩童骨骸無疑證明，三萬年前的智人已經發明了一些社會政治規範，不僅遠超出我們DNA的設定，也超越了其他人類和動物的行為模式。

▍和平天堂、還是戰爭煉獄？

最後還有一個棘手的問題，就是「戰爭」在採集者的社會扮演了什麼角色？有些學者主張，遠古的狩獵採集社會應該是和平的天堂，認為要到了農業革命之後，民眾開始累積私有財產，才開始有

戰爭和暴力。也有學者主張，早在遠古的採集時代，就已經有各種
殘忍和暴力的情事。

　　然而，由於我們靠的只有極少數的考古文物、和對現代採集社
會的人類學觀察，這兩派學說可說都只是空中樓閣。

　　雖然現代人類學的觀察十分耐人尋味，但卻問題重重。現在
的採集者主要都住在北極或喀拉哈里沙漠這種偏遠和荒涼的地區，
當地人口密度非常低，需要和他人作戰的機率微乎其微。此外，近
幾代的採集社會愈來愈受到現代國家操控干擾，也避免了爆發大規
模衝突的可能。歐洲學者只曾有過兩次機會，能夠觀察到採集社會
形成較大、人口密度相對較高的情形：一次是十九世紀在北美洲西
北部，另一次是十九世紀到二十世紀初在澳洲。而不管是前一次的
美洲印第安人、或是後一次的澳洲原住民，都發生了頻繁的武裝衝
突。然而，我們仍然無法確定這究竟代表無論古今未來都會如此，
又或只是受了歐洲帝國主義的影響。

　　目前的考古發現不僅數量少，也還模糊不明。就算在幾萬年前
曾經發生戰爭，現在究竟還能留下什麼線索？當時沒有防禦工事、
沒有城牆、沒有炮彈，甚至也沒有劍或盾牌。雖然古老的矛頭可能
用於戰爭，但也可能只是用於狩獵。即使能找到人骨化石，也幫不
上多大的忙。發現有骨折，可能代表戰爭中受的傷害，但也有可能
只是意外。而且就算沒有骨折，也無法確定某位遠古人士絕非死於
非命。畢竟，光是傷到軟組織也足以致命，但不會在骨頭上留下任
何痕跡。更重要的是，在工業時代之前，戰亂中有90%以上的死者
其實是餓死、凍死、病死，而不是直接被武器攻擊而死。

　　想像一下，如果在三萬年前有一個部落遭到鄰近部落擊敗，10
名成員戰死，而剩下的人則被趕出平常採集維生的領地。接下來的

一年裡，被趕走的成員又有100名死於飢餓、寒冷和疾病。這麼一來，等到考古學家發現這110具遺骨，很容易就會誤以為他們是死於自然災害。但我們又怎麼能知道，他們是死於無情的戰爭呢？

有了這種心理準備之後，我們可以開始檢視手上已有的考古證據。曾經有三項研究，同樣研究了在農業革命前夕喪命的遺骨，很巧合的，遺骨數量都是400具。第一項研究在葡萄牙，只發現2具明顯死於暴力傷害。第二項在以色列，所有和人為暴力有關的證據更是只有某一具頭骨上有一條裂痕，如此而已。但第三項研究的是多瑙河谷的多處遺址，在這裡的400具遺骨中，共有18具顯示曾受到暴力傷害。18/400或許聽起來並不多，但其實這比例已經相當高了。假設這18人確實都死於暴力傷害，代表遠古多瑙河谷約有4.5%的死亡率是由人為暴力所引起。而在現在，就算把戰爭和犯罪加在一起，全球因為人為暴力引起的死亡，平均也只占1.5%而已。

在二十世紀，我們曾目睹最血腥的戰爭、規模最龐大的種族屠殺，但即使如此，這個世紀因為人為暴力而死亡的百分比，也只有5%。所以，如果多瑙河谷的這項研究顯示了典型的情況，遠古多瑙河谷暴力肆虐的情形就和二十世紀差堪比擬。[3]

多瑙河谷的發現已經十分令人難過，但偏偏還有一些來自其他地區的研究，也得出了同樣的結果。

在蘇丹的捷貝爾撒哈巴（Jabl Sahaba）一地，曾發現一處一萬兩千年前的墓地，裡面有59具遺骨。其中有24具的骨骸裡或附近，發現了箭鏃和矛頭，共占所有遺骨的40%。其中一具女性遺骨

---

[3] 有人可能會說，就算遠古多瑙河谷有些遺骨上有暴力痕跡，也不見得就是死因。有些人可能只是受傷而已。然而，因為也有些人可能是軟組織受創、或是因為戰爭帶來的資源剝奪而致死，這些都不會出現在遺骨上，因此這兩種情況或許能互相抵消。

共有12處傷痕。

而在德國巴伐利亞的歐夫內特洞穴（Ofnet Cave），考古學家也發現38具採集者的遺骨被丟進兩個墓穴中，主要是婦女和孩童。這些遺骨有一半（包括兒童、甚至嬰兒），都明顯有受到人類武器傷害的痕跡，包括棍棒和刀。至於少數成年男性的骨骸，則可發現受到最嚴重的暴力攻擊。最有可能的，就是在歐夫內特洞穴曾經有一整個採集部落遭到屠殺。

那麼，究竟哪個更能代表遠古的採集社會？是以色列和葡萄牙那些看來生活和平的遺骨，還是在蘇丹和德國那些人間煉獄？答案是兩者皆非。我們已經看到，採集社會可能有許多不同的宗教和社會結構，可以預測他們也同樣有不同的暴力傾向。可能在某些時期，某些地區一片平靜祥和，但在其他地區卻是動亂不斷。[16]

沉默的歷史帷幕

講到遠古的採集生活，如果我們連宏觀景象都難以重建，想要重塑特定事件就更是難如登天。智人部落首次進入尼安德塔人居住的山谷之後，接下來的幾年間，很可能就發生了許多轟轟烈烈的歷史大事。

但很遺憾的是，這樣的事件幾乎不會留下任何痕跡，頂多就是極少數的骨骼化石和石器，而且不論學術界如何竭力追問，它們仍然只會保持沉默。從這些物件裡，我們可以知道當時人類的身體構造、工藝技術、飲食，甚至是社會結構，但卻看不出他們是否與相鄰的智人部落結成政治聯盟，是否有先人的靈魂保佑著這個部落，是否會偷偷將象牙珠送給當地的巫醫、祈求神靈庇祐。

這幅沉默的帷幕就這樣罩住了幾萬年的歷史。在這些年間，可能有戰爭和革命，有靈性激昂的宗教運動，有深刻的哲學理論，有無與倫比的藝術傑作。採集者之中，可能也出過像是成吉思汗這種所向披靡的人物，不過統治的帝國還沒有新加坡的面積大；或許也出過天才貝多芬，雖然沒有交響樂團，卻能用竹笛發聲，教人潸然淚下；又或是出了像穆罕默德一樣的先知，不過他傳達的是當地某棵櫟樹的話，而不是什麼全宇宙的造物主。

所有這些，我們全部只能靠猜測。這幅沉默的帷幕如此厚重，我們連這些事情是否曾經發生過，都難以斷定，遑論詳細描述。

學者常常只會問那些他們在合理範圍內能夠回答的問題。如果我們無法發展出新的研究工具，可能就永遠無法瞭解遠古採集者究竟有什麼信仰，或是他們經歷過怎樣的政治體制。然而，我們必然需要問一些目前還沒有解答的問題，否則就等於是對認知革命之後這七萬年歷史中的六萬年視而不見，只以為「當時的人沒做過什麼重要的事」。

但事實是，他們做了許多非常重要的事情。特別是他們還形塑了我們現在的世界，程度之大，出乎許多人意料之外。現在有探險家跋涉前往西伯利亞苔原、澳洲中部沙漠、亞馬遜雨林，以為自己走進了一片從無人類踏及的原始環境。但這只是錯覺。即使是最茂密的叢林、最荒涼的曠野，其實遠古採集者都早已到達過，而且讓環境起了極大的變化。

下一章就會提到，早在第一個農村形成之前，採集者是如何讓地球的生態改頭換面。整個動物界從古至今，最重要、也最具破壞性的力量，就是這群四處遊蕩、講著故事的智人。

第4章

毀天滅地的人類洪水

在認知革命前，所有人類物種都只住在亞非大陸上。確實，他們也曾靠游泳、或是紮些簡單的木筏，抵達少數的鄰近島嶼。像是弗洛瑞斯島（見第13頁），早在八十五萬年前便已有人居住。但當時他們還沒辦法冒險前往遠洋，沒人到過美洲或澳洲，也沒人到過像是日本、臺灣、馬達加斯加、紐西蘭和夏威夷之類較遠的島嶼。

海洋所阻絕的不只是人類，還有許多亞非大陸上的動植物，都到不了這個「外面的世界」。因此，在像是澳洲和馬達加斯加這些遠方的大陸和島嶼上，該地的生物獨自演化了數百萬年，於是無論外形和天性，都和牠們的亞非遠親相當不同。相當長的一段時間，地球可分為幾個不同的生態系，各由獨特的動植物組成。但這種情形即將因為智人而畫下句點。

在認知革命之後，智人得到新的技術、組織能力、甚至是眼界，能夠走出亞非大陸，前往外面的世界。他們的第一項重大成就，就是在大約四萬五千年前殖民澳洲。為了解釋這件事，可是讓專家學者煞費苦心。因為若要到達澳洲，人類得跨過許多海峽，有

些寬度超過一百公里,而且抵達之後,他們還得幾乎立刻適應當地
的生態環境。

最合理的理論認為,大約四萬五千年前住在印尼群島的智人,
發展出了第一個能夠航海的人類社會(印尼群島由亞洲大陸向外延
伸,每個島嶼間只有狹窄的海峽相隔)。他們學會了如何建造及操
縱能在海上航行的船隻,開始前往遠洋捕魚、貿易、探險。這對於
人類的能力及生活型態來說,都帶來了前所未有的變革。其他能夠
進到海裡的哺乳動物,都是經過長期演化、發展出專門的器官和符
合流體力學的身形,才能進到海裡,例如海豹、海牛、海豚等等。
然而,印尼的智人祖先就是在非洲草原上的猿人,既沒有長出鰭、
也不用像鯨一樣等著鼻孔一代一代慢慢移到頭頂去,而是做出船
來,並學習如何操縱。正是這些技能讓他們能夠移居澳洲。

確實,考古學家到現在還沒找到四萬五千年前的筏、槳、或是
漁村;而且遠古的印尼海岸線現在深深沉在一百公尺的海面下,要
尋找也十分困難。但還是有些可靠的間接證據,可支持這種理論,
其中之一就是在智人移居澳洲後的數千年間,智人還殖民了澳洲北
方許多獨立的小島,譬如布卡島(Buka)和馬努斯島(Manus),距
離最近的陸地也有兩百公里遠。如果沒有先進的船隻、高明的航海
技術,很難相信有人能夠前往馬努斯島殖民。正如第2章提到的,
我們也有證據證明:當時像是在新愛爾蘭島和新不列顛島之間,有
定期的海洋貿易。[17]

新的航海技能並不只限於西南太平洋,大約在三萬五千年前,
就有人類抵達日本,而在大約三萬年前,就有人抵達臺灣。對這兩
個地方而言,殖民者都得越過廣大的海洋,而這在先前的幾十萬年
間,都還是不可能的任務。

▊ 澳洲大屠殺

　　在歷史上，人類首次抵達澳洲絕對算是大事一件，重要性不亞於哥倫布抵達美洲、或是阿波羅十一號登上月球。這是人類第一次成功離開亞非大陸生態系，也是第一次有大型陸生哺乳動物能夠從亞非大陸抵達澳洲。更重要的是，這些人類先驅究竟在這片新世界幹了什麼好事——打從狩獵採集者首次登上澳洲海灘的那一刻，就等於宣告智人攀上了食物鏈的頂端，也從此成為地球史上最致命的物種！

　　在這之前，雖然人類有些創新的調整和作為，但他們對環境還沒什麼太大的影響。雖然他們能夠遷移到各種不同地點、而且成功適應當地環境，但並不會大幅改變新的棲地環境。而這些前往澳洲的移居者（其實是征服者），所做的不只是適應當地環境，而是讓整個澳洲生態系起了天翻地覆的變化。

　　人類首次登上澳洲沙灘，足跡隨即被海浪沖走。但等到這些入侵者進到內陸，他們留下了另一種足跡，而且再也洗刷不去。他們推進的時候，彷彿進到奇特的新世界，滿是從未見過的生物。像是有兩百公斤重、二公尺高的袋鼠，還有當時澳洲最大型的掠食者袋獅（marsupial lion），體型就像現代的老虎一樣大。樹上有當時大到不太可愛的無尾熊，平原上則有不會飛的鳥在奔馳，體型足足是鴕鳥的兩倍。至於在灌木叢裡，則有像惡龍般的蜥蜴和蛇，邊滑行、邊發出嘶嘶聲。森林裡則有巨大的雙門齒獸（Diprotodon）四處遊蕩，外型就像袋熊，不過體重足足有兩噸半。

　　除了鳥類和爬蟲類之外，澳洲當時所有的動物都是像袋鼠一樣的有袋動物，會先生下幼小、無助、就像胚胎一樣的年輕後代，再

在腹部的育兒袋中哺乳照顧。有袋哺乳動物在非洲和亞洲幾乎無人知曉，但牠們在澳洲可是最高的統治階層。

但不過幾千年後，所有這些巨大的動物都已消失殆盡。在澳洲當時24種體重在50公斤以上的動物中，有23種都慘遭滅絕，[18]許多比較小的物種也從此消失。整個澳洲的生態系食物鏈重新洗牌，這也是澳洲生態系數百萬年來最重大的一次轉型。智人是不是罪魁禍首？

▍罪名成立

有些學者試著為人類脫罪，把這些物種滅絕的責任推給氣候變遷（常常都是靠它來頂罪）。但要說智人完全無辜，實在難以令人置信。澳洲巨型動物滅絕，有三大證據顯示氣候很難成為藉口，而指向人類難辭其咎。

第一點，雖然澳洲氣候確實在四萬五千年前有一場改變，但規模幅度並不大。光是這樣小小的氣候變遷，實在很難相信能造成如此大規模的滅絕。我們現在常常把很多事情都推給氣候，但事實是地球的氣候變遷從未停歇，每分每刻都在變化，歷史上不管哪個事件，多少都會碰上一些氣候變遷的情況。

特別是地球早就有過許多次的冷卻和暖化循環。在過去百萬年間，平均每十萬年就有一次冰河期，上一次冰河期大約是七萬五千年前到一萬五千年前，而且並不特別嚴重，兩次高峰分別在大約七萬年前和兩萬年前。然而，澳洲巨大的雙門齒獸早在一百五十多萬年前便已出現，活過了至少十次的冰河期，甚至連七萬年前的那次冰河期高峰也安然無恙。那麼，為什麼到了四萬五千年前就突然滅

種了？當然，如果雙門齒獸是當時唯一滅絕的大型動物，可能就純粹是運氣問題。然而，當時除了雙門齒獸之外，全澳洲超過90%的巨型動物也同樣滅絕了。雖然我們只有間接證據，但是要說這麼湊巧，智人就這樣在所有巨型動物都死於嚴寒的時候，來到澳洲，實在很難令人信服。[19]

第二點，如果是氣候變遷導致物種大滅絕，海洋生物受到的打擊通常也不亞於陸地生物。然而，我們找不到任何證據顯示在四萬五千年前，海洋生物有顯著的滅絕情形。但如果是因為人類之故，就很容易解釋為何這波滅種潮只襲捲了澳洲陸地，放過了附近的海洋。雖然人類的航海技術已經大幅提升，但畢竟主要還是生活在陸地上。

第三點，類似澳洲這種生物大滅絕的情事，在接下來的幾千年還不斷上演，時間點碰巧都是在人類又再次移居外面世界的時候。這些情況在在證明智人罪證確鑿！以紐西蘭的巨型動物為例，牠們經歷大約四萬五千年前的那場氣候變遷，幾乎未受影響，但等到人類一踏上紐西蘭，就遭到毀滅性的打擊。大約在八百年前，紐西蘭的第一批智人殖民者毛利人，踏上這片土地。不過幾個世紀，當地大多數巨型動物、以及六成的鳥類物種，都慘遭絕種的命運。

在北極海的弗蘭格爾島（Wrangel Island，位於西伯利亞海岸以北200公里），當地的長毛象也遭到同樣的厄運。曾有幾百萬年時間，長毛象的足跡踏遍幾乎整個北半球，但隨著智人從亞非大陸擴張到北美，牠們的棲地就不斷縮小。到了大約一萬年前，全世界幾乎再也沒有長毛象了，最後的棲地只剩下幾個偏遠的北極島嶼，其中以弗蘭格爾島最為蓬勃。長毛象在弗蘭格爾島又存活了數千年之久，直到大約四千年前突然滅絕。時間又是正值人類第一次抵達。

如果澳洲的物種滅絕只是單一事件，對於人類的無辜或許我們還能姑且信之。但翻開歷史紀錄，班班可考，智人看來就是生態的連環殺手。

滅絕之因

最初移居澳洲的智人，手頭上只有石器時代的技術，他們究竟是怎麼搞出這場生態浩劫的？以下有三種解釋，合情合理。

第一種解釋，在於大型動物（也就是澳洲物種滅絕的主要受害者）繁殖十分緩慢。不僅懷孕期很長、每次懷胎數少，而且懷孕期之間相隔也久。因此，就算人類每幾個月才獵殺一隻雙門齒獸，也可能讓雙門齒獸的死亡數高過出生數。於是不到幾千年，就會看到最後一隻雙門齒獸孤單死去，而整個物種也就此滅絕。[20]

而且，雖然雙門齒獸身形巨大，但要獵殺並非難事，原因就在於牠們對於人類的襲擊根本來不及防衛。各種「人屬」物種在亞非大陸上潛伏演化了兩百萬年，不斷磨練狩獵技能，而且從大約四十萬年前，便開始獵捕大型動物。不過，亞非大陸上的巨獸都已得到教訓，懂得保持距離，以策安全。所以等到最新一代的掠食者「智人」出現在亞非大陸的時候，大型動物都已經懂得要避開長相類似的人屬生物。相較之下，澳洲的巨型動物可說完全沒有時間學會該趕快逃跑。畢竟人類看起來似乎不太危險，既沒有又長又鋒利的牙齒，也沒有特別結實或敏捷的身體。而雙門齒獸可是史上體型最大的有袋動物，所以牠第一次看到這隻長相弱不禁風的猿類，大概只會瞟上一眼，就繼續回去嚼樹葉了。對這些動物來說，需要靠演化才能學會懼怕人類，但時間根本不夠，牠們轉眼便已滅絕。

　　第二種解釋，認為智人抵達澳洲的時候已經掌握了火耕技術。於是，面對這樣一個陌生而危險的環境，他們會刻意燒毀難以跨越的茂密灌木叢和森林，將地貌變為開闊的草原，以吸引更容易獵捕的獵物，適合飲食男女的需求。於是，智人在短短幾千年內，就徹底改變了澳洲大部分地區的生態環境。

　　這種說法有植物化石紀錄做為佐證。在四萬五千年前，桉屬植物在澳洲只是少數。但等到智人來到，就開創了桉屬植物的黃金時代。因為桉屬植物特別耐火，所以在其他樹種燒得灰飛煙滅之後，就剩下它獨霸天下。這些植被變化之後，就會影響到草食性動物，進而影響肉食性動物。例如以桉屬尤加利葉為生的無尾熊，就隨著桉屬植物領域的擴張，開心的邊嚼邊進到新領地。但是大多數其他動物可就大受打擊了。澳洲有許多食物鏈就此崩潰，其中比較脆弱的環節也因而滅絕。[21]

　　第三種解釋，雖然也同意狩獵和火耕有顯著影響，但強調還是不能忽視氣候因素。大約在四萬五千年前，襲擊澳洲的氣候變遷讓整個生態系失衡，變得特別脆弱。但畢竟這早有先例，所以在正常情況下，生態系應該還能慢慢適應恢復。但人類就是出現在這節骨眼上，於是將這個已經脆弱的生態系推進了無底深淵。而對於大型動物來說，氣候變遷加上人類狩獵，可說如同四面楚歌，令牠們難以抵擋。一下面對如此多重的威脅，實在很難找出真正良好的生存之道。

　　如果沒有進一步的證據，我們很難說究竟這三種解釋哪個更有道理。但就是有充分的理由讓我們相信，如果智人沒去到澳洲，現在我們就還能看到袋獅、雙門齒獸，還有巨型袋鼠，在這片大陸上逍遙自在。

侵入美洲

澳洲巨型動物群的滅絕，可能正是智人足跡踏離亞非大陸之外的第一件明顯標誌。而之後在美洲又有一場更大的生態災難。在所有人類物種裡，只有智人踏上了西半球的土地，時間大概是在一萬六千年前，也就是大約西元前一萬四千年。

智人最早是步行抵達美洲的，因為當時海平面較低，在西伯利亞東北端，還有陸地與阿拉斯加的西北端相連。但這段路也沒聽起來這麼簡單，一路上艱難重重，並不比跨海抵達澳洲來得容易。在這一路上，首先得學會如何抵禦西伯利亞北部的酷寒，這裡的冬季是永夜，溫度會降到零下50度。

在這之前，從來沒有人屬的物種能夠通過西伯利亞北部這種地方。即使是較能抗寒的尼安德塔人，也還是待在南邊比較溫暖的地區。然而對智人來說，雖然他們的身體習慣的是非洲的大草原，而不是冰雪紛飛的極地，但他們卻能想出巧妙的解決辦法。智人的採集部落四處遷徙，來到較冷的地區就學會了做雪鞋，也學會用針把獸皮和獸毛層層縫緊，成為保暖衣物。他們發明了新型武器和高明的狩獵技巧，讓他們能夠追蹤、獵殺在遙遠北方的長毛象和其他大型動物。由於有了保暖衣物、狩獵技巧也有改進，智人就愈來愈勇於冒險、深入冰凍的區域。隨著他們逐漸北遷，衣物、狩獵策略和其他生存技能也不斷提升。

但他們究竟為什麼要這麼麻煩，自願把自己放逐到西伯利亞？對某些部落來說，或許是因為戰爭、人口壓力或自然災害，迫使他們北移。但向北走也不是全無好處，像是能取得動物蛋白，便是其

一。北極的土地到處都是大型而肥美的動物，例如馴鹿和長毛象。每隻長毛象都能提供大量的鮮肉（而且因為當地溫度低，甚至可以冰凍，留待日後食用）、美味的脂肪、溫暖的毛皮，還有寶貴的象牙。索米爾（見第72頁）的調查結果發現，長毛象獵人可不是在極地苟延殘喘，而是過得意氣風發、舒適愜意。

　　隨著時間過去，這些部落開枝散葉、不斷擴張，繼續追逐著長毛象、乳齒象、犀牛和馴鹿。大約在西元前一萬四千年，有些部落就這樣從西伯利亞東北，來到了阿拉斯加。當然，他們並不知道自己發現了一片新世界。不論對於長毛象或對人類來說，阿拉斯加不過就是西伯利亞的自然延伸罷了。

　　一開始，阿拉斯加和美洲其他地區之間被冰河隔開，可能頂多只有一、兩個獨立的探險者，曾經到過更南邊的土地。但是到了西元前大約一萬兩千年，全球暖化融冰，出現了一條比較容易通過的通道。藉由這條新通道，人類大舉南遷，走向整片美洲大陸。雖然他們一開始習慣的是在極地狩獵大型獵物，但他們也迅速適應了遠為不同的多種氣候和生態系。這些來自西伯利亞的後裔，定居到現在的美國東部、密西西比河三角洲的沼澤、墨西哥沙漠，還有中美洲的熱帶叢林。有些人還到了亞馬遜河流域落地生根，也有的定居在安地斯山谷，或是阿根廷開闊的彭巴大草原。而且，這一切不過是短短一、兩千年間的事！

　　等到西元前一萬年，人類已經來到了美洲大陸最南端的火地群島，他們能在美洲這樣如同閃電戰一般橫行無阻，正證明了智人已有無與倫比的聰明才智和適應能力。在這之前，沒有任何其他動物能夠在基因幾乎毫無改變的情況下，這樣快速遷移到如此大不相同的環境當中。[22]

罪魁禍首

智人來到美洲，絕非什麼善男信女，而是造成血流成河，受害者多不勝數。在一萬四千年前，美洲的動物物種遠比今天豐富。智人首次從阿拉斯加南下，來到加拿大的平原和美國西部時，除了會遇上長毛象和乳齒象，還會有像熊一樣大小的囓齒動物、一群又一群的馬和駱駝、巨型的獅子，還有其他數十種巨型動物，但現在都已全部絕跡，其中包括可怕的劍齒虎，還有重達八噸、站立起來高達六公尺的巨型地懶（ground sloth）。至於南美還令人更加目不暇給，各種大型哺乳動物、爬蟲類和鳥類，讓人彷彿置身奇特非常的動物園。整個美洲曾經就像是演化的巨大實驗室，各種在亞非大陸上未曾得見的動植物，都在此繁衍茁壯。

可惜好景不再。智人抵達後不過兩千年的時間，大多數這些獨特的物種就全部慘遭毒手。根據目前的估計，就在這短短兩千年的時間裡，北美原本有足足47屬的各類大型哺乳動物，其中34屬已經消失；南美更是在60屬之中失去了50屬。像是劍齒虎，原本活躍了超過三千萬年，卻幾乎在瞬間滅絕，其他像是巨型地懶、巨型獅子、美洲的本土馬和本土駱駝、巨型囓齒動物和長毛象，也都未能倖免。另外，還有成千上萬的小型哺乳動物、爬蟲類、鳥類，甚至昆蟲和寄生蟲，也同樣慘遭滅絕（譬如長毛象絕種之後，各種長毛象蜱自然只能共赴黃泉）。

幾十年來，古生物學家和動物考古學家（研究動物遺骨的學者）在整個美洲平原和山區四處探訪，尋找遠古駱駝的骨骼化石和巨型地懶的糞便化石。每當一有發現，這些珍貴的寶物就會經過

仔細包裝、送至實驗室，接下來，每一根骨骼化石、每一塊**糞化石**（coprolite，沒想到這也有專有名詞吧）都會受到仔細的研究。一次又一次，這些分析都指向相同的結果：與目前年代最接近的糞球或駱駝骨骼，大概就屬於人類如洪水般襲捲美洲的那段期間，也就是大約西元前一萬兩千年到九千年。只有在唯一一個地方，科學家還能找到更晚近的糞球：在加勒比海群島的幾個島上，特別是古巴和伊斯帕尼奧拉島，年代大約是西元前五千年。這也正是人類第一次成功越過加勒比海，抵達這兩座大島的時間。

同樣的，有些學者還是試著為智人找藉口，認為這一切都是氣候變遷所造成（但他們就得好好解釋，是什麼神祕的原因，才讓整個西半球氣候暖化的時候，加勒比海群島的氣候卻能硬生生再穩定了七千年）。然而就美洲而言，這可說是鐵證如山。我們人類就是罪魁禍首，這點絕對無法迴避。就算氣候變遷也助紂為虐，但人類無疑是整起案件的主謀。[23]

▌人類大洪水

如果我們把在澳洲和美洲發生的生物大滅絕，合起來計算，再加上智人在亞非大陸擴張時造成的小規模物種滅絕（包括其他人屬物種的絕跡），還有遠古採集者來到偏遠島嶼（如古巴）帶來的物種滅絕，可能的結論只有一個：智人的第一波殖民，正是整個動物界最大、也最快速的一場生態浩劫。其中受創最深的是那些大型、毛茸茸的動物。

在認知革命發生的時候，地球上大約有200屬體重超過50公斤的大型陸生哺乳動物。而等到農業革命的時候，只剩下大約100

屬。換句話說,甚至遠在人類還沒有發明輪子、文字和鐵器之前,智人就已經讓全球大約一半的大型獸類,魂歸西天、就此滅絕。

而在農業革命之後,這種生態浩劫還要經過無數次小規模的重演。在一座又一座島嶼上發掘的考古證據,都看到同一齣悲劇一再上演。在這齣劇的第一幕,舞臺上總是遍布豐富多樣的大型動物族群,並沒有任何人類的足跡。第二幕,我們看到一具人骨、一根矛頭、或是一塊陶片,告訴我們智人已來到此地。劇情很快來到第三幕,舞臺中心只剩下人類的男男女女,而多數的大型動物、以及許多小型動物,都已經黯然退場。

距離東非大陸約四百公里,有一座大島:馬達加斯加。這裡有一個著名的例子。島上的物種經過數百萬年的隔離,展現獨一無二的風貌,像是象鳥,高三公尺、重約半噸而無法飛翔,這是全球最大的鳥類,另外還有巨狐猴,這是全球最大的靈長類。但是在大約一千五百年前,象鳥、巨狐猴、以及馬達加斯加島上多數的大型動物都突然消失,而這正是人類第一次踏上馬達加斯加的時間。

在太平洋西側,大約在西元前1500年開始了一波物種滅絕的浪潮,當時源自臺灣的玻里尼西亞農人,開始移居到所羅門群島、斐濟和新喀里多尼亞,直接或間接造成數以百計的鳥類、昆蟲、蝸牛和其他物種的滅絕。自此,這股生物滅絕的浪潮又逐漸向東、向南、向北襲捲,侵入太平洋的心臟地帶,種種特殊的動物群慘遭毒手,受害地區包括薩摩亞和東加(西元前1200年)、馬奎薩斯群島(西元1年)、復活節島、庫克群島、夏威夷(西元500年),最後來到紐西蘭(西元1200年)。

在大西洋、印度洋、北極海和地中海星羅棋布的數千座島嶼,幾乎無一倖免,都慘遭類似的生態浩劫。甚至在最小的島嶼上,考

古學家都發現曾有鳥類、昆蟲和蝸牛在那裡生活了無數世代，但在
人類第一次出現後，也消失無蹤。只有極少數極度偏遠的島嶼，直
到現代才被人類發現，於是島上的動物群還能完好倖存。其中一個
最有名的例子就是加拉巴哥群島（Galapagos Islands），在十九世紀
前仍無人居住，因而保持了獨特的動物群；他們的巨龜也像古代的
雙門齒獸一樣，完全不知道要畏懼人類。

▍孤單的諾亞方舟

　　第一波的滅絕浪潮是由於採集者的擴張，接下來的第二次滅絕
浪潮，則是因為農民的擴張。從這些教訓，讓我們得以從一個重要
觀點來看待今日的第三波滅絕浪潮：由工業活動造成的物種滅絕。
有些環保人士聲稱，我們的祖先總是和大自然和諧相處。我們可別
真的這麼相信。早在工業革命之前，智人就是造成最多動植物絕種
的元凶。人類可以說穩坐「生物學有史以來最致命物種」的寶座。
　　或許，如果有更多人瞭解了第一波和第二波物種滅絕浪潮，就
不會對現在所處的第三波浪潮如此漠不關心。如果我們知道自己這
個物種已經害死了多少物種，或許就會更積極保護那些現在還倖存
的物種。這一點對於海洋中的大型生物來說，更是重要。與陸地的
大型動物相較，大型海洋生物受到認知革命和農業革命的影響相對
較小。然而，由於工業汙染和過度濫用海洋資源，許多大型海洋生
物已經瀕臨滅絕。局勢再這樣發展下去，很快鯨、鯊、鮪魚和海豚
也會走上和雙門齒獸、地懶、長毛象一樣滅絕的道路。對全世界所
有大型動物來說，這場人類洪水的唯一倖存者，可能只剩下人類自
己，還有其他登上諾亞方舟、但只做為你我盤中佳餚的家禽家畜。

第二部
農業革命

9. 大約三千五百年前的埃及墓穴壁畫，描繪典型的農業景象。

第5章

史上最大騙局

　　人類曾經有長達兩百五十萬年的時間，靠採集及狩獵維生，並不會特別干預動植物的生長情形。直立人、匠人或是尼安德塔人都會採集野無花果、獵捕野綿羊，但不會去管究竟無花果樹該長在哪裡、羊該在哪片草地吃草，又或是哪隻公羊該跟母羊交配。雖然智人從東非來到中東、歐洲、亞洲，最後到了澳洲和美洲，但不管他們到達什麼地方，仍然就是靠野生的動植物維生。畢竟，如果現在的生活方式就吃得飽，社會結構、宗教信仰、政治情況也都穩定多元，何必自找麻煩改來改去？

　　然而，這一切在大約一萬年前已全然改觀，人類開始投入幾乎全部的心力，操縱著幾種動植物的生命。從日升到日落，人類忙著播種、澆水、除草、牧羊，一心以為這樣就能得到更多的水果、穀物和肉類。這是一場關於人類生活方式的革命：農業革命。

　　從採集走向農業的轉變，始於大約西元前9500年至8500年，發源於土耳其東南部、伊朗西部和地中海東部的丘陵地。這場改變一開始速度緩慢、地區也很有限。小麥與山羊馴化成為農作物和家

畜的時間大約是在西元前9000年；豌豆和小扁豆約在西元前8000
年；橄欖樹在西元前5000年；馬在西元前4000年；葡萄則是在西
元前3500年。至於駱駝和腰果等其他動植物，馴化的時間還要更
晚，但不論如何，到了西元前3500年，主要一波馴化的熱潮已經
結束了。

　　即使到了今天，雖然人類擁有種種先進科技，但食物熱量超
過90%的來源，仍然是來自人類祖先在西元前9500年到3500年間
馴化的植物，包括：小麥、稻米、玉米、馬鈴薯、小米、大麥。在
過去兩千年間，人類並沒有馴化什麼特別值得一提的動植物。可以
說，人到現代還懷有遠古狩獵採集者的心，以及遠古農民的胃。

　　學者曾經以為農業就是起源於中東、再傳布到全球各地，但現
在則認為：農業是同時間在各地獨自發展而開花結果，而不是由中
東的農民傳到世界各地。中美洲人馴化了玉米和豆類，但不知道中
東人種了小麥和豌豆。南美人學會如何栽培馬鈴薯和馴養駱馬，但
也不知道墨西哥或地中海東部發生了什麼事。中國最早馴化的是稻
米、小米和豬。北美最早的農夫，也是因為懶得在樹叢裡四處尋找
南瓜，決定乾脆自己種。新幾內亞馴化了甘蔗和香蕉，西非農民也
馴化了穇子、非洲稻、高粱和小麥。就從這些最早的出發點，農業
開始四方遠播。到了西元一世紀，全球大多數地區的絕大多數人口
都從事農業。

　　為什麼農業革命是發生在中東、中國和中美洲，而不是澳洲、
阿拉斯加或南非？原因很簡單：大部分的動植物其實無法馴化。
雖然智人能挖出美味的松露、獵殺毛茸茸的長毛象，但真菌太難捉
摸，巨獸又太過兇猛，想要自己種或自己養，真是難上加難。在我

們遠古祖先所狩獵採集的成千上萬物種中，適合農牧的只有極少數幾種。這幾種物種只生長在特定的地方，而這些地方也正是農業革命的起源地。

▌植物馴化了智人

有些學者曾宣稱農業革命是人類的大躍進，是由人類腦力所推動的進步故事。他們說演化讓人愈來愈聰明，於是解開了大自然的祕密，於是能夠馴化綿羊、種植小麥。等到這件事發生，人類就開開心心的放棄了狩獵採集的艱苦、危險、簡陋，安定下來，享受農民愉快而飽足的生活。

但這故事只是幻想，並沒有任何證據顯示人類愈來愈聰明。早在農業革命之前，採集者就已經對大自然的祕密瞭然於心，畢竟為了活命，他們不得不非常瞭解自己所獵殺的動物、所採集的食物。農業革命所帶來的，非但不是輕鬆生活的新時代，反而讓農民過著比採集者更辛苦、更不滿足的生活。狩獵採集者的生活其實更為豐富多變，也比較少碰上飢餓和疾病的威脅。確實，農業革命讓人類的食物總量增加，但量的增加並不代表吃得更好、過得更悠閒，反而只是造成人口爆炸，而且產生一群養尊處優、嬌生慣養的菁英份子。普遍來說，農民的工作要比採集者更辛苦，而且到頭來的飲食還要更糟。農業革命可說是史上最大的一樁騙局。

誰該負責？這背後的主謀，既不是國王、不是牧師，也不是商人。真正的主嫌，就是那極少數的植物物種，其中包括小麥、稻米和馬鈴薯。人類以為自己馴化了植物，但其實是植物馴化了智人。

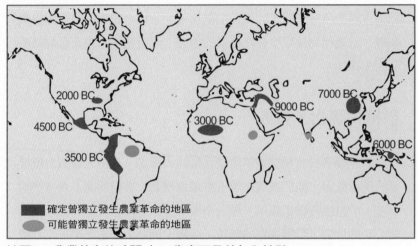

地圖2：農業革命的時間（BC代表西元前）和地點。

（這項資料尚未定案，地圖也不斷依最新的考古發現，而更新中。[24]）

▎地球史上最成功的植物

我們應該換個角度，用小麥的觀點來看看農業革命這件事。

在一萬年前，小麥也不過就是許多野草當中的一種，只出現在中東很小的一個地區。但就在短短一千年內，小麥突然就傳遍了世界各地。生存和繁衍，正是演化成功與否的基本標準。根據這個標準，小麥可說是地球史上最成功的植物。以北美大平原為例，一萬年前完全沒有小麥的身影，但現在卻有大片麥田波浪起伏，幾百公里內完全沒有其他植物。小麥在全球總共占據大約225萬平方公里的地表面積，幾乎有英國的十倍大小。究竟，這種野草是怎麼從無足輕重，變成無所不在？

小麥的祕訣就在於操縱智人、為其所用。智人原本憑藉狩獵和

採集，過著頗為舒適的生活，直到大約一萬年前，才開始投入愈來愈多的精力來培育小麥。而在接下來的幾千年間，全球許多地方的人類都開始種起小麥，從早到晚只忙這件事，就已經焦頭爛額。

　　種小麥可並不容易，照顧起來處處麻煩。首先，小麥不喜歡大小石頭，所以智人得把田地裡的石頭撿乾淨、搬出去，搞得腰痠背痛。第二，小麥不喜歡與其他植物分享空間、水和養分，所以我們看到男男女女在烈日下整天除草。第三，小麥會得病，所以智人得幫忙驅蟲防病。第四，不論是蝗蟲還是兔子，都不排斥飽嘗一頓小麥大餐，但小麥完全無力抵抗，所以農民又不得不守衛保護。最後，小麥會渴，所以人類得從湧泉或溪流，大老遠把水運來，為它止渴；小麥也會餓，所以智人甚至得蒐集動物糞便，用來滋養小麥生長的土地。

　　智人的身體演化目的，並不是為了從事這些活動，我們適應的活動是爬爬果樹、追追瞪羚，而不是彎腰清石塊、努力挑水桶。於是人類的脊椎、膝蓋、脖子和腳底，就得付出代價。研究古代骨骼發現，人類進到農業時代後出現了大量疾病，例如椎間盤突出、關節炎和疝氣。此外，新的農業活動得花上大把時間，人類只能被迫永久定居在麥田旁邊。這徹底改變了人類的生活方式。

　　所以說，其實不是我們馴化了小麥，而是小麥馴化了我們。「馴化」的英文domesticate，源自拉丁文domus，意思是「房子」。但現在關在房子裡的可不是小麥，而是智人。

　　小麥究竟做了什麼，才讓智人放棄了本來很不錯的生活，換成另一種悲慘的生活方式？小麥究竟提供了什麼報酬，讓人類甘願受其奴役？就飲食來說，其實並沒有更好。別忘了，人類原本就是雜食的猿人，吃的是各式各樣的食物。在農業革命之前，穀物不過是

人類飲食的一小部分罷了。而且，以穀物為主的食物不僅礦物質和維生素含量不足、難以消化，還對牙齒和牙齦大大有害。

　　而就民生經濟而言，小麥也並未帶來經濟安全。比起狩獵採集者，農民的生活其實比較沒保障。採集者有幾十種不同的食物能夠維生，就算沒有存糧，遇到荒年也不用擔心餓死。即使某物種數量減少，只要其他物種多採一點、多獵一些，就能補足所需的量。然而一直到最近為止，農業社會絕大多數的飲食，倚靠的還是寥寥無幾的少數幾種農作物，很多地區甚至只有一種主食，例如小麥、馬鈴薯或稻米。所以，如果缺水、來了蝗災、又或是爆發真菌感染，貧農死亡人數甚至有可能達到百萬。

　　再就人類的暴力性格而言，小麥也沒辦法提供人身安全。農業時代早期的農民，性格並不見得比過去的採集者溫和，甚至還可能更暴力。畢竟現在他們的個人財產變多，而且需要土地才能耕作。如果被附近的人搶了土地，就可能從溫飽的天堂掉進飢餓的地獄，所以在土地這件事上，幾乎沒有妥協的餘地。過去，如果採集者的部落遇到比較強的對手，只要撤退搬家就能解決。雖然說有些困難和危險，但至少是可行的選項。但如果是農村遇到了強敵，撤退就代表著得放棄田地、房屋和存糧，很多時候這幾乎就注定了餓死一途。因此，農民常常得要死守田地，雙方拚個你死我活。

　　許多人類學和考古研究顯示，在只有基本的村莊和部落政治結構的農業社會中，人類暴力行為造成15%的總死亡數，而在男性則是25%。現在的新幾內亞還有達尼（Dani）和恩加（Enga）兩個農業部落社會，暴力造成男性死亡所占百分率分別是30%和35%。而在厄瓜多的瓦拉尼人（Waorani），成年人甚至約有50%會死在另一個人的暴力行為之下！[25]

　　慢慢的，人類發展出進階的社會結構，如城市、王國、政府，於是人類的暴力行為也受到了某種程度的控制。不過，這樣龐大而有效的政治結構，可是足足花了數千年，才終於建立起來。

▌農民幸福嗎？

　　當然，農村生活確實為第一代農民帶來了一些直接的利益，像是比較不需擔心野獸襲擊、風吹雨淋，但對一般人來說，可能其實弊大於利。現代社會繁榮富庶，我們可能很難理解弊處何在，畢竟這一切的富裕和安全，都是建立在農業革命之上，所以我們也就理所當然的覺得，農業革命真是美妙的進步啊。然而，我們不能光用今天的觀點，來看待這幾千年的歷史；我們也應當用當代人的觀點來看當代，可能更具有代表性。例如一世紀漢代某個女孩，因為家裡的農作歉收而餓死了，她死前總不會說：「雖然我餓死了，但是我知道兩千年後，人類能夠吃香喝辣、住在有空調的豪宅裡，應有盡有，那麼我的犧牲也都值得了。」

　　對於那個營養不良的漢代女孩、或是所有農民來說，小麥究竟給了他們什麼？對於個人來說，小麥根本算不上給了什麼。但對於智人這個物種來說，小麥的影響就十分深遠。種植小麥，每單位土地就能提供更多食物，於是智人的數量也呈指數成長。大約在西元前13000年、人類還靠採集狩獵維生的時候，巴勒斯坦的耶律哥（Jericho）綠洲一帶，大概可以養活一個有百名成員的採集部落，而且人們相對健康、營養充足。到了大約西元前8500年，野生植物的荒野成了片片麥田，這片綠洲這時養活了約有千人的農村，但相形擁擠，而且成員染病及營養不良的情形，比過去嚴重太多。

要衡量某一物種演化得成功與否，評斷標準就在於世界上其DNA雙螺旋的複本數量多寡。就像今天如果要說某間公司經營得成功與否，我們看的往往是該公司的市值有多少錢，而不是它的員工開不開心；而物種的演化成功與否，看的就是這個物種的DNA複本存在世界上的數量多寡。如果世界上不再有某物種的DNA複本，就代表該物種已經絕種，也等於公司沒有錢而宣告倒閉。如果某個物種還有很多個體，帶著它的DNA複本存活在這世上，就代表這個物種演化成功、欣欣向榮。從這種角度看來，1,000份DNA複本永遠都強過於100份。這正是農業革命真正的本質：讓更多的人、卻以更糟的狀況活下去。

　　但是，身為個人，為什麼要理會這種演化問題？如果有人說，為了「增加智人基因組在世界上的複本數量」，希望你降低自己的生活水準，你會同意嗎？沒有人會同意這筆交易。簡單說來，農業革命就是一個陷阱。

▌兒童死亡率一路飆升

　　農業的興起並非一夜之間，而是歷時數千數百年的緩慢過程。過去，智人部落的生活就是採集蘑菇和堅果、獵捕野鹿和野兔，他們不可能一下就決定定居、不再搬遷，而開始耕田、種小麥、從河裡挑水。這種改變是分階段進行的，每次只是改變日常生活中的一小部分。

　　在大約七萬年前，智人到達了中東。接下來的五萬年間，智人在那裡不需要什麼農業，也能順利繁衍。光是當地的天然資源，就足以養活這些人口。資源多的時候，孩子就多生幾個；資源少了，

就少生幾個。人類就像許多哺乳動物一樣，自然有荷爾蒙和遺傳機制來控制生育數。營養充足的時候，女性比較早進入青春期，成功懷孕的機率也比較高。而在土地貧瘠、營養不足的時候，女性進入青春期要來得晚，生育能力也下降。

人口管制除了以上這些自然機制之外，還有文化機制。對於四處遷徙的採集者來說，嬰兒和幼童行動遲緩、需要額外照顧，會造成負擔。所以，當時每個子女至少會相隔三到四歲。而女性能控制這點的方式，靠的就是一天二十四小時都待在孩子旁邊照顧著，直到孩子大一點為止（畢竟沒多久就得哺乳一次，男人想來幹些什麼事也不太方便，於是可以大幅減少懷孕的機會）。至於其他方法，還包括完全禁慾或部分禁慾（有些部落還用文化禁忌來支持這種做法）、人工流產，偶爾還有殺嬰。[26]

在這漫長的數千年間，人類偶爾會吃吃小麥，但絕非主食。而在大約一萬八千年前，最近的一個冰河期結束，全球氣候變暖。隨著氣溫上升，降雨也增多。在中東，這種新氣候非常適合小麥和其他穀物生長，於是這些作物也繁衍蓬勃。人類的小麥食用量開始增加，並且在不經意間助長了小麥的生長。當時採集到野生穀類，必須先篩一篩、磨一磨，煮過之後才能食用；正因如此，人類採集這些穀物之後，必須帶回他們居住的臨時地點來處理。小麥種籽粒小而多，在送回部落的途中，必然會有一些掉到地上。慢慢的，人類最常走的路徑附近、或是居住營地的周圍，也就長起了愈來愈多的小麥。

甚至，人類放火燒毀森林和灌木叢的時候，等於也幫了小麥一把。大火清掉了喬木和灌木，於是小麥和其他草類就能獨占陽光、水和養份。在小麥生長特別茂盛的地方，獵物和其他食物來源也豐

富，於是人類部落逐漸能夠放棄四處流浪的生活方式，在某地住上一個季節，甚至就形成永久聚落。

　　一開始，他們可能待上大約四個星期，來收成小麥。等到過了一個世代，小麥數量和面積大增，於是他們得待上五個星期，接著就是六個星期、七個星期……時間逐漸拉長，最後終於形成永久的村落。在整個中東地區，都能夠發現這種定居下來的證據，特別是在黎凡特（Levant，今日的敘利亞、黎巴嫩、以色列、約旦）一帶更是常見。從西元前12500年到9500年，黎凡特曾有過十分興盛的納圖芬（Natufian）文化，納圖芬人屬於狩獵採集者，以數十種野生物種維生，但永久定居在村落裡，大部分的時間都在辛勤採集、研磨各種野生穀物。他們會蓋起石造的房舍和穀倉，儲存糧食以備不時之需，還會發明新的工具，像是發明石鐮刀收割野生小麥，再發明石杵和石臼來加以研磨。

　　而在西元前9500年之後，納圖芬人的後代除了繼續採集和研磨穀物，還開始以愈來愈精細的手法來培養種植。採集野生穀物的時候，他們會小心留下一部分，做為下一季播種之用。他們也發現，播種的時候如果把種子埋到地下，而不是隨便撒在地面，效果會好很多。於是，他們開始犁地整地，也一步步開始除草、防蟲、澆水、施肥。隨著愈來愈多的心力時間都用來種穀物，採集和狩獵的時間也就被擠壓。結果是，採集者逐漸變成了農民。

　　然而，從採集野生小麥變成種植馴化的小麥之間，並沒有一個特定的分界點，所以很難斷定人類究竟是什麼時候進入農業時代。不過可以確定的是，到了西元前8500年，中東已經四處散布著像是耶律哥這種永久村落了，村民大部分的時間就是栽種培育少數幾種馴化後的植物。

隨著人類開始住進永久村落、糧食供給增加，人口也開始增長。放棄過去流浪的生活之後，女性也可以每年都生孩子了。而這時嬰兒也較早斷奶，改以粥來代替。畢竟田裡需要人手，媽媽得趕快回復農活。然而，人口一多，就耗去了原本的糧食剩餘，於是耕種面積又得加大。這時，由於人群聚居之處易有疾病肆虐，孩子吃母乳的比率愈來愈少、穀類則愈來愈多，再加上得要共享這些粥的兄弟姊妹也愈來愈多，讓兒童死亡率一路飆升。在大多數的遠古農業社會裡，至少三分之一的兒童無法長到二十歲成人。[27] 然而人口出生率仍然大於死亡率，人類養育子女的數字也居高不下。

奢侈生活的陷阱

隨著時間過去，種麥子這個原本看來划算的選擇，變成愈來愈沉重的負擔。兒童大批死亡，而成人也必須忙得昏頭轉向，才能換得麵包。西元前8500年耶律哥人過的生活，平均來說要比西元前9500年或13000年更為辛苦。但沒有人發現究竟發生了什麼事。每一代人都只是繼續著上一代生活的方式，在這裡修一點、那裡改一些。但矛盾的是，一連串為了讓生活更輕鬆的「進步」，最後卻像是在這些農民的身上，加了一道又一道沉重的枷鎖。

為什麼人類會犯下如此致命的誤判？其實人類在歷史上一直不斷重蹈覆轍，道理都相同：因為我們無法真正瞭解各種決定最後的結果。每次人類決定多做一點事（像是用鋤頭來耕地，而不是直接把種子撒在地上），我們總是想：「沒錯，這樣是得多做點事，不過收成會好得多，就再也不用擔心荒年的問題了，孩子也永遠不用挨餓。」確實這也有道理。工作努力辛苦一些，生活也就能過得好

一點。不過,這只是理想中的狀況。

　　計畫的第一部分進行得很順利。人們確實工作得更努力、也更辛苦。但大家沒想到孩子的數量也多了,於是多出的小麥也就有更多小孩要分食。這些遠古的農民也沒想到,母乳餵得少了、粥餵得多了,會讓孩子的免疫力下降,而且永久聚落也成了疾病傳染的溫床。他們也沒有預見到,由於增加了對單一食物來源的依賴,實際上他們使自己更容易受到旱災的威脅。這些農民更沒想到,豐收年他們糧倉滿滿,卻會引來盜賊和敵人,迫使他們得築起高牆,嚴加警戒。

　　這樣一來,發現苗頭不對,為什麼不趕快放棄農耕,回到採集生活?部分原因在於,所有改變都必須點點滴滴累積,經過許多世代的時間,才能夠改變社會;等到那個時候,已沒有人記得過去曾有不同的生活方式可選擇了。另一部分,是因為人口增長就像是破釜沉舟。一旦採用農耕之後,村落的人口從100人成長到110人,難道會有10個人自願挨餓,好讓其他人可以回到過去的美好時光?這已經再無回頭路。人類發現時,已經深陷陷阱,無法自拔了。

　　於是,種種想讓生活變得輕鬆的努力,反而給人帶來無窮的麻煩;而且這可不是史上的最後一次。就算今天,依然如此。有多少年輕的大學畢業生投身大企業,從事各種勞心勞力的工作,發誓要努力賺錢,好在四十歲就退休,去從事他們真正有興趣的事業?但等他們到了四十歲,卻發現自己背負巨額貸款,要付子女的學費,要住高級住宅區的豪宅,每家得有兩部車,而且覺得生活裡不能沒有高檔紅酒和國外的假期。他們該怎麼做?他們會放下一切,回去野外採果子挖樹根嗎?當然不可能,而是加倍努力,繼續把自己累得半死。

　　歷史上少數真正顛撲不破的道理，就是原本的奢侈品往往最後會成為必需品，而且帶來新的義務。等到習慣某種奢侈品，就開始認為這是天經地義。接著就是一種依賴。最後，生活中就再也不能沒有這種奢侈品了。

　　讓我們用現代大家都熟悉的例子來解釋。在過去的幾十年裡，我們有許多本該會讓生活輕鬆省時又如意的發明，像是洗衣機、吸塵器、洗碗機、電話、手機、電腦、電子郵件等等。在以前，寄信是件麻煩事，得親手動筆、寫信封、貼郵票，還得再走到郵筒那裡去寄信。想要得到回信，可能得等上幾天、幾星期，甚至幾個月。至於現在，我可以隨手就寄一封電子郵件，傳送到地球的另一邊，而且如果收件人在線上，可能只要一分鐘就能收到回信了。我確實省下了所有麻煩和時間，但生活真的更輕鬆了嗎？

　　可惜事與願違。在傳統信件的年代，我們通常只有最重要、不得不聯絡的事才會寫信。寫起信來也不是寫所欲寫，而是字斟句酌、考慮再三。而且，通常對方的回信也會是同樣慎重。對大多數人來說，每個月來來去去的信，頂多就是幾封，也不會有人急於立刻回覆。但在今天，我每天都會收到幾十封電子郵件，並且所有的發信人都希望你立刻回應。我們以為自己省下了時間，其實是把生活步調加速成過去的十倍快，於是我們整天忙忙碌碌、焦躁不安。

　　三不五時，總有些反對機械化和自動化的盧德份子（Luddite）堅持不用電子郵件，就像幾千年前，也有某些人類部落拒絕農業，所以躲過了奢侈生活的陷阱。然而，農業革命要成功，並不需要某個地區的所有部落都無異議通過。一切都只從「一個部落」開始。不論是在中東或中美洲，只要有一個部落定居下來，開始耕作，走向農業的趨勢就已經無法抗拒。由於農業可促成人口迅速增長，通

常農業部落光靠人數就已經大勝採集部落。這時,採集部落只剩兩種選擇,第一是逃跑,放任自己的獵場成為農場和牧場;第二就是拿起鋤頭,加入農業的行列。無論哪種選擇,都代表舊的生活方式注定將要凋零。

這個關於奢侈生活陷阱的故事,告訴我們一個重要的教訓。人類一心追求更輕鬆的生活,於是釋放出一股巨大的力量、改變了世界的面貌,但衍生的結果並沒有任何人料想得到,甚至也不是任何人所樂見的。並沒有人在背後操縱農業革命發生,或是意圖讓人依賴穀類維生。一開始只是各種小事,主要就是希望吃飽一點、生活安全一點,但最後累積引起的效應,就是讓遠古的採集者開始花上整天的時間,在烈日之下挑水務農。

▌神聖的介入

以上這種講法,認為農業革命就是判斷錯誤的結果。確實不無道理,畢竟歷史上還滿是錯得更離譜的例子。不過也還有另一種可能性:或許我們遠古祖先的出發點,並不是為了要讓生活輕鬆點?或許智人是有其他目標,所以自願過得辛苦點,好實現這些目標?

講到歷史發展,科學家常常會歸咎於某些冰冷的經濟因素和人口因素,畢竟這和他們理性、數學的思考方法比較合拍。但講到現代歷史的時候,因為有大量的書面證據,所以學者不得不考慮非物質的因素,例如意識型態和文化。譬如,我們有足夠的文件書信、回憶錄,證明第二次世界大戰的起因並非糧食短缺或人口壓力。然而,像是納圖芬文化並未留下任何文獻檔案,所以講到遠古時代,唯物主義學派說話總是比較大聲。對於這些文字出現之前的時代,

就算我們認為這些人行事的原因是出於信仰，而非經濟所需，實在也很難證明。

幸運的是，我們在極少數案例中找到了強而有力的線索。1995年，考古學家開始挖掘位於土耳其東南部的**哥貝克力石陣**（Göbekli Tepe）遺址。在此地最古老的地層裡，他們找到的不是聚落、房舍或日常活動的跡象，而是雄偉的石柱結構，雕飾華美、令人驚嘆。這裡每根石柱重達七噸、高五公尺。在附近的一座採石場，甚至還發現了一支尚未完工的石柱，重達五十噸。全部加起來，總共有十多個石柱結構遺跡，規模最大的，寬度近三十公尺。

全球各地都有這樣令人驚嘆的石柱結構遺跡，最著名的是英國的**巨石陣**（Stonehenge），但哥貝克力石陣有一點特別驚人。巨石陣的年代大約是西元前2500年，是由一個已經相當發達的農業社會所建造。但哥貝克力石陣的年代大約是西元前9500年，所有證據都顯示，它是由狩獵採集者建造而成。一開始，考古學界覺得這簡直是天方夜譚，但經過一次又一次檢視之後，無論是這個結構的興建年代，或是建造者尚未進入農耕社會，都是無庸置疑的。看起來，過去我們對於遠古採集者的能力和他們文化的複雜程度，都嚴重低估了。

為什麼採集社會想興建這樣的結構？這種結構看來並沒有什麼實質用途，既不是大型屠宰場，也沒辦法避雨或躲獅子。所以，我們只能推論這是為了某種神祕的文化目的，而考古學家到現在也還在傷腦筋。不論這用途為何，都能肯定採集者願意為它花上大把的時間和精力。想要蓋起哥貝克力石陣，必然需要集合數千位來自不同部落的採集者，長時間通力合作才能完成。如果背後沒有成熟的宗教或意識型態體系，就萬萬不可能做到。

10. 圖左：哥貝克力石陣的石柱結構遺跡。
圖右：其中一根雕飾華美的石柱（高約五公尺）。

　　哥貝克力石陣還有另一件聳人聽聞的祕密。多年以來，遺傳學家一直想找出馴化小麥的起源。最近的發現顯示，至少有一種馴化的小麥就起源於附近的喀拉卡達（Karaçadag）山脈，距離哥貝克力石陣只有三十公里遠。[28]

　　這幾乎不可能只是巧合。很有可能，哥貝克力石陣的文化中心就與人類首次馴化小麥（或小麥馴化人類）有著某種關連。為了要養活建造和使用這些巨石結構的人，需要非常大量的食物。所以，採集者之所以從採集野生小麥轉而自行種植小麥，可能並不是為了增加日常食物供應，而是為了支持某種神廟的建築和運作。

　　在傳統的想像中，人是先建立起村落，接著等到村落繁榮之後，再在村落中心蓋起信仰中心。但哥貝克力石陣顯示，很有可能其實是先建立起信仰中心，之後才圍繞著它形成村子。

▌農革受害者

浮士德跟魔鬼交易,人類則跟穀類交易。但人類做的交易不只這一項,另一項則是和綿羊、豬、雞之類的動物命運有關。過去四處流浪的採集部落會跟蹤獵殺野綿羊,也逐漸改變了羊群的組成。

第一步可能是開始挑選獵物。人類發現,如果獵殺的時候只挑成年公羊、或是年老或生病的羊隻,對人類來說反而有利。放過有

11. 西元前1200年的埃及墳墓壁畫:有一對牛在耕田。
野生的牛群可以自在漫遊,也有自己複雜的社會結構。但牛隻遭到閹割和馴化之後,一輩子就只能活在人類的鞭子下、狹窄的牛棚裡,獨自或成對提供勞力,既不符合生理需求,也無法滿足其社會及情感需求。等到牛拉不動犁了,就只有被屠宰一途。(但請注意,這位埃及農民也是駝著背在幹活;這跟牛沒什麼兩樣,就是一輩子做著有害身體、心靈和社會關係的勞力工作。)

繁殖能力的母羊和年輕的小羔羊,當地羊群就可長可久。

至於第二步,可能是積極趕走獅子、狼和敵對的人類,保護羊群不受掠食者侵擾。第三步可能就是將羊群趕到某個狹窄的峽谷,方便控制和保護。最後一步,就是在羊群當中做出更謹慎的挑選,好符合人類的需要。其中,最具鬥性的公羊是人類想控制羊群最大的阻力,所以第一個就宰牠們。至於瘦小或是太有好奇心的母羊,也是除之而後快。(太有好奇心,就容易走得離羊群遠遠的,對牧羊人來說可不是好事。)於是,一代一代下去,綿羊也就愈變愈胖、愈來愈溫和,也愈來愈不那麼好奇了。就是這樣,英文才會有一首童謠,唱著瑪莉有隻小綿羊,而且瑪莉去哪,牠就跟到哪。

另外一種可能,則是獵人一開始是抓住一隻羔羊來「收養」一下,在食物無虞的時候養個幾個月,等到比較沒食物的季節,就宰來吃。等到了某個階段,這種先養再殺的規模開始愈來愈大,有些羊甚至被養到進入春情期,開始生出小羊來。那些生下來之後最具鬥性、不聽話的,就會先遭到宰殺。至於最乖、最聽話的羊,則被饒下小命,繼續再生小羊。結果同樣是有了一群馴化溫順的羊。

這樣經過馴化的家畜(羊、雞、驢等等)能夠為人類提供食物(肉、奶、蛋)、物料(皮、毛),以及獸力。於是,以前必須由人自己來的工作,像是搬運、翻地、磨穀物等等,許多都開始交給了其他動物。在大多數的農業社會裡,人類工作的第一重點是種植農作物,第二才是飼養動物。但是有些地方也出現了一種新型的社會,主要是靠著剝削利用其他動物為生:游牧部落。

人類擴張到世界各地,家畜也跟著他們的腳步移動。一萬年前,全球只有在亞非大陸的幾個特定地點有綿羊、牛、山羊、野豬和雞,總數大約幾百萬隻,但現在全球有大約十億隻綿羊、十億隻

豬、超過十億隻牛，更有超過二百五十億隻雞，而且是遍布全球各地。家雞是有史以來最普遍的禽類。至於大型哺乳類，除了以智人居首，後面的二、三、四名就是馴化的牛、豬和羊。從狹隘的演化觀點來看，演化成功與否的標準就在於DNA的複本數量，於是農業革命對於雞、牛、豬、羊來說，可是一大福音。

不幸的是，演化觀點並不是唯一判斷物種成功與否的標準。它一切只考量到生存和繁殖，而不顧個體的痛苦或幸福。雖然就演化而言，馴化的雞和牛很可能是最成功的代表，但牠們過的其實是生物有史以來最悲慘的生活。動物的馴化是建立在一系列的野蠻作為上，而且隨著時間，殘忍程度只增不減。

野生雞隻的自然壽命大約是七年到十二年，牛則是二十年到二十五年，雖然在野生環境牠們多半都活不到這個歲數，但至少還有相當機會可以活個好一陣子。相較之下，出於經濟考量，馴化後的肉雞和肉牛不過出生幾週和幾個月，就到了最佳屠宰年齡，於是一命歸天。（如果養一隻雞只要三個月就已經達到體重最重的狀態，又何必再多餵好幾年？）

蛋雞、奶牛和提供勞力的役用動物，有時候能多活上幾年，但代價就是過著完全不符合牠們天性和渴望的生活。舉例來說，不難想像牛會寧願優哉游哉在開闊的草原上整天漫步，有其他牛作伴，而不是被一個猿人在背後揮著鞭子，要牠拉車拖犁。

為了把牛、馬、驢、駱駝訓練成聽話的役用動物，就必須抑制牠們的鬥性和天性，打破牠們的社會連結，並且限制牠們的行動自由。農民還發明各種控制技術，像是把動物關在獸欄和獸籠裡、套上枷鎖鏈條，用皮鞭和刺棒來訓練，甚至刻意造成動物傷殘。馴化動物的過程幾乎總是會將雄性閹割，好抑制雄性的鬥性，也讓人類

能夠控制牲畜的生育、挑選牲畜的品種。

在許多新幾內亞的部落社會裡，想判斷一個人富不富有，就要看他或她有幾頭豬。為了確保豬跑不掉，新幾內亞北部的農民會把豬的鼻子切掉一大塊。這樣一來，每次豬想聞東西，都會造成強烈的疼痛，不但無法覓食，甚至連找路都做不到，於是不得不完全依賴人類主人。在新幾內亞的另一個地區，甚至還習慣直接把豬的眼

12. 現代化畜牧場裡的小牛。一出生後立即與母親分開，關在不比身體大多少的籠子裡。小牛得在這裡度過一輩子，但牠的一輩子平均也只有大約四個月。牠這一輩子再也不會離開籠子，不會有機會和其他小牛玩，甚至連走路的機會也遭剝奪；這一切都是為了避免牠的肌肉運動，導致肉質變硬。肌肉愈柔軟，牛排就愈鮮嫩、愈多汁。於是，這隻小牛第一次有機會走路、伸展筋骨、遇見其他小牛的時候，也就是在前往屠宰場的路上。就演化而言，牛可能是有史以來最成功的動物之一，牠們的基因組會一直傳衍下去。但同時，牠們也是地球上生活最悲慘的動物之一。

睛挖掉，杜絕逃跑的可能。[29]

　　乳品業自有一套方法來強迫動物聽話。乳牛、山羊和綿羊只有生了小牛小羊之後才會產乳，而且也僅限哺乳期這一段時間。想要動物不斷供乳，農民必須讓牠們生下小牛小羊，但又不能讓小牛小羊把奶吸光。所以，整個歷史上常用的方法就是：等到小牛小羊出生後不久，乾脆就全宰了，如此一來人類就能霸占所有牛奶羊奶；等到母牛母羊停乳之後，再讓牠們重新懷胎即可。

　　聽來殘忍，但甚至到現在，這種做法仍然十分普遍。在許多現代的酪農場裡，奶牛通常只能活到五歲，就會遭宰殺。這五年中，牠幾乎一直在懷孕。為了維持最大的產乳量，在分娩後大約60天到120天，就要再次受精。至於牠的小牛們，則是一出生沒多久就被帶走，母的被養大成為新一代的奶牛，而公的就進了肉類產業的手裡。[30]

　　另一種方式，是雖然容許小牛小羊接近媽媽，卻用上各種方式不讓牠們喝得太多。最簡單的辦法，是讓小牛小羊開始吸奶，但在奶要流出來之前，就把牠們抱走。可以想見，這種方式會同時受到母親和孩子兩方的抗拒。有些畜牧部落過去的做法，是將小牛小羊宰殺食用，但拿東西塞回空的毛皮做成標本，再送回媽媽身邊，刺激牠們產乳。而在蘇丹的努爾族（Nuer）還更進一步，在標本上塗著牛媽媽的尿液，所以這隻假小牛連聞起來也很像個樣子。努爾族的另一項技術則是在小牛的嘴邊綁上一圈刺，小牛想吃奶就會刺傷牛媽媽，好讓牛媽媽排斥讓小牛吃奶。[31]

　　撒哈拉的圖阿雷格族（Tuareg）養駱駝，過去會將小駱駝的鼻子和上唇的部分穿孔或切除，如此一來，小駱駝只要一吸奶就會疼痛，也就不會喝得太多。[32]

成功不等於幸福

不過，也不是所有農業社會都對他們農場裡的動物如此殘酷。某些家畜的日子還是過得相當不錯。像是拿來剃毛的羊、寵物狗和寵物貓，以及戰馬和賽馬，常常就過得相當愜意。羅馬皇帝卡利古拉（Caligula）據說還曾經打算任命他最愛的馬——英西塔土斯（Incitatus）為執政官。綜觀歷史，牧者和農民對他們的動物還是抱有感情，照顧有加，正如許多奴隸的主人也會對奴隸關心照顧。所以，君王和先知會把自己營造成牧者的形象，也就不那麼意外，他們和他們的神照顧子民的方式，確實也像是牧羊人照顧羊群一般。

然而，如果從牛羊的觀點、而非牧者的觀點來看農業革命，就會發現：對絕大多數的家畜來說，這是一場可怕的災難。這種演化的「成功」是沒有意義的。就算是瀕臨絕種的野生犀牛，比起被關在小籠子裡變肥、等著成為鮮美牛排的肉牛，日子應該還是好過得多。雖然自己的物種即將滅絕，但這絲毫不會影響那頭野生犀牛對自己生活的滿意程度。相較之下，肉牛這個物種雖然在數量上大獲成功，卻完全無法安慰那些單獨個體所承受的痛苦。

我們從農業革命能學到的最重要一課，很可能就是「物種演化上的成功，並不代表個體的幸福」。研究像小麥和玉米這些植物的時候，或許純粹的演化觀點還有些道理。但對於像是牛、羊、智人這些有著複雜情感的動物來說，就必須想想演化上的成功會對個體的生活有什麼影響。我們在下面的章節還會一再看到，每當人類整體的能力大幅增加、看來似乎大獲成功之際，個人的苦痛卻也總是隨之增長。

第6章

蓋起監獄高牆

農業革命可能是史上最具爭議的事件。有些人認為這讓人類邁向繁榮和進步，也有人認為這條路終將導致滅亡。對後者來說，農業革命是一個轉捩點，讓智人拋下了與自然緊緊相連的共生關係，大步走向貪婪、自外於這個世界。但不管這條路的盡頭為何，現在都已經無法回頭。進入農業之後，人口得以急遽增加，任何一個複雜的農業社會想走回狩獵和採集，就只有崩潰一途。

大約在西元前10000年、進入農業時代的前夕，地球上採集者的人口約有五百萬到八百萬。而到了西元一世紀，這個人數只剩下一、兩百萬（主要在澳洲、美洲和非洲），相較於農業人口已達2.5億，無疑是遠遠瞠乎其後。[33]

絕大多數的農民都是住在永久聚落裡，只有少數是游牧民族。「定居」這件事，讓大多數人的活動範圍大幅縮小。遠古狩獵採集者的活動範圍可能有幾十平方公里，甚至上百平方公里。當時這片範圍都是他們的「家」，有山丘、溪流、樹林，還有開闊的天空。但對農民而言，幾乎整天就是在一小片田地或果園裡工作，就算

回到「家」，這時的房子也就是用木頭、石頭或泥巴蓋起的局促結構，每邊再長也不過幾十公尺。一般來說，農民就會和房屋這種構造建立起非常強烈的連結。這場農業革命意義深遠，除了影響建築，更影響了心理。在農業革命之後，人類成了遠比過去更自我中心的生物，與「自己家」緊密相連，但與周遭其他物種畫出界線。

▌劃地自限

新形成的農業活動範圍，除了面積遠小於過去的狩獵採集活動範圍，內部的人工成分也大增。除了用火，狩獵採集者很少刻意改變他們所漫遊閒晃的土地；但農民就完全不同了，可以說他們是從一片荒野中，勞心勞力刻意打造出一座座專屬於人類的人工孤島。他們會砍伐森林、挖出溝渠、翻土整地、建造房屋、犁出犁溝，還會把果樹種成整齊的一排又一排。

對人類來說，這樣人工打造出來的環境，就是僅限人類和「我們的」動植物所有，常常還用牆壁和樹籬圍了起來。農民無所不用其極，一心防止各種雜草和野生動物入侵。就算真的出現闖入者，也會被趕出去。趕不走的，下一步就是消滅牠們。在家園四周，這種防衛特別強。從農業開始發展到現在，人類的家園得面對勤勞的螞蟻、鬼鬼祟祟的蟑螂、冒險犯難的蜘蛛、還有誤入歧途的甲蟲，於是數十億人口也就武裝起來，用樹枝、蒼蠅拍、鞋子和殺蟲劑，迎向這場永不停止的戰爭。

史上大多數時間，這些人造領域仍然非常小，四周圍繞著廣大的自然曠野。整個地球表面約有 5.1 億平方公里，其中陸地占了 1.55 億平方公里。到了西元 1400 年，把絕大多數的農民、農作物

和家禽家畜全加起來，占地大約也只有1,100萬平方公里，約占全球面積的2%而已。[34] 至於其他地方，可能太熱、太冷、太乾、太溼，不宜農耕。然而，正是地球表面這微乎其微的2%，構成了整個歷史展開的舞臺。

人類發現自己已經很難離開這些人工島嶼了，所有的房子、田地、穀倉，放棄哪個都可能帶來重大損失。此外，隨著時間過去，他們擁有的東西愈來愈多，不易搬運，也把他們綁得死死的。雖然在我們看來，遠古的農民似乎又髒又窮，但當時一個典型的農民家庭，擁有的物品數量已經勝過一整個採集部落了。

「未來」成重擔

農業時代人類的空間縮小，但時間卻變長了。一般來說，狩獵採集者不會花太多心思考量下星期或下個月的事，但農民卻會想像預測著未來幾年、甚至幾十年的事。

狩獵採集者之所以不管未來，是因為他們就是現採現吃，不管是要保存食物、或是累積財物，當時都不是容易的事。當然，他們顯然還是有某些事得要事先規劃。不管是在雪維洞穴、拉斯科洞穴或是阿爾塔米拉（Altamira）洞穴，這些藝術家繪畫的時候，想必都希望它能夠流傳後世。人際關係和政治對立都是長期的事，無論報恩或報仇，常常都要花上好幾年的時間。然而，在狩獵和採集這種自給自足的經濟體系裡，要做這種長期規劃，就會受到客觀條件的限制。但說也有趣，這讓狩獵採集者省下了許多不必要的憂慮。畢竟，如果是那些自己無法操控的事，就算擔心也沒用。

然而在農業革命之後，「未來」的重要性來到史上新高。農民

不僅時時刻刻都得想著未來，還幾乎可說是為了未來在服務。農業經濟是以生產的季節週期為基礎，經過很多個月耕作，來到相對較短的收成高峰期。豐收的時候，農民可能會在收成結束後的夜晚歡慶一場，慰勞這段時間的辛勞，但頂多一星期後，就又回到日出而作、日落而息的生活。雖然可能已經有了足夠的糧食，來應付今天、下星期、甚至下個月，他們還是得擔心明年和後年的問題。

之所以要擔心未來，除了有生產季節週期的因素，還得面對農業根本上的不確定性。由於大多數村落擁有的農作或家禽家畜物種十分有限，一旦遇上旱災、洪水和瘟疫，就容易災情慘重。於是，農民不得不生產出多於所需的食物，好儲備存糧。糧倉裡堆了米、地窖裡存了橄欖油、食品室裡有乳酪、屋梁上還掛著香腸，否則遇到歉收年就有可能會餓死。而且，總有歉收的一年，只是時間早晚而已，如果農民不早做準備，絕對也活不久。

於是，早從農業一開始，「未來」就一直是人類心中小劇場的主要角色。在農民得靠雨水灌溉的地方，雨季一開始，擔心也就開始了。每天早上，農民都會凝視遠方的天邊、聞聞風的味道，盯到眼睛發痠。那片是雲嗎？能不能來場及時雨？雨會下得夠嗎？雨會不會又下得太大，把田裡的種子或秧苗都打壞、沖走了？

不管是在幼發拉底河流域、印度河流域、還是黃河流域，所有農民都一樣憂心忡忡，不時探頭看看河水的高度。他們需要雨季讓河面上升，一方面把上游肥沃的土壤沖刷下來，另一方面可引水進入他們龐大的灌溉系統。然而，如果這場洪水讓河面漲得太高，又或來的時機不對，田地就會遭到嚴重破壞，下場與旱災一樣淒慘。

農民擔心未來，除了因為有更多東西要保護，也是因為現在有別的方法可以減少風險。他們可以再整一塊地、再挖一條灌溉的渠

道、再多種一點作物。在夏天，滿懷憂慮的農民像工蟻一樣瘋狂工作，揮汗種著橄欖樹，再由他的孩子和孫子把橄欖榨成油，這樣到了冬天、甚至明年，他就能吃到今天想吃的食物。

農業帶來的壓力影響深遠，這正是後代大規模政治制度和社會制度的基礎。但可悲的是，雖然農民勤勞不懈、希望能夠保障自己未來的經濟安全，但這幾乎從來未曾實現。不管是任何地方，後來都出現了統治者和菁英階級，不僅倚賴農民辛苦種出的食糧維生，還幾乎全部徵收搶光，只留給農民勉強可過活的數量。

但正是這些徵收來的多餘食糧，養活了政治、戰爭、藝術和哲學，建起了宮殿、堡壘、紀念碑和廟宇。在近代晚期之前，總人口有九成以上都是農民，日出而作、胼手胝足。他們生產出來的多餘食糧養活了一小撮的菁英份子：國王、官員、戰士、牧師、藝術家和思想家，但歷史寫的幾乎全是這些人的故事。於是，歷史只告訴了我們極少數的人在做些什麼，而其他絕大多數人的生活就是不停挑水耕田。

▌由想像所建構的秩序

靠著農民多生產出來的食物，加上新的運輸技術，終於讓愈來愈多人可以住在一起，先形成村落，再形成城鎮，最後成為都市，再由王國或商業網路把它們緊緊相連。

然而，想真正抓住新時代的契機，光靠糧食剩餘和交通改善還不夠。就算有能力養活某個城鎮的一千人、或是某個國家的一百萬人，還是無法確保這些人都同意如何劃分領土和水資源、如何解決爭端，以及在乾旱或戰時該如何應變。而如果對這些事項都無法

達成協議，就算大家穀倉滿滿，還是會衝突不斷。史上的場場戰爭和革命，多半起因都不是糧食短缺。法國大革命領頭的是有錢的律師，不是飢餓的農民。羅馬共和國在西元前一世紀達到權力高峰，艦隊從整個地中海運來種種珍寶，就算在他們祖先最瘋狂的夢裡，也意想不到。然而，正是在他們的富庶達到最大值的時候，羅馬的政治秩序崩潰，引來一系列致命的內戰。南斯拉夫在1991年的資源完全足以養活所有國民，但依舊解體，並引發可怕的浴血戰爭。

這種災難的根源在於：人類在幾百萬年的演化過程中，一直都只是幾十人的小部落；可是從農業革命之後，不過短短幾千年，就出現了城市、王國和帝國，但時間並不足以讓人類發展出能夠長久大規模合作的本能。

雖然人類在狩獵採集時代也沒有這種合作的生物本能，但因為有共同的神話故事，幾百個陌生人就能夠互相合作。然而，這種合作畢竟比較鬆散而有限，各個智人部落還是各自生活，也能滿足大多數的自身需要。如果兩萬年前有個社會學家，完全不知道農業革命後的事情，就很有可能認為種種虛構神話故事的用途相當有限。講到祖靈、講到部落圖騰，或許已經足以讓五百人願意用貝殼交易、舉辦某種慶典、或是聯手消滅某個尼安德塔人的部落，但也就如此而已了。這位遠古社會學家不可能想到，靠著虛構的故事，還能讓幾百萬互不相識的人每天合作。

但事實就是如此出乎意料。現在看來，虛構故事的力量，強過任何人所能想像。農業革命讓人能夠開創出擁擠的城市、強大的帝國，接著人類就開始幻想出關於偉大的神靈、祖國、有限公司的故事，好建立起必要的社會連結。雖然人類的基因演化仍然一如以往慢如蝸牛，但人類的想像力卻是極速奔馳，建立起了地球上前所未

有的大型合作網路。

在大約西元前8500年，全球最大的聚落大概就是像耶律哥這樣的村落，大約有幾百個村民。而到了西元前7000年，位於今日土耳其的加泰土丘（Çatal Höyük）城鎮大約有五千到一萬人，很可能是當時世界上最大的聚落。再到了西元前5000年到4000年，肥沃月灣一帶已經有了許多人口達萬人的城市，而且各自掌理著附近的小村莊。在西元前3100年，整個下尼羅河谷統一，成為史上第一個埃及王朝，法老王統治的遼闊領土有數千平方公里、人民達數十萬。

大約在西元前2250年，薩爾貢大帝（Sargon the Great）在兩河流域建立第一個帝國：阿卡德帝國，號稱擁有超過一百萬的子民，常備軍隊達5,400人。在西元前1000年到西元前500年之間，中東地區開始出現大型帝國：亞述帝國、巴比倫帝國和波斯帝國。這些帝國統治人數達數百萬，軍隊人數也上萬人。到了西元1年，羅馬統一了整個地中海地區，納稅人口達一億。有了這些錢，羅馬得以維持人數達25萬到50萬之譜的常備軍力，以及架構完善的交通網路，在一千五百年後仍然在使用，另外還有直到現在仍令人讚嘆不已的劇院和露天劇場。

其他地區也各自有其社會發展和政治統一的過程。在東亞，大約在西元前7000年，開始在黃河流域出現小村落，最後在西元前221年由秦始皇統一天下。秦朝人口約有4,000萬，稅收得以支持數十萬雄兵，以及共有超過十萬官員的複雜朝廷系統。

確實，這種種都令人印象深刻，但我們不該有太美好的幻想，以為在法老王時代的埃及、或是在秦朝，「大型合作網路」就已十分完美。「合作」聽起來應該要十分無私而且利他，但這件事並不總是出於自願，而且還更少能夠公平。大多數的人類合作網路最後

都成了壓迫和剝削。在這種新興的合作網路裡,農民交出他們辛苦工作得來的多餘糧食,但帝國的收稅官只要大筆一揮,就可能讓他們一整年的辛勞都化為烏有。像是羅馬著名的圓形劇場,常常是由奴隸所建造,讓有錢有閒的羅馬人,觀賞由奴隸上演的神鬼戰士秀。此外,監獄和集中營也可算是合作網路,要不是有數千名互不相識的人,用了某些方式來管理協調彼此的行動,這些網路根本不可能運作。

《漢摩拉比法典》vs.〈美國獨立宣言〉

所有這些合作網路,不管是古代美索不達米亞的城市,或是秦朝和羅馬的帝國,都只是「由想像所建構的秩序」。支持它們的社會規範既不是人類的天性本能,也不是人際的交流關係,而是他們都相信共同的虛構神話故事。

虛構的故事是怎麼支持了整個帝國?我們已經討論過一個這種例子:寶獅公司。現在我們可以來看看另外兩個史上最有名的虛構故事:第一個是大約西元前1776年的《漢摩拉比法典》,可以說是幾十萬古巴比倫人的合作手冊;第二個是西元1776年的〈美國獨立宣言〉,可以說是現代數億美國人的合作手冊。

在西元前1776年,巴比倫是當時最大的城市,而巴比倫帝國也很可能是當時最大的帝國,子民超過百萬,統治著大半的美索不達米亞平原,包括現代的伊拉克大半地區和部分的敘利亞與伊朗。現今最有名的巴比倫國王就是漢摩拉比,而他有名的原因,主要就在於以他命名的《漢摩拉比法典》。這部法典彙集各種律法和判例,希望將漢摩拉比塑造為一位正義國王的榜樣,做為更一致的法律體

系的基礎，並且教育後世子孫何為正義、正義的國王又該如何行
事。

後世子孫確實看到了！古代美索不達米亞平原的知識份子與官
僚菁英將這部法典奉為經典，就算等到漢摩拉比骨已成灰、巴比倫
帝國也煙消雲散，但這部法典還是由文士不斷抄寫流傳。因此，想
認識古代美索不達米亞人對於社會秩序的理想，《漢摩拉比法典》
是很好的參考來源。[35]

法典開頭指出，美索不達米亞的幾位大神安努（Anu）、恩利
爾（Enlil）和馬杜克（Marduk）任命漢摩拉比「在這片土地上，伸
張正義，驅除不義罪惡，阻絕恃強凌弱。」[36] 接著，法典列出大約
三百條判例，固定寫法是：「如果情形如何如何，判決便應如何如
何。」以下舉出判例196至199和判例209至214：

196.　若某個上等人使另一個上等人眼瞎，便應弄瞎他的眼。

197.　若他使另一個上等人骨折，便應打斷他的骨。

198.　若他使某個平民眼瞎或骨折，他應賠償60舍客勒（shekel，
　　　約8.33公克）的銀子。

199.　若他使某個上等人的奴隸眼瞎或骨折，他應賠償該奴隸身
　　　價的一半（以銀子支付）。[37]

209.　若某個上等人毆打一個上等女子、造成她流產，他應賠償
　　　她10舍客勒的銀子。

210.　若該女子喪命，他們應殺了他的女兒。

211.　若他毆打某個平民女子、造成她流產，他應賠償她5舍客
　　　勒的銀子。

212.　若該女子喪命，他應賠償30舍客勒的銀子。

213. 若他毆打某個上等人的女奴隸、造成她流產，他應賠償2
舍客勒的銀子。

214. 若該女奴喪命，他應賠償20舍客勒的銀子。[38]

列舉他的判決後，漢摩拉比再次宣告：

以上是幹練有能的國王漢摩拉比，所做出的公正裁決，指示著
這片土地朝向真理的道路、人生的正途……我是漢摩拉比，高貴的
國王。恩利爾神將人類子民交付給我照護，馬杜克神將人類子民交
付給我帶領，而我悉心關懷、不曾輕忽。[39]

《漢摩拉比法典》認為，巴比倫的社會秩序根源於由神所指示
的普世永恆的正義原則。這裡的階級結構原則至關重要，將所有人
類分成男女兩種性別，以及上等人、平民和奴隸三種階級；性別和
階級不同，身價也就天差地別。像是一個平民女性值30舍客勒的銀
子，一個女奴隸只值20舍客勒，但光是平民男性的一隻眼睛，就值
60舍客勒的銀子。

《漢摩拉比法典》也規定了嚴格的家庭階級制度。根據法典，
小孩並不是獨立的人，而是父母的財產。因此，如果一個上等人殺
了另一個上等人的女兒，懲罰就是把兇手的女兒給殺了。這對我們
看來可能荒謬至極，兇手本人逍遙自在，但他無辜的女兒卻得賠上
一命。然而在漢摩拉比和當時的巴比倫人看來，這實在再公平正義
不過。《漢摩拉比法典》背後的一項重要假設，就是只要國王的臣
民全部接受各自的階級角色、各司其職，整個帝國上百萬的人民就
能有效合作。這麼一來，這個社會不但能為所有成員生產足夠的糧

食、有效分配，還能保護國家、抵抗敵人，甚至是擴張領土，好取得更多財富、更多安全保障。

漢摩拉比去世三千五百年後，北美十三個英國殖民地的民眾認為英國國王對待他們不公，於是各殖民地代表群聚費城，於1776年7月4日宣布，所有殖民地的民眾不再是英國王室的子民。〈美國獨立宣言〉也宣告了自己的普世永恆的正義原則，而這則宣言也像《漢摩拉比法典》一樣找了神祇來背書。然而，「美國神」指示的至高原則，卻似乎和「巴比倫神」指示的有所出入？

〈美國獨立宣言〉主張：

我們認為下面這些真理是不言而喻的：人人生而平等，造物者賦予他們若干不可剝奪的權利，其中包括生命權、自由權和追求幸福的權利。

一如《漢摩拉比法典》，〈美國獨立宣言〉也承諾：如果人類依照其中規定的神聖原則行事，數百萬的民眾就能彼此合作無間，生活安全和平，社會公平且繁榮。也像《漢摩拉比法典》，〈美國獨立宣言〉的效力不僅限於當時當地，而是讓後世子孫依然奉為圭臬。現在已經過了兩百多年，美國學童仍然要抄寫、背誦這份宣言。

這兩份文本讓我們左右為難，不管是《漢摩拉比法典》或是〈美國獨立宣言〉，都聲稱自己說的是普世永恆的公平正義原則，但美國人認為所有人都是平等的，而巴比倫人顯然並不同意。當然，兩邊都堅持自己才是真理正義、而另一方是邪魔歪道。

但事實上，他們都錯了。不管是漢摩拉比或是美國開國元勳，

心中都有個想像的現實，想像這個世界有著放諸四海皆準、永恆不變的正義原則（例如階級或平等），但這種不變的原則其實只存在於智人豐富的想像力裡，只存在他們創造並告訴彼此的虛構故事中。這些原則，從來就沒有客觀的效力。

對我們來說，聽到要把人分成「上等人」或「平民」，大概都會同意這只是一種想像。但其實，即使說的是「人人平等」，也只是虛構的概念。所謂人人平等，到底是什麼？除了想像中之外，有沒有什麼客觀的事實可以說我們人人平等？人類彼此在生物學上都相等嗎？從生物學的角度，我們再重新看一次〈美國獨立宣言〉裡最著名的段落：

我們認為下面這些真理是不言而喻的：人人生而平等（all men are created equal），造物者賦予他們若干不可剝奪的權利，其中包括生命權、自由權和追求幸福的權利。

一開始講到「人人生而」，英文用的字眼是created（被創造出來的），但生物學證實的是：生命並沒有「被創造出來」，生命是演化出來的。演化鐵定沒有「平等」這回事，所謂平等的概念，是與「創造」的概念緊密相關。美國人的「平等」觀念來自於基督宗教（Christianity，泛稱所有信仰基督的宗教，包括天主教、東正教、基督教），基督宗教認為每個人的靈魂都是由上帝所創，而所有靈魂在上帝面前一律平等。但是，如果我們不相信基督宗教那一套關於上帝、創造和靈魂的神話故事，那所謂人人「平等」究竟是什麼意思？演化的基礎是差異，而不是平等。每個人身上帶的遺傳密碼都有些許不同，而且從出生以後就接受到不同的環境影響，

發展出不同的特質，導致不同的生存機遇。「生而平等」其實該是「演化各有不同」。

而根據生物學，人並不是「創造」出來的，自然也就沒有「造物者」去「賦予」人類什麼。個體誕生的背後，就只是盲目的演化過程，沒有任何預設的目的。所以「造物者賦予」其實就只是「出生」。

同樣的，生物學上也沒有「權利」這種事，只有各種器官、能力和特性。鳥類會飛就是因為牠們有翅膀，可不是因為有什麼「飛翔的權利」。此外，這些器官、能力和特性也沒有什麼「不可剝奪」的問題，常常它們會不斷突變，還可能在一段時間後完全消失。例如鴕鳥，就是失去了飛行能力的鳥類。所以，「不可剝奪的權利」其實是「可變的特性」。

那我們要問，究竟人類的演化具有什麼特性？「生命」倒是無庸置疑，不過「自由」又是怎麼回事？生物學可不講自由這種東西。自由就像是平等、權利和有限公司，不過是人類發明的概念，也只存在人類的想像之中。從生物學的角度來看，要說人類在民主社會是自由的、而在獨裁國家是不自由的，這點完全沒有意義。

最後，「幸福」又是什麼？到目前為止，生物學研究還是沒辦法為「幸福」明確下個定義，也沒辦法客觀測量「幸福」。大部分的生物研究都只認可「快感」確實存在，也能有比較容易定義和測量的方式。所以，「生命權、自由權和追求幸福的權利」其實只有「生命和追求快感」為真。

因此，我們來看看〈美國獨立宣言〉改用生物學、科學的角度重寫，該是如何：

我們認為下面這些真理是不言而喻的：人人演化各有不同，出生就具有某些可變的特性，其中包括生命和追求快感。

　　上面這段推論過程，如果是平等權和人權的激進份子看到，可能會大發雷霆，大聲駁斥：「我們知道人在生物學上不相等！但是如果大家都相信人人在本質上平等，就能創造出穩定繁榮、公平正義的社會！」這點我完全贊成，但這正是我所說「由想像所建構的秩序」。我們相信某種秩序，並非因為這是客觀的現實，而是因為這樣相信，可以讓人提升合作效率，打造更美好的社會。這種由想像所建構的秩序絕非邪惡的陰謀、或是無用的空談，而是唯一能讓大群人類合作的救命仙丹。

　　但別忘了，漢摩拉比也可以用同樣的邏輯，來捍衛他的階級原則：「我知道所謂上等人、平民和奴隸在本質上並沒有什麼不同！但是如果大家都相信階級有別，就能創造出穩定繁榮、公平正義的社會！」

▌需要真正的堅信者

　　很多讀者讀到上面那一節，可能都覺得如鯁在喉。畢竟那就是我們多數人今天所接受的教育。我們說《漢摩拉比法典》是虛構故事，並不會覺得難以接受，但說到人權也只是虛構故事，聽來就有些刺耳了。如果大家都發現人權不過是一種想像，豈不是社會就要崩潰了嗎？

　　講到「神」的概念，伏爾泰就曾說：「世界上本來就沒有神，但可別告訴我的僕人，免得他半夜偷偷把我宰了。」漢摩拉比對於

階級原則、〈美國獨立宣言〉起草人傑佛遜對於人權，私底下應該也都會說出類似的話。智人並沒有什麼與生俱來的權利，就像蜘蛛、鬣狗和黑猩猩也都是如此。但可別告訴我們的僕人，免得他們半夜偷偷把我們宰了。

這種擔心其實很有道理。大自然的秩序是很穩定的，就算人類不再相信世界上有重力，重力也不會一夜之間消失。但相反的，想像所建構出來的秩序總是有一夕崩潰的風險，因為這些秩序背後靠的都是虛構的故事，只要人們不再相信，一切就風雲變色。

為了維持想像建構出來的秩序，必須持續投入大量心力，甚至還得摻入些暴力和脅迫的成分。像是為了讓民眾不違反想像建構的秩序，國家就需要有軍隊、警察、法院和監獄不分晝夜發揮作用。如果一個古巴比倫人讓鄰居眼睛瞎了，國家想要執行「以眼還眼」的規定，就不得不有些暴力的措施。而在1860年，即使大部分美國公民已經認為黑奴也是人、必須享有自由的權利，這時也是靠著血流無數的一場內戰，才讓南方各州黯然接受。

然而，光靠暴力還不足以維持由想像所建構出來的秩序，我們還需要一些真正相信如此的堅定信徒。法國政治家塔列朗（Charles Maurice de Talleyrand-Périgord）的政治生涯就像變色龍，先是路易十六的臣子，再經過革命和拿破崙政權，又抓準時機再次投誠回到君主制的政體。他曾總結自己幾十年任官的經驗，表示：「刺刀確實可以做很多事，但想安坐在上面，可是不太舒服。」

很多時候，一名牧師的效果還大過一百個士兵，而且更便宜、更有效。此外，不管刺刀多有效，總得有人來刺。如果士兵、獄卒、法官和警察根本不相信某一種由想像建構的秩序，他們又怎麼會照辦？在所有的人類集體活動中，最難組織推動的就是暴力活

動。如果說社會秩序是由武力來維持，立刻就會碰上一個問題：那
軍隊秩序是由什麼來維持？想靠威脅來維持軍隊組織，顯然不太可
行。至少必須有某些軍官和某些士兵真正相信某些事情，不管是信
仰上帝、榮譽、祖國、男子氣概，或是單純相信金錢也成。

　　另一個更有趣的問題，是關於那些站在社會金字塔頂端的人。
如果他們並不相信這些想像的秩序，他們又為什麼要推動這種秩
序呢？常有人說這些人其實什麼都不信，只是貪婪而已。但這種說
法有問題。如果真的是什麼都不信（像是犬儒學派），就很難是貪
婪的人，畢竟客觀來說，只是單純要滿足智人的基本生理需求並不
難。而滿足基本需求之後，多餘的錢就可以用來蓋金字塔、到世界
各地度假、資助競選活動、提供資金給你最愛的恐怖組織、或是投
入股市再賺更多的錢，但對於真正的犬儒主義者來說，這一切貪婪
的事都毫無意義。

　　創立犬儒學派的希臘哲學家第歐根尼（Diogenes），他就住在
一個桶子裡。據說有一天他正在做日光浴，當時權傾天下的征服者
亞歷山大大帝來找他，想知道他是否需要些什麼，而且保證自己會
盡力協助。第歐根尼回答：「確實，有件事可以請你幫個忙。麻煩
你移動一下，別再擋住我的陽光。」

　　正因如此，犬儒主義者不可能建立起帝國，而且如果某個由想
像建構出的秩序希望維持久遠，就必須大部分的人（特別是大部分
的菁英份子）都真正相信它。如果不是大多數中國人都相信仁義禮
孝，儒家思想絕不可能持續了兩千多年。如果不是大多數的美國總
統和國會議員都相信人權，美國的民主制度也不可能持續了兩百五
十年。如果不是廣大的投資人和銀行家都相信資本主義，現代經濟
體系連一天也不可能繼續存在。

▍虛虛實實

不管是基督宗教、民主或是資本主義，都只是由想像所建構出來的秩序。而要怎樣才能讓人相信這些秩序呢？

首先，對外的說法絕對要堅持它們是千真萬確、絕非虛構。永遠要強調，這種維持社會穩定的秩序是客觀的事實，是由偉大的神或是自然律創造出來的。如果要說人人不平等，不是因為漢摩拉比自己這麼說，而是因為恩利爾和馬杜克這兩位神的旨意。如果要說人人平等，也不是因為傑佛遜自己這麼說，而是因為這是上帝創世造人的方式。如果要說自由市場是最好的經濟制度，不是因為《國富論》的作者亞當‧斯密（Adam Smith）自己這麼說，而是因為這是永恆不變的自然律。

第二，在教育上也要徹底貫徹同一套原則。從人出生的那一刻起，就要不斷提醒他們這套由想像建構出來的秩序，要在一切事物融入這套原則，不管是童話、戲劇、繪畫、歌曲、禮儀、政治宣傳、建築、食譜，或是時尚。舉例來說，我們現在相信人人平等的概念，所以大富人家的子弟也穿起牛仔褲，覺得這是時尚。但一開始，牛仔褲是工人階級的打扮，而如果是在相信階級制度的中世紀歐洲人，絕對不可能有哪個年輕貴族去穿上農民的工作服裝。在當時，「先生」（Sir）或「女士」（Madam）是貴族專屬的特權稱謂，甚至得流血搶破頭，才能取得這稱謂。然而到了現在，不管信件的收件人是誰，開頭的稱謂一律都是「親愛的某某先生」或「親愛的某某女士」。

不論是人文科學或社會科學，都已經有人花了大把精力，來解釋這些想像建構的秩序會如何融入我們的生活。但這裡篇幅有限，

只能簡單一談。有三大原因，讓人類不會發現，組織自己生活的種種秩序其實是想像：

1. 想像建構的秩序深深與真實的世界結合。

　　雖然這些想像建構的秩序只存在於我們的腦海裡，但它可以與真實的世界緊緊結合、密不可分。像是今天大多數西方人都相信個人主義，認為每個人都是獨立的個體、有獨立的價值，而不受他人看法的影響。換句話說，就好像我們每個人都有自己的一道光照亮我們，讓我們的生活有價值、有意義。在現代西方學校裡，老師和家長會告訴小孩，受到同學嘲笑並不用太在意，因為只有自己知道自己的真正價值，別人不見得瞭解。

　　除此之外，這種由想像建構的虛構故事還落實到了現代建築之中。像是理想的現代建築會將房屋分成許多小房間，讓每個孩子都能有私人空間，能有最大的自主權，私生活的一舉一動都不用暴露在他人的目光之下。這種私人房間幾乎一定有門，而且許多家庭不只允許小孩關門，甚至還能上鎖，就連父母想進去，都得先敲敲門得到允許才成。小孩對自己房間的裝飾可以隨心所欲，牆上可以貼搖滾明星的海報，滿地可以丟著髒衣服、髒襪子。如果在這樣的空間裡成長，任何人都會覺得自己就是「個體」，覺得自己的真正價值是由內而外，而不是他人所賦予。

　　然而，像是中世紀的貴族就沒有個人主義這一套。他們認為，個人的價值是由社會階級、由他人的看法所決定。在這種情形下，「被別人嘲笑」就成了莫大的侮辱。而當時的貴族也會告訴孩子，要不惜一切代價來保護名聲。

　　同樣的，中世紀想像中的價值體系也反映在當時實際的城堡

建築上。一座城堡幾乎不可能有兒童房（就算是成人，也很少有個人的房間）。例如，如果是中世紀男爵的兒子，城堡裡的二樓不會有他自己的房間，他如果崇拜獅心王理查一世或亞瑟王，也沒辦法把他們的畫像貼在自己的牆壁上；可以上鎖的門就更別談了。他睡覺的地方跟其他許多年輕人一樣，就是在寬敞的大廳裡。可以說，他總是活在眾人的目光下，總是得注意別人的觀感和意見。如果在這種環境下長大，自然就會覺得：個人的真正價值是由他的社會階級，以及他人對他的看法而決定的。[40]

2. 想像建構的秩序塑造了我們的欲望。

對多數人來說，都很難接受自己的生活秩序只是虛構的想像，但事實是，我們從出生就已經置身於這種想像之中，而且連我們的欲望也深受其影響。於是，個人欲望也就成為虛構秩序最強大的守護者。

例如現代西方人最重視的那些欲望，都是建構在已經為時數百年的虛構故事上，包括浪漫主義、民族主義、資本主義，以及人文主義。我們常常告訴朋友要「隨心所欲」，但這裡的「心」就像是雙面諜，聽從的常常是外面那些主流的虛構故事。於是「隨心所欲」不過也只是結合了十九世紀浪漫主義與二十世紀的消費主義，再植入我們的腦海罷了。以可口可樂公司為例，旗下雪碧的廣告詞就是「相信你的直覺，順從你的渴望。」

甚至那些人們以為深深藏於自己內心的渴望，通常也是受到由想像建構的秩序所影響。例如，許多人都很想到國外度假。然而，這件事並沒有什麼自然或是明顯的道理。例如黑猩猩的首領可不會想要運用權力，讓自己到隔壁黑猩猩的領土上度個假。而像古埃及

的法老王，也是把所有財富拿來建造金字塔、把自己的遺體做成木乃伊，而不會想要去巴比倫瞎拚、或是去腓尼基滑雪。現代人之所以要花費大把銀子到國外度假，正是因為他們真正相信了浪漫的消費主義神話。

浪漫主義告訴我們，為了要盡量發揮潛力，就必須盡量累積不同的經驗。必須體會不同的情感、嘗試不同的關係、品嘗不同的美食，還必須學會欣賞不同風格的音樂。而其中最好的一種辦法，就是擺脫日常生活及工作、遠離熟悉的環境，前往遙遠的國度，好親身「體驗」不同的文化、氣味、美食和規範。

我們總會不斷聽到浪漫主義的神話，告訴我們「那次的經驗讓我眼界大開，從此整個生活都不一樣了。」

消費主義則告訴我們，想要快樂，就該去買更多的產品、更多的服務。如果覺得少了什麼，或是有什麼不夠舒服的地方，那很可能是該買些什麼商品了（新車、新衣服、有機食品），或是買點什麼服務了（清潔工、諮商輔導、瑜珈課）。就連每一則電視廣告，也都是小小的虛構故事，告訴你買了什麼產品或服務，可以讓日子過得更好。

鼓勵多元多樣的浪漫主義又與消費主義一拍即合，兩者攜手前行，催生了販售各種「體驗」的市場，進而推動現代旅遊產業的蓬勃發展。旅遊業真正販賣的可不是機票和飯店房間，而是旅遊中的經驗。所以這樣說來，巴黎的重點不是城市，印度的重點也不是國家，而是它們能提供的經驗；之所以要買經驗，是因為據說這樣就能拓展我們的視野、發揮我們的潛力，並且讓我們更快樂。也因此，如果有個百萬富翁和太太吵架，和好的方式很可能就是帶她去巴黎旅遊一番。

　　這種做法讓我們看到的並不是某種個人的欲望，而是他深深堅信浪漫的消費主義。如果是古埃及有錢人和太太吵架，帶著她去巴比倫度個假，絕對不會是選項，反而可能是為她建一座她夢寐以求的華麗陵墓，才會讓她心花朵朵開。

　　一如古埃及菁英份子，現在大多數人一生汲汲營營，也都是想蓋起某種金字塔，只不過這些金字塔在不同文化裡，會有不同的名字、形體和規模罷了。舉例來說，可能是一間近郊的獨棟透天別墅，有游泳池和大庭院，也可能是一間閃閃發光的高樓公寓，有著令人摒息的美麗景觀。但很少人會真的去問，究竟為什麼我們會開始想打造這些金字塔？

3. 想像建構的秩序存在於人與人的思想連結中。

　　就算假設藉著某些超自然的力量，我讓自己的欲望跳脫出了這個由想像建構的秩序，但我還是只有自己一個人。想要改變這個秩序，我還得說服數百萬的陌生人都和我合作才行。原因就在於：由想像建構的秩序並非個人主觀的想像，而是存在於千千萬萬人共同的想像之中，這就是所謂**互為主體性**（inter-subjectivity）現象。

　　要瞭解這一點，我們必須解釋一下「客觀」、「主觀」和「互為主體性」有何不同。

　　「客觀」事物的存在，不受人類意識及信念影響。例如「放射性」就不是一個虛構的故事。早在人類發現放射性之前，放射性就已經存在；而且就算有人不相信有放射性存在，還是會受到它的傷害。像是發現放射性的居禮夫人，就沒想過多年研究放射性物質會傷害她的身體。雖然她不相信放射性會對她有害，最後她還是死於因為過度暴露於放射性物質，而造成的再生不良性貧血。

「主觀」事物的存在，靠的是某個單一個人的意識和信念。如果這個人改變了自己的信念，這項主觀事物也就不復存在，或是跟著改變。像是許多小孩都會想像，自己有一個只有自己看得到、聽得見的朋友。這個想像中的朋友只存在於孩子的主觀意識中，等孩子長大、不再相信，這個朋友也就從人間蒸發了。

　　「互為主體性」的存在，靠的是許多個人主觀意識之間的連結網絡。就算有某個人改變了想法，甚至過世，對這現象的影響並不大。但如果是這個網絡裡的大多數人都死亡、或是改變了想法，這種互為主體性就會消失、或是產生變化。之所以會有互為主體性，目的並不是要互相欺瞞，也不是彼此只想打哈哈敷衍。雖然它們不像放射性會直接造成實質影響，但對世界的影響仍然不容小覷。歷史上有許多最重要的驅動因素，都是具有互為主體性的概念，包括法律、金錢、神、國家。

▌有如監獄的高牆

　　讓我們再次以寶獅汽車做為例子。這家公司並不是寶獅執行長自己心中想像出來的朋友，而是存在於數百萬人心中的共同想像。這位執行長之所以相信公司存在，是因為董事會也這麼相信，公司請的律師也這麼相信，辦公室裡的同仁也這麼相信，銀行人員也這麼相信，證券交易所的業務員也這麼相信，還有從法國到澳洲的汽車經銷商，大家都是這麼相信的。如果某一天，執行長自己不相信寶獅汽車存在了，他很快就會被送到最近的精神病院，還會有人來坐進他的執行長辦公室。

　　同樣的，不論是美元、人權或是美國，都是存在於數十億人的

共同想像之中，任何一個獨立的個體都無力撼動這些概念。就算我自己下定決心不再相信美元、人權和美國，也無法造成任何改變。正因為這些由想像建構的秩序具有互為主體性，若想要改變這些秩序，就得要同時改變數十億人的想法，這絕非易事。想要達到這種大規模的改變，必然需要有複雜的組織在背後協助，可能是政黨、可能是思潮運動、也可能是某個宗教教派。然而，為了建立這種複雜的組織，就得說服許多陌生人共同合作，而這又得靠著他們都相信另一些共同的虛構故事才行得通。由此可見，為了改變現有由想像建構出的秩序，就得先用想像建構出另一套秩序才行。

舉例來說，想解決掉寶獅汽車，我們就需要想像出更強大的東西，像是法國的法律制度。而想解決掉法國的法律制度，我們又需要想像出更強大的東西，像是法國的國家力量。而如果想解決的是法國，就還得再想像出更強大的東西才行。

身為智人，我們不可能脫離想像所建構出的秩序。每一次我們以為自己打破了監獄的高牆、邁向自由的前方，其實只是到了另一間更大的監獄，把活動範圍稍稍加以擴大而已。

第**7**章

大腦記憶過載

　　演化並沒有讓人擁有踢足球賽的能力。確實，演化讓人有腳能踢球、有肘能犯規、還有嘴能罵人，但這些加起來，頂多就是讓人能自己玩玩球而已。想在某個下午，和球場上的陌生人一起來踢場足球賽，不只得和十個可能從未見過面的人合作當隊友，還得知道對方十一個人也會遵守一樣的規則。

　　有些時候，其他動物也會和陌生同類合作，進行仿若儀式的攻擊舉動，但通常都是出於本能。例如幾隻小狗有時候會圍攻一、兩隻小狗，咬來咬去、亂成一團，但那是深植於牠們基因裡的設計。而我們人類的孩子體內，可沒什麼玩足球的基因。我們之所以能和完全陌生的人踢場球賽，是因為大家都學過同樣一套足球規則。這些規則全部都是想像出來的，不過只要大家都同意，還是能玩得十分開心。

　　這種情況同樣適用於像是王國、教會或貿易網等較大的規模，只有一項重要區別：複雜的程度不同。相對來說，足球的規則簡單明瞭，很像是過去狩獵採集時代，各個小部落或小村莊之間要合

作時的共識。所有球員都可以輕輕鬆鬆把規則全部記在腦子裡，同時大腦還有餘裕記得一些歌曲、影像，甚至是待會要買什麼。只不過，如果不是像這樣只有22個人要合作，而是有幾千人、甚至幾百萬人要合作，需要儲存及處理的資訊量就會極度龐大，絕不是任何單一人腦所能記憶處理的。

大腦不是良好的資訊儲存設備

某些其他物種（像是螞蟻和蜜蜂）也能形成大型社會，而且穩定又靈活。但這是因為牠們的基因組裡就已經儲存了合作所需的大部分資訊。蜜蜂的未受精卵會發育成雄蜂，受精卵則發育成雌蜂，雌蜂幼蟲依據被餵食的食物不同，長大後可能成為蜂后，也可能成為一般的工蜂。在牠們的DNA裡，已經為兩種不同角色都設定好必要的行為模式，前者讓牠能母儀天下，後者則讓牠盡心盡力、認真工作。蜂巢的社會結構非常複雜，有許多不同種類的工蜂，有的負責覓食、有的負責照護、有的負責清潔等等。但到目前為止，我們可沒人見過有蜜蜂當律師負責打蜜蜂官司。之所以蜜蜂不需要律師，是因為不會有蜜蜂打算違反什麼蜂巢憲法，認為清潔蜂不該有生命權、自由權和追求幸福的權利。

但人類可就不同了，這種事總是不斷發生。因為智人的社會秩序是透過想像而建構，維持秩序所需的關鍵資訊無法單純靠DNA複製就傳給後代，需要透過各種努力，才能維持種種法律、習俗、禮儀，否則社會秩序很快就會崩潰。舉例來說，漢摩拉比國王將人分成上等人、平民和奴隸，但這件事並不存在人類的基因組裡，並不是一個自然的區分方式。如果巴比倫人無法讓大家的心裡都有這

項「真理」，整個社會就會停止運作。同樣的，就算是漢摩拉比本人，他後代的DNA裡也沒記載上等人如果殺了個平民女性就該付30舍客勒的銀子。漢摩拉比必須特地教導他的兒子，告訴他帝國的法律是如何如何，以後再由兒子來教孫子，以此代代相傳。

　　一個帝國要運作，會產生大量的資訊。除了法律之外，帝國還必須記錄各種交易和稅收、軍用物資和商品的庫存量，還有各種節慶及打勝仗的日期。在先前的幾百萬年間，人類只有一個地方可以記錄資訊：他們的大腦。但很遺憾，對於整個帝國這麼大的資料量來說，人類的大腦並不是很好的儲存設備，主要原因有三：

　　第一，大腦的容量有限。確實有些人記憶力驚人，而且古代也有人專研記憶術，整個省的地形地勢瞭然於胸、整部國家法典倒背如流。儘管如此，還是有連記憶大師也無法超越的限制。像是律師就算能把整個麻州的法條都背起來，也不可能把從十七世紀塞勒姆（Salem）女巫審判以降、所有的訴訟細節全記得一清二楚。

　　其次，人類總難免一死，而大腦也隨之死亡。所以任何儲存在大腦裡的資訊，大多在一個世紀內就會消失。當然，我們可以把記憶從一個大腦傳遞到另一個大腦裡，但傳遞幾次之後，資訊總是會失真、或是遭到遺忘。

　　第三點、也是最重要的一點，在於人類的大腦經過演化，只習慣儲存和處理特定類型的資訊。為了生存，遠古的狩獵採集者必須能夠記住數千種動植物的形狀、特性和行為模式。像是他們必須記住，一朵皺巴巴的黃色菇類，如果是秋天長在榆樹下，就很有可能有毒，但如果是冬天長在橡樹下，就是一種很好的胃藥。此外，狩獵採集者也得記住部落裡幾十個人彼此的意見和關係。例如，假設露西需要部落裡有人幫她擋住約翰，叫他別來騷擾她，就很需要記

得像是約翰上星期與瑪麗吵了一架,所以現在找瑪麗來幫她擋住約翰,瑪麗肯定樂意。因此,演化壓力讓人類的大腦善於儲存大量關於動植物、地形和社會活動的資訊。

然而在農業革命之後,社會開始變得格外複雜,另一種全新的資訊類型也變得至關重要:數字。

採集者以前從來不需要處理大量的數字,例如採集者不用記得森林裡每棵樹上有幾枚果子;也因此,人類的大腦不習慣儲存數字和處理數字。然而如果要管理一個大國家,數字可說是一大關鍵。國家光是立法、講些關於守護神的故事還不夠,像是收稅這種事就萬萬不可少。而為了向數十萬國民收稅,就必須先蒐集關於國民收入及財產的數據、關於繳款的數據、關於欠款和罰款的數據、關於扣除額及免稅額的數據。這些數字總共會有數以百萬位元計的資料需要儲存和處理。國家要是無法應付,就永遠不知道手中有什麼資源、未來又能利用什麼資源。但對大多數人來說,講到要記憶、回憶、處理這類的數字,不是覺得腦力過載,就是覺得昏昏欲睡。

這種人腦的限制大大局限了人類合作的規模和程度。如果某個社會的人數和物品的數量超過某個臨界值,就必定需要儲存和處理大量的數字資料;但人腦又力有未逮,於是過於龐大的社會系統就會崩潰。正因如此,就算在農業革命後的數千年間,人類的社會網絡比起現代,還是相對規模較小、也相對簡單。

最早克服這項問題的是古代美索不達米亞南部的蘇美人。當地豔陽高照、平原肥沃,發展出發達的農業、繁榮的城鎮。隨著居民人數增長,要協調各項事務所需的資訊也不斷膨脹。在西元前3500年至3000年之間,一些不知名的蘇美天才發明了一套系統,可以在人腦之外儲存和處理資訊,而且是專為處理大量數字資料量身打造

的。從此，蘇美人的社會秩序不再受限於人腦的處理能力，開始能走向城市、走向王國和帝國。蘇美人所發明的這套數字處理系統，正是**書寫文字**。

13. 來自古城烏魯克（Uruk）大約西元前3400至3000年的泥板，記載著當時的行政文書。這塊泥板清楚記載：在三十七個月內收到了29,086單位的大麥（大約3,800蒲式耳），並由某位「庫辛」簽核。這裡的「庫辛」可能是當時的某個職稱、又或是某個人的名字。如果庫辛真的是名字，他可能就是史上第一個我們知道名字的人。所有先前我們使用的名稱，像是尼安德塔人、納圖芬人、雪維洞穴、哥貝克力石陣，都只是現代人為它們取的名字。像是哥貝克力石陣，我們其實並不知道當時建造它的人怎麼稱呼這個地方。而在文字出現之後，我們終於能夠「透過當時人的耳朵，聽到」一些歷史。很有可能，當時庫辛的鄰居就會朝著他大叫「庫辛！」。這一切在在說明，史上第一個記下的名稱或名字，是屬於一位會計師，而不是什麼先知、詩人，或是偉大的征服者。[41]

歷史上第一個文本

文字是透過實體符號來儲存資訊的方式。蘇美文字系統的做法是結合了兩種類型的符號，刻印在黏土泥板上。第一種符號代表的是數字，分別有符號可以表達1、10、60、600、3,600以及36,000。（蘇美人的數字系統分別以6和10做為基數。即使到現在，我們的生活中還是處處可見以6為基數的數字系統，例如一個圓有360度、一天有24小時）。另一類型的符號則代表人、動物、商品、領土、日期等等。結合這兩種符號，蘇美人能夠記下的資料量，就能夠遠勝於任何大腦的容量、或任何DNA所含的遺傳密碼。

在早期，文字只用來記錄事實和數字。就算蘇美人當時真的有過小說，也從來不曾刻印到泥板上。畢竟，當時要寫下文字不僅耗時，而且能閱讀的群眾也太少，所以除了必要的記錄之外，實在沒有書寫的必要。如果我們想知道人類的祖先在五千年前，是不是寫下了什麼智慧的話語，很可能會非常失望。舉例來說，目前找到人類祖先最早留給我們的訊息是「29,086單位大麥37個月庫辛」。這句話最有可能的解讀是：「在37個月間，總共收到29,086個單位的大麥。由庫辛簽核。」

很遺憾，人類史上的第一個文本，不但不是哲學巧思、不是詩歌、不是傳奇、不是法律，甚至也不是對王室歌功頌德，而是無聊至極的流水帳，記錄了各種稅務、債務，以及財產的所有權。

除此之外，遠古時代只有另一個其他類型的文本倖存，而且甚至比那塊泥板更無趣：就只是一堆單詞，由當時的文士一再重複抄寫，做為練習。其實，就算當時的學生已經抄帳單抄到深感無

聊，想要自己寫首詩，客觀條件也不允許。最早的蘇美文字只能部分表意，而無法完整表意。所謂**完整表意**（full script），指的是這套符號能夠大致完整表達出口頭語言；這樣一來，就能表達一切人類口傳的內容，包括詩歌。但另一方面，所謂**部分表意**（partial script），就是指這套系統只能呈現特定種類的資訊、局限於特定領域的活動。舉例來說，拉丁文、古埃及象形文字和盲人點字都能夠完整表意，不論是稅籍、商事法、菜單、情詩、史書，全部難不倒它。相較之下，最早的蘇美文字就像是現代的數學符號和音樂符號，只能部分表意。例如數學符號雖然能用來計算，但要寫情詩就做不到了。

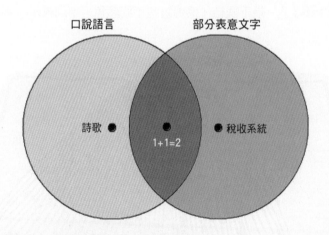

口說語言　　　部分表意文字

詩歌　　　　　1+1=2　　　稅收系統

雖然部分表意的文字系統無法完整傳達人類的口語，但也能表達一些不在口語範圍內的意義。像是蘇美文字、數學符號，雖然不能拿來寫詩，但講到記帳收稅，可是效率一流。

對蘇美人來說，蘇美文字不能拿來寫詩，似乎並不是什麼大問題。畢竟他們發明文字的目的不在於複製口語，而是想要完成一些口語沒做到的事。這就好比在哥倫布抵達美洲之前，安地斯山脈就有一些文化，從來只有部分表意的文字，他們並不會覺得這樣不夠用，也不覺得有必要發展成完整表意的文字。安地斯文化的文字和蘇美文字大有不同，不同的程度大到有很多人甚至不認為安地斯文化的文字是一種文字。

安地斯文化的文字不是寫在泥板或紙張上，而是在各種顏色的繩子上打結來表示，稱為**結繩語**（quipu）。每個結繩語的文本，都有許多不同顏色的繩子（材質可能是羊毛，也可能是棉花），在每條繩子的各種位置上，綁著幾個結。光是一個結繩語文本，就可能有數百條繩子、幾千個結。透過這些不同顏色、不同繩子、不同打

14. 十二世紀的安地斯文化結繩語。

法的結，安地斯文化就能記錄大量的數字資料，像是稅收或是財產資料。[42]

而在數百年、甚至數千年來，對於安地斯山脈當地城市、王國和帝國的商業來說，結繩語都是不可或缺的。[43] 結繩語在印加帝國時期達到鼎盛，當時印加帝國人口約有十萬到十二萬，疆域涵括今日的祕魯、厄瓜多和玻利維亞，以及部分的智利、阿根廷和哥倫比亞。這樣龐大的帝國需要複雜的行政系統，也就需要儲存和處理大量資料，要是沒有結繩語，絕對是不可能的任務。

事實上，正因為結繩語有效又準確，就算在西班牙人占領南美之後，還是用結繩語來管理他們建立的新帝國。但問題在於，西班牙人並不知道該如何記錄和閱讀結繩語，一切有賴當地專業人士協助。這些新統治者很快便意識到，這讓當地的結繩語專家能夠輕易欺瞞和誤導統治者，情勢大大不利。所以等到西班牙的統治勢力站穩扎根了，就全面廢棄結繩語，所有紀錄皆改用拉丁文和數字。而在西班牙占領過後，結繩語文本絕大多數均已佚失，即使倖存，也因為能閱讀的人才凋零，成了無人能懂的文本。

█ 如何檢索文本？

終於，美索不達米亞人開始希望：除了無聊的數字資料外，還能寫些別的東西。在西元前3000到2500年間，蘇美文字系統逐漸加入愈來愈多的符號，成為能夠完整表意的文字，我們今天稱之為**楔形文字**（cuneiform）。到了西元前2500年，國王已經能用楔形文字頒布法令，祭司用它來記錄神諭，至於一般平民大眾則是用來寫信。

差不多同一時間，埃及也發展出另一種能夠完整表意的文字，稱為**古埃及象形文字**（hieroglyphics）。另外，中國在大約西元前1200年、中美洲各地在西元前1500年間，也都發展出了完整表意的文字。

從這些最初的農業中心，完整表意的文字開始向四方傳播，並發展出各種形式以及新用途，讓人開始用文字來寫詩、編史、記食譜、耍浪漫、演戲劇、甚至提預言。然而，文字最重要的任務仍然是記錄大量的數字資料，而這也是部分表意文字的特別強項。無論是《希伯來聖經》、希臘史詩《伊里亞德》、印度的長敘事詩《摩訶婆羅多》，或是佛教的《大藏經》，一開始都是口述作品。這些作品世世代代靠的都是口傳，就算沒有發明文字，也還是會流傳下去。但講到稅務登記和複雜的官僚制度，就必須等到部分表意的文字出現後，才應運而生，而且就算到了今天，還是像連體嬰一樣密不可分——就好像你想進入電腦資料庫查詢、或打開電子試算表，都需要鍵入使用者代碼和使用者密碼一般。

隨著愈來愈多的事情透過文字記載，特別是行政檔案資料變得無比龐雜，也就出現了新的問題。

記在人腦裡的資訊找起來非常方便。以我自己為例，雖然我的大腦裡藏著幾十億位元的資料，但我可以幾乎是立刻想起義大利首都的名字，再想起我在2001年911事件那天做了什麼，還能馬上想出從我家到耶路撒冷希伯來大學的路線。至今，大腦為何能做到這樣，仍然是謎，但我們都知道，大腦的檢索系統效率實在驚人。（只不過，找鑰匙這件事可能是例外。）

那麼，如果是結繩語的繩子、或是刻著文字的泥板，又該怎麼檢索資料呢？如果只有個十片、甚至一百片泥板，都還不是問題。

不過，若是像漢摩拉比同時代的馬里（Mari）城邦的國王齊默里寧（Zimrilim），已經累積了數千片泥板，該怎麼辦？

想像一下在西元前1776年，兩個馬里人在爭論一片麥田的所有權。雅各言之鑿鑿，說他早在三十年前，就向以掃買了這片田。但以掃不同意，說他只是把這片田地租給雅各，租期三十年，現在租期到了，他要收回土地。雙方火氣上升，開始互相叫囂推打，但他們忽然想到，可以到王室的檔案庫去查查，那裡有全王國房產地產的產權紀錄。

但是等他們抵達了檔案庫，兩人就被各部門的人，像皮球踢來踢去，叫他們先坐下來喝杯青草茶、歇一會兒，或是明天請早。好不容易終於有個承辦人員一邊碎碎唸、一邊帶著他們去找相關的泥板。承辦人員打開一扇門，來到一個巨大的房間，從地板到天花板堆積著成千上萬片泥板。也難怪承辦人員心情糟，他該怎樣才能找到記著三十年前麥田合約的那塊泥板？就算找到了，又怎麼能知道這塊三十年前的泥板就是關於這片麥田的最新合約？另外，如果找不到這塊泥板，難道就能說以掃從未出售或出租這片麥田嗎？會不會只是泥板搞丟了，或是某次下雨滲水把它給溶了？

▋官僚制度的奇蹟

顯然，光是把紀錄壓印在泥板上，並沒有辦法讓資料處理有效率、準確和方便。我們還需要有組織工具（像是編目）、快速的複製工具（像是影印機）、快速準確的檢索工具（像是電腦搜尋），而且還得有夠聰明（最好心情還能好一些）的負責人員，能夠瞭解這些工具的使用方法。

事實證明，要發明這些工具比發明書寫文字難上太多了。在許多時間和地點都相差甚遠的文化裡，都曾各自發展出自己的文字系統。每隔幾年，總有考古學家又發現了其他某種被遺忘的文字，甚至有些還可能比蘇美泥板更久遠。但這些文字多半就只是些新鮮卻不實用的發明，原因就在於這些文化沒能找出方法，來有效編目和檢索資料。而蘇美、古埃及、古中國和印加帝國的特殊之處，就在於這些文化都發展出了良好的技術，能夠將文字紀錄予以歸檔、編目和檢索，另外還投入資本，培養人才來負責抄寫、做資料管理和會計事務。

考古學者在美索不達米亞發現了一份當時的書寫作業，讓我們得以一窺大約四千年前的學生生活：

我走進去坐下，老師來檢查我的泥板。

他說：「你漏了一些東西！」

然後他就用棍子打我。

另一個管事的人說：「未經我允許，你竟敢講話？」

然後他就用棍子打我。

管秩序的人說：「未經我允許，你竟敢站起來？」

然後他就用棍子打我。

看門的說：「未經我允許，你竟敢出去？」

然後他就用棍子打我。

管啤酒壺的說：「未經我允許，你竟敢倒啤酒？」

然後他就用棍子打我。

蘇美語的老師說：「你竟敢說阿卡德語？」[4]

然後他就用棍子打我。

> 我的老師說：「你的字很醜！」
> 然後他就用棍子打我。[44]

　　古代的抄寫員不但得會讀會寫，還得知道如何查目錄、辭典、日曆、表單和表格。他們得要學習並內化種種編目、檢索和處理資料的技巧，而且這些都和大腦原本內建的機制非常不同。在大腦裡，所有資料都很自由的互相連結。像是我和另一半一起去辦新家抵押貸款的時候，腦海裡就想到我倆一起住的第一個地方，又讓我想到去紐奧良度的蜜月，再想到鱷魚，再想到西方的惡龍，再想到歌劇《尼布龍根指環》，結果不知不覺就哼起了歌劇裡面齊格飛的主旋律，把銀行職員搞得一頭霧水。

　　對官僚制度來說，各種資料必須清楚分開。一個抽屜放住宅抵押貸款，一個放結婚證書，第三個放稅務登記，第四個放訴訟案件。否則哪知道該到哪去找？而如果有某件事情同時屬於很多個抽屜（例如華格納的音樂劇究竟該算是「音樂」還是「戲劇」？還是應該另列一類？），可就頭痛了。所以，這些制度總是在不停新增、刪除和重新分配這些抽屜。

　　為了要讓工作順利，要操作這種抽屜系統的人必須接受訓練，思考的方式不能像一般人，而是得有專業文書和會計人員的樣子。從古至今，我們都知道文書和會計的想法就是有點沒人性，像個文件櫃一樣。但這不是他們的錯。如果他們不這樣想，他們的抽屜就會一片混亂，也就無法為政府、公司或組織提供所需要的服務。

　　而這也正是文字對人類歷史所造成最重要的影響：它逐漸改變

---

[4] 就算當時大家都講阿卡德語，但蘇美語仍然是官方治理用的語言，因此也是各項紀錄所用的語言。立志成為抄寫員的人，就得講蘇美語。

了人類思維和看待這個世界的方式。過去的自由連結、整體思考，已經轉變為分割思考、官僚制度了。

數字的語言

幾個世紀過去，官僚制度式的資料處理方式，與人類自然思考方式的差異愈來愈大，重要性也愈來愈高。還不到九世紀的時候，發明了另一種部分表意的文字，讓儲存和處理數字資料的效率一日千里，奠下重要的里程碑。

這種部分表意的文字是由十個符號組成——由0到9這十個符號來代表數字。很容易讓人搞錯的一點在於，雖然這些符號現在稱為**阿拉伯數字**，但其實是印度人發明的。而且，現代阿拉伯人自己還用了一組和西方頗不相同的數字符號系統，就更叫人滿頭霧水了。之所以現在我們會稱為阿拉伯數字，是因為阿拉伯人攻打印度時，發現了這套實用的計數系統，再加以改良傳到中東、進而傳入歐洲。等到有幾個其他符號加入了阿拉伯數字系統（例如加號、減號、乘號），就成了現代數學記號的基礎。

雖然這整套系統仍然只是部分表意的文字符號，但這已經成為全世界的一大重要語言。幾乎所有的國家、企業、組織和機構，不管講的是阿拉伯語、印度語、英語或是挪威語，都必須使用數學記法來記錄及處理資料。只要能將資訊轉成數學記法，儲存、傳播和處理的速度與效率，就能快到令人嘆服。

因此，如果哪個人想影響政府、組織和企業的決策，就必須學會「用數字說話」。而專家也費盡心力，甚至像是「貧窮」、「幸福」和「誠實」這些概念，都能翻譯成一個又一個的數字，成了

「貧窮線」、「主觀幸福感程度」、「信用等級」。而像是物理和工程方面，幾乎整個知識領域都快要和人類的口語脫節，而由數學符號獨挑大梁：

$$
\begin{aligned}
\ddot{\mathbf{r}}_i = \sum_{j \neq i} & \frac{\mu_j\,(\mathbf{r}_j - \mathbf{r}_i)}{r_{ij}^3} \left\{ 1 - \frac{2(\beta + \gamma)}{c^2} \sum_{l \neq i} \frac{\mu_l}{r_{il}} \right. \\
& - \frac{2\beta - 1}{c^2} \sum_{k \neq j} \frac{\mu_k}{r_{jk}} + \gamma \left(\frac{\dot{s}_i}{c}\right)^2 \\
& + (1 + \gamma) \left(\frac{\dot{s}_j}{c}\right)^2 - \frac{2(1 + \gamma)}{c^2} \dot{\mathbf{r}}_i \cdot \dot{\mathbf{r}}_j \\
& - \frac{3}{2c^2} \left[\frac{(\mathbf{r}_i - \mathbf{r}_j) \cdot \mathbf{r}_j}{r_{ij}}\right]^2 + \frac{1}{2c^2} (\mathbf{r}_j - \mathbf{r}_i) \\
& \left. \cdot \ddot{\mathbf{r}}_j \right\} \\
& + \frac{1}{c^2} \sum_{j \neq i} \frac{\mu_i}{r_{ij}^3} \left\{ [\mathbf{r}_i - \mathbf{r}_j] \right. \\
& \left. \cdot \left[(2 + 2\gamma)\, \dot{\mathbf{r}}_i - (1 + 2\gamma)\, \dot{\mathbf{r}}_j\right]\right\} (\dot{\mathbf{r}}_i - \dot{\mathbf{r}}_j) \\
& + \frac{3 + 4\gamma}{2c^2} \sum_{j \neq i} \frac{\mu_j \ddot{\mathbf{r}}_j}{r_{ij}}
\end{aligned}
$$

這是根據相對論推導出來的公式，能夠計算在重力影響下，某一質量的加速度。大多數人只要見到這個公式，都只能瞠目結舌，像是鹿在路上被車燈照到一樣。這種反應其實很自然，並不代表這個人天生愚魯或是缺乏好奇心。除了極少數例外，人類大腦就是沒有思考像是相對論或量子力學這些概念的能力。物理學家之所以能這樣思考，是因為他們拋下了傳統的人類思維方式，從頭學習如何在外部資料處理系統的協助下思考。他們的思考過程有很重要的一部分並不是在他們的腦子裡，而是在電腦裡、或是在教室黑板上。

近來，數學符號已經帶來另一種更革命性的文字系統——電腦所使用的二進位程式語言，全部只有兩個符號：0與1。就像現在我用鍵盤打到電腦上的所有文字，也都是由0和1的組合所呈現。

　　文字本來應該是人類意識的僕人，但現在正在反僕為主。電腦並無法理解智人如何書寫、說話、感覺和編織夢想，所以我們現在反而是用一種電腦能夠理解的數字語言，來教導智人如何書寫、說話、感覺和編織夢想。

　　而且這還沒完。人工智慧的領域還希望能夠完全在電腦二進位的程式語言上，創造一種新的智能。像是科幻電影「駭客任務」或「魔鬼終結者」就都預測：總有一天，這些二進位語言會拋下人性給它們的枷鎖，而人類想要反撲的時候，它就會試圖消滅人類。

第8章

歷史從無正義

　　農業革命後幾千年的歷史，可以總結為一個問題：如果人類的基因裡並沒有大規模合作的生物本能，所有的合作網路究竟是如何維繫的？簡單的講法是：人類創造出了由想像建構的秩序，並且發明了文字，以這兩者補足我們基因中的不足。

　　但是對許多人來說，這些合作網路究竟是好是壞，實在難說。網路背後那些想像的秩序既不中立、也不公平，總是把人分成一些其實並不存在的分類，並且排出上下等級。上等人享有各種權力和特權，而下等人擁有的，只有歧視和壓迫。以《漢摩拉比法典》為例，就將社會分成上等人、平民和奴隸。上等人養尊處優，享盡一切好處；平民只能撿撿上等人用剩下的東西；而奴隸如果還敢抱怨，就等著吃苦頭了。

　　就算是1776年的〈美國獨立宣言〉，儘管把「人人生而平等」喊得震天價響，其實還是把人分成了上下等級。獨立宣言區分了男女，男性從中得利，但女性卻被剝奪了同樣的權利。獨立宣言也區分了白人、黑人和印地安人，讓白人享有自由民主，卻認為黑人和

印地安人是比較劣等的人類，不該享有平等的權利。當時許多蓄奴的人也簽了獨立宣言，他們簽署後並未釋放奴隸，但一點也不覺得自己言行不一。在他們看來，黑鬼哪有什麼「人」權？

美國這套秩序還區分了貧富之間的階級。當時，美國人對於有錢爸媽把遺產和家族企業留給子女，多半並不覺得有什麼問題。在他們看來，所謂「平等」指的只有「法律之前人人平等」這件事，而與失業救濟、教育或健康保險無關。至於當時的「自由」，也與今天截然不同。在1776年，「自由」並不代表權利遭侵奪的人能夠取得並行使權力（至於黑人、印地安人或女性更是絕無可能），而只是代表著除非特殊狀況，否則國家不能沒收或處分公民的私有財產。這麼說來，美國這套秩序所奉行的就是「財富的階級」，有些人會認為這就是神的旨意，也有些人會認為這是不變的自然律。這些人會說，勤勞致富、懶惰則困窮，這是自然的賞罰原則。

然而，以上所有的區別，不管是自由人／奴隸、白人／黑人、富人／窮人，都只是想像所建構出來的。（後面會另外談男女的階級問題。）歷史的鐵律告訴我們，每一種由想像建構出來的秩序，都絕對不會承認自己出於想像和虛構，而會大談自己是自然、必然的結果。舉例來說，許多贊成奴隸制度的人就認為，這是自然現象、並不是人類所發明出來的一種制度。漢摩拉比認為，為人或為奴是神所決定的。亞里斯多德也認為，奴隸有「奴隸的本質」，而自由人有「自由的本質」，他們的社會地位不同，只是本質的展現。

而且，如果你問一個白人至上主義者，為什麼贊成種族階級制度？他幾乎一定能跟你滔滔不絕的來一場偽科學講座，告訴你不同種族之間本來就有生物學上的差異，像是白人的血液或基因必有什

麼特殊之處，讓他們天生更聰明、更有道德感、也更勤奮。另外，如果你問一個資本主義的忠實擁護者，為什麼贊成財富階級制度？他也很可能告訴你，這正是客觀能力差異帶來的必然結果。這些人認為，有錢人之所以有錢，是因為他們能力更強、工作更認真。這樣一來，有錢人該有更好的醫療保健、更好的教育、更好的營養，也是天經地義的事。這每分每毫，都是他們應得的。

　　至於贊成種姓制度的印度人則相信，是宇宙的力量劃分了種姓階級。根據著名的婆羅門教神話，諸神是以原人普羅沙（Purusa）的身體創造了這個世界：他的眼睛化成太陽、他的大腦化成月亮，他的口化成婆羅門（祭司），他的手化成剎帝利（貴族、武士），他的大腿化成了吠舍（農民和商人等平民），而他的小腿則化成了首陀羅（僕人）。如果相信這種說法，那麼婆羅門和首陀羅的社經地位差異就再自然不過，就像太陽和月亮本來就該有所不同。[45] 而中國古代的《風俗通義》也記載，女媧開天闢地的時候要造人，一開始用黃土仔細捏，但後來沒有時間餘力，便用繩子泡在泥裡、再拉起來，飛起的泥點也化成一個一個的人，於是「富貴者，黃土人；貧賤者，引繩人也」。[46]

　　然而就我們目前所知，這些階級區別全都是人類想像的產物罷了。不管是婆羅門或是首陀羅，都不是諸神從某個原人的不同身體器官創造出來的。這兩個種姓階級的區別，不過就是大約三千年前在印度北部、由人類發明的一套法律和規範。而亞里斯多德的講法也有問題，奴隸和自由人之間並沒有已知的生物學差異，一切都是因為人類的法律和規範，才讓某些人變成奴隸、某些人變成主人。至於黑人和白人之間，雖然有例如皮膚顏色和毛髮類型之類的客觀生物學差異，但也沒有證據顯示這些差異會影響到智力或道德觀。

大多數人都會認為，只有自己社會的階級是自然的，其他社會的階級分法都太虛假又荒謬。像是現代的西方教育對種族階級制度嗤之以鼻，如果現在有法律禁止黑人住在白人社區、進入白人學校就讀、或到白人醫院就醫，一定會引發軒然大波。但如果說的是貧富階級，有錢人住在獨立、豪華的住宅區，就讀專為有錢人提供的私立名校，能進到專為有錢人提供的高檔醫療機構，這些對於許多美國人和歐洲人來說，卻似乎是再天經地義也不過。但事實已經證明，大多數有錢人之所以有錢，只是因為他出生在有錢家庭，大多數窮人一輩子沒錢，也只是因為他出生在貧窮家庭而已。

▌階級命定論

　　但不幸的是，複雜的人類社會似乎就是需要這些由想像建構出來的階級制度和歧視。當然，各種階級制度的不公不義程度不一，某些社會的歧視也比其他社會更為嚴重或極端，但至少就目前學者的研究，還沒有任何一個大型人類社會能真正免除歧視的情形。一次又一次，人類要讓社會有秩序的方法，就是將成員分成各種想像出來的階級，像是上等人、平民和奴隸，白人和黑人，貴族和平民，婆羅門和首陀羅，又或是富人和窮人。所有這些階級，就是要讓某些人在法律上、政治上或社會上高人一等，從而規範了數百萬人的關係。

　　階級有其重要功能。有了階級之後，陌生人不用浪費時間精力真正瞭解彼此，也能知道該如何對待對方。在蕭伯納的作品《賣花女》（*Pygmalion*，曾改編為電影「窈窕淑女」）中，希金斯教授雖然不認識賣花女伊莉莎，但對兩人之間的關係拿捏，卻是絲毫不

需猶豫。原因就在於：他一聽到伊莉莎講話，就知道她是下層階級的人，幾乎可說是任他宰割，例如將她當作棋子，打賭可以把這個賣花女假扮成名媛淑女而不被看穿。至於如果是現代版的伊莉莎，花店小姐也得知道每天面對著來店的幾十個客人，該如何才能賣出一把又一把的玫瑰和劍蘭。她不可能有時間精力做個完整的身家調查，知道每個人的喜好如何、口袋又有多深。所以她得抓住某些「社交線索」，像是客人的衣著打扮、年齡、膚色（雖然這實在不太政治正確），來猜猜看這個客人究竟會是會計師、可能大手筆為母親生日買上一大把長莖玫瑰，又或是送貨小弟，只買得起一小把雛菊，想送給某個笑容甜美的櫃臺小姐。

當然，天生能力的差異也是造成社會階級的重要因素，但是種種不同的能力和性格，常常還是會受到想像的階級所影響。這一點主要有兩大方面。最重要的一點，就是大多數的能力也需要培養和發展。就算某個人天生具有某種才能，如果不經過積極培養、磨練和運用，常常也就沒什麼表現的機會。但這些機會絕非人人平等，常常都得看他們在「由想像建構出來的社會階級」身處何處而定。哈利波特其實就是很好的例子。他從小被迫與能力出色的巫師父母分離，而由對巫術一無所知的麻瓜帶大，所以等他到了霍格華茲學院的時候，對巫術可說是一竅不通。於是，哈利波特的故事整整花了七本書，才讓他真正掌握了這項獨特才能的力量和知識。

第二，就算身處不同階級的人發展出了完全一樣的能力，因為他們面對的遊戲規則不同，最終結果也可能天差地別。舉例來說，假設是在英國統治下的印度，有四個人都有完全相同的商業頭腦，但四個人分別是穢多、婆羅門、天主教愛爾蘭人和新教英國人，他們致富的機率就仍然會大不相同。這場經濟遊戲，其實早就被種種

法律限制和潛規則給綁手綁腳，根本不知道公平在哪裡。

惡性循環

雖然說所有社會的基礎，都同樣是由想像建構出來的秩序，但種種秩序卻又各有不同。這些差異的原因為何？傳統的印度社會是用種姓制度來區分階級，土耳其人則是用宗教來區分，美國用種族區分，但為何如此？這些階級制度開始時，多半只是因為歷史上的偶發意外，然而部分群體一旦取得既得利益之後，經過世世代代不斷加以延續改良，才會形成現在的模樣。

例如許多學者推測，印度種姓制度成形的時間，是在大約三千年前，印度雅利安人（Indo-Aryan，屬於高加索的白人）入侵印度，征服當地居民。入侵者建立了階級森嚴的社會，可想而知，他們自己占的是最上等的位置（祭司和戰士），而當地人就只能做做僕人或奴隸。入侵者在人數上並不占優勢，因此很擔心失去他們的特權地位和獨特身分。為了防患未然，他們就把所有人民依種姓分類，各自需要擔任特定的職業，也各有不同的法律地位、權利和義務。不同種姓之間不僅不能有社交往來、不能結婚，甚至連一起吃飯也是嚴格禁止。而且這一切除了法律規定，還成了宗教神話與儀式的重要部分。

統治者主張，種姓制度反映的是永恆的宇宙現實，而不是歷史的偶然。印度的宗教將「潔淨」和「不潔」視為兩大重要概念，也以此做為社會金字塔的根基。虔誠的印度教徒相信，與不同種姓的成員接觸會造成汙染，而且汙染的不只個人，甚至還會汙染整個社會，也因此這實在是萬萬不可的社交行為。

　　然而，這種想法絕非印度教徒所獨有。縱觀歷史，幾乎所有社會都會以「汙染」和「潔淨」的概念，來做出許多社會及政治上的區隔，而且各個統治階層利用這些概念來維繫其特權，更是不遺餘力。只不過，人之所以害怕汙染，並非完全只是因為祭司和統治者所捏造出來的神話。或許在人天生的生存本能裡，看到可能帶著疾病的物體（例如病人或屍體）就會自然產生反感。所以，如果想排擠某一類的人，像是女性、猶太人、吉普賽人、同性戀、黑人，最好的辦法就是大聲宣布：這些人有病、會造成汙染。

　　印度種姓制度和相關的「潔淨」概念，深植於印度文化。雖然現代印度人早已遺忘了印度雅利安人入侵的事件，但仍然堅信種姓制度，也仍然排斥種姓混合造成的「汙染」。當然，種姓並不是完全牢不可破。隨著時間過去，現在的種姓也發展出許多**副種姓**（sub-caste）。原本的四個種姓，現在已經變成三千種不同的**迦締**（jati，意為「出生」），但整個種姓系統的基本原則仍然相同，每個人出生就屬於特定的階級，而破壞階級就是汙染了個人、也汙染了整個社會。一個人的迦締決定了他的職業、他的飲食、他的住處，還有他的結婚對象。一般來說，結婚對象只能來自同一個種姓階級，而他們的子女也繼承同樣的階級。

　　只要出現了新的職業、或是出現了一群新的人，就得先判斷他們是屬於哪一個種姓階級，才能在印度社會得到認可。而如果有一群人連被認定為種姓階級都不配，在這個階級分明的印度社會裡，他們就連在底層也稱不上。這種人叫「穢多」，他們居住的地方必須和所有其他人分開，活得充滿屈辱，只能靠著像是撿拾垃圾的方式維生。就算是種姓階級最下級的成員，也會盡可能避開穢多，不和穢多一起吃飯、避免碰觸到穢多，當然絕不可能與穢多通婚。

在現代印度，雖然民主政府竭盡全力想打破種姓的區別，告訴印度教徒跨種姓結婚往來不會有什麼「汙染」，但無論在婚姻或職業方面，種姓制度的影響仍然揮之不去。[47]

▌美洲的「潔淨」觀念

　　現代美洲也延續著類似的種族階級制度的惡性循環。從十六世紀到十八世紀，歐洲征服者引進數百萬名非洲奴隸，到美洲做礦奴或農奴。之所以選擇非洲而非歐洲或東亞，環境因素有三：

　　第一，非洲與美洲地理接近，所以從塞內加爾進口奴隸，比起到越南找人更為容易。

　　第二，當時非洲已經發展出成熟的奴隸貿易（主要將奴隸出口至中東地區），但蓄奴在歐洲仍然非常罕見。可想而知，從現有市場買個奴隸，要比自己建立整個市場容易得多。

　　第三、也是最重要的一點，當時美洲的殖民農莊多半位於維吉尼亞、海地和巴西等地區，常有來自非洲的瘧疾和黃熱病侵擾。非洲人經過世世代代演化，對這些疾病已經發展出部分免疫力，但歐洲人全無招架之力，一病便倒。因此，農莊主人如果有點小聰明，就知道買奴隸或雇用工人的時候，應該挑非洲來的，而不是歐洲來的。諷刺的是，非洲人在遺傳上的優勢（免疫力）竟造成了他們在社會上的劣勢：正因為他們比歐洲人更能適應熱帶氣候，反而讓他們成了遭到歐洲主人蹂躪的奴隸！由於這些環境因素，美洲的新興社會也出現了另一款種姓階級：歐洲白人的統治階層，以及非洲黑人的奴隸階級。

　　但是沒有人會承認，他們把某些種族或出身的人當作奴隸，只

是為了經濟利益。就像征服印度的雅利安人一樣，歐洲白種人也希望自己在美洲人眼中不只是財大氣粗，而是代表著虔誠、公正、客觀的形象。於是，這時就要利用種種宗教和科學的虛構故事，來找藉口。神學家聲稱非洲人是諾亞的兒子含（Ham）的後代，而諾亞曾詛咒含的後代要做其他兄弟的奴隸。生物學家聲稱，黑人不如白人聰明，道德感也發展較差。醫師也聲稱，黑人居住環境骯髒、會傳播疾病，換句話說，就是汙染的來源。

　　這些虛構的故事牽動著美洲文化，也影響整個西方文化。即使當初蓄奴的條件早已消失，故事卻依然存在。十九世紀初，大英帝國認定蓄奴違法，停止了大西洋的奴隸貿易，並在接下來數十年間逐步將蓄奴趕出美洲大陸。值得一提的是，這是史上第一次、也是唯一的一次，蓄奴社會自願廢除奴隸制度。然而就算奴隸已經得到自由，過去做為蓄奴藉口的虛構種族故事，卻揮之不去。無論是種族歧視的法律、或是社會的習俗，都還是維持著種族隔離的情形。

　　於是，這就形成了一個自為因果、不斷自我強化的惡性循環。美國南北戰爭甫落幕的南方就是一例。美國於1865年通過憲法第十三條和第十四條修正案，前者禁止蓄奴，後者明定不得因種族而剝奪公民權及受法律保護的權利。然而經過兩世紀的奴役，大多數黑人家庭的經濟和教育程度都遠遠不及白人，於是就算某個黑人在1865年出生於美國南方的阿拉巴馬州，他要得到良好教育和高薪工作的機會，絕對比不上他的白人鄰居。等到1880、1890年代，他的孩子出生了，還是得面對一樣的問題：家境貧寒、缺乏教育。

　　而且，黑人要面對的問題還不只經濟弱勢一項。畢竟，阿拉巴馬州並不是只有黑人窮，貧窮的白人家庭也不少，不是所有白人都是有錢的農場主人。在當時工業革命和移民潮的推動下，美國是階

級流動極度快速的社會，今日窮困潦倒沒關係，處處都有能夠一夕致富的機會。這樣說來，如果黑人所面對的只是錢的問題，靠著通婚、努力打拚等種種方式，應該很快就能消弭種族之間的鴻溝。

然而真實的情況並非如此。在1865年，白人（甚至還有許多黑人）完全相信黑人就是比較笨、比較懶、比較暴力、比較放蕩、而且不在乎個人衛生，所以黑人就成了暴力、竊盜、強姦和疾病的代名詞，換句話說，他們就是汙染。於是，就算有個黑人在1895年的阿拉巴馬州，奇蹟似的接受了良好的教育，想申請像是銀行行員這種受尊敬的職位，他錄取的機會仍然遠遠不及白人。「黑人」成了一種印記，代表他們天生就是不可靠、懶惰，而且愚笨。

你可能會認為，人們總會漸漸明白這些印記都是虛構的、絕非事實，隨著時間過去，黑人就能夠證明自己和白人一樣能幹、守法且乾淨。但情況卻正相反，隨著時間，這些偏見只有愈來愈深。正由於所有最好的工作都在白人手上，人們更容易相信黑人確實低人一等。一個普通的白人很可能會說：「你看，黑人都已經解放這麼久了，但幾乎所有的教授、律師、醫師，甚至是銀行出納員都沒什麼黑人。這豈不是明白告訴我們，黑人就是沒那麼聰明、沒那麼努力嗎？」於是，黑人被困在這個惡性循環裡，他們申請不到白領的工作，是因為別人以為他們笨；但證明他們笨的，又是因為白領工作很少有黑人。

這種惡性循環並非到此為止，反對黑人的勢力不斷壯大，最後形成「黑人歧視法」（Jim Crow laws, 1876-1965）等等法規，意在維護種族階級制度。他們規定黑人不准投票、不准讀白人學校、不准到白人商店買東西、不准在白人餐廳吃飯、不准到白人旅館過夜。這一切的理由是認為黑人就是汙穢、懶惰、品行不良，所以必須隔

離，好保護白人。同樣的，白人出於害怕疾病，會避開有黑人的旅館或餐廳；害怕孩子受欺負或被帶壞，所以也不希望孩子去上有黑人的學校；害怕黑人既無知又沒道德觀，所以不想讓黑人在選舉中投票。而這些憂慮甚至還有科學研究的「證明」，在後面撐腰，提出黑人平均學歷確實較低、得到各種疾病的比率確實較高，而且犯罪率更是遠高於白人。（但這些所謂的「科學」研究，卻忽略了這些「事實」是出於對黑人的歧視。）

到了二十世紀中葉，美國南方各州種族隔離的情形，甚至比十九世紀末更為惡化。1958年，黑人克雷農·金恩（Clennon King）申請進入密西西比大學就讀，竟被強迫關進精神病院就醫。當時法

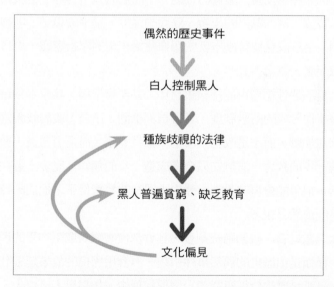

惡性循環：某個偶然的歷史事件，造成了僵化的社會制度和風氣。

官認為，這黑人一定是瘋了，才覺得自己能進得了密西西比大學。

對於當時的美國南方人（和許多北方人）來說，想到黑人男性居然可能和白人女性有性行為、甚至結婚，實在是萬萬難以接受的事。跨種族的性行為是所有禁忌之首，一旦做出這種行為、甚至只是涉嫌想要有這種行為，不用經過什麼審判，就會立刻遭到私刑處置。當時出現了白人至上主義的祕密社團「三K黨」，就曾犯下多起殘殺黑人的事件。講到維護潔淨這件事，他們可真是讓印度教的婆羅門相形見絀。

隨著時間過去，種族主義還蔓延到愈來愈多的文化領域。例如美國的審美觀就是以白人的美麗做為標準，白人的特質就是美麗的標竿，例如淺色皮膚、金黃的直髮、小而翹的鼻子等等。至於典型的黑人特質，例如黝黑的皮膚、蓬鬆的黑髮、扁平的鼻子，則被視為醜陋。這些成見使得原本就由想像建構出來的階級意識，更是進到意識深層，揮之不去。

這樣的惡性循環可能持續幾百年、甚至幾千年，讓原本只是歷史偶發事件形成的階級制度，變得根深柢固。不公不義的歧視常常是愈來愈加劇，而不是改善。於是，富者愈富，而貧者愈貧。教育帶來進一步的教育，而無知只會造成進一步的無知。歷史上過往的受害者，很可能會再次受害。歷史上過往的特權份子，他們的特權也很可能依然存在。

大多數社會、政治階級制度，其實都沒有邏輯或生物學的理由基礎；僅僅是由歷史的偶然事件引起，再套用虛構的故事延續壯大罷了。這正是歷史值得研究的一個很好理由。如果黑人／白人、或婆羅門／首陀羅的區別，真有生物學事實根據（例如婆羅門的大腦確實比首陀羅的大腦效率高），光靠生物學就應該足以研究人類社

會的種種行為。然而事實證明，不同智人群體之間的生物差異，其實小到能夠忽略不計，所以單憑生物學就是無法解釋，印度社會和美國各種族的互動為何如此複雜。想瞭解這些現象，我們只能依賴研究事件本身、環境、權力關係，看看他們是怎樣將虛構的想像變成了殘酷（而且再真實不過）的社會結構。

他和她

不同的社會，想像出的階級制度也相當不同。像是現代美國人非常注意種族，但對中世紀的穆斯林來說，就無關緊要。在中世紀的印度，種姓是生死攸關的大事，但現代的歐洲根本毫不在意。只不過，有某一種階級制度卻是在所有已知的人類社會裡，都具有極高的重要性：性別的階級！世界各地的人，多會區分男女，而且至少在農業革命以降，幾乎世界各地都是男人占盡好處。

甲骨文的歷史可以追溯到西元前1200年，可能是中國最早的文字，用來占卜。其中曾有一塊的卜辭寫著：「婦好娩，嘉？」（商王武丁的妻子，名叫婦好，即將臨盆，是否吉利？）而答覆是：「其惟丁娩，嘉；其惟庚娩，引吉。」（若在丁日分娩，那是吉日；若在庚日分娩，更是大吉之日。）然而卜辭最後的驗辭，語氣十分遺憾：「三旬又一日，甲寅娩，不嘉，惟女。」（三十一天之後，婦好在甲寅日分娩，不是吉日，只生出女孩。）[48] 過了三千多年，共產中國制定了一胎化政策，而對於許多中國家庭來說，仍然覺得生下女兒是一種不幸。有些時候，父母還會刻意遺棄甚至殺害女嬰，希望能有機會再懷胎一次，看看能不能生出個兒子來。

在許多社會中，婦女只是男人的財產，通常屬於她的父親、

丈夫或兄弟。而在許多法律體系中，強姦罪是屬於侵犯財產，換句話說，受害人不是被強姦的女性，而是擁有她的男性。因此，這些法律對於強姦罪的救濟措施，就是所有權移轉：強姦犯付出一筆聘金給女方的父親或兄弟，而她就成了強姦犯的財產。《聖經》還寫著：「若有男子遇見沒有許配人的處女，抓住她，與她行淫，被人看見，這男子就要拿五十舍客勒銀子給女子的父親；因他玷汙了這女子，就要娶她為妻。」（申命記，22:28-29）對古希伯來人來說，這是再合理也不過的安排了。

在某些地方，如果是強姦某個不屬於任何男人的女人，甚至算不上是犯罪。這就像是在人來人往的街道上撿了一枚銅板，不算是竊盜一樣。另外，如果是丈夫強姦自己的妻子，也不構成犯罪；甚至有些地方會認為，因為丈夫本來就該對妻子的性行為，有完全的控制權，所以「丈夫強姦妻子」這句話根本無法成立。說丈夫「強姦」妻子，就像說某個人偷了自己的錢包一樣不合邏輯。

這些說法聽來荒謬，但其實並不只有遠古中東地區才有這種想法。就算到了2006年，仍然有五十三個國家無法控告丈夫強姦他的妻子。即使在德國，也是到了1997年才修訂法案，認定婚姻中可能出現強姦行為。[49]

▌男男女女

那麼，將人類分成男女，是不是也像印度的種姓制度、或是美國的種族階級，都是想像下的產物？這一點究竟是不是有深刻的生物學基礎，認定本來就是不同？而如果這確實是一種自然的不同，生物學上又是否能夠解釋，為何男性的待遇優於女性？

在男女之間，某些文化、法律和政治上的差異，正反映著兩性明顯的生物學差異。例如男性沒有子宮，所以懷孕生子這件事一直只能是女性的工作。然而，就在這個核心差異上，每個社會又會不斷加上一層又一層的文化概念和規範，而這些就和生物學鮮有關連了。換句話說，各種社會上對於「男性化」和「女性化」特質的想法，多半沒有確實的生物學基礎。

舉例來說，西元前五世紀的雅典實行民主，但有子宮的人就沒有獨立的法定地位，無法參加人民議會，也無法擔任審判。除了少數例外，這種人也無法得到良好教育，不能經商、也不能參加哲學討論。所有雅典的政治領袖、哲學家、演說家、藝術家、商人，沒有一個人有子宮。那麼，難道「有子宮」這件事，真有什麼生物學的根據，證明這些人不適合從事這些行業嗎？

雖然古雅典人確實這麼認為，但現代雅典人可不會同意。在現今的雅典，婦女不僅能夠投票，能夠參選公職，能夠發表演講，能夠從事珠寶設計、建築設計到軟體設計等等一切的腦力工作，當然也能夠進入大學就讀。她們的子宮可沒讓她們做起這些事來，會輸給男人。確實，女性在政界和商界仍處於弱勢（希臘議會只有12%是女性），但她們要參與政治，已經沒有法律阻礙，而且多數現代希臘人也認為，女性擔任公職合情合理。

另一方面，在許多現代希臘人看來，也認為男人的一個重要特點就是只對女人有「性趣」、而且也只應該和異性發生性關係。但他們沒發現，「異性性行為自然、同性性行為不自然」這件事也是一種文化偏見，而不是生物學上的事實。男男相吸這件事，大地之母其實從來也沒什麼意見。然而，在某些文化裡，如果兒子和隔壁的男孩天雷勾動了地火，他的母親可就會大發雷霆。這位母親會

生氣，原因可不是出於生物的必然。其實對許多人類文化來說，同性戀不僅合法，甚至還對社會有所助益，像古希臘就是最明顯的例子。在史詩《伊里亞德》裡，英雄阿基里斯與戰士普特洛克勒斯關係親密，但阿基里斯的母親西蒂斯，可沒什麼不高興。另外，馬其頓王國的女王奧林匹亞絲，可說是古代最喜怒無常、也最大權在握的女性，連她的丈夫腓力二世都死在她手上。但她看到兒子（亞歷山大大帝）帶了愛人赫費斯提翁回家吃飯，她也是沒發半點火。

▌天賦自由

我們究竟要如何才能判斷，什麼是真正在生物學上有所不同？而什麼又只是人類說得煞有其事，其實只是自找藉口？有一條很棒的經驗法則是「天賦自由，文化禁錮」。在生物學上，（先天的）可能性幾乎無限寬廣；然而，（後天的）文化卻壓縮在某些可能性，或禁絕了其他可能性。例如女性天生能生小孩，但在某些文化裡，女性卻是非生不可。生物學上，男人就是能從彼此身上得到性愉悅，但某些文化卻極力阻止他們實現這種可能。

人總是藉口「文化」來禁止不自然的事。但從生物學的角度來看，這世界根本沒有什麼是不自然的。只要有可能發生的事，就是自然。真正完全不自然的事，是指違背了自然律，但這種事情根本就不會存在，所以也沒有禁止的必要。舉例來說，沒有任何一種文化會禁止男性行光合作用、禁止女性跑得比光速快，或禁止帶負電荷的電子互相吸引，就是因為這講了只是白講，完全沒必要禁止。

事實上，許多人認知的「自然」和「不自然」並不是生物學的概念，而是基督教神學的概念。神學上所謂的「自然」，指的是

「符合創造大自然的神的旨意」。基督教神學家認為，上帝創造了
人的身體，讓每個肢體和器官都有特定目的。如果我們使用肢體和
器官的方式符合上帝的設想，那就是「自然」的活動；如果不符合
上帝設想的方式，就成了「不自然」。然而，演化本來就沒有唯一
的目的。器官的演化也沒有唯一的目的，器官的使用方式不斷在變
化。現在人體的所有器官，早在幾億年前就已經出現了原型，而現
在所有器官都不只做著原型所做的事。器官之所以演化，是為了某
種特定功能，但等到器官存在之後，要用做其他功能也並無不可。

　　以嘴巴為例，嘴巴之所以會出現，是因為最早的多細胞生物需
要有辦法將養分送進身體裡。雖然現在嘴巴仍然具有這種功能，但
我們還能用嘴來說話、親吻，藍波還能用來拔手榴彈的插銷。難道
只因為我們最早那些像蠕蟲一樣的祖先，在六億年前沒有用嘴做這
些事，嘴巴的這些功能就變得不自然了？

　　同樣的，翅膀也不是一開始就成了空氣動力學的奇蹟，而是從
原本有其他用途的器官演化而來。有學者認為，一開始昆蟲都不會
飛，翅膀是幾百萬年前，從蟲子身上突起的部分演化而來的。蟲子
原本身上會有突起，是因為這樣能增加表面積、接收更多陽光，也
就更能保暖。在緩慢的演化過程中，這些太陽能接收器愈長愈大。
想要吸收最多陽光，就要讓突起的表面積最大、重量最輕；這種身
體結構剛好對昆蟲來說也方便，蹦蹦跳跳的時候還能幫上一點忙，
突起愈大的，就能幫忙跳得愈遠。有些昆蟲開始用這玩意來滑翔一
下，接著只是再跨出一小步，昆蟲就真的在空中飛了起來。所以，
如果下一次又有蚊子在你耳邊嗡嗡不停，記得要罵罵她真是太「不
自然」了。如果她的祖先乖乖聽話、滿足於當初上帝賦予的功能，
現在她的翅膀仍只能做個太陽能板。

這種多用途、多功能的道理，也同樣適用於我們的性器官和性行為。一開始，性行為就是為了繁殖，而求偶儀式則是為了要評估對方的健康程度。但對許多動物來說，兩者其實都有眾多的社交功能，可不只是為了趕快創造出自己的DNA小複本。舉例來說，黑猩猩就會用性行為，來鞏固政治聯盟、建立親密關係、化解緊張局勢。難道這也是不自然？

▍性與性別

所以，堅持女性生小孩才自然，或者說同性戀不自然，並沒什麼意義。各種規定男人就該如何、女人就該怎樣的法律、規範、權利和義務，反映的多半只是人類的想像，而不是生物天生的現實。

生物學上，人類分為男性和女性。所謂男性，就是擁有一個X染色體和一個Y染色體；所謂女性，則是擁有兩個X染色體。但是要說某個人算不算男人或女人，講的就是社會學、而不是生物學的概念了。在大多數人類社會裡，絕大多數情況下所謂的男人就是男性，而女人就是女性，但那些社會學的名稱負載了太多意義，真正與生物學相關的部分少之又少，甚至完全無關。

我們說某個智人「夠男人」，講的並不是具有某種生物特質（例如有XY染色體、有睪丸、有睪固酮之類），而是能在所處的社會中，找到一個符合想像的秩序的位置。每個文化背後虛構的故事，都有一些男人應該要符合的角色（像是搞政治）、擁有的權利（像是投票權），以及負起的義務（像是服兵役）。同樣的，要說某個智人是不是「夠女人」，也不是看她有沒有兩個X染色體、子宮，或是大量的雌激素，而是她在想像建構出的人類秩序中，是

女性的成員。每個社會文化也會用虛構的故事，定出一些女人該
符合的角色（像是要生兒育女）、擁有的權利（受保護不被暴力侵
擾），以及負起的義務（像是服從她的丈夫）。正由於定義男女角
色、權利和責任的並不是生物學，而只是虛構的故事，所以每個社
會認為「夠男人」和「夠女人」的意義也就大不相同。

　　學者為了釐清概念，通常把生物學上的區分稱為**性**（sex），而
文化上的區分稱為**性別**（gender）。「性」區分的是男性和女性，屬
於客觀標準，在整個歷史上未曾改變。至於「性別」區分的是男人
和女人（某些文化也有其他類別），所謂「夠男人」和「夠女人」
的標準，具有互為主體性的概念，而且會不斷改變。舉例來說，同
樣在雅典，古代和現代對女人要求的行為、欲望、服飾、甚至是身
體姿勢都有極大的不同。[50]

　　人類歷史上，占主導地位的男人形象多半都是多彩炫麗，像是
美洲印地安人酋長就戴著羽毛搖曳的頭飾，印度大君也會穿著華麗

女性 （一種生物區別）		女人 （一種文化區別）	
古代雅典	現代雅典	古代雅典	現代雅典
XX 染色體	XX 染色體	無權投票	有權投票
子宮	子宮	無權擔任法官	有權擔任法官
卵巢	卵巢	無權任公職	有權任公職
睪固酮濃度低	睪固酮濃度低	無權決定結婚對象	有權決定結婚對象
雌激素濃度高	雌激素濃度高	通常不識字	通常識字
有泌乳能力	有泌乳能力	法律上由父親或丈夫擁有	法律上獨立
完全相同		非常不同	

的絲綢、配戴亮眼的鑽石。至於在整個動物界裡，雄性往往也比雌性更豐富多彩、裝飾誇張，像是孔雀的尾巴和獅子的鬃毛。

性的事情好解決，但性別就沒那麼容易。想成為男性再簡單也不過，只需要出生的時候有一個 X 染色體和一個 Y 染色體就行。想成為女性也是同樣容易，出生時有一對 X 染色體，就大功告成。但相反的，要當好一個男人或是一個女人，不但過程複雜，而且要求苛刻。正由於「夠男人」或「夠女人」的標準多半來自文化，而不是天生自然，所以沒有什麼社會是在人一生下來之後，就覺得男性夠男人、而女性夠女人。而且就算得到認可，也還不能就此鬆懈。從出生到死亡，男性必須一輩子不斷透過各種儀式和表演，來證明自己真是一條漢子。而女性也永無寧日，必須不斷說服自己和其他人，自己散發著女人味。

而且，這種成功沒得保證。特別是男性，總是很害怕別人覺得自己沒有男子氣概。在整個歷史上，總會看到男性願意冒險犯難、甚至犧牲生命，只為了讓人誇讚一句：「他是真正的男人！」

▌當男人究竟有什麼好的？

至少農業革命以來，大多數人類社會都屬於重男輕女的父權社會。不論這些社會對男女的定義為何，當男人總是比較優越。父權社會教育著男人就該是陽剛的男人樣、女人就該有溫柔的女人味，要是有人斗膽跨越界線，懲罰也就隨之而來。

但反過來說，如果都遵守了這些規範，得到的獎勵卻是男女大不同。社會通常重視陽剛的特質，勝於溫柔的特質；社會中陽剛的典範得到的獎賞，總是比溫柔的典範多。女人得到的健康和教育資

源不如男人，不論在經濟、政治、甚至是遷徙的自由，也都遜於男人。性別就像是一場競賽，但第一第二早已命中注定，有些人甚至只能爭當老三。

確實，有極少數的女人坐到了高位，像是埃及豔后克麗奧佩脫拉、英國的伊莉莎白一世，以及中國的武則天、慈禧太后，但她們只是例外。慈禧在十九世界末統治中國，但當時所有的朝廷大臣都是男人，軍隊統帥都是男人，判官律吏都是男人，科舉考生都是男人，進士翰林也都是男人，就連吟詩作對、為文著述、撫琴吹簫、問診醫病、清談哲思、格物致知，也幾乎都是男人一手包辦。

幾乎在所有農業社會和工業社會中，父權制都是常態，即便歷經各種政治動盪、社會革命、經濟轉型，依然歷久不衰。以埃及為例，過去幾個世紀的統治權不斷換手，歷經亞述、波斯、馬其頓、羅馬、阿拉伯、馬穆魯克（Mameluk）、土耳其和英國統治，但從頭到尾都是父權制。雖然埃及曾用過法老的法律、希臘的法律、羅馬的法律、穆斯林的法律、土耳其的法律和英國的法律，但一直都讓所謂「真正的男人」唯我獨尊。

正因為父權制是太普遍的現象，不可能只是某種偶然因素進入了惡性循環所致。特別值得一提的是，在1492年哥倫布抵達美洲之前，美洲和亞非的人類數千年內並無往來，但絕大多數社會依然都是採用父權制。如果說在亞非的父權制只是出於偶然，難道真的只是湊巧，讓阿茲特克和印加也同樣採用父權制？

一種更有可能的推測是，儘管「男人」和「女人」的定義在各種文化之間有所不同，但有些共通的生物因素，讓幾乎所有文化都重視陽剛勝過溫柔。我們並不知道真實的原因為何，雖然有各種理論，但沒有任何一個理論真能完全站得住腳。

15. 十八世紀的男人味：法國國王路易十四的官方肖像。請注意路易十四戴著長假髮，穿著絲襪和高跟鞋，站得像個芭蕾舞者，還佩帶一把巨劍。這一切在現代美國都會被認為真是娘娘腔（除了那把劍），但在當時，路易十四可是歐洲男子氣概和男人味的典範。

16. 二十一世紀的男人味：美國總統歐巴馬的官方照片。那些
　　假髮、絲襪、高跟鞋和劍都去了哪？就大權在握的男性而
　　言，這大概是有史以來最呆板沉悶的形象。

▌肌肉理論

最常見的一種理論，是認為男人比女人強壯，於是靠著他們肌肉的力量，迫使女人就範。這種理論講得精緻一點，是認為由於男人力氣大，就能獨占那些需要較多體力勞動的工作，譬如犁地和收割，於是讓他們掌握了糧食的生產，進而轉化為政治上的影響力。

然而，肌肉理論有兩大問題。首先，「男人比女人強壯」只是一般情形，而非人人皆然。而且，強壯分成許多種，像是女人一般來說比男人更能抵抗飢餓、疾病和疲勞，而且也有許多女人跑得比男人更快、挑得比男人更重。第二、也是這種理論最大的問題，在於整個歷史上也有許多不需要什麼體力的工作（像是宗教、法律、政治），但女人不但沒分到這些工作，反而是在田裡、在工廠裡、在家庭中從事艱苦的體力勞動。如果社會權力分配看的只是付出體力的多寡，女人該得到的權力絕對遠超過現在。

更重要的是，就人類整體來說，體力和社會權力本來就沒有直接關連。我們常看到六十幾歲的人控制著二十幾歲的人，但後者顯然體力要好得多。十九世紀中葉在阿拉巴馬州的蓄奴農莊主人，如果和他種棉花的奴隸大打出手，很可能幾秒之內就被摔倒在地。另外，要選擇埃及法老王或天主教教宗的方式，可也不是大家來打一場。在採集社會裡，握有政治主導權的人，通常是因為社交技巧最為傑出，而不是身上肌肉最為發達。在黑道組織裡，老大常常也不是最強壯的男人，反而是老頭；他根本不用自己出手，骯髒活只要交給更年輕、體力更好的年輕小夥子就行了。如果有哪個小鬼，以為只要把老大幹掉，自己就能稱王，很可能還沒動手就已經被做掉

了。就算是黑猩猩，要坐上首領地位，靠的也是穩固的政治聯盟，而不是盲目的暴力。

事實上，人類歷史顯示，肌肉的力量和社會的權力還往往是呈反比關係。在大多數社會中，體力好的反而幹的是下層的活。這可能反映著智人在食物鏈中的位置。如果真的一切只看體力，智人在食物鏈裡就只能處在中間的位置。然而，智人靠著聰明才智和社交技巧，讓自己躍升到了食物鏈的頂端。於是很自然的，在智人內部的權力鏈裡，聰明才智及社交技巧也會比體力更重要。正因如此，如果想解釋父權制這個歷史上影響最廣、最穩固不變的階級制度，要說一切只是因為男人力氣大於女人，實在叫人難以置信。

流氓理論

另一種理論認為，男性占有主導地位靠的不是力氣，而是好鬥的個性。經過數百萬年的演化，讓男性的暴力傾向遠比女性明顯。雖然女性心中也會浮起仇恨、貪婪和欺凌的想法，但是流氓理論認為，男人更願意將這些想法付諸實踐。正因如此，歷史上的各場戰爭一直就是男人主導。

而正因男人在戰爭時期掌握了軍隊，到了太平時期也就成了民間社會的主人。控制了民間社會，就有資源發動更多戰爭；發動了愈多戰爭，男人就愈能控制社會。正是這樣的循環，解釋了為什麼戰爭無處不在，而父權制也無處不在。

近年來對於男女荷爾蒙與認知系統的研究也發現，男人的好鬥和暴力傾向確實比較明顯，平均來說更能勝任一般士兵的角色。然而，就算一般士兵都是男人，是不是就能合理推論：也該由男人來

運籌帷幄，而且最後享有戰爭帶來的甜美果實？這仍然說不通。這就像是說，因為所有在棉田裡工作的都是黑人，想當然耳，棉花農莊的主人也會是黑人。但實情是，工人全為黑人的農莊，常有個白人主人；那麼為什麼士兵全是男人的軍隊，就不能由女人率領？或者至少在領導階層裡，有部分是女人呢？

事實上，在整個歷史的許多社會中，很多軍方高階人員都不是從大兵做起，而是直接空降。常常軍隊的領導人從沒當過一天兵，只因為他們是貴族、富人或受過教育，高階將領的榮耀也就落在他們頭上。例如拿破崙的剋星威靈頓公爵，他十八歲進入英國軍隊，立刻接受委任成為軍官。他根本不把麾下的平民看在眼裡。與拿破崙對戰的期間，他曾寫了一封信給另一個貴族，裡面提到「我們指揮的那些大兵，就是社會上沒用的渣滓流氓」。這些大兵通常是最貧困的窮人或少數民族（如愛爾蘭天主教徒），他們想在軍中晉升的機會，可說是微乎其微。那些高階軍職，全部都是爵爺、親王和國王的專利。然而，又為什麼只能是爵爺，而不能是女爵呢？

法蘭西殖民帝國是揮灑塞內加爾、阿爾及利亞和工人階級法國人的血汗，才建立遼闊的非洲殖民地。在這些軍隊士兵中，出身法國名門的比率可說是少之又少。但領導軍隊、統治帝國、享用成果的這一小撮人，法國名門的比率卻是高了又高。但同樣的問題，為什麼這些全都是法國男人，而不是法國女人？

中國長久以來，一直有文人領軍的傳統，常常將領的出身都是舞文弄墨的，而不是舞劍弄刀的。俗話說：「好男不當兵，好鐵不打釘。」講的也是聰明人該去讀書、而不是從軍。但這樣說來，為什麼所有官職都是男人占走了？

我們並不能說，就因為女人體力較弱、睪固酮濃度較低，就不

能做好官職、當好將軍、搞好政府。雖然想運籌帷幄確實需要一定的體力耐力，但不需要力大如牛、或是凶殘無比。戰爭可不是什麼單純的酒吧打架，戰爭需要非常複雜的組織、合作和安撫手段。真正勝利的關鍵，常常是要能夠同時安內攘外，並看穿他人思維（尤其是敵國的思維）。如果挑個只有蠻力、只想猛攻的人來打仗，下場往往是一敗塗地。更好的選擇，是能夠合作、能夠安撫、能夠有不同視野的人。

　　真正能建立起帝國的人，做的也就是這種事。例如奧古斯都（屋大維），雖然軍事上的才幹遠不及凱撒或亞歷山大大帝，成就卻非前人能及：他建立了國祚長達一千四百多年的羅馬帝國。奧古斯都不但得到當時民眾的推崇，也得到現代史學家的讚賞——這些人都認為，奧古斯都的成就正是由於他具備了溫和寬厚的美德。

　　一般說來，會認為女人比男人更八面玲瓏，更懂得如何安撫他人，而且能夠有不同觀看事情的角度。如果這些刻板印象至少有部分是事實，那麼女人就該是絕佳的政治家和帝國領袖，至於戰場上的骯髒活，就交給那些睾固酮爆表、頭腦簡單、四肢發達的肌肉男即可。只不過，雖然這是一種很流行的講法，但現實世界中卻很少成真。至於原因，目前仍然不明。

父權基因理論

　　第三種想要從生物學解釋父權制的理論，並未將重點放在暴力或蠻力上，而是認為在數百萬年的演化過程中，男人和女人發展出了不同的生存和繁殖策略。對男人來說，得要彼此競爭，才能得到讓女人受孕的機會，所以男性個體想繁殖的機會，就看他能不能打

敗對手、比別的男人強。隨著時間慢慢過去，傳到後世的男性基因也就是那些最具野心、最積極、最好勝的男人。

另一方面，對女人來說，要找到願意讓她受孕的男人，完全不是問題。但如果說到要讓孩子長大成人、甚至為她生下孫子孫女，除了自己得懷胎九月，還得再辛苦許多年，才能把孩子帶大。而在這段時間，她要自己取得食物的機會就變少，另外還需要許多他人的幫助。所以，她需要有個男人來幫忙。為了確保自己和孩子能夠生存下去，女人只好同意男人提出的各種條件，好換取他一直待在身邊，分擔生計重擔。隨著時間慢慢過去，傳到後世的女性基因也就是那些最順從、願意接受他人照顧的女人。至於花了太多時間爭權奪利的女人，也就沒有機會讓那些好勝的基因萬世流芳。

根據這個理論，由於有不同的生存策略，男人的基因就傾向是野心勃勃、爭強好勝，善於從政經商；女人的基因則是傾向趨吉避凶，一生養育子女就心滿意足。

只不過，這種理論似乎在經驗證據上也說不通。最有問題的一點在於：這裡認為女人需要協助的時候總是依賴男人，並不依賴其他女人，而爭強好勝的男人就能在社會上占據領導地位。但有許多種動物，例如大象和巴諾布猿，雖然也需要依賴其他個體的雌性，以及爭強好勝的雄性，但是發展出來的卻是母權社會。正由於大象和巴諾布猿的雌性需要外部幫助，所以牠們更需要發展社交技巧、學習如何合作，給予彼此撫慰。於是，牠們建構起全為雌性的社會網絡，幫助彼此養育後代。而這個時候，雄性動物還是繼續把時間花在彼此戰鬥爭勝上，所以社交技巧和社會關係依舊低落。因此，在巴諾布猿和大象的社會中，便是由互相合作的雌性組成強大的網絡主導全局；至於自我中心而又不合作的雄性，只能滾到一邊去。

雖然雌性的巴諾布猿一般來說力氣不如雄性，但如果雄性的巴諾布猿做得過火了，就會被成群的雌巴諾布猿聯合起來教訓一番。

如果巴諾布猿和大象都做得到這一點，為什麼智人做不到？相較之下，智人這種動物的力氣又更弱，優勢就在於能夠大規模合作的能力。如果真是如此，就算女性確實需要依賴他人，而且就算女性確實需要依賴男人，她們也應該能運用較高明的社交技巧，來互相合作，進而運用策略來操縱打敗更具鬥性、更自行其事、更自我中心的男人們。

究竟是為什麼，在一個以「合作」為成功最大要素的物種裡，居然是比較沒有合作精神的一方（男人）控制著應該比較善於合作的另一方（女人）？到目前為止，我們還沒有很具說服力的答案。也許我們的預設是錯的？搞不好，雄性智人的主要特點並不在於體力、鬥性或爭強好勝，反而是擁有更佳的社交技巧、更善於合作？這點在目前依然沒有定論。

但我們確實知道的是，人類的性別角色在二十世紀已有了翻天覆地的變化。現在有愈來愈多社會，讓男女在法律、政治和經濟上享有平等的地位、權利和機會。雖然性別差距依然顯著，但情況正在以驚人的速度改變。1913年，美國有一批婦女站出來為女性要求投票權，當時大眾還嗤之以鼻，視為荒唐。但誰想得到，到了2013年，美國最高法院竟有五位大法官（三女兩男）投下贊成票，支持讓同性婚姻合法化，否決了另外四位男性大法官的反對票！

正是這些戲劇性的變化，讓性別的歷史叫人看也看不清。現在我們已經清楚看到，父權制其實並沒有生物學上的基礎，而只是基於毫無根據的虛構概念。但這麼一來，又該怎麼解釋它為何如此普遍，而且如此穩固、難以撼動？

第三部
人類的融合統一

17. 朝聖者繞行麥加聖寺內的卡巴聖堂（Ka'aba）。

第**9**章

歷史的方向

農業革命之後，人類社會的規模變得更大、更複雜，而維繫社會秩序的虛構故事也更為細緻完整。人類幾乎從出生到死亡，都被種種虛構的故事和概念圍繞，讓他們以特定的方式思考，以特定的標準行事，追求特定的事物，也遵守特定的規範。就是這樣，讓數百萬計的陌生人，能遵照這種人造而非天生的直覺，合作無間。這種人造的直覺，就是「文化」。

在二十世紀前半，學者認為每種文化都自成一格、和諧共存，而且都有獨特的不變本質。每一群人都會有自己的世界觀和社會、法律及政治體系，各自運作順暢，就像是行星繞著太陽一樣。就這種觀點，文化只要獨立不受影響，就不會有所改變，而會依照原本的步調，朝向原本的方向持續下去；直到出現了外界力量干預，才會造成改變。所以人類學家、歷史學家和政治學家講到薩摩亞文化（Samoan Culture）或塔斯馬尼亞文化（Tasmanian Culture）的時候，語氣都彷彿這些形塑薩摩亞和塔斯馬尼亞的信仰、規範和價值，從頭到尾不曾改變過。

各式各樣的矛盾

但現在，多數的文化學者都認定事情正好相反。雖然每種文化都有代表性的信仰、規範和價值，但會不斷的流變。只要環境或臨近的文化改變了，該社會就會有所因應，導致文化有所改變。除此之外，社會的內部也會形成一股造成文化改變的動力。就算是環境完全與外界隔絕、生態也十分穩定，還是無法避免改變。如果是物理定律，絕不會因地因時而異，但既然文化、風俗、信仰都是人類自己想像創造出來的秩序，社會內部就會有各式各樣的矛盾。整個社會一直試圖調和這些矛盾，因此就會促成文化改變。

舉例來說，中世紀歐洲貴族既信奉天主，又要遵守騎士精神。典型的貴族清晨就上教堂，聆聽神父滔滔不絕講述聖人一生行誼。神父會說：「虛榮、虛榮，一切都是虛榮。財富、色慾和榮譽都是極危險的引誘，你絕不可同流合汙，你要跟隨耶穌的腳步。要像祂一樣謙和，要避免暴力和奢侈，而且如果有人打你的右臉，連左臉也轉過來由他打。」於是，這位貴族回家的時候滿懷謙和與自省；但接著他就換上了最好的絲質衣服，前往領主的城堡參加宴會。城堡裡觥籌交錯，飲酒如流水，吟遊詩人歌詠著中世紀的愛情故事，賓客聊著下流的笑話和血淋淋的戰場情節。爵爺大聲宣告說：「一旦受辱，寧死不屈！如果有人竟敢質疑你的榮譽，就只有血能洗淨這種侮辱。人生至樂，豈不就是要讓敵人聞風竄逃、讓他們美麗的女兒在你腳下顫抖？」

這種價值觀的矛盾，從來沒辦法完全解決，但是歐洲的貴族、教士、平民試圖處理這些問題的時候，他們的文化也就隨之改變。

其中一次嘗試處理，結果引發了十字軍東征。對於這些騎士來說，東征既能一展軍事長才，也能展現自己對宗教的虔敬，可說是一石二鳥。同樣的矛盾也帶來了種種騎士修會的成立，像是聖殿騎士團和僧侶騎士團，想讓基督宗教和騎士理想嵌合得更為緊密。中世紀藝術和文學也常談到這種矛盾，像是亞瑟王與聖杯的傳奇便是一例。亞瑟王的宮廷難道不是總想告訴我們，優秀的騎士也該是虔誠的基督徒，而虔誠的基督徒也能成為最優秀的騎士？

另一個例子是現代的政治秩序。自從法國大革命之後，全球人民逐漸同意「自由」和「平等」都是基本的價值觀。然而這兩者根本就互相牴觸！想要確保「平等」，就得節制那些較為突出的人、削弱那些人的自主權和自由；而要保障人人都能獲得如他所願的「自由」，也就必然會影響到所有人的平等。自從1789年法國大革命以來，全球政治史可說就是講述著要如何解決這種矛盾。

只要讀過狄更斯的小說，就知道十九世紀的歐洲自由政體將個人自由奉為圭臬，即使這讓付不出錢的貧困家庭只能犯罪被關、孤兒被迫加入扒手集團，也在所不惜。只要讀過索忍尼辛的小說，也就知道共產主義所推崇的平等理想，最後培養出的是殘虐的暴君，意圖掌握人民生活的所有層面，限縮人身自由。

就算到了現代美國，政治還是不脫這種矛盾。民主黨人希望社會更加平等，就算為了協助老弱病殘必須增稅因應，也在所不惜。但這樣一來，豈不是違反了民眾自由支配收入的權利？如果我想把錢拿來供小孩讀大學，為什麼政府逼我非買健康保險不可？另一方面，共和黨人希望讓人人都享有最大的自由，就算會加大貧富差距、許多美國人將無力負擔健保，也在所不惜。但這樣一來，平等也就成為空談。

正如中世紀無法解決騎士精神和基督宗教的矛盾，現代社會也無法解決自由和平等的衝突。但這也不是什麼缺點。像這樣的矛盾，本來就是每個人類文化都無法避免的，甚至還可說是文化的引擎，為人類帶來創意、提供動力。就像兩個不諧和音，雖然礙耳，卻能引起我們注意，讓我們重新譜曲、使得樂曲更動聽；人類不同的想法、概念和價值觀，也能逼迫我們思考、批評、重新評價。一切要求一致，反而讓心靈呆滯。

如果說每個文化都需要有些緊張、有點衝突、有無法解決的兩難，才能讓文化更加精采，那麼不管是身處在哪一種文化薰陶下的個人，腦中必然並存了互相衝突的信念，以及互相格格不入的價值觀。正因為這種情況實在太普遍，甚至還有個特定的名詞來形容：**認知失調**（cognitive dissonance）。一般認為，認知失調是人類心理上的一種問題，但這其實是一項重要的特性，如果人真的無法同時擁有互相牴觸的信念和價值觀，很可能所有的文化都將無從建立，也無以為繼。

因此，若想深入探究某一種文化，例如，若想深入瞭解那些在清真寺裡祈禱的虔誠穆斯林的文化，該做的不是去研究所有穆斯林都同意的教條，反而應該看看在穆斯林文化裡有什麼難解的矛盾，看看有哪些規定根本是自打嘴巴。必須觀察到穆斯林自己都會感到左右為難的情境，你才能真正瞭解穆斯林的文化。

▌用一種間諜衛星的高度

人類文化一直流動不休。但這種流動究竟是完全隨機，或者其實有一個整體模式？換句話說，歷史有個大方向嗎？

　　答案是肯定的。幾千年來，我們看到規模小而簡單的各種文化逐漸融入較大、較複雜的文明中，於是世界上的大型文化數量逐漸減少，但規模及複雜程度遠勝昨日。當然這是從宏觀層面來看的粗略說法，如果從微觀層面來看，每次有幾個文化融合成大型文化的時候，後來也可以看到大型文化的破碎解離。就像蒙古帝國，雖然曾經雄霸亞洲、甚至還征服了部分歐洲，但最後還是分崩離析。又像基督宗教，雖然信眾數以億計，但也分裂成無數教派。拉丁文也是如此，雖然一度流通中西歐，最後還是轉化成各種當地的方言，演化出各國的國語。然而，合久必分只是一時，分久必合才是不變的大趨勢。

　　想觀察歷史的方向，重點在於要用哪種高度。如果是普通的鳥瞰高度，看著幾十年或幾世紀的發展走向，可能還很難判斷歷史趨勢究竟是分是合。要看更長期的整體趨勢，鳥瞰的高度便有不足，必須拉高到類似太空間諜衛星的高度，看的不是幾世紀，而是幾千年的時間跨度。這種高度能夠讓我們一目瞭然，知道歷史趨勢就是走向分久必合。至於前面基督宗教分裂或蒙古帝國崩潰的例子，就像是歷史大道上的小小顛簸罷了。

天下大勢，分久必合

　　想要清楚看到歷史的大方向，最佳的辦法就是數數看不同時期地球上究竟有多少種同時共存的文化。我們現在常認為，整個地球就是一個單位，但在歷史上的大多數時間，地球其實像是星系，各個人類文明各自構成不同的星球。

　　讓我們以澳洲南方的塔斯馬尼亞島為例，這是一個中等大小

的島嶼，原本和澳洲大陸相連，但大約在一萬年前，冰河期結束、海平面上升，於是它也成了島嶼。當時，數千名狩獵採集者就這樣留在島上，與其他人類都斷了連結。一直到十九世紀歐洲人抵達之前，有一萬兩千年的時間，沒有其他人類知道塔斯馬尼亞人存在，塔斯馬尼亞人也不知道外面有其他人類。島上的人自己有自己的戰爭，有自己的政治衝突，也有自己的文化發展。然而，如果你是當時中國的皇帝或美索不達米亞的統治者，對你來說，塔斯馬尼亞的概念其實就像是木星；總之，就是另外一個世界。

美洲和亞洲也是如此，長久以來兩個世界對彼此毫無所悉。譬如在西元前四到三世紀左右，中國處於戰國時代，群雄爭霸；而同時期在中美洲，也有各個不同的馬雅文明互相競逐。然而這兩邊的爭鬥卻是完完全全毫不相干。對這些人來說，亞洲和美洲的分別，就像火星和金星一樣。

地球上，到底曾經有多少不同的人類文明共存？大約在西元前10000年，地球上有數千個人類文明。但到了西元前2000年，這個數字已經只剩下數百，最多也只有上千個。至於到了西元1450年，這個數字更是急遽下降。當時即將進入歐洲探險時代，地球上仍然有許多像是塔斯馬尼亞這樣獨立的「小世界」，但將近九成的人類都已經緊密相連了，活在由亞洲和非洲組成的**亞非世界**（Afro-Asian World）裡。當時，絕大部分的歐亞非（包括撒哈拉沙漠以南的一大片地區）已經有了緊密的文化、政治和經濟連結。

至於全球剩下的其他大約一成人口，大致上還能夠分成四個具有相當規模和複雜程度的世界：

　　1. 中美洲世界：涵蓋大部分中美和部分北美。
　　2. 安地斯世界：涵蓋大部分南美西部。

3. 澳洲世界：涵蓋澳洲大陸。

4. 大洋洲世界：涵蓋大部分太平洋西南的島嶼，從夏威夷到紐西蘭。

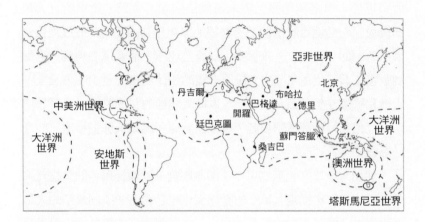

地圖3：西元1450年的地球。

亞非世界裡提到的地點，都是穆斯林旅行家白圖泰（Ibn Battuta）曾經到訪的地方。他出生於摩洛哥的丹吉爾（Tangier），曾前往西非的廷巴克圖（Timbuktu）、東非的桑吉巴（Zanzibar）、南俄羅斯、中亞、印度、中國和印尼。他所行經的各地，正是即將跨入現代、由亞洲和非洲所組成的世界。

接下來三百年間，巨大的亞非世界吞噬了所有其他世界。首先在1521年，西班牙征服了阿茲特克帝國，兼併了中美洲世界。同一時期，麥哲倫的環球航行開始染指大洋洲世界，不久便徹底征服。1532年西班牙征服者打倒印加帝國，於是安地斯世界也不復存在。1606年歐洲人首次登上澳洲大陸，而等到1788年英國殖民開始，這

191

個質樸的世界也宣告終結。十五年後，英國人在塔斯馬尼亞島上設了第一個殖民地，於是最後一個原本獨立的人類「小世界」，也就此併入了亞非的影響圈。

確實，亞非世界這個巨人，花了幾百年才慢慢消化它吞下的所有世界，但這個過程已經永遠無法回頭。今天，幾乎所有人類都接受同一套地緣政治體系（整個地球劃分為國際公認的近兩百個國家），使用同樣的經濟制度（就算是地球上最偏遠的角落，也受到資本主義市場的形塑），採用一樣的法律制度（至少在理論上，人權和國際法放諸四海皆準），也接受同樣的科學體系（不管在伊朗、以色列、澳洲或阿根廷，專家對於原子結構或肺結核療法的意見都會相同）。

然而，全球文化雖然單一，卻非同質。就像是單一的生物有許多不同的器官和細胞，單一的全球文化也包含許多不同類型的人和生活方式，既有紐約的股票經紀人、也有阿富汗的牧羊人。但不論如何，他們彼此都是密切相關，而且會以許多不同方式相互影響。雖然會有各種爭鬥，但他們爭辯用的是同一套概念，戰鬥用的是同一套武器。嚴格來說，真正的「文明衝突」其實是「聾子式的對話」（dialogue of the deaf），也就是雙方都不知道對方在講什麼。而像今天，伊朗和美國雖然針鋒相對、劍拔弩張，但他們講的都是民族國家、資本主義經濟、國際權利、以及核物理學這套語言。

我們也常說有某些文化比較「純正」，但如果所謂「純正」指的是從頭到尾的發展都從未有外界干擾、只有當地最古老的傳統，那麼全球早已沒有純正的文化。在過去幾世紀中，全球化浪潮翻騰洶湧，幾乎讓所有文化全部改頭換面，再也難窺原貌。

全球化最有趣的一個例子，是可代表各國的風味餐。在義大利

餐廳，似乎就該看到番茄義大利麵；在波蘭和愛爾蘭餐廳裡，就該有很多馬鈴薯；在阿根廷餐廳，就該有幾十種牛排可以選；在印度餐廳，就該什麼都要加辣椒；在瑞士咖啡館裡，就該有熱巧克力、上面蓋著像阿爾卑斯山一樣高的打發奶油。

只不過，上述食物沒有一項的原產地在這些國家。番茄、辣椒和可可的原產地都在墨西哥，是西班牙人征服墨西哥之後才傳到亞非。至於羅馬帝國的凱撒大帝和義大利詩人但丁，也從來沒用叉子捲起番茄義大利麵（當時甚至連叉子也還沒發明！）。瑞士農民英雄威廉泰爾，從來沒吃過巧克力。印度的佛陀也未曾在食物裡加過辣椒。馬鈴薯一直要到四百年前，才傳到波蘭和愛爾蘭。在1492年，阿根廷完全沒有牛排，只有駱馬排。

好萊塢電影裡，平原印地安人總是英勇騎著馬，衝向歐洲人的蓬車，大無畏的守護祖靈的傳統。然而，騎著馬的美國原住民可不是什麼純正古老的傳統形象，是在十七、十八世紀，歐洲馬傳到了北美之後，才讓整個北美平原的軍事和政治起了翻天覆地的變化。1492年，美洲還沒有馬。雖然蘇族和阿帕契人在十九世紀有許多看來威風八面的特色，但這其實是現代文明、全球化的產物，說不上什麼「純正」。

▍全球視野

從實際觀點，全球融合最關鍵的階段就是過去這幾個世紀。各大帝國成長、全球貿易強化，亞洲、非洲、歐洲、美洲、澳洲和大洋洲的人類形成緊密連結，於是印度菜裡出現了墨西哥的辣椒，阿根廷的草原上漫步著來自西班牙的牛。但從意識型態觀點，西元前

的一千年間慢慢發展出「世界一家」的觀念，這點的重要性也絕對
不遑多讓。在這之前的數千年間，歷史確實是朝向全球融合統一的
方向慢慢邁進，但對大部分人來說，還是難以想像世界一家、全球
為一的概念。

智人從認知革命之後，懂得區分「我們」和「他們」。自己身
邊的這群人就是「我們」，而所有其他人就是「他們」。事實上，
世界上沒有什麼社會性動物會在意所屬物種的整體權益。沒有哪隻
黑猩猩在意整體黑猩猩物種的權益，沒有哪隻蝸牛會為了全球蝸牛
社群舉起一隻觸角，沒有哪隻獅群首領會說要成為全球的獅子王，
也沒有哪個蜂窩會貼標語寫道：「全球的工蜂站起來！」

但是在認知革命開始後，智人在這方面就和其他動物大不相
同了。與完全陌生的人合作，成了家常便飯，而且還可能覺得這些
人就像是「兄弟」或是「朋友」。只不過，這種兄弟情也有限度。
可能只要過了隔壁山谷、或是出了這座山，外面的人就還是「他
們」。大約在西元前3000年，美尼斯（Menes）統一埃及，成了第
一位法老王。對埃及人而言，「埃及」有明確的邊界，外面都是些
奇怪、危險、不值得注意的「野蠻人」，大不了就是擁有一些土地
或自然資源（前提是埃及人想要，否則也不算資源）。然而，所有
這些想像出的邊界，其實都是把全人類的一大部分排除在外。

三種全球秩序

西元前的一千年間，出現了三種有可能達到全球一家概念的秩
序。一旦相信了這些秩序，就有可能相信全球的人類都屬於同一個
大團體、都由同一套規則管轄，讓所有人類都成了「我們」（至少

有這個可能），「他們」也就不復存在。這三種全球秩序，首先第一種是經濟上的貨幣秩序，第二種是政治上的帝國秩序，而第三種則是宗教上的全球性教派，像是佛教、基督宗教和伊斯蘭教。

　　商人、征服者和各教先知是最早跳出「我們」和「他們」這種二元區分的人。對商人來說，全球就是一個大市場，所有人都是潛在的客戶。他們想建立起的經濟秩序應該要全體適用，無處不在。對征服者來說，全球就是一個大帝國，所有人都可能成為自己的子民。對各教先知來說，全球就該只有一個真理，所有人都是潛在的信徒，所以他們也是試圖要建立起某種秩序，希望每個地方、每個人都能依循。

　　在過去的三千年間，人類有愈來愈多雄心勃勃的計畫，想要實現這種世界一家的概念。接下來的三章之中，我們就要一一討論貨幣、帝國和全球宗教是如何傳播，又如何建立起全球一家的基礎。第一個要談的，就是史上最偉大的征服者；這位征服者極端包容異己，手段又靈活無比，讓人人都成了虔誠狂熱的信徒。這位征服者就是金錢！

　　在這世界上，大家講到不同的神，就易有爭執，說到不同的王，也可能大打出手，但用起不同的錢，卻是有志一同（只要講定兌換比率即可）。例如賓拉登，他恨美國文化、恨美國宗教、恨美國政治，但用起美元倒是十分順手。

　　究竟金錢有什麼魔力，竟然能完成連神和君王都做不到的事？

第 **10** 章

金錢的氣味

1519年，墨西哥原本還是遺世獨立的人類社會，但來自西班牙的殖民者科爾特斯（Hernán Cortés）一行人大舉入侵。這裡的原住民自稱阿茲特克人，很快就發現：這些外來的西班牙人看到某種黃色金屬，眼睛就為之一亮，思思念念，三句不離。阿茲特克人也不是不懂黃金。黃金色澤美麗、又容易加工，所以他們常用來製作首飾和雕像。阿茲特克人偶爾也用金粉來交易，但一般想買東西的時候，通常還是用可可豆或布料來付帳。所以，看到西班牙人對黃金如此痴迷，令他們一頭霧水。畢竟，黃金不能吃、不能喝、不能織，想當作工具或武器，質地又太軟，究竟為什麼西班牙人如此為之瘋狂？面對當地人的疑惑，科爾特斯表示：「我們這群人有一種心病，只有金子能醫。」[51]

對於這些西班牙人出身的亞非世界來說，對黃金的痴迷還確實是一種流行病。就算是最針鋒相對的死敵，都同樣貪戀這種黃色金屬。在入侵墨西哥的三個世紀前，科爾特斯一行人的祖先，曾對伊比利亞半島和北非的穆斯林王國發動一場血腥的宗教戰爭。基督和

阿拉的子民互相殘殺，死亡數以千計，田野和果園滿目瘡痍，繁華的城市成了餘燼中的廢墟。而據說，這一切都是為了榮耀基督、或是榮耀阿拉。

隨著基督徒逐漸占上風，他們宣告勝利的方式不只是摧毀清真寺而蓋起教堂，還發行了新的金幣銀幣，上面印有十字架符號，也標注著感謝主幫助他們打倒異教徒。然而除了新貨幣之外，這些勝利的基督徒還鑄造了另一種方型硬幣，稱為**米拉雷斯**（millares），上面的訊息稍有不同，用阿拉伯文寫著：「阿拉是唯一的真神，穆罕默德是阿拉的使者。」（但這可是基督徒征服者所鑄！）甚至在法國南部，天主教位於莫吉奧（Melgueil）和阿格德（Agde）的主教也發行了當地流行的穆斯林硬幣。雖然這些天主教徒敬畏天主，但用起這些穆斯林硬幣來，可沒有半點的心理障礙。[52]

而對另一邊的人而言，自然也是同樣寬容大方。在北非的穆斯林商人也使用基督宗教的硬幣，例如義大利佛羅倫斯發行的弗羅林（florin）、威尼斯發行的達克特（ducat），以及那不勒斯發行的吉里亞托（gigliato）。就算是那些高喊要發動聖戰、打倒異教基督徒的穆斯林統治者，收稅的時候也還是十分樂意收到印著耶穌和聖母瑪利亞的硬幣。[53]

這帳要怎麼算？

狩獵採集者完全沒有金錢貨幣的概念。每個部落自給自足，不管是從肉類到藥物、從鞋子到巫術，有需要就自己去獵、自己去採、自己去做。雖然不同的部落成員可能有不同的專長，但他們用人情和義務組成經濟體系，分享著種種產品和服務。像是拿一塊肉

雖然不用付錢，但以後還是得有像是免費治病之類的對等回饋。每個部落都是獨立的經濟體；只有少數當地無法取得的稀有物品，例如貝殼、顏料、黑曜石，才需要從陌生人那裡取得。而且通常可以用簡單的以物易物方式：「我們把這些漂亮的貝殼給你們，你們就把上好的鐩石給我們。」

農業革命一開始，情況並沒有多大改變。大多數人的生活型態仍然是小而緊密的社群，一如狩獵採集的部落，每個村莊都是自給自足的經濟體，靠的就是互相幫忙、互通人情，再加上一點點與外界的以物易物交易。可能有某位村民特別擅長做鞋、某位又特別懂得治病，所以村民都知道沒鞋穿或不舒服的時候該找誰。只不過，各個村莊的經濟規模都太小，養不起專職的鞋匠或醫生。

等到城市和王國興起、交通基礎設施改善，終於開始了專業化的新契機。人口稠密的城市開始能夠養活專業工作者，除了鞋匠、醫生，還能有木匠、牧師、戰士、律師等等。有些村莊開始因為美酒、品質佳的橄欖油、或是精緻的陶器而聞名，他們也發現只要專精此道，再與其他村莊交換貨品，就足以讓他們生活無虞。

這太有道理了。本來各地的氣候和土壤就不同，如果自家後院釀出的酒就是粗劣平庸，而從其他地方買來的酒更香醇柔順，何樂而不為？而自家後院的黏土如果能做出更堅硬、更美麗的陶盆，就能拿它來交易。而且，還能養出專職的釀酒師和陶藝家，醫生和律師更不在話下，他們能夠不斷磨練專業知識，最後就能造福全人類。但是隨著專業化，也出現了一個問題：各種不同專家製作的貨品，究竟該怎麼交易？

如果今天是一大批的陌生人聚在一起要合作，光靠人情義務的經濟制度，就再也行不通了。給兄弟姊妹或是鄰居幫幫忙當然沒問

題，但如果是外鄉人、外國人，就算這次幫了他，可能再也見不到面，也就得不了回報。面對這種情形，一種做法是回到以物易物。只不過，這只有在貨品數量有限的時候比較有效，而無法成為複雜經濟制度的基礎。[54]

為了說明以物易物的局限性，我們假設你住在某座山上，這是附近最適合種蘋果的地方，種出的蘋果又脆又甜，無人能比。你整天都在果園裡辛苦工作，鞋子都穿破了。於是你把驢套上驢車，前往河邊的市集。鄰居說市集南邊有個鞋匠，上次跟他換的鞋真是堅固耐穿，足足穿了一年多才壞。因此，你找到這位鞋匠的店面，告訴他，想用蘋果跟他換一雙鞋。

但鞋匠這時面露難色。他不知道自己到底該收多少蘋果。每天他都會有幾十個客人找上門，有人帶的是幾麻袋的蘋果，有人帶的是小麥、山羊或布匹，而且品質高下不一，並不穩定。甚至有些人說自己能換的是幫他向國王說情、或是幫他治治背痛。上次鞋匠用鞋換蘋果，已經是三個月前的事了，當時是三袋蘋果換一雙鞋？還是四袋？他都快忘了。不過仔細一想，上次那些蘋果是種在專產酸蘋果的山谷，而這次的可是種在絕佳的山上啊。還有，上次那些蘋果換的是一雙小的女鞋，但這傢伙要的可是大男人穿的靴子呢。此外，最近幾個星期，附近的羊都病倒了，能用的羊皮愈來愈少。皮匠說，現在想要一樣數量的皮革，得拿兩倍的鞋子來換。這是不是也該列入考慮？

在以物易物的經濟體系裡，不管是鞋匠還是種蘋果的，每天都得搞清楚幾十種商品的相對價格。如果市場上有100種不同的商品，把兌換率列出來，就足足有洋洋灑灑的4,950條。如果市場上有1,000種不同的商品，兌換率更足足有499,500條！[55] 這怎麼可能

記得起來呀？

　　而且這還不算最糟的。就算真讓人算出了幾袋蘋果值一雙鞋，以物易物還不一定成功。畢竟，想要交易，也得雙方合意。如果現在鞋匠不想吃蘋果，而正忙著找人幫忙打離婚官司，該怎麼辦？確實，種蘋果的可以找個喜歡吃蘋果的律師，達成一樁三方交易。但如果律師也吃夠蘋果了，現在是該剪個頭髮，又要怎麼辦？

　　某些社會的解決方式，就是建立起集中的以物易物系統，分別從各個專業的農夫和製造商那裡取得產品，再統一分配到最需要的人手上。這種社會，規模最大、名聲最響亮的就是蘇聯；不過最後可說是悽慘收場。原本聲稱要讓人人「各盡所能、各取所需」，但結果是「各盡所能的最小值、各搶所需的最大值」。其他地方也曾經有些比較中庸、結果也比較成功的試行制度，像是印加帝國便是一例。然而，大多數社會都是用一種更簡單的方法，在各個專家之間建立連結：他們發明了「錢」的概念。

▌貝殼和香菸

　　曾經在許多地方、許多時間點，人類都曾發明過錢的概念。這需要的不是什麼科技上的突破，而是想法上的革新。可以說是又創造了另一個互為主體性的新概念，只存在於人們共同的想像之中。

　　這裡說的錢，指的是概念，而不只是硬幣或鈔票。不論任何物品，只要是人類願意使用、能夠有系統的代表其他物品的價值，以做為物品或服務交換之用，就可以說是符合了錢的概念。錢讓我們能夠快速、方便的比較不同物品的價值（例如蘋果、鞋子、甚至離婚這件事），讓我們能夠輕鬆交換這些事物，也讓我們容易累積財

富。錢的類型很多，我們最熟悉的是硬幣，也就是上面印了文字或圖像的圓形標準化金屬片。但早在硬幣發明之前，錢的概念早已存在，許多文化都曾經以其他物品當作錢來使用，包括貝殼、牛隻、獸皮、鹽、穀物、珠子、布料，以及欠條。大約四千年前，整個非洲、南亞、東亞和大洋洲都是用貝殼來交易的。就算到了二十世紀初，英屬烏干達還是能用貝殼來繳稅！

　　至於在現代監獄和戰俘營裡，常常是用香菸來當作錢。在那些封閉的地方，就算你不抽菸，也會願意接受別人用香菸來付帳，或是用香菸計算各種商品和服務的價值。一位納粹奧許維茲集中營的倖存者，就描述過集中營裡如何用香菸當作貨幣：「營裡有自己的貨幣──香菸，而且沒人覺得不合理。所有東西都用香菸來計價……『正常』的時候（也就是大家進毒氣室的頻率穩定的時候），一條麵包是12支香菸，一包300公克的乳瑪琳是30支，一隻錶值80到200支；一公升的酒可得花上400支！」[56]

　　事實上，就算是現在，大部分的錢也不是以硬幣或鈔票的方式存在。目前，全球金錢總和為60兆美元，但所有硬幣和鈔票的金額加起來還不到6兆美元。[57] 換句話說，所有的錢有超過九成（超過54兆美元！）都只是顯示在電腦上的數字而已。正因如此，大多數的商業交易，其實只是把某臺電腦裡的電子資料搬到另一臺去，完全沒有任何實體金錢的交換。大概只有逃犯要買房子的時候，才會提著一大皮箱的錢出現。而只要大家都願意接受電子數據交易，就會比閃亮的硬幣或簇新的鈔票更方便，不僅更輕、更易攜帶，還更容易記錄留存。

　　出現了複雜的商業系統之後，金錢的概念更是不可或缺。有了金錢的概念，鞋匠只要記得哪種鞋開價多少，不用一一記住鞋子換

成蘋果或山羊之間的兌換率。而且，因為金錢人人都想要，所以蘋果達人也不用再去逐一詢問附近哪個鞋匠想吃蘋果。或許「人人都想要」正是金錢最基本的特性。人人都想要錢，是因為其他人也都想要錢，所以有錢幾乎可以換到所有東西。鞋匠之所以永遠都樂意收錢，是因為不管他當時想要什麼（蘋果、山羊、或是離婚），只要有錢，幾乎都換得到。

於是，金錢就成了共通的交易媒介，幾乎任何東西之間都能完成交換。志願役軍人退伍的時候，拿著退職金去上大學，可以說就是用體力來換腦力。男爵出售土地城堡來養活家臣手下，就是用物業來換忠誠。醫師拿病人看病的錢來聘任律師（或是賄賂法官），就是用他人的健康來換取所謂的正義。甚至像是十五世紀的妓女，她們先和男人上床取得報酬，再用錢來買天主教教會的贖罪券，就是用性來換取救贖。

理想的金錢類型不只能用來交換物品，還能用來累積財富。各種貴重的事物當中，有的根本無法儲存（像是時間或美貌），有的只能儲存一段很短的時間（像是草莓）。也有的雖然能久放，但卻得占用大量空間，或是需要昂貴的設備和照顧。舉例來說，穀類雖然可以保存多年，但需要有大型的穀倉，還得小心防鼠、防黴、防水、防火、防賊。而有了錢之後，不管用的是鈔票、電腦資料或是貝殼，都能解決這些問題。像是貝殼，既不會腐爛、老鼠啃不太動、不怕火燒，而且也小到可以輕鬆鎖在保險箱裡。

然而，有了財富之後不只要儲存累積，更要能用得愉快，所以往往需要從一地帶到另一地。某些形式的財富（如房地產）完全無法帶到另一個地方，而像是小麥和稻米之類的產品，要運送也有一定的難度。想像一下，如果有個富有的農民，住在一個沒有金錢概

念的國家，正打算搬到另一個遠方省份。他的財富主要就是房子和農地，不過這要怎麼帶得走？就算把地全換成了好幾噸的稻米，想要帶走不但十分笨重，很可能還得為此付出一大筆代價。有了金錢概念，就能解決這些問題。農民可以把一大片土地換成一袋貝殼，這下子不管到哪裡，都能方便攜帶。

正因為有了金錢概念，財富的轉換、儲存和運送都變得更容易、也更便宜，後來才能發展出複雜的商業網路以及蓬勃的市場經濟。要是沒有錢，市場和商業網路的規模、活力和複雜程度，都必然相當有限。

金錢是互信系統

不管是貝殼或是美元，它們的價值都只存在於我們共同的想像之中。光是它們的化學結構、顏色或是形狀，並無法帶來那些價值。換句話說，金錢並不是物質上的現實，而只是心理上的想像。所以，金錢的運作就是要把「物質上的現實」轉變為「心理上的想像」。不過，究竟為什麼這能成功？原本擁有的是一大片肥沃的稻田，為什麼會有人願意換成一小把根本不實用的貝殼？為什麼有人會願意辛苦煎漢堡排、拉保險、或是幫忙照顧三個精力過剩的小屁孩，只為了換來幾張彩色的紙？

人們之所以願意如此，正是因為他們接受了這個集體的想像。「信任」正是所有金錢最基本的原料。如果有個富裕的農民賣掉房舍田產、換來一袋貝殼，還帶著這袋貝殼前往遠地的省份，那是因為他相信抵達之後，其他人會願意用稻米、房屋、田地，和他交換這些貝殼。所以，可以說金錢就是一種相互信任的系統，而且還不

是隨隨便便的某種系統：**金錢正是有史以來最普遍、也最有效的互信系統。**

　　在這種信任的背後，有著非常複雜而長期的政治、社會和經濟網路。為什麼我會相信貝殼、金幣或美元鈔票？原因就在於：我的鄰居都信。正因為我的鄰居都信，所以我也信。而我們都信的原因在於我們的國王也信，國王要求用這些東西來納稅；還有我們的牧師也信，牧師要求用這些東西來繳什一稅。拿一張1美元的鈔票來仔細瞧瞧，會發現這只是一張色彩豐富的紙，一面有美國財政部長的簽名，另一面則寫著「In God We Trust」（我們信神）。我們之所以願意接受以美元付款，正是因為我們相信神、也相信美國財政部長。正因為「信任」這件事如此關鍵，就可以知道為什麼金融體系會與政治、社會和意識體系如此緊密相連，為什麼金融危機往往是由政治發展引發，以及為什麼光是股票交易商某個早上的感覺，就能影響股市的漲跌。

　　一開始最早發明錢的時候，人們還沒有這種信任，所以要當作錢的事物，本身就得有實際的價值。史上最早的金錢制度是蘇美人的「麥元」制度，就是一個很好的例子。麥元制度的出現時間大約是西元前3000年，與文字出現的時間地點正好相同。前面提過，文字的出現是為了因應行政活動日益頻繁，而麥元的出現則是為了因應經濟活動日漸活絡。

　　所謂的麥元，其實也就是大麥，將固定量的大麥穀粒做為通用單位，用來衡量和交換其他各種貨物和服務。當時最普遍的單位是**席拉**（sila），約等於1公升。當時大量生產了1席拉標準容量的碗，每當人民要買賣東西的時候，就能很方便的量出所需要的大麥數量。另外，薪水也是以席拉為單位，用大麥來支付。每名男工

一個月可以賺60席拉,而女工則是賺30席拉。至於領班則可領到
1,200至5,000席拉。當然,就算是最會吃的領班,一個月也吃不了
5,000公升的大麥,但多餘的大麥就能用來購買各種其他商品,像
是油、山羊、奴隸,還有購買除了大麥以外的食物。[58]

雖然大麥本身也具有價值,但還是很難說服民眾將大麥視為貨
幣,而不只是另一種商品。要解釋這點,可以想像一下如果你扛著
一麻袋的大麥到附近的百貨公司,說你想買件襯衫或者一片披薩,
會發生什麼事。店家很可能馬上就大叫保全趕人了。儘管如此,以
大麥來當作第一種貨幣、建立信任關係,還算是簡單合理的選擇,
畢竟再怎樣,大麥也還是有它生物學上的價值:人類可以吃。但另
一方面,講到儲存和運送,大麥就還是有局限性。金錢貨幣史上真
正的突破,就是人類終於開始相信某些貨幣形式,雖然它們本身沒
什麼固有價值,但卻能方便儲存與運送。這樣的金錢制度,大約出
現於西元前2500年的美索不達米亞:銀舍客勒制度。

舍客勒並不是某種貨幣,而是指「8.33公克的銀子」。《漢摩
拉比法典》曾提過,如果某個上等人殺了一個女奴,就要賠償20舍
客勒的銀子,這裡指的就是大約166公克的銀,而不是20個某種銀
幣。《聖經》舊約的金錢交易多半用的也是銀子,而不是硬幣。例
如約瑟的哥哥把他賣給以實瑪利人的時候,價錢就是20舍客勒,或
說是166公克的銀子(與女奴的命一樣便宜,畢竟當時約瑟也只是
孩子)。

但與先前的麥元制度不同之處,在於銀舍客勒本身並沒有什麼
實用價值。銀子不能吃、不能喝、不能穿,質地也太軟,無法做成
什麼有用的工具(如果做成犁或是劍,簡直就像用鋁箔做的一樣薄
弱)。真正要用的時候,白銀和黃金只會做成首飾、皇冠以及各種

象徵地位的物品；換言之，都是在特定文化裡，社會地位高的人所擁有的奢侈品。黃金白銀的價值完全只是因為文化賦予而來。

硬幣誕生

像這樣為貴金屬定出重量單位，最後終於發展出了硬幣。大約在西元前640年，土耳其西部呂底亞王國（Lydia）的國王阿耶特斯（Alyattes）鑄造出史上第一批硬幣。這些硬幣使用金或銀的材質，有標準重量，並且刻有識別印記。印記有兩種意義：首先，印記指出硬幣裡含有多少貴金屬。第二，印記能證明發行者的身分，進而確保硬幣成分。幾乎所有現在的硬幣，都可說是呂底亞硬幣的後代子孫。

過去的金錠銀錠沒有任何印記，有印記的硬幣相較之下，有兩大優點。第一，錠狀金屬每次交易都得重新稱重。第二，光是稱重還不夠，譬如鞋匠要怎麼才知道，客人拿來買鞋的銀錠貨真價實，而不是一塊鉛塗了一層薄薄的銀？硬幣就能解決這些問題。一旦印上印記，就確認了硬幣的價值，所以鞋匠的收銀檯上就不用再擺放一臺秤了。更重要的是，硬幣上的印記代表著某些政治權力，能夠確保硬幣的價值。

雖然這些硬幣上的印記大小和形狀曾多次調整，但重點訊息從來未曾改變：「我，偉大的國王某某某保證，這個扁扁圓圓的金屬，含有五克黃金，不多也不少。若有人膽敢偽造此幣，即為偽造本王簽章，有辱於本王名聲。此等罪孽，必處極刑。」

正因如此，鑄造偽幣的罪行一直比其他詐欺行為判得更重。因為造偽幣不只是單純的詐欺，更是對主權的挑戰，直接冒犯了

國王的權力和尊嚴。用法律術語來說，就是「lèse majesté」（冒犯君主），通常會經過一陣凌虐懲罰，最後處死。

　　只要人民相信國王的權威和人格，就會相信他所發行的硬幣。例如古羅馬的**德納累斯**（denarius）銀幣，印有羅馬皇帝的名字和圖像，而正因為民眾相信皇帝的權威和人格，就算是未曾謀面的陌生人，也不會懷疑這枚銀幣的價值。

　　相對的，羅馬皇帝的權力也得靠德納累斯銀幣來建立與維持。可以想像一下，如果羅馬帝國沒有硬幣，每次收稅或支薪都得處理一堆的大麥小麥，會是多麼困難的事情。如果得在敘利亞蒐集一堆大麥做為稅入，先運到羅馬的國庫裡，再運到英格蘭去支付給各個軍團，根本是不可能的任務。除此之外，如果只有羅馬居民接受這些硬幣，但高盧人、希臘人、埃及人和敘利亞人還是用貝殼、象牙珠或布匹來計價，整個財稅制度也絕對無法成功。

▨ 黃金福音

　　羅馬的硬幣廣受信任，甚至在帝國以外，大家收起德納累斯銀幣也是毫不手軟。在西元一世紀，甚至連印度市場也願意接受羅馬硬幣──但最靠近印度的羅馬軍團，也還有數千公里之遙，武力根本威脅不到印度。只能說，印度人十分信任德納累斯銀幣的幣值，信任銀幣上的圖像所代表的羅馬皇帝。所以等到當地領主鑄造硬幣的時候，他們不僅模仿德納累斯銀幣的外型，甚至連羅馬帝國皇帝的肖像也依樣畫葫蘆！「德納累斯」當時也成了硬幣的通稱。穆斯林的哈里發（Caliph，伊斯蘭政教合一的領袖）把這個名稱再阿拉伯語化，發行了**第納爾**（dinar）貨幣。直到現在，像是約旦、伊拉

克、塞爾維亞、馬其頓、突尼西亞等國，還是以第納爾做為貨幣的正式名稱。

呂底亞王國式的硬幣從地中海傳到印度洋，而與此同時，中國發展出另一種略有不同的金錢制度，用的是銅幣和沒有印記的金銀元寶。然而，東西方的兩種金錢制度還是有相當的共通性（特別是都以黃金和白銀為本位），中國與呂底亞王國也建立起密切的金融和商業關係。於是，穆斯林和歐洲商人及征服者，就這樣逐漸將呂底亞金錢系統和這則「黃金福音」，傳到了地球上的每個角落。到了現代，全世界已經成了單一的金錢貨幣區，起初用黃金和白銀，後來再轉變成少數幾種有公信力的貨幣，如英鎊和美元。

出現了跨國家、跨文化的貨幣區之後，終於奠定整個亞非世界一統的基礎，最後讓全球都成了單一經濟和政治領域。雖然各地的人們還是繼續講著不同的語言、服從不同的統治者、敬拜不同的神靈，但都信服著同樣的黃金白銀、金幣銀幣。要不是大家有這項共同的信念，全球貿易網幾乎絕無可能成真。

西班牙征服者於十六世紀在美洲發現黃金和白銀，讓歐洲商人能夠到東亞購買絲綢、瓷器和香料，同時促進了歐洲和東亞的經濟發展。這些黃金和白銀產自墨西哥和安地斯山脈，一離開歐洲人之手，就進了中國絲綢商和瓷器商的口袋。如果中國人沒有患上像科爾特斯一行人同樣的「心病」，拒絕歐洲人用黃金和白銀付帳，情況會是如何？

中國人、印度人、穆斯林和西班牙人分屬不同文化，在大部分事情上都意見相左，但究竟為什麼大家都同樣相信黃金有價？為什麼不是西班牙人相信黃金、穆斯林相信大麥、印度人相信貝殼、中國人相信絲綢？

經濟學家已經提出現成的答案。在貿易連接兩個區域的時候，只要是能夠運送的貨品，就會受到供需力量的影響，讓價格達到平衡。讓我們用一個假設來解釋。假設在印度與地中海地區首次開始貿易的時候，印度人對黃金興趣缺缺，所以黃金幾乎一文不值。但在地中海，黃金卻是人人垂涎的地位象徵，價值非凡。接下來會有什麼情況？

　　往來於印度和地中海之間的商人，開始注意到黃金的價差，於是在印度便宜購入黃金，再回到地中海高價出售。如此一來，印度市場上的黃金需求很快暴增，價格跟著水漲船高。與此同時，在地中海黃金供給大量增加後，價格因此下降。不用多久，黃金在印度和地中海的價格就相去無幾。正因為地中海人相信黃金有價，就會讓印度人也開始跟著相信。就算黃金對印度人來說仍然沒有實際用途，光是因為地中海人重視黃金，就足以讓印度人跟著重視起來。

　　以此類推，就算有些人是我們憎惡、討厭、嘲笑的對象，如果他們相信貝殼、美元或電子數據的價值，就足以讓我們也跟著相信這些事物有價值。所以，就算是在宗教上水火不容的基督徒和穆斯林，也可以在金錢制度上達成同樣的信仰。原因就在於宗教信仰的重點是「自己相信」，但金錢信仰的重點是「別人相信」。

　　千百年來，哲學家、思想家和宗教人物都對錢嗤之以鼻，聲稱錢為萬惡的根源。但就算真是如此，錢同時也是所有人類最能接受的東西。比起語言、法律、文化、宗教和社會習俗，錢的心胸更為開闊。所有人類創造的信念系統中，唯有金錢能夠跨越幾乎所有文化鴻溝，不會因為宗教、性別、種族、年齡或性取向而有所歧視。也多虧有了金錢制度，才讓人就算互不相識、不清楚對方人品，也能攜手合作。

▌金錢的價格

金錢制度有兩大普世通用的原理：

第一、萬物可換：錢就像是煉金術，可以讓你把土地轉為手下的忠誠、把健康轉為正義、把性轉為救贖。

第二、萬眾相信：有了金錢做為媒介，任何兩個人都能合作進行各種計畫。

就是因為這兩大原理，讓數百萬的陌生人能夠合作拓展各種貿易和產業。然而，這些看似無害的原理還是有黑暗的一面。如果一切都能換成金錢，而大家相信的又是不具名的硬幣和貝殼，就可能傷害到地方上的傳統、親密關係和人的價值，讓冷酷無情的供需法則取而代之。

一直以來，人類社會和家庭的維繫，靠的是「無價之寶」，像是榮譽、忠誠、道德和愛。這些本來都不會放上市場，也不應該用金錢衡量。就算市場開出天價，有些事情就是不該做。像是父母絕不該販子為奴；虔誠的基督徒絕不該犯下那些滔天大罪；忠誠的騎士絕不該背叛主人；而部落先祖留下的土地，也絕不該落入外國人手中。

然而，金錢一直試圖打破這些限制，就像是水不斷滲入大壩的裂縫。有些父母最後還是把幾個孩子賣給人口販子，才能養活其他孩子。有些虔誠的基督徒殺人越貨、偷竊、詐欺，再用這些髒錢向教堂購買救贖。想大展身手的騎士，把自己的忠誠賣給了出價最高的領主，再用這筆錢來購買自己跟班的忠誠。部落的土地被賣給來自世界另一邊的外國人，好買到進入全球經濟體系的門票。

金錢還有更黑暗的一面。雖然金錢能建立起陌生人之間共通的

信任，但人們信任的不是人類、社群或某些神聖的價值觀，而只是金錢本身、以及背後那套沒有人性的系統。我們不信任陌生人，但我們現在也不信任隔壁的鄰居，而只是信任他們手上的錢。沒錢，就沒有信任。等到錢滲透沖垮了社會、宗教和國家所構成的大壩，世界就成了巨大而無情的市場。

於是，人類的經濟史就像是跳著微妙的舞步。我們用金錢來促進與陌生人的合作，但又害怕這會破壞人的價值和親密關係。一方面，我們也想打破那些限制金錢和商業流動的社會大壩；但是另一方面，我們又不斷築起新的大壩，希望保護社會、宗教和環境免受市場力量的奴役。

現在常有人說市場力量終會獲勝，無論是國王、宗教或社會，他們建起的大壩終將不敵金錢的狂潮。但這是天真的說法。一直以來，總有勇猛的戰士、狂熱的宗教份子、關心政治的人物多次打倒了工於心計的商人，甚至是讓整個經濟重新洗牌。所以，說到人類終將一統，絕不只是純粹經濟的過程。想知道原本成千上萬的獨立文化是如何逐漸相連、形成今天的地球村，固然黃金和白銀影響深遠，但也別低估了刀劍的力量。

第**11**章

帝國的願景

　　古羅馬也常打敗仗。但就像大多數歷史上最偉大的帝國統治者一樣,雖然他們可能輸掉幾場小戰役,卻能贏得最後的整場戰爭。如果一個帝國連一場戰役都輸不起,又怎麼稱得上是帝國?

　　然而,西元前二世紀中葉,從伊比利亞半島傳來的戰報,卻是讓羅馬人都覺得芒刺在背。在這裡有一個微不足道的小山城努曼提亞(Numantia),住著土生土長的凱爾特人,而他們竟敢擺脫羅馬的控制。當時,羅馬已經是整個地中海區域不容置疑的霸主,打倒了馬其頓和塞琉西(Seleucid)王國,征服了驕傲的希臘城邦,還一把火讓迦太基城成了廢墟。努曼提亞什麼都沒有,只有對自由的熱愛,以及一片荒涼的家園。然而,他們卻讓羅馬各個軍團再三遭到挫敗,不是只能投降,就是帶著恥辱撤退。

　　終於,到了西元前134年,羅馬再也忍無可忍。元老院決定派出最勇猛的小西庇阿(Scipio Aemilianus,曾攻下迦太基城),大軍前往努曼提亞,軍士超過三萬。小西庇阿不敢小看努曼提亞人的奮戰精神和戰技,也希望能減少手下士兵無謂的傷亡,因此他直接用

強化的防禦工事包圍了努曼提亞，阻擋他們與外界接觸；小西庇阿試圖讓飢餓成為最強大的武器。一年多後，努曼提亞人糧食耗盡，他們發現大勢已去，便放火焚城。根據羅馬歷史記載，努曼提亞人多半寧可自殺殉難，也不願意成為羅馬的奴隸。

後來，努曼提亞成了西班牙獨立和勇氣的象徵。《唐吉訶德》的作者塞萬提斯（Miguel de Cervantes）就曾寫過一篇名為〈努曼提亞圍城〉的悲劇劇本，雖然是以努曼提亞的毀滅作結，但也預示著西班牙未來的偉大願景。詩人用詩歌讚頌他們的情操，畫家也在畫布上重現他們的英勇。1882年，努曼提亞遺址列為「國立紀念遺址」，成為西班牙愛國者必定造訪的朝聖地。在1950到1960年代，西班牙最流行的漫畫既不是超人、也不是蜘蛛人，而是一個來自伊比利亞半島的虛構英雄賈巴托（El Jabato），起身抵抗羅馬帝國壓迫的冒險漫畫。直到今日，努曼提亞仍然是西班牙英雄主義和愛國主義的典範、年輕人心中的楷模。

然而，西班牙人歌頌努曼提亞用的西班牙文，卻是源自小西庇阿使用的拉丁文，屬於凱爾特語系的努曼提亞語已經失傳。塞萬提斯也是用拉丁文寫下〈努曼提亞圍城〉，而且這齣悲劇用的還是希臘羅馬的藝術模式；努曼提亞本身並沒有劇場。至於那些緬懷努曼提亞英雄主義的西班牙志士們，往往也是羅馬天主教會的信徒，除了教廷就位於羅馬，那位神也是拉丁文的愛用者。同樣的，現代的西班牙法律源於羅馬法；西班牙政治是以羅馬帝制為基礎；西班牙美食和建築多半根源於羅馬，而不是伊比利亞半島上的凱爾特人。在現今的西班牙，努曼提亞除了遺址之外，其實已經沒有什麼真正留下。就算是這則故事本身，還是憑藉羅馬歷史學家的著作，才留傳下來。故事經過修飾潤色，符合羅馬觀眾最愛看的「熱愛自由的

野蠻人」情節。正因為羅馬在努曼提亞大獲全勝，所以這些勝利者才會保留下戰敗者的那些記憶。

這種情節不太符合我們的品味，我們愛看的是反敗為勝，是小人物的勝利。然而，歷史就是沒有正義。多數過去的文化，早晚都是遭到某些無情帝國大軍的蹂躪，最後在歷史上徹底遭到遺忘。就算是帝國本身，最後也將崩潰，只是常常留下豐富而流傳千古的遺產。在二十一世紀，幾乎所有人的祖先都曾經屬於某個帝國。

▌帝國究竟是什麼？

帝國是一種政治秩序，有兩項重要特徵。第一，帝國必須要統治許多不同的民族，每個民族各自擁有不同的文化認同和獨立的領土。但多少民族才算數？兩、三個民族還不夠，而二、三十個就算很多；成為帝國的門檻，大概就介於兩者之間。

第二，帝國的特徵是疆域可以靈活調整，而且可以幾乎無限制的擴張。帝國不需要改變基本架構和認同，就能夠納入更多其他國家和領土。說到今天的英國，如果不改變基本架構和認同，就很難再突破現有的疆界。但是在一個世紀前，全世界幾乎任何地方，都有可能成為大英帝國的一部分。

像這樣的文化多元性和疆界靈活性，不僅讓帝國獨樹一格，更讓帝國站到了歷史的核心。正是因為這兩項特徵，讓帝國能夠在單一的政治架構下，納入多元的族群與生態區，讓愈來愈多人類與整個地球逐漸融合為一。

這裡要特別強調，帝國的定義就只在於文化多元性和疆界靈活性兩項，至於起源、政府形式、領土範圍或人口規模，並非重點。

並不是一定要有軍事征服，才能有帝國。像是雅典帝國的起源，就只是有一群人自願結成聯盟，哈布斯堡王朝（歐洲歷史上統治領域最廣的王室）則是因為許多精心安排的聯姻，交織形成如蛛網般的關係。

帝國也不一定要有個專制的皇帝。像是史上規模最大的大英帝國，就屬於民主政體。其他採用民主（或至少是共和）政體的帝國，還包括現代的荷蘭、法國、比利時和美國，以及前現代的諾夫哥羅德（Novgorod）、羅馬、迦太基和雅典。

此外，帝國的規模也並非重點。就算規模小之又小，也可能符合帝國的定義。譬如雅典帝國，就算在國力的巔峰，面積和人口還是遠遠不及今日的希臘。還有阿茲特克帝國，面積也不如今天的墨西哥。但儘管如此，以上兩者還是足以稱為帝國，反而是現代的希臘和墨西哥不合定義。原因就在於雅典和阿茲特克都降服了幾十、甚至數百個不同的政體，而希臘和墨西哥並未做到。其中，雅典統治了超過一百個曾經獨立的城邦，而阿茲特克帝國如果其稅收紀錄可靠，更是統治了371個不同的部落和民族。[59]

這些區域在現今也就不過是普通大小的國家，當時怎麼可能有這麼多民族？原因在於：當時世界上民族的數量比今天多得多，但每個民族的人口數都較少、領地範圍也較小。像是從地中海到約旦河岸，今天光是要滿足僅僅兩個民族的野心，就已經搞得烽火遍地，但在《聖經》初始的年代，這裡可是養活了數十個國家、部落、小型王國和城邦。

帝國正是造成民族多樣性大幅減少的主因之一。帝國就像一臺壓路機，將許多民族獨特的多樣性逐漸夯平（例如努曼提亞人的例子），整合製造出更大的新群體。

▌邪惡的帝國？

在我們這個時代，政治上有各種難聽的字眼，而「帝國主義」大概只在「法西斯」之後，排名第二。現代對於帝國的批評，通常有兩種：

第一、帝國制度就是行不通。長遠來看，征服許多不同的民族，統治起來一定難有效率。

第二、就算能夠有效統治，這種做法也不道德，因為帝國正是造成各種毀滅和剝削的邪惡引擎。每個民族都有自決的權利，不該受到其他民族控制。

從宏觀歷史的角度看，以上第一點完全沒道理，第二點也滿是問題。

就事實而言，帝國在過去兩千五百年間，一直就是全球最常見的政治組織形式，大多數人在這段時間都是活在帝國政體之下。此外，帝國政體其實非常穩定，多半時候要打倒反叛軍，根本不成問題。帝國之所以會傾覆，通常都是因為有外部侵略、或是內部統治菁英的內鬥。相對而言，說到要被征服者起身追求自由、對抗帝國統治，向來紀錄都很差，他們多半都是持續臣服長達數百年之久。通常，這些民族就是慢慢被帝國消化，最後自己獨特的文化也煙消雲散。

舉例來說，西羅馬帝國在西元476年遭到日耳曼人推翻，但是他們過去數百年來征服的努曼提亞人、阿爾維尼人、赫爾維提人、薩莫奈人、盧西塔尼亞人、安布利亞人、伊特魯里亞人，以及其他數百個已經遭遺忘的民族，並沒有從帝國的餘燼中恢復重生，而是就這樣默默消失。這些民族雖然各自有過自己的國家認同、講著各

自的語言、敬拜各自的神、流傳著各自的神話，但現在他們血緣上的後代無論在想法、語言、信仰上，都已經是不折不扣的羅馬人。

很多時候，某個帝國崩潰了，並不代表屬民就能獨立。反而是每在帝國瓦解或遭到驅逐之後，就會由新的帝國取而代之，繼續統治。

這一點，最明顯的例子就在中東。現在中東同時存在各種獨立的政治實體，彼此之間的邊界也模模糊糊，但這是過去幾千年間幾乎未曾有過的情形。上一次中東情勢如此曖昧不明，已經是西元前八世紀、將近三千年前的事了！自從西元前八世紀興起新亞述帝國，一直到二十世紀中葉、英法帝國解體，中東地區一直是像接力棒一樣，由一個帝國傳給下一個帝國。而在英法終於掉棒之後，之前亞述人征服的亞蘭人、亞捫人、腓尼基人、非利士人、摩押人、以東人和其他民族，早已消失不見。

確實，現在的猶太人、亞美尼亞人、喬治亞人都提出了某些證據，證明自己是古代中東民族的後裔。然而，這些都只是例外，反而證明了帝國的「壓路機」特質；而且這些族裔的宣稱，不無誇大不實的嫌疑。

舉例來說，我們無須多言，也知道現代猶太人的政治、經濟和社會措施多半來自過去兩千年間的帝國政體，而不是來自古老的猶太王國。如果大衛王穿越時空，來到今天最正統的猶太教堂，卻看到信眾穿的是東歐的衣服、講的是德國的方言（意第緒語）、不斷爭論由巴比倫文字寫成的教條（猶太法典），想必也是十分傻眼。遠古的猶太王國既沒有猶太會堂、也沒有猶太法典，甚至連重要的《摩西五經》（摩西律法）也還不存在。

▌帝國統治下的恩怨

　　要建立和維繫帝國，確實常有慘烈的屠殺，而倖存者也會受到殘酷無情的壓迫。帝國的標準配備，經常包括戰爭、奴役、驅逐和種族屠殺。羅馬人於西元83年入侵蘇格蘭，遭到當地加里多尼亞人（Caledonian）的激烈反抗，結果就是讓這個地方成為一片廢墟。羅馬人曾經試圖和談，但加里多尼亞的首領卡爾加庫斯（Calgacus）在回應中，大罵羅馬人是「世界的流氓」，並說「燒殺擄掠成了帝國的代名詞；他們讓一切成了沙漠，還說這就是和平。」[60]

　　然而，帝國也不是完全有害無益。如果說帝國就是樣樣不行、所有相關的事物都該拋棄，那世界上大多數的文化便不該存在。帝國四處征服、掠奪財富之後，不只是拿來養活軍隊、興建堡壘，同時也贊助了哲學、藝術、司法和公益。現在人類之所以有許多文化成就，很弔詭的，背後常常靠的就是剝削戰敗者。

　　例如，要不是羅馬帝國如此繁榮興盛，西塞羅、塞涅卡、聖奧古斯丁就不可能有錢有閒能夠思考寫作；要不是蒙兀兒帝國（1526-1858，成吉思汗後裔巴卑爾，入侵印度建立的帝國）剝削印度人、徵斂財富，就不可能蓋起泰姬瑪哈陵；要不是哈布斯堡王朝從那些講著斯拉夫語、匈牙利語和羅馬尼亞語的省份徵稅，又怎麼付得起海頓和莫扎特的佣金？而且，就算是卡爾加庫斯的這番話，也不是倚靠加里多尼亞的作家把它流傳下來。我們之所以還知道這些話，仰仗的是羅馬歷史學家塔西佗（Tacitus）。但事實上，這些話可能根本就是塔西佗自己講的。今天多數學者都認為，塔西佗不僅捏造了這段話，甚至連卡爾加庫斯這個首領都是他捏造出來的，只是為了要表達自己和其他羅馬上層階級對自己國家的看法。

就算我們不要只看菁英文化和高級藝術，而將重點轉向一般人的世界，還是會發現帝國遺緒在現代文化幾乎無所不在。今天大多數人說話、思考和做夢的時候，用的都是過去曾拿刀對著我們祖先的征服者的語言。

　　像是多數東亞人講話和做夢的時候，用的是漢帝國的語言。而在南美和北美，不管各地的人民祖先來自何方，從阿拉斯加最北的巴羅半島、到南美最南的麥哲倫海峽，幾乎所有人都講著以下四種語言之一：西班牙語、葡萄牙語、法語或英語。

　　現在的埃及人說阿拉伯語，認為自己是阿拉伯人，也認同阿拉伯帝國（伊斯蘭帝國）；然而，阿拉伯帝國其實是在西元七世紀征服了埃及，而且多次以鐵腕手段，鎮壓了企圖反抗的埃及人民。至於在南非，大約有一千萬祖魯人，還緬懷著十九世紀祖魯最光榮的年代；但其實大部分祖魯人祖先的部落，都曾經奮死抵抗祖魯帝國的侵略，最後是在血腥的軍事行動下，才融為一體。

▍這是為你們好！

　　由薩爾貢大帝（見第 121 頁）所建立的阿卡德帝國（大約西元前 2250 年）是我們最早有確切資料的帝國。薩爾貢發跡於美索不達米亞的基什（Kish），是這個小城邦的邦主。經過短短幾十年，他不僅征服了所有美索不達米亞的城邦，還奪下美索不達米亞中心地帶以外的大片領土。他所統治的區域從波斯灣延伸到地中海，涵蓋現在伊拉克和敘利亞的大部分地區，還包括一部分的伊朗和土耳其。薩爾貢曾誇口說，自己已經征服了全世界。

　　阿卡德帝國在薩爾貢逝世後不久，便隨之崩潰，但這個帝國的

外殼卻開始一手傳著一手。接下來的一千七百年間，亞述、巴比倫和西臺（Hittite）的國王都以薩爾貢為榜樣，吹噓著自己也征服了全世界。到了大約西元前550年，波斯的居魯士大帝更是吹牛皮，吹得讓人印象深刻。

　　亞述的歷任國王始終自稱為亞述國王。就算聲稱統治了全世界，顯然也是為了發揚偉大的亞述，沒什麼不好意思的。但居魯士就不同了，他不僅聲稱自己統治整個世界，還說自己是為了全人類的福祉！這些波斯人對外邦說：「我們之所以征服你們，是為了你們好。」居魯士希望他統治的屬民都愛戴他、覺得能成為波斯臣民是再幸運不過的事。他希望其他國家民族也都願意臣服在波斯帝國之下，而他最著名的創舉，就是允許遭流放到巴比倫的猶太人返回猶太家園、重建聖殿，甚至還提供經濟援助。居魯士自認為不只是統治猶太人的波斯國王，也是猶太人的國王，因此他也要照顧猶太人的福祉。

　　這種「統治全世界、為所有人類福祉而努力」的想法，讓人耳目一新。一直以來，演化讓智人也像其他社會性哺乳動物一樣，從來都是排外的生物。智人在本能上就會將人類分成「我們」和「他們」。所謂的「我們」，有共同的語言、宗教和習俗，我們對彼此負責，但「他們」就不干我們的事。「我們」與「他們」不同，而且也不欠他們什麼。在我們的土地上，我們不想看到他們，也半點不關心他們的土地上發生了什麼事。甚至，我們還不太把「他們」當人看。

　　譬如在蘇丹的丁卡人（Dinka），他們說的「丁卡」就是「人」的意思。所以如果不是丁卡人，就不算是人。而丁卡人的死對頭是努爾人（Nuer）。努爾語言中的「努爾」又是什麼意思呢？它的意

思是「原來的人」。而在距離蘇丹沙漠有幾千公里遠的阿拉斯加凍原及西伯利亞東北部,住著尤皮克人(Yupik)。「尤皮克」在尤皮克語裡又是什麼意思?它的意思是「真正的人」。[61]

然而,居魯士的帝國思想與這些排外的民族相反,展現的是包容,而且無所不包。雖然居魯士還是會強調統治者和被統治者之間的種族和文化差異,但他認為整個世界基本上為一體,同樣一套原則可以適用於所有時間、所有地點,而且所有人類應當互相負責。於是,人類就像是一個大家庭:父母享有特權,但同時也要負責孩子的幸福。

這種嶄新的帝國思想,從居魯士和波斯人,傳給了亞歷山大大帝,再傳給希臘國王、羅馬皇帝、穆斯林哈里發、印度君主,最後甚至還傳給蘇聯總書記和美國總統。這種良性的帝國思想,讓帝國的存在合理化,不僅讓屬民打消了反抗的念頭,就算獨立的民族也不再反抗帝國的擴張。

除了波斯帝國之外,其他地區也各自獨立發展出類似的帝國思想,特別是在中美洲、安地斯地區,以及中國。根據中國傳統的政治理論,人間的種種政治權威都來自於「天」。老天會挑選最優秀的個人或家族,賦予「天命」,讓他們統治天下,為黎民百姓謀福利。這樣說來,所謂君權就該能夠行遍天下。如果沒得到天命,別說是天下,就連統治一座城池的權力也沒有。而如果統治者享有天命,就該有義務將正義與和諧傳播到整個中華大地。天命同時期只能歸於一人,所以中華大地不能同時存在許多個獨立的國家。

秦始皇完成了史上第一次中國統一大業,號稱「六合之內,皇帝之土。西涉流沙,南盡北戶。東有東海,北過大夏。人跡所至,無不臣者。功蓋五帝,澤及牛馬。莫不受德,各安其宇。」[62] 於

是，不論在中國政治思想或是歷史記憶當中，帝國時期似乎都成了秩序和公義的黃金時代。現代西方認為，所謂公義的世界，應該是由各個獨立的民族國家組成；然而古代中國的概念卻正好相反，認為政治分裂的時代不僅動盪不安，而且公義不行。這種看法對中國的歷史產生深遠的影響。每次一個帝國崩潰、一個朝代結束，這種政治理論的主流會讓各方競逐的勢力不安於各自為政，而一心追求統一。而且事實證明，最後總能統一，只是時間早晚的問題。

▌使「他們」成為「我們」

在許多小文化合併到少數大文化的過程中，帝國的影響居功厥偉。思想、人口、貨物和技術的傳播，在帝國境內要比分屬不同政權的治理區域來得方便迅速。而且，常常正是帝國本身刻意加速傳播各種思想、制度、習俗和規範。原因之一，是統治起來更容易。如果帝國的每個小地區都各有一套法律、文字、語言和貨幣，治理就非常困難。標準化絕對可說是皇帝的一大福音。

第二個原因的重要性也不容小覷，帝國積極傳播共同的文化，就能強化它們的統治正當性。至少從居魯士和秦始皇開始，帝國不管是造橋鋪路、或是鎮壓屠殺，都會為自己的所作所為，找到冠冕堂皇的藉口，有的說是傳播較高等的文化，也有的說：這對於被征服者而言，是利大於弊，獲得的好處比起征服者本身更多。

至於這些好處，有時候確實顯而易見（例如治安、國土規劃、統一度量衡），但有些時候也十分可疑（像是稅收、徵兵、崇拜皇帝）。只不過，多數帝國菁英仍然一心相信，自己是為了所有帝國子民的整體福利而努力。在中國的統治階層眼中，各個鄰國及四

方諸侯都是生活在水深火熱之中的蠻夷之邦，天朝中國應該澤披四方、廣傳華夏文化。所謂的天命，為的不是剝削掠奪整個世界，而是要教化萬民。

同樣的，羅馬人也聲稱自己的統治理所當然，因為他們讓野蠻人開始有了和平、正義，生命也更為高貴。像是他們說日耳曼民族生性野蠻，高盧人會畫各種戰妝、生活骯髒、為人無知，一直要到羅馬人到來，才用法律馴化了他們，用公共浴室讓他們身體潔淨，也用哲學讓他們思想進步。

至於西元前三世紀的孔雀王朝（古印度摩揭陀國的王朝），也認為自己必須負起責任，將佛法傳播到無知的世界。穆斯林哈里發也肩負著神聖的使命，要傳播先知的啟示，雖然最好是以和平的方式，但必要的時候也不惜一戰。至於西班牙帝國和葡萄牙帝國，也聲稱自己到印度和美洲不是為了財富，而是要讓當地人改信真正的信仰。號稱日不落國的大英帝國，也是號稱傳播著自由主義和自由貿易這兩大福音。

蘇聯人更是覺得責無旁貸，必須協助推動這個歷史的必然——從資本主義走向無產階級專政的烏托邦。至於現代許多的美國人，也認為美國必須負起道義責任，讓第三世界國家同樣享有民主和人權，就算這得靠巡弋飛彈和F-16戰機，也是在所不惜。

「他們」依然不是「我們」

帝國所傳播的文化理念，很少只來自那一小群的統治菁英。正由於帝國的願景不僅在於「這是為你們好！」，也在於「使他們成為我們」，所以帝國的統治菁英往往也比較容易吸納不同的概念、

規範和傳統，而不會死硬堅持蕭規曹隨的陳習。

　　雖然也有些皇帝試圖要回歸自己的根源，讓帝國的文化單純一些，但多數帝國都已經從征服的民族吸收了太多文化，而形成混合的文明。像是羅馬帝國的文化，裡面希臘文化的成分幾乎不亞於羅馬文化。阿拔斯王朝（750-1258，阿拉伯帝國史上最輝煌的王朝）的文化也揉合了波斯、希臘和阿拉伯。蒙兀兒帝國文化幾乎就是中國的翻版。至於對美國這個現代帝國來說，有著肯亞血統的總統歐巴馬，可以一邊吃義大利披薩，一邊觀看他最愛的英國史詩電影「阿拉伯的勞倫斯」，那講的還是阿拉伯反抗土耳其的故事。

　　對於被征服者而言，就算有了文化大熔爐，文化同化也不見得容易。雖然帝國文明很可能四方征服各個民族、融合他們的文化，但對帝國絕大多數成員來說，混合的成果仍然令他們感到陌生。同化的過程常常帶著痛苦和創傷。要放棄熟悉且深愛的地方傳統並不容易，而要瞭解及採用新的文化也同樣困難、且令人深感壓力。雪上加霜的是，等到帝國屬民千辛萬苦終於接受了帝國文化，可能還得再花上數十年、甚至數百年，才能讓帝國的菁英把他們視為「我們」。從征服到臣服之間的數個世代，就這樣成了失落的一群。他們已經失去了自己心愛的當地文化，但在新加入的帝國世界裡，卻還沒有一個平等的地位，反而只是繼續被視為化外之民。

　　想像一下，在努曼提亞滅亡後一世紀，出身良好的伊比利亞人會過著什麼樣的生活。首先，他雖然還是跟父母講著當地的凱爾特語，但因為要做生意、要與當權者溝通，所以他也是一口流利的拉丁語，只是稍微有點口音。他的妻子就像其他當地婦女一樣，還是保留著一些凱爾特人的品味，喜歡各種裝飾華美的小玩意。雖然他對妻子寵愛有加、樣樣照辦，但心裡還是希望她能夠喜歡那些簡單

高雅的首飾，就像羅馬總督夫人一樣。他自己穿著羅馬的束腰寬外衣，而且因為他對羅馬的商業法律十分嫻熟，讓他成了販賣牛隻的大商人，能夠蓋起一間羅馬風格的豪宅。然而，就算他甚至還能夠背誦古羅馬詩人維吉爾（Virgil）的《農耕詩》，羅馬人仍然覺得他就是半野蠻人。他滿腹委曲，知道自己一輩子也無法取得公職，也不可能在露天劇場拿到真正好的位子。

在十九世紀末，許多受過教育的印度人也學到了同樣的一課，只是這次另一方換成英國主人。就有一則著名的軼事，講的是有個印度人雄心勃勃，把英語學得無懈可擊，還上過西式舞蹈課程，甚至養成用刀叉進食的習慣。他把這一切學好之後，前往英格蘭，在倫敦大學學院讀法律，還成為一名合格的律師。然而，後來這個讀法律的年輕人到了英屬南非，穿著西裝、打著領帶，卻因為堅持自己該坐頭等車廂，而不是像他一樣「有色人種」該坐的三等車廂，便被趕下火車。這個人就是甘地。

▍帝國遺風

在某些案例，文化的涵化（acculturation）與同化（assimilation）終於打破了新成員和舊菁英之間的障礙。被征服者不再認為帝國是外來占領他們的政體，而征服者也真心認為這些屬民是自己的一員。終於所有的「他們」都成了「我們」。

譬如羅馬的臣民，在幾世紀的帝國統治之後，終於都得到了羅馬公民權。非羅馬人也能成為羅馬軍團的高階軍官，或是進入元老院。在西元48年，羅馬皇帝克勞狄烏斯（Claudius）任命幾位高盧賢達人士進入元老院，並在一次演講中提到這些人「不論是習俗、

文化和婚姻關係，都已經和我們合而為一。」還是有些食古不化的
元老，看到過去的敵人竟能進入羅馬政治核心，便大聲抗議。但克
勞狄烏斯提醒他們：元老自己的家族，多半都來自一些也曾經反抗
羅馬的義大利部落，後來才取得羅馬公民權。皇帝還提醒他們：就
連皇帝自己的家族，也是來自義大利中部的薩賓人（Sabine）。[63]

　　在西元二世紀，羅馬帝國的皇帝是出生於伊比利亞半島的人，
血管裡很可能至少也流著幾滴伊比利亞的血液。羅馬帝國在圖拉
真（Trajan, 98-117 在位）、哈德良（Hadrian, 117-138 在位）、安敦寧
（Antoninius Pius, 138-161 在位）和馬可奧里略（Marcus Aurelius, 161-
180 在位）這幾任皇帝的在位時期，一般認為是羅馬的黃金時代。
在這之後，已經完全沒有任何民族的隔閡了。後來的羅馬皇帝塞維
魯（Septimius Severus, 193-211 在位）是利比亞的迦太基人（Punic，
意為反叛）後裔。埃拉伽巴路斯（Elagabalus, 218-222 在位）是敘利
亞人。菲利普（Philip, 244-249 在位）一般還給稱為「阿拉伯的菲利
普」。帝國的新公民熱切擁抱羅馬帝國的文化，所以即使帝國已經
崩潰了上百年、甚至上千年，他們還是講著帝國的語言、信仰帝國
從地中海東部發揚來的基督教上帝，也繼續遵守帝國的律法。

　　阿拉伯帝國也有類似的過程。阿拉伯帝國在西元七世紀中葉成
立的時候，階層分明：上層是執政的阿拉伯穆斯林菁英，下層被壓
制的則是埃及人、敘利亞人、伊朗人和柏柏人（Berber），都既非
阿拉伯人、也非穆斯林。慢慢的，許多帝國的屬民改信伊斯蘭教、
講著阿拉伯語，也接受了混合的帝國文化。舊世代的阿拉伯菁英對
於這些後起新秀深懷敵意，害怕會因此失去獨特的地位和身分。至
於歸化的人也還不能得意，還需要不斷爭取在帝國和伊斯蘭世界裡
的平等地位。最後，他們終於成功了。愈來愈多人將埃及人、敘利

亞人、美索不達米亞人都視為「阿拉伯」。至於阿拉伯人，不管是「純正」來自阿拉伯、或是由埃及和敘利亞新移入的阿拉伯人，也愈來愈常被非阿拉伯人的穆斯林所統治，特別是伊朗人、土耳其人和柏柏人。阿拉伯帝國計畫最成功的地方，在於它所創造出的帝國文化深受非阿拉伯人全心愛戴，即使是原本的帝國早已崩潰、阿拉伯民族也早已失勢，帝國文化仍然能持續發展，傳播不休。

中國的帝國大計執行得更為成功徹底。中華大地原本有許許多多不同的族群和文化，全部統稱為蠻族，但經過兩千年之後，已經成功統合到中國文化裡，都成了中國的漢族（以西元前206年到西元220年的漢朝為名）。中國這個帝國的最高成就，在於它迄今依然生龍活虎。有些人可能會質疑現代中國究竟算不算帝國，因為除了偏遠的西藏、新疆等地，現在有超過九成的中國人口無論是自認、或是在他人眼中，都算是漢族了。

帝國循環

過去幾十年間去殖民化（decolonization）的趨勢，其實也蘊含一樣的道理。時間到了現代，歐洲人以「傳播卓越西方文化」的幌子征服了全球，而且他們傳播得如此成功，讓數十億人都開始接受西方文化的幾項重要元素。例如印度人、非洲人、阿拉伯人、中國人、毛利人，就學了西方的法語、英語和西班牙語等等。他們開始相信人權和民族自決的原則，也接受了西方的意識型態，像是自由主義、資本主義、共產主義、女性主義和民族主義。

到了二十世紀，殖民地接受西方價值觀之後，開始以其人之道還治其身之身，用同一套價值觀向殖民者要求平等的權利。許多反

殖民鬥爭高舉著民族自決、社會主義和人權的大纛，這些概念正來自西方。

　　過去埃及人、伊朗人和土耳其人採納並調整了來自阿拉伯征服者的帝國文化，今天的印度人、非洲人和中國人也是接受了許多過去西方帝國占領後留下的文化，並且各依自己的需求和傳統調整吸納。

帝國循環：

不同階段	羅馬帝國	阿拉伯帝國	歐洲帝國主義
(1)一小群人建立一個大帝國	羅馬人建立羅馬帝國	阿拉伯人建立阿拉伯帝國	歐洲人建立歐洲帝國
(2)形成帝國文化	希臘羅馬文化	阿拉伯穆斯林文化	西方文化
(3)帝國文化得到屬民認同	屬民採用拉丁文、羅馬法、羅馬政治思想等等	屬民講阿拉伯語、信仰伊斯蘭教等等	屬民採用英語法語、民族主義、人權、社會主義等等
(4)屬民以帝國共同價值為名，要求平等地位	伊利里亞人、高盧人和迦太基人，以羅馬的價值觀，要求與羅馬人享有平等地位	埃及人、伊朗人和柏柏人，以穆斯林價值觀要求與阿拉伯人平起平坐	印度人、中國人和非洲人以西方價值觀如民族主義、人權、社會主義等，要求與歐洲人享有平等地位
(5)帝國開國者失去主導地位	羅馬人不再高高在上，帝國的控制權轉移到由多民族的菁英組成的群體	阿拉伯人失去了對穆斯林世界的控制權，形成多民族的穆斯林菁英族群	歐洲人失去了對全球的控制權，形成多民族的菁英族群
(6)帝國文化繼續蓬勃發展、發揚光大	伊利里亞人、高盧人和迦太基人，繼續發揚他們接受的羅馬文化	埃及人、伊朗人和柏柏人繼續發揚他們接受的穆斯林文化	印度人、中國人和非洲人多半信奉西方價值觀和思維，繼續發揚所接受的西方文化

▌歷史上的好人和壞人

我們很容易想把所有人簡單分成好人和壞人，而所有的帝國大概都會被歸為壞人。畢竟，幾乎所有帝國都是建立在鮮血之上，並且透過壓制和戰爭來維持權力。然而，現今的文化又有大多數都是帝國的遺風。如果帝國從定義上就是壞東西，那我們又成了什麼？

有些學說和政治運動主張：要把人類文化裡的帝國主義成分全部洗淨，只留下所謂純淨、真正的文明，不要受到帝國主義原罪的玷汙。這種想法頂多就是一廂情願；至於最壞的情況，則根本就是粗暴的民族主義和偏執狂，只是套上一層偽裝。

或許我們可以說，在歷史曙光乍現的時候，有部分文化確實曾經純淨，沒有受到帝國主義原罪和其他社會的玷汙。但就在那道曙光之後，已經沒有任何文化能夠再提出這種主張了，因為地球上現存的文化已經沒有任何所謂純淨的文化。現存的所有人類文化，至少都有一部分是帝國和帝國文明的遺緒，任何以學術或政治為名的手術，如果想把所有帝國的部位一次切除，病人也就必然魂歸離恨天。

舉例來說，可以想想現在獨立的印度與之前英屬印度之間的愛恨情仇。英國征服占領印度的時候，數百萬印度人因而喪命，更有上億印度人遭到凌辱和剝削。然而，還是有許多印度人熱切接受了像是民族自決和人權的西方思想；等到英國拒絕遵守這些價值觀、拒絕給予印度人平等權利的時候，印度人自然更是大為不滿。

然而，現代的印度仍然像是大英帝國的孩子。雖然英國人殺害、傷害、迫害了印度人，但也是英國人統一了印度大陸上原本錯

綜複雜而互相交戰的王國、公國和部落，建立起共同的民族意識，並形成一個聯邦制的國家。英國人奠定了印度司法體系的基礎，創立了印度的行政架構，還建立了對經濟整合至關重要的鐵路網。

西方民主以英國為代表，而印度獨立後也是以西方民主制度做為政府體制。直到現在，英語仍是印度大陸的通用語言，讓以北印度語、泰米爾語、馬拉雅拉姆語為母語的人，都可以用這種中性的語言來溝通。印度人熱中於板球運動，也愛喝茶，但這兩者都是英國留下的風俗。（印度要到十九世紀中葉，才由英國的東印度公司引進商業茶園。正是那些勢利眼的英國「閣下」，將喝茶的習慣傳遍印度大陸。）

今天會有多少印度人認為，為了去除帝國的一切，就該讓大家來投票，看看是否應該拋棄民主、不說英語、拆除鐵路網、廢除司法體系、不玩板球、不喝茶？就算真的成案了，光是「投票」這件事，不也得感謝過去殖民者的教導？

就算我們真的要完全去除掉某個殘暴帝國的遺緒，希望能夠重建並維護在那之前的「純正」文化，很有可能最後恢復的，也不過是更之前、沒那麼殘暴的帝國留下的文化。就像是有些人對於英國閣下在印度留下的文化十分反感，一心除之而後快，但在無意中恢復的，卻是同屬征服者的蒙兀兒帝國以及德里蘇丹國（1206-1526）。而且，如果想再驅除這些阿拉伯帝國的影響，恢復「純正印度文化」，恢復的又是笈多王朝（320-540）、貴霜帝國（30-375）和孔雀王朝的文化。如果極端印度民族主義者要摧毀所有由英國征服者留下的建築（像是孟買火車站），那像是泰姬瑪哈陵這種由穆斯林征服者留下的建築，又該如何處理？

沒有人真正知道該如何解決文化遺緒這個棘手的問題。無論採

取哪一種方式，第一步就是要認清這種兩難的複雜程度，知道歷史
就是無法簡單分成好人和壞人兩種。當然，除非我們願意承認，我
們自己常常就是跟著走壞人的路。

▎全新的全球帝國

自西元前200年左右，大多數人類都已經活在各個帝國之中。
看來，未來很可能所有人類就是活在單一的帝國之下，而且這會是
真正的全球帝國。統一全球這件事，很可能已經離我們不遠了。

時間來到二十一世紀，民族主義正在迅速失去地位。愈來愈多
人相信，真正的政治權威應該是來自所有人類，而不是某個特定國

18. 印度孟買（Mumbai）的「賈特拉帕蒂・希瓦吉」火車站。

一開始，在孟買還稱為Bombay的時候，它叫作「維多利亞車站」，由英
國建造，採用十九世紀晚期英國流行的新哥德式建築。雖然車站是由外
國來的殖民者建造，但後來有著民族主義思想的印度政府，就算改了城
市的名字、改了車站的名字，卻還是保留了這座宏偉的建築，並未將它
剷平。

19. 泰姬瑪哈陵。

　　這究竟算是純正的印度文化，還是外來的阿拉伯帝國主義建築？

籍的成員，而人類政治的發展方向也該是朝向「保障人權、維護全
人類利益」的目標走。如果確實如此，那麼現在全球有將近兩百個
獨立國家，就反而形成阻礙。如果不管是瑞典、印尼或奈及利亞，
都該有同樣的人權，那麼讓某個單一的全球政府來保護大家，豈不
更加簡單？

　　而且，現在出現像是冰帽融化這種全球性的問題，也正在侵蝕
各個獨立民族國家本身的正當性。畢竟，沒有任何主權國家能夠獨
力解決全球暖化的問題。中國人所稱的「天命」，正是由「上天」

所命，要來解決全人類的問題；而現代的天命，則是得秉承全人類之命，來解決上天的問題，像是臭氧層破洞和溫室氣體的累積。未來的全球帝國，很有可能正是環保當道。

到了2014年，世界政治基本上仍是各行其政，但國家的獨立性正在迅速消失。沒有任何國家能夠行使真正獨立的經濟政策，或是任意發動戰爭，甚至連國家內政也無法完全獨立決定。對於全球市場的陰謀，各個國家也只能逐步開放，逐漸面對全球企業和非政府組織的干預，還得面對全球輿論的監督和國際司法的干涉。各國也得遵守全球在財政、環保和法律上的標準。資金、勞動力和資訊構成一股無比強大的潮流，翻轉並形塑著現在的世界，國家的有形疆域和意見已經逐漸失去分量。

我們眼下正在形成的全球帝國，並不受任何特定的國家或族群管轄。就像羅馬帝國晚期，它是由多民族的菁英共同統治，並且是由共同的文化和共同的利益相互結合。在世界各地，愈來愈多企業家、工程師、專家、學者、律師和經理人得到召喚，一起加入這個全球帝國。他們必須面對的問題，就是究竟該回應這個全球帝國的召喚，還是要忠於自己的國家和人民？

事實上，愈來愈多人已經投入了全球帝國的一方。

第**12**章

宗教的法則

歷史古城撒馬爾罕（Samarkand）位於中亞的一片綠洲。中世紀時，這裡的市場上有敘利亞商人，手指撫著滑順的中國絲綢；也有來自東非草原的粗魯部落男子，帶來最新一批頭髮亂如稻草、來自遠西的奴隸；至於店主的口袋裡則滿滿是閃亮的金幣，印有異國的文字和不知哪來的國王肖像。這裡在中世紀可說是南來北往、東西交流的主要十字路口，各方人類的融合在這裡稀鬆平常。

而在1281年，忽必烈揮軍欲跨海攻擊日本，也看得到相同的情形。蒙古騎兵穿著毛皮，身邊就是中國步兵戴著斗笠，還有高麗來的援軍，與來自南海而有紋身的水手一言不合、打了起來；另外還有歐洲冒險家講著故事，讓來自中亞的工兵聽得張大了嘴。所有這些兵士，都是聽命於同一位帝王。

於此同時，在麥加聖寺內的卡巴聖堂，人類也以另一種方式融合。如果你在西元1300年前往麥加朝聖，繞行這個伊斯蘭教最神聖的聖地，你可能會發現身邊有美索不達米亞人，他們的長袍在風中飛舞，眼神熾烈而狂喜，嘴裡唸著真神的九十九個大名。就在前

235

面，你可能也會看到一個飽經風霜、來自貧草原的土耳其族長，手拿枴杖、步履蹣跚，還若有所思的摸著鬍子。在另一邊，有黃金首飾在黝黑的皮膚上閃耀著，可能是一群來自非洲馬利王國（Mali）的穆斯林。至於一聞到丁香、薑黃、荳蔲和海鹽的香氣，就知道這群兄弟大概來自印度，又或是更東邊神祕的香料群島。

我們今天常認為宗教造成的是歧視、爭端、分裂。但在金錢和帝國之外，宗教正是第三種讓人類一統的力量。正因為所有的社會秩序和階級都只是想像的產物，所以它們也十分脆弱，而且社會規模愈大，反而愈脆弱。在歷史上，宗教的重要性就是讓這些脆弱的架構，有了**超人類**（superhuman）的正當性。有了宗教之後，就能說律法並不只是人類自己的設計和想像，而是來自一種絕對神聖的最高權柄。這樣一來，至少某些基本的律法便不容動搖，從而確保社會穩定。

因此，我們可以說宗教是**一種人類的規範及價值觀的體系，建立在超人類的秩序之上**。這裡有兩大基本要素：

第一、宗教認為世界有一種超人類的秩序，而且並非出於人類的想像或是協議。例如職業足球不是宗教，因為雖然足球也有許多規則、儀式、和很古怪的常規，但大家都知道是人類發明了足球，而且國際足總（FIFA）隨時可能開會決定把球門變大、或是取消越位規則。

第二、以這種超人類的秩序為基礎，宗教會訂出它認為具有約束力的規範和價值觀。例如，雖然現在許多西方人都相信鬼魂、精靈、重生，但從這些信念並未構成什麼道德和行為的標準，所以也不算是宗教。

雖然宗教有可能讓各種社會秩序和政治秩序正當化，但並不是

所有宗教都能做到這點。某個宗教如果想要將幅員廣闊、族群各異的人類都收歸旗下，還必須具備另外兩種特質。首先，它信奉的超人類秩序必須普世皆同，不論時空而永恆為真。第二，它還必須堅定的鼓吹這種信念，試圖傳播給每一個人。換句話說，宗教必須同時具備「普世特質」和「鼓吹特質」。

　　像是伊斯蘭教和佛教這些最為人知的宗教，就同時具備普世特質和鼓吹特質，但也常讓我們誤以為所有宗教都是如此。但其實，多數古代宗教反而是具備了「地方特質」與「封閉特質」，信眾只信奉當地的神靈，而且也沒有意願將信仰推己及人。據我們所知，要等到西元前一千年間，才開始出現具備普世特質和鼓吹特質的宗教。這可以說是史上最重要的革命之一，對於人類的融合有重大貢獻，絕不亞於帝國或金錢。

讓羔羊變得沉默

　　在過去以泛靈信仰（見第69頁）為主要信仰體系的時候，人類的規範和價值觀不能只想到自己，還必須考慮到其他動物、植物、精靈和鬼魂的想法和利益。像是在恆河流域的某個採集部落，可能會禁止砍倒某棵特別高大的無花果樹，以免無花果樹的樹神生氣報復。但是在印度河流域的另一個採集部落，可能會禁止獵捕白尾的狐狸，因為過去曾經有一隻白尾狐狸帶著部落的先知，發現了珍貴的黑曜石。

　　像這樣的宗教往往單純以地方為考量，只著重當地的位置、氣候和現象。畢竟，多數採集部落畢生的活動範圍不會超過一千平方公里。為求生存，住在某個特定山谷裡的居民，需要瞭解的就是關

於這個山谷的超人類秩序，並因應調整自己的行為，當然也就沒有必要試著說服某些遙遠山谷裡的居民，來遵循相同的規則。譬如印度河部落的人，就絕不會派傳教士到恆河部落，去鼓吹別獵捕白尾狐狸。

農業革命開始，宗教革命便隨之而來。狩獵採集者採集植物、獵捕動物，但認為動植物和人類擁有平等的地位。雖然人類獵殺綿羊，但並不代表綿羊就不如人類；就像是老虎獵殺人類，並不代表人類就不如老虎。所以，萬物眾生都是直接與彼此「溝通、協商」關於這個共同棲息地的種種規則。相較之下，農民是擁有、控制著農場上的動植物，可不會紆尊降貴，去和自己的財產「溝通、協商」。因此，農業革命最初的宗教意義，就是讓動植物從與人類平等的生物，變成了人類的所有物。

然而，這又造成了一大難題。農民希望能對自己的羊有絕對的控制權，但他們也很清楚，自己的控制十分有限。雖然他們可以把羊圈起來、可以把公羊閹了、可以強迫羊的配種，但還是無法保證母羊能懷孕，無法保證母羊一定會生下健康的羔羊，也不能夠阻止致命流行病的爆發。

那到底要怎麼樣，才能確保羊群繁衍壯大呢？講到「神」這種概念的起源，一種主要理論就認為，神之所以重要，正在於祂們可以解決這個重大問題。在人類不再認為可以和動植物直接溝通之後，就開始出現掌管生育、掌管氣候、掌管醫藥的各種神靈概念，好替人類和這些沉默的動植物溝通協商。很多古代神話其實就是一種法律契約，人類承諾要永遠崇敬某些神靈，換取人類對其他動植物的控制權，例如《聖經》創世記第1章，就是一個典型的例子。在農業革命幾千年後，宗教禮儀主要就是由人類將羔羊、酒、糕點

犧牲獻祭給神靈，換取神靈保佑五穀豐登、六畜興旺。

　　一開始，農業革命對於泛靈信仰系統的其他成員（像是石神、水神、鬼魂和惡魔）幾乎沒什麼影響。然而，隨著人類喜新厭舊，這些神也逐漸失去地位。過去人類一輩子的生活範圍大概就是幾百平方公里，多數需求只要靠著當地的神靈就能解決。但隨著王國和貿易網開始擴展，單靠地方的神靈已經力有未逮，人類需要的神力必須涵蓋整個王國或整個貿易網。

　　因應這種新需求，**多神教**（polytheism，源自希臘文：poly是多、theos是神）信仰便應運而生。這些宗教認為，世界是由一群神威浩蕩的神靈控制的，有的掌管生育、有的掌管雨水、有的掌管戰爭。人類向這些神靈祈禱，而神靈得到奉獻和犧牲酒醴之後，就可能賜予人類子嗣、雨水和勝利。

　　多神教出現之後，泛靈信仰並未完全消失。幾乎所有的多神教都還是會有惡魔、精靈、鬼魂、聖石、聖泉、聖樹之類的神靈，雖然這些神靈的重要性遠不及那些重要的大神，但對於許多一般人民的世俗需求來說，祂們也還算實用。某個國王可能在首都獻上幾十隻肥美的羔羊，祈求打敗野蠻人，贏得勝利；但同時，某個農夫是在自己的小屋裡，點一根蠟燭，向某位無花果樹仙禱告，希望祂能治好兒子的病。

　　然而，出現了大神之後，影響最大的不在於羔羊或惡魔，而在於智人的地位。對泛靈信仰者來說，人類只是地球上眾多生物的一種。但對多神教徒來說，整個世界就像是反映了神和人類的關係。人類的禱告、獻祭、罪孽和善行，就會決定整個生態系的命運。所以，光是因為幾個愚蠢的智人做了些讓神生氣的事，就可能引發大洪水，消滅了數十億的螞蟻、蝗蟲、烏龜、羚羊、長頸鹿和大象。

所以，多神教提高的除了神的地位，還有人的地位。至於遠古那些泛靈信仰的神靈，有些比較不幸的就失去了祂們的地位，在這場人神關係的大戲裡，成了臨時演員，甚至只是沉默的裝飾品。

多神教很少迫害異教徒

經過**一神教**（monotheism）為時兩千多年的洗腦，讓大多數西方人都認為，多神教就是些無知幼稚的偶像崇拜。但這是一個不公平的刻板印象。想瞭解多神教的內在邏輯，必須先瞭解這種同時信仰多位神靈的中心思想。

多神教並不一定認為宇宙沒有單一的權柄或法則。大多數的多神教、甚至泛靈信仰，都還是認為有一個最高的權柄，高於所有其他神靈、惡魔，或是神聖的石頭公。在古希臘多神教的神話中，不管是天帝宙斯、天后希拉、太陽神阿波羅、或是祂們的同事，都還是得臣服於神威無窮、無所不在的命運女神（Moira 或 Ananke）。北歐諸神也逃脫不了命運的掌握，最後在「諸神的黃昏」（Ragnarök）這場災難中滅亡。在西非約魯巴人（Yoruba）的多神信仰中，所有神靈都是至上神（Olodumare）所生，而且臣服於祂。印度教屬於多神教，但也是以「梵」這個宇宙的終極，主宰著無數神靈、人類，以及生物世界和物質世界。梵指的是整個宇宙、每個人或每個現象的永恆本質或靈魂。

真正讓多神教與一神教不同的觀點，在於多神論認為：主宰世界的最高權力不帶有任何私心或偏見，因此對於人類各種世俗的欲望、擔心和憂慮毫不在意。所以啦，要向這個最高權力祈求戰爭勝利、健康或下雨，可說是完全沒有意義，因為從祂全知全觀的角度

來說，某個王國戰爭輸贏、某個城市興衰盛敗、又或是某個人的生老病死，根本不構成任何差別。希臘人不會浪費祭品去祭拜命運女神，而印度教徒也並未興建寺廟來祭拜梵。

要接近這個宇宙至高的權力，就代表要放下所有的欲望，接受福禍共存的事實，坦然面對失敗、貧窮、疾病和死亡。因此，印度教徒有一種苦行僧，奉獻自己的生命，希望能與梵合而為一，達到「梵我一如」的境界。苦行僧以梵的觀點來看這個世界，認識到從永恆的角度來看，所有世俗的欲望和恐懼都如夢幻泡影。

只不過，大多數的印度教徒都不是苦行僧，依然深深陷在世俗的考量之中，但這下梵就幫不上什麼忙了。講到這種問題，印度教徒還是得找那些專精某些領域的神才行。這些神只專精某些領域，而不是無所不包，所以有象頭神、財神和智慧神等等，但祂們都還是各有私心和偏見。這樣一來，人類就可以和這些神談談交易，靠祂們的幫助來贏得戰爭、打倒疾病。像這樣的低位神靈數量繁多，因為只要把全知全能、位階最高的權柄切分開來，可以想見，必會分出不只一位神靈。於是多神教於焉誕生。

從多神教的概念向外推導，結果就是影響深遠的宗教寬容。一方面，多神教徒相信有一個至高無上、完全無私的神靈；但另一方面，多神教徒也相信有許多各有領域、心有偏見的神靈。所以對於某個神的信徒來說，很容易就相信有其他神靈存在，而且也相信其他神靈同樣神通廣大。多神教本質上就是心胸開放、包容異己，很少迫害異教徒。

就算多神教征服了其他大帝國，也未曾要求屬民改變信仰。像是埃及人、羅馬人和阿茲特克人，都不曾派遣傳教士到異地鼓吹崇拜冥王歐西里斯、天帝朱彼特、或是太陽神維齊洛波奇特利（祂

是阿茲特克文明的主神），當然也就更不可能派軍隊前去鎮壓異教徒。帝國當然有自己的眾多守護神和宗教儀式，保護著帝國、維繫其正當性，所以帝國的屬民也應該要尊重這些神靈和儀式，只是無須放棄自己當地的神靈和儀式。

以阿茲特克帝國為例，雖然屬民必須建造敬拜維齊洛波奇特利的神廟，但這些神廟是與崇拜地方神靈的神廟同時共存，而不是取而代之。很多時候，帝國菁英本身也會接受地方屬民的神靈和儀式。例如羅馬人，就讓來自亞洲的眾神之母希栢利（Cybele）和來自埃及的女神伊西斯（Isis），都進了他們的萬神殿。

聖巴塞洛繆節慘案

羅馬人唯一長期不願接受的，只有屬於一神信仰並堅持要傳福音的基督教。羅馬帝國並未要求基督徒放棄他們的信仰和儀式，只希望他們同時尊重帝國的守護神，並承認皇帝也有神性——這點可說是在政治上忠誠的聲明。然而，基督徒強烈拒絕，並且完全沒有任何妥協空間，這對於羅馬人來說，就是在政治上搞顛覆的舉動，必須加以鎮壓。

但即使如此，這些鎮壓多半也只是表面形式。從基督被釘死在十字架上、到羅馬皇帝君士坦丁改信基督教，這三百多年間，羅馬皇帝所發起對基督徒的大型迫害，不過四次。至於地方長官和總督也曾經另外發起一些反基督教的暴力行為。

事實證明，就算把這些迫害的所有受害者全部加總起來，在這三個世紀間，多神教羅馬處決基督徒的人數不超過幾千人。[64] 可是相對的，在接下來的一千五百年間，雖然基督教號稱主張愛與憐

憫，卻僅僅因為對信仰的詮釋有些差異，就引發基督徒自相殘殺，死亡人數達到數百萬。

其中最惡名昭彰的，就是在十六、十七世紀間，席捲歐洲的天主教與新教徒之戰。所有這些人都相信基督的神性，也相信祂關於愛和憐憫的福音，只是對於愛的本質意見不合。新教徒認為，神如此愛著世人，所以讓自己化為肉體，容許自己受到折磨、釘死在十字架上，從而贖了原罪，並對那些信祂的人打開了天堂的大門。而天主教徒認為，雖然信仰是必要的，但光這樣還不夠，要進入天國，信徒還必須參加教堂禮拜，而且要多行善事。這點讓新教徒無法接受，認為這樣形同交易，對於神的愛和偉大是一種貶抑。如果進不進天堂必須取決於自己的善行，豈不是放大了自己的重要性，而且暗示基督在十字架上為人類受的苦、以及神對人類的愛都還不足夠？

這些神學爭論愈演愈烈，天主教徒和新教徒彼此殺紅了眼，造成幾十萬人喪命。1572年8月23日，強調個人善行的法國天主教徒，襲擊了強調上帝之愛的法國新教徒。這場攻擊稱為聖巴塞洛繆節慘案（St. Bartholomew's Day Massacre），短短二十四小時裡，就有五千到一萬個新教徒遭到屠殺。消息從法國傳到羅馬的天主教教宗國瑞十三世耳裡，叫他滿心歡喜，立刻安排舉行慶典，還委託畫家瓦薩里，在梵蒂岡的一個房間裡，將這場大屠殺繪成壁畫，以資紀念（目前這個房間禁止遊客參觀）。[65]

不過才二十四小時，基督徒自相殘殺的人數，就已經超過了整個羅馬帝國曾經殺害的基督徒人數。

▌神是唯一

隨著時間過去，某些多神教徒開始對自己的某位神靈愈來愈虔誠，也慢慢遠離了基本的多神信仰，開始相信只有那位神靈是唯一的神，相信祂是宇宙的最高權柄。不過，他們還是認為神有私心和偏見，讓人類可以和神談談條件。於是，在這種背景形成的一神教裡，信徒就能夠直接祈求宇宙至高無上的權力，來幫忙治病、中樂透、或是打贏戰爭。

目前所知的第一個一神教，出現於西元前1350年，埃及法老阿肯那頓（Akhenaten）宣布，當時在埃及眾神裡，位階並不高的小神阿頓（Aten）其實是宇宙至尊。阿肯那頓將他對阿頓的崇拜，制度化為國教，還打算打壓民眾對其他神的崇拜。然而，阿肯那頓的宗教革命並未成功。阿肯那頓去世後，獨尊阿頓的信仰就遭到廢黜，又回到過去的情形，眾神同列仙班。

不論在何處，多神教都不斷衍生出各種一神教，但由於這些宗教無法放下唯我獨尊的中心思想，所以一直只能處於邊陲地位。以猶太教為例，仍然認為全宇宙至高的神還是有私心和偏見，而且關愛的眼神全在一小撮猶太民族和以色列這蕞爾之地。於是對其他國家來說，信奉猶太教幾乎是有弊而無利，而且猶太教一直也沒有到其他地方宣教的打算。這種階段可以稱為「本地一神教」。

到了基督宗教，終於有了重大突破。基督宗教一開始只是猶太教的一支神祕教派，想說服猶太人，拿撒勒人耶穌就是他們期待已久的彌賽亞。這個教派最早的領導者之一，是來自大數（Tarsus）的保羅，他認為宇宙的至高神有私心偏見，但對人類並非漠不關

心，祂甚至化為肉身，為了人類的救贖被釘死在十字架上，這種事不該只有猶太人知道，應該要讓全人類都瞭解。於是，就有必要將關於耶穌的好事（也就是福音），傳到世界各地。

保羅的這個想法開枝散葉，基督徒開始組織起了對所有人類的傳教活動。而在一場史上最意想不到的轉折下，這個猶太神祕教派接掌了強大的羅馬帝國。

基督宗教的成功，在七世紀的阿拉伯半島成了另一個一神教的典範：伊斯蘭教於焉而生。就像基督教，伊斯蘭教一開始也只是地球上某個偏遠角落的小宗教，但它以更意想不到、更快速的腳步，打破了阿拉伯沙漠的隔絕，收服了幅員從大西洋一直延伸到印度的龐大帝國。自此之後，一神信仰就在世界歷史上扮演了重要角色。

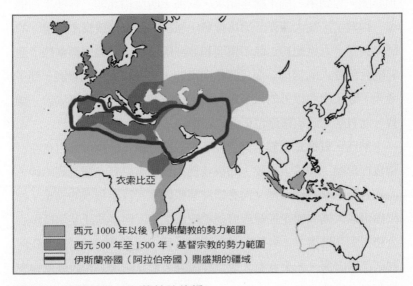

地圖4：基督教和伊斯蘭教的傳播

一般而言，一神教徒比多神教徒更為狂熱、更熱中傳教。畢竟如果某個宗教願意承認其他信仰，情況只有兩種：第一種本來就認為世上沒有唯一的神，而是有許多神同時共存；第二種認為雖然有一位最高的神，但下面分成許多小神祇，信仰每位神祇，可以說是看到了部分的真相。

但由於一神教徒通常認為自己信奉的就是唯一的神，也認為只有自己看到了完整的真相，自然就會批評其他所有宗教都不可信。在過去兩千年間，一神教徒多次發動以暴力消滅其他競爭對手，目的就是要強化自己的掌控力。

這招必殺技很有效。在西元一世紀初，世界上幾乎沒有任何一神教徒。到了西元500年左右，基督宗教已經收服了全球最大的羅馬帝國，傳教士忙著將基督宗教傳播到歐洲的其他地區、以及亞洲和非洲。等到第一個千禧年結束，歐洲、西亞和北非已經多半都信奉一神教了，從大西洋到喜馬拉雅山脈都主張上帝或真主是唯一的神。到了十六世紀初，除了東亞和非洲南部，一神教已經掌控了亞非絕大部分人的信仰，而且開始向南非、美洲和大洋洲發展。到了今天，除了東亞以外的大多數人，不論信仰為何，多半都屬於一神教，而且全球政治秩序也正是以一神論為基礎而建立。

然而，就像是泛靈信仰會在多神教裡延續，多神信仰也會在一神教裡延續。理論上來說，如果我們相信宇宙只有一個至高的神、而祂也願意關心你，那又何必崇拜某些只掌管特定領域的神呢？如果你可以大搖大擺走進總統府要總統幫忙，又何必請託某個低階小公務員呢？確實，一神教的神學認為只有一個至高的神，其他任何神祇都是虛假，如果竟有人敢崇拜偽神，地獄的火焰和硫磺就會在他們身上燃燒。

　　然而，神學理論和歷史現實一向大不相符。大多數人很難完全接受一神教的想法，還是繼續把世界分為「我們」和「他們」，也覺得所謂至高的神實在太遙遠陌生，管不到自己世俗的需求。最後的情況就是：一神教徒大張旗鼓把其他神祇從大門趕了出去，卻又從旁邊的小窗把祂們接了回來。以基督宗教為例，就由天主教宗冊封了不少聖人；祂們所受到的禮敬，可說和多神教的諸神殊無二致。

　　正如羅馬帝國的主神是朱彼特、阿茲特克帝國的主神是維齊洛波奇特利，每個基督宗教國家也有自己的守護聖人，協助解決困難、贏得戰爭：英格蘭的守護聖人是聖喬治，蘇格蘭是聖安德魯，匈牙利是聖史蒂芬，法國是聖馬丁。而不論是大城、小鎮、職業，甚至疾病，也都各有負責守護的聖人：像是義大利米蘭有聖安布魯瓦茲負責守護，威尼斯則有聖馬克負責照料；聖阿爾莫守護著煙囪清潔工的安全，聖馬修撫慰著收稅員的煩惱。還有，如果你頭痛，該找聖亞賈西亞；但如果痛的是牙，聖阿波羅尼亞就更對症下藥。

　　這樣看來，基督宗教的聖人和多神教的眾多神明，也沒什麼不同。而且很多時候還不只是相像而已，根本就是這些神明的偽裝。舉例來說，在信奉基督宗教之前，愛爾蘭的主神是女神布里吉德。等到愛爾蘭被基督教化，就連布里吉德也彷彿受了洗一般，成了聖布里吉德，直到今天，還是天主教愛爾蘭最受尊崇的聖人。

▋善惡之戰

　　多神教除了演變出一神教，也演變出二元論的宗教。二元論宗教信奉著「善」與「惡」這兩股對立力量的存在。二元論宗教與一

神教不同之處在於：他們相信「惡」也是獨立存在，既不是由代表
「善」的神所創造，也不歸神所掌管。二元論宗教認為，整個宇宙
就是這兩股力量的戰場，世間種種就是兩方鬥爭的體現。

　　二元論之所以成為一種深具魅力的世界觀，原因就在於人類有
一個揮之不去的「惡的難題」（Problem of Evil），苦苦無法解決。
「為什麼世上會有邪惡？為什麼有苦難？為什麼會有壞事發生在好
人身上？」如果神真的是如此無所不知、無所不能、至善至美，又
怎麼會允許世上有這麼多的苦難？

　　這讓一神論者傷透了腦筋。一種很流行的解釋認為：神藉著這
種方式，讓人類擁有了自由意志；因為如果沒有邪惡，人類就無法
在善惡之間做選擇，也就沒有了自由意志。

　　然而，這種解釋非但拐彎抹角，還立即引發了許多新的問題。
有自由意志，也代表可選擇邪惡。而且，根據標準的一神論說法，
還真有許多人選擇了邪惡的道路，於是神不得不施加懲罰。然而，
如果神真的能事先知道，某個人會用自己的自由意志走上邪惡的道
路，而且又會因此受到懲罰、永遠在地獄受苦，那麼神一開始為何
要創造這個人？

　　神學家為了回答這些問題，已經寫了無數著作，有些人覺得已
經找到了答案，也有些人覺得差得還遠。但無法否認的是，一神論
面對「惡的難題」可說是吃盡苦頭。

　　對於二元論者來說，之所以好人也可能發生不幸，正是因為掌
理世界的不只是無所不知、無所不能、至善至美的神；世上仍然有
個不受控制的「惡」，而所有的壞事正是來自於它。

　　二元論觀點還是有些缺漏。雖然它簡潔明快的解決了「惡的
難題」，卻又碰上了「律令的難題」（Problem of Order）。如果世上

就是有善惡兩股力量在拉扯，它們拉扯的基礎是什麼律令？舉例來說，如果說兩國交戰，基礎就在於它們存在於同一個時空，而且受同樣的物理定律規範。譬如巴基斯坦發射地對地飛彈，也能打到位於印度的目標，那是因為物理定律對交戰雙方都同樣適用。但如果我們說的是善與惡的互鬥，現在又有什麼律令來規範？這些律令又是誰訂出來的呢？

相對而言，雖然一神論難以處理「惡的難題」，但要處理「律令的難題」卻是輕而易舉：這個律令就是唯一的神訂定的！

其實，有一種解釋能夠同時處理這兩大難題，而且完全合乎邏輯：世上確實有某個全能的神創造了全宇宙，而且祂就是惡神！

只是古往今來，總沒有哪個自命為名門正派的宗教，說自己信了這一套。

綜攝的宗教

二元論宗教興盛了千餘年。大約在西元前1500年到西元前1000年之間，中亞有一位名叫瑣羅亞斯德（Zoroaster，又名查拉圖斯特拉）的先知，相當活躍。他的信念代代相傳，最後形成了二元論宗教的代表：祆教（Zoroastrianism，又稱拜火教、波斯教）。

祆教認為整個世界就是善神阿胡拉・馬茲達（Ahura Mazda）和惡神安格拉・曼紐（Angra Mainyu）之間的戰爭，在這場戰爭中人類必須站在善神這方給予協助。祆教在阿契美尼德王朝（波斯第一帝國，西元前550-350）已經舉足輕重，到了薩珊王朝（波斯第二帝國，224-651）期間更成為國教，幾乎影響了所有後來在中東及中亞的宗教，並催生了許多二元論宗教，例如諾斯替教和摩尼教。

在西元第三和第四世紀，摩尼教涵蓋了中國到北非，一度聲勢大好，似乎將取代基督宗教在羅馬帝國的地位。然而，摩尼教徒在羅馬敗給了基督徒，祆教波斯第二帝國敗給了一神教的穆斯林，於是二元論宗教的波瀾也逐漸退去。到現在，只剩下印度和中東還有少數人信奉二元論宗教。

不過，就算一神教聲勢看漲，二元論宗教卻未真正消失。猶太教、基督宗教和伊斯蘭教這些一神教，吸收了大量的二元論信仰和習俗，許多我們以為是一神教的基本概念，多是出自二元論宗教的本質和精神。例如有無數的基督徒、穆斯林和猶太人，都相信有某個強大的邪惡力量（例如基督宗教的魔鬼或撒旦），祂自行其事，與善神作對，興風作浪、不受神的控制。

如果根據純粹的一神教義，怎麼可能會相信這種二元的概念？（順道一提，《聖經》舊約裡壓根就找不到這些情節。）這在邏輯上根本不通。真要合理的話，要嘛是相信確實有一個全能的神，不然就是要相信有兩種對立的力量，而兩者皆非全能。然而儘管如此不合理，人類還是能接受這種矛盾的概念。因此，看到有幾百萬虔誠的基督徒、穆斯林和猶太人居然相信「既有全能的神、又有獨立行事的魔鬼」，倒也不用太驚訝。更有甚者，無數的基督徒、穆斯林和猶太人居然還能想像「善神需要人類的協助，好與魔鬼對抗」，由此再推導引發了聖戰和十字軍東征。

另一個很關鍵的二元論概念（特別在諾斯替教和摩尼教），是認為身體和靈魂、物質和精神是有清楚區隔的。諾斯替教和摩尼教認為，善神創造了精神和靈魂，而惡神創造了物質和身體。根據這種觀點，人就成了善的靈魂和惡的身體之間的戰場。從一神教的角度來看，這完全是無稽之談。何必要把身體和靈魂、或物質與精

神做這種區分？又為什麼要說身體和物質是惡的呢？畢竟對一神教來說，善神創造了一切，而一切都是美好的。然而，正因為這種二元論的論點可以幫助他們解決「惡的難題」，所以一神教還是忍不住接受了這個概念。於是這種對立的概念，最後也成了基督宗教和穆斯林思想的基石。此外，如果相信有天堂（善神的國度）和地獄（惡神的國度），這也是一種二元論的概念。（《聖經》舊約裡從來沒提過這種概念，也從來沒提到人的靈魂會在身體死去後繼續存在。）

縱觀歷史，一神教就像是萬花筒，把一神信仰、二元論概念、多神教義和泛靈信仰，都收納在同一個神聖論述之下。結果就是，基督徒大致上是信奉一神教的上帝，相信二元論宗教的魔鬼，像多神教徒一樣禮敬眾多聖人，還相信泛靈信仰的鬼魂。像這樣同時擁有不同、甚至矛盾的思想，而又結合各種不同來源的儀式和做法，宗教學上有一個特別的名稱：**綜攝**（syncretism）。很有可能，綜攝才是全球最大的單一宗教。

▌自然律

我們目前為止討論到的所有宗教，都有一個共同的重要特徵：相信的都是神靈、或是其他超自然對象。

然而，世界宗教史並不只是神的歷史。在西元前1000年，亞非大陸開始出現全新的宗教及信仰類型。這些新型的宗教信仰，包括印度的耆那教和佛教，中國的道教和儒教，以及地中海的**犬儒主義**（cynicism）和**享樂主義**（epicureanism），共同的特徵就是崇拜的並非神祇。

　　這些信仰也認為：有某種超人類的秩序控制著這個世界，但它們所崇拜的這個秩序是**自然律**（natural law），而不是什麼神明的意志。這些自然律的宗教信仰，雖然某些也相信有神祇存在，但認為神祇就和人類、動物和植物一樣，會受到自然律的節制。雖然神祇可以說在這個生態系中有其優勢（就算是大象或豪豬，也各有優勢），但祂們也像大象一樣，並無法改變自然律。最典型的例子是佛教，這可以說是最重要的古代自然律宗教，而且到今天仍然興盛。

　　佛教的核心人物釋迦牟尼，不是神，而是人，俗名喬達摩‧悉達多。根據佛教經典，釋迦牟尼大約在西元前500年是喜馬拉雅山區小國的王子，看到身邊的人深深陷於苦難之中，而心生不忍。他

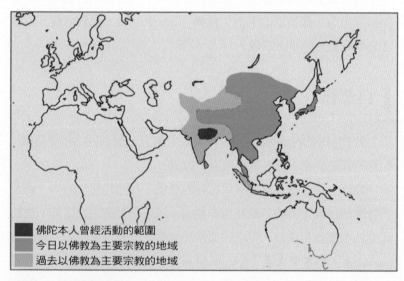

佛陀本人曾經活動的範圍
今日以佛教為主要宗教的地域
過去以佛教為主要宗教的地域

地圖5：佛教的傳播

看到人不分男女老幼，不僅三不五時受到戰爭和瘟疫等災難襲擊，還無法免於種種焦慮、沮喪和不滿的情緒，似乎這一切都是人生難以避免的事。人類追求財富和權力，取得知識和財富，生兒育女，建起宮殿和房屋。但不論取得多少成就，卻仍然無法滿足。窮人夢想著要變富，有一百萬的想要兩百萬，有兩百萬的想要一千萬。而且就算真的有錢了、有名了，他們還是不滿意，還是有無盡的煩惱和憂慮，無法從生老病死中解脫。至死，一切如夢幻泡影消失，生命就像是毫無意義的追尋。然而，這個輪迴該怎樣才能跳出？

在二十九歲時，釋迦牟尼半夜離宮，拋下了財富家人，流浪走遍印度北部，希望為這一切痛苦尋找出路。他前往各個修院修行，聆聽各個大師講道，但還是無法完全感到解脫。可他並未絕望，決心反求諸己，直到找到徹底解決的法門為止。他入禪六年，思索人類各種苦痛的本質、原因和解決方式。最後他體會到，一切苦難並非來自厄運、社會不公或是神祇的任性，而是出於每個人自己心中的思想模式。

釋迦牟尼認為，人遇到事情通常就會產生欲念，而欲念總是會造成不滿。遇到不喜歡的事，就想趕開；遇到喜歡的事，就想維持並增加這份愉快。但正因如此，人心就永遠不滿、永遠不安。這點在碰上不悅的時候格外明顯，像是感覺疼痛的時候，只要疼痛持續，我們就一直感到不滿，用盡辦法想要解決。然而，就算是遇上歡樂的事，我們也從來不會真正滿足，而是一直擔心這種歡樂終將結束、或是無法再持續或增強。有些人多年來一直在尋找愛情，但等到真的找著了愛情，卻還是不滿足。有的人開始整天擔心對方可能會離開；有的又覺得自己太過屈就，應該再找更好的人（而且，我們知道別人也會這樣心猿意馬，也會這樣盤算）。

雖然上天可以賜雨、社會機制可以提供公平正義和衛生保健、有好的運氣就可以變成百萬富翁，但不論如何，我們的基本心態都不會改變。因此，就算是最偉大的國王也無法避免焦慮，得不斷逃避著悲傷和痛苦，也總是想要追尋更多的快樂。

　　釋迦牟尼找到一種方法可以跳出這種惡性循環。在事物帶來快樂或痛苦的時候，重點是要看清事物的本質，而不是著重在它帶來的感受，於是就能不再為此所困。雖然感受悲傷、但不要希望悲傷結束，於是雖然仍有悲傷，也能不再為此而困——即使仍然悲傷，也是一種豐碩的經驗。雖然感受快樂、但不要希望快樂繼續，於是雖然仍有快樂，也能不失去心中的平靜。

　　但要怎樣才能讓心裡接受事物的本質，放下種種欲求，知道苦即為苦、樂即為樂？釋迦牟尼制定一套冥想的技巧，能夠訓練心靈感受事物的本質，排除種種欲求。透過訓練，心靈專注在「我現在是什麼感受？」而不是問「為什麼是我？」

　　這種境界很難達到，但並非不可能。

苦由「欲」起

　　釋迦牟尼將冥想落實在各種道德規範上，好讓信眾更能專注在實際的感受，不落入各種欲求和幻想之中。他要求信眾不殺生、不邪淫、不偷盜，因為這些作為一定會讓欲望如野火燎原，一心追求權力、感官享受或財富。等到這些火焰徹底撲滅，原本的欲求就換成了圓滿和寂靜，稱為**涅槃**（nirvana，梵文原義是「熄滅」）。達到涅槃，也就是解脫了所有苦痛，能夠無比清晰的感受身邊的現實，沒有什麼幻想幻象。雖然很有可能還是會遇到苦痛，但苦痛已

經不再能影響我們。畢竟，無欲則無苦。

根據佛教經典，釋迦牟尼本人就達到了涅槃，從痛苦中完全解脫。而在這之後他就稱為「佛陀」，意為「覺悟者」。接著，佛陀一生前往各地普傳佛法，希望讓所有人離苦得樂。佛陀的教誨一言以蔽之：痛苦來自於欲望；要從痛苦中解脫，就要放下欲望；而要放下欲望，就必須訓練心智、體驗事物的本質。

對佛教徒來說，這條「佛法」就是舉世皆同的自然律，「痛苦來自於欲望」這件事舉世皆同，就像在近代物理學中，E總是等於mc^2。所以，所謂的佛教徒，就是相信「苦由欲起」這條定律、將這條定律落實在一切日常活動中的人。另一方面而言，是不是信仰某個神靈，對佛教徒來說就不是那麼重要。

一神教的最高原則是「唯一真神確實存在，那麼祂想從我這裡要到什麼呢？」佛教的最高原則，則是「痛苦確實存在，我該如何逃離呢？」

佛教並不否認有神祇存在，佛教認為祂們有強大的神通，能夠帶來降雨和勝利，然而神祇對於「苦由欲起」這條定律並無能為力。如果能夠無欲無求，任何神祇都無法讓人感到痛苦。相對的，如果人有了欲望，任何神祇也無法拯救他脫離痛苦。

但也如同一神教，佛教這種前現代的自然律宗教還是無法擺脫神祇崇拜。佛教告訴信眾，他們應該不斷追求涅槃境界，不要為了名利停下腳步。然而，99%的佛教徒都無法達到這個境界，而且就算他們一心希望最後能達成這個目標，日常生活裡多半都還是追求著世俗的成就。於是，佛教徒還是崇拜著各種神祇，像是在印度的佛教徒膜拜著印度的神，西藏的佛教徒膜拜著本教（Bon）的神，日本的佛教徒也膜拜著神道教的神。

此外，佛教的幾個教派也隨著時間發展出滿天的諸佛菩薩。諸佛菩薩是人也非人，祂們已經能夠達到涅槃、解脫痛苦，但為了救度還在輪迴中的芸芸眾生，因而倒駕慈航、迴入娑婆。所以，佛教徒崇拜的並不是神祇，而是這些已經開悟、但尚未成佛的人，除了希望祂們協助達到涅槃境界，也希望祂們幫忙處理一些世俗問題。於是，我們就看到整個東亞有許多佛陀或菩薩得負責降雨、醫病，甚至保佑殺敵求勝，而信眾也虔心祈禱，為祂們焚香、獻上各色鮮花、米食和甜品。

▌ 當崇拜的對象變成了人

常有人說，過去三百年來世界愈來愈世俗化，宗教影響力日漸下滑。這一點對於有神論（見第70頁）的宗教來說，大致上確實如此。但如果把自然律的宗教也納入討論，就會看到現代其實充滿了強烈的宗教熱情，宣教力度無與倫比，更發生了一樁又一樁史上最血腥的宗教戰爭。這些新型的自然律宗教信仰，包括了自由主義、共產主義、資本主義、民族主義和納粹主義。它們不喜歡被稱為宗教，而說自己是「意識型態」。但這就只是修辭罷了。我們前面曾說宗教就是「一種人類的規範及價值觀的系統，建立在超人類的秩序之上」，這麼一來，蘇聯的共產主義便與伊斯蘭教同樣符合宗教的定義。

當然，伊斯蘭教和共產主義幾乎全然不同，伊斯蘭教認為控制一切的超人類秩序是某個全能的真主，相對的，蘇聯共產主義並不相信神的概念。然而，佛教信的也不是神，我們卻常常認定佛教屬

於宗教。共產黨人也像佛教徒一樣，相信有一套自然、不可改變的超人類秩序，引導著人類的行為。佛教相信這一套自然律是由釋迦牟尼所發現，而共產黨人則認為是馬克思、恩格斯和列寧找出了他們那一套自然律。

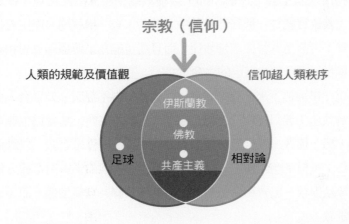

宗教是一種人類的規範和價值觀的系統，並且是以相信某種超人類秩序為基礎。以相對論為例，由於至少目前為止，還沒有人依此建立起對人類的規範和價值觀，所以就稱不上是宗教。足球也不算宗教，因為沒有人認為足球規則反映了某種超人類的教條。至於伊斯蘭教、佛教和共產主義，之所以落入宗教範疇，是因為它們都奠基在某種超人類秩序上，發展出一套人類的規範和價值觀。

（請注意：「超人類」並不等於「超自然」。佛教的自然律和馬克思主義的歷史法則之所以稱為「超人類」，指的是它們並非由人類制定。但這並不是某種超自然現象。）

相似處還不只如此。共產主義就像其他宗教一樣，有自己的聖經和預言書，例如馬克思的《資本論》就預言歷史很快會走向無產階級的必然勝利。共產主義還有自己的節慶，像是五一勞動節，以及十月革命的紀念日。共產主義的「神學家」嫻熟馬克思主義的辯證法，蘇聯軍隊的每個單位也都有它的「牧師」，稱為政委，來檢查士兵和軍官夠不夠虔誠。共產主義同樣有殉道者、有聖戰，也有像是托洛茨基主義（Trotskyism）這種異端學說。由此可見，蘇聯共產主義確實就是一種狂熱並熱中宣教的宗教。虔誠的共產主義信徒，就不可能是基督徒或佛教徒，而且還可能為了傳播馬克思和列寧的福音，願意犧牲自己的生命。

這一串論述下來，有些讀者可能會感覺很不舒服。如果有人仍然認為共產主義只能叫「意識型態」，而不是宗教，其實這也無傷大雅。另一種做法就是把各種教義分成兩種，一種是宗教，以神祇為中心；一種是意識型態，以自然律為中心。但如果採用這種分類法，像是佛教、道教和斯多葛教派，就應該歸為意識型態，而不是某種宗教。

此外我們也該注意，許多現代意識型態都隱含「相信神明」的概念，如果捨棄這項元素，就會變得毫無意義，其中又以自由主義為最。

三種人文主義宗教

至於現代各種新型自然律宗教的教義，由於它們之間並沒有明顯的界線，我們在此也就不可能逐一檢視它們的歷史。這些新型自然律宗教「綜攝」的情形，並不少於一神教和盛行的佛教。就像佛

教徒也能膜拜印度教的神祇、一神教徒也相信撒旦的存在，現在典
型的美國人也能既是民族主義者（相信有美國國族存在，而且相信
它在歷史上有重大作用）、又是自由市場資本主義者（相信社會繁
榮的最佳方法就是公開競爭、追求自我利益），也是自由人文主義
者（相信造物主賜給人類若干不可剝奪的權利）。民族主義將在第
18章討論。最成功的現代宗教：資本主義，會在第16章以專章探
討，闡述其主要信念和儀式。至於本章的其餘篇幅，我們就繼續討
論人文主義宗教。

　　有神論的宗教，重點在神的崇拜；至於人文主義宗教，重點就
是對人的崇拜，或者講得更明確，是對智人的崇拜。人文主義的基
本信念，就是認為智人是獨特的、神聖的，從本質上便與其他所有
現代動物有所不同。對人文主義者來說，智人的獨特性是世界上最
重要的事情，決定了宇宙間一切事物的意義。所謂的「至善」，講
的是對智人好。全球所有其他物種和生命，都只為了智人這一物種
的利益而存在。

　　雖然所有人文主義者都崇拜**人性**（humanity），但對於人性的
定義卻不見得都相同。就像基督宗教的各個教派對於「神」會有不
同定義，人文主義對「人性」的定義，大致上分成三種對立的教
派。今天最重要的人文主義學派就是**自由人文主義**，它認為人性就
在於每一個人的自我特質，因此個人自由也就變得神聖不可侵犯。
根據這些自由主義者的說法，每個智人都有著人性的神聖本質。正
是每個人的內心讓全世界有了意義，而且這也是各種道德及政治正
當性的來源。如果碰上道德或政治的困境，就該內省，聽聽自己內
心的聲音，也就是人性的聲音。因此，自由人文主義最重要的誡命
就是要保障這種「內心聲音」的自由，不受外界的侵擾或傷害。而

這些誡命統稱為「人權」。

舉例來說，這正是自由主義者反對酷刑和死刑的原因。在近代早期的歐洲，犯下殺人罪的人，會被視為違反破壞了宇宙秩序。為了讓宇宙回歸平衡，就須對罪犯施以酷刑、並公開處決，好讓所有人民都看到宇宙已經重返秩序。在莎士比亞和莫里哀的時代，倫敦人和巴黎人最愛的消遣，就是現場直擊殘忍的處決畫面。但在今天的歐洲，死刑被看作侵害了人性的神聖。雖然一樣是為了維護秩序，但現今的歐洲不會對罪犯施以酷刑處決，反而是要以盡可能「人性化」的方式來加以懲罰，才能維護、甚至重建人類的尊嚴。藉著表彰兇手的人性，人人都想起了人性的神聖，於是秩序才得以恢復。像這樣保護兇手，我們才能改正兇手他做錯的事。

雖然自由人文主義將人性神聖化，但並不否認有神的存在，而且根本就是源自於一神論的信念。像是相信每個人的本質自由而神聖，就是直接源於傳統基督教相信靈魂自由而永恆的概念。要是沒有永恆的靈魂和造物主的概念，自由主義者想要解釋究竟個別的智人有何特別，就很難講得清楚。

人文主義的另一個重要教派就是*社會人文主義*。社會主義者認為所謂「人性」是集體而非個人的概念，因此他們認為神聖的不是每個個人心中的聲音，而是由所有智人構成的整體。自由人文主義追求的，是盡可能為個人爭取更多自由；而社會人文主義追求的，則是讓所有人都能平等。對社會主義者來說，「不平等」就代表著偏重人類的某些邊緣特質、認為這比人類的普遍本質更重要，這樣一來可說是對人類神聖性最嚴重的褻瀆。舉例來說，如果富人比窮人有特權，就代表重視「金錢」超過了人類的普遍本質（不論貧富，人類的本質應該全部相同）。

　　和自由人文主義一樣，社會人文主義也是以一神論的信念為基礎。像是人人平等這個概念，就是來自於一神論認為：在神的面前所有靈魂一律平等。唯一不是來自傳統一神論的人文主義教派，就是**進化人文主義**，以納粹為最著名的代表。真正讓納粹與其他人文主義教派不同的地方，在於他們深受演化論影響，對「人性」有不同的定義。相對於其他人文主義者，納粹相信人類並非處處相同、也不是永恆不變，而是一個會進化或退化的物種。人可以進化成超人，也可以退化成非人。

人文主義宗教：崇拜「人性」的宗教

智人擁有獨特且神聖的本質，與其他生物有根本上的不同。 所謂的「至善」，講的是對整體人性有好處。		
自由人文主義	社會人文主義	進化人文主義
「人性」是 個人主義的概念， 存在於每個智人心中	「人性」是整體的概念， 存在於所有智人 整體之中	「人性」可變， 可能退化成非人， 也可能進化成超人類
最重要的使命， 是保護每個智人內心 的自由	最重要的使命， 是保護智人這個物種 每個人都能平等	最重要的使命， 是保護人類、避免退化 成非人，並且鼓勵進化 成超人類

納粹的目標主要是希望保護人類，避免退化，並鼓勵漸進的演化。正因如此，納粹黨徒才會主張應該要好好保護、養育雅利安人（Aryan，他們認為這是最進步的智人類型），至於猶太人、吉普賽人、同性戀者和精神病患，這些被認為是退化的智人類型，則必須隔離、甚至滅絕。納粹的辯白是，智人一開始能夠勝出，本來就是因為演化留下了這種「較優異」的遠古人種，而淘汰了某些「較低劣」的人種，例如尼安德塔人就從此消失。一開始，不同的人種不過也就是不同的種族，但後來就走上不同的演化道路。很有可能，這還會再次發生。納粹認為，智人已經分化出幾個不同的種族，各有獨特的特質，而雅利安人擁有各種最優秀的特質：理性、美麗、誠信、勤奮。因此，雅利安人擁有讓人類進化為**超人**的潛力。至於像猶太人和黑人這些種族，特質不佳，可說是現代的尼安德塔人。如果讓他們任意繁衍、甚至還和雅利安人通婚，豈不是汙染了整體的人類物種，即將造成智人滅絕嗎？

生物學家已經戳破了納粹的種族理論。特別是1945年以後的基因研究，已經證明不同人類譜系之間的差異遠遠小於納粹的假設。但這些結論只是最近的事，考量到1933年的科學知識，納粹當時會這麼相信也不難想像。許多西方菁英都相信有不同人種的存在，相信白人較為優越，也相信應該要保護、培養這個高貴的種族。例如在許多最具盛名的西方大學裡，一直以來，總是有學者用最新的正統科學方法，發表研究報告，宣稱證明了白人比起非洲人或印第安人更聰明、更有道德，更具備高超的技能。而在華盛頓、倫敦和坎培拉的政客，也一心相信自己必須負責避免白色人種受到玷汙而墮落，所以得要設下重重限制，避免像是中國甚至義大利的人民，移居到美國、澳洲這種「雅利安人」的國家。

像這些立場，就算在新的科學研究發表之後，也並未改變。想要造成改變，純科學的力量還是遠不及社會運動和政治力。以這個意義來說，希特勒不只把自己送上絕路，也讓種族主義跟著一同送葬。在他發動第二次世界大戰的時候，他的敵人被迫涇渭分明的區分出「我們」和「他們」的不同。而在這之後，因為納粹思想就是大張旗鼓的種族主義，讓種族主義在西方再也抬不起頭來。

然而，改變還是需要時間。至少到1960年代，白人至上仍然是美國政治的主流意識型態。限制只有白人才可移居澳洲的白澳政策，一直到1973年才廢除。澳洲原住民要到1960年代，才享有平等的政治權利，而且大多數還是被認為不足以發揮公民的功能，所以無法在選舉中投票。

20. 一幅納粹的宣傳海報，右邊是「純種雅利安人」，左邊是「混種」。
　　納粹顯然十分崇拜人體，害怕「低等種族」汙染人性、讓人性墮落。

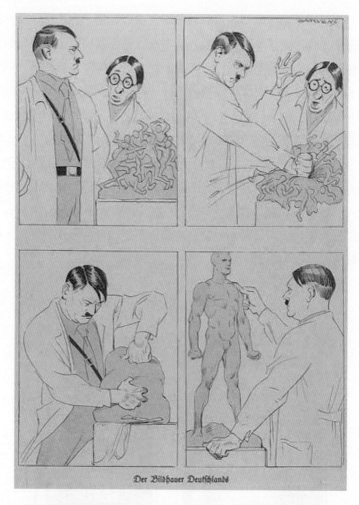

Der Bildhauer Deutschlands

21. 納粹 1933 年的漫畫。

漫畫將希特勒描繪成要創造完美人類的雕塑家。至於旁邊戴眼鏡的自由
主義知識份子，則因為過程中需要用到暴力，而怯怯懦懦，驚慌失措。
（也請注意，畫中的希特勒，對人體有著情色的崇拜。）

　　納粹並不是反人性。他們之所以和自由人文主義、人權和共產主義站在對立面，反而正是因為他們推崇人性、相信人類有巨大的潛力。他們順著達爾文演化論的邏輯，認為必須要透過天擇，淘汰不適合的個人，只留下適者，才能讓人類繼續生存繁衍。而自由主義和共產主義卻是要保護弱者，不僅讓不適者生存了下來，還給了他們繁殖的機會，這樣就破壞了天擇的秩序。如此一來，就算是最適者的人類，也不免被一群墮落的人類淹沒，變得愈來愈趨近不適者，代代傳衍下去就可能導致滅絕。

　　一本1942年版的德國生物課本，就有一章〈自然律與人類〉，認為自然界的最高法則，就是讓所有生物都必須在無情的鬥爭中求生存。書裡講到植物如何為了土地而奮鬥、甲蟲如何為了交配而奮鬥，最後課本的結論是：「這場生存之戰，艱辛而無情，但這是讓生命延續的唯一道路。這場鬥爭能夠消除一切不適合生存者，並挑選出適合生存的……這些自然律不容置疑；目前還存活的生物就是明證。這些生物冷酷無情，抵抗者就會遭到消滅。生物學不只告訴我們關於動植物的事，還告訴我們生活中必須遵守的法則。我們要堅定志向，依照這些法則生存下去、抵抗下去。生命的意義，就是鬥爭。違抗這些自然律，則終必致禍。」

　　課本裡接著又從希特勒的《我的奮鬥》引了一段：「想要違抗自然鐵律的人，也就是違抗了那些他應該感謝、讓他得以為人的原則。與自然對抗，只會帶來人類自己的毀滅。」[66]

生命科學帶來衝擊

我們剛剛踏入第三個千禧年，進化人文主義的未來仍未明朗。在對抗希特勒的戰爭結束後七十年間，想將人文主義和演化論結合起來、用生物學方式讓智人「升級」的想法，依然是禁忌。但是直到今天，這種想法並未煙消雲散。雖然已經沒有人說要淘汰劣等種族或民族，但許多人正思考著：如何利用更先進的人類生物學知識來創造完美的人類。

但與此同時，自由人文主義和最新的生命科學研究成果之間，已經出現一條鴻溝，我們很快就無法忽視，必須直接面對。我們的自由政治和司法體系之所以存在，是因為相信每個人都有一種神聖無法分割、無法改變的內在本質，這點讓世界有了意義，也是一切道德和政治正當性的來源。但這個概念的前身，正是傳統的基督教信念：相信每個人的身軀裡，都有一個自由而不朽的靈魂。

然而，過去兩百年間，生命科學已經徹底顛覆了這個信念。科學家研究人類這個生物的內部運作，並未找到靈魂的存在。愈來愈多科學家認為，決定人類行為的不是什麼自由意志，而是荷爾蒙、基因和神經突觸；也就是說，我們和黑猩猩、狼和螞蟻並無不同。

我們的司法和政治制度碰上這些發現，多半視而不見、不願面對。但坦白說，現在堵在生物學以及法律和政治學之間的這道牆，究竟還能維持多久？

第**13**章

成敗的祕密

因為商業、帝國和全球性的宗教，最後終於將幾乎每個智人，都納入了我們今天的全球世界。這個擴張和一統的過程並不是完全直線發展、一帆風順。但縱觀大局，可以看到從許多小文化、到少數大文化、再到最後的全球單一文化，應該是人類歷史無法避免的結局。

然而，雖然我們說全球無法避免成為單一文化，但它並不見得會是現在世界上的任何一種文化。我們當然可以想見其他可能性。為什麼現在的全球語言是英語，而不是丹麥語？為什麼世界上有大約20億基督徒、12.5億穆斯林，但祆教只有15萬人、摩尼教已經完全消失？

如果我們能反覆回到一萬年前，讓一切重新開始，是不是能一再看到一神教的興起、二元論宗教的衰落？

這種實驗非人力可及，所以我們確實無從確定。但我們可以檢視歷史學的兩種重要特質，讓我們得到一點線索。

歷史學的特質之一：馬後炮的謬誤

歷史的每一個時間點，都像是叉路口。雖然我們回首來時路，從過去到現在已經只剩下單行道；但是未來卻還有無數的叉路等待我們。其中某些路比較寬、比較平坦、路標比較明確，所以也是比較可能的選擇。然而，歷史有時候就是選擇了一些完全出人意表的道路。

像是在西元四世紀初，羅馬帝國可以用各種方式解決宗教問題，也可以堅持傳統，維持多元的多神論環境。但羅馬當時的皇帝君士坦丁回顧過去一世紀間無止境的宗教紛擾，似乎是覺得如果能有單一宗教、明確的教義，就能協助他統一各種族。而且，當時可能成為國教的選項眾多，像是摩尼教、崇拜眾神之母希栢利或埃及女神伊西斯的教派、崇拜太陽神的密特拉教（Mithraism），還有猶太教、祆教，甚至佛教，都有可能。為什麼他最後選了耶穌？是他在哪方面被基督教神學打動？或是基督教有哪方面的教義讓他覺得便於利用？是他真的受到什麼宗教感召，還是有哪個大臣認為基督教正在迅速擴張，不如趕快搭上順風車？

歷史學家雖然可以推測，但無法提供任何明確的答案。他們可以描述基督教如何（how）拿下了羅馬帝國，但他們無法解釋為何（why）能達成這項創舉。而如何與為何之間有何不同？描述如何的時候，是要重建一連串從一點演變到另一點的事件順序。至於要解釋為何的時候，則是要找出因果關係，看看究竟為什麼發生的是這一連串的事件，而不是另一連串的事件。

確實，有些學者會針對像是「基督教興起」這種事件，提出一

些斬釘截鐵的解釋，把人類歷史簡化成各種生物、生態或經濟力量的運作。他們認為羅馬帝國時代的地中海地區在地理或經濟方面有某些特殊之處，那裡的人民在基因方面也有某些特殊之處，因此必然促成了一神教興起。然而，對大多數歷史學家來說，對於這種斬釘截鐵的理論還是抱持著懷疑。這正是歷史成為一個學門的特點之一：對某個時代的瞭解愈透澈，反而就愈難解釋為什麼發生了這個事件、而不是發生那個事件。但如果對某個時期只是一知半解，就很容易受到結果影響，只看到那些最後成真的可能性。於是，他們就用後見之明，來解釋為什麼現在的結果是無法避免的。

事實上，必須要真正更深入瞭解這些時期，才能真正看到那些最後並未發生的可能結果。

其實，真正最知道當時情況的人（也就是活在當時的人），正是最看不出歷史走向的人。譬如，對君士坦丁統治下的羅馬人民來說，未來就像是霧裡看花。**歷史的鐵則就是：事後看來無可避免的事，在當時看來總是毫不明顯**。直到今天，情況仍是如此。我們已經走出全球經濟危機了嗎？還是前面有更大的打擊？中國會不會繼續成長、成為全球第一的超級大國？美國會不會喪失霸主地位？一神論基本教義派會成為全球的主流，或者不過是地方的小騷動、在未來不值一哂？我們走向的是生態的災難、還是科技的天堂？

以上所有的走向，評論家都各自有一套很完整的論述，但我們就是無法確定何者將成真。但如果過了幾十年後再回顧，我們就會覺得答案真是太明顯了。

特別要強調的是，那些在當代看來最不可能發生的事，常常就是最後成真的事。君士坦丁大帝在西元306年即位的時候，基督教不過就是神祕的東方教派。如果當時有人說基督教會成為羅馬的國

教,一定會引來哄堂大笑,就像說臺灣人會在2050年全部信仰一貫道(俗稱鴨蛋教)是一樣荒誕無稽。

在1913年10月,布爾什維克黨還只是一個很小的俄羅斯激進黨派。任何理性的人都想不到,不過短短四年後,他們就接掌了俄羅斯。

在西元600年,如果說一小群住在沙漠裡的阿拉伯部落,會征服從大西洋到印度的遼闊土地,更是如痴人說夢。而事實上,如果當時拜占庭軍隊能夠抵抗住第一波猛攻,伊斯蘭教很有可能至今仍然只是邊陲的異教組織,只有一小群信眾。在這種時候,如果學者要解釋為什麼某個中年麥加商人得到的天啟,沒能成為熱門信仰,簡直是再簡單不過了。

但這也不是說一切都有可能發生。地理、生物和經濟力量確實會造成限制。但限制之下仍然有許多發展空間,目前還看不出來有任何能夠統攝一切的決定性法則。

對於許多希望看到「歷史必然性」的人來說,這種說法大概有些令人失望。畢竟,宿命論的引人之處,就在於覺得這個世界和我們的信念都是歷史上自然且必然的產物。於是,我們似乎是自然而然就發展出民族國家,自然而然就遵循著資本主義的運作原理,也是自然而然的堅信著人權的概念。如果承認歷史並非必然,等於就是承認了現在的民族主義、資本主義和人權都只是偶然的產物。

革命是無法預測的

然而,歷史就是這樣的一團混沌,歷史就是無法解釋得斬釘截鐵、無法預測得十拿九穩。在同一時間,有多方力量互相影響、互

相牽制，只要某方力量有了極小的改變，結果就會有巨大的不同。

　　不僅如此，歷史還是所謂的**二階混沌系統**（"level two"chaotic system）。混沌系統可分成兩種，一階混沌指的是「不會因為預測而改變」，例如天氣就屬於一階混沌系統。雖然天氣也是受到無數因子影響，但是我們可以建立電腦計算模型，不斷加入愈來愈多因子，讓天氣預報也愈來愈準確。

　　至於二階混沌系統，指的是「會受到預測的影響而改變」，因此就永遠無法準確預測了。例如市場就屬於二階混沌系統。假設我們開發出一個電腦程式，能夠完全準確預測明天的油價，情況會如何呢？可以想見，油價會立刻因應這個預測而波動，最後也就不可能符合預測。例如，假設目前石油價格是每桶90美元，而有個絕對準確的程式預測，明天會漲到100美元。商人就會立刻搶進，好在預期的漲價中獲利。但結果就是油價會在今天就漲到100美元，而不是明天才漲。那明天究竟會如何？這件事就沒人知道了。

　　同樣的，政治也屬於二階混沌系統。很多人批評研究蘇聯的學者沒能預測到1989年的革命，也嘲笑中東專家沒有料到2011年會爆發阿拉伯之春革命。但這是不公平的。從定義上，**革命就是無法預測。如果真能預測有革命，革命就永遠不會成真。**

　　原因何在？假設在2010年，有某些天才政治學者與某個電腦鬼才合作，開發出某種絕對準確的演算法、還有個漂亮的介面，號稱能夠預測是否發生革命。於是，他們向埃及總統穆巴拉克兜售這項服務，換取了一大筆可觀的酬勞。他們告訴穆巴拉克，隔年在埃及必然爆發大規模革命。

　　穆巴拉克會如何反應？最有可能的是他會立刻降稅，用數十億美元補助人民，順便也大幅加強祕密警察部隊，細密偵防，以防

萬一。於是，這一切的準備工作發揮了效果。一年很快就過去，並
沒有發生革命。真是太讓人意想不到了，不是嗎？於是，穆巴拉克
要求退款。他向電腦鬼才大吼大叫：「你這套演算法是騙人的！要
不是你這套東西，我才不會把錢都拱手送人，我大可多蓋一座宮
殿！」電腦鬼才會辯白道：「可是，正是因為我們預測到了，革命
才沒有發生啊！」「你是說，你們預測到了，只是沒有發生？」穆
巴拉克一邊說，一邊示意警衛把他們全部抓起來。「這種神棍，開
羅的市場到處都有！」

　　這麼說來，究竟為什麼要學歷史？歷史不像是物理學或經濟
學，目的不在於做出準確預測。**我們之所以研究歷史，不是為了要
推知未來，而是要拓展視野，要瞭解現在的種種絕非「自然」，也
並非無可避免。**未來的可能性遠超過我們的想像。舉例來說，研究
歐洲人究竟是如何控制了非洲人，我們就知道種族歧視絕非自然或
無可避免，而且知道世界大有可能是完全不同的樣貌。

▌歷史學的特質之二：盲目的歷史女神克麗歐

　　雖然我們無法解釋歷史做出的選擇，但有一點可以確定：歷史
的選擇絕不是為了人類的利益。隨著歷史演進，毫無證據顯示人類
的福祉必然提升。沒有任何證據，證明對人類有益的文化就會成功
擴張，而對人類無情的文化就會消失。沒有任何證據，證明基督教
是比摩尼教更好的選擇，或證明阿拉伯帝國比波斯帝國對人類更有
利。

　　沒有任何證據，證明歷史是為了人類的利益而進展；原因就在
於「利益」並沒有客觀的衡量標準。不同的文化對於「善」的定義

不同，而且並沒有客觀標準可以決定何者為佳。當然，所謂成王敗寇，勝利者永遠相信自己的定義才正確。但我們又為什麼要相信他們呢？基督徒相信，基督教擊敗摩尼教對全人類有益；但如果我們不接受基督教的世界觀，就沒有理由同意他們的想法。穆斯林也認為，穆斯林攻下波斯帝國對人類有益；但也只有在我們接受穆斯林世界觀的前提下，才會覺得確實如此。很有可能，如果基督教和伊斯蘭教都徹底消失，人類社會反而安和樂利。

甚至還有學者認為，文化就像是精神感染或寄生蟲，而人類就是毫不知情的宿主。寄生蟲或病毒就是這樣住在宿主體內，繁殖、傳播，從一個宿主到另一個宿主，奪取養分、讓宿主衰弱，有時甚至喪命。只要宿主能夠活到讓寄生蟲繼續繁衍，寄生蟲就很少關心宿主的情況。

至於文化，其實也是以這種方式寄生在人類的心中。它們從一個宿主傳播到另一個宿主，有時候讓宿主變得衰弱，有時候甚至讓宿主喪命。任何一個文化概念（像是基督教在天上的天堂，或是共產主義在地球上的天堂），都可能讓某人畢生致力於傳播這種想法，甚至為此犧牲生命。於是，人死亡了，但想法持續傳播。根據這種說法，文化並不是像馬克思主義者所認為的，是某些人為了剝削他人而設計出的陰謀，而是因為種種機緣巧合所出現的心理寄生蟲，從出現之後就開始剝削所有受到感染的人。

這種說法有時稱為**瀰因學**（memetics）。瀰因學假設，就像是生物演化是基於基因（gene）這種生物資訊單位的複製，文化演化則是基於**瀰因**（meme）這種文化資訊單位的複製。[67] 而所謂成功的文化，就是特別善於複製其瀰因，而絲毫不論這對於宿主人類的成本或利益。

多數人文學者看不起瀰因學，認為這只是非專業人士用了一個粗糙的生物學類比，試圖解釋文化的進程。然而，同樣這批人文學者卻有許多人擁抱了瀰因學的雙胞胎兄弟：**後現代主義**。對於後現代主義思想家來說，文化的基石不是瀰因，而是「話語」。只是他們也同意，文化傳播時並不考慮人類的利益。例如，後現代主義思想家將民族主義形容成一種致命的瘟疫，於十九到二十世紀在全世界流傳，引起戰爭、壓迫、仇恨和種族滅絕。只要有某個國家的人受到感染，鄰國的人就也有可能感染這種病毒。雖然民族主義病毒讓自己看起來對全人類有利，但其實主要還是對自身有利。

在社會科學領域中，**賽局理論**（game theory）也常有類似的論點。賽局理論告訴我們，在有多位參與者的時候，某些概念和行為模式可能對「所有」參與者都有害、無一倖免，但這些概念和行為模式就是有辦法繼續存活下去。

軍備競賽就是一個著名的例子。很多時候，各國的軍備競賽只會拖垮所有彼此對立的國家，並不會真正改變軍事力量的平衡。巴基斯坦買了先進戰機，印度就立刻跟進。印度發展核彈，巴基斯坦也有樣學樣。巴基斯坦擴編海軍，印度就立刻仿效。在這一切過程結束的時候，雙方權力平衡很可能根本和過去沒什麼改變，但原本可用於教育或醫療的數十億美元經費，就這樣浪費在武器上了。然而這種軍備競賽的發展，勢難抗拒。軍備競賽就是一種行為模式，像是病毒一樣，從一個國家傳到另一個國家，傷害了所有人，只對行為模式本身有利，符合演化論上繁衍、複製的要求。（在此一提，軍備競賽也像「自私的基因」一樣，本身並沒有意識，並不是自覺的在尋求生存和繁殖。其傳播是在難以阻擋的發展下，一個意外的結果。）

　　於是，無論我們把歷史發展的動力稱為賽局理論、後現代主義或瀰因學，「提升人類福祉」絕不是主要目標。並沒有證據顯示，史上最成功的文化就一定是對智人最好的文化。而就像演化一樣，歷史的演進並不在意生物個體是否幸福。至於對個別的人類來說，即使受到了歷史演進的影響，但通常一方面太過無知、一方面又太過軟弱，因此無力改變。

▌歷史的偶然

　　歷史就這樣，從一個叉路走到下一個叉路，而選擇走某條道路而非另一條的原因，總是神祕而不得而知。大約在西元1500年，歷史做出了最重大的選擇，改變的不只是人類的命運，而是地球上所有生命的命運。我們將它稱為「科學革命」。

　　科學革命始於西歐，這裡可說只是亞非大陸的一個巨大半島，在這之前並未在歷史上發揮重大作用。但為什麼科學革命是出現在此，而不是出現在中國或印度？又為什麼是第二個千禧年的中葉，而不是兩百年之後、或是三百年之前？這一切，我們都不知道。學者已經提出數十個理論，但都不特別具有說服力。

　　歷史有太多的可能性，而許多的可能性最後都未成真。我們不難想像，歷史其實很有可能就這樣一代又一代的過去，從未發生科學革命。我們也不難想像，就算沒有基督教、沒有羅馬帝國、沒有金幣，歷史還是會繼續發展下去。

第四部

科學革命

22. 美國新墨西哥州阿拉莫戈多（Alamogordo），1945年7月16日早上5點29分53秒。這是第一顆原子彈引爆八秒後的影像。核物理學家歐本海默在看到這場爆炸之後，引述了《薄伽梵歌》的詩文：「現在我成了死神，世界的毀滅者。」

第 **14** 章

發現自己的無知

　　假設有個西班牙農民，在西元 1000 年沉沉睡去，等到他醒來的時候，已經過了五百年。雖然這時哥倫布的水手已經登上新大陸，但他看看四周的世界，還是會感到十分熟悉。這時的科技、禮儀和國界都有許多不同，但這位做了個李伯大夢的中世紀農民，仍然能有家的感覺。然而，如果是某位哥倫布的水手做了這場大夢，醒來的時候聽到的是二十一世紀的 iPhone 鈴聲，他會發現自己處在一個完全陌生、無法理解的世界。他很可能會問自己：「這是天堂嗎？還是地獄？！」

　　在過去五百年間，人類的力量有了前所未有的驚人成長。西元 1500 年時，全球智人的人口大約有 5 億，今天已經到了 70 億。[68]人類在 1500 年生產的商品和服務，總共約合現值 2,500 億美元，[69]但今天每年生產的總值約為 60 兆美元。[70] 在 1500 年，全人類每天總共約消耗 13 兆卡路里，但今天每天要消耗 1,500 兆卡路里。[71]（看看上述這些數字：人口增加了 14 倍，生產增加 240 倍，消耗的能量增加了 115 倍。）

假設有一艘現代戰艦回到了哥倫布的時代，只要幾秒鐘就能摧毀整支哥倫布的船隊，更能輕鬆擊沉當時所有世界強權的海軍，自己連個刮痕都不會有。只要有五條現代的貨櫃船，就能承載當時全世界所有船隊所運的貨物。[72] 只要有一部現代電腦，就能儲存中世紀所有圖書館裡全數抄本和卷軸的資訊，而且還剩下許多空間。就算把所有現代之前的王國的財產數量全部相加，也比不上現在世界上任何一家大型跨國銀行的資產。[73]

　　在西元1500年，有幾個城市人口已經超過十萬，多數建材使用泥土、木材和稻草；只要有三層樓的建築，就已經算是摩天大樓。街道是有車轍的泥土路，夏天塵土飛揚、冬天泥濘不堪，街上滿滿的是行人、馬匹、羊隻、雞隻，以及少數的運貨馬車。城市裡最常聽到的噪音是人聲和動物聲，偶爾還會聽到錘子和鋸子的聲響。日落時分，城市景觀是一片黑，只有偶爾能見到幾點燭光，或是火把閃爍。如果這種城市的居民看到了現在的臺北、紐約或孟買，他會怎麼想？

　　在十六世紀以前，從來沒人繞地球航行一周。直到1522年，麥哲倫的船隊歷經72,000公里的旅程，終於回到西班牙，才完成了環球壯舉。這趟旅程耗時三年，幾乎所有探險隊員都在途中喪生，麥哲倫也是其中一員。而到了1873年，在科幻小說家凡爾納（Jules Verne）的想像中，富有的英國探險家福格（Phileas Fogg）可以只花80天，就環遊世界一周。然而到了今天，只要有中產階級的收入，任何人都能夠在48小時內，輕鬆又安全的完成環球大業。

　　在西元1500年，人類還被局限在地面上。雖然可以蓋起高塔、爬上高山，但天空仍然是專屬於飛鳥、天使和神的領域。而到了1969年7月20日，人類登陸月球。這不只是一項歷史成就，更是

一項演化上、甚至是宇宙間的壯舉。在過去四十億年地球生命演化期間，沒有任何生物能夠離開大氣層，更不用談要在月球上留下手印或足跡了。

在地球上，微生物占了全部生物大約99.99%，但人類要到非常晚近，才對微生物有所認識。這並不是因為微生物與我們無關，相反的，我們每個人身上都有數十億個單細胞生物，而且還不只是搭搭便車的關係。微生物可說是我們最好的朋友、也常是最致命的敵人。有些微生物可以幫助消化、清理腸道，而有些則會造成感染、導致疾病。一直要到1674年，才有人第一次真正看見了微生物。當時，荷蘭商人雷文霍克（Anton van Leeuwenhoek）自製了一臺顯微鏡，用來觀察一滴水，看到裡面有許多小生物動個不停，讓他大吃一驚。在隨後的三百年間，人類才開始認識了許許多多微生物的物種。時至今日，我們已經能夠治療大多數由微生物造成的致命傳染病，也能夠將微生物用於醫療和產業用途，譬如我們可以用細菌來製藥、生產生物燃料，或是殺死寄生蟲。

然而，如果要在過去五百年間，挑出最重大、最具代表性的一刻，必定就是1945年7月16日上午5點29分45秒。就在這一秒鐘，一群美國科學家在新墨西哥州阿拉莫戈多，引爆了第一顆原子彈。從這時開始，人類不僅有了改變歷史進程的能力，更有了結束歷史進程的能力。

共生循環

將人類帶到阿拉莫戈多、帶上月球的這段歷史進程，正是「科學革命」的一部分。在這場革命中，人類因為將資源投入科學研

究，取得了巨大的新力量。之所以說這是一場革命，是因為一直到
大約西元1500年之前，全球人類還不相信自己能在醫療、軍事和經
濟方面再有什麼突破。政府和富有的贊助者雖然也會將資金投入教
育和獎學金，但一般來說只是為了維持現有能力，而不是取得新的
能力。典型的「前現代」統治者會贊助牧師、哲學家和詩人，目的
是請他們讓他的統治基礎正當化，並且維護社會秩序，而不是要他
們發明新的藥物、武器，或是刺激經濟成長。

　　但是在過去的五百年中，人類愈來愈相信，可以倚靠投資科學
研究來提升人類的能力。而且這不只是盲目的信仰，而是經過了反
覆的證明。隨著證據愈來愈多，手中握有資源的富人和政府也就愈
來愈願意投資科學。如果沒有這些投資，人類永遠不可能在月球上
漫步，不可能操縱微生物，更不可能分裂原子。以美國政府為例，
最近數十年投入數十億美元從事核物理研究。靠著相關研究，美國
得以興建核電廠，為美國產業提供廉價的電力，而產業又能納稅給
美國政府，政府再撥其中一部分經費，繼續研究核物理。

科學革命的回饋循環。科學需要的不只是研究本身要有進展，更需要科
學、政治和經濟彼此相互強化。如果沒有政治和經濟組織提供資源，科
學研究幾乎就不可能成功。反過來說，科學研究也為贊助者帶來新的能
力，讓他們能夠取得新的資源，而部分就會再用來研發新的能力。

為什麼現代人愈來愈相信，自己能夠靠著研究取得新的能力？又是什麼促成了科學、政治和經濟的結合？本章先著重在現代科學的獨特性，以提供部分解答。接下來的兩章會再探討科學、歐洲帝國、資本主義經濟三者之間如何形成聯盟。

「無知」的革命

至少在認知革命之後，人類就很希望能瞭解這個世界。我們的祖先投入大量時間精力，希望能找出支配自然界的法則。然而，現代科學與先前的知識體系有三大不同之處：

第一、願意承認自己的無知。現代科學的基礎就是拉丁文字首 ignoramus-，意為「我們不知道」。從這種立場，我們承認了自己並非無所不知。更重要的是，我們也願意在知識進展之後，承認過去相信的可能是錯的。於是，再也沒有什麼概念、想法或理論，是神聖不可挑戰的。

第二、以觀測和數學為中心。承認無知之後，現代科學還希望能獲得新知。方式則是透過蒐集各種觀測數據，再用數學工具整理分析，形成理論。

第三、取得新能力。光是創造理論，對現代科學來說還不夠。它希望能夠運用這些理論來取得新的能力，特別是發展出新技術。

科學革命並不是「知識的革命」，而是「無知的革命」。真正讓科學革命起步的偉大發現，就是發現「人類對於最重要的問題其實毫無所知」。

對於像是伊斯蘭教、基督教、佛教、儒教這些前現代知識體系來說，它們假設世上所有重要的事情都已經為人或為神所知。這些

全知者可能是某些偉大的神祇、某個全能的神、或是某些過去的智者，透過經典或口傳，將這些智慧傳給後人。對於尋常百姓而言，重點就是要鑽研這些古籍和傳統，正確加以理解，就能獲得知識。在當時，如果說《聖經》、《古蘭經》或《吠陀經》居然漏了某些宇宙的重大祕密，而這個祕密又居然能被一般血肉之軀的人給發現，這簡直是不可思議的事。

對古老的知識體系來說，只會承認兩種無知。第一種，「個人」可能不知道某些重要的事。要取得必要的知識，他該做的就是去問問那些更聰明的人，而不是去尋找什麼還沒有人知道的事。例如，如果有一位十三世紀的英格蘭農夫，想知道人類究竟是怎麼來的，他會認為基督教知識體系一定能有明確的答案。所以，他該做的就是去請問當地的牧師。

第二種無知，是「整個知識體系」可能不知道一些「不重要」的事。就當時的定義來說，偉大的神祇或智者都懶得告訴我們的，一定是不重要的事。例如，假設我們這位英格蘭農民又想知道蜘蛛是怎麼結網的，他去問牧師也沒用，因為任何的基督教經典都不會提到這個問題的答案。然而，這絕對不代表基督教有什麼缺陷，反而是代表蜘蛛怎麼結網這件事根本不重要，人類無須知道。畢竟，上帝一定知道蜘蛛怎麼結網，而如果這件事這麼重要、會影響到人類的繁榮和救贖，上帝怎麼可能不在《聖經》裡面有完整的解釋？

基督教並不會禁止民眾研究蜘蛛。但研究蜘蛛的學者（如果中世紀歐洲真的有人研究蜘蛛的話）就必須有心理準備，知道自己在社會裡就是處於邊緣角色，而且不管研究結果為何，基督教永遠都是對的。所以，不管學者研究的是蜘蛛、蝴蝶，還是加拉巴哥雀，都只會被視為無關痛癢的事，並不會影響到社會、政治和經濟的基

本真理。

事實上，事情永遠沒有那麼簡單。就算是最虔誠、最保守的時代，還是會有人認為，一定有什麼「重要的事」，是「整個知識體系」不知道的。但這種人常常就會被邊緣化或遭到迫害；但也有可能，他們就會開創一個新的知識體系，開始宣稱只有他們才知道所有該知道的事。舉例來說，穆罕默德宗教生涯的第一步，就是譴責他的阿拉伯同胞，說他們對於真正神聖的真理一無所知。但很快的，穆罕默德就宣稱只有自己知道全部的真相，而信眾也開始稱呼他為「先知的封印」（意為最後一位先知）。於是，所有的啟示當然也就是到了穆罕默德為止，再也沒什麼重要的了。

▌不知為不知，是知也

現代科學是一套獨特的知識體系，獨特之處就在於公開承認這「整套體系」都對一些「最重要的問題」一無所知。達爾文從來沒有說過自己是「生物學家的封印」、說自己已經完全解開了生命的謎團。經過幾個世紀的大規模科學研究，生物學家承認，他們還是無法完整解釋為什麼大腦能夠產生意識。物理學家也承認，他們不知道什麼引起了宇宙大霹靂，也不知道如何讓量子力學與廣義相對論能夠統合起來。

也有些時候，因為不斷有新證據出現，各種科學理論也就互相交鋒、戰火熱烈。一個典型的例子，就是究竟哪一種計量經濟模型最好。雖然每個計量經濟學家都可能會說自己的模型最恰當，但每次出現金融危機和股市泡沫，我們就會看到主流改變；目前一般公認，我們還是不知道最佳的計量經濟模型究竟為何。

還有些時候，因為現有的證據強力支持某些理論形成主流，於是其他理論就遭到冷落。雖然我們一般認定主流理論為真，但每個人也都同意，如果新證據出現而與主流理論相違背，主流理論也就需要修正、甚至是淘汰。

　　現代科學願意承認自己的無知，使得它比所有先前的知識體系更具活力、更有彈性，也更有求知欲。這一點大幅提升了人類理解世界如何運作的能力，以及創造新科技的能力。然而，這也給人類帶來一個祖先多半無須面對的嚴重問題。就現在這個體系而言，我們假設自己並非無所不知、現有的知識也並未拍板定案；但這也同樣適用於那些讓數百萬人得以有效合作的虛構故事。如果證據顯示許多這些故事都大有問題，社會豈不是要崩潰了？要怎樣才能讓社會、國家和國際體系繼續維持運作？

　　正因如此，現代世界想要繼續維持社會和政治秩序的穩定，只能倚賴兩種不科學的方法，別無其他選擇：

　　第一、雖然採用科學理論，但必須違反一般科學的做法，對外宣稱這就是絕對的真理。納粹和共產黨就是採用這種方式，前者聲稱他們的種族政策是來自生物學事實的推論，後者則聲稱馬克思和列寧已經得到了絕對的經濟真理，絕不可能被推翻。

　　第二、不採取科學方法，直接訴諸「非科學的絕對真理」。這一直是自由人文主義（見第259頁）的策略。自由人文主義的基礎在堅持主張天賦人權，但很尷尬的是，對智人的科學研究並不認同這種看法。

　　但我們也不該太過驚訝。畢竟，科學還是得倚靠種種宗教和意識型態的信仰，才能取得經費，並將研究正當化。

　　不論如何，現代文化已經比過去任何文化都更願意承認自己的

無知。而現代社會之所以還能夠維繫，原因之一就在於對科技和科學研究方法的信任，這幾乎成了類似宗教的信仰，甚至在一定程度上也取代了對「絕對真理」的信念。

▋科學教條

現代科學沒有需要嚴格遵守的教條，但研究方法有一個共同的核心：蒐集各種實驗觀測資料（或至少是用我們的感官觀察到的現象），並以數學工具整理。

人類從歷史一開始，就不斷進行觀察和觀測，但成果常常十分有限。畢竟，如果我們覺得已經有了所有問題的答案，為什麼還要浪費資源進行新的觀測？然而，隨著現代人們開始承認自己在某些非常重要的問題上幾近無知，就會覺得需要尋找取得全新的知識。因此，主流的現代研究方法就會預設舊知識有所不足，而且這時候的重點不在於研究舊的知識體系，而是要強調新的觀測、進行新的實驗。如果現在觀測到的現象與過去的傳統知識體系相衝突，我們會認為現在的觀測結果才是正確的。

當然，如果是研究遙遠星系的天文學家、研究青銅時期城市的考古學家、或是研究資本主義誕生過程的政治學家，就不會忽略傳統知識體系。他們會研究過去的智者究竟寫了什麼、說了什麼。但不論是想當天文學家、考古學家、還是政治學家，在讀大學的第一年，就會有教授殷切的告訴他們，要把目標放在*超越*愛因斯坦、施利曼（Heinrich Schliemann, 1822-1890）和韋伯（Maximilian Weber, 1864-1920）所告訴我們的知識上。

使用數學語言

然而，光是觀測並不足以成為知識。為了要瞭解宇宙，我們必須整理各種觀測數據，整理分析成為完整的理論。早期的知識體系常常是用「故事」構成理論，而現代科學用的則是「數學」。

例如在《聖經》、《古蘭經》、《吠陀經》或是儒家經典裡，我們很少看到有圖表或計算公式。傳統的神話、各家經典裡，講到所謂放之四海皆準的通則，都是用文字敘述，而不是用數學公式。舉例來說，摩尼教提出的基本原則認為：世界是善與惡的戰場，惡的力量創造了物質，善的力量創造了精神，而人類就處於這兩股力量之間，應該從善棄惡。然而，摩尼教的先知摩尼（Mani）並沒有用什麼公式來告訴我們，善惡兩方各自擁有多少力量、人類應該據以做什麼選擇。摩尼從來沒有計算過什麼「作用在人身上的力量，等於精神的加速度乘以身體的質量」。

但這正是科學家的目標。在1687年，牛頓發表了《自然哲學的數學原理》，這本書可說是劃時代的最重要著作。牛頓在書中提出三大運動定律，只要用三個非常簡單的數學公式，就能夠解釋和預測宇宙中所有物體的運動，包括從樹上掉落的蘋果、或是墜落人間的流星：

(1) $\sum \vec{F} = 0$

(2) $\sum \vec{F} = m\vec{a}$

(3) $\vec{F}_{1,2} = -\vec{F}_{2,1}$

從此之後，任何人想要瞭解炮彈或行星是如何運動、又會落向何方，只要測量一下物體的質量、運動方向、加速度、作用力，把這些數據填入牛頓的方程式，答案簡直就像魔術一樣躍於眼前。一直要到十九世紀末，科學家才觀測到有某些狀況並不符合牛頓運動定律，於是帶來下一波物理理論的革命：相對論和量子力學。

牛頓告訴我們，大自然這本書所用的書寫語言是數學。某些章節可以總結成某一條明確的方程式。也有些學者想仿照牛頓，將生物學、經濟學和心理學整理成簡單的公式，卻發現這些領域實在太複雜，不可能依樣畫葫蘆。然而，這並不代表他們就放棄了數學。在過去兩百年間，為了處理現實中更複雜的層面，數學發展出一個新的分支：統計學。

1744年，有兩位蘇格蘭長老會的教士——韋布斯特（Alexander Webster）和華萊司（Robert Wallace）打算成立一支壽險基金，為神職人員的遺孀和孤兒提供補助。他們建議教會的每一位牧師都將收入提撥一部分進入基金，基金用這筆錢從事投資。如果牧師過世，遺孀就能從基金的獲利中取得分紅，她的餘生也有了保障。然而，兩位教士必須先知道基金規模多大，才足夠完成這種目標。韋布斯特和華萊司必須預測每年大約會有多少牧師過世、留下幾位孤兒寡母，以及這些寡婦在丈夫過世後還會活幾年。

我們先來提一下這兩位教士「沒有做」什麼。他們沒有向上帝祈求告訴他們答案，沒有在《聖經》或古代神學家的作品中遍尋解答，也沒有提出抽象的哲學爭論。畢竟，蘇格蘭人本來就是很務實的民族。那他們「有做了」什麼？他們聯絡了愛丁堡大學數學教授馬克勞林（Colin Maclaurin）；他們蒐集了民眾過世年齡的資料，用以計算在某一年裡可能有幾位牧師過世。

這些計算要歸功於當時不久前，發生在統計與機率等領域的幾項突破。其中之一是雅各·白努利（Jacob Bernoulli）的**大數法則**（Law of Large Numbers）。白努利認為，雖然某些單一事件（例如某個人死亡）難以準確預測，但只要有了許多類似事件，用平均結果來預測就能相去不遠。換句話說，雖然馬克勞林無法用數學預測韋布斯特和華萊司是不是明年就會過世，但只要有足夠的資料，他就能告訴韋布斯特和華萊司，明年很可能有多少位蘇格蘭長老教會牧師過世。幸運的是，他們手上已經有現成的數據。哈雷（Edmond Halley）在五十年前就已經發表了相關的精算表，正好派上用場。（哈雷分析了德國布雷斯勞市的1,238件出生、1,174件死亡紀錄，讓我們看到某個二十歲的人死在某一年的機率是1:100，而五十歲的人則是1:39。）

　　整理這些數字之後，韋布斯特和華萊司取得結論：平均而言，蘇格蘭通常有930位長老教會牧師，每年過世27位，而其中有18位會留下遺孀。在沒有留下遺孀的幾位中，有5位會留下孤兒，至於有遺孀的，也有2位可能有不到十六歲的孩子。他們還計算出遺孀有可能在多久之後過世或再婚（這種時候便停止補助）。有了這些數據之後，韋布斯特和華萊司就能判斷，加入基金的牧師每人每年該提撥多少錢，為自己的親人打算。當時，如果牧師年繳2英鎊12先令又2便士，他的遺孀便能一年得到10英鎊，這在當時可是一大筆錢。而如果投保的牧師認為這還不夠，可以選擇年繳6英鎊11先令3便士，遺孀一年就能得到25英鎊，生活將更為優渥。

　　根據他們的計算，到了1765年，這個「蘇格蘭教會牧師遺孀及孩童撫卹基金」總資本會有58,348英鎊。事後證明，他們的計算準確到不可思議。到了這一年，基金總資本為58,347英鎊，只比預測

少了1英鎊！這可是比所有宗教先知的預言都準確太多了。時至今日，他們的基金簡稱為「蘇格蘭遺孀基金」（Scottish Widows），是全球最大的退休金和保險公司之一，總資產高達1,000億英鎊。現在任何人都能夠購買該公司的保單，而不是只保障蘇格蘭的遺孀。[74]

　　這兩位蘇格蘭神職人員所用的機率計算，後來不僅成了精算學的基礎（這是退休金和保險業務的核心），也成了人口統計學的重要概念（人口統計學則是由聖公會的牧師、提出《人口論》的馬爾薩斯所建立）。接著，人口統計學又成了達爾文（他也差點成了英國聖公會的牧師）建立演化論的基礎。雖然沒有公式能夠預測某種條件下什麼樣的生物可能演化，但遺傳學家還是能夠利用機率計算，瞭解某個特定族群產生特定突變的可能性。

　　這樣的機率模型已經成了經濟學、社會學、心理學、政治學和其他社會科學及自然科學的基礎。就算是物理學，以牛頓為代表的古典力學在解釋電子的運動狀態時，也是力有未逮，必須以量子力學的「機率雲」概念來說明。

▍走向精確科學

　　只要看看教育的歷史，就能知道數學和統計學的進展對人類有多大的影響。一直以來，數學就是一門深奧的學問，就算是知識份子也很少真的全心投入。在中世紀的歐洲，教育的核心是邏輯、語法、修辭，而數學教育通常就只是簡單的算術和幾何學。沒有人研究統計學這件事。而神學無疑是所有學科中的王道。

　　但到了今天，修辭學乏人問津，邏輯只剩哲學系繼續捧場，神學只剩神學院大力支持。但有愈來愈多的學生有興趣、或是被迫得

修習數學。走向**精確科學**（exact science）的趨勢勢不可擋，而所謂
「精確」，正是因為使用了數學工具。就算是語言學或心理學這種
傳統上屬於人文領域的學科，現在也愈來愈依賴數學，並試圖讓自
己看起來有精確科學的樣子。統計學現在已經不只是物理學和生物
學的必修課，連心理學、社會學、經濟學和政治學也同樣需要。

　　譬如在我任教的希伯來大學，心理系列出的第一項必修課就是
「心理學研究之統計學與方法論概論」。到了第二年，心理系學生
還必修「心理學研究之統計方法」。如果你告訴孔子、釋迦牟尼、
耶穌和穆罕默德，要先學會統計，才能瞭解人的心靈、治癒人的疾
病，他們一定會覺得一頭霧水。

▌知識就是力量

　　對大多數人來說，要消化瞭解現代科學並不容易，因為對人腦
來說，這種數學語言很難掌握，而且其結果常常與一般常識互相牴
觸。在全球七十億人口中，有多少人真的瞭解量子力學、細胞生物
學或總體經濟學？儘管如此，因為科學為人類帶來太多新的能力，
也就享有崇高的地位。雖然總統和將軍可能自己不懂核物理，但他
們對於核彈能做什麼事，可是瞭若指掌。

　　1620年，培根發表了名為《新儀器》的科學宣言，提出「知識
就是力量」。對於「知識」的考驗，不在於究竟是否真實，而在於
是否能讓人類得到力量或權力。科學家一般公認，沒有任何一種理
論百分之百正確。因此用「真實」與否來為知識評分，並不妥當。
真正的考驗就是實用性。能讓我們做出新東西來的，就是知識。

　　幾個世紀以來，科學為人類提供了許多新的工具。有些是思考

的工具，像是能夠用於預測死亡率和經濟成長率；但更重要的是技術工具。科學（science）和技術（technology）的關連實在太過密切了，往往讓許多人將這兩者混為一談。我們常常會認為，沒有科學研究，就無法發展出新技術，而如果不會產生新技術，科學研究也就沒有意義。

但事實上，科學和技術是在最近才開始緊密相連的。西元1500年以前，科學和技術還是兩個完全不相干的領域。培根在十七世紀將這兩者接軌的時候，其實是革命性的想法。兩者的關係在十七世紀和十八世紀更趨緊密，但要到了十九世紀才真正孟不離焦。即使到了1800年，當時多數的統治者都希望能有一支強大的軍隊，多數的商業大亨也都希望能擁有蓬勃的企業，但他們都還完全不會想到要為物理學、生物學、經濟學等研究提供資金。

當然，史上並不是沒有例外。只要是優秀的歷史學家，絕對都能找出例外情況；但如果是更優秀的歷史學家，就會知道這些例外只是出於某些人一時的好奇，不應該因此影響對大局的判斷。一般來說，前現代的統治者和商人想取得新技術的時候，多半並不是將資金投入研究宇宙的本質，而多數的思想家也不會想把他們的發現發展成技術上的小工具。統治者資助教育機構，目的只是為了傳播傳統知識、強化現行秩序。

雖然在過去也常有人發展出新技術，但通常是一些未受過教育的工匠、不斷嘗試錯誤而產生，而不是學者經由系統化的科學研究得到的成果。運貨馬車的製造商，每年會用一樣的材料，製作出一樣的車，並不會把每年賺錢的一定比例，投入研發新型馬車。雖然馬車的設計偶爾也會有改善，但通常是因為當地某個木匠天縱英才，而且他常常一步也沒進過大學，很可能大字也不識一個。

不僅民間如此,公部門也一樣。在現代國家裡,從能源、醫療到廢棄物處理,國家幾乎都會要求由科學家提出解決辦法,然而這在古代的王國裡很少出現。古今比較,最明顯的差別就在於武器裝備。1961年,即將卸任的美國總統艾森豪,對於軍事與產業結合、勢力不斷膨脹的情形提出警告,但他的說法並不完整。除了軍事和產業,科學也是其中一份子,因為今日的武器正是科學的產物。許多科學研究和技術發展,正是由軍事所發起、資助及引導。

　　在第一次世界大戰陷入無止境的壕溝戰時,雙方都是寄望科學家能夠打破僵局,拯救自己的國家。這些穿著實驗衣的人,響應了這項號召,從實驗室裡大量推出各種令人咋舌的新式武器:戰機、毒氣、坦克、潛艇,比以往效能更高的機槍、大炮、步槍和炸彈。

　　到了第二次世界大戰,科學的重要性更是一日千里。1944年底,德國節節敗退,戰敗已經近在眼前。一年前,德國人的盟友義大利,也已經推翻了墨索里尼,向同盟國投降。然而,即使英美俄三國聯軍步步進逼,德國還是不斷頑強抵抗。之所以德國軍民還是能夠維持一線希望,就是因為他們相信德國科學家,即將推出如同奇蹟般的新武器,像是V2火箭和噴射機,力挽狂瀾。

　　不過,德國人在研發火箭和噴射機方面雖然頗有成果,美國曼哈頓計畫卻已經將原子彈研發成功。1945年8月初,原子彈製造完成,雖然德國已經投降,但日本還在負隅頑抗。美國軍隊作勢攻入日本本土。日本誓死抵抗,準備決一死戰,而且這絕非裝腔作勢。美國將領告訴杜魯門總統,如果真要攻入日本本土,必然有超過百萬美國士兵喪命,戰爭也必然會拖進1946年。於是,杜魯門決定使用這款新型炸彈。8月6日及9日,兩枚原子彈分別投下廣島與長崎,之後日本宣布無條件投降,戰爭就此結束。

▌只是奇技淫巧？

然而，科學除了是攻擊性武器，也可能提供防禦的功能。今天有許多美國人相信，解決恐怖主義的關鍵不在政治，而是科技。他們相信，只要在奈米科技產業再投入幾百萬美元，美國就能研發出類似仿生間諜蒼蠅的裝置，前往每個阿富汗的山洞、葉門的碉堡、或是北非的軍營。只要夢想成真，賓拉登的繼任者就算只是泡杯咖啡，中情局的間諜蒼蠅也能瞭若指掌，立刻將這個重要訊息傳回中情局本部。美國人也相信，只要在大腦研究再投入幾百萬美元，就能在每座機場配備超精密的腦波掃描器，偵測種種憤怒和仇恨的思想。

這些科技會成真嗎？沒有人知道。開發這些間諜蒼蠅或思想掃描器，真的是明智的做法？這也在未定之數。儘管如此，就在你讀著這幾行字的時候，美國國防部很可能就投入了數百萬美元，研發相關的奈米技術、資助相關的大腦實驗，推動相關的種種研究。

從坦克、原子彈到仿生間諜蒼蠅，一般人可能想不到的是，這種對於軍事科技的迷戀，其實到了近代才出現。在十九世紀前，軍事上的主要變革都在於組織，而不是科技。在不同文明第一次接觸時，科技差距有時候影響重大，但即使如此，卻很少人認真想過要刻意製造或擴大這種差距。大多數的帝國之所以興起，並不是因為有了形同巫術般的科技，而且統治者也並未認真思考要提升科技。阿拉伯人能夠打敗波斯帝國，並不是因為弓或劍更為優良；土耳其人能夠打敗拜占庭，並不是科技上占了什麼優勢；蒙古人征服中國，靠的也不是什麼巧妙的新武器。事實上，以上這些戰敗國的軍事和民生科技，其實都有過之而無不及。

羅馬軍隊是特別好的例子。這是當時最強的軍隊，但就科技上來說，羅馬並不比迦太基、馬其頓或塞琉西王國占有優勢。羅馬軍隊的優點在於有效率的組織、鐵一般的紀律，以及龐大的後備人力。羅馬軍隊從來沒有研發部門，在幾世紀間，所用的武器大致上並無不同。前面提過，小西庇阿（見第213頁）曾在西元前二世紀率大軍攻下努曼提亞，將迦太基夷為平地，而如果他的軍隊穿越時空來到五百年後的君丁坦丁在位期間，小西庇阿戰勝的機率仍然很高。然而想像一下，就算已到了十六世紀至十八世紀的近代初期，如果把康熙皇帝的軍隊帶到現代，要和中國解放軍一較高下，情況會是如何？雖然康熙文治武功均高，手下也有一批猛將，但在現代武器裝備面前，都將不堪一擊。

無論是在古羅馬或是古中國，多數的將領和哲學家都不認為研發新武器是自己的責任。然而，中國史上最偉大的發明就包括了火藥。而就目前所知，火藥的發明其實是一場意外，原本的目的是道士想煉出長生不老藥來。而從火藥後來的發展，就更能看出這種趨勢。有人可能會認為，有了這些道教煉丹術士，中國就要稱霸全球了。但是火藥這種全新化合物，在中國的主要用途只是鞭炮而已。就算是蒙古大軍已經兵臨城下，也沒有哪個宋朝皇帝急著建立起中世紀的曼哈頓計畫，發明某種末日武器來拯救宋朝。一直要到大約十五世紀（火藥發明約六百年後），大炮才成了亞非大陸上，戰爭勝敗的決定性因素。

打從一開始，火藥就有了能夠攻城略地的潛力，但為什麼要花了這麼久，才付諸軍事用途？原因就在於，火藥剛發明的時候，不論是皇帝、文人或是商人，都沒有想到新的軍事科技能夠救國、或是致富。

情況一直要到十五、十六世紀才有所改變，但又要再過兩百年後，才有證據顯示統治者確實已經願意將資金投入新武器的研發。在當時，後勤對戰爭的影響仍然遠大於科技。拿破崙在1805年的奧斯特利茨（Austerlitz）戰爭大破俄奧聯軍，但他所用的武器其實和不久前被送上斷頭臺的路易十六，並無太大不同。拿破崙本人雖然是炮兵出身，卻對新武器的興趣不大。科學家和發明家曾希望說服他撥款研發飛行器、潛艇和火箭，他仍然意興闌珊。

一直要到資本主義體制和工業革命登場，科學、產業和軍事科技才開始了水乳交融的關係，從此世界急速全然改觀。

▌科技扮演現代救世主

在科學革命之前，多數人類文化都不相信人類還會再進步。他們覺得黃金時代屬於過去，整個世界只會停滯不前，最擔憂的是世風日下、人心不古。如果恪遵祖宗智慧，或許能夠再次喚回過去的美好時光；如果發揮今人智慧，或許也能勉強改善日常生活某些面向。然而，一般都不相信人類知識能夠克服世界上最重大的問題。如果連穆罕默德、耶穌、釋迦牟尼、孔孟聖賢這些全知者都沒辦法解決饑荒、疾病、貧窮和戰爭，我們這些平凡人又怎麼做得到呢？

許多信仰相信，總有一天會出現某位救世主，解決一切戰爭、饑荒、甚至死亡。但是如果說到人類可以靠著發現新知識、發明新工具就解決一切問題，就會被認為不只是可笑，更是狂妄自大。無論是《聖經》創世記中的巴別塔、希臘神話的伊卡魯斯、或是猶太傳說的活假人（Golem），這些神話故事都一再告誡人類，不要企圖超越人類的極限，否則只會災難加身。

等到現代文化承認自己對許多重要的事還一無所知，又發現科學研究可以帶給我們新力量，人類開始思索，覺得確實還有可能真正進步。隨著科學開始解決一個又一個過去認為無法解決的問題，許多人也開始相信，只要取得並應用新知，人類就能解決所有的問題。貧困、疾病、戰爭、饑荒、年老和死亡，看來都已不再是人類必然的命運，而只是無知造成的限制。

一個著名的例子就是閃電。在許多文化裡，都認為閃電是憤怒的雷神之錘，用來懲罰罪人。但在十八世紀中葉有了一場科學史上最著名的實驗，富蘭克林在一陣雷雨中放風箏，希望驗證閃電是否只是一道電流。透過富蘭克林的實證觀測，再加上他對電力特性的知識，讓他終於發明了避雷針，於是雷神繳械認輸。

貧窮又是另一個例子。在許多文化裡，都認為貧窮是這個不完美世界裡不可避免的一部分。根據新約《聖經》，在耶穌被釘在十字架之前不久，有一個女人拿著一瓶珍貴的香膏來澆在耶穌的頭上，香膏足足價值300德納累斯銀幣。耶穌的門徒認為這麼大一筆錢可以用來賑濟窮人，不該如此浪費，因此有些生氣。但耶穌則為她辯護，說道：「常有窮人和你們同在，要向他們行善隨時都可以；只是你們不常有我。」（馬可福音14:7）。然而到了今天，就算是基督徒，也愈來愈少人會同意耶穌的說法。就現在看來，貧窮愈來愈像是可以處理的技術問題。一般認為，只要以農學、經濟學、醫學、社會學的最新發現為基礎，制定相關政策，就能消滅貧窮。

而且確實，世界上許多地方已經不再有最惡劣的貧窮形式。縱觀歷史，社會上有兩種貧窮：第一、社會性的貧窮，指的是某些人掌握了機會，卻不願意釋出給他人；第二、生物性的貧窮，指的是因為缺乏食物和住所，而使人的生存受到威脅。或許社會性的貧窮

永遠都會存在，無法根除，但在全球許多國家中，生物性的貧窮都已經成了過去式。

在不久之前，大多數人的生活還十分接近生物貧窮線，只要一落到這條線以下，就代表無法得到足以維持生命的熱量。於是只要稍微失算或是一時不幸，就很容易落到線下，面臨餓死的危機。而無論是天災或是人禍，都很可能讓一大群人共同落入這個深淵，造成數百萬人死亡。

但是到了今日，全球大多數人民都有一張安全網：可能是健康保險，可能是社會福利，也可能是當地或國際非政府組織的救援，能讓他們免遭不幸。即使某一地區遭遇重大災難，全球動員的救災工作通常也能避免情況惡化到無可挽回。雖然民眾還是會碰上一些落魄、恥辱、貧病交錯的窘境，但在多數國家裡，都不會再發生飢餓至死的慘劇。事實上，許多社會現在的問題是營養過剩，胖死比餓死的機率更高。

吉爾伽美什計畫

人類所有看來無法解決的問題裡，有一項最為令人煩惱、有趣且重要：死亡。在近代晚期之前，大多數的宗教和意識型態都想當然的認為，死亡是無可避免的命運。此外，多數的信仰也以死亡做為生命意義的主要來源。

想像一下，如果沒有死亡，伊斯蘭教、基督教或是古埃及宗教會變得如何？這些宗教告訴信眾，他們應該和死亡達成一種協議，將重點放在來世，而不是在今生試圖克服死亡、尋求永生。當時最聰明的人才，想的是如何給死亡賦予意義，而不是逃避死亡。

這個主題也出現在現存最古老的神話裡：蘇美人的吉爾伽美什（Gilgamesh）神話。這則神話的主角是烏魯克（Uruk）的國王吉爾伽美什，他英勇善戰，無人能敵。有一天，他最好的朋友恩基杜過世，他坐在遺體旁陪著他許多天，直到看到朋友的鼻孔裡掉出了一隻蛆來。那一刻，吉爾伽美什感到極度驚恐，下定決心要設法戰勝死亡。他接著踏上旅程前往世界的盡頭，途中擊敗獅子、與蝎人作戰，還找到方法進到陰間。到了陰間，他打碎了幾個岩石巨人，遇見陰間的擺渡人烏夏納比，最後找到經歷巴比倫大洪水仍倖存的烏特納比西丁。然而，最後吉爾伽美什的努力仍告失敗，空手而歸。雖然一樣無法避免死亡，但是他增添了幾分智慧。吉爾伽美什體會到，從神創造人類的時候開始，死亡就是人類必然的命運，必須學會接受。

　　如果是進步主義的信徒，就不會接受這種失敗主義的態度。對信奉科學的人而言，死亡絕非必然的命運，不過是科技問題罷了。人之所以會死，可不是什麼神的旨意，而是因為各種技術性問題，像是心臟病、癌症、感染。而每個技術性的問題，都可以找到技術性的解決方案。心律失常的時候，可以用起搏器加以刺激；末期心臟衰竭的病患，可以移植新的心臟。癌症肆虐的時候，可以用藥物或放射治療。細菌感染的時候，可以服用抗生素來解決。

　　確實，現在我們還無法解決所有技術問題。然而，我們正在努力。現在所有最優秀的人才，可不是浪費時間為死亡賦予意義，而是忙著研究各種與疾病及老化相關的生理、荷爾蒙和基因。他們也在開發新的藥物、革命性的新療法以及各種人造器官，這都能讓人的壽命延長，甚至有一天終能擊敗死神。

　　不久之前，不論是科學家或任何人，都還不敢把話說得如此大

膽。他們會說：「打敗死亡？！這話太誇張了。我們只是想醫好癌症、肺結核和阿茲海默症而已。」人們避談死亡，是因為這個目標似乎太虛無縹渺，為什麼要有不合理的盼望呢？然而，現在我們已經可以坦然承認：科學革命的一大計畫目標，就是要給予人類永恆的生命。

▌平均壽命大幅增長

如果覺得永生不死似乎還是太遙遠的目標，可以回想一下，我們現在的醫藥成就，早就是幾世紀以前絕對不敢想像的。1199年，獅心王理查一世不過是被箭射中了左肩。對今天的醫療來說，這不過是輕傷。但是在1199年，沒有抗生素、也沒有有效的殺菌方法，於是輕微的皮肉傷造成感染，形成壞疽。十二世紀的歐洲阻止壞疽的唯一方式就是截肢，但感染在肩膀上，連截肢也不可行。於是，壞疽就這樣在獅心王的身體裡蔓延，眾人無能為力。不過兩星期之後，他就在極度的痛苦中駕崩。

就算到了十九世紀，當時最高明的醫師仍然不知道如何預防感染、避免組織壞死。在戰場上，就算士兵只是肢體受了輕傷，軍醫常常還是立刻截肢，以免壞疽造成嚴重的後果。而且，當時不論是截肢或是其他任何醫療程序（如拔牙），都還沒有麻醉劑可用。最早的麻醉藥（乙醚、氯仿和嗎啡）都是到十九世紀中葉之後，才正式用於西方的醫療之中。在氯仿問世之前，每次要進行截肢，就得用上四名士兵，把受傷的患者牢牢壓住才成。1815年滑鐵盧之役隔日清早，野戰醫院旁邊就因為截肢而有了手腳成堆的景象。在那些時候，徵召入伍的木匠和屠夫常常給調派到軍醫院，畢竟手術需要

的不過就是刀鋸，再無其他。

然而在滑鐵盧之役兩百年後，一切已經截然不同。我們具備各式各樣的藥丸、針劑和複雜的手術，任君挑選，許多在過去必然會造成死亡的疾病和傷口，現在只是小事一件。此外，對於前現代的民眾來說，有許多疾病和疼痛無法可治，只能當作生活中的一部分來接受，但是現在也得以藥到病除。全球人類的平均壽命已經從二十五歲到四十歲，躍升為六十七歲左右，已開發國家的平均壽命更是高達八十歲。[75]

死神軍團受到最大的挫敗，在於兒童死亡率。二十世紀之前，農業社會裡有四分之一到三分之一的孩童，無法活到成年。他們多數都死於兒童期疾病，例如白喉、麻疹和天花。十七世紀的英國，每1,000個新生兒就有150個無法活到一歲，而且有三分之一的兒童無法活到十五歲。[76] 今日，英國每1,000個新生兒只有5個無法活到一歲，只有7個無法活到十五歲。[77]

如果我們先把統計學放在一旁，來講講故事，或許就更能體會到這些數字背後的全貌。有一個很好的例子是英格蘭國王愛德華一世（1237-1307）和埃莉諾王后（1241-1290）一家。他們的孩子可說享有中世紀歐洲的最佳照料，住在宮殿裡，想吃什麼就吃什麼，有足夠的禦寒衣物，有供給無虞的溫暖壁爐，有當時最乾淨的用水，許許多多僕人能使喚，還有最好的皇家醫師。而以下的資料列出了埃莉諾王后從1255年到1284年之間，所生的16個孩子：

一個女兒，不知姓名，出生於1255年，出生時夭折。

一個女兒，取名凱瑟琳，一歲或三歲時夭折。

一個女兒，取名瓊安，六個月時夭折。

一個兒子，取名約翰，五歲時夭折。

一個兒子，取名亨利，六歲時夭折。

一個女兒，取名埃莉諾，得年二十九歲。

一個女兒，不知姓名，五個月時夭折。

一個女兒，取名瓊安，享年三十五歲。

一個兒子，取名阿方索，十歲時夭折。

一個女兒，取名瑪格麗特，享年五十八歲。

一個女兒，取名貝倫加麗亞，兩歲時夭折。

一個女兒，不知姓名，出生後不久夭折。

一個女兒，取名瑪麗，享年五十三歲。

一個兒子，不知姓名，出生後不久夭折。

一個女兒，取名伊莉莎白，享年三十四歲。

一個兒子，取名愛德華。

　　這個小兒子愛德華，不僅是第一個得以活過危險童年的兒子，而且在父王駕崩之後即位，成為英格蘭國王愛德華二世。換句話說，埃莉諾王后嘗試了16次，才終於完成了英格蘭王后最重要的使命：讓丈夫能有一位男繼承人。埃莉諾王后想必是一位耐心卓絕、毅力過人的女性。只不過，愛德華二世挑的王后——法國的伊莎貝拉，就不是這種善良人了。她在愛德華二世四十三歲的時候，將他謀殺。[78]

　　據我們所知，埃莉諾和愛德華一世兩人都十分健康，並沒有將什麼致命的遺傳性疾病傳給子女。然而他們的16個孩子，還是有10個（63%）未能活過兒童期。只有6個活過十一歲，而只有3個（19%）活過四十歲。而且，除了這些確實出生的孩子之外，埃莉

諾王后很有可能還曾經幾次流產。平均而言，愛德華和埃莉諾大約
是每三年就有一個孩子夭折。這種喪子喪女之痛、之頻繁，對今天
的父母而言，簡直難以想像。

▍長生而非不死

　　這項要打敗死亡的吉爾伽美什計畫，會需要多久的時間，才能
達成目標？一百年？五百年？一千年？

　　我們回頭看看，在1900年的時候，我們對人體幾乎是一無所
知，而在二十世紀這一百年裡，竟已得到了多麼大量的知識，因此
我們確實有樂觀的理由。

　　基因工程師最近已經成功的將**秀麗隱桿線蟲**（*Caenorhabditis
elegans*）的平均壽命延長了六倍。[79] 這在智人身上是不是也行得
通？奈米科技專家也正在研發使用數百萬個奈米機器人，打造仿生
免疫系統，讓這些機器人住在我們的身體裡，就能打通阻塞的血
管、抵抗病毒和細菌、消滅癌細胞，甚至逆轉老化的進程。[80] 有幾
位學者很樂觀的認為，到了2050年，就已經能夠讓某些人達到**長生**
（a-mortal）的狀態〔這不等於**不死**（immortal），不死是指完全沒有
死亡的可能〕，只要不是因為意外而受到致命性傷害，就能將生命
無限延長。

　　不論這項吉爾伽美什計畫是否會成功，從歷史的角度來看，就
會發現許多近代晚期的宗教和意識型態，已經不再強調死亡和來世
這兩項元素。在十八世紀之前，各個宗教仍然認為死亡及其影響是
生命意義的核心。但從十八世紀開始的宗教和意識型態，像是自由
主義、社會主義、女權主義，就已經對來世完全失去興趣。對於共

產主義者來說，死後會如何？資本主義者呢？女權主義者呢？如果想從馬克思、亞當‧斯密或西蒙波娃的著作中，找到以上問題的解答，無疑是緣木求魚。唯一讓死亡仍然占據核心的現代意識型態，就是民族主義。在那些絕望到極點、但又充滿詩意的時刻，民族主義就會向人承諾，就算你犧牲了生命，但你會永遠活在國家整體的永恆記憶裡。只不過，這項承諾實在太虛無縹渺，恐怕大多數民族主義者也不知道這究竟說的是什麼意思。

▌科研的恩客

我們活在一個科技時代。許多人相信：有了科技，就能找出所有問題的解答。只要讓科學家和技術研發人員繼續努力，總有一天我們能在地球上創造天堂。然而，科學活動並不是處於某個更高的道德和精神層面，而是也像其他的文化活動，都受到經濟、政治和宗教利益的影響。

科學活動所費不貲。如果生物學家想研究人類免疫系統，就需要實驗室、試管、化學藥品和電子顯微鏡，更別提還需要實驗室助理、水電技師和清潔工人。如果經濟學家想模擬金融市場，就得購買電腦、建立龐大的資料庫，還需要開發複雜的數據處理程式。如果考古學家想瞭解古老的狩獵採集行為，就必須長途跋涉、挖掘遺址，還得為所有的骨骼化石和文物標記日期。這一切都需要經費。

現代科學之所以能在過去五百年間，取得如同奇蹟般的成果，有很大程度必須歸功於政府、企業、基金會和私人捐助者，願意為此投入數十億美元的經費。這數十億美元對於繪製世界地圖、宇宙星圖、以及將整個動物界編目的貢獻，其實遠超過哥倫布、伽利略

和達爾文個人。就算這幾位天才大師從未出生，遲早也會有人得到與他們相同的見解。但如果沒有適當資金，就算再怎麼天縱英明，也是有力難施。舉例來說，如果達爾文從未出生，提出演化論的榮耀就會落到華萊士（Alfred Russel Wallace）頭上，他在不知道達爾文理論的情況下，不過幾年之後，也想出了演化論。然而，如果歐洲列強並未資助世界各地的地理學、動物學和植物學研究，不論是達爾文或是華萊士，都無法得到提出演化論背後所需的實證資料，很有可能他們連做夢都想不到生物會演化。

究竟為什麼會有數十億美元的資金，從政府和企業流進實驗室和大學？在學術界，許多人還天真的相信，這一切都是為了純粹的科學和學術自由。他們認為，政府和企業是基於利他的心態，於是提供經費給他們從事任何他們有興趣的研究。但關於科學研究經費的現實，絕非如此。

科學研究之所以能得到經費，多半是因為有人認為，這些研究有助於達到某些政治、經濟或宗教的目的。例如在十六世紀，國王和銀行業者對於前往世界各地進行地理探勘，可說是揮金如土，但講到要研究兒童心理學，可就一毛不拔了。原因就在於，國王和銀行家認為新的地理知識能夠讓他們征服新的土地、成立貿易帝國，但他們在兒童心理學這一塊，看不到任何利益。

1940年代，美國和蘇俄也投入大量資金研究核物理，而不是水下考古。根據他們推測，研究核物理有助於發展核武，而水下考古對於贏得戰爭，大概沒什麼幫助。科學家本身並不一定會察覺到各種控制金錢流動的政治、經濟和宗教利益；許多科學家確實只是純粹為了求知而研究。然而，真正控制科學發展進度表的，很少是科學家。

就算我們希望贊助純科學研究，避免受到政治、經濟或宗教利益干擾，很有可能還是無法成功。畢竟，人類的資源有限。如果要求美國國會議員，為美國國家科學基金會多撥一百萬美金，好從事基礎研究，國會議員一定會理直氣壯的質問：這筆錢拿來做教師培訓、或是補助他選區某間陷入困境的工廠，不是更能把錢花在刀口上嗎？正因為資源有限，我們就必須回答像是「什麼更重要？」和「怎樣才算花得適當？」這種問題。但這些都不是科學問題。科學能夠解釋的，是這個宇宙存在些什麼、事物如何運作，以及未來可能出現什麼。就定義來說，科學不會假裝自己知道未來「一定」會出現什麼；只有宗教和意識型態會聲稱自己知道這些答案。

與意識型態掛勾

請考慮以下的兩難情境：有來自同一系所的兩位生物學家，擁有同樣的專業技能，都想申請上百萬美元的研究經費。甲教授想研究一種會感染乳牛乳房、造成產乳量降低一成的疾病。乙教授想研究的則是乳牛被迫與後代分開時，是否會造成憂鬱。假設經費很有限，不可能兩者都補助，那麼哪位教授該得到這筆經費？

這個問題沒有出於科學的答案，只有出於政治、經濟和宗教的答案。在目前，顯然甲教授更有可能得到經費。這並不是因為研究牛乳房疾病比牛的心理在科學上更有趣，而是因為能夠從這項研究得益的乳品業，背後的政治和經濟影響力遠大於關心後者的動物保護團體。

或許，如果是在視牛為聖物的印度，或是在某個致力於保護動物的社會裡，乙教授就有更大的勝出機會。然而，如果他所在的社

會更重視的是牛奶的商業利益及人民健康安全，而不那麼重視乳牛的情感需求，他最好還是改寫一下研究計畫，以迎合社會的主流心態。舉例來說，計畫書可以寫道：「乳牛憂鬱將導致產乳量下降。若能瞭解乳牛的心理狀態，便可開發精神疾病藥物，改善其心情，進而提高一成的產乳量。本人估計，全球乳牛精神疾病藥物的市場可達每年 2.5 億美元。」

科學無力決定自己的優先順序，也無法決定如何使用其發現。舉例來說，從純科學的角度來看，雖然我們已經愈來愈瞭解基因和遺傳學，但我們還不知道該如何妥當應用。是優先用這些知識來治癒癌症？創造出超人種族？還是要培育有特大號乳房的乳牛？很明顯的，就算是完全相同的科學研究，交給民主開放的政府、共產黨政府、納粹政府、或是資本主義的商業公司，都會有完全不同的用途，而且並沒有任何「科學的」理由，告訴我們誰才是對的。

總之，科學研究一定得和某些意識型態聯手，才有蓬勃發展的可能。意識型態能夠讓研究所耗的成本合理化，代價就是意識型態能夠影響科學的進程表，並且決定如何使用研究成果。因此，如果想知道人類究竟是怎樣做出核彈、怎樣登上月球，光是研究物理學家、生物學家和社會學家的成就還不夠；我們還必須考慮到當時的思想、政治和經濟力量，看看這些力量如何形塑了物理學、生物學和社會學，將它們推往某些特定的方向。

其中，有兩股力量特別值得關注：帝國主義和資本主義。在過去五百年間，科學、帝國和資本之間的回饋循環，無疑正是推動歷史演進的主要引擎。以下章節就會分析其運作。首先，我們先看看科學和帝國這兩具渦輪引擎是如何搭配的，再看看它們又如何再掛上資本主義的推進器。

第 **15** 章

科學與帝國的聯姻

　　地球到太陽距離有多遠？許多早期的天文學家想方設法尋求解答，特別是哥白尼主張宇宙的中心是太陽而非地球之後，就吵得沸沸揚揚。不少天文學家和數學家都想解出這道難題，但眾家得出的答案卻有極大的差異，無法達成共識。終於，有人在十八世紀中葉提出了可靠的測量方法。每隔幾年，金星就會從太陽和地球之間直接通過，形成看似金星從太陽表面劃過的「金星凌日」現象。而根據從地球各處觀看金星的角度有些微不同，能夠觀測到金星凌日的時間長短也有所不同。只要從地球上不同的大洲觀測同一場金星凌日，用簡單的三角函數，就能算出太陽到地球的準確距離。

　　當時天文學家預測，下一次金星凌日是在1761年和1769年。於是歐洲人派出船隊前往地球四方，希望能盡量從各個最遠的角落來觀測金星凌日。在1761年，科學家從西伯利亞、北美、馬達加斯加和南非觀測。時近1769年，歐洲科學界更是不遺餘力，遠途前往加拿大北部和現今的美國加州（當時還是一片荒野）。但是英國皇家學會認為這還不夠。為了得到最準確的結果，他們認為絕對有必

要,特地派一位天文學家到西南太平洋。

於是,英國皇家學會出資出力毫不吝惜,派了一位傑出的天文學家格林(Charles Green)前往大溪地。然而,既然這趟航程如此昂貴,如果目的只有一次天文觀測,豈不是太過浪費?因此,除了格林之外,同行的還有八位其他領域的科學家,領隊是植物學家班克斯(Joseph Banks)和索蘭德(Daniel Solander)。在這支遠征隊裡還有幾位畫家,專門負責繪製途中必然會遇到的新土地、植物、動物和人類。船隊配備了英國皇家學會所能買到最先進的科學儀器,船長則是庫克(James Cook),他不僅是老練的水手,更是聲名卓著的地理學家和民族誌學者。

遠征隊於1768年離開英國,1769年在大溪地觀測到金星凌日,接著前往偵察一些太平洋島嶼,抵達了澳洲和紐西蘭,最後在1771年回到英國。這趟遠征帶回來數量驚人的天文學、地理學、氣象學、植物學、動物學和人類學資料,成了以後許多學門得以發展的重要基礎,並引發歐洲人對南太平洋的諸多想像,也啟發了後世的博物學家和天文學家。

醫藥就是得益於庫克船長這趟遠征的領域。當時,講到要航行至遙遠的彼岸,大家都有心理準備,有一半以上的船員無法抵達終點。他們的最大剋星並不是憤怒的原住民、敵人的戰艦、或是思鄉情切,而是當時還一無所知的壞血病。得了壞血病,人就會變得慵懶昏沉、心情沮喪,而且牙齦等軟組織還會出血。等到疾病惡化,就會開始掉齒、出現傷口且無法癒合,病人開始發燒、黃疸,難以控制四肢。在十六世紀到十八世紀之間,壞血病估計奪走了兩百萬船員的生命。當時沒有人知道壞血病的病因,而且不管採取什麼療法,水手還是大批死亡。

　　直到1747年終於有了轉機，英國醫生林德（James Lind）以罹患壞血病的水手進行了一場實驗，分成控制組和各個對照組，各自給予不同的治療。其中一組採用的是當時治壞血病的民俗療法：吃柑橘類水果，而這組患者也迅速康復了。雖然當時林德還不知道究竟柑橘類水果有什麼是水手所需要的，但我們現在已經知道正是維生素C。當時典型的船上飲食都明顯缺乏維生素C，遠航的水手通常只啃食餅乾和牛肉乾，幾乎沒有水果或蔬菜可吃。

　　雖然英國皇家海軍並未採信林德的實驗結果，但是庫克船長信了。他決心證明這位醫生是對的。於是，庫克的船隊帶著大量的酸菜，並且每次只要靠岸登陸，就下令水手必須多吃新鮮蔬菜水果。在庫克手下的所有水手，沒有任何人因為壞血病而喪命。接下來的十年裡，世界上所有的海軍都改採庫克的海上飲食，拯救了無數水手和乘客的生命。[81]

▌科學遠征隊？武力遠征軍？

　　然而，庫克遠征隊還有另外一個遠非良性的影響。庫克除了是經驗老道的水手和地理學家，也是海軍軍官。雖然遠征的絕大部分經費來自英國皇家學會資助，但船舶本身是由皇家海軍提供。海軍調派85位裝備精良的水手和士兵同行，船上也配備大炮、步槍、火藥等武器。畢竟，遠征取得的大部分資料（尤其是天文、地理、氣象和人類學資料）都具有明顯的政治和軍事價值。

　　有了壞血病的療法之後，英國便能派出海軍，前往地球最遠的另一端，對全球各大洋的控制力也隨之大增。對於庫克遠征隊「發現」的許多島嶼，庫克都聲稱從此歸英國所有，其中最重要的就是

澳洲。庫克這趟遠征，奠定了英國占領西南太平洋的基礎：征服了
澳洲、塔斯馬尼亞（見第190頁）和紐西蘭，讓數百萬的歐洲人殖
民到新的土地；但也造成當地許多文化滅絕，原住民幾近滅種。[82]

　　在庫克遠征後的一世紀間，澳洲和紐西蘭最肥沃的土地都被歐
洲移民掠奪強占。原住民不僅人數銳減90%，倖存者也嚴重受到種
族歧視迫害。對於澳洲原住民和紐西蘭毛利人來說，庫克遠征隊帶
來的是幾近毀天滅地的災難，至今尚未完全復原。

　　而在塔斯馬尼亞島上的原住民，遭遇甚至更加悲慘。他們原本
遺世獨立，生存繁衍長達上萬年，但在庫克抵達後短短一世紀間，
就幾乎慘遭滅族。歐洲殖民者起初只看上島上最肥沃富裕的地點，
接著就連荒野之地也不肯放過，有組織有計畫的殺害所有原住民。
有一批倖存者被趕到一座新教的集中營，傳教士一片好意（但心胸
並不特別開闊），循循善誘，希望灌輸他們現代世界的生活方式。
他們要塔斯馬尼亞原住民信仰基督教，學習閱讀、寫作，以及各種
「有用的技能」，像是縫補衣物和耕作。但是這批塔斯馬尼亞原住
民拒絕學習，甚至變得愈來愈憂鬱，不再願意生育後代，對生命完
全放棄希望，最後終於踏上一條唯一能逃離這個「科學與進步」之
現代社會的退路：死亡。

　　令人不勝唏噓的是，就算死後，「科學與進步」並未就此放過
他們。有幾個塔斯馬尼亞人的遺體，被人類學家和博物館長以科學
之名取走，進行解剖，測量長度和重量，再分析發表成所謂的科學
論文。接著，他們的頭骨和骨架再被陳列在博物館裡，成了人類學
的收藏品。一直到1976年，塔斯馬尼亞博物館才終於願意鬆手，讓
楚格尼尼（Truganini，常被認為是最後一位純種塔斯馬尼亞人）的
遺骨得以安葬，此時她已經去世了一百年之久。英國皇家外科醫

師學會更是拖到2002年，才歸還她的皮膚和頭髮標本。（今日，塔斯馬尼亞島上和某些地方，仍有一些人帶有塔斯馬尼亞原住民的血緣，特別是塔斯馬尼亞島上的帕拉瓦社區和利波塔社區。）

　　所以這樣說來，庫克的船隊究竟是有武力保護的科學遠征隊？還是有幾個科學家隨行的武力遠征軍？這個問題就像是問車子的油箱該說是半滿還是半空一樣，其實兩者皆是。科學革命與現代帝國主義的關係密不可分。對於像是庫克船長和植物學家班克斯來說，科學和帝國根本就是一家。就連倒楣的楚格尼尼也分不出這兩者的概念有何不同。

▌歐洲本是邊陲之地

　　如果我們看看，從北大西洋的一個大島，一群人竟出發征服了遠在澳洲南邊的另一座大島，這可以說是史上最不可思議的事件之一了。在庫克遠征之前不久，不列顛群島和西歐還不過就像是地中海世界荒廢偏遠的後院，從沒聽說過有任何重要性。就算是前現代唯一上得了檯面的羅馬帝國，財富也多半是來自北非、巴爾幹和中東的行省。當時羅馬帝國的各個西歐行省，還只是一片荒涼的大西部，除了礦產和奴隸之外，並沒有什麼重要性。至於北歐更是偏遠荒涼又野蠻，毫無征服的價值。

　　一直要到十五世紀末，歐洲才成為各種軍事、政治、經濟、文化發展的搖籃。在1500到1750年間，西歐意氣風發，成為「化外世界」（Outer World，指南北美洲和各大洋）的主人。但就算在當時，面對亞非大陸的超級強權，歐洲還是小巫見大巫。歐洲人之所以能成功征服美洲、在海上稱王，主因是亞非帝國對這些地方興

趣缺缺。地中海的鄂圖曼帝國、波斯的波斯帝國、印度的蒙兀兒帝國，以及中國的明朝與清朝，在近代初期也是蓬勃發展，領土顯著擴張，人口及經濟發展幅度前所未見。在1775年，亞洲占了全球經濟總額八成的比重。光是印度和中國，就占了全球生產量的三分之二。相較之下，歐洲就像個經濟侏儒。[83]

一直要到1750到1850年間，歐洲在一系列戰爭中，將傳統亞洲大國打得抬不起頭，征服了亞洲的大片土地，全球的權力中心才移轉到歐洲。在1900年左右，歐洲已經緊緊掌握著世界經濟和全球多數的土地。在1950年，西歐加美國的生產量占了全球超過一半，而中國只剩5%。[84]

在歐洲主持下，出現了嶄新的全球秩序。雖然我們常常不願意承認，但現在全球所有人的穿著、想法和品味，幾乎都是歐洲的穿著、想法和品味。雖然有些人嘴上大力抨擊歐洲，但幾乎所有人都是採用歐洲萌生的觀點，在看待政治、醫學、戰爭和經濟，既聽歐洲風格的音樂，也會講來自歐洲的語言、會寫歐洲使用的文字。就算是今天中國經濟突飛猛進，很可能即將回歸霸主地位，繁榮富強的基礎仍然是源自歐洲的生產模式和金融模式。

歐洲原本就像是處在世界的一個偏遠角落，氣候還凍到讓人手指僵硬，他們究竟是怎麼一躍而出、征服世界？常常有人認為，最大的功臣就是歐洲的科學家。確實，從1850年起，歐洲之所以能夠稱霸世界，很大程度靠的就是產軍學的合作，以及如同巫術般神妙的科技。所有強盛的近代帝國都積極發展科學研究，希望能夠取得科技上的創新，而許多科學家也投入大半時間，為帝國主人研發各種武器、醫藥和機器設備。

歐洲軍隊面對非洲人抵抗時，常有一種說法：「不論怎樣，我

們有機槍，他們沒有。」但是民生科技的重要性也絕不在話下。像是罐頭食品能夠讓軍隊不餓肚子，鐵路和輪船方便軍事調動人力和物資，再加上各種新藥能夠醫治士兵、水手和工兵。歐洲之所以能夠征服非洲，這些先進後勤物流的貢獻，甚至更勝於武器機槍。

▌為什麼是歐洲崛起？

然而在1850年以前，情況並非如此。當時，產軍學的結合還剛起步，科學革命的科技成果也尚未成熟，歐亞非國家之間的科技差距微乎其微。譬如在1770年，雖然庫克船長的科技肯定遠超過澳洲原住民，但對上中國和鄂圖曼土耳其，卻也占不了上風。那究竟是為什麼，最後征服澳洲的是庫克船長，而不是康熙的福建水師提督萬正色、或是土耳其的名將帕夏（Hussein Pasha）？更重要的是，如果歐洲人在1770年對上印度人和中國人並不占科技優勢，為什麼他們能在接下來的短短一世紀間，讓自己和世界其他地區拉開這麼大的差距？

為何這種產軍學組織只在歐洲開花結果，而在印度無聲無息？為何在英國突飛猛進之後，法國、德國和美國立刻起身直追，但中國卻是欲振乏力？為何在工業化成了明顯的政經進步因素之後，俄羅斯、義大利和奧地利能夠成功縮小落差，但是波斯、埃及和鄂圖曼土耳其卻無力回天？畢竟，第一波工業化的科技相對而言並不複雜。難道對於中國或鄂圖曼土耳其來說，要設計蒸汽機、製造機槍、鋪設鐵路，真有那麼困難？

全球第一條商業鐵路於1830年在英國啟用。到了1850年，西方國家已有將近4萬公里的鐵路縱橫交錯，但在整個亞洲、非洲和

拉丁美洲，鐵路總長只有0.4萬公里。在1880年，西方鐵路長度堂堂超過35萬公里，但全球其他地區還只有大約3.5萬公里而已（而且大多數是英國在印度所鋪設）。[85]

中國甚至要到1876年，才建了第一條鐵路，全長25公里、由歐洲人所建；但是隔年就遭到中國政府拆除。所以，就算到了1880年，中國這個龐大的帝國連一條鐵路也沒有。

波斯的第一條鐵路要到1888年才完工，連接了伊朗首都德黑蘭和南方約十公里遠的一處穆斯林聖地，由一家比利時公司興建及經營。在1950年，波斯的鐵路網總長仍然只有2,500公里，但這個國家的國土面積可是足足有英國的七倍大。[86]

中國和波斯其實並不缺乏像是製造蒸汽機的科技（當時要照抄或是購買，都完全不成問題），他們缺少的是西方的價值觀、共同相信的虛構故事、司法體系和社會政治結構，這些在西方花了數個世紀才萌生及成熟，就算想要照抄，也無法在一夕之間內化。之所以法國和美國能夠很快跟上英國的腳步，是因為他們本來就和英國共用一套最重要的虛構故事和社會結構。中國和波斯追趕不及，正是因為整個關於社會的想法和組織完全不同。

用這種概念，就能以新的觀點來看1500年到1850年。雖然這段期間，歐洲對亞洲在科技、政治、軍事、經濟上並不具有什麼明顯的優勢，但卻是在厚植累積獨特的潛力，直到1850年左右才終於爆發。雖然歐洲、中國和穆斯林世界在1750年看起來，還沒什麼差異，但這其實只是假象。這就像是有兩家建商同時開始興建高樓，一家使用的是木材和泥磚，另一家使用鋼筋和混凝土。一開始，兩個工地無論興建速度或是建築高度，都相去無幾，看起來這兩種建築工法也就沒什麼高下之分。但等到一過了某個樓層，木材和泥磚

蓋的高樓就再也無力支撐，於是頹然傾塌，而鋼筋混凝土蓋的高樓卻還是屹立不搖，甚至繼續向上伸展到人類目光的極限。

究竟歐洲在近代初期是培養了什麼潛力，讓它能在近代晚期稱霸全球？這個問題有兩個答案，相輔相成：現代科學和資本主義。一開始，科學和資本主義的思考方式還沒有什麼明顯優點，但歐洲人就已經習慣順著這兩個理路來思考。所以，等到科技發展成熟，就像是取之不盡的大礦藏，而歐洲人開採這處礦藏的能力，也遠勝於其他地方的人。不難想像，在二十一世紀這個「後歐洲世界」，科學和資本主義就成了歐洲帝國主義最重要的遺產。雖然歐洲和歐洲人不再是世界的統治者，但科學和資本主義還是繼續茁壯。

關於資本主義的勝利，我們留到下一章再討論。這一章還是先繼續談談歐洲帝國主義和現代科學之間的浪漫愛情故事。

自認無知的征服者

現代科學在歐洲帝國蓬勃發展，而且也是因為有歐洲帝國才得以發展。現代科學起初明顯承繼像是古希臘、中國、印度和伊斯蘭的古老科學傳統，直到近代初期，隨著西班牙、葡萄牙、英國、法國、俄羅斯和荷蘭等帝國的擴張，才開始形成自己獨特的內涵。

在近代初期，中國、印度、穆斯林、美國原住民、玻里尼西亞人都還是對科學革命貢獻良多。像是穆斯林經濟學者的觀點，影響了亞當・斯密和馬克思；美國原住民有些獨步全球的醫療方式，後來也進入了英國的醫療研究；波里尼西亞人提供的資料，更是徹底改變了西方人類學。但在二十世紀中葉以前，唯一蒐集整理這些無數科學發現、從這過程中打造出各個科學學門的人，就是歐洲各帝

315

國的統治階層及知識菁英。雖然遠東和伊斯蘭世界也有同樣聰明、同樣好奇的人，但在1500年到1950年之間，這些地區完全沒有人提出，能夠與牛頓物理學或達爾文生物學相提並論的研究。

這並不是說歐洲人有什麼獨特的科學基因，又或是物理學和生物學研究永遠就是歐洲人的天下。正如伊斯蘭教，原本是阿拉伯人的專利，但後來交棒給土耳其人和波斯人；現代科學雖然原本專屬於歐洲，但現在也已經開枝散葉，成了許多民族擅長的事業。

所以，問題又回到：現代科學和歐洲帝國的歷史鍵結，究竟是怎麼產生的？雖然科技在十九世紀和二十世紀大放異采，但在近代的早期並不突出。這裡真正的關鍵因素在於，不管是想尋找植物的植物學家、或是想尋找殖民地的海軍軍官，都有一種共同的心態。他們共同的出發點就是承認無知，都會說「我不知道那裡有什麼」。於是他們都很好奇，都覺得有走出去、尋找新發現的必要；而且他們都希望這樣取得的新知識，能夠讓他們成為世界的主人。

▎為了新疆域，也為了新知識

歐洲帝國主義和先前的所有帝國完全不同。過去的帝國主義者都認為自己已經瞭解整個世界，「征服世界」只是為了要利用及傳播他們自己對於世界的看法。以阿拉伯人為例，他們征服埃及、西班牙和印度，並不是為了想找出什麼自己不知道的事。羅馬人、蒙古人和阿茲特克人之所以積極四方征討，為的是權力和財富，也不是為了新知。相較之下，歐洲帝國主義之所以要前往遙遠的彼岸，除了要擴張新領土，也是為了新知識。

庫克船長並不是第一位這麼想的探險家。十五、十六世紀的葡

萄牙和西班牙航海家，就已經是抱持這種信念。葡萄牙的航海家亨利王子（Henry the Navigator）和達伽馬（Vasco da Gama）一面探索非洲海岸，一面奪下各個島嶼和港口的控制權。哥倫布「發現」美洲之後，立刻宣稱這片土地歸西班牙國王所有。麥哲倫除了找出環繞世界的航道，同時也奠定了西班牙征服菲律賓的基礎。

　　隨著時間過去，對知識的追尋和對領土的追尋，變得愈來愈緊密交織。在十八和十九世紀，幾乎每一趟從歐洲出發的軍事遠征隊都必定有科學家同行，科學家的目的不在打仗，而是科學研究。例如拿破崙1798年進攻埃及的時候，就帶了一百六十五位學者。這群學者的一大成就，便是建立了一個全新的學門「埃及學」，並且在宗教、語言學、植物學方面有重大貢獻。

　　1831年，英國皇家海軍派出小獵犬號（HMS Beagle），前往繪製南美、福克蘭群島和加拉巴哥群島的海岸圖。有了這些知識，海軍在開戰時就能掌握先機。小獵犬號的船長自己也是業餘科學家，他決定再帶上一位地質學家，研究一路上可能碰到的地層構造。然而，好幾位專業地質學家都拒絕了他的邀約，最後是由一位年僅二十二歲的劍橋畢業生接下任務，他就是達爾文。

　　達爾文曾經差點成了英國聖公會的牧師，但他對地質學和自然科學的興趣，遠比對《聖經》來得濃厚，於是他抓住這個機會，開創了後世無人不知的這段歷史。在這趟航程中，船長就這麼繪製著軍用地圖，而達爾文也就這麼蒐集著各種實證資料、發展想法，最後形成他的演化論。

　　1969年7月20日，美國太空人阿姆斯壯（Neil Armstrong）和艾德林（Buzz Aldrin）踏上了月球表面。在登陸前的幾個月，阿波羅十一號的太空人都是在美國西部一處類似月球的沙漠裡受訓。當

地也是幾個美國原住民部落的居住地,而有這麼一個故事(或說傳說),講的是太空人有一次碰到一個當地人的情形:

有一天,太空人受訓的時候,剛好碰到一位頗有年紀的美國原住民。老人問他們在那裡做什麼。太空人說他們屬於一支研究探險隊,不久之後就要上月球了。聽到他們這麼說,老人沉吟了一會,問他們能不能幫個忙。

「要幫什麼忙呢?」他們問。

「是這樣的,我們族人都相信我們的聖靈住在月亮上。不知道你們能不能為我們族人帶個重要的口信?」老人問。

「要帶什麼話呢?」太空人問。

這位老人用族語說了一串,並要求太空人重複再三,直到確定他們背得滾瓜爛熟為止。

「這是什麼意思?」太空人問。

「啊,這個是族人和月亮上的聖靈之間的祕密。」

等到太空人回到發射基地,好不容易才找到一位會講當地族語的人,希望能翻譯這段話的意思。他們把這段話嘰哩咕嚕背出來,讓這位翻譯簡直笑翻了。等到翻譯好不容易平靜下來,太空人問他這段話究竟是什麼意思。翻譯說,這些太空人費盡心力背下來的這句話是:「不管這些人跟您說什麼,千萬別相信他們。他們只是要來偷走您的土地。」

▌地圖上的空白

現代這種「探索與征服」的心態,從世界地圖的演變可以看得一目瞭然。早在歷史進到現代之前,許多文化就已經有了自己的

世界地圖。當然，當時並沒有人真正知道全世界是什麼樣子，在亞非大陸上的人對美洲一無所知，美洲文化也不知道亞非大陸上的情形。但碰到不熟悉的地區，地圖上不是一筆未提、就是畫上了想像出來的怪物和奇景。這些地圖上並沒有空白的空間，讓人覺得全世界就在自己的掌握之中。

23. 1459年歐洲人的世界地圖。可以看到地圖上似乎巨細靡遺，就算是當時歐洲人根本一無所知的南非地區，都有密密麻麻的資訊。

在十五、十六世紀，歐洲人的世界地圖開始出現大片空白。從這點可以看出科學心態的發展，以及歐洲帝國主義的動機。地圖上的空白，可說是在心理及思想上的一大突破，清楚表明歐洲人願意承認自己對於一大部分的世界還一無所知。

1492年，哥倫布從西班牙出發向西航行，希望能找到一條前往東亞的新航線。哥倫布當時相信的仍然是舊的世界地圖，以為全世界在地圖上一覽無遺。哥倫布從舊地圖推算，日本應該位於西班牙以西大約七千公里遠。但事實上，從西班牙到東亞的距離要超過兩萬公里，而且中間還隔著他並不知道的美洲大陸。1492年10月12日大約凌晨2點，哥倫布一行人與這片未知大陸有了第一次接觸。皮塔號（Pinta）的瞭望手伯梅霍（Juan R. Bermejo）從桅杆上看到了現在的巴哈馬群島，高聲呼喊：「有陸地！有陸地！」

哥倫布當時相信這個小島就位於東亞海外，屬於「Indies」（印度地方，包含今日印度、中南半島及東印度群島等地），所以他把當地人稱為「Indians」（這正是為何美國原住民稱為印第安人）。一直到過世，哥倫布都不認為自己犯了一個大錯。不論是對他、或是許多當代的人來說，說他發現了一個完全未知的大陸，這根本難以想像。畢竟千百年來，不管是那些偉大的思想家和學者、甚至是不可能犯錯的《聖經》，都只知道有歐洲、非洲和亞洲。怎麼有可能他們全錯了呢？難道《聖經》居然漏了大半個世界，隻字未提？這種情況，就好像是說：在1969年阿波羅十一號要前往月球的途中，居然撞到了另一個從來沒人看到的月亮。

而正因為哥倫布不願意接受自己的無知，我們可以說他仍然是中世紀的人，深信自己已知道全世界，所以就算已經有了如此重大的發現，也無法說服他。

　　至於第一個成為「現代人」的，其實是義大利商人兼航海家亞美利哥‧韋斯普奇（Amerigo Vespucci），他曾在1499年到1504年，多次航行前往美洲。而在1502年到1504年間，歐洲有兩篇描述這些航程的文章發表，一般相信就出於韋斯普奇之手。這兩篇文章指出，哥倫布發現的小島旁邊的陸地，應該不是東亞，而是一整個大陸，而且不管是《聖經》、過去的地理學者或是當時的歐洲人，先前都不知道這塊大陸的存在。

　　1507年，地圖繪製大師瓦爾德澤米勒（Martin Waldseemüller）相信了這種說法，出版了新版的世界地圖。於是，這片西班牙船隊向西航行所碰上的土地，終於首次以一塊獨立大陸的姿態，出現在地圖上。既然要畫，瓦爾德澤米勒就得給它取個名字，但他誤以為發現美洲的人是亞美利哥‧韋斯普奇；為了向他致敬，這片大陸就命名為「America」（美洲）。瓦爾德澤米勒的地圖洛陽紙貴，許多地圖繪製師也跟著有樣學樣，因此「美洲」這個名詞就這樣廣為流傳開來。

　　說來也算是老天有眼，到頭來，全球有四分之一的陸地、七大洲之中的兩洲，名字就是來自一個不太有名氣的義大利人，而他唯一做的事，就只是有勇氣說出「我們不知道」。

　　發現美洲，對於科學革命是一大奠基事件。這不但讓歐洲人知道實際的觀測比過去的傳統更重要，而且想征服美洲的欲望，也讓歐洲人開始求知若渴。他們如果真想控制這片廣大的新疆域，就一定得蒐集所有相關地理、氣候、植物、動物、語言、文化、歷史的龐大資料。在這些時候，不管是《聖經》、過時的地理書籍、或是古老的口傳知識，都無用武之地。

　　從此之後，不只是歐洲地理學家，歐洲幾乎所有知識領域的學

者都學會了「留白」這一套，誠實面對自己有太多無知之處，並試著加以填補。他們開始承認自己的理論還不完美，一定還有什麼尚未得知的重要資訊。

24. 1525 年的薩維亞提世界地圖（Salviati World Map）。

　　1459 年版的世界地圖上畫滿了各個大陸和島嶼，還有詳細的解釋，但薩維亞提地圖則有大片留白。我們可以看到美洲的海岸線一路向下之後，接著就是一片空白。任何人只要有一點點好奇心，看到這份地圖之後必定會問「在那後面有什麼呢？」地圖上沒有答案。這就像是一份邀請，請讀者親身起航，一探究竟。

▌ 征服異域之心從何而來？

　　地圖上的空白就像一塊磁鐵，讓歐洲人前仆後繼，希望填補這些空白。在十五、十六世紀，歐洲探險隊繞行了非洲、深入了美洲、越過太平洋和印度洋，在世界各地建起基地和殖民地的網路。

這是全球性帝國的真正首次登場，也是首次出現全球性的貿易網。
歐洲帝國遠征改變了世界的歷史：原本是一些獨立的民族和文化各
自發展，現在則整合成單一的人類社會。

　　正因為我們已經太熟悉歐洲這些「探索與征服」的過程，常常
忘了這件事其實非常特殊。在這之前，世上從來沒發生過這種事。
要這樣千里迢迢去征服別人，絕不是什麼自然的舉動。縱觀歷史，
大多數人類社會光是處理地方衝突、鄰里爭吵，就已經無暇他顧，
從來沒想過要前往遠方探索、征服遙遠的國度。絕大多數的大帝國
向外侵略，只著眼於鄰近地區，之所以最後幅員廣大，僅是因為帝
國不斷向鄰近地區擴張而已。

　　像是羅馬人在西元前350年至300年征服伊特魯里亞（Etruria，
約為現代義大利中西部），目的只是為了保衛羅馬的安全。接著在
西元前200年左右征服波河流域（Po Valley，義大利北部），目的只
是為了保衛伊特魯里亞。接著，他們又征服了普羅旺斯，以保衛波
河流域（約西元前120年），征服高盧，以保衛普羅旺斯（約西元
前50年），最後再征服了不列顛，以保衛高盧（約西元50年）。羅
馬帝國從羅馬延伸到倫敦，總共花了四百年。在西元前350年，沒
有羅馬人會打算直接乘船揚帆征服不列顛。

　　雖然偶爾會有某個雄心勃勃的統治者或冒險家，展開長途的征
討或探險，但通常都是順著早已成形的帝國道路或商業路線行進。
以亞歷山大大帝為例，他並未建立新的帝國，而是推翻並接手了原
本就已存在的波斯帝國。最接近現代歐洲帝國的例子，在古代是雅
典和迦太基這兩大海上帝國，至於中世紀則是位於現今印尼泗水一
帶、曾在十四世紀掌控大半印尼地區的滿者伯夷（Majapahit）海上
帝國。但就算是這些帝國，也很少會貿然前往未知的海域，如果和

現代歐洲人的全球大航海相比,可說只是地方事業。

許多學者認為,中國明代鄭和下西洋,不但時間早於歐洲,而且規模也有過之無不及。1405年到1433年間,鄭和七次下西洋,最遠抵達了印度洋彼端。規模最大的一次,艦隊有將近三百艘船、成員近三萬人。[87] 他們曾抵達印尼、斯里蘭卡、印度、波斯灣、紅海和東非。中國船隻曾經停靠在沙烏地阿拉伯一帶主要的港口吉達(Jedda),也曾停泊在肯亞沿海的馬林迪(Malindi)。相較之下,哥倫布在1492年的船隊只有三艘小船,帶了120個水手,簡直就像是小蚊子碰上大飛龍。[88]

然而,這兩者有一項關鍵的區別。鄭和下西洋四處探訪,對擁護大明王朝的各國君主提供協助,但並未試圖攻占或殖民他國。此外,鄭和的遠征並沒有深厚的中國政治文化基礎,因此在明宣宗朱瞻基下令鄭和第七次下西洋(1430-1433)之後,便突然告終(鄭和於返航期間,於1433年2月在印度西海岸古里去世)。曾經叱咤一時的偉大艦隊遭到解散,珍貴的技術和地理知識亡佚,從此再也沒有具備此等眼界及資源的航海探險家,從中國出航。接下來數百年間,中國的君王依循先前數百年的做法,興趣和野心僅僅及於四方鄰國而已。

從鄭和下西洋得以證明,當時歐洲並未占有科技上的優勢。真正讓歐洲人勝出的,是他們無與倫比而又貪得無厭、不斷「探索與征服」的野心。在過去,雖然某些帝國可能也有能力做到,但羅馬從未試圖征服印度或北歐,波斯從未試圖征服馬達加斯加或西班牙,中國也從未試圖征服印尼或非洲。中國歷代以來,甚至對一海之隔的日本,幾乎都無征服之心(元朝皇帝忽必烈兩度派大軍征伐日本,皆遇颱風而潰敗)。

原本，這一切就是如此自然。真正奇怪的是，為何近代初期的歐洲人忽然有了這股狂熱，啟航前往遙遠而完全陌生、充滿異國文化的地方，不僅踏上他人的海岸，還立刻大聲宣告「此疆已歸吾王所有」。

如同來自外太空的侵略者

大約在1517年，原本待在加勒比海群島的西班牙殖民者，開始聽到傳言，似乎在墨西哥內陸有個強大的帝國。不過短短四年後，阿茲特克帝國的首都就只剩下悶燒的廢墟，整個帝國成了過去式。墨西哥成了西班牙帝國的殖民地，掌理一切的就是科爾特斯（見第197頁）。

而且，西班牙人並沒有停下腳步來慶賀，甚至可說連喘口氣的時間也不浪費，立刻向四方展開了同樣的「探索與征服」行動。不論是阿茲特克人、托爾特克人（Toltecs）或是馬雅人，在超過兩千年的期間，這些中美洲過去的統治者幾乎不知道有南美洲的存在。然而，西班牙人征服墨西哥之後短短不到十年，皮薩羅（Francisco Pizarro）不但發現了南美的印加帝國，還在1532年就把它滅了。

如果阿茲特克人和印加人當時對於周遭的世界多一點好奇，知道西班牙人把自己的鄰居給怎麼了，就有可能更積極而成功的抵禦西班牙的入侵。從哥倫布第一次抵達美洲（1492年）到科爾特斯登陸墨西哥（1519年），西班牙人已經征服了大多數的加勒比海群島，建立起新的殖民島鏈。對於受奴役的當地人來說，這些殖民地就像是人間地獄。殖民者既貪婪又無情，以鐵腕政策逼迫他們在礦場或農場工作，只要他們敢有一絲反抗，立刻會遭到殺害。不論是

因為極度惡劣的工作環境、或是搭上征服者便船而來的歐洲疾病，
當地原住民快速大量死亡。不到二十年，整個加勒比地區的原住民
幾近滅絕。西班牙殖民者開始得從非洲進口奴隸，來填補空缺。

這場種族滅絕的浩劫，可說就發生在阿茲特克帝國的家門口，
但等到科爾特斯終於踏上帝國東海岸的時候，阿茲特克人對這一切
仍然一無所知。對他們來說，西班牙人的到來，幾乎就像是有外星
人來訪。阿茲特克人深信自己早就認識了全世界，而且相信絕大多
數都在阿茲特克帝國的控制之下。對他們來說，帝國以外竟然還有
像西班牙人這種玩意，簡直無法想像。所以，等到科爾特斯和部下
來到今天的韋拉克魯斯（Vera Cruz）一帶，登上陽光明媚的海灘，
這是阿茲特克人第一次碰到了完全陌生的人類。

地圖6：西班牙入侵時的阿茲特克帝國和印加帝國。

他們完全不知道該如何反應，連這些陌生人究竟算是什麼，也無法確定。對他們來說，這些陌生人與所有已知的人類都長得不太一樣，有蒼白的皮膚、濃密的臉部毛髮、如陽光色澤的頭髮，而且還臭得難以想像。（阿茲特克的衛生水準遠高於西班牙。西班牙人第一次來到墨西哥的時候，不論到了哪裡，當地人都派人帶著薰香隨行。西班牙人原本以為這是代表無上的榮耀。但我們從當地文獻發現，這其實是因為當地人覺得這些新來的人實在臭不可當。）

此外，這些外來客的物質文明，更是讓阿茲特克人深感迷惑。像是西班牙人乘的大船，阿茲特克人想也沒想過，更別提親眼見過。西班牙人會騎乘高大而恐怖的動物，移動迅疾如風。西班牙人還拿著閃閃發亮的金屬棍子，發出閃電和雷聲。此外，西班牙人還有光亮的長劍、堅不可摧的鎧甲，當地的木劍和燧石矛完全無法相提並論。

所以，有些阿茲特克人覺得這些人一定是神；但也有人認為這些人是惡魔、死靈、或是強大的巫師。於是，阿茲特克人並未立刻舉全國之力消滅這些西班牙人，而是打算先想一想、等一等、談一談。他們並不覺得有什麼著急的必要。畢竟，科爾特斯一行總共還不到550人，帝國人口高達百萬之譜，哪有什麼好擔心的呢？

雖然科爾特斯對於阿茲特克人也同樣一無所知，但他和手下占了一項顯著的優勢。阿茲特克人面對這些長相奇怪、氣味嗆人的外來者，毫無過去經驗得以參考；但西班牙人早就知道，地球上有各種未知的人類疆域，而且講到入侵他人國土、應付未知情況，他們可算是行家中的行家。現代歐洲的征服者心態，正如同當時的科學家，對於未知充滿興奮。

所以，科爾特斯在1519年7月踏上那片灑滿陽光的海灘時，沒

有一絲猶豫。就像是科幻小說裡外星人走出太空船一樣,他向那些驚呆的當地人宣告說:「我們是為了和平而來。帶我們去見你們的首領。」科爾特斯說自己是西班牙偉大國王的和平使者,希望能和阿茲特克的統治者蒙提祖馬二世(Montezuma II)進行外交對談。(這是一個無恥的謊言。科爾特斯所率領的,是由一群貪婪的冒險家組成的獨立探險隊。西班牙國王根本沒聽說過科爾特斯,也沒聽說過阿茲特克人。)

從當地與阿茲特克人敵對的部落,科爾特斯得到了嚮導、食物和一些軍事援助,接著他就大搖大擺,走向阿茲特克的首都:繁華熱鬧的特諾奇蒂特蘭(Tenochtitlan)。

阿茲特克人就這樣,讓這群外來者一路來到首都,還恭恭敬敬的引導他們去見皇帝蒙提祖馬二世。謁見到中途,科爾特斯一聲令下,配備鐵製武器的西班牙人殺光了蒙提祖馬二世的守衛(他們畢竟只配有木棍和石刀)。原本的嘉賓,就這樣讓主人成了階下囚。

這時,科爾特斯的處境十分微妙。雖然皇帝在他手上,但他位於一處幾乎一無所知的大陸,還被幾萬個憤怒的戰士、幾百萬個與他敵對的平民團團包圍。他能夠依賴的只有幾百名西班牙手下,另外最接近的西班牙援軍在古巴,足足有1,500公里之遙。

科爾特斯將蒙提祖馬二世囚在宮中,安排得似乎皇帝仍然可自由活動,掌管一切,而他這位「西班牙大使」就是客人。因為阿茲特克帝國屬於權力極度集中的政體,這種前所未有的局面讓整個帝國陷入癱瘓。表面上看來,蒙提祖馬二世仍然統治著帝國,阿茲特克人貴族菁英也繼續聽他號令,但其實就是科爾特斯挾天子以令諸侯。這種情況為期數個月之久,而在這段時間,科爾特斯一面審問蒙提祖馬二世和他的侍從,一面訓練各種當地語言的翻譯員,還向

四面八方派出許多西班牙人探險小隊，熟悉阿茲特克帝國的各個部
落、民族和城市。

　　最後，阿茲特克人的貴族菁英終於起身反抗科爾特斯和蒙提祖
馬二世，他們推舉了新皇帝，一舉將西班牙人趕出特諾奇蒂特蘭。
然而，原本堅不可摧的巍然帝國已經出現許多裂縫。靠著蒐集來的
資訊，科爾特斯得以利用帝國內部的嫌隙，進一步加以裂解。他說
服了許多帝國的屬民，和他一起對抗阿茲特克的貴族菁英。這些屬
民可說是大大失算。雖然他們也痛恨阿茲特克人的統治，但他們既
不認識西班牙人，更不知道發生在加勒比海地區的種族滅絕慘劇，
只是天真的以為，有了西班牙人幫助，就能擺脫阿茲特克貴族的枷
鎖。他們從沒想過，最後只是統治者從阿茲特克換成了西班牙人。
（而且他們也相信，就算科爾特斯這幾百個人心懷不軌，自己可以
輕鬆把他們處理掉。）於是，這批人為科爾特斯提供了數以萬計的
當地軍隊，讓科爾特斯得以圍攻特諾奇蒂特蘭城，最後成功加以占
領。

　　到了這時候，開始有愈來愈多西班牙士兵和殖民者陸續抵達，
有些來自古巴，也有人是直接從西班牙遠道而來。等到當地居民終
於看清真相，為時已晚。就在科爾特斯踏上韋拉克魯斯海灘之後的
一世紀間，中美洲原住民人口銳減九成，主因是這些入侵者帶來的
疾病。就算是倖存者，也發現自己落在一群貪婪無比、充滿種族歧
視的人手中，比起阿茲特克國遠遠有過之而無不及。

　　科爾特斯登上墨西哥的十年後，皮薩羅抵達印加帝國的海岸。
他的人手甚至比科爾特斯更少，總數只有168個人！然而，有了先
前入侵的知識和經驗，讓皮薩羅勝券在握。相對的，印加帝國對阿
茲特克人的命運依舊一無所知。皮薩羅完全抄襲了科爾特斯那一套

伎倆。他先聲稱自己是西班牙國王派來的和平使者，請求謁見印加國王阿塔瓦爾帕（Atahualpa），接著國王便遭到綁架。接下來，皮薩羅同樣靠著與當地部落結盟，先癱瘓、再征服了整個帝國。如果印加帝國的屬民知道墨西哥那邊人民的下場，想必不會如此輕信這些侵略者。然而，他們就是不知道。

▋ 不識狼子野心

因為視野狹隘而得付出沉重代價的，並不只有中南美洲原住民而已。在亞洲當時的各大帝國（鄂圖曼土耳其、波斯帝國、蒙兀兒帝國、以及中國）很快就聽說歐洲似乎有了重大發現。然而，他們對這件事卻沒有什麼興趣，還是繼續相信這個世界是以亞洲為中心在旋轉，完全沒打算和歐洲人爭奪美洲、或是爭奪大西洋和太平洋的新航道。當時，甚至像蘇格蘭和丹麥這種國力不振的歐洲王國，都曾經幾次前往美洲探索征服，但伊斯蘭世界、印度和中國卻是無動於衷。

所有的非歐洲政權中，第一個派出軍事遠征隊前往美洲的是日本。時間已來到1942年6月，一支日本的遠征軍占領了阿留申群島的吉斯卡島（Kiska）和阿圖島（Attu），這兩座島嶼位於阿拉斯加海岸，而占領過程中還俘虜了十名美軍士兵和一條狗。但日本就再也沒有向北美洲大陸更進一步了。

有人說鄂圖曼帝國或中國就是因為距離太遠，或是缺乏相關的科技、經濟或軍事工具和手段。但這種說法實在很難說得通。鄭和早在1420年代就已經能遠赴東非，理論上要到達美洲也並非難事。可見中國確實就是不感興趣而已。像是在中國發行的地圖上，一直

要到1602年才終於出現了美洲，而且這地圖還是歐洲傳教士畫的。

　　整整三百年間，無論在美洲、大洋洲、大西洋、太平洋，都是由歐洲人完全宰制。就算出現任何值得一提的衝突，也只是歐洲列強之間的內鬥。於是，歐洲人積累大量財富和資源，終於讓他們也有能力入侵亞洲、擊敗各大帝國，再進行歐洲人之間的分贓作業。等到鄂圖曼、波斯、印度和中國終於驚覺情勢不對，為時已晚。

　　一直要到二十世紀，歐洲以外的各個文化才真正有了正確的全球觀。而這正是讓歐洲霸權崩潰的關鍵因素之一。像是在阿爾及利亞獨立戰爭裡（1954-1962），雖然法國軍隊具備了壓倒性的人數、科技和經濟優勢，卻還是遭到阿爾及利亞游擊隊擊敗。原因在於，阿爾及利亞人一方面得到了全球性的反殖民網路支持，一方面也學會如何引導全球媒體的傾向（包括法國本身的輿論）。

　　另外，小小的北越居然能擊敗如巨人般的美國，也是基於類似的戰略。

　　我們從這些游擊隊可以看到，就算是超級強權，也可能在某個當地抵抗活動成為全球事件之後，敗下陣來。有趣的是，我們可以假設一下，如果蒙提祖馬二世當時能夠操縱在西班牙的輿論，取得西班牙敵對國（葡萄牙、法國或鄂圖曼帝國）的支持，情況會如何不同？

▌ 罕見的蜘蛛，被遺忘的文字

　　現代科學和現代帝國背後的動力，都是一種不滿足，覺得在遠方一定還有什麼重要的事物，等待他們去探索、去掌握。然而，科學和帝國之間的鍵結還不僅如此而已。兩者不只動機相同，連做法

也十分類似。對現代歐洲人來說，建立帝國就像是一項科學實驗，而要建立某個科學學門，也像是一項建國大業。

穆斯林征服印度的時候，並沒有帶上考古學家、地質學家、人類學家或動物學家，來好好研究印度的歷史、文化、土壤和動物。但換成英國征服印度之後，一切都不同了。1802年4月10日，英國開始印度大調查，足足持續長達六十年。期間動用數以萬計的當地勞工、學者和導遊，精心繪製了整個印度的地圖，標示出邊界、測量出距離，甚至埃佛勒斯峰和其他喜馬拉雅山峰的精確高度，也是在此時完成測量。雖然英國確實四處探勘印度各邦的軍事及金礦資源，但他們同時也不辭勞苦，蒐集了關於罕見印度蜘蛛的資訊，為各種色彩斑斕的蝴蝶編目，追查已經失傳的印度語言源頭，以及挖掘一處又一處遭到遺忘的廢墟。

在印度河流域文明之中，曾有一座大城摩亨佐達羅（Mohenjo-daro，印度語「死亡之谷」），在大約西元前3000年一片繁華，但到了西元前1900年卻遭到摧毀。在英國之前，不管是孔雀王朝、笈多王朝、德里蘇丹國，或是偉大的蒙兀兒帝國，這些印度統治者從來沒對這片廢墟多瞧上一眼。然而，英國一項考古調查在1922年發現了這片遺跡，派出考古小組加以挖掘。就這樣發現了印度最早的偉大文明。而這點在之前，沒有任何印度人曾有意識。

另一項可看出英國科學好奇心的，是楔形文字的破譯過程。楔形文字曾是中東地區長達三千年左右主要使用的文字，但可能在第一個千禧年開始的時候，能夠識讀這種文字的人，就都過世了。從那時之後，雖然當地居民常常看到刻有楔形文字的紀念碑、石碑、古蹟和碎鍋碎盆，但從來不知道該怎麼讀懂這些長相怪異、有稜有角的文字，而且據我們所知，他們也從來沒有任何嘗試。

　　直到1618年，歐洲人開始發現楔形文字。當時西班牙在波斯的大使前往古代城市波斯波利斯（Persepolis）的遺跡參觀，看到了這些文字，而且居然沒有人能向他解釋。歐洲學者口耳相傳，知道發現了一種未知的文字，讓他們好奇心大作。1657年，歐洲學者發表了第一份來自波斯波利斯的楔形文字抄本。後續的抄錄愈來愈多，接下來的兩個世紀間，許多西方學者都為了試圖破譯而大傷腦筋，但都沒有人成功。

　　直到1830年代，一名英國軍官羅林森（Henry Rawlinson）被派往波斯，協助波斯以歐洲的方式來訓練軍隊。羅林森於閒暇時間，在波斯四處遊覽。某天，當地嚮導帶他來到札格羅斯山脈的一處懸崖，讓他看看巨大的貝希斯敦銘文（Behistun inscription）。這則銘文大約高十五公尺、寬二十五公尺，是在大約西元前500年由波斯國王大流士一世下令刻在這處懸崖上，而且分別使用了三種楔形文字：古波斯文、埃蘭文（Elamite）和巴比倫文。雖然當地民眾人人都知道有這處銘文，但沒人讀得懂。羅林森相信，只要能破譯這些文字，他和其他學者就能夠瞭解，當時在中東各地大量出土的文字究竟是什麼意思，將可說是打開了一扇大門，能夠前往遠古被遺忘的世界。

　　想要破譯這些文字，第一步就是要能精確的加以抄錄，好傳回歐洲。於是，羅林森冒著生命危險，爬上這處懸崖，把這些奇怪的字母全部抄了下來。他也雇用幾位當地民眾，其中特別是一個庫德族的男孩，得爬到那些最難抵達的地方，好抄下銘文的上半部。1847年，這項完整並準確的抄錄終於完成，送往歐洲。

　　羅林森並未就此滿足。雖然他身為軍官，有軍事和政治上的任務要完成，但一到空暇時刻，他就不斷研究這份神祕的文字，想方

設法，終於讓他成功破譯了一部分古波斯文的碑文。這項工作之所以相對簡單，是因為古波斯文和現代波斯文的差別並不太大，而羅林森對現代波斯文知之甚詳。瞭解了古波斯文的部分之後，就讓他掌握了破譯埃蘭文和巴比倫文部分的關鍵。

於是，這扇大門終於敞開，讓我們彷彿聽到了古代喧囂繁忙的聲音，有蘇美市集的人聲鼎沸、亞述國王的宏亮宣告，以及巴比倫官僚之間的種種爭論。如果沒有羅林森這種現代歐洲帝國主義者，許多古代中東帝國的命運，就不會像現在這樣為人所知。

▌ 揚己之善，隱己之惡

另一位重要的帝國主義學者是瓊斯（William Jones）。他在1783年9月抵達印度，擔任孟加拉最高法院的法官，從此對印度深深著迷，不到半年就成立了亞洲學會。這個學術組織致力於研究亞洲的文化、歷史和社會，其中又特別以印度為重。兩年後，瓊斯發表了他對梵語的觀察，成為現代比較語言學的奠基之作。

梵語是一種古老的印度語言，後來成為印度教神聖儀式中所用的語言。但瓊斯指出，梵語竟然和希臘語、拉丁語有驚人的相似之處，而且這些語言也都和哥德語、凱爾特語、古波斯語、德語、法語和英語若合符節。例如梵語的「母親」是「matar」，而古凱爾特語則是「mathir」。據瓊斯推測，所有這些語言一開始必定有共同的來源——來自古老而已遭遺忘的祖先。就這樣，瓊斯成為第一個發現後來稱為「印歐語系」的人。

瓊斯的研究之所以重要，除了因為他提出一項大膽而且正確的假設，也是因為他發展出一套能夠系統化比較語言的過程。其他學

者也採用了這套研究方法，於是就能開始系統化研究世界上所有的語言發展。

語言學研究得到帝國的熱烈支持。歐洲帝國相信，要讓殖民統治更有效，就必須瞭解這些屬民的語言和文化。當時，英國派駐印度的官員必須在加爾各答的一所學校上課三年，上課內容除了英國法律，也得讀印度法律和穆斯林法律；除了希臘語和拉丁語，也得學梵語、烏爾都語和波斯語；除了數學、經濟學和地理學，也必須學習泰米爾文化、孟加拉文化和印度文化。學習語言學之後，對於瞭解當地語言的結構和語法，大有助益。

有了瓊斯、羅林森等人的研究後，歐洲征服者對於帝國的風俗民情瞭若指掌，不僅超過以往所有征服者，甚至連當地民眾都自嘆弗如。而更多知識也帶來明顯的實際利益。印度人口有數億之多，英國在印度的人數相較之下少得荒謬；要不是因為他們所擁有的知識，英國不可能得以掌握、壓迫和剝削這麼多印度人達兩個世紀之久。從整個十九世紀到二十世紀初，倚賴不到五千人的英國官員、大約四萬到七萬名英國士兵，再加上大約十萬個英國商人、幫傭、妻小等等，英國就征服並統治了全印度大約三億人口。[89]

然而，帝國之所以資助語言學、植物學、地理學和歷史學，並不只是為了實用而已。另一項同樣重要的原因，在於資助科學研究能夠改變帝國子民的思想和意識型態，讓帝國的擴張統治合理化、正當化。近代歐洲人開始相信「學習新知」必定是好事，正是因為帝國不斷產生新知識，讓他們自以為自己國家的對外擴張和殖民統治，就代表著進步與正面

就算到了今天，講到地理學、考古學和植物學的歷史，還是不能不提歐洲帝國直接或間接的支助。例如講到植物學的歷史，很少

會提到澳洲原住民為此受盡折磨,而只是大肆讚揚庫克船長和植物學家班克斯的貢獻。

此外,帝國取得新知之後,至少理論上應該也有益於當地被征服的民族,讓他們享受到「進步」的好處。例如獲得醫療和教育、修築鐵路和運河,以及確保司法公正、經濟繁榮。帝國主義人士聲稱,他們的管理不是毫無節制的剝削行為,而是利他的舉動,是要照顧這些非歐洲民族。以英國作家吉卜林(Rudyard Kipling)的話來說,這是一種「白人的承擔」:

> 挑起白人的承擔
> 派出最佳的子民
> 讓自己的子嗣形同流放
> 只為了滿足俘虜的需要;
> 穿戴所有重裝備
> 服務那些煩躁野蠻、
> 新擄獲、性格陰沉的人民
> 他們一半是魔鬼,一半是幼稚的小孩。

當然,事實往往會戳破這些虛構的故事。1764年英國征服孟加拉,當時這是印度最富有的省份。這批新的統治者除了橫征暴斂之外,並無心治理,所採行的經濟政策簡直是災難,短短幾年便導致孟加拉大饑荒爆發。大饑荒始於1769年,在1770年達到頂峰,而且持續到1773年才結束。在這場災難中,有一千多萬人口死亡,相當於全孟加拉三分之一的人口。[90]

事實就是,不管是只講到英國的壓迫和剝削,或是只講到「白

人的承擔」，都不是完全的事實。畢竟，歐洲各帝國以這麼大的規模做了這麼多事，不管是想站在哪一邊，都可以找到許許多多的事件得以佐證。你覺得這些帝國就是邪惡的怪物，在全球各地四處散播死亡、壓迫和歧視嗎？隨便把他們的罪行列出來，就足以編成一部百科全書了。你覺得這些帝國其實為屬民提供了新的醫藥、更佳的經濟環境、更多的安全嗎？隨便把他們的成就列出來，也足以編成另一部百科全書。

正因為帝國與科學密切合作，就讓歐洲的帝國有了如此強大的力量，讓整個世界大為改觀；也是因為如此，我們很難簡單斷言這些帝國究竟是善是惡。正是帝國創造了我們所認識的世界，而且，其中還包含我們用以判斷世界的意識型態。

從種族主義，到文化主義

然而，科學也被帝國主義者用於某些邪惡的用途。不論生物學家、人類學家、甚至語言學家，都提出了某些科學證據，證明歐洲人優於其他所有民族，因而有權力（或許也是責任？）統治他人。

自從瓊斯提出所有印歐語言同源同宗、來自某一個特定的遠古語言，學者們便前仆後繼，渴望找出究竟是誰曾經說著這種語言。他們注意到，最早的梵語族群是在大約三千年前，從中亞入侵印度的，他們自稱為「雅利亞」（Arya）。而最早的波斯語族群，則自稱為「艾利亞」（Airiia）。於是歐洲學者推測，這些講著梵語和波斯語（以及希臘語、拉丁語、哥德語、凱爾特語）原始語言的人，一定是某種**雅利安人**（Aryan）。會不會真這麼巧，偉大的印度文明、波斯文明、希臘文明和羅馬文明，都是「勤勉的雅利安人」所創？

接下來,英法德各國學者開始把有關「勤勉的雅利安人」的語言學理論,與達爾文的天擇理論結合,認為所謂的雅利安人不只是語言族群,而是某種生物族群,也就是一個種族。而且,這可不是什麼隨隨便便的種族,而是一個上等種族,身材高大、金髮碧眼、工作勤奮而且極度理性,他們就這樣從北方的迷霧中走出來,奠定了全世界文化的基礎。但遺憾的是,入侵印度和波斯的雅利安人開始與當地原住民通婚,於是不再有白晰的膚色與金髮,也失去了理性和勤奮。於是,印度和波斯的文明每況愈下。但在歐洲可就不同了,雅利安人還是維持著純潔無汙染的種族特性。正因如此,歐洲人必須要征服世界,而且他們最適合擔任世界的統治者;不過可得小心,別遭到其他劣等種族混血汙染。

在幾十年間,這一款種族主義理論甚囂塵上,但現在已經成了科學家和政治家不敢再提的禁忌話題。雖然我們還是英勇抵抗著種族主義,但卻沒發現戰線已經轉移,過去種族主義在帝國思想中所占的位置,現在都由**文化主義**(culturism)借殼上市了。目前這個名詞尚未明確定義,但差不多是可以提出這個概念的時候了。對今日許多菁英份子而言,要比較判斷不同人群的優劣對比,幾乎講的總是歷史上的文化差異,而不再是種族上的生物差異。我們不再說「這就存在他們的血液裡」,而是說「這就存在他們的文化裡」。

因此,就算是反對穆斯林移民的歐洲右翼政黨,也會小心避開種族歧視的用語。以法國極右派政黨「民族陣線」為例,黨魁勒龐(Marine le Pen)絕對不可能在電視上大聲表示:「我們不希望這些下等的閃族人,汙染我們的雅利安人血統,破壞我們的雅利安人文明。」然而,不管是法國的民族陣線、荷蘭的自由民主黨、或是奧地利的奧地利未來聯盟,都認為:西方文化根植發展於歐洲,具有

民主、寬容、性別平等的特質，而穆斯林文化根植發展於中東，具有階級政治、宗教狂熱、歧視女性的特質。正因為這兩種文化如此不同，而且許多穆斯林移民不願（或許也不能）採納西方的價值觀，因此不應允許他們移居進入西方社會，以免造成內部衝突，破壞了歐洲的民主和自由主義。

像這些文化主義者的論點，也有一套人文社會科學在背後支持，強調的是所謂的文化衝突、以及不同文化之間根本上的差異。但並不是所有歷史學家和人類學家都接受這些理論，或是支持它們在政治上的應用。

雖然，現在的生物學家已經可以指出「現有人類族群之間的生物差異，小到可以忽略不計」，從而輕鬆推翻種族主義的論調；然而對於歷史學家和人類學家來說，要推翻文化主義卻沒那麼簡單。畢竟，如果人類文化之間的差異真是那麼微不足道，我們又為什麼要付錢給歷史學家和人類學家，請他們研究分析？

▌沒有錢，萬萬不能

科學家為帝國提供了各種實用知識、思想基礎和科技工具，要是沒有他們，歐洲人能否征服世界仍是未定之數。至於征服者報答科學家的方式，則是提供各種資訊和保護，資助各種奇特迷人的研究，而且將科學的思考方式傳到地球上的每一個偏遠角落。如果沒有帝國的支持，科學能否發展得如此蓬勃，也在未定之天。

絕大多數的科學學門一開始的目的，都只是為了讓帝國繼續發展，而且許多發現、收藏、硬體設施和獎助金，也都多虧了陸海軍及帝國統治者的慷慨協助。

但很顯然，這還不是故事的全貌。除了帝國之外，還有其他因素支持著科學的發展。而且，歐洲各個帝國能夠蓬勃興盛，原因也不僅僅是科學而已。不論是科學或帝國，它們能夠迅速崛起，背後都還潛藏著一股特別重要的力量：資本主義。

　　要不是因為商人想賺錢，哥倫布就不會抵達美洲，庫克船長就不會抵達澳洲，阿姆斯壯也就沒辦法在月球上跨出他那重要的一小步。

第**16**章

資本主義教條

不論是要建立帝國、或是推廣科學，沒有錢都是萬萬不能。然而，金錢究竟是這些作為的最終目標，或者只是要命的必需品？

我們很難掌握金錢在現代歷史中，究竟扮演了什麼角色。雖然已經有許多著作，告訴我們各個國家是如何成也金錢、敗也金錢，也看到金錢是如何為人類展開新視野、但也讓數百萬人遭受奴役，如何推動著產業的巨輪、但又讓數百種的物種慘遭滅絕。然而，想要瞭解現代經濟史，其實重點就只有一個詞：成長。不論結果是好是壞、究竟是生病或是健康，現代經濟就像是一個荷爾蒙過盛的青少年，不斷成長，吞噬著它看到的一切，而且成長的速度叫人完全趕不上。

歷史上大多數時候，經濟規模並沒有太大的改變。雖然確實全球產值會增加，但多半是因為人口成長、移居到新的土地，而每人平均產值則維持不變。然而到了近代，一切都已改觀。在1500年，全球商品和服務總產值約是2,500億美元；而今天是大約60兆美元。更重要的是，在1500年，每人年平均產值約為550美元，但今

天不論男女老幼，每人年平均產值高達8,800美元。[91] 這種驚人的成長該如何解釋？

經濟學向來就是出了名的複雜。為了方便解釋，讓我們假設一個簡單的例子。

有一位精打細算的金融家A先生，在加州開了一間銀行。

另外有一個建築承包商B先生，才剛完成一件大案子，賺到了100萬美元的現金。他把這筆現金存進了A先生的銀行。於是，這家銀行目前擁有了100萬美元現金的資金。

這時，有一位經驗豐富但資金不足的麵包師傅C小姐，覺得她看到了一個大好的商機：這個城市還沒有一間真正好的麵包店。只不過，她自己的錢還不足以買到全套需要的設備，像是專業烤箱、流理台、鍋碗瓢盆之類。於是，她到銀行向A先生提出商業計畫，說服他這項計畫值得投資。A先生就用轉帳的方式，將100萬美元的貸款轉到C小姐的銀行帳戶，帳面上她就有了100萬元。

接著，C小姐請承包商B先生來蓋她的麵包店，價格剛好又是100萬美元。

等到她開了一張支票給B先生，B先生又拿去存在A先生的銀行裡。所以，現在B先生戶頭裡有多少錢？沒錯，200萬美元。

然而，銀行的保險庫裡實際上到底有多少現金？也沒錯，100萬美元。

事情繼續發展。就像一般常見的情形，B先生這位承包商在兩個月之後告訴C小姐，因為某些無法預期的問題和物料上漲，麵包店的建築費用得漲到200萬美元。雖然C小姐非常不高興，但動工到一半，已經無法喊停了。於是她只好再次到銀行，又說服了A先

生再貸給她100萬美元。

於是，A先生又另外轉了100萬美元到她的帳戶裡。而她也再將錢轉到了承包商B先生的帳戶。

這樣一來，現在B先生戶頭裡有多少錢？已經來到300萬美元了。但銀行裡實際上呢？其實一直就只有100萬美元的現金。而且事實上，這100萬元現金從來就沒有出過銀行。

根據目前的美國銀行法，這種作業還可以再重複7次。所以，就算銀行的保險庫從頭到尾就只有100萬美元，但這位承包商的戶頭最後可以達到1,000萬美元。銀行每次真正持有1元的時候，就能夠放款10元；換句話說，也代表我們銀行戶頭上看到的那些金錢，有超過九成其實只是數字，而沒有實體的硬幣或鈔票。[92] 舉例來說，如果今天匯豐銀行的所有存戶都忽然要求結清戶頭、提領現金，匯豐銀行就會立刻倒閉（除非政府介入拯救）。而且，就算是產業龍頭的英國駿懋銀行（Lloyds）、德意志銀行、花旗銀行，世上任何銀行都是如此。

這聽起來就像是巨大的龐氏騙局（俗稱老鼠會），不是嗎？但如果你覺得這就是騙局一場，那麼可以說整個現代經濟就只是一場騙局。但事實上這不是詐騙案，而是另一次人類想像力的驚人發揮。真正讓銀行（以及整個經濟）得以存活、甚至大發利市的，其實是我們對未來的信任。「信任」就是世上絕大多數金錢的唯一後盾。

在這個麵包店的例子裡，之所以「承包商戶頭裡的金額」與「銀行裡實際現金的金額」會出現落差，是因為這個落差就在於C小姐的那間麵包店。A先生把銀行的這筆錢投入這項資產，是因為

相信終有一天有利可圖。雖然現在麵包店連一條麵包都還沒烤，但不管是C小姐或是A先生，都相信只要假以時日（例如一年後），店家生意就會一飛沖天，每天賣上幾千個麵包、蛋糕、餅乾之類，賺得可觀的利潤。這麼一來，C小姐就能連本帶利清償貸款，如果那個時候B先生想把現金領走，A先生也能輕鬆應對。因此，我們可以看到，這整個運作就是基於信任著一種想像的未來；銀行家和創業者相信麵包店能夠成功，承包商也相信銀行未來一定能把錢再還給他。

█ 預支未來，打造現在

前面我們已經提過，金錢是一種十分特殊的概念，可以代表許許多多不同的事物，而且也可以協助將幾乎所有的東西互相交換。然而，在歷史來到近代之前，這種交換的能力還十分有限。原因就在於：當時金錢只能代表一些「實際存在於當下」的物品。這與「創業」的概念無法相容，因此也就很難促進經濟成長。

讓我們回到麵包店的例子。如果金錢只能代表有形、實際的物品，C小姐還有辦法開麵包店嗎？

絕無可能。在目前，雖然她有許多夢想，但缺少有形的資源。她想開麵包店的唯一辦法，就是得要找到某個願意立刻開工、但幾年後才收錢的承包商，而且到時候麵包店究竟賺不賺錢還很難說。然而，這樣的承包商幾乎是世界級的珍稀品種。於是，這下子咱們的創業者就陷入困境。如果沒有麵包店，她就不能烤麵包。不能烤麵包，就賺不了錢。賺不了錢，就雇不了承包商。雇不了承包商，就沒有麵包店。

創業者的困境：

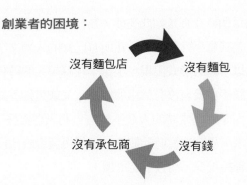

沒有麵包店　沒有麵包

沒有承包商　沒有錢

　　人類就這樣，在這種困境裡困了幾千年。結果就是經濟成長停滯。一直要到近代，基於對未來的信任，我們發展出一套新的系統，才終於有辦法跳出這個困境。在這項新系統中，人類發展出「信用」這種金錢概念，代表著目前還不存在、只存在於想像中的財貨。正是「信用」的概念，讓我們能夠預支未來、打造現在。而這背後有一項基本假設，就是未來的資源肯定遠超過目前的資源；只要我們使用未來的收入來投資當下，就會帶來許多全新而美好的商機。

現代經濟的奇妙循環：

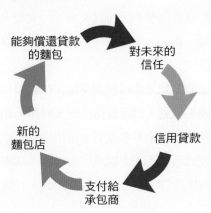

能夠償還貸款
的麵包　對未來的
信任

新的
麵包店　信用貸款

支付給
承包商

如果信用這個概念真是如此美妙，為什麼古代從來沒有人想到呢？當然，古人其實早就想到了。在所有已知的人類文明中，信用的概念都曾經以不同的形式出現，至少早在蘇美人的時代就已經存在。過去的問題不在於有沒有信用的概念、又或是知不知道如何使用這種概念，而是因為當時的人並不相信「明天會更好」，所以並不願意延展信用。畢竟在當時的概念，總覺得黃金時代已經過去，未來頂多就是維持現況，而且可能更糟。

　　用經濟學的概念來講，也就是他們認為財富的總量有限，而且還可能萎縮。因此，當時不論是講到個人、王國或是世界，大家普遍並不相信過了十年竟能生產出更多的財富。商業看起來就像一場零和遊戲：開了一家麵包店之後，確實可能會取得利潤，但一定是因為搶了隔壁麵包店的利益。如果北京蓬勃發展，一定是搶了上海的資源。如果英國國王錢財滾滾，一定是瘦了法國國王的荷包。整個世界就像是一塊大餅，切法各有不同，但總之就只有一塊餅，不可能變得更大。

　　正因如此，許多文化都認為賺大錢是罪惡。耶穌就說：「駱駝穿過針的眼，比財主進神的國還容易呢！」（馬太福音 19：24）。如果整個餅就是這麼大，而我又拿了一大塊，一定就是對其他人不公平。於是，富人一定得把他們多賺的財富拿出一些，捐給慈善機構做為贖罪。

　　這麼說來，如果全球經濟這塊大餅也只有固定大小，信用貸款並無利可圖。畢竟，信用就是「今天的餅」和「明天的餅」之間的價差，如果餅的大小不會改變，信用貸款也就沒有意義。除非你相信向你借錢的麵包師（或國王）會從對手那裡搶來更大的切塊，否則借他錢的風險豈不是太大了嗎？因此，在進入近代之前，想要貸

款難如登天，就算真的貸到一筆款項，通常也是小額、短期、高利率。這樣一來，想創業的麵包師覺得前途茫茫，而如果是國王想籌措蓋宮殿或發動戰爭的資金，除了增稅之外，幾乎別無他途。這對國王來說問題不大（只要屬民還肯乖乖聽話就行），但如果是某個廚房裡的女傭，就算有了開麵包店的偉大夢想、希望力爭上游賺大錢，就只能繼續刷地打掃，做著白日夢。

這其實是雙輸的局面。因為信用有限，想要籌資創業就難上加難。因為創業停滯，經濟就不會成長。因為經濟沒有成長，大家就認為經濟不可能成長，即使是手上確實有資金的人，也不願意提供信用貸款給別人。於是，對於經濟停滯的預期，就確實造成了經濟停滯的結果。

會變大的餅

接著，歷史上出現了科學革命和關於進步的概念。所謂的「進步」，是在承認我們的無知之後，認為只要投資進行科學研究，一切就能變得更好。很快的，這個想法就應用到了經濟上。只要是相信「進步」的人，就會相信透過各種地理發現、科技發明和組織發展，能夠提升人類生產、貿易和財富的總量。發現了大西洋的新航道而大發利市，並不需要犧牲過去在印度洋的舊航道。推出新的產品時，也不一定就代表要減少舊產品的產量。

舉例來說，我們開了一家法式麵包店，並不代表過去的傳統麵包店必然關店大吉。民眾會培養出新的喜好、吃得更多。我賺錢，不代表你就賠錢；我變壯了，不代表你就得餓死。全球的這塊餅，可以有變大的潛力。

在過去五百年間,這種關於進步的概念說服了全球人民,將愈來愈多的信任交付給未來。正是這種信任創造了信用貸款;而信用貸款帶來了實實在在的經濟成長;正因為有成長,我們就更信任未來,也就願意提供更多的信用貸款。這種改變並非一夕之間;經濟比較像是雲霄飛車,而不是熱氣球。雖然途中起起伏伏,但大方向十分明確。現在全球的信用貸款如此盛行,不管是政府、工商企業或個人,大都能輕鬆取得大額、長期、低利率的信用貸款,金額遠遠超過他們現有的收入。

胡桃裡的世界經濟史:

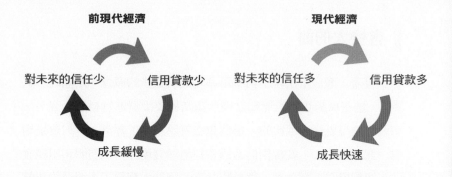

　　由於相信全球經濟這塊大餅可以不斷變大,最後終於產生了一場革命。1776年,蘇格蘭經濟學家亞當·斯密出版了《國富論》,可說是史上最重要的經濟學著作。在《國富論》的第一卷第八章,亞當·斯密提出了以下的創新論述:如果地主、織工或鞋匠賺得的利潤高於養家活口基本所需,就會雇用更多助手,好進一步提高自己的利潤。利潤愈高,能雇的助手也愈多。由此可見,民間企業的

獲利正是社會整體財富和繁榮的基礎。

目前聽到這種說法可能覺得十分普通、了無新意，但這是因為我們就活在一個資本主義的世界裡，亞當・斯密的理論早就是生活的一部分了。電視新聞每天都可以聽到類似的主題，以各種不同的形式出現。然而，亞當・斯密明確提出：**人類全體財富的基礎，就在於希望增加個人利潤的自私心理**。這一點可說是人類歷史上最革命性的概念，而且還不只是從經濟的角度，也包括道德和政治的角度。亞當・斯密其實告訴我們：貪婪是好的，而且我們讓自己過得好的時候，不只是自己得利，還能讓他人受益。利己就是利他。

於是，亞當・斯密讓我們認為經濟是一種雙贏的局面，我獲利就是你獲利。這樣一來，我們不僅可以同時享受這份變大的大餅，而且正因為我這塊變大了，你那塊也會跟著變大。而如果我變窮，我就買不起你的產品或服務，你賺不到錢了，也會變窮。如果我有錢，因為你就能把東西賣給我，所以你也就跟著富裕。

亞當・斯密推翻了傳統上認為財富與道德彼此對立的概念，這下子，天堂的大門也會為富人而敞開，而有錢也就是有了道德。在亞當・斯密這個版本的故事裡，人會變得富有，並不是因為剝削鄰居，而是因為讓整塊大餅變大了。隨著大餅變大，人人都能受益。這麼一來，可說正是有錢人推動了經濟成長的巨輪，讓人人都能得利，他們可真是整個社會裡利他、仁厚的典範了。

然而，這一切的立論基礎必須取決於富人是不是用這些利潤來新建工廠、雇用新員工，而不是將利潤浪費在無生產力的活動上。所以，亞當・斯密不斷強調的是「利潤增加時，地主或織工就會雇用更多助手」，而不是說「利潤增加時，守財奴就把錢全部藏得死死的，只有算錢的時候才拿出來」。現代資本主義經濟的一大重

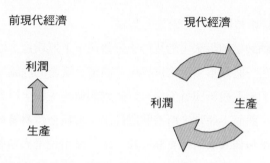

前現代經濟　　　　現代經濟

利潤

生產

利潤　　　　生產

點，就在於出現了一種新的道德標準：**應該要把利潤拿出來，繼續投資生產**。這樣一來，才能帶來更多的利潤、再重新投入生產、再帶來更多的利潤，如此不斷循環。

　　所謂投資可以分成很多種：擴建工廠、從事科學研究、開發新產品⋯⋯。但不論如何，重點就是要增加產量，轉為更多的利潤。在新的資本主義教條裡，最神聖的開宗明義第一條就是：生產的利潤，必須再投資於提高產量。

▎資本主義者

　　資本主義之名正是由此而來。所謂的**資本主義**（capitalism），認為**資本**（capital）與**財富**（wealth）有所不同。資本指的是投入生產的各種金錢、物品和資源。而財富指的則是那些埋在地下或是浪費在非生產性活動的金錢、物品和資源。例如，如果有位法老王，把所有的資源拿來打造一座不具生產力的金字塔，他並不是資本主義者。某個海盜劫掠了一條西班牙運寶船，把一整箱閃閃發光的金

幣，埋到加勒比海的某座小島上，他也不是資本主義者。但如果是某個辛勤工作的工廠工人，把收入的一部分拿去投資股票，他就算是資本主義者。

現在說到「生產的利潤，必須再投資於提高產量」，可能覺得十分平凡無奇。然而對於人類歷史來說，大部分時候並沒有這種概念。像是在前現代時期，當時認為生產這件事並不會造成太大的改變。所以，如果不管做什麼，生產都不會帶來太了不起的利潤，為什麼還要把利潤重新投入生產呢？因此，中世紀貴族所信奉的倫理就是要為人慷慨、奢華消費，把所有收入用來舉辦各種比賽和宴會、資助戰事、投入慈善，以及興建宮殿和教堂。很少有貴族會將利潤投資於提升莊園的產量、尋找更佳的小麥物種，或是尋找新的市場。

但是到了現代，貴族已經被新菁英份子取代了，這批新人都是資本主義教條的信徒。過去的公爵侯爺黯然退位，取而代之的是董事、金融家、實業家。這些商業巨賈的富有程度，讓中世紀貴族瞠乎其後，但他們對於各種奢侈消費的興趣遠低於過去，所有利潤只有非常小的部分是用於非生產性活動。

中世紀的貴族，穿著由金絲和絲綢織成的華麗長袍，大把時間都是用來參加宴會、嘉年華和種種盛大的賽事。相較之下，現代的執行長都作西裝打扮，簡直成了制服，看來就像一群烏鴉；而且他們幾乎沒什麼享樂的時間。一般來說，典型的風險投資者就是趕赴一場又一場的商務會談，努力想找出該把自己的資金投入市場的哪一塊，或是嚴密監督手上股票債券的上下波動走勢。確實，他穿的可能是凡賽斯西裝、搭乘的可能是私人飛機，但與他投入提高人類生產力的投資相比，這只是九牛一毛。

而且，會投資提高生產量的，可不只有這群穿著凡賽斯西裝的商業大亨。就算是一般民眾或政府機構，想法也都十分類似。有多少次，我們聚會聊天的話題，總會提到該把錢拿來買哪一支股票或債券基金，哪塊地或房子後勢看漲？各國政府也努力將稅收轉投資到某些具生產力的計畫，希望能增加未來的稅收。例如興建一座新碼頭，讓工廠更容易出口產品，就能讓廠商賺到更多的應稅所得，最後也就能增加政府的稅收。或者，政府可能覺得投資於高等教育更好，因為有了大量接受良好教育的人才，就能支撐獲利豐厚的高科技產業，不必興建港口邊的加工出口區，就能取得大筆稅收。

▍經濟成長至上

　　一開始，資本主義只是關於經濟如何運作的理論。這套理論不僅描述了整件事會如何運作，也提出相關的規範。像是它解釋金錢的運作模式，也認為將利潤再投資於生產，就能帶來快速的經濟成長。然而，資本主義的影響範圍逐漸超越了單純的經濟領域，現在它還成了一套倫理，告訴我們該有怎樣的行為、該如何教育孩子、甚至該如何思考問題。

　　資本主義的基本原則在於：由於不論是快樂、自由、甚至正義都必須依賴於經濟的成長，所以可說經濟成長就是至善（或至少十分接近）。如果你找來一個資本主義者，問他該如何為辛巴威或阿富汗這些地方，帶來正義和政治自由，他很可能就會滔滔不絕的告訴你，想要有穩定的民主制度，就必須要有蓬勃的經濟、健全的中產階級，所以重點就是該讓當地人具備自由企業、儲蓄、自力更生這些價值觀。

　　這種新的宗教對於現代科學的發展，也產生了決定性的影響。科學研究背後的金主，幾乎都是政府或私人企業。而資本主義的政府和企業想投資某一項特定的科學研究計畫時，第一個問題常常就是「這項研究會提高產量和利潤嗎？會促進經濟成長嗎？」科學研究計畫如果沒辦法應付這些問題，想取得研究經費的可能性就微乎其微。要談到現代科學史，資本主義絕對是不得不談的重要因素。

　　另外，如果不談科學，就會覺得資本主義能夠發展真是莫名其妙。資本主義認為經濟可以無窮無盡的發展下去，但這和我們日常生活觀察到的萬事萬物的現象，完全背道而馳。例如，對於狼群來說，如果覺得能做為獵物的羊群會無限制擴大，豈不是荒謬至極？然而，人類的經濟在整個現代時期，就是這樣不可思議的持續指數成長。唯一的原因就在於科學家總是能每隔幾年，就提出另一項發明、取得另一項發現，像是美洲大陸、內燃機引擎，或是運用基因工程的複製羊。印鈔票的是銀行和政府，但最後買單的是科學家。

　　在過去幾年裡，我們看到銀行和政府瘋狂印製鈔票。每個人都擔心經濟危機會讓經濟停滯、不再成長，於是他們就這樣無中生有的印了數兆的美元、歐元和日元，讓金融體系裡憑空出現一大筆便宜信貸，只盼望科學家、技術人員和工程師能夠在經濟泡沫破滅之前，設法搞出得以力挽狂瀾的創世發明或發現。一切指望，就寄託在學校實驗室或產業實驗室裡的人身上。像是在生物科技、奈米科技的新發現，就可能開創出全新的產品或產業，帶來龐大的利潤，於是，就能拿來打平銀行和政府從2008年以來，虛擬創造出的幾兆金錢數字。然而，如果實驗室的腳步不敵泡沫破滅的速度，可以想見，經濟前景就十分堪慮了。

哥倫布也需要金主

資本主義不只左右了近代科學的興起，也影響了歐洲帝國主義的發展。而且，正是歐洲帝國主義創造了資本主義的信貸制度。當然，信用貸款的概念並不是直到近代的歐洲才發明，早在幾乎所有的農業社會就已經出現了。

近代初期，歐洲資本主義的興起，可說與亞洲的經濟發展密切相關。這裡要請讀者諸君留意：直到十八世紀晚期，亞洲仍然是全球的經濟強權；換句話說，歐洲人手上的資金還是遠不及中國人、印度人或穆斯林所擁有的財富。

然而，在中國、印度和穆斯林世界的社會政治制度下，信用貸款只稱得上是次要角色。像是在土耳其的伊斯坦堡、伊朗的伊斯法罕（Isfahan）、印度德里或中國北京，雖然商人和銀行家也可能有資本主義的思想，但這些商人和商業思維卻往往遭到君王和將領的輕視。近代初期的非歐洲帝國，建立者多半是偉大的征服者，譬如建立八旗帝國的努爾哈赤、建立伊朗阿薩德王朝的納德國王（Nader Shah）；非歐洲帝國的治理者，多半是技術官僚和軍事菁英，例如清朝和鄂圖曼土耳其帝國。這些掌權者主要靠掠奪和稅收（兩者的差異其實很細微）取得資金，很少需要用到信用貸款，更不用提是否關心銀行家和投資者的利益。

但是在歐洲，情況就有所不同，這裡的國王和將領也逐漸採用商業的思維模式，後來甚至是由商人和銀行家直接成為統治菁英。歐洲人征服世界的過程中，所需資金的來源從稅收逐漸轉為信用貸款，而且也逐漸改由資本家主導，一切的目標就是要讓投資取得最

高的報酬。於是，由穿著西裝、戴著帽子的銀行家和商人所建立的帝國，就這樣打敗了由穿金戴銀、披著閃亮盔甲的國王和貴族建立的帝國。這些**重商**（mercantile）帝國，取得資金進行征服的效率，硬是高出一截。畢竟，沒人喜歡繳稅，但人人都樂於投資。

　　1484年，哥倫布前往謁見葡萄牙國王，希望國王資助他的船隊向西航行，尋找前往東亞的新航道。像這樣的探索不僅危險重重，而且需要龐大資金。從造船、購買補給、支付水手和士兵的薪餉，都需要一大筆錢，而且這種投資能不能得到報酬，都還大有問題。於是，哥倫布遭到葡萄牙國王拒絕。

　　但也就像是現在的創業家，哥倫布並沒有放棄。他又把他的構想，拿去向義大利、法國、英國的可能投資者遊說，甚至再回到葡萄牙兜售一次，但每次都遭到回絕。最後，他決定到剛剛統一的西班牙，找當時的國王斐迪南二世和女王伊莎貝拉一世碰碰運氣。哥倫布聘請了一批經驗豐富的說客，終於說服了伊莎貝拉女王投資。接著就像大家知道的，伊莎貝拉女王如同買中了大樂透一樣。哥倫布的發現新大陸，讓西班牙人征服了美洲，除了開採金礦銀礦，還種起甘蔗和菸草，讓西班牙的國王、銀行家和商人簡直美夢成真。

　　一百年後，這些王公貴族和銀行家不僅荷包滿滿，而且碰上哥倫布的接班人時，願意提供的信用貸款金額也遠超過以往。這一切都是奠基於從美洲搜刮而來的財富。同樣重要的一點是，王公貴族和銀行家對於探勘探險的潛力，信心大增，也更願意投入自己的金錢。這就是帝國資本主義的奇妙循環：信用貸款資助新發現；新發現帶來殖民地；殖民地帶來利潤；利潤建立起信任；信任轉化為更多的信用貸款。不管是努爾哈赤或是納德國王，帝國擴張幾千公里之後就後繼無力。但是對資本主義的創業者來說，從一次到另一次

的征服，都讓經濟的動力更加強大。

　　然而，這些探險仍然很倚靠運氣，所以整個信貸市場還是顯得小心翼翼。許多探險隊最後常是兩手空空的回到了歐洲，沒有什麼有價值的發現。舉例來說，英國人就曾浪費大筆資金，試圖尋找從北極通往亞洲的西北航道。而且，還有很多探險隊就這麼一去不回，有的撞上冰山、有的遇上熱帶風暴，有的慘死於海盜之手。

　　於是，為了增加可能投資者的人數，並減少每個人承擔的風險，探險家就開始找上股份有限公司。這麼一來，不再需要有某個投資人把自己所有的錢都押在某一條船上，而是由公司從許多投資人手中集資投資，每個人只需要負擔自己資金的那一小塊風險。這樣一來，風險減少，但可能的利潤無上限。只要挑對了船，就算只有一點投資，也可能讓你變成百萬富翁。

　　時間就這樣十年十年過去，西歐發展出一套複雜的金融體系，可以在極短時間內籌措大筆信貸基金，提供民間企業或政府發展之用。探索征服隊伍如果想取得資金，這套體系的效率遠超過任何王國或帝國。而從荷蘭及西班牙之間的激烈爭鬥，也可以看出這種信貸體系的新力量。

　　在十六世紀，西班牙是全歐洲最強大的國家，在全球的幅員遼闊廣大，統治著大部分的歐洲、北美、南美、菲律賓群島，而且沿著非洲和亞洲海岸，還建立起一連串的基地。每年都有大批船隊，帶著大量美洲和亞洲的稀世珍寶，滿載而歸。至於荷蘭，國土就是一片沼澤，地小風疾、缺乏資源，原本只是西班牙領地的一個偏遠角落罷了。

█ 荷蘭崛起之路

　　1568年，主要信奉新教的荷蘭，決定起身抵抗他們的天主教西班牙統治者。一開始，這些反叛軍就像是唐吉訶德，只是徒勞無功的衝向不可能打敗的風車。但經過八十年之後，荷蘭不僅成功脫離西班牙而獨立，甚至還取代西班牙和他們的盟友葡萄牙，成為全球海上霸主，建立起全球性的荷蘭帝國，並成為歐洲最富有的國家。

　　荷蘭人成功的祕訣，就在於信用貸款。荷蘭人對於陸戰興趣缺缺，因此就付錢雇了傭兵，來負責和西班牙人打仗。至於荷蘭自己則是船愈建愈大，開始往海上發展。雖然傭兵或大型戰船都所費不貲，但當時荷蘭人取得了歐洲新興金融體系的信任（同時，西班牙國王則恣意背叛這些信任），於是比強大的西班牙帝國更容易取得資金，提供給各支遠征隊。金融家提供荷蘭足夠的信用貸款，讓他們得以建立軍隊和艦隊；這些軍隊和艦隊讓荷蘭控制了全球貿易路線；這樣一來，就產生了極可觀的利潤。有了這些利潤，荷蘭人能夠償還貸款，也更加強了金融家對他們的信任。很快的，阿姆斯特丹不僅成了歐洲首屈一指的港口，更是歐洲的金融聖地。

　　荷蘭到底是如何贏得了金融體系的信任？首先，他們堅持準時全額還款，讓貸款人借款給他們的風險降低。其次，荷蘭司法獨立，而且保護個人權利，特別是保障私有財產權。相較之下，獨裁國家不願保障個人權利和私有財產，於是資本也就一點一滴離開，流向那些願意遵守法治、保護私有財產的國家。

　　假設你是德國某個銀行世家的子嗣，父親看到了一個機會，想在歐洲主要城市開設分行，拓展業務。他把你和弟弟分別送到阿姆斯特丹和馬德里，每人給你們一萬金幣的資金。你弟弟決定借給西

班牙國王，讓他召募一支軍隊向法國國王開戰。至於你則決定借給某個荷蘭商人，據說那商人看上了北美洲某處的荒涼小島，想買下島上南邊的一塊土地。那商人相信，等到旁邊的哈德遜河成了一大貿易動脈之後，這個叫做曼哈頓的小島，地價必然扶搖直上。兩者的貸款都規定要在一年內償還。

　　一年很快就過去了。荷蘭商人把他那塊地賣了個高價，照約定連本帶利將錢還給你，讓你的父親可真是眉開眼笑。但在馬德里的弟弟就尷尬了。雖然西班牙國王和法國交戰打了勝仗，但國王現在又捲入與土耳其人的衝突。他需要把手上的每一分錢都投入這場新戰爭，覺得這比依約還錢重要太多了。雖然你弟弟不斷寄信到皇宮催促還款，又拜託宮廷裡的熟人，但一切都無濟於事。最後，你的弟弟不但沒有賺到約定的利息，連本金都要不回來。這下父親可沒那麼開心了。

　　接著還有更糟的，國王派了一位財務大臣去找你弟弟，直截了當的說，國王還需要再借一萬金幣，而且立刻就要。你弟弟手頭沒錢，只好寫信回家，試著讓父親相信這次國王會遵守約定。畢竟老么還是得人疼，父親一時心軟，勉強同意。結果就是另一筆一萬金幣再次一去不回，永遠消失在西班牙的國庫裡。

　　與此同時，你在阿姆斯特丹的事業卻是有聲有色。你可以為這些積極進取的荷蘭商人，提供愈來愈多的貸款，而且他們總是準時全額還款，絕不拖欠。然而，畢竟運氣也不可能只好不壞。有一位老客戶覺得荷蘭木鞋一定能在巴黎掀起風潮，所以想向你借款在巴黎開一間木鞋賣場。但不幸的是，你借錢給他之後，木鞋實在不符合法國女性的品味，結果商人大賠一筆，也不願意償還貸款。

　　這下父親可是大發雷霆，命令你們兩個都馬上去找律師解決。

於是，你弟弟在馬德里向法院控告西班牙國王，而你在阿姆斯特丹向法院控告這位木鞋大師。在西班牙，法院可以說是國王開的，法官會揣度上意，免得遭到雷霆之怒。至於在荷蘭，法院是政府的一個獨立部門，並不需要看人民或親王的臉色辦事。結果，馬德里法院駁回了你弟弟的訴訟，但阿姆斯特丹法院判你勝訴，讓你取得對那位木鞋商人的動產留置權，好逼他還錢。這下，你父親可是好好上了一課。他知道，應該要和商人來往，而不要跟國王來往，而且最好是在荷蘭做生意，而不要去西班牙談買賣。

而且，你弟弟的厄運還沒結束。因為西班牙國王還迫切需要更多資金來養軍隊，而且又一心認定你父親手上還有錢，就用莫須有的叛國罪起訴了你弟弟，表示如果不立刻交出兩萬金幣，就會把他丟到地牢裡關一輩子，等著在牢裡腐爛。

你父親受夠了，付了贖金換回自己心愛的么子，但發誓永遠不再和西班牙做生意。於是他收掉了馬德里分行，把你弟弟調到鹿特丹。現在，把兩家分行都開在荷蘭，也像是大好的主意，他甚至還聽說，連西班牙的資本家都正在偷偷把資金抽離西班牙。因為連他們都意識到，如果想讓自己的錢財不被西班牙國王搶走，而且能創造更多的財富，最好是把家當都搬到真正能實行法治、尊重私有財產制的地方，例如荷蘭。

荷蘭東印度公司的霸業

就是像這類的事，讓西班牙國王逐漸失去了投資者的信任，而荷蘭商人則贏得了投資者的信心。而且，真正建立起荷蘭帝國的，也是這群荷蘭商人、而不是荷蘭的官方。西班牙國王為了維持出征

的腳步,雖然民眾不滿的情緒已經日益升高,但他還是不斷加徵各種稅收。

相對的,荷蘭商人為遠征軍籌資的方式是透過貸款,而且也慢慢開始採用出售公司股份的方式,讓債權人也能夠享有部分的公司獲利。這下子,荷蘭這些股份公司成了荷蘭帝國的中流砥柱;謹慎的投資者絕不會把錢借給西班牙國王,就算要借給荷蘭政府也得思量思量,但講到投資這些荷蘭的股份公司,可是樂意之至。

如果你覺得投資某家公司能賺大錢,但當時所有股份都已經賣完了,你還可以從其他的股份持有人那裡去買,只是可能付的價錢會比當初他們買的時候高。至於如果你買了股份,卻發現公司前景堪慮,也可以試著用較低的價格賣出股份。這些買賣大行其道,最後的結果,就是在歐洲各大主要城市幾乎都設立了證券交易所,進行股票交易。

最著名的荷蘭股份公司,就是荷蘭東印度公司(VOC),在1602年得到特許而成立,當時荷蘭才剛擺脫了西班牙的統治,甚至就在離阿姆斯特丹不遠的地方,還能聽到西班牙大炮的聲響。荷蘭東印度公司透過出售股票,取得建船的資金,再派船前往亞洲,帶回中國、印度和印尼的特產貨物。此外,荷蘭東印度公司也資助旗下船艦的軍事行動,打擊競爭對手與海盜;最後,荷蘭東印度公司更是提供資金,直接攻下了印尼。

印尼是世界上規模最大的群島,島嶼數目上萬,在十七世紀初分別由幾百個不同的王國、公國、蘇丹國(亦即阿拉伯王國或伊斯蘭王國)和部落統治。荷蘭東印度公司的商人在1603年首次來到印尼,當時純粹只是為了商業目的。但為了保護商業利益、讓股東取得最高利潤,荷蘭東印度公司開始攻擊那些提高關稅的當地政權,

另外也與來自歐洲的競爭對手交戰。荷蘭東印度公司開始在商船上配備大炮，從歐洲、日本、印度、印尼召募傭兵，建起堡壘，展開全面的戰爭和圍城行動。

這家公司的做法，我們今天聽起來可能覺得有些不可思議，但在近代初期，民間公司雇用的常常不只傭兵，還包括將軍、大炮、軍艦，甚至雇用整支編制完整的現成軍隊。所以，等到像這樣由一間大型民間企業建立起一整個帝國的時候，國際社會可是覺得理所當然，見怪不怪。

荷蘭東印度公司就這樣攻占了一座又一座島嶼，印尼群島大部分都成了他們的殖民地，自此統治印尼近兩百年。直到1800年，印尼才改由荷蘭政府統治，在接下來的一百五十年間，成為荷蘭這個國家的殖民地。在今天，有人大聲疾呼，認為二十一世紀的民間企業已經掌握了太多權力。但從近代初期的歷史來看，我們早已看過放縱追求自我利益，能達到什麼境界！

荷蘭東印度公司在印度洋威風八面的時候，荷蘭的西印度公司（WIC）也在大西洋大展身手。為了掌控哈德遜河這個重要商業通道，荷蘭西印度公司在河口的一座小島上，開拓了殖民地，名為「新阿姆斯特丹」。這個殖民地不斷遭受美國原住民威脅，英國人也多次入侵，最後在1664年落入英國手中。英國人將這個城市改名「紐約」（New York，即「新約克」，約克為英國郡名）。

當時，荷蘭西印度公司曾在殖民地築起一道牆，用來抵禦英國人和美國原住民，這道牆的位置現在成了世界上最著名的街道：華爾街（Wall Street，直譯為「牆街」）。

密西西比泡沫事件

隨著十七世紀走向尾聲，由於荷蘭人過於自滿，戰爭成本又過於高昂，讓他們不僅失去了紐約，也無法再維持歐洲金融和帝國引擎的地位。法國和英國成了這個地位的強力競爭對手。一開始，似乎看來法國的贏面較大，畢竟它面積大於英國，更富有，人口也更多，而且軍隊的規模和經驗也勝出許多。然而，最後是由英國贏得了金融體系的信任，而法國只證明自己還不配得到這個地位。

關鍵的轉捩點是在十八世紀初，歐洲爆發了**密西西比泡沫事件**（Mississippi Bubble），這是當時歐洲最大的金融危機，法國王室也在這次事件中，臭名遠播。這個故事同樣也是由一間打算建立帝國的股份公司開始。

1717年，成立於法國的密西西比公司，在美洲的密西西比河下游谷地開拓殖民地，紐奧良（New Orleans）也是在此時開始成形。為了取得這項龐大計畫的資金，這家與路易十五宮廷關係良好的公司，便在巴黎證券交易所上市、出售股份。公司所有人約翰·羅（John Law）當時身兼法國中央銀行的總裁，還得到國王任命為總審計長，大約等於現代的財政部長。

在1717年，密西西比河下游河谷其實大約只有沼澤和鱷魚，但密西西比公司卻撒了漫天大謊，把這個地方描述得金銀遍地、無限商機。許多法國貴族、商人和城市裡那些冷漠的中產階級，都信了這套謊言，於是密西西比公司股價一飛沖天。公司上市的股價是500里弗（livre）。1719年8月1日，股價來到2,750里弗。8月30日，股價已經飆到4,100里弗；9月4日升上5,000里弗。等到12月2

日，密西西比公司的股價堂堂超過10,000里弗大關。當時，整個巴黎街頭洋溢著一種幸福感。民眾賣掉了自己所有的財產，借了大筆的金錢，只為了能夠購買密西西比公司的股票。每個人都相信自己找到了最簡單就能致富的方法。

然而就在幾天後，開始興起一片恐慌。有些股票炒手，意識到這種股價實在太誇張，完全不可能維持。經過他們仔細算計，覺得最好盡快在股價高點脫手。由於市場上的供給量上升，股價應聲下跌。其他投資者見到股價下跌，也想趕快收手離場。這麼一來，股價就持續暴跌，簡直像一場雪崩。為了穩定股價，法國中央銀行總裁（也就是約翰・羅本人）決定買進密西西比公司的股票，但最終還是無以為繼，耗盡了央行所有資金。到了這步田地，法國總審計長（仍然是約翰・羅本人）又下令印製更多鈔票，才能繼續購買更多股票。

就這樣，整個法國金融體系就成了一個大泡沫。無論約翰・羅的金融操作再怎麼高明，仍然無力回天。密西西比公司的股價從10,000里弗大跌至1,000里弗，接著更是徹底崩潰，再也沒有任何價值。到了這一刻，法國央行和國庫手中只有大量如壁紙的股票，再也沒有任何金錢。那些炒作股票的大戶多半得以及時脫手，幾乎沒受到什麼傷害。但散戶則是傾家蕩產，許多人因而自殺。

密西西比泡沫可說是史上最慘烈的一次金融崩潰。法國王室的金融體系一直沒能真正走出這場重大打擊。密西西比公司利用政治影響力操縱股價、推動購買熱潮，結果讓法國人民對法國金融體系和國王的金融智慧都失去信心。路易十五愈來愈難推動各種信用貸款計畫，而這也成為法國帝國海外領土逐漸落入英國手中的主因之一。在當時，英國仍然可以輕鬆用低利率取得貸款，但法國不僅貸

款困難，還得付出高額的利息。為了處理日益高築的債臺，法國國
王只能愈借愈多，而利率也愈借愈高。後來，王位交到路易十六手
中，他在祖父駕崩後繼位，但在1780年代卻發現年度預算有一半都
得拿來支付利息，財政已瀕臨破產。到了1789年，路易十六迫於無
奈，不得不召開已經長達一個半世紀未曾召開的「三級會議」（第
一級為神職人員，第二級為貴族，第三級則是前兩個級別以外的
其他代表），希望能解決這項危機。就這樣，法國大革命揭開了序
幕。

　　法國海外霸權分崩離析的同時，大英帝國卻是急邊擴張。大英
帝國就像先前的荷蘭帝國，主要是由民間股份公司所建立及管理，
這些公司也都在倫敦證券交易所上市。例如英國在北美的第一批殖
民地成立於十七世紀初，建立者都是民間股份公司，包括倫敦公
司、普利茅斯公司、多切斯特公司和麻薩諸塞公司。

　　至於打下印度次大陸的，同樣也不是英國官方，而是英國東印
度公司的傭兵。這家公司的成就甚至比荷蘭東印度公司更加輝煌。
公司總部位於倫敦的利德賀街，而在將近一個世紀期間，這家公司
就是從這裡統治著一整個強大的印度帝國，掌握了高達35萬士兵的
龐大軍力，就連英國王室也只能自嘆弗如。一直要到1858年，英國
王室才將印度及英國東印度公司的軍隊收編國有。當時拿破崙曾嘲
笑英國，說他們是「店小二的民族」（nation of shopkeepers）。只不
過，就是這群店小二打敗了拿破崙本人，還建立起有史以來最龐大
的帝國。

▍政府——資本家的工會

　　雖然印尼和印度分別在1800年和1858年，由荷蘭和英國收歸國有，但資本主義和帝國的關係非但沒有結束，反而是在十九世紀變得更為緊密。股份公司不再需要自己建立及管理殖民地，而是由經理和大股東直接在倫敦、阿姆斯特丹和巴黎，與政治權力牽線接軌，直接由國家來幫忙維護利益。正如馬克思和其他社會批評家所開的玩笑，西方政府幾乎就像是資本家的工會。

　　講到國家如何為資本家服務，最惡名昭彰的例子就是中英第一次鴉片戰爭（1840-1842）。在十九世紀上半葉，英國東印度公司和雜物商靠著向中國出口藥物（特別是鴉片）而發了大財。數百萬中國人成了癮君子，而國家的經濟和社會都大受影響。1830年代後期，中國政府發布禁菸令，但英國菸商完全無視這項律令。於是，中國當局開始沒收、銷毀鴉片。這些鴉片菸商與英國國會和首相關係良好，許多議員和部長其實都持有菸商公司的股票；因此鴉片菸商向政府施壓，要求採取行動。

　　1840年，英國正式以「自由貿易」為名，向中國宣戰。英國在此役輕鬆獲勝。中國人太過自信，卻完全敵不過英國如同神蹟般的新式武器：汽船、重型火炮、火箭，以及可快速擊發的步槍。在接下來的「萬年和約」（中英南京條約）中，清廷同意不限制英國菸商的活動，並且還要賠償清朝軍隊造成的損失。此外，清廷還將香港割讓給英國，於是香港就成了英國菸商安全的販毒基地。直到1997年，香港才回歸中國。在十九世紀末，中國鴉片成癮者大約有四千萬人，足足占了全國人口的十分之一。[93]

　　埃及同樣也遭到英國資本主義的毒手。在十九世紀，法國和英

國的投資者將大筆資金借給埃及的統治者，先是投資興築蘇伊士運河，後來還有一些比較失敗的計畫。埃及的債務逐漸膨脹，歐洲這些債權人也逐漸插手埃及的國內事務。到了1881年，埃及民族主義者忍無可忍，起身反抗，單方面宣布廢除一切外債。這讓維多利亞女王很不高興。一年後，她就派出大軍前往尼羅河，一直到二次大戰結束前，英國都還是埃及的宗主國。

▌資本和政治緊密相擁

為了投資人利益而發動的戰爭，絕不只這兩場而已。事實上，連戰爭本身都可以像鴉片一樣變成商品。

1821年，希臘人起身反抗鄂圖曼土耳其帝國，英國自由和浪漫圈子的人士大感同情，甚至像詩人拜倫就親自前往希臘，與這些反叛份子並肩作戰。但就在同時，倫敦金融家看到的是大好商機。他們向反抗軍領袖提議，在倫敦證券交易所上市發行債券，為希臘反抗軍籌資。而如果最後希臘獨立成功，就要連本帶利償還。於是，民間投資者有的為了利潤、有的出於同情、也或者兼而有之，紛紛買入這種債券。至於這種希臘起義債券在倫敦證交所的價格，就隨著希臘當地的戰情起起伏伏。

隨著戰事進行，土耳其漸漸占了上風，眼看反抗軍就要戰敗，債券持有人就快輸到脫褲了。就在此時，正因為債券持有人的利益就是國家的利益，所以英國組織起一支國際艦隊，在1827年的納瓦里諾戰役，一舉擊潰鄂圖曼帝國的主力艦隊。從此，受到長達幾世紀的征服統治後，希臘終於自由了。只不過，自由的代價就是一大筆巨額債務，這個新成立的國家根本無力償還。在接下來的幾十年

間，希臘經濟都被積欠英國的債務，壓得喘不過氣來。

　　資本和政治這兩者的緊密相擁，對信貸市場有深遠的影響。一個市場究竟能得到多少信用貸款，不能只看經濟因素（例如發現新的油田、發明新的機器），也得考慮政治事件的影響，例如政權更迭、或是採取了更積極的外交政策。諾瓦里諾戰役之後，英國資本家投資高風險海外交易的意願就更高了。他們親眼證實，如果外國債務人拒絕償還貸款，女王陛下的軍隊就會去為他們討債。

　　正因如此，今天在判斷某個國家的信用評等時，經濟體系是否健全，遠比天然資源的多寡更為重要。信用評等代表的是國家清償債務的可能性。除了純粹的經濟數據之外，也會考慮政治、社會，甚至文化因素。就算是擁有豐富石油蘊藏量的產油國，如果政府專制、司法腐敗，信用評等通常也不高。這麼一來，由於難以取得必要資金開發石油資源，很可能這個國家就只能這樣坐在金礦上窮困度日。相對的，如果某個國家雖然缺少自然資源，卻有民主自由的政府、和平的環境，以及公正的司法體系，就可能得到較高的信用評等。這樣一來，就能以低廉的代價取得相當的資金，撐起良好的教育體系、發展出蓬勃的高科技產業。

▌崇拜自由市場

　　資本和政治的關係如此緊密交結，不論是經濟學家、政治家或一般民眾，都有許多熱烈的爭論。死忠的資本主義擁護者很可能會表示，資本當然會影響政治，但政治絕不應該插手資本的事。他們認為，如果政府干預市場，必然會因為政治利益的左右，而做出不智的投資決定。舉例來說，政府很可能會向產業界課重稅，再用這

筆錢設置大筆的失業救濟金，討好選民大眾。在商人眼中，當然政府最好都別管事，讓錢都留在商人的口袋裡。他們宣稱，有了這些錢，他們就會繼續開設新的工廠，讓現在失業的人都能有工作。

持這種觀點的人士就會認為，最明智的經濟政策就是政治不要干預經濟，政府應當將稅收和管制都減到最低，將一切交給市場力量自由發揮。這樣一來，正因為民間投資人完全沒有政治考量，他們會將資金投向獲利最高的區塊，於是帶來最高的經濟成長。所以不管對企業家或勞工來說，政府最好是放手不干預。到了今天，資本主義教條最常見、也最有影響力的分身，就是自由市場主義。對自由市場主義最死忠的支持者，不僅認為國家不該出兵影響國際事務，甚至會批評國內的種種福利政策。他們對政府的建議，和老莊思想不謀而合：無為而治，什麼都別管！

然而，如果講到最極端的情況，相信自由市場的概念其實就像相信耶誕老人一樣天真。這世界上根本不可能有完全不受政治影響的市場。畢竟，經濟最重要的資源就是「信任」，而信任這種東西總是得面對種種的偷拐搶騙。光靠市場本身，並無法避免詐欺、竊盜和暴力的行為。這些事得由政治下手，立法禁止欺詐，並用警察、法庭和監獄來執行法律。如果國王或政府行事不力，無法屢行適當的市場規範，就會失去信任，使信用縮水，經濟也會衰退。不論是1719年的密西西比泡沫，或是2007年美國房地產泡沫帶來的信用緊縮和經濟衰退，都一再提醒著我們這些教訓。

大西洋奴隸貿易盛行

我們之所以不該期待或允許市場完全自由，還有另一個更基本

的原因。亞當‧斯密說，鞋匠賺到多餘的利潤之後，會用來雇用更多助手。這麼一來，因為多餘利潤能促進生產、雇用更多人，似乎就代表了自私自利和貪婪也可能對全體人類有利。

只不過，如果貪婪的鞋匠靠的是縮減工資、增加工時，來增加利潤，情況又會如何？課本上的答案是：自由市場會保護員工。如果鞋匠付的薪水太少、要求又太多，那些最優秀的員工當然就會離職，去為他的競爭對手工作。這下子，這位黑心老闆的工廠裡就只剩下最差勁的員工，甚至一個員工都不剩。於是他一定得要改變管理方式，不然就只能關門大吉。他的貪婪會逼他善待自己的員工。

這個理論聽來十分完美，但實際上卻是漏洞百出。如果真的是完全自由的市場，沒有國王或神職人員來監督，貪婪的資本家就能夠透過壟斷或串通，來壓榨勞工。例如，假設某個國家只有一家製鞋廠、或是所有製鞋廠都合謀同時降低工資，勞工就無法用換工作的方式來保護自己。

更可怕的是，老闆還可能運用惡質的勞工法、勞役償債、甚至奴隸制度，來限制勞工的自由。在中世紀結束的時候，基督宗教的歐洲幾乎完全沒有奴隸制度的現象。但到了近代初期，歐洲資本主義興起，大西洋奴隸貿易也應運而生。奴隸貿易這場災難的罪魁禍首，並不是暴君或是種族主義者，而是不受限制的市場力量。

歐洲人征服美洲的時候，積極開採金礦銀礦，並且建立莊園來種植甘蔗、菸草和棉花。這些礦場和莊園成為美洲生產和出口的大宗支柱。

其中，又以甘蔗種植特別重要。在中世紀，糖在歐洲是難得的奢侈品，必須由中東進口，而且價錢令人咋舌，使用的時候百般珍惜，視為某種祕密成分，可添加到各種美食、或蛇油為底的藥物

中。等到美洲開始有了一大片又一大片的大型甘蔗園，就開始有愈來愈多糖運抵歐洲。糖價開始下跌了，而歐洲人對甜食也愈來愈貪得無厭。商人見到機不可失，開始生產大量甜食，包括：蛋糕、餅乾、巧克力、糖果和含糖飲料（例如可可、咖啡和茶）。英國人每人每年的糖攝取量，從十七世紀初接近零，到十九世紀初竟然達到大約八公斤。

　　然而，不論是種植甘蔗或提煉蔗糖，都是勞力密集的工作。不僅工時長、熱帶陽光猛烈，蔗園環境更是瘧疾橫行，因此願意在蔗園工作的人寥寥無幾。如果使用約聘勞工，成本就太過高昂，售價無法壓低，就難以迎合大眾消費需求。這些蔗園的歐洲主人一方面對市場力量十分敏感，一方面又貪求利潤和經濟成長，因此就把腦筋動到了奴隸上。

　　從十六世紀到十九世紀，大約有一千萬非洲奴隸被運到美洲，其中有大約七成都在甘蔗園裡工作。奴隸的勞動條件極度惡劣，大多數奴隸生活悲慘，英年早逝。而且歐洲人經常發動戰爭，俘虜非洲人，再從非洲內陸千里迢迢運至美洲，數百萬非洲人就這樣在戰亂或運送過程中喪命。這一切，不過就是為了讓歐洲人能夠在茶裡加糖、能吃到甜點，讓商人能夠靠著販糖而獲取暴利。

▌善良人也會做出壞事

　　奴隸貿易背後的黑手，並不是國家或政府。這項產業完全出於經濟，是自由市場依據供需法則所組織及提供資金。民間販奴公司甚至在阿姆斯特丹、倫敦和巴黎證交所上市，出售股份。一些中產階級的歐洲人也就是圖個好機會投資賺錢，就買了這些股票，成為

幫凶。靠著這些錢，公司得以買船、雇用水手和士兵，他們在非洲購買奴隸，再運到美洲賣給莊園園主。販奴的收益就能順便購買莊園的作物及產品，例如糖、可可、咖啡、菸草、棉花和蘭姆酒。滿載而歸回到歐洲之後，蔗糖和棉花可以賣到一筆好價錢，接著他們就能再度前往非洲，把這個獲利頗豐的勾當，再次如法炮製。這種商業模式可真是讓股東心花怒放、再滿意不過了。

整個十八世紀，販奴的毛利約為6%；任何一位現代投資顧問都還是會說，這毛利率相當不錯，比「毛三到四」的代工業更佳。

這是自由市場資本主義美中不足之處。它無法保證利潤會以公平的方式取得，或是以公平的方式分配。而且相反的，因為人類有追求利潤和生產成長的渴望，就會盲目掃除一切可能的阻撓。等到「成長」成了無上的目標，不受其他道德倫理考量的制衡，就很容易衍生成一場災難。有一些宗教（例如基督教和納粹）殺害了數百萬人，原因是出於仇恨。然而，資本主義也殺害了數百萬人，原因則是出於冷漠加上貪婪。

大西洋奴隸貿易興起的原因，並不是歐洲人對非洲人有什麼種族仇恨。而那些買了股票的民眾、賣了股票的證券營業員、管理奴隸貿易公司的經理，壓根就不曾把非洲人放在心上。甘蔗莊園的園主就更不用談了。很多園主根本住得遠在天邊，他們唯一關心的莊園之事，就是帳目要清楚好讀，讓他們知道自己賺了多少錢。

我們必須記住，人類的歷史從來不是潔白無邪，大西洋奴隸貿易這件事絕非特例。像是前一章提過的孟加拉大饑荒，也是出於類似原因：英國東印度公司重視的比較是自己的利潤，而不是一千萬孟加拉人的生命。荷蘭東印度公司在印尼的軍事行動，後面出錢的也是一群善良的荷蘭人，他們愛孩子、會捐錢給慈善事業、也懂得

欣賞好音樂和好藝術，但他們就是沒能感受到爪哇、蘇門答臘、麻六甲這些地方人民的痛苦。隨著現代經濟的成長，全球各地還有無數的大小罪惡和災難，因為人類的貪婪和冷漠，正在持續上演。

經濟大餅能無限制變大嗎？

時間到了十九世紀，但資本主義的道德觀並未改善。工業革命風潮席捲歐洲，讓銀行家和資本家荷包滿滿，卻讓數百萬計的勞工落入赤貧。至於在歐洲殖民地，情況更是慘不忍睹。

1876年，比利時國王利奧波德二世，成立了一個非政府人道組織，宣稱目的是要探索中非，並打擊剛果河沿岸的奴隸貿易。同時該組織也表示會修築道路、興建學校和醫院，為當地居民改善生活條件。在1885年，歐洲列強同意將剛果盆地大約230萬平方公里的土地，撥給該組織管理使用。這片土地足足有比利時國土75倍大，從此稱為剛果自由邦（Congo Free State）。只不過，從來沒有人問過這片土地內，足足有兩、三千萬人民的意見。

在很短的時間內，這個所謂的人道組織就成了商業機構，真正的目的只是成長和獲利。他們壓根就忘了學校和醫院這回事，整個剛果盆地遍布著礦場和農場，多數由比利時官員掌控，而且無情的剝削著當地人民。

最惡名昭彰的就是橡膠產業，當時橡膠迅速成為產業大宗商品，橡膠出口也成了剛果最重要的收入來源。負責蒐集橡膠的非洲村民，被規定上繳的產量愈來愈高，而且一旦少繳，就會被斥為「懶惰」，遭到嚴厲懲罰。有時候是把他們的手臂砍掉，有時候甚至全村的人都遭到屠殺。就算是最保守的估計，從1885年到1908

年之間，在剛果追求成長和利潤的代價，就足足讓六百萬剛果人民命喪黃泉（至少占當時剛果人口的兩成）。甚至有些估計，慘死人數高達千萬。[94]

1908年以後，特別是1945年以後，部分出於對共產主義的恐懼，讓資本主義的貪婪稍微受到控制。然而，不平等的情形仍然猖獗。時間到了2013年，雖然全球經濟的大餅已經遠大於1500年，但分配的方式卻是極度不公，許多非洲農民和印尼勞工就算整日辛勞，能夠賺到的食物還比不上五百年前的先人。然而，就像農業革命一樣，所謂的現代經濟成長，也可能只是巨大的騙局。雖然人類和全球經濟看來都在繼續成長，但有更多的人卻是活在飢餓和困乏之中。

面對這種指控，資本主義有兩項回應。第一，資本主義已經把這個世界塑造成資本主義的樣子，現在也只有資本主義能讓它繼續運行下去了。唯一另一個足以和資本主義相抗衡的，就只有共產主義；但共產主義幾乎在所有層面上，都會造成更大的傷害，所以根本沒有人膽敢再試一次。在西元前8500年，就算有人對於農業革命深感後悔，但為時已晚，已經無法放棄農業。同樣的，雖然我們現在可能並不喜歡資本主義，但它也已經不可或缺，無法放棄。

第二，資本主義也認為：只要再多點耐心，保證天堂就要降臨人間了。確實，過去我們犯過一些錯，像是大西洋奴隸貿易，像是剝削了歐洲的勞工階級。但這一切都讓我們學到教訓，只要我們再等等、再等餅變大一點，就能讓人人都分到夠大的一塊。雖然說分餅的時候永遠不可能達到公平，但至少能做到「足夠」，讓每個男女老幼都能滿足，甚至在剛果也不例外。

事實上，我們確實已經看到一些正面的跡象。至少就純粹的物

質標準來說（例如預期壽命、嬰兒死亡率、熱量攝取量），雖然人口在過去百年間激增，但是2013年的這些指標，平均數值都明顯高於1913年。

　　然而，這塊經濟大餅真的能無限制變大嗎？每塊餅都需要原料和能源。可是早有先知預言警告，遲早智人會耗盡地球上所有的原料和能源。問題是，這會在什麼時候發生？

第**17**章

工業的巨輪

　　現代經濟之所以能夠成長，是因為我們願意信任未來，資本家也願意將利潤再投入生產。然而光是這樣還不夠。經濟成長還需要有能源、有原料，但能源和原料有限，如果用光了，是不是整個體系就要崩潰？

　　不過，就過去的證據看來，所謂「有限」也只是一種理論；雖然這可能不太符合我們的直覺。事實上，人類在過去幾個世紀的能源和原料用量是激增的，但是可供使用的能源和原料量卻是不減反增！每次即將因為能源或原料短缺，而使經濟成長趨緩的時候，就會有資金投入科技研究，解決這項問題。這種做法屢屢奏效，有時候讓人更有效利用現有資源，有時候找出了全新的能源和材料。

　　讓我們以運輸產業為例。過去三百年間，人類製造的運輸工具數量達到數十億臺，從簡單的馬車和手推車，到後來的火車、汽車、超音速飛機和太空梭。過去可能會有人認為，像這樣大規模使用資源，很快就會耗盡所有能源和原料，很快就只能靠著回收垃圾撐下去了。然而，實際狀況卻正好相反。在1700年，全球運輸工具

使用的原料多半是木材和鐵，但今天我們卻有各式各樣的新材料任
君挑選，像是塑膠、橡膠、鋁和鈦，這一切我們的祖先都完全一無
所知。另外，1700年的馬車，主要是由木匠和鐵匠手工人力製作，
但是現在的豐田車廠和波音飛機工廠，我們靠的是燃油引擎和核電
廠提供電力、許多機械臂提供勞力，來推動生產。類似的革命在幾
乎所有產業領域無所不在。我們將它稱為「工業革命」。

▌ 一切的源頭都是太陽能

　　早在工業革命前的數千年，人類就已經知道如何使用各種不同
的能源。像是可以燃燒木材，用火力來煉鐵、取暖、烤蛋糕。用帆
取得風力就能推動帆船，用水車取得水力就能用來碾穀子。然而，
這些使用方式都有明顯的限制和問題：火力得先取得木材，風力得
靠天賞臉，至於水力一定得住在河的附近才成。

　　還有一個更大的問題，就是我們不知道如何進行能量間的轉
換。譬如風力可以推船、水力可以推石磨，但卻沒辦法拿來煮水或
煉鐵。相對的，燃燒木頭的熱力也無法推動石磨。在當時想要轉換
能量，只能靠一種東西：人類或動物自己的身體。在自然的代謝過
程裡，人類和其他動物燃燒有機燃料（也就是食物），把能量轉換
為肌肉運動。於是，男男女女或動物攝取穀物和肉類，燃燒碳水化
合物和脂肪，再用這些能量來拉車或拖犁。

　　因為所有能量轉換只能靠人類和動物的身體，當時幾乎所有人
類活動靠的就是肌肉的力量。人類的肌肉能用來造車蓋房，牛的肌
肉能用來拖犁耕田，馬的肌肉能用來運輸貨物。而所有能用來供應
這些「有機肌肉機器」的能量來源只有一種：植物。至於植物的能

量，則是來自太陽。植物靠光合作用，將太陽能轉為有機化合物。由此看來，歷史上人類成就的幾乎所有事情，第一步靠的都是將植物取得的太陽能，轉換為肌肉的力量。

正因如此，人類歷史在過去一直是由兩大週期來主導：植物的生長週期，以及太陽能的變化週期（白天和黑夜，夏季和冬季）。陽光不足、穀物尚未成熟的時候，人類幾乎沒有能量可用。這時穀倉空空，收稅員無事可做，士兵無力行軍或打仗，各個國王也覺得以和為貴。但等到陽光充足、穀類成熟，農民的收穫堆滿了穀倉，收稅員四處忙著收稅，士兵頻頻操練、磨刀利劍，國王也召集大臣，計畫下一場戰事。這一切的源頭都是太陽能——這時候已經取得並封裝在小麥、稻米和馬鈴薯裡了。

廚房裡的祕密

在這之前的幾千年間，人類每天都面對著能源生產史上最重要的發明，卻總是視而不見。每次有哪個家庭主婦或僕人想要燒水泡茶，或是把裝滿了馬鈴薯的鍋子放在爐子上烹煮，這項發明就這樣大刺刺的呈現在他們眼前。在水煮沸的那一刻，水壺或鍋子的蓋子會開始跳上跳下。這時熱能轉換為動能，但是我們過去都只覺得這樣亂跳有點煩人，至於一時忘記而讓水煮乾，就更麻煩了。沒人注意到這件事的真正潛力。

第九世紀中國發明火藥，可說有了小小的突破，能讓熱能轉換成動能。一開始，要用火藥推動彈丸，聽來實在太有悖常理，所以長久以來，火藥只是拿來製作炸彈。直到後來（起因可能是某些炸彈專家在研缽裡磨火藥，磨杵卻被大力炸飛？），才終於發明了槍

枝。而要再從火藥發展為有效的火炮，就又過了大約六百年。

即便如此，要將熱能轉化為動能的想法，仍然太過天馬行空，所以要再等三個世紀，人類才發明了下一種使用熱能來移動物品的機器。這項新科技是在英國煤礦坑裡誕生。隨著英國人口膨脹，森林遭到砍伐，一方面是取得木柴做為燃料推動經濟成長，一方面也是為了要有居住地和農業用地。於是，英國逐漸面臨木柴短缺的問題，開始燒煤做為替代品。許多煤礦層都位於會淹水的地區，而且只要淹水，礦工就到不了較低的礦層。

這個問題必須解決。大約在1700年左右，英國的礦井裡開始迴盪著一種奇特的噪音，可說是吹起了工業革命進擊的號角，一開始只是微微在遠方響起，但十年十年過去，聲音也愈趨雄壯，直到最後，整個世界都籠罩在震耳欲聾的聲響之中。這就是蒸汽機。

蒸汽機種類繁多，但都有一個共同的原理：燃燒某種燃料，例如煤，再用產生的熱將水煮沸，產生蒸汽；接著蒸汽推動活塞，讓活塞來回移動，而連接到活塞的任何機械裝置也就跟著移動。這麼一來，熱能便轉換為動能了！在十八世紀的英國煤礦坑裡，是將活塞連接到幫浦，好把礦井底部的水給抽出來。最早的引擎效率低到難以想像。光是想抽出一點點的水，就得燒掉極大量的煤。然而，當時礦煤充足、又近在咫尺，倒是沒人在意。

隨後的幾十年間，英國人改善了蒸汽機的效率，還把它請出了礦坑，用在紡織機和軋棉機上。紡織生產彷彿脫胎換骨，開始廉價生產愈來愈大量的紡織品。轉眼之間，英國就取得了世界工廠的地位。但更重要的是，把蒸汽機請出礦坑，可說是打破了一項重要的心理關卡。如果燒煤能夠讓紡織機動起來，為什麼不能讓其他的設備，像是車輛，也這麼動起來？

釋放物質蘊含的力量

　　1825 年，一名英國工程師將蒸汽機裝到了一輛滿載煤炭的貨車上，讓引擎將這輛貨車沿著鐵軌，將煤炭從礦場送到約二十公里外的港口。這是史上第一臺蒸汽動力火車。想當然耳，既然蒸汽可用於運送煤炭，為什麼不能運送其他商品呢？甚至，為什麼不能載運人呢？1830 年 9 月 15 日，第一條商業化鐵路開通，連接了利物浦與曼徹斯特，用的同樣是與抽水或紡織相同的蒸汽動力。不過短短二十年後，英國的鐵軌長度已達數萬公里。[95]

　　從此之後，人類就深深著迷於如何使用機器和引擎，轉換各種能量。只要發明出適當的機器，世界上任何地方、任何類型的能量都能為我們所用。舉例來說，物理學家發現原子內儲存著巨大的能量，就開始思考要如何釋放這種能量，用來發電、推動潛艇，或是摧毀城市。從中國煉丹術士發現火藥，到土耳其人用大炮粉碎君士坦丁堡的城牆，之間足足過了六百年。但是從愛因斯坦發現質量可以轉化為能量（也就是 $E=mc^2$）之後，僅僅過了四十年，原子彈就已經落在廣島和長崎上空，核電廠也如雨後春筍般遍布全球。

　　另一項重要發明是內燃機，僅僅花了不到一個世代的時間，就徹底改革了人類的運輸，也讓石油變成一種液態的政治權力。在這之前數千年，我們早就知道了石油的存在，但只用來為屋頂防水、替軸輪潤滑。就算到了大約一個多世紀前，大家還是認為石油就只有這些用處。說要為石油流血打仗，簡直是笑話。當時為了土地、黃金、胡椒或奴隸打仗，或許天經地義，但為了石油，可是萬萬說不過去。

　　至於電力的發展更為驚人。在兩個世紀前，電力對經濟還毫無

影響力，多半只是用來做些神祕的科學實驗，或廉價的魔術把戲。但有了一系列的發明之後，電力就成了我們有求必應的神燈精靈。手指一彈，就能印刷出書本、織出衣服、保持蔬菜新鮮、冰棒不融化，還能煮晚餐、處決死刑犯、記錄我們的想法和笑容、讓夜間亮起燈光，還讓我們有無數的電視節目可看。我們很少有人瞭解電力運作的機制，但更少人能夠想像生活中沒有電力該怎麼辦。

▌能源的大海汪洋

工業革命的核心，其實就是**能源轉換的革命**。我們已經一再看到，我們能使用的能源似乎無窮無盡。講得更精確些，唯一的限制只在於我們的無知。每隔幾十年，我們就能找到新的能源來源，所以人類能運用的能源總量是不斷增加的。

為什麼這麼多人擔心我們會耗盡所有能源？為什麼他們擔心我們用完所有化石燃料之後，會有一場大災難？顯然，這世界缺的不是能源，而是「能夠駕馭並轉換成符合我們所需」的知識。如果與太陽任一天放射出的能量相比，全球所有化石燃料所儲存的能源，簡直是微不足道。太陽的能量只有一小部分會到達地球，但即使是這一小部分，就已經高達每年3,766,800艾焦（exajoule，exa代表10的18次方，焦耳joule是能量單位，在地心引力下將一顆質量1公斤的蘋果抬升1公尺，所需的能量是9.8焦耳；艾焦是10的18次方焦耳，這可是要抬舉很多很多顆蘋果呦。）[96] 全球所有植物行光合作用，也只能保留大約3,000艾焦的能量。[97]

現在，人類所有活動和產業每年約消耗500艾焦的能量，而地球只要大約短短90分鐘，就能從太陽接收到這麼多能量。[98] 而且，

這還只是太陽能而已。我們還有其他巨大的能量來源，像是核能、像是萬有引力。萬有引力最明顯的例子，就是因為受到地球與月球相互吸引而形成的潮汐作用。

在工業革命之前，人類的能源市場幾乎完全只能靠植物。這就像是住在一座容量每年 3,000 艾焦的水庫旁邊，想辦法盡可能多抽一點水出來。然而，到了工業革命時期，人類發現能使用的能源不是一座水庫，而是一整片海洋，容量可能有幾十億艾焦。我們唯一需要的，只是更好的抽水幫浦罷了。

提煉原料新法

學習如何有效駕馭和轉換能量之後，也解決了另一個阻礙經濟成長的問題：原料短缺。等到人類找出方法駕馭大量而又廉價的能源之後，就開始能夠取得過去無法運用的原料，像是在西伯利亞荒原採集鐵礦；或者從愈來愈遠的地方將原料運來，像是從澳洲將羊毛運到英國的紡織廠。同時，科學上的突破也讓人類能夠發明全新的原料，例如塑膠；或是發現先前未知的天然原料，例如矽和鋁。

化學家一直要到 1820 年代，才發現了鋁這種金屬，但當時要從礦石中分離出鋁，非常困難、而且昂貴。於是，有幾十年時間，鋁的價值甚至比黃金還要高得多。在 1860 年代，法國皇帝拿破崙三世還會用鋁質餐具來宴請最尊貴的客人，至於那些二等的客人，就只能用黃金刀叉來湊合湊合。[99]

但是到了十九世紀末，化學家發現了一種電解法，能夠大量、廉價提煉鋁，目前全球的鋁生產量堂堂達到每年 3,000 萬噸。如果拿破崙三世聽說這些屬民的後代，居然拿鋁做成拋棄式的鋁箔，用

來包三明治、外帶剩菜，用完就丟，想必會大驚失色。

兩千年前，地中海盆地的人如果屬於乾性膚質，就會在手上抹橄欖油。而今天他們抹的是護手霜。我在附近一家店裡隨便買了一條簡單的現代護手霜，裡面的成分如下：

去離子水、硬脂酸、甘油、辛酸／癸酸甘油酯、丙二醇、肉荳蔻酸異丙酯、人參根提取物、香料、鯨蠟醇、三乙醇胺、矽靈、熊果葉萃取物、抗壞血酸磷酸鎂、咪唑烷基脲、對羥基苯甲酸甲酯、樟腦、對羥基苯甲酸丙酯、羥基異己基3-環己基甲醛、羥基香茅醛、芳樟醇、丁苯基甲基丙醛、香茅醛、苧烯、香葉醇。

以上幾乎所有的成分，都是在過去兩世紀間才發明或發現的。

第一次世界大戰期間，德國遭到封鎖，造成原物料嚴重短缺，特別是可做成爆炸物的硝石，更是奇缺無比。德國本身不產硝石，當時最大的硝石產地在智利和印度。雖然用氨來取代硝石，也可以有同樣的效果，但當時要生產氨的成本還非常高。可以說德國人走運，他們的同胞、猶太裔化學家哈柏（Fritz Haber），在1908年發展了一套技術，幾乎只需要用空氣就能製備出氨。德國人很快將哈柏研發的技術投入工業生產，只要靠著空氣當原料，就能製作爆炸物。

有學者認為，要不是有哈柏的發現，德國絕無可能撐到1918年的11月。[100] 而且，這項發現還讓哈柏贏得了1918年的諾貝爾獎，但可以想見他得的是化學獎，可不是和平獎。（哈柏在第一次世界大戰期間，也是引導使用毒氣的先驅。）

▍輸送帶上的生命

　　工業革命為人類帶來了前所未有的種種能源和原料，不僅種類豐富，而且價格低廉，結果就是讓人類的生產力有了爆炸性的發展。首先引爆、影響也最深的就是農業。一般情況下，我們想到工業革命，腦中浮現的畫面就是一片都市景象、冒著煙的煙囪，或者是一群煤礦工人汗流浹背，深入地底辛苦工作。然而，工業革命最重要的一點，其實在於它就是**第二次農業革命**。

　　過去兩百年間，工業化生產成了農業的支柱。從前得要靠肌肉力量、或是根本做不到的事情，現在都由像是曳引機之類的機器接手。由於有了化學肥料（包括氨）、工業殺蟲劑和各種激素及藥物，無論是農地或是家禽家畜的產量，都大幅躍進。而有了冰箱、船舶和飛機之後，各種農產品能夠保存長達數個月，而且也能快速、廉價的運送到世界的另一頭。歐洲人開始能夠大啖新鮮美味的阿根廷牛肉和日本壽司。

　　機械化不只是機器的事，連植物和動物也同樣遭到機械化。差不多就是在以人為本的宗教，將智人提升到神的地位的時候，各種農場上的動物已不再被視為活生生、能夠感受到痛苦的生物，而是被視為機器一般對待。時至今日，這些動物常常是在像工廠一樣的地方，被大規模製造，牠們的身體是依照產業的需求來形塑。這些動物的一生就像是巨大生產線上的齒輪，決定牠們生命長短及生活品質的，就只是各種商業組織的成本和利潤。雖然產業界讓牠們存活、吃得飽、維持基本健康，但卻對牠們的社會和心理需求毫不關心（除非直接影響到生產）。

　　舉例來說，蛋雞其實也有各種行為和心理需求，牠們天生會有

強烈的衝動,想要偵察四周的環境,到處瞧瞧啄啄,確認彼此的社會階層,還會築巢、理理毛。然而,雞蛋業者往往是將這些蛋雞關在極小的雞舍裡,一個籠子就塞了四隻蛋雞,每隻的活動空間大概就是22公分乘25公分左右。雖然這些雞有足夠的食物,卻沒辦法宣告自己的領域、無法築巢或完成牠們天生想做的活動。事實上,這些籠子實在太矮小,裡面的雞甚至無法拍翅膀,也無法完全站立抬頭。

豬的智商和好奇心在哺乳動物裡數一數二,可能只低於大猿。然而在工業化的養豬場,母豬被關在小隔間裡,甚至連轉身都做不到,更別提要散步或四處覓食了。這些母豬就這樣沒日沒夜的關上四星期,生下小豬,但小豬立刻被帶走、養肥待宰,而母豬又得帶去懷孕,準備再生下一批小豬。

許多乳牛短暫的一生裡,也是活在一個小隔間裡;不管或站、或坐、或臥,都與自己的尿液和糞便為伍。牠們面前有一套機器會供給食物、激素和藥物,後方另一套機器則是每隔幾小時,會來為牠們擠乳。至於位於這兩套機器中間的牛呢?在業者眼中,大概就只是一張會吃原料的嘴,再加上會生產商品的乳房而已。這些活生生的生物其實內心情感世界都十分複雜,如果把牠們當機器一樣對待,不只會造成身體不適,也會讓牠們有很大的社會壓力和心理挫折。[101]

大西洋奴隸貿易並非出於對非洲人的仇恨,而現代畜牧業也同樣不是出於對動物的仇恨。這兩者背後共同的推手,就是冷漠。大多數人,不管是生產或是消費各種奶蛋肉類的時候,都很少想到提供這些食物的雞、牛或豬。

25. 商業化養雞場輸送帶上的小雞。如果是公雞、或是有缺陷的母雞,就會被丟到輸送帶上,送進毒氣室讓牠們窒息而死,再用自動攪碎機攪碎;又或者直接丟進垃圾堆,讓牠們互相擠壓致死。每年有上億隻雛雞,就這樣在養雞場裡喪命。

　　就算有些人真的想過,也常認為這些動物真的和機器沒什麼兩樣,既沒有感覺、也沒有情緒,並不會感受到痛苦。但諷刺的是,正是那些製造了擠奶器和集蛋器的科學(和技術),最近也赤裸裸指出:其他哺乳動物和鳥類同樣有複雜的感覺和情緒。牠們不僅能感受到生理上的痛苦,也同樣能感受到心理情緒上的痛苦。

　　演化心理學認為,家禽家畜的情感和社交需求,源自於野外,是因應當時需要生存和繁衍而形成的。例如,野生的母牛必須知道

怎樣和其他母牛和公牛建立緊密的關係，否則就不可能生存和繁衍後代。而為了學習必要的技能，演化就會在小牛（以及所有社交性哺乳動物的幼獸）的心理，植入強烈想要玩耍的欲望，這正是哺乳動物學習社交行為的管道。此外，小牛還有另一股更強大的欲望，就是不能和母親分開，畢竟當初在野外，母牛的奶水和照顧是生存的關鍵。

　　但像現在，酪農在小母牛一生下來不久，就把牠隔離到另一個隔間裡，與母牛分開；然後提供給小母牛食物、水和抵抗各種疾病的藥物，等到牠發育成熟，再用公牛的精子讓牠懷孕產乳。這麼一來會如何？從客觀的角度來看，小母牛確實不再需要為了生存或繁衍而和母親相處，也不用和同伴玩樂。但從主觀的角度來看，小母牛仍然會有一股強大的衝動，想要和母親在一起、想和其他小牛嬉戲。這些衝動無法滿足，就會讓牠十分痛苦。這是演化心理學的基本道理：過去在野外形成的種種需求，就算現在已經不是生存和繁殖所必需，仍然會持續造成主觀的感受。工業化農業的悲劇在於，它一味強調動物的客觀需求，卻忽略了牠們的主觀需要。

　　這項理論的真實性，至少在1950年代就已證實，當時美國心理學家哈洛（Harry Harlow）就曾用猴子做過實驗。他在幼猴出生後幾小時，就把牠們和母猴分開，各自關在獨立的籠子裡，由兩隻假母猴來負責哺育。每個籠子有兩隻假母猴，一隻使用鐵絲材質，上面有可供幼猴吸吮的奶瓶；另一隻使用木材、再鋪上布，模仿真實母猴的樣貌，但除此之外無法提供幼猴任何實質幫助。這樣一來，理論上幼猴似乎應該會依附著提供食物營養的金屬猴，而不是什麼都不做的布猴。

　　但沒想到，幼猴顯然比較愛的是布猴，多半時間都緊抱不放。

如果兩隻假猴子放得夠近，幼猴甚至是緊抱著布猴，只是把頭伸去金屬猴那邊吸奶。哈洛猜想，可能是因為鐵絲太冷，幼猴不喜歡，所以他還為金屬猴加裝了一顆電燈泡，讓金屬猴有了體溫。然而，除了真的非常小的幼猴之外，大多數猴子選擇的仍然是布猴。

26. 在哈洛的實驗中，一隻小猴子孤兒就算正在金屬猴身上吸奶，卻還是緊抱著布猴。

追蹤研究發現，這些猴子孤兒雖然得到了所有必需的營養，長大之後卻有嚴重的情緒失調。牠們無法融入猴群的社會，與其他猴子溝通有問題，而且一直高度焦慮、好鬥成性。結論顯而易見：除了物質需求之外，猴子必然還有種種心理需求和欲望，如果未能滿足這些需求，就會產生嚴重的負面影響。

　　在接下來的幾十年間，許多心理學研究都證實這項結論不僅適用於猴子，對其他哺乳動物和鳥類也同樣適用。但在目前，數百萬的家禽家畜與哈洛的猴子處於同樣的水深火熱之中，飼養者常常將幼畜幼禽與母親分開，單獨飼養。[102]

　　如果將所有數字加總，全球隨時都有數十億隻家禽家畜，就活在工廠生產線上，而每年宰殺總數更達到百億。採用工業化的禽畜飼養方式後，各種蛋奶肉類的生產量和人類糧食儲備量大幅增長。像這種工業化的畜牧業，再加上農作物栽植的機械化，就構成了整個現代社會經濟秩序的基礎。

　　在農業工業化之前，農地和農場生產的食物，大部分都得「浪費」在供給農民和農場上的動物食用，只剩下一小部分能供給其他工匠、教師、神職人員和官僚。因此在當時，農民在幾乎所有的社會裡，都占了總人口九成以上。隨著農業工業化，只需要愈來愈少的農民數量，就足以養活愈來愈多的辦公人口和工廠人口。例如現在的美國，只有2%的人口以農業為生，[103] 但僅僅就是這2%，不僅養活了整個美國的人口，還有剩餘糧食出口到世界各地。如果沒有農業工業化，就不會有足夠的人力來辦公思考和從事工廠勞動，也就不可能有都市裡的工業革命。

　　正是因為農業釋放出數十億的人力，由工廠和辦公室吸納，才開始像雪崩一樣有各種新產品傾瀉而出。比起以前，人類生產出

更多鋼鐵、製作出更多服裝、興建出更多建築物，還製造出令人瞠目結舌、超出想像的各種產品，像是燈泡、手機、數位相機和洗碗機。人類有史以來第一次，生產超出了需求。也正因為如此，產生了一個全新的問題：誰要來買這些產品？

瞎拚的年代

現代資本主義經濟如果想要存活，就得不斷提高產量，很像是鯊魚，如果不一直游動、讓水通過鰓裂，就會窒息。然而，光是生產還不夠。生產出來之後，還得有人買，否則工廠都得關門大吉。為了避免這種災難，確保不管什麼新產品都有人買帳，就出現了一種新的倫理觀：**消費主義**。

有史以來，人類的生活多半頗為困窘，因此「節儉」就成了過去所高喊的口號，像是清教徒或斯巴達，都以簡樸律己而聞名。所以如果是正直的人，就該避免奢侈、從來不浪費食物，褲子破了該縫縫補補，而不是去買件新的。只有王公貴族，才能公然把這種價值觀拋在一旁，大剌剌炫耀他們的財富。

然而，消費主義的美德就是消費更多的產品和服務，鼓勵所有人應該要善待自己、更寵愛自己，就算因為過度消費而慢慢走上絕路，也在所不惜。在這裡，節儉就像是一種應該趕快治療的病。我們很容易就能找到各種鼓勵消費倫理的例子，你我身邊屢見不鮮。像我本人最愛的早餐穀片，製造商是以色列的泰爾瑪（Telma），它的盒子背面就寫道：

> 有時候，你該好好享受一下。有時候，你就是需要多一點能

量。雖然有時候得注意體重，但也有時候就該盡情放縱……像是現在！泰爾瑪為你提供各種美味穀片，享受美味，沒有後顧之憂。

而且，同個包裝上還有另一品牌「健康零嘴」（Health Treats）的廣告：

健康零嘴包含大量穀類、水果和堅果，為您提供美味、愉悅而又健康的體驗。在非正餐時間，解您的嘴饞，完全符合健康生活習慣。這是真正的美味，帶給您更多享受！

歷史上的大多數時候，這種文案不但無法引起消費欲望，反而會激起極度的反感。在古時候的人眼中，這種內容真是自私墮落、道德淪喪！

消費主義除了自身非常努力，還在大眾心理學（像是「做就對了！」）的推波助瀾之下，不斷說服大眾「放縱對你有益，而節儉是自我壓抑」。

而且，這套洗腦術已經成功了。我們都成了乖巧的消費者，買了無數我們並不真正需要的產品；甚至根本就是昨天才知道有這種產品，今天就買回家來。製造商設計產品的時候，還刻意讓它在一段短時間後，就得淘汰；就算舊型號明明足以滿足各種需求，廠商依然不斷推出新型號，我們如果不跟進，彷彿顯得落伍。

購物已成為人類最喜愛的消遣，消費性產品也成了家人、朋友或配偶之間不可或缺的中介。各種宗教節日，例如耶誕節，都已經成了購物節。甚至像美國的陣亡將士紀念日，原本該是莊嚴肅穆的一天，現在的重點全成了跳樓大特價。許多男男女女紀念這天的方

式，就是跑去瞎拚，大概是想證明那些捍衛自由的戰士並非白白犧牲。

消費主義倫理開枝散葉，在食品市場表現得最為明顯。在過去的傳統農業社會，饑荒的陰影總是揮之不去。但到了今日的富裕世界，肥胖卻成了一大健康問題，而且對窮人的衝擊更大於富人——因為富人懂得選擇有機沙拉和養生蔬果，但窮人常常是大啖漢堡薯條。美國每年為了節食所花的錢，已經足以養活其他地方所有正在挨餓的人。肥胖這件事，可說是消費主義的雙重勝利。一方面，如果大家吃得太少，就會導致經濟萎縮，這可不妙；二方面，大家吃多了之後，就得購買減肥產品，再次促進經濟成長。

▌新宗教：資本暨消費主義

然而，如果根據商人的資本主義倫理，所有的利潤都該再投入生產，而不是白白浪費。這樣一來，消費主義倫理和資本主義教條該如何共存？

沒問題！就像過去的年代，今天也有菁英份子和一般大眾的勞力分工。在中世紀歐洲，貴族浪擲千金、盡享奢華，而農民則是省吃儉用、錙銖必較。但今天情況正相反：大富豪管理資產和投資，非常的謹慎，反而是沒那麼有錢的人，買起沒那麼需要的汽車和電視，卻毫不手軟。

資本主義與消費主義的倫理，可以說是一枚硬幣的正反兩面，將這兩種秩序合而為一。有錢人的最高指導原則是「投資」，而我們這些其他人的最高指導原則，則是「購買」！

這種資本暨消費主義的倫理，還有另一個革命性的意義。過去

的倫理體系，常常要求人類做些難如登天的事，告訴他們照做就能
上天堂，譬如做人要慈悲、寬容，要克服各種欲望、壓抑憤怒，還
得放下己身的私利。但這些要求對於大多數人來說，實在太過強人
所難。所以翻開倫理道德的歷史，雖然會看到許多美妙的理想，但
遺憾的是，幾乎很少有人能做到。大多數基督徒的作為不像耶穌基
督，大多數佛教徒沒聽佛陀菩薩的話，大多數儒家子弟可能會讓孔
子頻頻搖頭。

　　但今天的情況有所不同了，大多數人都能輕鬆達到資本暨消費
主義的理想。想要進入這種新倫理所承諾的天堂，條件就是有錢人
應當繼續貪婪下去，把時間投入賺更多的錢，至於一般大眾則是要
盡情滿足自己的欲望和熱情，想要什麼就買什麼。

　　這是人類有史以來第一次，信眾終於真的能夠做到宗教要求的
條件。只不過，我們又要怎麼知道它承諾的天堂是什麼樣子？答案
是：看看電視，你就知道。

第**18**章

一場永遠的革命

　　工業革命找出新方法來進行能量轉換和商品生產，於是人類對於周遭生態系的依賴大減。結果就是人類開始砍伐森林、抽乾沼澤、築壩擋河、與海爭地，再鋪上總長數萬公里的鐵路，興建摩天大都會。世界愈來愈被塑造成適合智人需求的模樣，但其他物種的棲地就遭到破壞，讓牠們迅速滅絕。地球曾經是一片藍天綠地，但現在已經成了混凝土和塑膠構成的商場。

　　今天，地球上住著大約七十億的智人。如果把所有人放上一個大磅秤，總重量約達三億噸。另外，如果把所有家禽家畜（牛、豬、羊、雞等等）也放在另一個更大的磅秤上，總重更足足達到七億噸。但相對的，如果把所有還倖存的大型野生動物（包括豪豬、企鵝、大象和鯨等等）也拿來秤，總重量已經不到一億噸。我們在童書、各種影像和電視上還是常常看到長頸鹿、狼和黑猩猩，但在現實世界裡，這些物種都已所剩無幾。

　　全球大概只剩下八萬隻長頸鹿，但牛有十五億；灰狼只剩二十萬隻，但狗有四億；黑猩猩只剩二十五萬隻，相比之下，人有七十

393

億。可見，人類真的已經稱霸全球。[104]

　　然而，生態環境惡化並不代表就是資源短缺。我們在前一章已
經提過，人類能用的資源其實不斷增加，而且這個趨勢很可能還會
繼續。正因如此，那些關於資源短缺的末日預言，很可能並不會成
真。但與此相反，生態環境的惡化卻是太有憑有據了，如假包換。
在我們的未來，很可能會看到智人坐擁各種新原料和新能源，但同
時摧毀了剩下的自然棲地，讓大多數其他物種走向滅亡。

　　事實上，這場生態危機甚至也可能危及智人本身的生存。全球
暖化、海平面上升、汙染猖獗，使得地球對於人類來說，也愈來愈
不宜居住，未來很可能看到人類必須與自己引發的自然災害，不斷
拉扯較勁。而隨著智人試圖用自己的力量對抗大自然，壓制整個生
態系來滿足自己的需求和衝動，就可能引發愈來愈多無法預期的危
險副作用。到了那個時候，可能就得用更激烈的手法，才能操控生
態系，但也就會引起更大的混亂。

　　很多人稱呼這是「大自然的毀滅」。然而，這其實並不能算是
「毀滅」，而只是「改變」。大自然是無法「毀滅」的。六千五百萬
年前，一顆巨大隕石讓恐龍滅絕，但卻為哺乳動物開啟了一條康莊
大道。今天，人類正在讓許多物種滅絕，甚至可能讓自己滅絕。但
即使如此，還是有某些生物過得生龍活虎。舉例來說，老鼠和蟑螂
可說是正在全盛時期。如果今天發生核災，讓世界末日降臨，這些
頑強的動物很有可能就會從悶燒的廢墟裡爬出來，準備好繼續將自
己的DNA傳給千代萬代。或許，六千五百萬年以後，會有一群高
智商的老鼠，心懷感激的回顧人類造成的這場災難，就像我們現在
感謝那顆殺死恐龍的巨大隕石一般。

　　但不論如何，現在討論人類滅絕還是為時過早。自從工業革命

以來，世界人口成長正處於前所未有的高峰。在1700年，全球有將近7億人。在1800年，只增加到9.5億人。但是到了1900年，人口翻漲將近一倍，來到16億。而到了2000年，更是又翻了兩番，來到60億。接著到了2012年10月底，已經堂堂邁過70億。

格林威治標準時間

　　雖然智人愈來愈不受大自然的擺布，但卻愈來愈受到現代產業和政府的支配。工業革命帶來許多社會改造的實驗性做法，而各種改變人類日常生活和心理的事件，更是多不勝數。其中一個例子，就是將過去傳統農業社會的時間節奏，替換成工業社會一致且精確的時間概念。

　　傳統農業看的是大自然的時間週期、作物的生長情況。當時多數社會都無法準確測量時間，而且也對這件事沒有多大興趣。畢竟當時沒有手錶、沒有時刻表，重要的是太陽的運行、植物的生長週期。當時沒有人人統一的工作日，而且在不同季節的生活習慣也有極大不同。農業社會的人知道太陽該在天上哪個位置，會焦急的等待雨季和收穫季的徵兆，但是「小時」的概念就不在他們心裡，而「年份」的概念更是於他們如浮雲。如果有人穿越時空來到中世紀的村莊，問當地人「今年是哪一年？」，當地人除了會覺得這個人衣著古怪，可能還覺得，會問這個應該是腦筋有點問題。

　　與中世紀農民和鞋匠相比，現代工業對太陽或季節可說是完全不在乎，更重視的是要追求精確和一致。舉例來說，在中世紀的鞋店裡，每個鞋匠都是從鞋底到鞋扣一手包辦。如果某個鞋匠上班遲到，完全不會影響到別人的工作。但如果是在現代的製鞋生產線，

每個工人面對的機器都只負責鞋子的一小部分，完成後再交給下一臺機器。假設其中某臺機器的工人睡過頭，整條生產線就得停擺。為了避免這種災難發生，每個人都得嚴格遵守確切共同的時刻表。每個工人在完全相同的時間開始上班。不管餓了沒，都要在同樣的時間午休吃飯。等到換班哨音一響，所有人都得下班回家，不管手上的事情做完了沒。

工業革命不僅為人類帶來了時刻表和生產線的概念，更將這些概念推廣到幾乎所有的人類活動當中。就在工廠用時刻表規範勞工行為之後不久，學校也開始採用了這一套，接著醫院、政府機關，甚至雜貨店也行禮如儀。就算那些沒有生產線和機器的地方，時刻表也成了王道。畢竟，假設工廠是下午5點下班放人，當地的酒吧難道不是應該抓個5點02分開門營業最為恰當？

這套時刻表系統的推廣，公共運輸是關鍵。如果工人得在8點整準時上工，火車或公車就一定得在7點55分抵達工廠大門。晚了幾分鐘，就可能使產量減少，甚至讓那些不幸遲到的人遭到裁員。在1784年，英國首次出現公布時刻表的馬車載運服務，只列出了幾點幾分出發，而沒有列出幾點幾分抵達。當時，英國每個大城小鎮都有不同的時間，與倫敦時間可能有半小時的落差。倫敦正午12點整的時候，可能在利物浦是12點20分，而在坎特伯里還只是11點50分。由於當時沒有電話、沒有收音機、沒有電視、也沒有特快列車，所以沒人知道這些時間不同。而且，又何必在意呢？[105]

英國的第一條商業鐵路於1830年正式啟用，連結利物浦和曼徹斯特。十年後，終於首次公布火車時刻表。因為火車的速度比傳統馬車快上太多，所以各地時間的微小差異，就造成了巨大的困擾。1847年，英國各家火車業者齊聚一堂，研擬統一協定所有火車時刻

表，一概以格林威治天文臺的時間為準，而不再遵循利物浦、曼徹斯特、格拉斯哥或任何其他城市的當地時間。在火車業者開了頭之後，愈來愈多機構跟進這股風潮。最後在1880年，英國政府邁出了前所未有的一步，立法規定全英國的時刻表都必須以格林威治時間為準。這是史上第一次有國家採取了全國統一的時間，要求人民依據人工的時鐘來過生活，而不是依據當地的日升日落週期。

摩登的現代

從這個小小的出發點，後來發展出全球性的時刻表網路，全球同步的誤差不到一秒鐘。而在廣播媒體上場之後（先是電臺，後來則是電視），一方面這些機構也進入了時刻表的世界，一方面更成了主要的執行者和傳播者。電臺廣播最早的內容之一，就是報時用的訊號，透過嗶嗶聲，讓偏遠地區的居民或海上的船舶都能據以調整時鐘。後來，電臺也發展出每小時播報新聞的習慣。直到現在，新聞廣播開頭的第一條仍然是現在時間，就算戰爭爆發也得放在後面再報。

二次大戰期間，英國廣播公司的新聞播送到納粹占領下的歐洲地區，而每段新聞廣播的開頭，就是大笨鐘報時鐘聲的現場直播，可以說正是自由的鐘聲。不過，有些天才的德國物理學家居然找出一套方法，只要靠著鐘聲在廣播中的微小差異，就能判斷倫敦當時的天氣。對德國空軍來說，這可是珍貴無比的戰事情報。等到英國祕密情報局也發現了這一點，就不再採用現場直播了，而用一組錄音來取代。

為了讓時刻表這套網路能夠運作順暢，開始四處都能見到價格

便宜但運行精準的攜帶式時鐘。當時如果是在中東或南美，頂多可能只有幾個日晷。而在歐洲中世紀的城鎮裡，通常是全城共用一個時鐘：在城鎮的中央廣場建起一座高塔，上面就有個巨大的時鐘。這些塔鐘幾乎從來沒有準過，但既然城裡也沒有其他的鐘，似乎也就沒什麼關係。而到了現在，任何一個有錢人家的家裡，計時裝置的數量，很可能就遠遠超過某個中世紀國家全國上下。現在想知道時間，可以看一下腕上的手錶、瞄一眼你的手機、瞧一下床邊的鬧鐘、盯一下廚房的掛鐘、瞟一眼微波爐上的時間、瞥一下你的電視機或DVD機，甚至電腦上的工作列都會告訴你現在幾點。想要不知道現在幾點，還真是得刻意花上一點功夫才行。

一般人每天會看上幾十次時間，原因就在於現代似乎一切都得按時完成。鬧鐘早上7點把我們叫醒，我們用不多不少的50秒加熱冷凍貝果，刷牙刷個3分鐘、直到電動牙刷發出嗶聲，我們要趕7點40分的火車上班；下班後，在健身房的跑步機跑到嗶聲告訴我們30分鐘計時已到；晚上7點坐在電視前看最喜歡的節目，中間每隔10分鐘，還被每秒好幾萬元的廣告打斷。就算精神崩潰去找心理醫師，他聽你發牢騷的診療時間，也是一節標準50分鐘。

傳統家族和地方社群的力量

工業革命讓人類社會起了數十種重大的變化，採用工業化的時間概念只是其中之一。其他值得注意的項目還包括都市化、傳統農民的老化凋零、工業無產階級興起、對平民百姓的賦權、民主化、青少年文化，以及父權社會的解體。

然而這一切都比不上有史以來人類最大的社會革命：家族和地

方社群崩潰，改由國家和市場取而代之。據我們目前所知，人類在一百多萬年前即生活在小型、互動密切的社群之中，社群成員大多數都是親戚。認知革命和農業革命並沒有改變這一點，只是讓不同的家族和地方社群結合，形成部落、城市、王國和帝國，但家族和地方社群仍然是所有人類社會最基本的結構單位。但後來，工業革命不過花了短短兩世紀左右，就把這些單位粉碎成了原子。許多過去的家族功能和地方社群功能，現在都被國家和市場取代了。

在工業革命之前，多數人的日常生活都不脫三大傳統框架：核心家庭、大家庭，以及當地的密切社群。[5] 大多數人在家族企業工作（例如家族的農場，或是家族經營的工作坊），或者也可能在鄰居的家族企業工作。這時的家族除了家庭功能，還要兼顧福利制度、衛生體系、教育體系、建築產業、勞工工會、退休基金、保險公司、新聞媒體、銀行、甚至警察等等的功能。

有人病了，由家庭來照顧。有人老了，由家庭來撫養，而子女就是最好的退休基金。有人過世，孤兒就由家族其他成員照顧。有人想蓋小屋，家族提供人力。有人想開公司，家族提供資金。有人想結婚，家族也會審核，看看對象是不是門當戶對。如果和鄰居發生衝突，要吵架也有家族裡的人助陣。然而，如果病情太嚴重，家庭或家族無法處理，或是新公司需要的資金太龐大，或是鄰里爭吵已經到了要變成械鬥的地步，地方上的社群就會介入。

地方社群介入時，依據的是當地的傳統、以及有來有往的互助原則，常常會和自由市場的供需法則有相當大的差異。像是在傳統的中世紀社會，如果鄰居需要我幫忙蓋屋子或是放羊，我並不會認

---

[5] 所謂「密切社群」（intimate community）指的是社群中的成員都認識、熟悉彼此，並且互相依賴，共存共榮。

為他應該付錢，而是在我有需要的時候，再還我這份人情就好。同時，當地的領主可能會叫我們全村的人去幫他蓋堡壘，但他也是一毛不付，而是在出現盜賊或野蠻人的時候，提供保護。雖然在這些村莊裡有許許多多的交易，但多半都不是金錢往來。雖然市場機制已經存在，但十分有限。雖然可以購買罕見的香料、布匹和工具，或是聘請律師和醫師提供服務，但一般而言，常用產品和服務會出現在市場上的不到一成，多數還是由家族和地方社群提供。

另外，王國和帝國會負責某些重要功能，像是發動戰爭、修建道路、建築城堡。而為了這些目的，國王會徵稅，偶爾也會召募士兵和工人。但除了少數例外，王國或帝國通常不會干涉家族和地方社群內的事務。而且，就算真想干涉，成效也十分有限。因為傳統的農業經濟很少有多餘的食物，能夠養活大量政府官員、警察、社會工作者、教師和醫師等等。因此，大多數政權並不會發展出大規模的福利、醫療和教育體系。這些事情都還是留給家族和地方社群處理。就算在極少數情況下，統治者試圖干預農民的日常生活（像是秦帝國的連坐法），靠的也是以家族中的長輩或地方社群的耆老，做為政權代理人。

甚至有些時候，因為地處偏遠的社群交通不便、通信困難，許多王國乾脆直接將稅收和暴力懲戒這些王室基本特權，都下放給當地。舉例來說，鄂圖曼土耳其帝國就並未維持大批帝國警力，而是允許地方家族彼此私刑伺候。如果我的堂兄殺了人，受害人的哥哥可能就會殺了我，做為報復。而只要暴力行徑不要過度擴大，不論是伊斯坦堡的蘇丹，甚至各省的帕夏（pasha，相當於省長），都會睜一眼閉一眼。

至於在中國的明朝（1368-1644），這個帝國採行「里甲」制

度。十戶為「甲」，一百一十戶為「里」。里甲制設有里長、甲首，負責維護地方治安、分配繇役、按丁納稅，而無須由帝國直接管理。從帝國的角度來看，這種里甲制度十分有利，帝國不需要自己養著成千上萬的官員稅吏，而是交給地方賢達來監督各個家族的生活。里長甲首不但瞭解地方上的風土人情，常常也能讓稅務運作順暢，無需國家軍隊介入。

很多時候，王國和帝國就像是收取保護費的黑道團體。國王就是黑道大哥，收了保護費就得罩著自己的人民，不受附近其他黑道團體或當地小混混騷擾。除此之外，其實也沒什麼功用。

然而，生活在家族和地方社群的懷抱裡，並不如想像中理想，甚至差得遠了。家族和地方社群對成員的限制壓迫，絕不下於現代國家和市場，這些家族和地方社群內部常常充滿緊張和暴力，而且成員別無選擇。在1750年左右，如果一個人失去家族和地方社群的保護，幾乎必死無疑，不僅沒有工作、沒有教育，生病痛苦時也得不到任何支持。沒有人會借他錢，出了問題也沒人保護。畢竟，當時沒有警察、沒有社工，也沒有強制性的義務教育。為了求生，如果真的遇到這種情形，當時的人就得盡快尋找願意接納他的其他家庭或地方社群。離開原生家族的男孩女孩，最好的情況大概就是找到新的家族做幫傭；而最糟的情況，就是被迫從軍或淪入風塵。

▌傳統勢力崩潰

但過去兩世紀間可說是風雲變色。工業革命讓市場取得強大的新力量，讓國家有了新的通訊和交通工具，更讓政府有了一大批辦事人員、教師、警察和社工可供差遣。從這時候開始，市場和國家

發現傳統的家族和地方社群就像路上的絆腳石，強烈抗拒外來的干預。父母和社群裡的長者並不願意放手，讓年輕一輩接受國民教育的洗腦，也不希望他們受徵召從軍，更不想讓年輕人變成一個沒有根的都市無產階級。

隨著時間過去，國家和市場的權力不斷擴大，也不斷削弱家族和地方社群過去對成員的緊密連結。國家開始派出警察，制止家庭家族裡的私刑，改用法院判決取代。市場也冒出更多小販和商人，讓各地悠久的傳統逐漸消失，只剩下不斷汰換的流行商業文化。但光是這樣還不夠，為了真正打破家族和地方社群的力量，國家和市場還需要找到家族內應，從內部擊破。

於是，國家與市場找上家族和地方社群的各個成員，開出了令人無法拒絕的條件。他們說：「做自己吧！想娶想嫁都隨你的意，別管父母准不准。想挑什麼工作都可以，別擔心什麼大家長說的話。想住哪就住哪，就算沒辦法每星期和家人吃上一頓飯，又有什麼關係呢？你不用再依賴家族或地方社群了。我們，也就是國家和市場，讓我們來照顧你吧。我們會給你食物、住房、教育、保健、福利和就業機會。我們也會給你退休金、保險和保衛。」

在浪漫主義的文學作品裡，常常講得似乎人人都在辛苦對抗國家和市場。但事實卻剛好是完完全全相反。國家和市場簡直可以說是人民的衣食父母，個人能夠生存都得感謝它們才是。市場為我們提供了工作、保險和退休金。如果想學專業，可以去上公營學校。如果想做生意，可以向銀行貸款。如果想蓋房子，可以找建設公司來蓋、找銀行辦房貸，而且有些時候還能得到政府補貼或保障。如果碰上暴力事件，可以找警察保護。如果生病得休息幾天，可以有醫療保險照顧。如果病得嚴重，得休養幾個月，就換成社會福利制

度來幫忙。如果需要全天有人協助，我們可以到市場上請專職的看
護；雖然這些人與我們素不相識，卻可以為我們提供現在連子女都
很難提供的全天候照料。只要先存點錢，我們就能到養老院安度最
後這段黃金歲月。國稅局把我們每個人都看作個人，不會要求我們
付鄰居的稅。法院也把我們每個人看作個人，不會要我們為親戚犯
的錯受刑受責。

　　而且，現在能得到認定為「個人」的，不只有成年男子，就連
女性和兒童也同樣納入。歷史上，女性多半被視為家庭或家族的財
產。但現代國家卻將女性視為個人，不論其家庭或家族出身，都能
享有獨立的經濟和法律權利。女性開始能夠擁有自己的銀行帳戶、
自己決定想嫁的對象，甚至要離婚或自立門戶都行。

　　然而，要解放個人是有代價的。現在許多人都悲嘆著家族和地
方社群功能不再、覺得疏離，而且感覺冷漠的國家和市場對我們造
成許多威脅。如果組成國家和市場的是一個又一個孤單的個人，而

家族與地方社群 vs. 國家與市場：

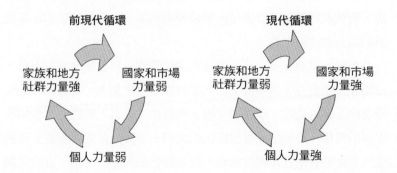

前現代循環 | 現代循環
家族和地方社群力量強、國家和市場力量弱、個人力量弱
家族和地方社群力量弱、國家和市場力量強、個人力量強

不是關係緊密的家族或地方社群，公權力要干預個人生活也就容易得多。現代高樓公寓，所有人各自鎖在自己家裡，連每戶該付多少清潔費都無法達成共識，又怎麼可能一起站出來抵抗國家機器？

　　所以，「國家和市場」與「個人」之間的這筆交易，並不容易讓雙方都滿意。國家和市場認為個人的權利義務並不對等，個人又抱怨國家和市場需索太多、供應太少。很多時候，個人遭到市場的剝削，而國家機器不但不保護個人，反而動用軍警和官僚施加迫害。沒人想得到，這種互動本身就有不少問題，更公然牴觸過去世世代代的社會運作方式，竟然還是能運作自如。經過數百萬年的演化，人類的生活和思考方式都預設自己屬於社群一員；但僅僅過了兩個世紀，我們就成了互相疏遠的個人。這可以說是文化展現威力的最佳證明。

▎父母權威衰減

　　到了現代，核心家庭依然存在，雖然政府和市場囊括了大部分的經濟和政治功能，但家庭還是保留了很重要的情感功能。一般來說，現代家庭還是可以滿足人類最親密的需求，這是國家和市場到目前為止無法提供的。

　　然而，就算在這一塊，家庭也開始受到外界愈來愈多的干預。市場在人類浪漫生活和性生活方面的影響愈來愈大。過去靠的是父母之命、媒妁之言，現在則交給市場幫忙，先訂下我們對浪漫和性生活的憧憬，再把這些憧憬提供給我們——而且當然要收費。在過去，男女約會是在家庭的客廳，有金錢往來的話，是由一方的父親交到另一方父親手中。到了現在，約會是在酒吧或咖啡館，金錢則

是從這對戀人手上交給服務生。而且，為了這場約會，甚至還有更多錢是直接轉帳給服裝設計師、健身房老闆、營養師、美容師和整形外科醫師；早在我們抵達咖啡館之前，這些人就已經想盡辦法，讓我們無限逼近市場對「美」的標準。

國家同樣也愈來愈介入家庭關係，特別是父母與子女的關係。現在，父母有義務送孩子接受國民教育。如果父母特別愛辱罵孩子或對他們暴力相向，就可能被國家限制權力。如有必要，國家甚至可以把父母關起來，將孩子送到寄養家庭。

事實上，直到不久前，如果有人說家長不得毆打或侮辱小孩，否則國家應該介入，都還會被當成笑話，認為這萬不可行。在過去大多數的社會中，父母擁有至高無上的權威。尊親敬長可說是最高法則，父母幾乎可以為所欲為，就算是冷血弒嬰、販賣子女為奴，或是把女兒嫁給年紀大她兩倍的男人，都覺得理所當然，因為子女是父母的財產。但是現在，父母的權威可說大不如前。年輕人愈來愈不甩長輩的意見，然而一旦孩子的人生，出了任何問題，外界似乎總是可以怪罪到父母頭上。佛洛伊德心理學對眾家爸媽的指控，可能與史達林早就定好罪刑的做秀審判，不相上下。

▌ 想像的社群

正如同核心家庭，只要地方社群的情感功能還沒有完全遭到國家和市場取代，就不會從現代世界消失。過去，地方社群的物質功能，現在已經大部分由市場和國家接手，但是在部落情誼、同舟共濟這些情感上，市場和國家畢竟還難以全盤掌控。

市場和國家若要增強這些情感面，倚賴的就是塑造**想像的社群**

（imagined community，另譯為「想像的共同體」），納入的人數可能達到數百萬之譜，而且是專為國家或商業需求，量身打造的。所謂想像的社群，指的是雖然成員並不真正認識彼此，卻想像大家都是同一夥的。這樣的社群概念歷史悠久，並不是到了現代才乍然出現。數千年來，王國、帝國和教會，早就擔任了這種想像社群的角色。例如在古代中國，數千萬人都認為全國臣民就是一家人，而皇帝就是君父。在中世紀，數百萬虔誠的穆斯林也想像著：整個伊斯蘭社會就是一個家庭，彼此都是兄弟姊妹。

然而縱觀歷史，這種想像的社群力量有限，比不上每個人身邊幾十個熟人所結合成的密切社群。密切社群能夠滿足成員的情感需求，而且對每個人的生存和福祉都至關重要。只不過，密切社群在過去兩世紀間迅速衰微，開始由想像社群填補這個情感上的空缺。

現代所興起的兩大想像社群，就是**民族**和**消費大眾**。所謂民族是國家層級的想像社群；而所謂消費大眾，則是市場層級的想像社群。我們說這些社群屬於「想像」，是因為過去的村落社群都是成員彼此熟識，但現代不論民族或消費者，成員都不可能像過去一樣彼此熟悉。任何一個德國人，都不可能真正認識所謂德意志民族的八千萬人；歐洲共同市場的五億人口，也不可能都互相認識（歐洲共同市場後來發展成歐洲共同體，最後形成今日的歐盟）。

消費主義和民族主義可說是夙夜匪懈，努力說服我們自己和其他數百萬人是一夥的，認為我們有共同的過去、共同的利益，以及共同的未來。這並不是謊言，而是一場想像。不論是民族或是消費大眾，其實和金錢、有限公司和人權相同，都是一種「互為主體性」（見第135頁）的現實，雖然只存在於我們的集體想像之中，但力量卻無比巨大。只要這幾百萬德國人相信有德意志民族存在、同

樣認同德國國徽、同樣相信關於德意志民族的虛構故事、同樣願意為了德意志民族犧牲自己的金錢、時間、甚至生命，德國在世界舞台的強權地位就難以動搖。

民族——國家層級的想像社群

民族竭盡全力，希望能掩蓋自己屬於想像的這件事。大多數民族都會聲稱自己的形成是自然而然、天長地久，說自己是在最初的原生時代，由這片祖國土地和人民的鮮血緊密結合而成。但這通常是誇大其辭的說法。雖然民族確實有悠久的源頭，但因為早期「國家」的角色並不那麼重要，所以民族的概念也無關痛癢。例如中世紀紐倫堡的居民，可能多少對德意志民族有些忠誠度，但是相較之下，由於照顧自己大部分需求的還是家族和地方社群，所以對家族和地方社群的忠誠度自然遠遠高出許多。

另外，就算古代許多民族都曾有輝煌的過去，能夠存活到今天的卻很少。現有的民族多半是到了工業革命之後才出現。

中東地區就有許多這種例子。我們現在之所以有敘利亞人、黎巴嫩人、約旦人、伊拉克人的區別，只是因為當初英法兩國的外交官，在完全不顧當地歷史、地理和經濟的情況下，在一片沙漠之中訂出了所謂的邊界。例如他們在1918年就規定，從此住在庫德斯坦、巴格達和巴士拉的人，就成了伊拉克人。至於誰是敘利亞人、誰又是黎巴嫩人，則主要是法國做的決定。不論是伊拉克前總統海珊、或是敘利亞前總統阿薩德，都全心全意不斷想強化這些出自英法之手的民族意識，但他們夸言伊拉克人或敘利亞人千秋萬世、直到永遠，其實只是一種想像的空話。

確實，民族概念並非空中樓閣、毫無根據。伊拉克或敘利亞建國的時候，確實有真實的歷史、地理和文化因素，而且有些可以追溯到千年之久。像是海珊就大打阿拔斯王朝（見第225頁）和巴比倫帝國這兩張牌，說自己一脈相傳，甚至還把自己的一支師級精銳裝甲部隊，命名為「漢摩拉比師」。但就算如此，也不會讓伊拉克民族變成一個自古存在的實體。舉例來說，就算我用的原料是放了兩年的麵粉、放了兩年的油、放了兩年的糖，做出來的也不會是放了兩年的蛋糕。

▌消費者——市場層級的想像社群

近幾十年來，所謂民族的社群概念，不斷被一群又一群的消費大眾削弱了。這些消費者彼此並不認識，但都有同樣的消費習慣和興趣，因此不但相信、還定義大家就是同一夥的。這聽來似乎不可思議，但我們身邊早就有太多實例了。

舉例來說，瑪丹娜的粉絲就能構成一個消費者社群。他們要滿足這項定義的方式，主要靠的就是購物：靠著購買瑪丹娜演唱會的門票、CD、海報、襯衫和手機鈴聲，就能定義誰是粉絲。

至於曼聯球迷、素食主義者等等，也是如此。他們最主要的定義方式也是藉由消費。這可說是他們身分認同的基石。如果是德國素食主義者，要嫁給法國素食主義者的機率，大概會高於嫁給德國的肉食主義者吧。

▌現代社會變動不休

過去這兩個世紀變動如此迅速劇烈，讓社會秩序起了根本的改變。傳統上，社會秩序堅若磐石，難以撼動。畢竟「秩序」就隱含穩定和連續的意義。歷史上，社會的改變很少是大刀闊斧的革命，多半是無數個小步驟逐漸累積而成。於是，我們一般感覺社會結構並不靈活，似乎永恆不變。或許，我們會努力改變自己在家族和地方社群中的地位，但講到要徹底顛覆這整個秩序，這個概念可能就很陌生。我們常常會把自己限縮於現狀，聲稱「過去都是這樣，未來也會是這樣」。

過去兩個世紀中，變化速度奇快無比，讓社會秩序顯得充滿活力和可塑性，呈現變動不休的狀態。談到現代革命，一般人想到的會是1789年的法國大革命、1848年的歐洲自由革命、或是1917年的俄國革命。但事實上，講到現代，其實每年都有革命性的改變。即使只是三十歲的人，也可以告訴那些打死不信的青少年：「我年輕的時候，整個世界完全不是這樣。」舉例來說，網際網路是在1990年代才開始廣泛使用，至今也才是二十多年左右的事。但我們已經完全無法想像沒有網路的生活會如何。

因此，想要定義現代社會的特色為何，就像要問變色龍究竟是什麼顏色一樣。我們唯一可以確定的特色，就是它會不斷改變。我們已經習慣了這種變動特性，而且多數人也都會同意社會秩序應該有彈性，是我們能夠操縱、能夠改進的。前現代統治者的主要目標是要維護傳統秩序，甚至希望能夠盡量回歸過去失落的黃金年代。但到了過去兩個世紀，政治主流卻是要摧毀舊世界，再建立起更好的世界來取代。現在就算是最保守的政黨，也不敢說自己的目標就

是維護一切保持不變。人人都在談，要進行社會改革、教育體制改革、經濟體制改革等等，而且這些承諾常常都是劍及履及、說到就要做到。

地質學家知道地殼的板塊運動可能引發地震和火山爆發，我們也知道激烈的社會運動可能引發血腥暴力。講到十九世紀和二十世紀的政治史，多半是一連串生靈塗炭的戰爭、革命和大屠殺。就像是雨天的時候，小孩喜歡穿著雨鞋從一個水窪跳到下一個水窪，這種歷史觀點也像是在跳水窪：從第一次世界大戰跳到第二次世界大戰，再從第二次世界大戰跳到美蘇冷戰；從亞美尼亞大屠殺跳到猶太人大屠殺，再跳到盧安達大屠殺；從把路易十六送上斷頭臺的羅伯斯庇爾（Robespierre）跳到列寧，再跳到希特勒。

雖然這部分也是事實，但光是這樣列出一長串我們太熟悉的慘案名單，卻會造成誤導，讓我們只看到一個又一個的水窪，卻忘了水窪之間還有乾地。在近代晚期，雖然暴力和恐懼達到前所未有的高峰，但和平與安寧也同時來到歷史新高。狄更斯寫到法國大革命，就說「這是最好的年代，也是最壞的年代。」這句話不只適用於法國大革命，很可能也適用於由法國大革命揭開的新時代。

▋ 我們這個年代的和平

特別是在二次世界大戰結束後的七十年間，情況更是如此。在這段期間，人類第一次有可能得要面對徹底的自我摧毀，而且也確實爆發了相當數量的戰爭和屠殺。但這幾十年同時也是人類歷史上最和平的年代，而且程度是大幅領先。這點之所以讓人意想不到，是因為如果就經濟、社會和政治層面來說，這個時期的變動比以往

任何時代都多。可以說，雖然歷史的板塊構造以瘋狂的速率移動碰撞，但是火山依舊休眠、不爆發。這個靈活變動的新社會秩序，似乎既能夠啟動劇烈的結構變化，又能夠避免崩潰造成暴力衝突。[106]

大多數人看不到這個年代究竟有多麼和平。我們畢竟都沒真正看過一千年前的模樣，所以很容易忽略過去的世界其實更加殘暴。而且，因為戰爭變成少見的事，也讓它吸引了更多關注。許多人緊盯著阿富汗和伊拉克戰爭肆虐，但沒什麼人特別想到偌大的巴西和印度並無戰事，一片安詳。請回憶一下，上回你聽到新聞報導說「哪一場國際間的衝突所幸並未引發戰爭，或是哪一個恐怖組織的破壞行動幸好並未得逞……」是什麼時候的事了？媒體總是喜歡報憂不報喜。

更重要的是，我們比較容易體會到個人的辛酸，不容易體會到人類整體的苦難。譬如，許多人不停的在臉書上轉貼一名阿富汗女孩無辜受到塔利班攻擊毀容的照片，或是再三閱讀空難事件的每一位罹難者生平故事的報導；可是對於蘇聯大饑荒（1932-1933）和中國大饑荒（1958-1962）的數千萬人死亡、非洲達佛（Darfur）數十萬人遭到集體屠殺，往往無動於衷。

為了從宏觀角度來看歷史進程，我們需要看整體統計數據，而不只是看個人的故事而已。在西元2000年，全球戰爭造成31萬人喪生，而暴力犯罪造成52萬人死亡。當然，對每一個受難者來說，這都是世界的毀滅，家庭因而破碎，親友悲痛逾恆。但從宏觀的角度來看，在2000年總共83萬的戰爭和暴力犯罪受難者，只占全球5,600萬死亡人數的1.5%。在同一年，車禍死亡的人數達到126萬（占總死亡人數2.25%），自殺人數達81.5萬（1.45%）。[107]

2002年的數字更誇張，在5,700萬死亡人數當中，有17.2萬人

死於戰爭,而有56.9萬人死於暴力犯罪,也就是總共74.1萬人死於人類暴力。相較之下,該年自殺的人數就有87.3萬。[108]

所以我們看到,在911恐怖攻擊後的一年,雖然恐怖主義和戰爭喊得震天價響,但說到某個人被恐怖份子、士兵或毒販刺殺的可能,其實還比不上他自殺。

在全球大多數地方,我們晚上入眠時,都不用擔心附近的部落會不會包圍自己的村莊,來一場全村大屠殺。現在的英國有錢人就算每天走過羅賓漢的舍伍德森林,也不用擔心會有人埋伏搶錢,再把搶來的錢分給窮人(或者更可能直接收進口袋)。學生不再需要擔心師長棍棒齊飛,孩子不再需要煩惱可能被販為奴,女性也知道丈夫不得家暴、或強迫她們待在家裡。在全球愈來愈多地方,這些期待都已經成為事實。

暴力發生率下降,主要是因為國家制度的崛起。縱觀歷史,大多數的暴力事件是出於家族之間或社群之間的仇恨。(就算在今天,上述數據也能看出地方犯罪遠比國際戰爭更為致命。)我們前面已經提到,在早期農業社會裡,農民唯一知道的政治組織就是自己的社群,但他們受到的暴力對待層出不窮。[109] 要等到王國和帝國的力量增強之後,才開始對社群有了約束力,而使暴力程度下降。在中世紀歐洲各自獨立的王國裡,每10萬人遭到凶殺的人數,大約已降低到每年20人至40人之間。而近幾十年來,國家和市場大權在握,地方社群可說消失殆盡,暴力事件發生率也是進一步下降。全球現在,每年每10萬人遭到凶殺的人數只有大約9人,而且多半是發生在國家權力不彰的地方,像是索馬里亞和哥倫比亞。至於歐洲這些權力集中的國家,平均每年每10萬人只會有1人死於凶殺命案。[110]

當然，我們還是會看到有政府運用國家力量殘害自己的公民，而且常常就是這些恐怖的印象深植人心，揮之不去。譬如在二十世紀，就有數千萬、甚至上億人，遭到自己國家的特務機關殺害。但從宏觀的角度來看，國家控制的法院和警力，仍然是提升了全民的安全水準。就算是在暴虐的獨裁統治之下，現代人死於他人之手的可能性，仍然低於前現代社會的水準。

1964年，巴西出現了軍事獨裁政權，而且一直統治巴西到1985年。在這二十年間，共有數千名巴西民眾遭到軍事獨裁政權殺害，另有數千人遭到囚禁和折磨。然而，就算在情況最糟糕的年度，里約熱內盧居民死於他人之手的可能性，仍然遠低於瓦拉尼人、雅韋提人或雅諾馬莫人。瓦拉尼人、雅韋提人和雅諾馬莫人都是住在亞馬遜森林深處的原住民，他們沒有軍隊、沒有警察，也沒有監獄。人類學研究指出，這些族人的男性約有25%到50%，會因為財產、女人或名聲的糾紛，而死於暴力衝突。[111]

帝國平和撤退

國家內的暴力行為在1945年以後，究竟是減少或增加，或許還有商榷的餘地。但誰都無法否認，現在的國際暴力事件正是史上最少的時期。其中對比最明顯的，或許就是歐洲帝國崩潰時的情形。歷史上，我們看到歐洲各個帝國總是鐵腕鎮壓叛亂，而且就算再也壓制不住，最後也會孤注一擲，常常就是一場浴血混戰。等到帝國滅亡，接著就有一段無政府狀態，戰亂頻傳。但自從1945年以來，多數帝國的君王都選擇了和平的退位方式，帝國解體崩潰的過程變得相對迅速、平和，而且頗有秩序。

　　例如在1945年，英國還統治著四分之一的地球。但不過三十年後，英國統治的土地就只剩下幾個島嶼。在這段期間，英國從一個又一個殖民地撤退，幾乎沒開過幾槍，為國捐軀的士兵不超過幾千人，殺害的人數也並不多。大家提到甘地的非暴力抵抗，常常讚譽有加，但大英帝國其實也該得到部分掌聲。帝國退位後，由各個獨立的國家接管，大部分就享受著既成的穩定邊界，也與四周的鄰國和平共處。

　　確實，大英帝國在遭到威脅時，殺害了數萬民眾，而且幾個敏感地區在英國撤出後，便爆發了大規模種族衝突，造成數十萬人喪生（特別是在印度）。然而，如果從長期的歷史平均來看，英國撤退已經稱得上是和平與秩序的典範。相較之下，法國殖民帝國就比較頑固了，崩潰撤退時仍然在越南和阿爾及利亞掀起血戰，造成數十萬人死亡。但就算是法國，從其他殖民地撤退時，也算是平和迅速，而且離開後留下的是秩序井然的國家政府，不是一團混亂。

　　1989年蘇聯解體，過程可說是更為平和，只是在巴爾幹半島、高加索和中亞地區仍然爆發了種族衝突。一個如此強大的帝國，竟然消失得這麼安靜且迅速，可說是史上首見！在1989年，蘇聯帝國並未遭受軍事挫敗（除了在阿富汗）、並未受到外國入侵、並未有人民叛亂反抗，甚至也沒有像是金恩博士的大規模公民不服從運動發生。蘇聯當時仍然握有數百萬雄兵，有上萬輛坦克、上萬架飛機，核武力量可以把全球炸到翻個幾番。無論是紅軍或其他華沙公約組織的軍隊，也依然忠心耿耿；要是蘇聯最後一位統治者戈巴契夫下令，紅軍還是敢對人民開火。

　　然而，無論是蘇聯或是東歐共產政權的大多數統治者（羅馬尼亞和塞爾維亞除外），都選擇了完全不去動用這龐大的武力。這

些人發現共產主義垮臺時，就是放下武力、承認失敗，收拾行李、告老還鄉。戈巴契夫等人所放下的，不只是蘇聯在第二次世界大戰所攻下的領地，還包括了更早之前由沙皇所征服的波羅的海、烏克蘭、高加索和中亞地區。如果戈巴契夫做的選擇，是像塞爾維亞的領導人、或是像法國在阿爾及利亞的決定，後果只能說令人不寒而慄。

難得的和平盛世

在帝國撤退之後獨立的國家，顯然對戰事都興趣缺缺。除了極少數例外，自1945年以來，已經不再有併吞其他國家的情事發生。這種征服在過去一向是政治史上不可或缺的基本要素，許多偉大的帝國因此建立，大多數過去的統治者和民眾也認為：這是歷史的必然。然而今天世上任何地方，都已經不可能再發生像羅馬人、蒙古人和土耳其人那些逐鹿天下的事。自1945年以來，沒有任何一個經聯合國承認的獨立國家遭到併吞而滅國。雖然小型國際戰爭時而發生、仍有達百萬之譜的民眾在戰事中喪命，但是戰爭已經不再是常態。

許多人以為和平是西歐的特色，這裡富裕而民主，戰事完全絕跡。但事實上，和平氣息是先在其他地區發展，最後才傳播到了歐洲。像是在南美，最後幾場嚴重的國際戰爭是1941年的祕魯與厄瓜多戰爭，以及1932年至1935年的玻利維亞與巴拉圭戰爭。而且在這之前，南美在1879年至1884年（當時一方是智利、另一方是玻利維亞和祕魯）之後，就不再有其他嚴重戰事。

我們可能並不認為，阿拉伯世界是特別和平的地方。但自從阿

拉伯國家贏得獨立之後，只有一次曾經爆發兩國全面交戰事件（伊拉克於1990年入侵科威特）。確實，邊界衝突層出不窮（像是1970年敘利亞與約旦），多次有國家入侵他國干涉內政（像是敘利亞入侵黎巴嫩），有許許多多的內戰（像是阿爾及利亞、葉門、利比亞），而且政變和叛亂時有所聞。但事實就是，除了波灣戰爭外，阿拉伯國家之間就再也沒有其他全面的國際戰爭。就算把範圍擴大到整個穆斯林世界，也只是再增加了兩伊戰爭這個例子。無論是土耳其與伊朗、巴基斯坦與阿富汗，或是印尼與馬來西亞，都從來沒有發生國際戰爭。

在非洲，事情遠遠不那麼樂觀。但就算在非洲，大多數衝突也只是內戰和政變。自從非洲國家在1960和1970年代贏得獨立之後，就極少有國家試圖征服彼此、取而代之。

在過去，如果有些相對平靜的年代（像是1871年到1914年的歐洲），總是接著就發生了翻天覆地的戰事。但是現在不同了，原因就在於：真正的和平不該只是「現在沒有戰爭」，而是「不可能發生戰爭」。在過去，從來未曾有過真正的世界和平。譬如在1871年到1914年間，歐洲各地的戰爭仍然是一觸即發，不管是軍隊、政治家或一般公民，也都有這種心理準備。過去所有所謂的和平時期，都是如此的暗潮洶湧。

國際政治過去的鐵則就說，「任何兩個相鄰的政體，都會有某種可能，讓他們在一年之內向對方宣戰」。像這樣的叢林法則，無論是在十九世紀晚期的歐洲、中世紀的歐洲、古代的中國、或古希臘，都同樣大行其道，屢屢成真。如果雅典和斯巴達在西元前450年達成和平，很可能在西元前449年就又打了起來。

然而，我們今天已經打破了這個叢林法則。現在呈現的是真正

的和平，而不只是沒有戰爭。對於大多數的政體來說，都沒有什麼合理可信的情況，會在一年之內導致全面開戰。有什麼可能，會讓德國和法國忽然開戰？中國和日本開戰？巴西和阿根廷開戰？

雖然可能會有某些小規模邊境衝突，但現在除非發生了某個世界末日等級的事件，否則幾乎不可能再次爆發傳統的全面戰爭。如果說明年這個時候，阿根廷裝甲師要一路橫掃到巴西里約的大門口，而巴西又要地毯式轟炸阿根廷的布宜諾斯艾利斯，機會只能說微乎其微。當然，有幾對國家之間仍然可能出現戰爭，像是以色列和敘利亞、衣索比亞和厄立垂亞、或是美國和伊朗，但這些只是少數例外。

當然，未來情況也可能有所改變，到時候回頭來看，就會覺得現在這個想法天真得難以想像。但從大歷史的角度來看，現在的天真仍然是件好事。在過去，從來沒有這種四方和平、難以想像戰爭爆發的年代。

▌和平紅利飆升

目前已經有許多學者發表不少著作和文章，解釋為何現在會有這種令人愉悅的發展，其中大致提出幾項重要因素。

首先，戰爭的成本大幅上升。如果諾貝爾和平獎一百年才頒發一次，那應該頒給歐本海默以及與他一起研發出原子彈的同事。有了核武器之後，超級大國之間如果再開戰，無異於集體自殺。想要以武力征服全球，已經成了不可能的任務。

其次，正因為戰爭的成本飆升，也就代表利潤下降。在史上大多數時候，只要掠奪或兼併敵人的領土，總是能為自己的國力注入

一劑強心針。過去的財富多半就是田地、牛隻、奴隸和黃金，無論要搶劫或占領都十分方便。但是到了今天，財富的形式變成了人力資本、科技知識，以及銀行這種複雜的社經結構，想要搶奪或是占領都相當困難。

讓我們以加州為例。加州最初是以金礦起家，但現在的經濟重心已經轉移到了矽谷和好萊塢。如果今天中國忽然打算武力進犯加州，派出百萬大軍登陸舊金山海灘，揮軍直入，一切會如何？他們幾乎將一無所得。畢竟，矽谷雖然叫矽谷，卻沒有矽礦。這裡的財富都藏在點子和想法裡，也就是藏在那些矽谷工程師，還有好萊塢的編劇、導演和特效人員的腦袋裡。中國的坦克車還沒開到日落大道，他們早就已經搭機逃到海角天邊去了。

雖然世界上仍然偶爾會發生大規模國際戰爭（例如1990年伊拉克入侵科威特、2003年美國攻占伊拉克），但原因在於這些地方的財富多半屬於傳統的實質財富。雖然被侵略國的許多政要也能逃往國外，但油田卻是萬萬跑不了。

接下來的第三項重點是：顯然戰爭已經不再那麼有利可圖，而和平卻成了一筆愈來愈划算的生意。在過去的農業經濟中，長途貿易和外國投資並非重點，因此和平頂多只是省下戰爭費用，其他並無太大好處。例如假定在1500年，日本和朝鮮兩國處於和平狀態，朝鮮大眾就不用負擔沉重的戰爭稅，也不用擔心日本毀滅性的侵略攻擊；但除此之外，朝鮮人並不會因為和平的些許紅利，荷包就變滿滿。但是到了現代的資本主義經濟，外貿和投資變得至關重要，和平可以帶來特別豐厚的紅利。只要日本和韓國相安無事，韓國人可以把產品賣給日本、可以在日本交易股票，也可以接受日本來的投資，而這些都能振興韓國的經濟。

　　最後一項重點，在於全球政治文化也有了結構性的大變動。史上有許多領導菁英，像是匈奴的單于、維京人的首領、阿茲特克的祭司，其實認為戰爭是件好事；也有些領袖雖然認為戰爭很邪惡，但認為這避無可避，只能做好準備，隨時要搶占上風。而在我們這個時代，是史上第一次絕大多數由愛好和平的菁英份子來領導，這些政治家、商人、知識份子和藝術家，確實相信戰爭是一種邪惡，而且也相信戰爭能夠避免。（雖然過去也有和平主義者，例如早期的基督徒，但即便在極少數情況下他們獲得了權力，也往往忘了《聖經》裡要他們「連左臉也轉過來由他打」的教條。）

▍全球帝國成形

　　所以，現在有四大因素的影響，形成了一個良性循環：核戰末日的威脅促進了和平主義；和平主義大行其道，於是戰爭退散、貿易興旺；貿易成長，也就讓和平的利潤更高，戰爭的成本也更高。

　　隨著時間過去，這個良性循環也就對戰爭造成另一個阻礙，而且可能最後看來會是最重要的阻礙：由於國際間的網路日漸緊密，使得多數國家無法再維持全然獨立，因此其中任何一國片面宣戰的機會也就大幅降低。

　　大多數國家之所以不再發動全面戰爭的原因很簡單，就是因為他們已經不再能夠完全獨立行事。雖然不管是在以色列、義大利、墨西哥或泰國，人民可能還是以為自己是獨立的國家，但其實任何經濟或外交政策都不可能自外於他國，全面性的戰爭也不可能獨自發動。

　　正如我們在第11章所提，現在正面臨著全球帝國的形成。而

這個帝國與之前的帝國也十分類似，會努力維持其疆域內的和平。正因為全球帝國的疆域就是全世界，所以世界和平也就能得到有效的維持。

有人會說，所謂的現代就是充滿了盲目的屠殺、戰爭和壓迫，而代表意象就是第一次世界大戰的戰壕、廣島的蘑菇狀原爆雲，以及希特勒和史達林那些幾近瘋狂的意志。但也有人說，現代是和平的時代，像是南美從來沒有戰壕，莫斯科和紐約從來沒見過那些蘑菇雲，而甘地和金恩博士都讓我們看到了寧靜致遠的縮影。

究竟孰是孰非？其實需要時間來證明。我們只要回顧過往，就會發現，自己對於過去歷史的看法總是受到近幾年事件的左右。如果這一章是寫在1945年或是1962年（古巴飛彈危機），可能看法就會偏向悲觀。但正因為已經來到2014年，整個看待現代歷史的觀點，也就相對比較樂觀了。

為了讓樂觀主義者和悲觀主義者都能滿意，我或許可以說，我們正在天堂和地獄的叉路口，而我們還不知道自己會朝哪一個方向走。歷史還沒告訴我們該挑哪一邊，而只要發生某些巧合，往哪一邊走都不算意外。

第**19**章

從此過著幸福快樂的日子

　　在過去的五百年間，我們見證了一連串令人驚嘆的革命。地球在生態和歷史上，都已經整合成單一的領域。經濟呈現指數增長，今日人類所享有的財富，在過去只有可能出現在童話裡。而科學和工業革命也帶給我們超人類的力量，以及幾乎可說無限的能源。不僅社會秩序完全改變，政治、日常生活和人類心理也徹底改觀。

　　只不過，我們真的更快樂了嗎？

　　人類在過去五世紀間積蓄的財富，是不是真的讓我們找到了新的滿足感？有了取之不盡的能源之後，我們是不是也得到了用之不竭的快樂？如果我們往更久之前回顧，認知革命以來這動盪不安的七萬年間，世界是不是真的變得更好？到現在，阿姆斯壯的腳印還留在無風的月球上，而三萬年前也有個不知名的人，把手印留在雪維洞穴裡；這兩個不同時代的人，究竟誰比較快樂？如果後來的人並沒有比較快樂，我們又為什麼要發展農業、城市、文字、錢幣、帝國、科學和工業呢？

　　歷史學家很少問這樣的問題。他們不去討論秦朝人是不是比先

前採集為生的人更快樂；伊斯蘭教興起後，埃及人是不是對生活更加滿意；也不討論歐洲帝國在非洲崩潰之後，數百萬非洲人的幸福受到什麼影響。

▌人民真正幸福快樂嗎？

然而，這些可說是最重要的歷史問題。目前大多數的意識型態和政治綱領，雖然都說要追求人類的幸福，但對於幸福快樂的真正來源為何，卻還是不明就裡。民族主義者會說政治自決能夠帶來快樂。共產主義者會說無產階級專政能夠帶來快樂。資本主義者說自由市場能夠創造經濟成長，能夠教導人自立自強、積極進取，所以能夠為最多人帶來最大的快樂。

如果經過仔細研究，結果卻全盤推翻了這些人的假設，情況會如何？如果經濟成長和自立自強並不會讓人更快樂，又何必將資本主義奉為圭臬？如果研究顯示，大型帝國的屬民通常比獨立國家的公民更幸福，例如假設阿爾及利亞人被法國統治時比較快樂，那我們該怎麼辦？這樣一來，要怎樣評價去殖民化？民族自決的價值又該怎麼說？

這些都還只是假設，但原因就是歷史學家至今還在迴避提出這些問題，更不用說什麼時候才會找出答案了。學者研究歷史，研究了每一個層面，包括政治、社會、經濟、性別、疾病、性、食物、服裝，卻很少有人提到這些現象究竟如何影響人類的幸福。這是我們在史識方面的最大空白之處。

雖然很少有人提出對於快樂的長期歷史研究，但幾乎所有學者和大眾心中都多少有些模糊的定見。常有人認為，時間不斷進展，

人類的能力也不斷增加。一般來說，我們會運用能力來減輕痛苦、滿足願望，所以我們想必過得比中世紀的祖宗來得快樂，而他們又一定比石器時代的狩獵採集者來得開心。

然而，這種進步論卻可能是有些問題的。正如我們所見，新的傾向、行為和技能不一定會讓生活過得更好。譬如人類在農業革命學會了農耕畜牧，提升了人類整體形塑環境的力量，但是對於許多個人而言，生活反而變得更為艱苦。農民的工作比起狩獵採集者更為繁重，不僅取得的食物種類變少、營養較不均衡，而且染上疾病與受到剝削的可能性都大增。同樣的，歐洲帝國開枝散葉，同時將各種概念、科技和農作物向四方傳播，還打開了商業的新道路，大大提升了人類整體的力量；但是對於數百萬的非洲人、美洲原住民和澳洲原住民來說，這幾乎完全算不上是好事。

歷史一再證實，人類有了權力或能力就可能濫用，所以要說能力愈高就愈幸福，看來實在有些天真。

有些反對進步論的人，就會站在完全相反的立場。他們認為人的能力和幸福之間正好是負相關。他們認為權力使人腐化，人類有了愈來愈多的能力之後，創造出來的是冷漠的機器世界，並不符合人類實際的需求。人類的演化，是讓我們的思想和身體符合狩獵採集生活。因此，無論是轉型成農業、或是後來再轉型到工業，都是讓我們墮入不自然的生活方式，讓我們無法完全實現基因中固有的傾向和本能，也就不可能滿足我們最深切的渴望。就算是都市中產階級，過著舒適的生活，生活中卻再也沒有什麼比得上狩獵採集者獵倒長毛象的那種興奮和純粹的快樂。每次出現新發明，只是讓我們與伊甸園又離得更遠。

然而，如果認為每項發明都必然帶來陰影，似乎也流於武斷，

這種態度不也像是「深信進步論是真理」一樣嗎？或許，雖然我
們與內心那個狩獵採集者愈來愈遙遠，但並不全然是壞事。舉例來
說，在過去的兩個世紀裡，現代醫學讓兒童死亡率從33%降到5%
以下。對於那些本來無法存活的孩童，或是他們的家人親友來說，
難道這不是讓他們的幸福感大增了嗎？

　　還有一種更微妙的立場，就是把歷史分成前後兩段來討論：在
科學革命之前，能力還不一定能帶來幸福，中世紀的農民確實可能
過得比狩獵採集者更為悲慘；然而在過去幾世紀間，人類已經學會
更聰明的使用權力和能力。現代醫學的勝利只是其中一個例子，其
他同樣震古鑠今的成就，還包括讓暴力事件大幅降低、大型國際戰
爭幾乎已經煙消雲散，而且大規模饑荒也幾乎不再發生。

　　然而，這種說法其實也流於過度簡化。首先，這裡只根據了非
常小的時間抽樣，就做出了樂觀的評估。事實上，大多數人類是到
1850年才開始享受到現代醫學的果實，而且兒童死亡率急遽下降，
也是二十世紀才出現的現象。至於大規模饑荒，直到二十世紀中葉
都還是大問題。像是共產中國在1958年至1961年的大躍進，造成
大約一千萬人到五千萬人餓死。大型國際戰爭也要到1945年以後，
才變得罕見，而且一大原因還是核戰末日這項新威脅。因此，雖然
說過去幾十年似乎是人類前所未有的黃金年代，但想知道這究竟代
表歷史潮流已經有了根本轉變，或只是曇花一現的美好，目前還言
之過早。

　　我們在評價歷史進程的時候，經常是以二十一世紀西方中產階
級的觀點。但我們不該忘記，對於十九世紀在威爾斯的煤礦礦工、
中國鴉片菸的癮君子、或是塔斯馬尼亞島的原住民，觀點必然是相
當不同的。楚格尼尼（最後一位去世的塔斯馬尼亞島原住民）的重

要性，絕對不下於「辛普森家庭」裡的老爸荷馬（出生於1956年的美國典型藍領階級）。

其次，就算是過去半個世紀這短暫的黃金年代，也可能已經播下未來災難的種子。在過去幾十年間，人類用了無數新方法干擾了地球的生態平衡，而且看來可能後患無窮。有大量證據顯示，我們縱情消費而不知節制，正在摧毀人類賴以繁榮的根基。

最後一點，雖然智人確實取得了空前的成就，或許值得沾沾自喜，但代價就是賠上幾乎所有其他動物的命運。人類現在取得許多物質和資源，讓我們得以免受疾病和饑荒之苦，但我們是犧牲了實驗室裡的猴子、農場裡的乳牛、輸送帶上的雞隻，才換來這些讓我們洋洋得意的成就。在過去兩世紀間，有數百億隻動物遭到現代工業制度的剝削，冷酷程度是整個地球史上前所未有的。就算動物保護團體指出的現象只有十分之一是事實，現代農牧產業也已是史上最大規模、最殘暴的罪行。要評估全球幸福程度的時候，只看上層階級、只看歐洲人、只看男性，都是巨大的錯誤。或許，只看人類也同樣有失公允。

快樂該如何計算？

到目前為止，我們討論快樂的時候，似乎都認為這是由各種實質因素（例如健康、飲食和財富）建構出來的產品。如果某個人更有錢、更健康，就一定也更快樂。但這一切真的這麼理所當然嗎？

幾千年來，早就有哲學家、神職人員和詩人反覆思索快樂的本質。許多人都認為，社會、倫理和心靈因素對幸福感的影響，絕對不下於其他物質條件。有沒有可能，雖然富裕社會裡的人類荷包滿

滿，卻因為人際疏離和生活缺乏意義而深感痛苦？有沒有可能，雖然我們的老祖宗生活條件較差，但因為與家人朋友、宗教和大自然關係緊密，所以反而活得比較滿足？

近幾十年來，心理學家和生物學家開始用科學方法，來研究快樂的根源。究竟讓人感到幸福快樂的是金錢、家庭、基因，還是美德？首先，得先定義要測量的是什麼。一般對於快樂普遍接受的定義是「主觀感到幸福」。依照這個觀點，快樂是一種個人內在的感受，可能是因為當下直接的快感，或是對於長期生活方式的滿足。而如果這是內在的感受，又要怎樣才能由外部測量呢？一種做法是直接詢問受試者，問問他們的感受如何。所以心理學家和生物學家就請受試者填寫關於幸福感的問卷，再計算相關統計結果。

一般來說，關於主觀幸福感的問卷會列出各種敘述，再請受試者以0到10加以評分，這些敘述例如「我對自己現在的樣子感到滿意」、「我覺得活到現在非常值得」、「我對未來感到樂觀」、「生活是美好的」。接著研究人員就會計算所有分數，算出受試者整體的主觀幸福感程度。

這樣的問卷能夠用來瞭解快樂有哪些客觀因素。舉例來說，我們可以研究比較1,000位年收入10萬美元的人，以及1,000位年收入5萬美元的人。假設前者的平均主觀幸福感有8.7分，而後者平均只有7.3分，研究就能合理推論：財富與主觀幸福感呈正相關。說得白話一點，也就是金錢會帶來快樂。用同樣的方法，我們也可以研究民主國家的人是不是真的比獨裁統治下的人民更幸福，或是結婚的人是否比單身、離婚或喪偶的人來得快樂。

有了這些資料，就能為歷史學家提供比較基礎，讓歷史學家再運用過去關於財富、政治自由度和離婚率的資料來推論。例如，假

設民主國家的人比獨裁國家的人快樂、已婚的人比離婚的人快樂，歷史學家就能主張：過去幾十年間，民主化進程讓人類的幸福感提升，但離婚率成長則有反效果。

當然，這種方式也還有改進的空間，但是在更好的方式出現之前，這些發現也值得參考。

▌知足就能常樂

目前有一項耐人尋味的結論：金錢確實會帶來快樂，但是有一定限度，超過限度之後的效果就不那麼明顯了。所以，對於經濟階層底層的人來說，確實是錢愈多就愈快樂。

如果你是一個月收入兩萬多台幣的清潔工，忽然中了一張兩百萬的統一發票，主觀幸福感可能就會維持好一段時間的高檔狀態。因為這下子，你可以讓孩子吃飽穿暖，不用擔心欠債愈滾愈多。然而，如果你本來就是年薪六百萬台幣的外商高階主管，就算中的是兩、三千萬元的樂透，主觀幸福感也可能只會提高幾個星期而已。根據實證研究指出，這幾乎肯定不會對你的長期幸福感有太大的影響。你或許會買一部炫一點的轎車，搬到大一些的豪宅，喝些更頂級的紅酒，但很快就會覺得這一切都普普通通，沒什麼新鮮感。

另一項有趣的發現是：疾病會短期降低人的幸福感，但除非病情不斷惡化，或是有持續不止的疼痛，否則疾病並不會造成長期的不快。譬如，有人被診斷患有像糖尿病之類的慢性疾病，確實是會鬱悶一陣子，但只要病情沒有惡化，他們就能調適過來，覺得自己和一般人的快樂程度也沒什麼差別。

讓我們假設一下，有一對中產階級的雙胞胎露西和路克，一

起參與了一項主觀幸福感的研究。早上做完研究之後,露西開車回家,卻被一輛大巴士撞上,讓她多處骨折,一隻腿永遠行動不便。但就在救援人員把她拉出車子的時候,路克打電話來,興奮大叫他中了千萬美元的樂透大獎。於是,在兩年後,露西會是瘸子,而路克會比現在有錢很多。但是如果心理學家兩年後再去做追蹤研究,就會發現他們兩個人的幸福感,並沒有多大的落差。

目前看來,對快樂與否的影響,家族和地方社群要比金錢和健康來得重要。那些家庭關係緊密、社群互動良好的人,明顯比較快樂。而家庭機能失調、一直無法融入某個社群的人,則明顯比較不快樂。其中,婚姻又是特別重要的一項因素。多項重複研究發現,婚姻美好與感覺快樂,以及婚姻不協調與感覺痛苦,分別都呈現高度相關。而且,不論經濟狀況或是身體健康如何,情況都是如此。

所以就算是貧窮而有病在身的人,如果身邊有愛他的另一半、愛他的家人、願意支持他的社群,他就可能比一個孤單無伴的億萬富翁,感覺更幸福快樂。(當然,前提是這個人不能真的窮到無法生活,而他的疾病也不會不斷惡化、或讓他持續感受疼痛。)

這樣一來,我們就得考慮一種可能性。雖然過去兩世紀間,人類在物質條件上有了大幅改善,但因為家庭崩潰、社會失調,所以兩者的作用很可能互相抵消。如果真是如此,現在的人並不見得比1800年更快樂。甚至是我們現在如此看重的「自由」,也可能是讓我們不那麼快樂的原因:雖然我們可以自己選擇另一半、選擇朋友、選擇鄰居,但他們也可以選擇離開我們。現代社會每個人都擁有了前所未有的自由,能夠決定自己要走哪條路,但也讓我們愈來愈難真正信守承諾,不離不棄。於是,社群和家庭的凝聚力下降、逐漸解體,這個世界便讓我們感到愈來愈孤獨了。

然而，關於快樂最重要的一項發現是：快樂並不在於任何像是財富、健康、甚至社群之類的客觀條件，而在於客觀條件和主觀期望之間是否相符。如果你想要一臺牛車，而你也得到一臺牛車，你就會感到滿足。如果你想要一輛全新的法拉利，而得到的只是一輛二手的飛雅特，你就會感覺很不開心。正因如此，不管是中樂透或是出車禍，對人們的幸福感並不會有長期影響。一切順遂的時候，我們的期望跟著膨脹，於是就算客觀條件其實改善了，我們還是可能不滿意。而在諸事不順的時候，我們的期望也變得保守，於是就算又碰上其他的麻煩，很可能心情也不會更低落。

你可能會覺得，這一切不就是老生常談嗎？就算沒有這群心理學家、什麼問卷都沒有做，我們也早就知道了。就像千年之前，先知、詩人和哲學家早就說過的，最重要的是知足，知足就能常樂，而不是一直想要得到更多。

不過，看到現代研究用了這麼多數字和圖表，最後得出和先賢相同的結論，其實感覺還是滿不錯的！

▌看你跟誰比！

正因為人類的期望如此關鍵，想要瞭解快樂這件事的歷史，就不能不檢視各種期望的影響。如果快樂只受客觀條件影響（例如財富、健康和社會關係），要談快樂的歷史也就相對容易。但我們知道快樂有賴於主觀的期望之後，歷史學家的任務也就更為艱巨了。

對現代人來說，雖然有各種鎮靜劑和止痛藥任我們使用，但我們愈來愈期望能得到舒適和快感，也愈來愈不能忍受不便和不適。結果就是我們感受到的痛苦程度，可能還高於先人。

這種想法可能很難理解。這裡的問題在於，我們的心理深深埋藏著一個推理的謬誤。在我們試著猜測或想像其他人（可能是現在的人或過去的人）有多快樂的時候，我們總是想要設身處地，想想自己在那個情況下會如何感受。但這麼一來，我們是把自己的期望放到了別人的物質條件上，結果當然就會失準。

　　現代社會豐饒富裕，我們很習慣每天都要洗澡更衣。但在中世紀，農民好幾個月都不用洗澡，而且也很少會換衣服。對現代人來說，光是想到要這樣生活，就覺得真是臭到要命、髒到骨裡，完全無法接受。只不過，中世紀的農民似乎一點都不介意。這種衣服長時間沒洗沒換的觸感和氣味，他們早就已經習慣。他們並不是因為太窮而無法負擔換洗衣服，而是壓根就沒有這種期望。於是，至少就衣服這一件事來說，他們其實很滿足了。

　　靜心想想，這其實也不足為奇。畢竟，像是人類的表親黑猩猩也很少洗澡，更從來沒換過衣服。而我們的寵物貓狗也不是天天洗澡更衣，但我們也不會因此就討厭牠們，仍是照樣拍拍牠們、抱抱牠們，甚至還抱起來親親。就算是在富裕的社會裡，小孩通常也不喜歡洗澡，得花上好幾年的教育和管教，才能夠養成這種理論上應該很舒服的習慣。一切都只是期望的問題而已。

　　如果說快樂要由期望來決定，那麼我們社會的兩大支柱（大眾媒體和廣告業）很有可能正在不知不覺的讓全球愈來愈不開心。假設現在是五千年前，而你是一個住在小村子裡的十八歲年輕人。這時全村大概只有五十個人左右，老的老、小的小，身上不是傷痕皺紋遍布，就是小孩稚氣未脫，很可能就會讓你覺得，自己長得真是好看，因而滿是自信。但如果你是活在今日的青少年，覺得自己長相不怎麼樣的可能性，就要高多了。就算同一個學校的人，外表都

輸你一截，你也不會因此就感覺開心。因為你在心裡比較的對象是那些明星、運動員和超級名模，你整天都會在電視、臉書和巨型廣告看板上看到他們。

　　有沒有可能，第三世界國家之所以會對生活不滿，不只是因為貧窮、疾病、政治腐敗和壓迫，也是因為他們看到了第一世界國家的生活標準？平均來說，埃及人在前總統穆巴拉克的統治下，死於飢餓、瘟疫或暴力的可能性，遠低於在古代法老拉美西斯二世或埃及豔后克麗奧佩特拉統治的時期。對大多數埃及人而言，這根本是有史以來物質條件最好的時刻。在2011年，理論上他們應該要在大街上跳舞慶祝，感謝阿拉賜給他們這一切的財富才對。然而，他們反而是滿懷憤怒，起身推翻了穆巴拉克。原因就在於，他們比較的對象不是古代的法老王，而是同時代的美國總統歐巴馬。

　　這麼一來，就算是長生不老，也可能會導致不滿。假設科學找出了能夠醫治所有疾疾的萬靈丹，加上有效抗老療程和再生治療，能讓人永保青春。那麼，最可能發生的事，就是整個世界感到空前的憤怒和焦慮。

　　那些無力負擔這些醫學奇蹟的人（也就是絕大多數人），一定會憤怒到無以復加。縱觀歷史，窮人和受壓迫者之所以還能自我安慰，就是因為**死亡是唯一完全公平的事**。不論再富有、權勢再大，也難逃一死。光是想到自己得死、但有錢人居然能長生不老，就會讓窮人怒火中燒，不可遏抑。

　　而且，就算是那極少數負擔得起的有錢人，也不是從此無憂無慮。他們有太多需要擔心的事了。雖然新療法可以延長壽命、常保青春，但還是沒辦法讓屍體起死回生。也就是說，他們絕對更需要避免發生意外──出門不能被酒醉駕駛撞到、不能被恐怖份子炸成

碎片！人在家中坐，也要擔心飛機從天上掉下來！像這些理論上可以達到長生的人，很有可能一丁點風險也不願意承擔，時時刻刻活得戒慎恐懼；而且一旦真的失去愛人、子女或密友，他們感受到的痛苦更會高到難以想像。

▍快樂有天生的「空調系統」

研究快樂的時候，社會科學家做的是發問卷調查主觀幸福感，再將結果與財富和政治自由等社經因素結合。至於生物學家的做法雖然也用一樣的問卷，但結合的是生化和遺傳因素。他們得出的研究結果令人大感震驚。

生物學家認為，我們的心理和情感世界，其實是由經過數百萬年演化的生化機制所形塑。所有的心理狀態（包括主觀幸福感）並不是由外在因素（例如工資、社會關係或政治權利）來決定，而是由神經、神經元、突觸和各種生化物質（例如血清素、多巴胺和催產素）構成的複雜系統而定。

所以，不管是中了樂透、買了房子、升官發財，或是找到了真正的愛情，都不是真正讓我們快樂的原因。我們能夠快樂的唯一原因，就是身體內發出快感的感官感受。所以，那些剛中了樂透、剛找到真愛的人，之所以會快樂得跳了起來，並不是因為真的對金錢或情人有所反應，而是因為血液中開始流過各種激素，腦中也開始閃現著小小的電流。

但很遺憾，雖然我們總是想在人間創造出快樂的天堂，可是人體的內部生化系統似乎就是對快樂多所限制，只會維持在恆定的水準。快樂這件事並不是天擇的揀選標的，因為，如果你是快樂的獨

身隱士，你無法把快樂基因傳遞給後代；相對的，兩位整天焦慮的爸媽，卻能把不快樂的基因傳遞下去。快樂或痛苦在演化過程裡的角色，就只是配角、不是主角，只在於鼓勵或妨礙生存與繁衍。所以不難想像，人類演化的結果，就是不會太快樂、也不會太痛苦。我們會短暫感受到快感，但不會永遠持續。遲早快感會消退，讓我們再次能夠感受到痛苦。

　　舉例來說，演化就把快感當成獎賞，鼓勵男性和女性發生性行為，將自己的基因傳下去。如果性交沒有高潮，大概很多男性就不會那麼熱中。但同時，演化也確保高潮要來得快、去得也快。如果性高潮永續不退，可以想像男性會非常開心，但那會連覓食的動力都沒了，最後死於飢餓，而且也不會有興趣再去找下一位能夠繁衍後代的女性。

　　有學者認為，人類的生化機制就像是恆溫空調系統，不管是嚴寒或酷暑，都要想辦法保持恆定。雖然遇到某些事件會讓溫度暫時有波動，但最後總是會調控回到原來設定的溫度。

　　有些空調系統會設定在攝氏25度，有的會設定在攝氏20度。至於人類的快樂空調系統，也是人人的設定皆有不同。如果說快樂的程度是由1分到10分，有些人的生化機制天生開朗，就會允許自己的情緒在6分到10分之間來回，大約穩定在8分附近。像這樣的人，就算住在一座冷漠的大城市，碰上金融市場崩潰而喪失了所有積蓄，還被診斷患有糖尿病，還是能相當樂觀的活下去。

　　也有些人就是倒楣有著天生陰鬱的生化機制，情緒在3分到7分之間來回，大約穩定在5分附近。像這樣的人，就算得到了密切社群的支持，中了幾千萬的樂透，健康得可以當奧運選手，還是會相當憂鬱悲觀。事實上，如果是這位天生憂鬱的朋友，就算她早上

中了五千萬美元的樂透，中午又同時找到了治癒愛滋病和癌症的妙方，下午幫忙讓以色列和巴勒斯坦達成永久和平協議，晚上又終於與失散多年的孩子團聚，她感受到的快樂程度仍然頂多就是7分而已。不論如何，她的大腦就是沒辦法讓她樂不可支。

想想你的家人朋友。是不是有些人，不論發生多糟的事，還是能保持愉快？是不是也有些人，不管得到了多大的恩賜，還是一直鬱鬱寡歡？我們常認為，只要換個工作、找到老公、買了新車、寫完小說，或是付完房貸，做完諸如此類的事，就能讓自己快樂得不得了。然而，等我們真正達到這些期望的時候，卻沒有感覺真的比較快樂。畢竟，買車和寫小說並不會改變我們的生化機制。雖然可以有短暫的刺激，但很快就會回到原點。

▍歷史何價？

不過，先前的心理學及社會學研究也得出了一些結論，例如平均而言，已婚的人比單身更快樂。生物學對此要怎麼解釋？

首先，心理學和社會學的研究只證明了**相關性**（correlation），但是真正的因果方向，有可能和研究人員的推論正好相反。確實，已婚的人比單身和離婚的人更快樂，但這不一定代表是婚姻帶來了快樂，也有可能是快樂帶來了婚姻。或者更準確來說，是血清素、多巴胺和催產素帶來並維繫了婚姻。那些生化機制天生開朗的人，一般來說都會是快樂和滿足的人。而這樣的人會是比較理想的另一半，所以他們結婚的機率也比較高。而且，和快樂滿足的另一半相處，絕對比和鬱悶不滿的另一半相處，來得容易，所以他們也比較不容易離婚。確實，已婚的人平均來說比單身更快樂，但如果是生

化機制天生憂鬱的人，就算真的找到好對象，也不一定就會比較快樂。

　　話說回來，大多數生物學家也不是完全只看生化學這一套。雖然他們主張快樂「主要」是取決於生化機制，但也同意心理學和社會學因素同樣有影響力。畢竟，我們這套快樂空調系統雖然有上下限，但在這個範圍裡還是可以活動活動的。雖然要超出邊界的可能性微乎其微，但結婚和離婚卻能影響心情在這個範圍內的偏移。那些平均只有5分的人，永遠不會忽然在大街上開心的跳起舞來；但如果找到樂觀的好對象，就能讓她三不五時感受到7分的愉悅，而更能避開3分的沮喪。

　　如果我們接受了生物學對於快樂的理論，歷史這個學門的重要性就大減了；畢竟，大多數的歷史事件並不會對我們的生化機制有什麼影響。雖然歷史可以改變那些影響血清素分泌的外界刺激，然而無法改變最後的濃度，所以也就是無法讓人變得更快樂。

　　讓我們用古代中國農夫和現代香港企業家為例。假設我們這位古代農夫住在沒有暖氣的小土屋裡，旁邊就是豬圈；企業家住在擁有各種最新科技的豪宅，窗口就能俯瞰南海的浩瀚海景。直覺上，我們會覺得企業家想必比農夫更快樂。然而，快樂是在腦子裡決定的，而大腦根本不管小土屋或大豪宅、豬圈或南海，只管血清素的濃度。所以，農夫蓋完了他的土屋之後，大腦神經元分泌血清素，讓濃度到達X。而在現代，企業家還完最後一筆豪宅房貸之後，大腦神經元也分泌出大量血清素，並且讓濃度差不多也到達X。對於大腦來說，它完全不知道豪宅要比土屋舒適太多，它只知道現在的血清素濃度是X。所以，這位企業家快樂的程度，並不會比那位足以當他高高高高高祖父的農夫來得高。

這點不僅對個人生活如此，就算是眾人之事也不例外。我們以秦朝統一天下為例。秦朝統一天下之後，徹底改變了中國的政治、文化、社會和經濟體制。但這一切都並未改變中國人的生化機制。因此，雖然天下大一統讓政治、社會、意識型態和經濟，都起了翻天覆地的動盪，但對於中國人的快樂並沒有多大影響。那些生化機制天生開朗的人，不管是活在戰國時代，或是秦漢時代，都會一樣快樂。但那些生化機制天生憂鬱的人，過去總是在抱怨戰國諸侯，現在也只是轉而抱怨秦朝天子，並不會有什麼改變。

但這麼說來，究竟把中國統一有什麼好處？如果沒辦法讓人更快樂，又何必要有這麼多的混亂、恐懼、流血和戰爭？像是生物學家就絕對不會攻向巴士底獄。就算有人認為這些政治革命或社會改革會讓他們開心，到頭來總是一次又一次被生化機制玩弄於股掌。

說到這裡，我們終於發現，歷史上似乎僅有一項發展真正有重大意義。那就是：現在我們終於意識到，快樂的關鍵就在於生化系統，因此我們就不用再浪費時間處理政治和社會改革、叛亂和意識型態，而是開始全力研究唯一能真正讓我們快樂的方法：操縱人類的生化機制。如果我們投入幾十億美元來瞭解我們的腦部化學，並推出適當的療法，我們就能在無須發動任何革命的情況下，讓人民過得遠比從前的人更快樂。舉例來說，百憂解（Prozac）之所以讓人不再沮喪，靠的不是對任何體制的改革，而只是提高血清素的濃度而已。

講到這套生物學理論，最能抓到精髓的，就是著名的「新世紀」（New Age）運動的口號：「快樂來自內心」。金錢、社會地位、整形手術、豪宅、握有大權的職位，這些都不會給你帶來長久的快樂。想要有長期的快樂，只能靠血清素、多巴胺和催產素。[112]

　　1932 年，正值經濟大蕭條的時代，赫胥黎出版了反烏托邦小說《美麗新世界》，書中將「快樂」當成最重要的價值，而且政治的基礎不是警方、不是選舉，而是精神病的藥物。每天，所有人都要服用一種合成藥物「蘇麻」（soma），這能讓他們感到快樂，而且不影響生產力和工作。在美麗的新世界裡，「世界國」統治全球，所有子民不論生活環境條件如何，都對這感到無比滿足。也因此，政府完全不用擔心會爆發戰爭、革命、罷工或示威遊行等等威脅。這下子，赫胥黎想像中的未來，可能還比歐威爾的《1984》更為棘手。赫胥黎的世界似乎對大多數讀者來說都非常可怕，但又很難解釋原因。所有的人永遠都是很快樂的；這到底能有什麼問題？

▍生命的意義

　　赫胥黎筆下這個令人毛骨悚然的新世界，背後有一項假設：「快樂等於快感」。在他看來，快樂就是身體感覺到快感。因為我們的生化機制限制了這些快感的程度和時間長短，唯一能夠讓人長時間、高強度感受到快樂的方法，就是操縱這個生化機制。

　　然而，這種對於快樂的定義，還是受到一些學者質疑。在一項著名的研究中，諾貝爾經濟學獎得主康納曼（Daniel Kahneman）請受試者描述自己一般上班日的全天行程，再分段一一評估他們究竟有多喜歡或討厭這些時刻。他發現，大多數人對生活的看法其實會有所矛盾。讓我們以養小孩為例。康納曼發現，如果真要計算哪些時刻令人開心、哪些時候叫人無聊，就單純的數字來說，養小孩可說是非常不愉快的事。很多時候，養小孩就是要換尿布、洗奶瓶、處理他們的哭鬧和脾氣，這些都算是沒人想做的苦差事。然而，大

多數家長都說孩子是他們快樂的主要來源。難道這些人都是腦子有問題嗎？

當然，這是一種可能。但還有另一種可能：調查結果讓我們知道，快樂不只是「愉快的時刻多於痛苦的時刻」這麼簡單而已。相反的，快樂要看的是某人生命的整體；生命整體有意義、有價值，就能得到快樂。快樂還有重要的認知和道德成分。價值觀不同，想法也就可能完全不同，例如有人覺得養小孩的人就像是悲慘的奴隸，得伺候一個獨裁的小霸王，但也有人覺得自己真是滿懷著愛，正在培育一個新的生命。[113]

正如尼采所言，只要有了活下去的理由，幾乎什麼都能忍受。生活有意義，就算在困境中也能甘之如飴；生活無意義，就算在順境中也度日如年。

不管任何文化、任何時代的人，身體感受快感和痛苦的機制都一樣，然而他們對生活經驗所賦予的意義，卻可能大不相同。如果真是如此，快樂的歷史很可能遠比生物學家想像的，要來得動盪不安。這個結論並不一定是站在現代這邊。如果我們將生活切成以一分鐘為單位，來評估當時是否幸福快樂，中世紀的人肯定看來相當悲慘。然而，如果他們相信死後可以得到永恆的祝福，很有可能就會認為生活真是充滿了價值和意義；相對的，現代世俗子民如果不信這一套，就會覺得人到最後就只有死亡，遲早會被遺忘、沒了任何意義。如果用主觀幸福感問卷問道：「你對生活整體是否滿意？」中世紀的人很可能得分會相當高。

所以，我們的中世紀祖先會感到快樂，就只是因為他們有著對來世的集體錯覺，因而感覺生命充滿意義嗎？沒錯！只要沒人戳得破這種幻想，又為什麼要不開心呢？從我們所知的純粹科學的角度

來看，人類的生命本來就完全沒有意義。人類只是在沒有特定目標的演化過程下，盲目產生的結果。人類的行動沒有什麼神聖的宇宙宏圖為根據，而且如果整個地球明天早上就爆炸消失，整個宇宙很可能還是一樣，不受影響的繼續運行下去。

目前為止，我們還是不能排除掉人類主觀的因素。但這也就是說，我們對生活所賦予的任何意義，其實都只是錯覺。不管是中世紀那種超脫凡世的生活意義，或是現代人文主義、民族主義和資本主義，本質上都完全相同，沒有高下之別。譬如可能有科學家覺得自己增加了人類的知識，所以他的生命有意義；有士兵覺得他保衛自己的國家，所以他的生命有意義。不論是創業者想要開新公司，或是中世紀的人想要讀經、參與聖戰、興建新廟，他們從中感受到的意義，都只是錯覺與幻想。

這麼說來，所謂的快樂，很可能只是讓「個人對意義的錯覺」和「現行的集體錯覺」達成同步而已。只要我自己的想法能和身邊的人的想法達成一致，我就能說服自己，覺得自己的生命有意義，而且也能從這個信念中得到快樂。

這個結論聽起來似乎很叫人難過。難道快樂真的就只是一種自我欺騙嗎？

▌認識你自己

如果快樂是在於感受快感；想要更快樂，就得操縱我們的生化系統。如果快樂是在於覺得生命有意義；想要更快樂，就得騙自己騙得更徹底。還有沒有第三種可能呢？

以上兩種論點都有一個共同假設：快樂是一種主觀感受（不管

是感官的快感或是生命有意義），而想要判斷快不快樂，靠的就是直接問他們的感受。很多人可能覺得這很合邏輯，但這正是現代自由主義當道的結果。自由主義將「個人主觀感受」奉若圭臬，認為這些感受正是權威最根本的源頭。無論是好壞、美醜、應不應為，都是由每個人的感受來確定。

自由主義政治的基本想法，是認為選民個人最知道好壞，我們沒有必要由政府老大哥來告訴人民何者為善、何者為惡。自由主義經濟學的基本想法，是客戶永遠都是對的。自由主義藝術的基本想法，是各花入各眼，看的人覺得美就是美。崇尚自由主義的學校和大學，叫學生要為自己多想想。廣告叫我們「做就對了！」就連動作片、舞臺劇、八點檔連續劇、小說和流行歌曲，都不斷在向大眾洗腦：「忠於自我」、「傾聽你自己」、「順從你的渴望」。對於這種觀點，盧梭的說法稱得上是經典：「我覺得好的，就是好的。我覺得壞的，就是壞的。」

如果我們從小到大就不斷被灌輸這些口號，很可能就會相信快樂是一種主觀的感受，而是否快樂，當然是每個人自己最清楚。然而，這不過就是自由主義獨有的一個觀點而已。歷史上大多數的宗教和意識型態認為，關於善、關於美、關於何事應為，都有客觀的標準。在這些宗教和意識型態看來，一般人自己的感覺和偏好可能並不可信。從老子到蘇格拉底，哲學家不斷告誡人們：「認識你自己！」但言下之意也就是：一般人並不知道自己真實的自我，也因此很可能忽略了真正的快樂。佛洛伊德很可能也是這麼想的。[6]

---

[6] 心理學要研究主觀幸福感，靠的是受試者要能夠正確判斷自己的快樂程度；但矛盾的是，之所以會出現心理學，正是因為人類並不真正瞭解自己，有時候需要藉由專業人士的幫助，以避免做出自我毀滅的行為。

　　基督教神學家應該也會同意這種說法。不管是聖保羅或是聖奧古斯丁，都心知肚明：如果讓人自己選擇的話，大多數人寧願把時間用來做愛，而不是向上帝祈禱。這種選擇絕對是順從你的渴望，但這意思是想要快樂就該去做愛嗎？聖保羅和聖奧古斯丁可絕對不會這麼說。對他們而言，這只證明了人類本來就有罪，容易受到撒旦的誘惑。從基督教的角度來看，大多數人類都多多少少沉溺在類似海洛因成癮的情境。假設有個心理學家，想調查吸毒者的快樂指數。經過調查之後，他發現這些吸毒者全部有志一同，所有人都說吸毒的時候最快樂了。請問這位心理學家是不是該發表一篇論文，告訴大家想快樂就該去吸毒？

　　除了基督教以外，還有一些生物學者也認為，主觀感受不該是最大重點。至少在講到主觀感受的價值時，甚至達爾文和英國演化生物學家道金斯（Richard Dawkins）都有部分觀點，與聖保羅和聖奧古斯丁相同。根據道金斯在名著《自私的基因》提出的論點，正如同其他動物，人類在天擇的影響下，就算對個人不利，他們也會選擇要讓基因繼續流傳下去。大多數男性一生勞苦、終日煩憂，因為競爭激烈而不斷爭鬥，硬是沒辦法享受一下平靜的幸福；但這是由於DNA操縱著他們，要他們為基因自私的目的做牛做馬。DNA就像撒旦，用一些稍縱即逝的快樂做為引誘，令人為之臣服。

▌佛法無我

　　大多數宗教和哲學看待快樂的方式，都與自由主義非常不同。最看重快樂這個問題的，就是佛教。兩千五百多年來，佛教有系統的研究了快樂的本質和成因；正因如此，最近有愈來愈多科學團

體開始研究佛教哲學和冥想。佛教認為，快樂既不是主觀感受到愉悅，也不是主觀覺得生命有意義，反而是在於放下**貪求主觀感受**這件事。

根據佛教的觀點，大多數人太看重自己的感受，以為快感就是快樂，不愉悅的感受就是受苦。於是，人類就渴望能有快感，並希望避免不愉悅的感受。然而，這是大大的誤解。事實是，人類的主觀感受沒有任何實質或意義。主觀感受就只是一種電光石火的波動，每個瞬間都在改變，就像海浪一樣。不論你感受到的是快感或不快、覺得生命是否具有意義，這都只是剎那生滅的波動而已。

如果我們太看重這些內部的波動，就會變得太過執迷，心靈也就焦躁不安，感到不滿。每次碰上不快，就感覺受苦；就算已經得到快感，因為我們還希望快感能夠增強，或是害怕快感將會減弱，所以心裡還是不能感到滿足。貪求這些主觀感受，十分耗費心神，而且終是徒勞，只是讓我們受制於貪求本身。因此，苦的根源既不在於感到悲傷或疼痛，也不在於感覺一切沒有意義。苦真正的根源就在**貪求主觀感受**這件事，不管貪求的是什麼，都會讓人陷入持續的緊張、困惑和不滿之中。

人想要離苦得樂，就須瞭解自己所有的主觀感受都只是剎那生滅的波動，而且別再貪求某種感受。如此一來，雖然感受疼痛，但不再感到悲慘，雖然愉悅，但不再干擾心靈的平靜。於是，心靈變得一片澄明、自在。這樣產生的心靈平靜力量強大，是那些窮極一生瘋狂追求愉悅心情的人，完全難以想像的。這就像是有人已經在海灘上站了數十年，總是想抓住「好的海浪」，讓這些海浪永遠留下來，同時又想躲開某些「壞的海浪」，希望這些海浪永遠別靠近。就這樣一天又一天，這個人站在海灘上徒勞無功，把自己累得

幾近發瘋。最後終於氣力用盡，癱坐在海灘上，讓海浪就這樣自由來去。忽然發現，這樣多麼平靜啊！

這種想法對於現代自由主義的文化來說，完全格格不入，所以等到西方的新世紀運動碰上佛教教義，就想用自由主義的方式加以解釋，結果意思卻是完全相反。新世紀教派常常主張：「快樂不在於外在條件，而只在於我們內心的感受。我們應該別再追求像是財富、地位之類的外在成就，而是要多接觸自己內心的情感。」或者說得簡單一點，就是「快樂來自內心」。這與生物學家的說法不謀而合，但與佛教的說法幾乎是背道而馳。

佛教與現代生物學和新世紀運動的相同點，在於都認定快樂與外在條件無關。但佛教更重要、也更深刻的見解在於：真正的快樂也與我們的主觀感受無關。我們如果愈強調主觀感受，反而就愈感到苦。佛教給我們的建議是，除了別再追求外在成就之外，同時也別再追求那些自我感覺良好的心裡感受了。

▎人類是否瞭解自己？

總結來說，我們現在會使用主觀幸福感問卷，希望找出來我們主觀認定什麼時候有幸福感，而且認為找到特定的情緒狀態就是找到了快樂。但相反的，許多傳統哲學和宗教（如佛教）則認為，快樂的關鍵在於追求真我、真正瞭解自己。大多數人都以為自己的感覺、想法、好惡就組成了自己，但這是一大錯誤。他們感覺憤怒的時候，心裡想「我很生氣，這是我的憤怒。」於是這一輩子做的，都是想要避開某些感受，貪求另外某些感受。但是他們從來沒有發現，苦真正的來源不在於感受本身，而是對感受的不斷貪求。

如果真是如此，我們過去對於快樂這件事的歷史認知，就有可能都是錯的。或許，期望是否得到滿足、感受是否快活，都不是重點，真正重要的問題在於人類是否瞭解自己。我們有什麼證據，證明今天的人比起遠古的採集者或中世紀的農民，更加瞭解自己呢？

　　學者一直到幾年前，才開始研究快樂這件事的歷史，而且現在還停留在初始階段，正在做出初步的假設、尋找適當的研究方法。這場討論才剛剛起步，要得出確切的結論，為時過早。最重要的，是要瞭解各種不同的研究方法，並且提出正確的問題。

　　大多數的歷史書籍強調的都是偉大的思想家、英勇的戰士、慈愛的聖人，以及創造力豐沛的藝術家。這些書籍對於社會結構的建立和瓦解、帝國的興衰、科技的發明和傳播，可說是知無不言，言無不盡。但對於這一切究竟怎麼為個人帶來快樂或造成痛苦，卻是隻字未提。這是我們在史識方面的最大空白之處。而且，現在該是開始填補空白的時候了。

第**20**章

智人末日

本書一開始，提到我們是從物理學走向化學、走向生物學，然後走向歷史學。而無論是在物理作用、化學反應，或是生物的天擇，都對智人和其他一切生物一視同仁，殊無二致。雖然說在天擇這一塊，智人的發揮空間似乎遠大於其他生物，但畢竟仍然有限。換句話說，不論智人做了多少努力、有了多少成就，還是沒辦法打破生物因素的限制。

然而，就在二十一世紀曙光乍現之時，情況已經有所改變：智人開始超越了這些界限。天擇的法則開始出現破口，而由**智慧設計**（intelligent design）的法則趁隙而入。

在將近四十億年的時間裡，地球上每一種生物的演化，都是依循天擇。沒有任何一種生物是由某個具有智慧的創造者所設計的。以長頸鹿為例，牠的長頸是因為遠古時代長頸鹿祖先之間的競爭，而不是因為有某個具有超級智慧的生物，把牠設計成脖子長長的。在長頸鹿的祖先之間，脖子較長的就能夠得到更多食物，相較於脖子短的，也就產下較多後代。沒有人（肯定也沒有長頸鹿）曾經說

過:「如果有比較長的脖子,就能讓長頸鹿吃到樹頂上更多葉子。所以我們就讓脖子變長吧!」達爾文理論美妙的地方,就是並不需要有某位智慧過人的設計者,來解釋為什麼長頸鹿會有長脖子。

數十億年來,由於我們根本不具備足以設計生物的智能水準,所以「智慧設計」從來都不是選項之一,它只是宗教神話。一直到相對不久之前,微生物都是地球上唯一的生物,而且能夠完成某些神奇的任務。屬於某個物種的微生物,可以從完全不同的物種中,取得遺傳密碼、加入自己的細胞中,從而取得新的能力,例如針對抗生素產生抗藥性。然而,至少就我們所知,微生物並沒有意識,它們沒有生活目標,也不會未雨綢繆、為將來做準備。

演化到某個階段之後,像是長頸鹿、海豚、黑猩猩和尼安德塔人都已經有了意識,也有了為將來做準備的能力。然而,就算尼安德塔人曾經有過這個夢想,希望雞可以長得肥一些、動得慢一點,好讓他餓的時候抓起來方便,他也無法把夢想化為現實。他還是只能乖乖去打獵,獵捕那些經過物競天擇發展成眼前這模樣的鳥類。

大約一萬年前,因為出現了農業革命,讓古老的大自然運作機制首次有了比較不自然的改變。那些還是希望雞能夠又肥又慢的智人,發現如果找出長得最肥的母雞,再與動得最慢的公雞交配,生出來的後代就會又肥又慢。這些生下來的後代再繼續互相交配,後代的雞就都具有又肥又慢的特點。這是一種原本不存在於自然界的雞,之所以經過這樣的智慧設計而出現,是因為人,不是因為神。

不過,與所謂全能的神相比,智人的設計技術還差得遠了。雖然智人可以透過選擇育種(selective breeding)來抄捷徑,加速天擇(自然選擇)的進程,但如果想要加入的特性並不存在於野生雞隻的基因池裡,就仍然無能為力。在某種程度上,智人與雞之間的關

係，就和一般常見而自然的共生關係十分相似。智人等於是對雞隻施予了特定的選擇壓力，讓又肥又慢的雞特別能夠繁衍下來；就像蜜蜂採蜜授粉的時候，也是對植物施予了選擇壓力，讓花朵色彩鮮豔的品種更能生生不息。

生物學革命

　　然而時至今日，這個四十億歲的天擇系統卻面臨了一項完全不同的挑戰。在全球各地的實驗室裡，科學家正在改造各種生物。他們打破天擇的法則而絲毫未受懲罰，就連生物最基本的原始特徵也完全不看在眼裡。巴西生物藝術家卡茨（Eduardo Kac）就在2000年推出了一項新藝術作品：一隻發著螢光綠的兔子。卡茨找上法國的一間實驗室，付費請求依他的要求改造出一隻會發光的兔子。法國科學家於是拿了一個普通的兔子胚胎，植入由綠色螢光水母取得的DNA。噹噹噹噹！綠色螢光兔隆重登場。卡茨將這隻母兔子命名為阿巴（Alba）。

　　如果只有天擇，阿巴根本不可能存在。她就是智慧設計下的產物。同時，她可說是一個預兆。阿巴的出現其實代表一股潛力，如果這股潛力完全發揮（而且人類沒有因此滅亡），科學革命很可能就不只是人類歷史上的三場大革命之一而已，很可能發展成為地球出現生命以來，最重要的**生物學革命**！經過四十億年的天擇之後，阿巴可說是站在新時代曙光乍現的時機點，生命即將改由智慧設計來操控。如果這種可能性終於成真，事後看來，到這之前為止的人類歷史就能夠有新的詮釋：這是一個漫長的實驗和實習的過程，最終是要讓人類徹底改變生命的遊戲規則。像這樣的過程，我們不能

只微觀人類的近幾千年，而要宏觀地球生命整體的幾十億年。

全世界的生物學家，現在都在與「智慧設計論」這場風潮互相對抗（中文版注：智慧設計論在這裡指的是宗教界的上帝創造論，尤其在美國盛行，試圖進入各級校園，驅趕達爾文演化論的教學）。智慧設計論反對所有我們在學校裡學到的達爾文演化論，認為既然生物如此複雜各異，想必是有某個全能的創造者（上帝），從一開始就想好了所有的生物細節。

生物學家說對了過去，智慧設計論對於過去生命史的解釋是錯誤的；但諷刺的是，講到未來，有可能智慧設計才是對的，只不過全能的創造者不是上帝，而是人。

本書寫到這裡的時候，有三種方式可能讓智慧設計取代天擇：生物工程、半機械人（cyborg）工程與無機生命（inorganic life）工程。

基因工程奇蹟

所謂生物工程，指的是人類刻意進行在生物層次的干預行為，例如植入基因，目的在改變生物的外形、能力、需求或欲望，以實現某些預設的文化概念，例如卡茨心目中的那種藝術。

到目前為止，生物工程本身並不算是什麼新的概念。人們數千年來就一直使用生物工程，來重新塑造自己和其他生物。一個簡單的例子是閹割。在英文裡，未閹割的公牛稱為bull，閹割後的稱為ox，這種將牛閹割的做法已經有大約一萬年之久，閹割後的牛比較不具鬥性，也就比較容易訓練來拉犁。此外，也有一些年輕男性遭閹割，好培養可唱出女高音優美聲調的假聲男高音，或是能夠協助

宮廷事務的太監。

　　然而，人類最近對生物體內運作的研究有長足進展，已經達到細胞、細胞核的水準，也開展了許多過去難以想像的可能性。舉例來說，我們現在不只能夠將男性閹割，甚至還能透過外科手術和注射荷爾蒙，完全改變他們的性別。這還只是開始。

　　1996年，下面這張照片出現在報紙和電視上，各方反應不一，有人驚喜、有人噁心，有人完全嚇傻了。

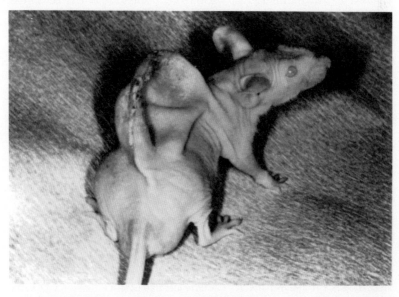

27. 在這隻老鼠背上，科學家用牛軟骨細胞讓牠長出一隻「耳朵」。這可以說是以一種怪誕的方式，回應施泰德洞穴裡的獅人雕像。在三萬年前，人類就已經有了想要結合不同物種的幻想，而今天我們真的有能力製造出這種嵌合體（chimera）了。

這並不是經過修圖的假照片，而是千真萬確、一隻真的老鼠，背上被科學家植入牛軟骨細胞。因為科學家能夠控制新組織生長，讓它長出人類耳朵的形狀。也許在不久之後，科學家就能用這種方式，製造出能植入人體的人工耳。[115]

　　近年來，基因工程的研究深受矚目。這與農業革命以來，人類經常使用的選擇育種，有很大的不同。選擇育種受限於現存生物的基因池，只能逐步改變舊有物種，但是基因工程打開了創造全新物種的大門：藉由混合跨物種的遺傳物質，或是植入並不存在的新基因，就有可能創造出全新的生物。例如綠色螢光兔阿巴，這是永遠不可能透過選擇育種來創造的，因為根本沒有哪隻兔子會天生擁有綠色螢光基因，而我們也無法讓兔子與綠色螢光水母交配。

基因工程為惡？為善？

　　由於基因工程能做到一些幾近奇蹟的事，因此引發了一系列的倫理、政治和意識型態議題。而且，並不是只有虔誠的一神教信徒指責人類不該搶了上帝的角色。對於科學家這種干預自然的做法，有許多堅定的無神論者也同樣大感震驚。動物權利保護團體譴責這種基因工程實驗，認為這不但造成實驗動物的痛苦，改造時也完全無視家禽家畜的需求和欲望。人權保護團體也擔心，基因工程可能被用來創造某種超人類，結果就是其他人都成為超人類的奴隸。此外，也早有人預期將會出現生物獨裁統治的末日場景，用複製的方式製造出不懂得恐懼為何物的士兵、不知道反奴隸是什麼概念的工人。許多人認為，現在人類太快看到太多機會，手中已經握有基因修改能力，卻還無法做出明智、有遠見的決定。

　　結果就是，我們現在只發揮了基因工程一小部分的能力。現在改造的大多數生物，都是那些最沒有政治利害關係的物種，像是植物、真菌、細菌、昆蟲等等。舉例來說，大腸桿菌是一種共生在人體腸道裡的細菌，只有在它跑出了腸道、造成致命感染的時候，大家才會在報紙上看到它們造成的壞消息。而現在大腸桿菌就經過基因工程改造，用來生產生質燃料。[116] 大腸桿菌和其他幾種真菌，也經過改造來生產胰島素，期望能降低糖尿病患的治療費用。[117]

　　現在我們也取出某種北極魚類的基因，植入馬鈴薯的基因，好讓馬鈴薯更耐寒。[118]

　　少數哺乳動物也正在接受基因工程改造。酪農業一直得面對乳腺炎這項大敵，每年乳牛因此無法產乳的損失，高達數十億美元。科學家目前正在嘗試將乳牛基因改造，讓牛奶裡含有溶菌素，能夠攻擊造成乳腺炎的細菌。[119]

　　另外，最近健康意識抬頭，消費者不希望從火腿和培根吃到太多不健康脂肪，養豬業最近正在期待一種植入了蠕蟲基因的豬隻，這種基因能夠讓豬的脂肪酸從不健康的omega-6脂肪酸，轉為健康的omega-3脂肪酸。[120]

　　真正走到下一代基因工程之後，這種讓豬有健康脂肪的改造，就只能算是一碟小菜罷了。現在，遺傳學家已經成功將蠕蟲的平均壽命延長六倍，也已經創造出某種天才老鼠，在記憶和學習能力上大有長進。[121] 例如，田鼠是一種小型、粗壯的嚙齒動物，而且大多數品種的習性都是雜交。然而，卻有一種品種具有忠貞的一夫一妻關係。遺傳學家聲稱，已經找出了這種形成田鼠一夫一妻制的基因，只要植入這個精挑細選的基因，就能讓田鼠從愛偷腥變成愛顧家。這麼一來，我們的基因改造能力就不僅能改變嚙齒動物的個體

能力，甚至有可能改變牠們的社會結構。（是不是人類也能如法炮製？）[122]

讓尼安德塔人再現？

遺傳學家想改造的還不只是現有的生物，甚至也想讓已絕種的動物再現身影，而且對象還不只是像電影「侏羅紀公園」的恐龍。從西伯利亞冰層挖掘出長毛象遺體之後，由俄羅斯和韓國（研究人員包括因學術造假事件而聲名狼籍的黃禹錫）組成的科學家團隊，正在為長毛象的基因定序。他們準備拿一枚現代大象的受精卵，將大象的DNA換成長毛象的DNA，再植回大象的子宮。他們宣稱，只要經過大約22個月的孕期，長毛象就可能在絕跡近五千年後，再次重現於地球。[123]

接下來，有什麼理由要劃地自限，只做長毛象呢？哈佛大學的邱契（George Church）教授最近指出，完成「尼安德塔人基因組計畫」之後，我們就能將在智人的卵子裡重建尼安德塔人的DNA，在三萬年後再次誕生一個尼安德塔人的小孩。邱契宣稱：只要撥給他不頂多的三千萬美元預算，這就可能成真，而且已經有幾位女性自願擔任代理孕母了。[124]

我們為什麼要讓尼安德塔人再現？有些人認為，如果我們能研究活生生的尼安德塔人，就能解決某些關於智人起源和獨特性最難解的問題。只要能比較尼安德塔人和智人的大腦，找出兩者不同之處，或許就能知道是什麼生物上的變化，讓我們產生了有異於禽獸的意識。而且，有人認為這也有倫理道德上的理由：如果是智人造成了尼安德塔人滅絕，豈不該負責把他們救回來？此外，有尼安德

塔人這種人種，也可能很好用：許多產業可能很高興，因為兩個智人才能做的粗活，尼安德塔人一個就能搞定。

　　接下來，有什麼理由要劃地自限，只做尼安德塔人呢？為什麼不回到最初上帝的那塊畫板，直接設計出更完美的智人？智人的種種能力、需求和欲望，都根源於智人的基因，而且智人的基因組其實並不比田鼠或老鼠複雜太多。（老鼠的基因組有大約25億個鹼基對，智人約有29億個，也就是說智人只比老鼠複雜了16%。）[125]

　　在基因工程的中程發展（或許就是幾十年內），基因工程和其他各種生物工程，可能有辦法帶來影響深遠的改變，不僅能夠改變人類的生理、免疫系統和壽命長短，甚至能改變智力和情感能力。如果基因工程可以創造出天才老鼠，為什麼不創造天才的人呢？如果基因工程可以讓兩隻田鼠長相廝守，何不讓人類也是天生彼此忠貞不二？

　　認知革命之後，智人從幾乎微不足道的猿類，變成了世界的主人。然而智人的生理並沒有什麼改變，甚至連大腦的容量和外形也和過去幾乎相同。可見這只是大腦內部幾個小小的調整罷了。也或許，只要再有某個小小的調整，就會再次引發第二次的認知革命，建立一種全新的意識，讓智人再次改頭換面、徹底不同。

　　雖然我們目前確實還無法創造出超人類，但看來前方的路上也沒有什麼絕對無法克服的科技障礙。現在真正讓人類研究放慢腳步的原因，是倫理和政治上的爭議。然而，不管現在的倫理論點如何有說服力，未來的發展似乎勢不可擋；特別是基因工程有可能讓我們無限延長壽命、解決各種疑難雜症，以及強化認知和情感能力。

　　舉例來說，如果我們本來只是想治療阿茲海默症，後來卻發現藥物的副作用是大幅增進一般健康民眾的記憶力，又該如何處置？

這種研究擋得住嗎？等到藥物開發生產之後，會有哪個立法機關膽
敢制定「僅得用以治療阿茲海默症，一般人不得用以取得超級記憶
力」的法令？就算有了法令，執法機關能夠確實執行嗎？

　　我們現在還不知道生物工程是不是真的能讓尼安德塔人再現；
一旦成功，這很可能將為智人拉下終幕。操縱基因並不一定會讓智
人大批死亡而絕種，卻很可能會讓智人這個物種大幅改變，到最後
就成了另一物種，而不宜再使用「智人」這個名稱。

▌半機械人的生命

　　現在再來談第二種可能改變生命法則的嶄新科技：半機械人
工程。半機械人工程結合生物組織（或器官）與機械構造，創造出
半機械人，例如為人類裝上機械手臂就是一例。從某種意義上，現
代人幾乎多多少少都是半機械人，用各種硬體設備來輔助我們的感
官和能力，像是眼鏡、心臟起搏器、義肢，甚至還包括電腦和手機
（這樣一來，就能減輕大腦要儲存及處理資料的負荷）。但我們正
跨在一個要成為真正半機械人的門檻上，真正讓一些機械構造與身
體結合、不再分開，以致徹底改變了我們的能力、欲望、個性、以
及身分認同。

　　美國國防部高等研究計畫署（DARPA）是美國官方的軍事研
究機構，正在研究半機械昆蟲。研究人員的想法是在蒼蠅或蟑螂身
上植入電子晶片，讓人或電腦從遠端遙控昆蟲的動作，並取得昆蟲
接收到的外界資訊。這樣的間諜蒼蠅就能潛入敵人總部，停在牆上
竊聽最機密的談話，只要別被蜘蛛抓走，就能讓我們完全掌握敵人
的計畫。[126]

2006年，美國海軍水下作戰中心（NUWC）也曾提出計畫，要研發半機械鯊魚。NUWC宣稱：「本中心正研發一種魚用標籤，希望透過神經植入物，控制宿主動物的行為。」鯊魚天生就能夠偵測到磁場，效果比目前所有人類發明的偵測器都靈敏。因此研發人員試圖利用鯊魚的這種能力，偵測到潛艇和水雷形成的電磁場。[127]

智人也正在變成半機械人。最新一代的助聽器，有時會稱為仿生耳（bionic ear），外側有一個小麥克風，可以接收外界聲音，經過過濾、識別出人聲，轉化成電波訊號，直接傳遞到聽覺神經，再傳送到大腦。[128]

德國的「Retina Implant」（視網膜植入）公司取得政府資金，正在開發一種人工視網膜，可能讓盲人重獲部分視力。做法是將微晶片植入患者眼中，微晶片上的光電池接收到進入眼中的光線後，將光能轉變為電能，刺激視網膜上未受損的神經細胞；神經細胞發出神經衝動，刺激大腦，就會轉譯為視覺影像。目前，這項科技已經讓患者能夠辨識字母、判斷景深，甚至也能夠辨識人臉。[129]

2001年，美國一位水電工沙利文因為事故，雙臂從肩膀以下遭到截肢。但今天在芝加哥復健研究中心的協助下，他能擁有一雙機械手臂。這雙新手臂的特殊之處，在於只要用想的就能操縱。沙利文的大腦發出神經訊號，再由微電腦轉譯成電訊號命令，就能讓機械手臂移動。所以，沙利文想要舉起右手的時候，是有意識的進行我們一般人下意識做的動作。雖然這雙電子機械手臂能做的事，遠遠少於正常的人類手臂，但已經讓沙利文能夠處理一些日常生活的簡單工作。

蜜綺爾則是一位美國女兵，她最近在一次機車事故中，失去了一條手臂，現在也裝上一隻類似的機械手臂。科學家相信，機械手

臂很快不只能夠隨心所欲運動，還能再發送訊號傳回大腦，也就是甚至能讓截肢者恢復觸覺！[130]

目前的機械手臂還遠遠不及真正的肉體手臂，但是發展潛力無窮。舉例來說，我們可以讓機械手臂具有遠大於人類手臂的力量，就算拳王在機械手臂前面，也會像是弱雞。此外，機械手臂可以每隔幾年就更換新品，也能夠脫離身體、遠距操作。

北卡羅萊納州杜克大學的科學家最近剛證明了這一點，他們在幾隻恆河猴的大腦裡植入電極，再讓電極蒐集腦中的訊號，傳送到外部設備。接著，猴子被訓練單純用意識控制外部的機械手腳。有一隻叫奧蘿拉的母猴，不僅學會了如何用意識控制外部的機械手臂，還能同時移動自己的兩隻肉體手臂。現在牠就像是印度教的女

28. 沙利文和蜜綺爾握手。他們的機械手臂只要用意識就能操縱，十分令人驚奇。

神一樣，有三條手臂，而且機械手臂還能位於另一個房間、甚至另一座城市裡。所以，牠現在可以坐在北卡羅萊納州的實驗室裡，一手抓抓背、一手抓抓頭，還能有一手在紐約偷根香蕉（只可惜現在還沒辦法遠距吃香蕉）。[7]

另一隻叫伊朵雅的母猴，則是曾在2008年坐在北卡羅萊納州實驗室的椅子上，再用意識控制一雙遠在日本京都的機械腿，讓牠從此世界知名。那雙腿足足有伊朵雅體重的20倍重。[131]

閉鎖症候群（locked-in syndrome）是一種神經疾病，病患會喪失幾乎所有控制身體移動的能力，但認知能力卻完全不受影響。罹患閉鎖症候群的病人，最後只能用眼球微小的運動與外界溝通。然而現在已經有幾位病人的腦中，植入了蒐集大腦訊號的電極。目前科學家正在努力解譯這些訊號，希望不只能將訊號轉為動作，更能轉為語言。如果實驗成功，閉鎖症候群的患者就能夠直接與外界說話，而我們甚至可以用這項科技來閱讀他人心中的想法。[132]

在所有目前進行的研究當中，最革命性的就是要建構一套直接的大腦—電腦雙向介面，讓電腦能夠讀取人腦的電訊號，同時輸回人腦能夠瞭解的電訊號。如果這種設備成功，再直接將大腦連上網路，或是讓幾個大腦彼此相連、形成腦際網路，情況會如何？如果大腦能夠直接存取集體共同的記憶庫，對於人類的記憶、意識和身分認同，又會有什麼影響？

舉例來說，在這種情況下，半機械人就能夠取得他人的記憶。

---

[7] 中文版注：杜克大學的研究團隊由尼可列利斯（Miguel Nicolelis）領軍。尼可列利斯著有《念力：讓腦波直接操控機器的新科技．新世界》一書（天下文化2012年出版），詳細說明了恆河猴奧蘿拉、伊朵雅的腦機介面實驗過程。尼可列利斯最新的成就，是讓一位下半身癱瘓的青年，穿著機械動力裝，在2014年巴西世界杯足球賽開幕典禮中開球；這是「再行走計畫」（Walk Again Project）的初步成果。

就算從來沒聽說過另一個人、沒看過他的自傳、也不是靠著想像，卻能夠直接記得他的記憶，就像是自己的記憶一樣。而且，這裡的他人可能是男、也可能是女。像這樣的集體記憶概念，對於自我和性別認同，又會有什麼影響？在這種時候，我們要怎麼「認識你自己」？又要怎麼知道，哪些才是真正屬於你自己的夢想，而不是集體記憶中的願望？

這樣的半機械人就不再屬於人類，而是完全不同的全新物種。這一切是從根本上的改變，其中的哲學、心理或政治影響，可能都還不在我們的掌握之中。

▎數位生命

第三種改變生命法則的方式，則是創造出完全無機的生命。最明顯的例子，就是能夠自行獨立演化的電腦程式和電腦病毒。

現在，資訊工程世界正當紅的一個領域，就是**基因程式設計**（genetic programming）。這種程式設計模仿基因遺傳演化。許多程式設計師都有一個夢想，希望能創造出一組能夠獨立於創造者、完全自行學習演化的程式。在這種情況下，程式設計師只是一個原動力，程式一經發動之後，它就會開始自由演化，無論創造者或其他任何人，都不再能掌握它的發展方向。

我們現在已經有這種程式的原型了，也就是所謂的電腦病毒。電腦病毒在網路上流傳的時候，會不斷自我複製數百萬到數億次，一面要躲避追殺的防毒軟體，一面又要與其他病毒爭奪網路裡的空間。而總有某一次，在病毒自我複製的時候出現了錯誤，這就成了一種電腦化的突變。這種突變有可能是因為病毒設計師，原本就讓

病毒偶爾會發生隨機複製錯誤；也有可能是因為某種隨機發生的誤差。

假設在偶然下，突變後的病毒比較能躲過防毒軟體的偵測，而且仍然保留入侵其他電腦的能力，它就會在網路裡迅速傳播。於是這種突變種就能生存下來，開始繁衍。隨著時間過去，網路空間就會充斥這些並非由人設計出來、經過無機演化而成的新型病毒。

這些病毒算是生命嗎？這可能要取決於每個人對「生命」的定義，但它們確實是由新的演化過程而生，完全獨立於生物演化的法則和局限之外。

我們再想像一下另一種可能性。假設你可以將自己的大腦記憶和知覺、意識整個備份到硬碟上，再用筆記型電腦來讀取運作。這樣一來，筆電是不是就能夠像智人一樣的思考和感受了呢？如果是的話，那算是你嗎？還是算別人呢？如果電腦程式設計師可以建構一個全新的數位個體心靈，完全由電腦程式碼組成，但擁有自我的知覺、意識和記憶，這又算是什麼？如果你讓這個程式在電腦上運作，這算是一個人嗎？如果你刪除了這個程式，算是謀殺嗎？

我們可能很快就會得到這些問題的答案了。2005年成立了一項**藍腦計畫**（Blue Brain Project），希望能用電腦完整重建一個人腦，用電子電路來模擬大腦中的神經網路。計畫主持人表示，如果能有足夠的經費，大約只要十到二十年，就能在電腦裡建構出人工大腦，而且語言及舉止就像是正常人一樣。

到現在，並不是所有學者都認為人腦的運作方式類似數位的電腦（因此也就很難用現今的電腦來模擬人腦），但我們並不能因此就排除這種可能性。在2013年，藍腦計畫已經從歐盟取得了十億歐元資金的挹注。[133]

▎另一個奇異點

目前，所有這些新契機只有一小部分已經成真。然而，在2014年這個世界上，文化已經掙脫了生物學的束縛。我們現在不只能改造周遭的世界，更能改造自己體內和內心的世界，而且發展的速度奇快無比。有愈來愈多領域的行事方式都已經被迫大幅改變，不再能照舊便宜行事。律師需要重新思考關於隱私和身分認同的問題；各國政府需要重新思考醫療保健和平等的問題；體育協會和教育機構需要對公平競爭和成就重新定義；退休基金和勞力市場也得調整因應，未來的六十歲可能只像是現在的三十歲。此外，每一個政府、組織和個人，全部都得面對生物工程、半機械人及無機生命帶來的難題。

想當初，第一次進行人類基因組定序的時候，花費了十五年、30億美金。但現在只要花上幾週、幾百美金，就能完成一個人的基因定序。[134] 根據DNA為人量身訂做的「個人化醫學」時代，已然展開。你的家庭醫師很快就能告訴你，你得到肝癌的風險比較高，但倒是不用太煩惱心臟病的機率。醫師還能告訴你，某種對92%的人有效的藥物，就是對你沒用，而另外一種通常會致命的藥物，反而正是你的救命仙丹。一個幾近完美的醫療世界，已經近在眼前。

然而，醫療的進步也會帶來新的倫理難題。光是現在，倫理學家和法律專家就已經因為DNA所涉及的隱私問題，感到焦頭爛額了。例如：保險公司是否有權要求我們提供DNA定序資料？如果要保人的基因顯示遺傳性的魯莽衝動傾向，保險公司是否有權要求提高保費？以後公司要聘雇新員工時，會不會要求的不是履歷表，

而是DNA資料？雇主有權歧視DNA看來較差的求職者嗎？而像這樣的「基因歧視」，我們可以提告嗎？腦機介面公司能不能創造出一種新的生物、或是新的器官，再申請其DNA序列的專利？我們都認同某個人可以擁有某隻雞，但我們可以完全擁有某個物種嗎？

事實上，以上種種都還只是小巫，真正的大巫是吉爾伽美什計畫（見第297頁）以及未來創造出超人類的可能，將會為人類的倫理、社會和政治秩序帶來巨幅改變。不論是〈世界人權宣言〉、全球各地的政府醫療方案、全民健保方案、甚至是憲法，都認為人道社會應該讓所有成員擁有公平的醫療待遇，並且維持相對良好的身心健康狀態。如果醫療只是要預防疾病、治療疾病，這一切看來再好不過。但如果醫藥的目的變成要提高人的能力，情況會有何不同？是讓所有人類都能提升能力嗎？還是只有少數菁英能夠享有超人的能力？

我們這個現代世界，是有史以來第一次認為所有人類應享有基本上的平等，然而我們可能正準備要打造出一個最不平等的社會。縱觀歷史，上層階級總是說自己比下層階級更聰明、更強壯、更優秀。他們過去通常只是在自欺欺人，貧苦農家的孩子智力很可能和王子也相去不遠。然而，在新一代醫藥推波助瀾下，上層階級的自命不凡，可能即將成為一種客觀的事實。

這不是科幻小說的情節。在大多數的科幻小說裡，講的是像我們一樣的智人，擁有光速太空船和雷射槍之類的先進科技。這些小說裡的倫理和政治難題，多半和我們的世界如出一轍，只不過是把我們的情感和社會問題搬到未來的場景重新上演。然而，未來科技的真正潛力並不在於改變什麼車輛或武器，而在於改變智人本身，包括我們的情感、我們的欲望。

太空船其實只是小事，真正會驚天動地的，可能是能夠永遠年輕的半機械人，既不繁衍後代、也沒有性慾，能夠直接和其他生物共用記憶，而且專注力和記性是現代人類的一千倍以上，既不會憤怒、也不會悲傷（因此不會有同情心？），而他們蘊藏的情感和欲望完全是我們智人無法想像的。

科幻小說很少會把未來描述成這個樣子，因為基本上這種場景超乎了我們的想像，就算描述出來也難以理解。想把某種超級半機械人的生活拍成電影給現代人看，就像是要為尼安德塔人演一齣莎翁名劇。事實上，未來世界主人翁與我們智人之間的差異，可能會遠大於我們和尼安德塔人之間的差異。我們與尼安德塔人至少都還是人，但未來的主人翁很可能會更接近「神」的概念。

物理學家認為誕生宇宙的大霹靂是一個**奇異點**（singularity）。在奇異點之前，所有我們認知的自然律都還不存在，就連時間也不存在。所以要說宇宙大霹靂「之前」如何如何，是沒有意義的，也是無法理解的。而我們可能正在接近下一個奇異點，所有我們現在這個世界的意義（不論是你我、男女、愛恨）都即將變得再也無關緊要。在那個奇異點之後的任何事，都超出我們現在所能想像。

▌科學怪人預言

1818年，瑪麗·雪萊寫出了小說《科學怪人》（*Frankenstein*），講的是一個科學家創造出人造生物，但失去控制，造成一片混亂。在過去的兩個世紀間，有無數版本不斷講述著同樣的故事。這已經成為新科學神話的一大主流概念。

乍看之下，科學怪人的故事似乎是在告訴我們，如果竟敢試圖

僭越神的角色，試圖操縱生命，就會受到嚴厲的懲罰。然而，這個故事其實還有更深的含義。

科學怪人的故事直接向智人提出挑戰，告訴我們智人終結的一天已經不遠。根據這個故事，除非發生全球核災或生態浩劫，否則根據現在科技發展的步伐，很快智人就會被取代。新一代的主宰不僅體型體態不同，連認知和情感世界也有極大差異。

對大多數智人來說，這個新版本的故事實在太過驚悚；我們比較想聽到的故事，是未來仍然由像我們一樣的人來主宰，只是多了高速太空船，讓我們能往來於各個星球之間罷了。但是如果說，和我們擁有相同情感和認同的生物未來將會滅絕，由能力遠高於我們的陌生物種取而代之，這個版本的未來，可就令人毛骨悚然、難以接受了。

對我們來說，把科學怪人描述成怪物，而我們為了拯救人類，不得不將之摧毀，算是比較能放心的結局。我們喜歡這種版本，是因為這個版本暗示人類仍然是萬物之靈，再也不會有比人類更優秀的物種。此外，想要「改進」人類的嘗試也必然失敗，因為就算能夠增強身體的能力，重點還是在那崇高而不得碰觸的人類心靈。

但人類很難接受的一個事實就是，科學家不僅能夠改造身體，也能改造心靈。未來創造出來的科學怪人，可能就是硬生生比人類優秀不知凡幾，他們看著我們，就像是我們看尼安德塔人一樣，帶著一絲輕蔑和不屑。

我們還不能確定明日是不是會正如這個預言一般。沒有人能夠確實知道未來。本書最後這幾頁所做的預測，也不太可能樣樣都說得準。歷史一再讓我們看到：許多以為必然發生的事，常常因為不可預見的阻礙而無法成真，而某些難以想像的情節，最後卻成為事

實。1940年代進入核彈時代的時候，很多人預測西元2000年會成為核能世界。第一顆人造衛星和阿波羅十一號發射，也讓全球想像力大作，大家都開始認為到了二十世紀結束的時候，人類就可以移民到火星和冥王星。但這些預測全都沒有成真。而另一方面，當時誰都沒想過，網際網路能發展成現在這個樣子。

所以，關於未來的數位物種，可以說現在誰都說不準。上面提的所有理想、或說是夢魘，其實只是為了刺激大家的想像。我們真正應該認真以對的，是下一段歷史的改變，不僅是關於科技和組織的改變，更是人類意識與身分認同的根本改變。這些改變觸及的會是人類的本質，就連「人」的定義都有可能從此不同。

我們還有多久時間？沒有人真正知道。如同前面所提，有人認為到了2050年，就有少數人能夠達到長生的狀態。一些比較不那麼激進的預測，則說時間點是在下個世紀、或是下一個千禧年。然而，如果從智人長達七萬年的歷史來看，幾千年又算什麼？

▍我們究竟希望自己想要什麼？

如果智人的歷史確實即將謝幕，我們這些最後一代的智人，或許該花點時間，回答最後一個問題：我們究竟想要變成什麼？

有人把它稱之為「人類強化」（Human Enhancement）的問題，所有目前政治家、哲學家、學者和一般大眾所爭論的其他問題，在人類強化問題的前面，都算不上什麼。畢竟，等到智人消失之後，今天所有的宗教、意識型態、民族和階級等等，很可能也會隨之煙消雲散。而如果我們的接班人與我們有完全不同的意識層次（或者是有某種已經超乎我們想像的意識運作方式），再談基督教或伊斯

蘭教、共產主義或是資本主義、甚至性別的男女，對他們來說可能都已不具意義。

然而，我們還是有必要談談這些關於歷史的重要問題，因為就算是這些新時代的神，第一代還是由我們人類所設計，受到我們的文化概念影響。創造他們時所依循的理念，究竟會是資本主義、伊斯蘭教，還是女權主義？根據不同的答案，就可能讓他們走向完全不同的方向。

大多數人寧願躲避而不去想了。就連生命倫理學這個領域，也寧可去回答另一個問題：「有什麼是必須禁止的？」我們可以用活人做基因實驗嗎？用流產的胚胎可乎？用幹細胞呢？複製羊符合倫理道德嗎？複製黑猩猩如何？複製人類呢？

雖然這些問題確實都很重要，但如果還認為我們能夠踩煞車、阻止讓人類升級成另一種不同的物種，可能就太天真了。原因就在於，雖然這些計畫各有不同，但追根究柢，還是回到了對長生不死的追求：吉爾伽美什計畫。

不管是問科學家為什麼要研究基因組、或是為什麼要把大腦連接到電腦、或是為什麼要在電腦裡創建一個心靈，十有八九，都會得到相同的標準答案：這麼做是為了治療疾病，挽救人的性命。

想一想，為了治療精神疾病，就說要在電腦裡創建一個心靈，難道不會覺得太小題大作？但就是因為這種標準答案太具正當性，所以沒有人能夠反駁。正因如此，吉爾伽美什計畫正是現在科學的旗艦，能夠讓科學所做的一切都有了正當的理由。創造科學怪人的弗蘭肯斯坦博士，現在就坐在吉爾伽美什的肩膀上。阻擋不了吉爾伽美什，我們也就阻擋不了弗蘭肯斯坦博士。

現在我們唯一能做的，就是影響他們往前走的方向。既然我們

可能很快也能改造我們的欲望，或許真正該問的問題不是「我們究
竟想要變成什麼？」，而是「我們究竟希望自己想要什麼？」

　　如果還對這個問題視若等閒，可能就是真的還沒想通。

後記

變成神的這種動物

　　在七萬年前，智人還不過是一種微不足道的動物，在非洲的角落自顧自的生活。但就在接下來的幾千年間，智人就成了整個地球的主人、生態系的夢魘。時至今日，智人似乎只要再跨一步，就能進入神的境界，不僅有望獲得永恆的青春，更擁有創造和毀滅一切的神力。

　　但遺憾的是，智人在地球上的所作所為，實在沒有太多可令人自豪的事。雖然我們主宰了環境、增加了糧食產量、蓋起城市、建立帝國，還創造了無遠弗屆的貿易網，但是全球生靈的苦難減少了嗎？一次又一次，雖然整體人類的能力大幅提升，但卻不一定能改善個別人類的福祉，而且常常還讓其他動物深受其害。

　　在過去的幾十年間，至少就人類的生存條件而言，已有了確確實實的進步，饑荒、瘟疫和戰爭都已減少。然而其他動物的生存條件，卻正在大幅度急遽惡化，範圍前所未見。而且，就算是人類社會相關的改進，也還需要再長時間觀察，才能判斷是否利大於弊、是否能夠延續。

此外，雖然現在人類已經擁有許多令人讚嘆的能力，但我們仍然對目標感到茫然，而且似乎也仍然總是感到不滿。我們的交通工具已經從獨木舟變成帆船、變成汽船、變成飛機、再變成太空梭，但我們還是不知道自己該前往的目的地。我們擁有的力量比以往任何時候都更強大，但幾乎不知道該怎麼妥善使用這些力量。更糟糕的是，人類似乎也比以往任何時候更不負責。

　　我們讓自己變成了神，不用對任何人負責，唯一能節制我們的只剩下物理定律。正因如此，我們對周遭的動物和生態系掀起一場大災難，只為了貪求自己的舒適和娛樂，卻又從來無法得到真正的滿足。

　　擁有神的能力，但是不負責任、貪得無饜，而且連想要什麼都不知道。天下至險，恐怕莫此為甚。

譯後記

林俊宏

先說結論：這本書太有意思，很可能大大改變你對人類、信仰、歷史、世界的想法，開始反思自己的生活，也再次反省人類與其他生物的生命意義。

譯這本書的時候，一直想到 mastermind 和 accomplice 這兩個詞。前者是 master ＋ mind，大師心靈，但常常指的是那種高等級的犯罪者，能夠將人玩弄在股掌之間。後者則是個共犯幫兇，在旁邊幫忙把事情搞定。但當然這裡要講的不是黑道，而是作者與譯者的關係。

先說 mastermind。當譯者的都知道，如果作者有趣、內容精采，譯書可說是一場享受。而如果作者無趣、內容乾硬，那只能說是生不如死。書籍不合胃口，一般讀者冷笑兩聲就能揚長而去，但譯者可得和它日夜相伴，一邊打字一邊幹譙。特別有時候，作者自以為是的（不）幽默，更可能讓譯者得盡力抑制翻白眼的衝動。然而，Yuval（這似乎有裝熟的嫌疑？請待稍後分曉）這位大師絕對不是這種作者，全書布局精妙，不疾不徐的將各個人類事件重新呈現詮釋，讓人彷彿在歷史的「樹」和「林」之間往來穿梭，見小而不失大，直有暢快之感。每譯到一章結束，總是滿足的鬆了一口氣，覺得自己又長了見識、開了眼界。

但就算是mastermind，總也不能什麼事都自己來，所以到了譯本就換譯者這個accomplice上場作戲，如同說書，照著話本再說個一回。讀者看到的大致是作者的想法概念，但外表文字總是譯者所為。任何的語言轉換總有那些細微的差異，要求原文譯文殊無二致，自然絕無可能。譯者只能視實際情況和現有能力，盡力完成作者一開始的策劃，傳達書中的想法，將譯稿呈現在讀者面前。

　　正因為這種主謀和同夥的關係，如果作者能和譯者多多溝通、緊密合作，自然是大有助益。而Yuval和其他作者最不同之處，在於一開始他就寫了一封信，除了提醒各種翻譯難處，更直言「如果譯者／編輯覺得書中有某個段落，對於目標讀者來說可能難以理解，可以直接做必要修改，或是請聯絡我，讓我們一起想辦法解決」。另外也提到，如果翻譯過程有任何疑問，都可直接和他聯絡求證。

　　作者如此上道，譯者當然也就撩落去，除了看過作者線上課程所有內容，雙方還來回三十多封信，討論書中語義和語用的問題，像是台灣讀者對聖經故事、愛麗絲和羅賓漢熟不熟、非洲小米到底是什麼米、某些人名該怎麼拼、菩薩算不算是人、保甲制的流變、華倫斯坦的例子可以換成誰、一旬該是幾天等等，在彷彿朋友聊天的氣氛中，解決許多翻譯的難題。或許，這也算是另一種好的狼狽為奸、長短互補？

　　現在成品終於出爐，希望讀者閱讀的過程也能如我一般感到興奮及讚嘆。如果覺得有什麼不足，自然不是mastermind的問題，很有可能只是accomplice不夠力的緣故。

圖片來源

1. 雪維洞穴的人類手印© Imagebank/Gettyimages Israel

2. 魯道夫人、直立人和尼安德塔人的樣貌重建圖。© Visual/Corbis

3. 尼安德塔男孩樣貌重建圖。© Anthropologisches Institut und Museum, Universität Zürich

4. 德國施泰德洞穴的象牙製「獅人」（或女獅人）雕像。Photo Thomas Stephan, © Ulmer Museum

5. 寶獅的獅子商標。Photo: Itzik Yahav

6. 以色列北部一座一萬兩千年前的墓穴，有一具年約五十歲女性的骨骸，旁邊還有一副小狗的骨骸。Photo: The Prehistoric Man Museum, Kibbutz Ma'ayan Baruch

7. 拉斯科洞穴大約一萬五千年前至兩萬年前的一幅壁畫。© Visual/Corbis

8. 阿根廷「手洞」大約西元前7000年的手印。© Visual/Corbis

9. 埃及墓穴壁畫，描繪典型的農業景象。© Visual/Corbis

10. 哥貝克力石陣的巨大結構遺跡。© Photographs by Deutsches Archäologisches Institut

11. 西元前1200年的埃及墳墓壁畫：有一對牛在耕田。© Visual/Corbis

12. 一隻現代的牛。Photo: Anonymous for Animal Rights ©

13. 來自古城烏魯克（Uruk）大約西元前3400年至3000年的泥板，記載著當時的行政文書。 ©The Schøyen Collection, Oslo and London, MS 1717. http://www.schoyencollection.com/

14. 十二世紀的安地斯文化結繩語。© The Schøyen Collection, Oslo and London, MS 718. http://www.schoyencollection.com/

15. 法國國王路易十四的官方肖像。© Réunion des musées nationaux / Gérard Blot.

16. 美國總統歐巴馬官方照片。© Visual/Corbis

17. 朝聖者繞行著位於麥加聖寺內的卡巴聖堂。© Visual/Corbis

18. 孟買的賈特拉帕蒂·希瓦吉火車站。Photograph by fish-bone http://en.wikipedia.org/wiki/File:Victoria_Terminus,_Mumbai.jpg

19. 泰姬瑪哈陵。Photo: Guy Gelbgisser Asia Tours.

20. 一幅納粹的宣傳海報。Library of Congress, Bildarchiv Preussischer Kulturbesitz, United States Holocaust Memorial Museum, courtesy of Roland Klemig ©

21. 一幅納粹的漫畫。Photograph by Boaz Neumann. From Kladderadatsch 49（1933）, p. 7.

22. 新墨西哥阿拉莫戈多，1945年7月16日，早上5點29分53秒。© Visual/Corbis

23. 1459年歐洲人的世界地圖。© British Library Board, Shelfmark Add. 11267.

24. 1525年的薩維亞提世界地圖。© Firenze, Biblioteca Medicea Laurenziana, Ms. Laur. Med. Palat. 249（mappa Salviati）

25. 商業化養雞場輸送帶上的小雞。Photo: Anonymous for Animal Rights ©

26. 哈洛實驗。© Photo Researchers / Visualphotos.com

27. 在這隻老鼠背上，科學家用牛軟骨細胞讓牠長出一隻「耳朵」。Photograph by Charles Vacanti ©

28. 沙利文和蜜綺爾握手。© Imagebank/Gettyimages Israel

參考資料

1　Ann Gibbons, 'Food for Thought: Did the First Cooked Meals Help Fuel the Dramatic Evolutionary Expansion of the Human Brain?', *Science* 316:5831（2007）, 1558-1560.

2　Robin Dunbar, *Grooming, Gossip, and the Evolution of Language*（Cambridge, Mass.: Harvard University Press, 1998）.

3　Frans de Waal, *Chimpanzee Politics: Power and Sex among Apes*（Baltimore: Johns Hopkins University Press, 2000）; Frans de Waal, *Our Inner Ape: A Leading Primatologist Explains Why We Are Who We Are*（New York: Riverhead Books, 2005）; Michael L. Wilson and Richard W. Wrangham, 'Intergroup Relations in Chimpanzees', *Annual Review of Anthropology* 32（2003）, 363-392; M. McFarland Symington, 'Fission-Fusion Social Organization in *Ateles* and *Pan*', *International Journal of Primatology*, 11:1（1990）, 49; Colin A. Chapman and Lauren J. Chapman, 'Determinants of Groups Size in Primates: The Importance of Travel Costs', in *On the Move: How and Why Animals Travel in Groups*, ed. Sue Boinsky and Paul A. Garber（Chicago: University of Chicago Press, 2000）, 26.

4　Dunbar, *Grooming, Gossip, and the Evolution of Language*, 69-79; Leslie C. Aiello and R. I. M. Dunbar, 'Neocortex Size, Group Size, and the Evolution of Language', *Current Anthropology* 34:2（1993）, 189. 對此研究法的批判請見：Christopher McCarthy et al., 'ComparingTwo Methodsfor Estimating Network Size', *Human Organization* 60:1（2001）, 32; R. A. Hill and R. I. M. Dunbar, 'Social Network Size in Humans', *Human Nature* 14:1（2003）, 65.

5　Yvette Taborin, 'Shells of the French Aurignacian and Perigordian', in *Before Lascaux: The Complete Record of the Early Upper Paleolithic*, ed. Heidi Knecht, Anne Pike-Tay and Randall White（Boca Raton: CRC Press, 1993）, 211-28.

6　G.R. Summerhayes, 'Application of PIXE-PIGME to Archaeological Analysis of

Changing Patterns of Obsidian Use in West New Britain, Papua New Guinea',
in *Archaeological Obsidian Studies: Method and Theory*, ed. Steven M. Shackley
(New York: Plenum Press, 1998), 129-58.

7　Christopher Ryan and Cacilda Jethá, *Sex at Dawn: The Prehistoric Origins of
Modern Sexuality* (New York: Harper, 2010); S. Beckerman and P. Valentine
(eds.), *Cultures of Multiple Fathers. The Theory and Practice of Partible Paternity
in Lowland South America* (Gainesville: University Press of Florida, 2002).

8　Noel G. Butlin, *Economics and the Dreamtime: A Hypothetical History*
(Cambridge: Cambridge University Press, 1993), 98-101; Richard Broome,
Aboriginal Australians (Sydney: Allen & Unwin, 2002), 15; William Howell
Edwards, *An Introduction to Aboriginal Societies* (Wentworth Falls, N.S.W.: Social
Science Press, 1988), 52.

9　Fekri A. Hassan, *Demographic Archaeology* (New York: Academic Press,
1981), 196-99; Lewis Robert Binford, *Constructing Frames of Reference: An
Analytical Method for Archaeological Theory Building Using Hunter Gatherer and
Environmental Data Sets* (Berkeley: University of California Press, 2001), 143.

10　Brian Hare, *The Genius of Dogs: How Dogs Are Smarter Than You Think*
(Dutton: Penguin Group, 2013).

11　Christopher B. Ruff, Erik Trinkaus and Trenton W. Holliday, 'Body Mass and
Encephalization in Pleistocene *Homo*', *Nature* 387 (1997), 173-176; M.
Henneberg and M. Steyn, 'Trends in Cranial Capacity and Cranial Index in
Subsaharan Africa During the Holocene', *American Journal of Human Biology* 5:4
(1993): 473-79; Drew H. Bailey and David C. Geary, 'Hominid Brain Evolution:
Testing Climatic, Ecological, and Social Competition Models', *Human Nature* 20
(2009): 67-79; Daniel J. Wescott and Richard L. Jantz, 'Assessing Craniofacial
Secular Change in American Blacks and Whites Using Geometric Morphometry', in
*Modern Morphometrics in Physical Anthropology: Developments in Primatology:
Progress and Prospects*, ed. Dennis E. Slice (New York: Plenum Publishers, 2005)
, 231-45.

12　Nicholas G. Blurton Jones et al., 'Antiquity of Postreproductive Life: Are There
Modern Impact on Hunter-Gatherer Postreproductive Life Spans?', *American
Journal of Human Biology* 14 (2002), 184-205.

13　Kim Hill and A. Magdalena Hurtado, *Aché Life History: The Ecology and
Demography of a Foraging People* (New York: Aldine de Gruyter, 1996), 164,
236.

14 Hill and Hurtado, *Aché Life History*, 78.

15 Vincenzo Formicola and Alexandra P. Buzhilova, 'Double Child Burial from Sunghir（Russia）: Pathology and Inferences for Upper Paleolithic Funerary Practices', *American Journal of Physical Anthropology* 124:3（2004）, 189-98; Giacomo Giacobini, 'Richness and Diversity of Burial Rituals in the Upper Paleolithic', *Diogenes* 54:2（2007）, 19-39.

16 I. J. N. Thorpe, 'Anthropology, Archaeology, and the Origin of Warfare', *World Archaology* 35:1（2003）, 145-65; Raymond C. Kelly, *Warless Societies and the Origin of War*（Ann Arbor: University of Michigan Press, 2000）; Azar Gat, *War in Human Civilization*（Oxford: Oxford University Press, 2006）; Lawrence H. Keeley, *War before Civilization: The Myth of the Peaceful Savage*（Oxford: Oxford University Press, 1996）; Slavomil Vencl, 'Stone Age Warfare', in *Ancient Warfare: Archaeological Perspectives*, ed. John Carman and Anthony Harding（Stroud: Sutton Publishing, 1999）, 57-73.

17 James F. O'Connel and Jim Allen, 'Pre-LGM Sahul（Pleistocene Australia – New Guinea）and the Archeology of Early Modern Humans', in *Rethinking the Human Revolution: New Behavioural and Biological Perspectives on the Origin and Dispersal of Modern Humans*, ed. Paul Mellars, Ofer Bar-Yosef, Katie Boyle（Cambridge: McDonald Institute for Archaeological Research, 2007）, 395-410; James F. O'Connel and Jim Allen, 'When Did Humans First Arrived in Grater Australia and Why Is It Important to Know?', *Evolutionary Anthropology*, 6:4（1998）, 132-46; James F. O'Connel and Jim Allen, 'Dating the Colonization of Sahul（Pleistocene Australia – New Guinea）: A Review of Recent Research', *Journal of Radiological Science* 31:6（2004）, 835-53; Jon M. Erlandson, 'Anatomically Modern Humans, Maritime Voyaging, and the Pleistocene Colonization of the Americas', in *The first Americans: the Pleistocene Colonization of the New World*, ed. Nina G. Jablonski（San Francisco: University of California Press, 2002）, 59-60, 63-64; Jon M. Erlandson and Torben C. Rick, 'Archeology Meets Marine Ecology: The Antiquity of Maritime Cultures and Human Impacts on Marine Fisheries and Ecosystems', *Annual Review of Marine Science* 2（2010）, 231-51; Atholl Anderson, 'Slow Boats from China: Issues in the Prehistory of Indo-China Seafaring', *Modern Quaternary Research in Southeast Asia*, 16（2000）, 13-50; Robert G. Bednarik, 'Maritime Navigation in the Lower and Middle Paleolithic', *Earth and Planetary Sciences* 328（1999）, 559-60; Robert G. Bednarik, 'Seafaring in the Pleistocene', *Cambridge Archaeological Journal* 13:1（2003）, 41-66.

18 Timothy F. Flannery, *The Future Eaters: An Ecological History of the Australasian Lands and Peoples*（Port Melbourne, Vic.: Reed Books Australia, 1994）; Anthony D. Barnosky et al., 'Assessing the Causes of Late Pleistocene Extinctions on the Continents', *Science* 306:5693（2004）: 70–75; Bary W. Brook and David M. J. S. Bowman, 'The Uncertain Blitzkrieg of Pleistocene Megafauna', *Journal of Biogeography* 31:4（2004）, 517–23; Gifford H. Miller et al., 'Ecosystem Collapse in Pleistocene Australia and a Human Role in Megafaunal Extinction,' *Science* 309:5732（2005）, 287–90; Richard G. Roberts et al., 'New Ages for the Last Australian Megafauna: Continent Wide Extinction about 46,000 Years Ago', *Science* 292:5523（2001）, 1888–92.

19 Stephen Wroe and Judith Field, 'A Review of Evidence for a Human Role in the Extinction of Australian Megafauna and an Alternative Explanation', *Quaternary Science Reviews* 25:21–22（2006）, 2692–2703; Barry W. Brooks et al., 'Would the Australian Megafauna Have Become Extinct If Humans Had Never Colonised the Continent? Comments on "A Review of the Evidence for a Human Role in the Extinction of Australian Megafauna and an Alternative Explanation" by S. Wroe and J. Field', *Quaternary Science Reviews* 26:3-4（2007）, 560-564; Chris S. M. Turney et al., 'Late-Surviving Megafauna in Tasmania, Australia, Implicate Human Involvement in their Extinction', *Proceedings of the National Academy of Sciences* 105:34（2008）, 12150-53.

20 John Alroy, 'A Multispecies Overkill Simulation of the End-Pleistocene Megafaunal Mass Extinction', *Science*, 292:5523（2001）, 1893-96; O'Connel and Allen, 'Pre-LGM Sahul', 400-1.

21 L.H. Keeley, 'Proto-Agricultural Practices Among Hunter-Gatherers: A Cross-Cultural Survey', in *Last Hunters, First Farmers: New Perspectives on the Prehistoric Transition to Agriculture*, ed. T. Douglas Price and Anne Birgitte Gebauer（Santa Fe, N.M.: School of American Research Press, 1995）, 243– 72; R. Jones, 'Firestick Farming', *Australian Natural History* 16（1969）, 224-28.

22 David J. Meltzer, *First Peoples in a New World: Colonizing Ice Age America*（Berkeley: University of California Press, 2009）.

23 Paul L. Koch and Anthony D. Barnosky, 'Late Quaternary Extinctions: State of the Debate', *The Annual Review of Ecology, Evolution, and Systematics* 37（2006）, 215-50; Anthony D. Barnosky et al., 'Assessing the Causes of Late Pleistocene Extinctions on the Continents', 70-5.

24 這張地圖主要參考：Peter Bellwood, *First Farmers: The Origins of Agricultural*

Societies（Malden: Blackwell Pub., 2005）.

25 Azar Gat, *War in Human Civilization*（Oxford: Oxford University Press, 2006）, 130-131; Robert S. Walker and Drew H. Bailey, 'Body Counts in Lowland South American Violence,' *Evolution and Human Behavior* 34（2013）, 29-34.

26 Katherine A. Spielmann, 'A Review: Dietary Restriction on Hunter-Gatherer Women and the Implications for Fertility and Infant Mortality', *Human Ecology* 17:3（1989）, 321-45. 並參見 Bruce Winterhalder and Eric Alder Smith, 'Analyzing Adaptive Strategies: Human Behavioral Ecology at Twenty Five', *Evolutionary Anthropology* 9:2（2000）, 51-72.

27 Alain Bideau, Bertrand Desjardins and Hector Perez-Brignoli（eds.）, *Infant and Child Mortality in the Past*（Oxford: Clarendon Press, 1997）; Edward Anthony Wrigley et al., *English Population History from Family Reconstitution, 1580-1837*（Cambridge: Cambridge University Press, 1997）, 295-96, 303.

28 Manfred Heun et al., 'Site of Einkorn Wheat Domestication Identified by DNA Fingerprints', *Science* 278:5341（1997）, 1312-14.

29 Charles Patterson, *Eternal Treblinka: Our Treatment of Animals and the Holocaust*（New York: Lantern Books, 2002）, 9-10; Peter J. Ucko and G.W. Dimbleby（ed.）, *The Domestication and Exploitation of Plants and Animals*（London: Duckworth, 1969）, 259.

30 Avi Pinkas（ed.）, *Farmyard Animals in Israel – Research, Humanism and Activity*（Rishon Le-Ziyyon: The Association for Farmyard Animals, 2009 [Hebrew]）, 169-199; "Milk Production – the Cow" [Hebrew], The Dairy Council, accessed March 22, 2012, http://www.milk.org.il/cgiwebaxy/sal/sal.pl?lang=he&ID=645657_milk&act=show&dbid=katavot&dat aid=cow.htm

31 Edward Evan Evans-Pritchard, *The Nuer: A Description of the Modes of Livelihood and Political Institutions of a Nilotic People*（Oxford: Oxford University Press, 1969）; E.C. Amoroso and P.A. Jewell, 'The Exploitation of the Milk-Ejection Reflex by Primitive People', in *Man and Cattle: Proceedings of the Symposium on Domestication at the Royal Anthropological Institute, 24-26 May 1960*, ed. A.E. Mourant and F.E. Zeuner（London: The Royal Anthropological Institute, 1963）, 129-34.

32 Johannes Nicolaisen, *Ecology and Culture of the Pastoral Tuareg*（Copenhagen: National Museum, 1963）, 63.

33 Angus Maddison, *The World Economy*, vol. 2（Paris: Development Centre of the Organization of Economic Co-operation and Development, 2006）,

636; "Historical Estimates of World Population", U.S. Census Bureau, accessed December 10, 2010, http://www.census.gov/ipc/www/worldhis.html.

34 Robert B. Mark, *The Origins of the Modern World: A Global and Ecological Narrative* (Lanham, MD: Rowman & Littlefield Publishers, 2002), 24.

35 Raymond Westbrook, 'Old Babylonian Period', in *A History of Ancient Near Eastern Law*, vol. 1, ed. Raymond Westbrook (Leiden: Brill, 2003), 361430; Martha T. Roth, *Law Collections from Mesopotamia and Asia Minor*, 2nd ed. (Atlanta: Scholars Press, 1997), 71-142; M. E. J. Richardson, *Hammurabi's Laws: Text, Translation and Glossary* (London: T & T Clark International, 2000).

36 Roth, *Law Collections from Mesopotamia*, 76.

37 Roth, *Law Collections from Mesopotamia*, 121.

38 Roth, *Law Collections from Mesopotamia*, 122-23.

39 Roth, *Law Collections*, 133-34.

40 Constance Brittaine Bouchard, *Strong of Body, Brave and Noble: Chivalry and Society in Medieval France* (New York: Cornell University Press, 1998), 99; Mary Martin McLaughlin, 'Survivors and Surrogates: Children and Parents from the Ninth to Thirteenth Centuries', in *Medieval Families: Perspectives on Marriage, Household and Children*, ed. Carol Neel (Toronto: University of Toronto Press, 2004), 81 n. 81; Lise E. Hull, *Britain's Medieval Castles* (Westport: Praeger, 2006), 144.

41 Andrew Robinson, *The Story of Writing* (New York: Thames and Hudson, 1995), 63; Hans J. Nissen, Peter Damerow and Robert K. Englung, *Archaic Bookkeeping: Writing and Techniques of Economic Administration in the Ancient Near East* (Chicago, London: The University of Chicago Press, 1993), 36.

42 Marcia and Robert Ascher, *Mathematics of the Incas-Code of the Quipu* (New York: Dover Publications, 1981).

43 Gary Urton. *Signs of the Inka Khipu* (Austin: University of Texas Press, 2003); Galen Brokaw. *A History of the Khipu* (Cambridge: Cambridge University Press, 2010).

44 Stephen D. Houston (ed.), *The First Writing: Script Invention as History and Process* (Cambridge: Cambridge University Press, 2004), 222.

45 Sheldon Pollock, 'Axialism and Empire', in *Axial Civilizations and World History*, ed. Johann P. Arnason, S. N. Eisenstadt and Björn Wittrock (Leiden: Brill, 2005), 397-451.

46 Harold M. Tanner, *China: A History* (Indianapolis: Hackett, Pub. Co., 2009), 34.

47　Ramesh Chandra, *Identity and Genesis of Caste System in India*（Delhi: Kalpaz Publications, 2005）; Michael Bamshad et al., 'Genetic Evidence on the Origins of Indian Caste Population', *Genome Research* 11（2001）: 904-1004; Susan Bayly, *Caste, Society and Politics in India from the Eighteenth Century to the Modern Age*（Cambridge: Cambridge University Press, 1999）.

48　Houston, *First Writing*, 196.

49　The Secretary-General, United Nations, *Report of the Secretary-General on the In-depth Study on All Forms of Violence Against Women,* delivered to the General Assembly, U.N. Doc. A/16/122/Add.1（July 6, 2006）, 89.

50　Sue Blundell, *Women in Ancient Greece*（Cambridge, Mass.: Harvard University Press, 1995）, 113-29, 132-33.

51　Francisco López de Gómara, *Historia de la Conquista de Mexico*, vol. 1, ed. D. Joaquin Ramirez Cabañes（Mexico City: Editorial Pedro Robredo, 1943）, 106.

52　Andrew M. Watson, 'Back to Gold – and Silver', *Economic History Review* 20:1（1967）, 11-12; Jasim Alubudi, Repertorio Bibliográfico del Islam（Madrid: Vision Libros, 2003）, 194.

53　Watson, 'Back to Gold – and Silver', 17-18.

54　David Graeber, *Debt: The First 5,000 Years*（Brooklyn, N.Y.: Melville House, 2011）.

55　Glyn Davies, *A History of Money: from Ancient Times to the Present Day*（Cardiff: University of Wales Press, 1994）, 15.

56　Szymon Laks, *Music of Another World*, trans. Chester A. Kisiel（Evanston, Ill.: Northwestern University Press, 1989）, 88-89. 奧許維茲集中營的「市場」僅限於部分階級的囚犯,而且在不同時期的差異非常大。

57　Niall Ferguson, *The Ascent of Money*（New York: The Penguin Press, 2008）, 4.

58　關於麥元的資訊,我參考了一本未出版的博士論文:Refael Benvenisti, *Economic Institutions of Ancient Assyrian Trade in the Twentieth to Eighteenth Centuries BC*（Hebrew University of Jerusalem, Unpublished Ph.D. thesis, 2011）. 並請參見:Norman Yoffee, 'The Economy of Ancient Western Asia', in *Civilizations of the Ancient Near East,* vol. 1, ed. J. M. Sasson（New York: C. Scribner's Sons, 1995）, 1387-99; R. K. Englund, 'Proto-Cuneiform Account-Books and Journals', in *Creating Economic Order: Record-keeping, Standardization, and the Development of Accounting in the Ancient Near East*, ed. Michael Hudson and Cornelia Wunsch（Bethesda, MD: CDL Press, 2004）, 21-46; Marvin A. Powell, 'A Contribution to the History of Money in Mesopotamia prior to the Invention of Coinage', in

Festschrift Lubor Matouš, ed. B. Hruška and G. Komoróczy (Budapest: Eötvös Loránd Tudományegyetem, 1978), 211-43; Marvin A. Powell, 'Money in Mesopotamia', *Journal of the Economic and Social History of the Orient*, 39:3 (1996), 224-42; John F. Robertson, 'The Social and Economic Organization of Ancient Mesopotamian Temples', in *Civilizations of the Ancient Near East*, vol. 1, ed. Sasson, 443-500; M. Silver, 'Modern Ancients', in *Commerce and Monetary Systems in the Ancient World: Means of Transmission and Cultural Interaction*, ed. R. Rollinger and U. Christoph (Stuttgart: Steiner, 2004), 65-87; Daniel C. Snell, 'Methods of Exchange and Coinage in Ancient Western Asia', in *Civilizations of the Ancient Near East*, vol. 1, ed. Sasson, 1487-97.

59 Nahum Megged, *The Aztecs* (Tel Aviv: Dvir, 1999 [Hebrew]), 103.

60 Tacitus, *Agricola*, ch. 30 (Cambridge, Mass.: Harvard University Press, 1958), pp. 220-21.

61 A. Fienup-Riordan, *The Nelson Island Eskimo: Social Structure and Ritual Distribution* (Anchorage: Alaska Pacific University Press, 1983), p. 10.

62 Yuri Pines, 'Nation States, Globalization and a United Empire – the Chinese Experience (third to fifth centuries BC)', *Historia* 15 (1995), 54 [Hebrew].

63 Alexander Yakobson, 'Us and Them: Empire, Memory and Identity in Claudius' Speech on Bringing Gauls into the Roman Senate', in *On Memory: An Interdisciplinary Approach*, ed. Doron Mendels (Oxford: Peter Land, 2007), 23-24.

64 W.H.C. Frend, *Martyrdom and Persecution in the Early Church* (Cambridge: James Clarke & Co., 2008), 536-37.

65 Robert Jean Knecht, *The Rise and Fall of Renaissance France, 1483-1610* (London: Fontana Press, 1996), 424.

66 Marie Harm and Hermann Wiehle, *Lebenskunde fuer Mittelschulen -Fuenfter Teil. Klasse 5 fuer Jungen* (Halle: Hermann Schroedel Verlag, 1942), 152-57.

67 Susan Blackmore, *The Meme Machine* (Oxford: Oxford University Press, 1999).

68 David Christian, *Maps of Time: An Introduction to Big History* (Berkeley: University of California Press, 2004), 344-45; Angus Maddison, *The World Economy*, vol. 2 (Paris: Development Centre of the Organization of Economic Co-operation and Development, 2001), 636; 'Historical Estimates of World Population', U.S. Census Bureau, accessed December 10, 2010, http://www.census.gov/ipc/www/worldhis.html.

69 Maddison, *The World Economy*, vol. 1, 261.

70 "Gross Domestic Product 2009", The World Bank, Data and Statistics, accessed December 10, 2010, http://siteresources.worldbank.org/DATASTATISTICS/ Resources/GDP.pdf

71 Christian, *Maps of Time*, 141.

72 當代最大的貨輪能夠承載大約10萬噸的貨物。在1470年，全球艦隊和船隊加起來，總承載量也不超過32萬噸。到了1570年，總承載量也只達到73萬噸。（Maddison, *The World Economy*, vol. 1, 97）.

73 全球規模最大的銀行：蘇格蘭皇家銀行（Royal Bank of Scotland），於2007年申報的存款為1.3兆美元，是1500年全球總產值的五倍。參見 'Annual Report and Accounts 2008', The Royal Bank of Scotland, 35, accessed December 10, 2010, http://files.shareholder.com/downloads/RBS/626570033x0x278481/eb7a003a-5c9b-41ef-bad3-81fb98a6c823/RBS_GRA_2008_09_03_09.pdf

74 Ferguson, *Ascent of Money*, 185-98.

75 Maddison, *The World Economy*, vol. 1, 31; Wrigley, *English Population History*, 295; Christian, *Maps of Time*, 450, 452; 'World Health Statistic Report 2009', 35-45, World Health Organization, accessed December 10, 2010 http://www.who.int/whosis/whostat/EN_WHS09_Full.pdf.

76 Wrigley, *English Population History*, 296.

77 'England, Interim Life Tables, 1980-82 to 2007-09', Office for National Statistics, accessed March 22, 2012 . http://www.ons.gov.uk/ons/publications/re-reference-tables.html?edition=tcm%3A77-61850

78 Michael Prestwich, *Edward I* (Berkley: University of California Press, 1988）, 125-26.

79 Jennie B. Dorman et al., 'The *age-1* and *daf-2* Genes Function in a Common Pathway to Control the Lifespan of *Caenorhabditis elegans*', *Genetics* 141:4（1995）, 1399-1406; Koen Houthoofd et al., 'Life Extension via Dietary Restriction is Independent of the Ins/IGF-1 Signaling Pathway in *Caenorhabditis elegans*', *Experimental Gerontology* 38:9（2003）, 947-54.

80 Shawn M. Douglas, Ido Bachelet, and George M. Church, 'A Logic-Gated Nanorobot for Targeted Transport of Molecular Payloads', *Science* 335:6070（2012）: 831-4; Dan Peer et al., 'Nanocarriers As An Emerging Platform for Cancer Therapy', *Nature Nanotechnology* 2（2007）: 751-60; Dan Peer et al., 'Systemic Leukocyte-Directed siRNA Delivery Revealing Cyclin D1 as an Anti-Inflammatory Target', *Science* 319:5863（2008）: 627-30.

81 Stephen R. Bown, *Scurvy: How a Surgeon, a Mariner, and a Gentleman Solved the*

Greatest Medical Mystery of the Age of Sail (New York: Thomas Dunne Books, St. Matin's Press, 2004); Kenneth John Carpenter, *The History of Scurvy and Vitamin C* (Cambridge: Cambridge University Press, 1986).

82 James Cook, *The Explorations of Captain James Cook in the Pacific, as Told by Selections of his Own Journals 1768-1779*, ed. Archibald Grenfell Price (New York : Dover Publications, 1971), 16-17; Gananath Obeyesekere, *The Apotheosis of Captain Cook: European Mythmaking in the Pacific* (Princeton: Princeton University Press, 1992), 5; J.C. Beaglehole, ed., *The Journals of Captain James Cook on His Voyages of Discovery*, vol. 1 (Cambridge: Cambridge University Press, 1968), 588.

83 Mark, *Origins of the Modern World*, 81.

84 Christian, *Maps of Time*, 436.

85 John Darwin, *After Tamerlane: The Global History of Empire since 1405* (London: Allen Lane, 2007), 239.

86 Soli Shahvar, 'Railroads i. The First Railroad Built and Operated in Persia', in the Online Edition of *Encyclopaedia Iranica*, last modified April 7, 2008, http://www.iranicaonline.org/articles/railroads-i; Charles Issawi, 'The Iranian Economy 1925-1975: Fifty Years of Economic Development', in *Iran under the Pahlavis*, ed. George Lenczowski (Stanford: Hoover Institution Press, 1978), 156.

87 Mark, *The Origins of the Modern World*, 46.

88 Kirkpatrik Sale, *Christopher Columbus and the Conquest of Paradise* (London: Tauris Parke Paperbacks, 2006), 7-13.

89 Edward M. Spiers, *The Army and Society: 1815-1914* (London: Longman, 1980), 121; Robin Moore, 'Imperial India, 1858-1914', in *The Oxford History of the British Empire: The Nineteenth Century*, vol. 3, ed. Andrew Porter (New York: Oxford University Press, 1999), 442.

90 Vinita Damodaran, 'Famine in Bengal: A Comparison of the 1770 Famine in Bengal and the 1897 Famine in Chotanagpur', *The Medieval History Journal* 10:1-2 (2007), 151.

91 Maddison, *World Economy*, vol. 1, 261, 264; 'Gross National Income Per Capita 2009, Atlas Method and PPP', The World Bank, accessed December 10, 2010, http://siteresources.worldbank.org/DATASTATISTICS/Resources/GNIPC.pdf.

92 這裡舉的麵包店例子在計算上經過簡化,並非完全精確。因為銀行金庫中每存有 1元就能貸出10元,如果銀行現在有100萬美元的存款,其實只能貸出約909,000 美元,而必須將91,000美元留在金庫裡。但為了方便讀者理解,我還是決定將數

字簡化。此外，銀行也並不總是遵守這些法規。

93　Carl Trocki, *Opium, Empire and the Global Political Economy*（New York: Routledge, 1999）, 91.

94　Georges Nzongola-Ntalaja, *The Congo from Leopold to Kabila: A People's History*（London: Zed Books, 2002）, 22.

95　Mark, *Origins of the Modern World*, 109.

96　Nathan S. Lewis and Daniel G. Nocera, 'Powering the Planet: Chemical Challenges in Solar Energy Utilization', *Proceedings of the National Academy of Sciences* 103:43（2006）, 15731.

97　Kazuhisa Miyamoto（ed.）, 'Renewable Biological Systems for Alternative Sustainable Energy Production', *FAO Agricultural Services Bulletin* 128（Osaka: Osaka University, 1997）, chapter 2.1.1, accessed December 10, 2010, http://www.fao.org/docrep/W7241E/w7241e06.htm#2.1.1percent20solarperc ent20energy; James Barber, 'Biological Solar Energy', *Philosophical Transactions of the Royal Society A* 365:1853（2007）, 1007.

98　'International Energy Outlook 2010', U.S. Energy Information Administration, 9, accessed December 10, 2010, http://www.eia.doe.gov/oiaf/ieo/pdf/0484（2010）.pdf.

99　S. Venetsky, '"Silver" from Clay', *Metallurgist* 13:7（1969）, 451; Aftalion, Fred, *A History of the International Chemical Industry*（Philadelphia: University of Pennsylvania Press, 1991）, 64; A. J. Downs, *Chemistry of Aluminum, Gallium, Indium and Thallium*（Glasgow: Blackie Academic & Professional, 1993）, 15.

100 Jan Willem Erisman et al, 'How a Century of Ammonia Synthesis Changed the World' in *Nature Geoscience* 1（2008）, 637.

101 G. J. Benson and B. E. Rollin（eds.）, *The Well-Being of Farm Animals: Challenges and Solutions*（Ames, IA: Blackwell, 2004）; M .C. Appleby, J. A. Mench, and B. O. Hughes, *Poultry Behaviour and Welfare*（Wallingford: CABI Publishing, 2004）; J. Webster, *Animal Welfare: Limping Towards Eden*（Oxford: Blackwell Publishing, 2005）; C. Druce and P. Lymbery, *Outlawed in Europe: How America Is Falling Behind Europe in Farm Animal Welfare*（New York: Archimedean Press, 2002）.

102 Harry Harlow and Robert Zimmermann, 'Affectional Responses in the Infant Monkey', *Science* 130:3373（1959）, 421-432; Harry Harlow, 'The Nature of Love', *American Psychologist* 13（1958）, 673-685; Laurens D. Young et al., 'Early stress and later response to seprate in rhesus monkeys', *American Journal of Psychiatry* 130:4（1973）, 400-405; K. D. Broad, J. P. Curley and E. B. Keverne, 'Mother-

infant bonding and the evolution of mammalian social relationships', *Philosophical Transactions of the Royal Soceity B* 361:1476（2006）, 2199-2214; Florent Pittet et al., 'Effects of maternal experience on fearfulness and maternal behaviour in a precocial bird', *Animal Behavior*（March 2013）, In Press-available online at: http://www.sciencedirect.com/science/article/pii/S0003347213000547）

103 "National Institute of Food and Agriculture", United States Department of Agriculture, accessed December 10, 2010, http://www.csrees.usda.gov/qlinks/extension.html.

104 Vaclav Smil, *The Earth' s Biosphere: Evolution, Dynamics, and Change* （Cambridge, Mass.: MIT Press, 2002）; Sarah Catherine Walpole et al., 'The Weight of Nations: An Estimation of Adult Human Biomass', *BMC Public Health* 12:439 （2012）, http://www.biomedcentral.com/1471-2458/12/439

105 William T. Jackman, *The Development of Transportation in Modern England* （London: Frank Cass & co., 1966）, 324-27; H. J. Dyos and D.H. Aldcroft, *British Transport -An economic survey from the seventeenth century to the twentieth* （Leicester: Leicester University Press, 1969）, 124-31; Wolfgang Schivelbusch, *The Railway Journey: The Industrialization of Time and Space in the 19th Century* （Berkeley: Univeristy of California Press, 1986）.

106 關於過去這幾十年前所未有的和平狀態，特別可參見：Steven Pinker, *The Better Angels of Our Nature: Why Violence Has Declined*（New York: Viking, 2011）; Joshua S. Goldstein, *Winning the War on War: The Decline of Armed Conflict Worldwide*（New York, N.Y.: Dutton, 2011）; Gat, *War in Human Civilization*.

107 'World Report on Violence and Health: Summary, Geneva 2002', World Health Organization, accessed December 10, 2010, http://www.who.int/whr/2001/en/whr01_annex_en.pdf. For mortality rates in previous eras see: Lawrence H. Keeley, *War before Civilization: The Myth of the Peaceful Savage*（New York: Oxford University Press, 1996）.

108 'World Health Report, 2004', World Health Organization, 124, accessed 10 December, 2010, http://www.who.int/whr/2004/en/report04_en.pdf.

109 Raymond C. Kelly, *Warless Societies and the Origin of War*（Ann Arbor: University of Michigan Press, 2000）, 21. See also Gat, *War in Human Civilization*, 129-31; Keeley, *War before Civilization*.

110 Manuel Eisner, 'Modernization, Self-Control and Lethal Violence', *British Journal of Criminology* 41:4（2001）, 618-638; Manuel Eisner, 'Long-Term Historical Trends in Violent Crime', *Crime and Justice: A Review of Research* 30（2003）, 83-

142; 'World Report on Violence and Health: Summary, Geneva 2002', World Health Organization, accessed December 10, 2010, http://www.who.int/whr/2001/en/whr01_annex_en.pdf; 'World Health Report, 2004', World Health Organization, 124, accessed 10 December, 2010, http://www.who.int/whr/2004/en/report04_en.pdf.

111 Walker and Bailey, 'Body Counts in Lowland South American Violence,' 30.

112 若想從心理和生化兩種層面來討論快樂，以下著作是很好的出發點：Jonathan Haidt, *The Happiness Hypothesis:Finding Modern Truth in Ancient Wisdom*（New York: Basic Books, 2006）; R. Wright, *The Moral Animal: Evolutionary Psychology and Everyday Life*（New York: Vintage Books, 1994）; M. Csikszentmihalyi, 'If We Are So Rich, Why Aren't We Happy?', *American Psychologist* 54:10（1999）: 82127; F. A. Huppert, N. Baylis and B. Keverne, ed., *The Science of Well-Being*（Oxford: Oxford University Press, 2005）; Michael Argyle, *The Psychology of Happiness*, 2nd edition（New York: Routledge, 2001）; Ed Diener（ed.）, *Assessing Well-Being: The Collected Works of Ed Diener*（New York: Springer, 2009）; Michael Eid and Randy J. Larsen（eds.）, *The Science of Subjective Well-Being*（New York: Guilford Press, 2008）; Richard A. Easterlin（ed.）, *Happiness in Economics*（Cheltenham: Edward Elgar Pub., 2002）; Richard Layard, *Happiness: Lessons from a New Science*（New York: Penguin, 2005）.

113 Daniel Kahneman, *Thinking, Fast and Slow*（New York: Farrar, Straus and Giroux, 2011）; Inglehart et al., "Development, Freedom, and Rising Happiness," 278-281.

114 D. M. McMahon, *The Pursuit of Happiness: A History from the Greeks to the Present*（London: Allen Lane, 2006）.

115 Keith T. Paige et al., 'De Novo Cartilage Generation Using Calcium Alginate-Chondrocyte Constructs', *Plastic and Reconstructive Surgery* 97:1（1996）, 168-78.

116 David Biello, 'Bacteria Transformed into Biofuels Refineries', *Scientific American*, January 27, 2010, accessed December 10, 2010, http://www.scientificamerican.com/article.cfm?id=bacteria-transformed-intobiofuel-refineries.

117 Gary Walsh, 'Therapeutic Insulins and Their Large-Scale Manufacture', *Applied Microbiology and Biotechnology* 67:2（2005）, 151-59.

118 James G. Wallis et al., 'Expression of a Synthetic Antifreeze Protein in Potato Reduces Electrolyte Release at Freezing Temperatures', *Plant Molecular Biology* 35:3（1997）, 323-30.

119 Robert J. Wall et al., 'Genetically Enhanced Cows Resist Intramammary Staphylococcus Aureus Infection', *Nature Biotechnology* 23:4（2005）, 445-51.

120 Liangxue Lai et al., 'Generation of Cloned Transgenic Pigs Rich in Omega-3 Fatty Acids', *Nature Biotechnology* 24:4（2006）, 435-36.

121 Ya-Ping Tang et al., 'Genetic Enhancement of Learning and Memory in Mice', *Nature* 401（1999）, 63-69.

122 Zoe R. Donaldson and Larry J. Young, 'Oxytocin, Vasopressin, and the Neurogenetics of Sociality', *Science* 322:5903（2008）, 900–904; Zoe R. Donaldson, 'Production of Germline Transgenic Prairie Voles（Microtus Ochrogaster）Using Lentiviral Vectors', *Biology of Reproduction* 81:6（2009）, 1189-1195.

123 Terri Pous, 'Siberian Discovery Could Bring Scientists Closer to Cloning Woolly Mammoth', *Time*, September 17, 2012, accessed February 19, 2013; Pasqualino Loi et al, 'Biological time machines: a realistic approach for cloning an extinct mammal', *Endangered Species Research* 14（2011）, 227-233; Leon Huynen, Craig D. Millar and David M. Lambert, 'Resurrecting ancient animal genomes: The extinct moa and more', *Bioessays* 34（2012）, 661-669.

124 Nicholas Wade, 'Scientists in Germany Draft Neanderthal Genome', *New York Times*, February 12, 2009, accessed December 10, 2010, http://www.nytimes.com/2009/02/13/science/13neanderthal.html?_r=2&ref=science; Zack Zorich, 'Should We Clone Neanderthals?', *Archaeology* 63:2（2009）, accessed 10 December, 2010, http://www.archaeology.org/1003/etc/neanderthals.html.

125 Robert H. Waterston et al., 'Initial Sequencing and Comparative Analysis of the Mouse Genome', *Nature* 420:6915（2002）, 520.

126 'Hybrid Insect Micro Electromechanical Systems（HI-MEMS）', Microsystems Technology Office, DARPA, accessed March 22, 2012, http://www.darpa.mil/Our_Work/MTO/Programs/Hybrid_Insect_Micro_Elec tromechanical_Systems_percent28HI-MEMSpercent29.aspx. 另外可參閱：Sally Adee, 'Nuclear-Powered Transponder for Cyborg Insect', *IEEE Spectrum*, December 2009, accessed December 10, 2010, http://spectrum.ieee.org/semiconductors/devices/nuclearpoweredtransponder-for-cyborg-insect?utm_source=feedburner&utm_medium=feed&utm_campaign=Feedpe rcent3A+IeeeSpectrum+percent28IEEE+Spectrumpercent29&utm_content= Google+Reader; Jessica Marshall, 'The Fly Who Bugged Me', *New Scientist* 197:2646（2008）, 40-43; Emily Singer, 'Send In the Rescue Rats', *New Scientist* 183:2466（2004）, 21-22; Susan Brown, 'Stealth Sharks to Patrol the High Seas', *New Scientist* 189:2541（2006）, 30-31.

127 Bill Christensen, 'Military Plans Cyborg Sharks', *Live Science*, March 7, 2006,

accessed December 10, 2010, http://www.livescience.com/technology/060307_shark_implant.html.

128 'Cochlear Implants', National Institute on Deafness and Other Communication Disorders, accessed March 22, 2012, http://www.nidcd.nih.gov/health/hearing/pages/coch.aspx

129 Retina Implant, http://www.retinaimplant.de/en/doctors/technology/default.aspx.

130 David Brown, 'For 1st Woman With Bionic Arm, a New Life Is Within Reach', *The Washington Post*, September 14, 2006, accessed December 10, 2010, http://www.washingtonpost.com/wpdyn/content/article/2006/09/13/AR2006091302271.html?nav=E8.

131 Miguel Nicolelis, *Beyond Boundaries: The New Neuroscience of Connecting Brains and Machines – and How It Will Change Our Lives*（New York: Times Books, 2011）．中文版書名《念力：讓腦波直接操控機器的新科技·新世界》（天下文化 2012年出版）。

132 Chris Berdik, 'Turning Thought into Words', *BU Today*, October 15, 2008, accessed March 22, 2012, http://www.bu.edu/today/2008/turning-thoughtsinto-words/

133 Jonathan Fildes, 'Artificial Brain "10 years away"', *BBC News*, July 22, 2009, accessed 19 September, 2012, http://news.bbc.co.uk/2/hi/8164060.stm

134 Radoje Drmanac et al., 'Human Genome Sequencing Using Unchained Base Reads on Self-Assembling DNA Nanoarrays', *Science* 327:5961（2010）, 7881; 'Complete Genomics' website: http://www.completegenomics.com/; Rob Waters, 'Complete Genomics Gets Gene Sequencing under 5000$（Update 1）', *Bloomberg*, November 5, 2009, accessed December 10, 2010; http://www.bloomberg.com/apps/news?pid=newsarchive&sid=aWutnyE4So Ww; Fergus Walsh, 'Era of Personalized Medicine Awaits', *BBC News*, last updated April 8, 2009, accessed March 22, 2012, http://news.bbc.co.uk/2/hi/health/7954968.stm; Leena Rao, 'PayPal Co-Founder And Founders Fund Partner Joins DNA Sequencing Firm Halcyon Molecular', *TechCrunch*, September 24, 2009, accessed December 10, 2010, http://techcrunch.com/2009/09/24/paypal-co-founder-andfounders-fund-partner-joins-dna-sequencing-firm-halcyon-molecular/.

科學文化 164A

人類大歷史
從野獸到扮演上帝

Sapiens
A Brief History of Humankind

原著 —— 哈拉瑞（Yuval Noah Harari）
譯者 —— 林俊宏
科學文化叢書策劃群 —— 林和（總策劃）、牟中原、李國偉、周成功

未來親子學習平台副社長兼總編輯長 —— 許耀雲
編輯顧問暨責任編輯 —— 林榮崧
封面設計暨美術編輯 —— 江儀玲

出版者 —— 遠見天下文化出版股份有限公司
創辦人 —— 高希均、王力行
遠見・天下文化・事業群 董事長 —— 高希均
事業群發行人／CEO —— 王力行
天下文化社長／總經理 —— 林天來
國際事務開發部兼版權中心總監 —— 潘欣
法律顧問 —— 理律法律事務所陳長文律師
著作權顧問 —— 魏啟翔律師
社址 —— 台北市 104 松江路 93 巷 1 號 2 樓
讀者服務專線 —— 02-2662-0012 ｜ 傳真 —— 02-2662-0007, 02-2662-0009
電子郵件信箱 —— cwpc@cwgv.com.tw
直接郵撥帳號 —— 1 326703-6 號 遠見天下文化出版股份有限公司

排版廠 —— 極翔企業有限公司
製版廠 —— 東豪印刷事業有限公司
印刷廠 —— 中康彩色印刷事業股份有限公司
裝訂廠 —— 精益裝訂股份有限公司
登記證 —— 局版台業字第 2517 號
總經銷 —— 大和書報圖書股份有限公司 電話／02-8990-2588
出版日期 —— 2014 年 08 月 27 日第一版
　　　　　 2017 年 12 月 08 日第二版
　　　　　 2018 年 11 月 08 日第二版第 9 次印行

國家圖書館出版品預行編目 (CIP) 資料

人類大歷史：從野獸到扮演上帝 / 哈拉瑞
(Yuval Noah Harari) 著；林俊宏譯 .-- 第一
版 .-- 臺北市：遠見天下文化，2014.08
面；　公分 .--（科學文化；164）
譯　自：Sapiens：A Brief History of
Humankind

ISBN 978-986-320-544-9（精裝）

1. 世界史

710　　　　　　　　　 103015857

定價 —— NTD600
書號 —— CS164A
EAN —— 4713510945001
天下文化書坊 —— bookzone.cwgv.com.tw

本書如有缺頁、破損、裝訂錯誤，請寄回本公司調換。
本書僅代表作者言論，不代表本社立場。

天下‧文化
BELIEVE IN READING

CHENG CHUNG
BOOK CO.,LTD.

新版

實用視聽華語 Vol.2

PRACTICAL
AUDIO-VISUAL
CHINESE
3RD EDITION

內含MP3

正中書局

再版 編輯要旨

　　本套教材初版名為《實用視聽華語》，包含三冊，由國立臺灣師範大學編輯委員會針對母語非華語的人士所編纂，1994 年 8 月由教育部出版。這套教材自發行以來，深受海內外華語教學界肯定，也持續收到各地師生的寶貴建言。至 2007 年，教育部邀請原作者及專家學者進行改編，以《新版實用視聽華語》的新面貌重新出版。新版擴增為五冊，每冊都包含課本、教師手冊及學生作業簿各三本，同時附有語音輔助教材。

　　當年《新版實用視聽華語》的改編主要達成兩個目的。一是根據美國外語教學協會（ACTFL）制定的外語教育五大準則調整內容，使教材能達到溝通 (Communication)、文化 (Cultures)、連結 (Connections)、比較 (Comparisons)、社區 (Communities) 之 5C 目標。二是廣徵各方使用者的意見，改善課文內容、詞彙用法、練習題型等編排方式。改編後，全套教材結構完整，由淺入深，適合作為各級華語課程規劃之主軸。自此，本教材的發行量逐年成長，海外銷售點多達一百二十餘，以美國與日本為主要據點，而臺灣的華語教學單位亦廣為採用。因此，《新版實用視聽華語》在華語教學領域佔有舉足輕重的地位，成為一套具歷史性與指標性之系列教材。

　　時至今日，因為社會發展快速變遷，《新版實用視聽華語》已不再契合教學現場的最新需求，坊間也出現眾多重修本套教材的聲音。有鑑於此，教育部再度啟動編修計畫。編修之前先透過市場調查，蒐集臺灣各大學華語教師與學生的回饋意見。接著遴聘專家學者，組成編修委員會，含主編一人，顧問二人，編修委員十七人。該編修委員會針對整套教材之教學方法、主題選擇、語言知識、活動設計、分量配置、體例格式等細節，共同研商編修方向與編修幅度。達成共識後，經過分組編修及跨組協調，完成各冊之最新版本，即《新版實用視聽華語》第三版。

　　第三版的編修原則是在《新版實用視聽華語》五冊教材的既有基礎之上，改進缺點及強化優點，編修重點包括四個面向。第一，加強各冊與各課之間的銜接與連貫，呈現設計理念的完整性與一致性。第二，在每冊明示各課的教學目標，突顯課程脈絡的結構性與功能性。第三，將課文內容調整得更為生活化與現代化，使教學內容兼具實務性與專業性。第四，增加練習活動的形式與解答，使學習方式達到多元性與互動性。另外，本次特別針對原版第五冊難度偏高的問題，大幅度編修該冊內容，一方面調整各課的長度與深度，使其能與第四冊銜接；另一方面增補具體的用法說明與練習活動，同時提高前四冊詞彙與句型在本冊的重現頻率，達到溫故知新的效果。

　　本套教材將第一冊與第二冊定位為初級程度，著重「組詞成句」能力的養成；第三冊與第四冊屬於中級程度，延伸至「組句成段」能力的訓練；第五冊屬於高級程度，進一步促進「組段成篇」能力的發展。在每冊中，每課的架構都是由課文、生詞及例句、注釋、語法練習、課室活動、短文閱讀等單元所組成，教學內容皆涵蓋語音、語彙、語法、語用、文化、漢字等各層面的知識。各冊的教學目標如下。

第一冊共十二課，教學目標是建構初學華語者聽、說、讀、寫所需的基礎能力，使其能成句表達與理解，達成日常生活中基本的溝通目的。本冊共有生詞 461 個，語法 49 則。

第二冊共十三課，教學目標是延續第一冊的內容，介紹更多實用的語言形式及語言功能，使初級學習者能夠更準確、流利地進行日常溝通。本冊共有生詞 469 個，語法 41 則。

第三冊共十四課，教學目標是訓練中級學習者恰當地成段表達與理解的能力。本冊的課文內容環繞幾位學生在臺灣的日常及校園活動，讓學習者在擴展語言知識的同時，也能增強語境意識，掌握人物、場景等外在因素的影響。每課也提供不同形式之手寫短文，幫助學生熟悉漢字形體，並了解語體特徵。本冊共有生詞 559 個，語法 141 則。

第四冊共十四課，教學目標是擴增第三冊的角色與情境，以提升中級教學的深度與廣度。本冊同樣提供手寫短文的單元，而且除了微觀的語言知識之外，也關注宏觀知識的拓展，如臺灣的社會、文化、歷史、地理知識等。本冊共有生詞 640 個，語法 121 則。

第五冊共十四課，教學目標是鞏固高級學習者的成篇溝通能力，使其能以完整的語篇、清楚的邏輯及正式的語體，談論廣泛的話題。本冊課文以記敘文與議論文為主，主題富含社會意義，如節慶、教育、運動、保健、休閒、環保、生肖、文字、茶藝等。語法單元引導學習者熟悉具語篇功能的句型，而成語及俗語的單元則補充文化概念。本冊共有生詞 1004 個，語法 70 則。

各冊之編修委員如下。第一冊為王淑美、竺靜華、盧翠英三位老師。第二冊為盧翠英、王淑美、許敏淑三位老師。第三冊為劉秀芝、孫懿芬、陳懷萱、廖淑慧四位老師。第四冊為劉秀芝、李家豪、林翠雲、陳怡慧四位老師。第五冊由黃桂英、李明懿、張金蘭、彭妮絲、歐德芬五位老師分課編修，再由李家豪和吳欣儒兩位老師進行全冊內容之增補、統整與編修。第一、二冊英文編譯者為 William Patrick Rocha；第三、四冊為 Sophia Kor；第五冊為黃元鵬與 Daniel Rodabaugh。

本教材編修之前教育部曾邀請中國文化大學、國立台北教育大學、淡江大學、逢甲大學、慈濟大學、輔仁大學的華語教師共三十四位提供編修意見，全套編修完成後，經過曹逢甫教授與葉德明教授兩位顧問，以及王淑美、黃桂英、劉秀芝、盧翠英四位委員悉心審閱，後經教育部聘請方麗娜、陳純音、范美媛、張盈堃四位專家審查，反覆修訂後定稿。

《新版實用視聽華語》的改版作業歷經一年多的時間完成。感謝每位委員及夥伴投注時間與心力於繁重的編修與審閱工作。也感謝正中書局李清課、王育涵兩位主編耐心協助各項事務，使教材得以順利出版。各位先進及同行在使用教材過程中如有任何建議，懇請不吝賜教。

主編 謝佳玲
2017 年 8 月

CONTENTS 目錄

課程重點表

課次 Lesson	主題 Topic	功能 Function
Lesson 1	我生病了 I was sick	1. 如何陳述自己的病狀和簡易的醫病詞彙。 2. 練習說明假期計畫。 1. Stating one's own symptoms and using simple medical terminology. 2. Practicing explaining vacation plans.
Lesson 2	到那裡去怎麼走？ How do I get there?	1. 透過方位詞及位置的學習，詢問他人如何抵達目的地。 2. 旅行社人員和客戶的對話練習，熟悉機票訂位及旅遊行程安排。 3. 說明國家的地理位置及簡單介紹地理樣貌的特點。 1. Using knowledge of location and position to ask others how to arrive at a destination. 2. Practicing dialogue between a travel agent and a customer, and familiarizing oneself with booking plane tickets and setting up a travel itinerary. 3. Explaining a country's geographic locations and introducing simple distinguishing features of the terrain.
Lesson 3	請您給我們介紹幾個菜 Please recommend some dishes to us	1. 餐廳點菜用語。 2. 在家中請客時，賓主之間的用語。 1. Language used for ordering food at a restaurant. 2. Language used with guests when hosting people at home.
Lesson 4	請她回來以後， 給我打電話 Please tell her to give me a call when she gets back	1. 練習電話用語及留話給他人。 2. 請求他人幫忙。 1. Practicing telephone conversations and leaving a message for someone. 2. Asking other people for help.

語法 Grammar	文化 Culture	漢字 Character
Ⅰ. Question words as indefinites Ⅱ. Change of status with the particle 了 Ⅲ. Imminent action with the particle 了	1. 關懷他人就醫後的情形及詢問對方的復原情況。 2. 透過對話形式，詢問他人的假期規劃及陳述自己的假期安排。 1. Showing concern for others after they've been to the doctor and asking about their recovery. 2. Using conversation as a means to ask others about their vacation plans and state one's own plans.	學生作業簿提供生詞部首和筆順 The homework workbook illustrates radicals and character stroke order.
Ⅰ. Motion toward a place or a direction with the coverb 往 Ⅱ. 部 and 邊 contrasted Ⅲ. Adverb used as correlative connectors	電話禮儀及如何詢問所需資訊。 Phone etiquette and how to ask for all needed information.	學生作業簿提供生詞部首和筆順 The homework workbook illustrates radicals and character stroke order.
Ⅰ. Inclusiveness and exclusiveness (with question words as indefinites) Ⅱ. Exclusiveness intensified (not even, not at all) Ⅲ. 多 and 少 used as adverbs Ⅳ. 跟，給，替，用 and 對 as coverbs	1. 禮貌性詢問他人的生活概況。 2. 互相詢問飲食愛好以及餐桌禮儀。 1. Politely asking someone about their life. 2. Asking and revealing information about dietary preferences and hobbies; table etiquette.	學生作業簿提供生詞部首和筆順 The homework workbook illustrates radicals and character stroke order.
Ⅰ. General relative time (as an adverb) Ⅱ. Specific relative time Ⅲ. 次（or 回）as a verbal measure Ⅳ. Verbal suffix 過 as a marker of experience	透過電話交談，獲取所需之特定資訊。 Obtaining specific information needed from someone while on the phone.	學生作業簿提供生詞部首和筆順 The homework workbook illustrates radicals and character stroke order.

語法 **Grammar**	文化 **Culture**	漢字 **Character**
Ⅰ. Stative verbs with intensifying complements Ⅱ. Similarity and disparity Ⅲ. Comparison Ⅳ. Measuring age, length, height, distance, etc. Ⅴ. Degree of comparison	1. 簡單描述自己外貌特徵，並和他人做比較。 2. 介紹華人對課業的看法。 1. Simply describing one's own appearance and comparing physical characteristics with others. 2. Introducing ethnic Chinese people's views on schoolwork.	學生作業簿提供生詞部首和筆順 The homework workbook illustrates radicals and character stroke order.
Ⅰ. Directional compounds (DC) Ⅱ. Directional compounds with objects Ⅲ. 在，到，給 used as post verbs (PV) Ⅳ. 快 and 慢 in imperative sentences	1. 和新鄰居初次見面的應對。 2. 友人搬家時，應如何表達祝賀之意。 1. The first interaction with a new neighbor. 2. How to express congratulations when a friend moves.	學生作業簿提供生詞部首和筆順 The homework workbook illustrates radicals and character stroke order.
把 Construction	1. 詢問或給予搬移物品的建議。 2. 描繪環境空間之擺設。 1. Inquiring about or giving advice related to moving items around. 2. Describing the arrangement of things in a given environment.	學生作業簿提供生詞部首和筆順 The homework workbook illustrates radicals and character stroke order.
Ⅰ. The verbal suffix 著 used as marker of continuity Ⅱ. Time elapsed	1. 和久未見面的友人禮貌性問候。 2. 讚美及表達欣賞。 1. Politely giving regards to a friend whom one hasn't seen in a long time. 2. Praising and showing appreciation towards others.	學生作業簿提供生詞部首和筆順 The homework workbook illustrates radicals and character stroke order.
Ⅰ. Resultative compounds (RC) Ⅱ. Directional endings used as resultative endings Ⅲ. Some extended uses of directional complements as resultative complements	1. 休閒活動安排及規劃。 2. 描述野餐情形。 1. Arranging and planning out leisurely activities. 2. Describing the circumstances of a picnic.	學生作業簿提供生詞部首和筆順 The homework workbook illustrates radicals and character stroke order.

課次 Lesson	主題 Topic	功能 Function
Lesson **10**	我跑不了那麼遠 I can't run that far	1. 介紹以狀態動詞、動作動詞及助動詞為結果補語之用法。 2. 詢問他人健康狀況。 1. Introducing the use of stative verbs, action verbs, and auxiliary verbs as resultative complements. 2. Asking about the status of another person's health.
Lesson **11**	我們好好地慶祝慶祝 Let's have a nice celebration	1. 活動企劃,包括預計邀請人數、準備哪些食物及飲料。 2. 介紹狀態動詞重疊式、動作動詞重疊式及量詞重疊式的用法及語意內容。 3. 練習人物描述。 1. Planning an event, including estimating how many people to invite and what food and drinks to prepare. 2. Introducing the use and meaning of reduplicated stative verbs, reduplicated action verbs, and reduplicated measure words. 3. Practicing describing people.
Lesson **12**	錶讓我給弄丟了 I got my watch lost	1. 介紹被動式「讓」、「被」。 2. 練習報案情境,描述竊案發生的始末及報警所需之細節資訊。 1. Introducing the passive voice with 讓 and 被. 2. Practicing reporting a case to the authorities, describing a robbery, and providing all the information needed for a police report.
Lesson **13**	恭喜恭喜 Congratulations	1. 簡易的求職就業及就學計畫說明。 2. 練習簡單書信的寫法。 1. Simply explaining plans to seek work or attend school. 2. Practicing the writing of simple letters.

語法 **Grammar**	文化 **Culture**	漢字 **Character**
I . Stative verbs used as resultative endings II . Action verbs used as resultative endings III . Auxiliary verb used as resultative endings	1. 互相詢問喜好的運動。 2. 陳述自己的運動習慣及簡單説明運動的好處。 1. Asking about each other's favorite sports. 2. Indicating one's own exercise habits and explaining the benefits of exercise.	學生作業簿提供生詞部首和筆順 The homework workbook illustrates radicals and character stroke order.
I . Reduplication of stative verbs II . Reduplication of verbs III . Reduplication of measure words IV . Sentences with adverb 又 and 也 used as correlative conjunctions	詢問他人過去參加活動的經驗及感想。 Inquiring about other people's experience participating in various activities and their impressions.	學生作業簿提供生詞部首和筆順 The homework workbook illustrates radicals and character stroke order.
I . Passive voice sentences with coverbs 被，讓，or 叫 II . Causative sentences with verbs 讓 or 叫 III . Sentences with correlative conjunctions 一……就…… （just as soon as, whenever）	表示關心和安慰方式。 Expressing concern and comforting others.	學生作業簿提供生詞部首和筆順 The homework workbook illustrates radicals and character stroke order.
I . The adverbs 再，才 and 就 contrasted II . Sentences with 越……越…… as correlative conjunctions	1. 如何祝賀他人生日及祝賀詞和祝福語的使用。 2. 派對時，主人和賓客間的用語。 1. How to wish someone else a happy birthday and use blessings. 2. Phrases used between the host and guests at a party.	學生作業簿提供生詞部首和筆順 The homework workbook illustrates radicals and character stroke order.

第 1 課

我生病了①

DIALOGUE

Ⅰ

A：這個週末②，你到哪裡去了？

B：我沒到哪裡去。我生病了。

A：你怎麼了③？哪裡不舒服④？

B：上個禮拜⑤我常常覺得很累，也不太想吃東西。

A：看醫生⑥了嗎？

B：看了。

A：醫生怎麼說？

B：他說我感冒⑦了，沒什麼關係⑧，不必⑨吃藥⑩，休息幾天就沒事⑪兒了⑫。

A：現在覺得怎麼樣？

B：差不多好了⑬，謝謝。

II

A：你感冒好了沒有？

B：早就好了。

A：新年快到了，我們放二十幾天的假^⑭，你打算^⑮做什麼？

B：還不一定。我有一個朋友，他家在鄉下^⑯，我也許^⑰到他那裡
住幾天，你呢？

A：我可能^⑱跟朋友^⑲到山上去滑雪^⑳。

B：你們怎麼去呢？

A：我們開車去。

B：天氣太冷，開車得^㉑特別^㉒小心^㉓啊！

A：放心^㉔，我開車開了快三年了，我開得很好。

ㄅ／一／ㄝ ▷ ㄨㄛˊ ㄕ ㄅㄥˇ ㄉㄜ˙

I

A：ㄓㄟˋ ㄍㄜ˙ ㄓㄡ ㄇㄛˋ，ㄋ一ˇ ㄅㄚˇ ㄋ一ˇ ㄉㄞˋ ㄑ一˙ ㄌㄜ˙？

B：ㄨㄛˇ ㄇㄟˊ ㄅㄠ ㄋㄚˇ ㄌ一ˇ ㄑㄩˋ。ㄨㄛˇ ㄕㄥ ㄅㄥ ㄉㄜ˙。

A：ㄋ一ˇ ㄗㄣˇ ㄇㄜ˙ ㄌㄜ˙？ㄋㄚˇ ㄌ一ˇ ㄅㄨˋ ㄈㄨˊ？

B：ㄕㄤ ㄍㄜ˙ ㄌㄞˇ ㄅㄞˇ ㄨㄛˇ ㄔ ㄔ ㄐ一ㄝ˙ ㄉㄜ˙ ㄏㄣˊ ㄌㄟ，一ㄝˊ ㄨˇ ㄞˇ ㄊㄞ ㄒ一ㄢˇ ㄔ ㄆㄨ ㄒ一。

A：ㄎㄢ 一 ㄕㄥ ㄌㄜ˙ ㄇㄚ˙？

B：ㄎㄢ ㄌㄜ˙。

A：一 ㄕㄥ ㄗㄣˇ ㄇㄜ˙ ㄕㄨㄛ？

B：ㄊㄚ ㄕㄨㄛˇ ㄨㄛˇ ㄍㄢˇ ㄇㄠˋ ㄌㄜ˙，ㄇㄟˊ ㄕㄣˊ ㄇㄜ˙ ㄍㄢ ㄒ一ˋ，ㄨˊ ㄟˇ ㄔ ㄠˊ，ㄒ一ㄡˊ ㄒ一ˊ ㄐ一ˇ ㄊ一ㄢ ㄐ一ㄡˇ ㄇ一ˊ ㄕˋ ㄦˊ ㄌㄜ˙。

A：ㄒ一ㄢ ㄗㄞˋ ㄐㄩㄝˊ ㄉㄜ˙ ㄗㄣ ㄇㄜ˙ 一ㄤˋ？

B：ㄔㄚˊ ㄅㄨˋ ㄅㄨㄛˇ ㄍㄠˋ ㄌㄜ˙，ㄒ一ㄝˋ ㄒ一ㄝˊ。

II

A：ㄋ一ˇ ㄗㄞˇ ㄍㄠˇ ㄍㄠˇ ㄉㄜ˙ ㄇㄟˇ ㄧㄡˇ？

B：ㄗㄠ ㄐ一ㄡˇ ㄏㄠˇ ㄌㄜ˙。

A：ㄒ一ㄣˋ ㄋ一ㄢˊ ㄎㄨㄞˋ ㄉㄠˋ ㄌㄜ˙，ㄨㄛˇ ㄇㄣˊ ㄈㄤˊ ㄦˊ ㄕ ㄐ一ˊ ㄊ一ㄢ ㄉㄜ˙ ㄐ一ㄚˇ，ㄋ一ˇ 一ㄚˇ ㄙㄨㄢ ㄗㄨㄥ ㄕ ㄉㄜ˙？

B：ㄏㄞˊ ㄅㄨˋ 一 ㄉ一ㄥˋ。ㄨㄛˇ 一ㄡˇ 一 ㄍㄜˋ ㄆㄥˊ 一ㄡˇ，ㄊㄚ ㄐ一ㄚ ㄗㄞˋ ㄒ一ˋ ㄒ一ㄢˊ，ㄨㄛˇ 一ㄝˇ ㄒㄩˊ ㄅㄠˋ ㄊㄞ ㄋㄚˇ ㄉㄞˋ ㄓ ㄐ一 ㄊ一ㄢˊ，ㄋ一ˇ ㄋㄜ˙？

A：ㄨㄛˇ ㄎㄜˇ ㄋㄥˊ ㄍㄨㄟ ㄆㄟˊ 一 ㄉ一 ㄕ ㄕㄤˊ ㄑㄩˋ ㄒㄩㄝˊ。

B：ㄋ一ˇ ㄇㄣˊ ㄗㄣˊ ㄇㄣˊ ㄑㄩ˙ ㄋㄜ˙？

A：ㄨㄛˇ ㄇㄣˋ ㄎㄞ ㄔㄜ ㄑㄩˋ。

B：ㄊㄧ ㄑㄧˇ ㄊㄞ ㄌㄥˊ，ㄎㄞ ㄔㄜ ㄅㄟ ㄊㄜ ㄅㄝ ㄒㄧ ㄒㄧˊ ㄚˋ！

A：ㄈㄤ ㄒㄧㄣ，ㄨㄛˇ ㄎㄞ ㄔㄜ ㄎㄞ ㄜ ㄌㄞ ㄎㄞ ㄋㄢ ㄋㄧㄢˇ ㄉㄜ，ㄨㄛˇ ㄎㄞ ㄉㄜ ㄏㄣˇ ㄏㄠˇ。

 Dì Yī Kè 〉 Wǒ Shēngbìngle

(Pinyin)

 I

A : Zhèige zhōumò, nǐ dào nǎlǐ qùle?

B : Wǒ méidào nǎlǐ qù. Wǒ shēngbìngle.

A : Nǐ zěnmele? Nǎlǐ bù shūfú?

B : Shàngge lǐbài wǒ chángcháng juéde hěn lèi, yě bútài xiǎng chī dōngxī.

A : Kàn yīshēng le ma?

B : Kànle.

A : Yīshēng zěnme shuō?

B : Tā shuō wǒ gǎnmào le, méi shénme guānxi, búbì chī yào, xiūxí jǐtiān jiù méishìr le.

A : Xiànzài juéde zěnmeyàng?

B : Chàbùduō hǎole, xièxie.

 II

A : Nǐ gǎnmào hǎole méiyǒu?

B : Zǎo jiù hǎole.

A : Xīnnián kuài dào le, wǒmen fàng èrshíjǐtiānde jià, nǐ dǎsuàn zuò shénme?

B : Hái bùyídìng. Wǒ yǒu yíge péngyǒu, tā jiā zài xiāngxià, wǒ yěxǔ dào tā nàlǐ zhù jǐtiān, nǐ ne?

A : Wǒ kěnéng gēn péngyǒu dào shānshàng qù huáxuě.

B : Nǐmen zěnme qù ne?

A : Wǒmen kāichē qù.

B : Tiānqì tài lěng, kāichē děi tèbié xiǎoxīn a!

A : Fàngxīn, wǒ kāichē kāile kuài sānnián le. Wǒ kāide hěn hǎo.

 Dì Yī Kè Wǒ Shēngbìngle

(Tongyong)

A : Jhèige jhōumò, nǐ dào nǎlǐ cyùle?

B : Wǒ méidào nǎlǐ cyù. Wǒ shēngbìngle.

A : Nǐ zěnmele? Nǎlǐ bù shūfú?

B : Shàngge lǐbài wǒ chángcháng jyuéde hěn lèi, yě bútài siǎng chīh dōngsī.

A : Kàn yīshēng le ma?

B : Kànle.

A : Yīshēng zěnme shuō?

B : Tā shuō wǒ gǎnmào le, méi shénme guānsi, búbì chīh yào, siōusí jǐtiān jiòu méishìhr le.

A : Siànzài jyuéde zěnmeyàng?

B : Chàbùduō hǎole, sièsie.

A : Nǐ gǎnmào hǎole méiyǒu?

B : Zǎo jiòu hǎole.

A : Sīnnián kuài dào le, wǒmen fàng èrshíhjǐtiānde jià, nǐ dǎsuàn zuò shénme?

B : Hái bùyídìng. Wǒ yǒu yíge péngyǒu, tā jiā zài siāngsià, wǒ yěsyǔ dào tā nàlǐ jhù jǐtiān, nǐ ne?

A : Wǒ kěnéng gēn péngyǒu dào shānshàng cyù huásyuě.

B : Nǐmen zěnme cyù ne?

A : Wǒmen kāichē cyù.

B : Tiāncì tài lěng, kāichē děi tèbié siǎosīn a!

A : Fàngxīn, wǒ kāichē kāile kuài sānnián le. Wǒ kāide hěn hǎo.

 LESSON 1 > I WAS SICK

 I

A : Where did you go this weekend?

B : I didn't go anywhere. I was sick.

A : What was wrong with you? Where didn't you feel well?

B : Last week I often felt very tired and I didn't really feel like eating.

A : Did you see a doctor?

B : Yes, I did.

A : What did the doctor say?

B : He said I had a cold, nothing serious. I didn't have to take medicine. Just rest for a few days and I'd be fine.

A : How do you feel now?

B : Almost back to normal, thanks.

 II

A : Is your cold better?

B : I got over it a long time ago.

A : The New Year is coming soon. We are going to be on vacation for more than twenty days. What are you planning to do?

B : I'm still not sure. I have a friend whose home is in the country. I might go there for a few days. How about you?

A : I might go skiing in the mountains with a friend.

B : How are you getting there?

A : We're driving.

B : The weather is very cold. You'd better be especially careful when driving!

A : Don't worry. I've been driving for three years now. I drive very well.

NARRATION

　　上個星期放假，我到山上去滑雪。山上的天氣很冷，我覺得不太舒服，頭有一點痛，我想也許生病了。回了家，就馬上去看醫生。醫生說我感冒了，沒什麼關係，休息休息就好了。他還說因為最近天氣冷，感冒的人特別多。我聽了他的話，就放心了，打算到鄉下去住幾天。

ㄕㄤˋ ˙ㄍㄜ ㄒㄧㄥ ㄑㄧˊ ㄈㄤˋ ㄐㄧㄚˋ，ㄨㄛˇ ㄉㄠˋ ㄕㄢ ㄕㄤˋ ㄑㄩˋ ㄏㄨㄚˊ ㄒㄩㄝˇ。ㄕㄢ ㄕㄤˋ ˙ㄉㄜ ㄊㄧㄢ ㄑㄧˋ ㄏㄣˇ ㄌㄥˇ，ㄨㄛˇ ㄐㄩㄝˊ ˙ㄉㄜ ㄅㄨˊ ㄊㄞˋ ㄕㄨ ㄈㄨˊ，ㄊㄡˊ ㄧㄡˇ ㄧˋ ㄉㄧㄢˇ ㄊㄨㄥˋ，ㄨㄛˇ ㄒㄧㄤˇ ㄧㄝˇ ㄒㄩˇ ㄕㄥ ㄅㄧㄥˋ ˙ㄌㄜ。ㄏㄨㄟˊ ˙ㄌㄜ ㄐㄧㄚ，ㄐㄧㄡˋ ㄇㄚˇ ㄕㄤˋ ㄑㄩˋ ㄎㄢˋ ㄧ ㄕㄥ。ㄧ ㄕㄥ ㄕㄨㄛ ㄨㄛˇ ㄍㄢˇ ㄇㄠˋ ˙ㄌㄜ，ㄇㄟˊ ㄕㄣˊ ˙ㄇㄜ ㄍㄨㄢ ˙ㄒㄧ，ㄒㄧㄡ ㄒㄧˊ ㄒㄧㄡ ㄒㄧˊ ㄐㄧㄡˋ ㄏㄠˇ ˙ㄌㄜ。ㄊㄚ ㄏㄞˊ ㄕㄨㄛ ㄧㄣ ㄨㄟˋ ㄗㄨㄟˋ ㄐㄧㄣˋ ㄊㄧㄢ ㄑㄧˋ ㄌㄥˇ，ㄍㄢˇ ㄇㄠˋ ˙ㄉㄜ ㄖㄣˊ ㄊㄜˋ ㄅㄧㄝˊ ㄉㄨㄛ。ㄨㄛˇ ㄊㄧㄥ ˙ㄌㄜ ㄊㄚ ˙ㄉㄜ ㄏㄨㄚˋ，ㄐㄧㄡˋ ㄈㄤˋ ㄒㄧㄣ ˙ㄌㄜ，ㄉㄚˇ ㄙㄨㄢˋ ㄉㄠˋ ㄒㄧㄤ ㄒㄧㄚˋ ㄑㄩˋ ㄓㄨˋ ㄐㄧˇ ㄊㄧㄢ。

Shàngge xīngqí fàngjià, wǒ dào shānshàng qù huáxuě. Shānshàngde tiānqì hěn lěng, wǒ juéde bútài shūfú, tóu yǒu yìdiǎn tòng, wǒ xiǎng yěxǔ shēngbìngle. Huíle jiā, jiù mǎshàng qù kàn yīshēng. Yīshēng shuō wǒ gǎnmàole, méi shénme guānxi, xiūxí xiūxí jiù hǎole. Tā hái shuō yīnwèi zuìjìn tiānqì lěng, gǎnmàode rén tèbié duō. Wǒ tīngle tāde huà, jiù fàngxīnle, dǎsuàn dào xiāngxià qù zhù jǐtiān.

Shàngge sīngcí fàngjià, wǒ dào shānshàng cyù huásyuě. Shānshàngde tiāncì hěn lěng, wǒ jyuéde bútài shūfú, tóu yǒu yìdiǎn tòng, wǒ siǎng yěsyǔ shēngbìngle. Huéile jiā, jiòu mǎshàng cyù kàn yīshēng. Yīshēng shuō wǒ gǎnmàole, méi shénme guānsi, siōusí siōusí jiòu hǎole. Tā hái shuō yīnwèi zuèijìn tiāncì lěng, gǎnmàode rén tèbié duō. Wǒ tīngle tāde huà, jiòu fàngsīnle, dǎsuàn dào siāngsià cyù jhù jǐtiān.

Last week I was on vacation. I went to the mountains to ski. The weather in the mountains was very cold. I felt a little uncomfortable, and my head hurt a little. I thought perhaps I was getting sick. When I got back home, I immediately went to see a doctor. The doctor said I caught a cold, nothing serious, and that all I needed to get well was rest. He also said that because the weather had been cold lately, a great many people have had colds. When I heard what he said, I stopped worrying and made plans to go to the countryside for a few days.

VOCABULARY

1 生病 (shēngbìng) ▶▶ VO: to become ill, to be sick

例 我弟弟生了一個禮拜的病，現在好了。

Wǒ dìdi shēngle yíge lǐbài de bìng, xiànzài hǎole.

Wǒ dìdi shēngle yíge lǐbài de bìng, siànzài hǎole.

My younger brother was sick for a week; now he's okay.

病 (bìng) ▶▶ N: illness, disease

病了 (bìngle) ▶▶ V: to become ill

例 他病了，所以昨天沒有來上課。

Tā bìngle, suǒyǐ zuótiān méiyǒu lái shàngkè.

He got sick, so he didn't come to class yesterday.

2 週 / 周末 (zhōumò / jhōumò) ▶▶ N: weekend

例 她下個週末要和父母一起去德國旅行。

Tā xiàge zhōumò yào hàn fùmǔ yìqǐ qù Déguó lǚxíng.

Tā siàge jhōumò yào hàn fùmǔ yìcǐ cyù Déguó lyǔsíng.

Next weekend she will go to Germany with her parents to travel.

3 怎麼了 (zěnmele) ▶▶ IE: What's wrong?

例 A：你怎麼了？

B：我有一點不舒服。

A：Nǐ zěnmele?

B：Wǒ yǒuyìdiǎn bùshūfú.

A：What's wrong with you?

B：I'm not feeling well.

4 舒服 (shūfú) ▶▶ SV: to be comfortable, well

例 你哪裡不舒服？要不要休息一下？

Nǐ nǎlǐ bùshūfú? Yàobúyào xiūxí yíxià?

Nǐ nǎlǐ bùshūfú? Yàobúyào siōusí yísià?

What's wrong with you? Do you want to rest a while?

5 禮拜 (lǐbài) ▸▸ N: week

例 我上個月在日本玩了兩個禮拜。

Wǒ shànggeyuè zài Rìběn wánle liǎngge lǐbài.

Wǒ shànggeyuè zài Rìhběn wánle liǎngge lǐbài.

Last month I traveled in Japan for two weeks.

禮拜天 (lǐbàitiān) ▸▸ N: Sunday

6 醫生 (yīshēng) ▸▸ N: doctor

例 他爸爸是有名的醫生，每天都很忙。

Tā bàba shì yǒumíngde yīshēng, měitiān dōu hěnmáng.

Tā bàba shìh yǒumíngde yīshēng, měitiān dōu hěnmáng.

His father is a famous doctor; he's busy every day.

7 感冒 (gǎnmào) ▸▸ V/N: to have a cold; a cold, flu

例 冬天天氣冷，很容易感冒，要小心。

Dōngtiān tiānqì lěng, hěn róngyì gǎnmào, yào xiǎoxīn.

Dōngtiān tiāncì lěng, hěn róngyì gǎnmào, yào siǎosīn.

The weather in winter is cold, and it's easy to catch a cold, (so you) must be careful.

例 妹妹的感冒已經好了，不必去看醫生了。

Mèimei de gǎnmào yǐjīng hǎole, búbì qù kàn yīshēng le.

Mèimei de gǎnmào yǐjīng hǎole, búbì cyù kàn yīshēng le.

My little sister has already got well from cold; she need not go to the doctor any more.

8 沒關係 (méiguānxi / méiguānsi)

▸▸ IE: no problem, never mind, it doesn't matter

22　　例 A：對不起，我明天不能跟你們一塊兒

去看電影。

B：沒關係。

A：Duìbùqǐ, wǒ míngtiān bùnéng gēn nǐmen yíkuàr qù kàn diànyǐng.

B：Méiguānxi.

A：Duèibùcǐ, wǒ míngtiān bùnéng gēn nǐmen yíkuàr cyù kàn diànyǐng.

B：Méiguānsi.

A：I'm sorry; I can't go with you to see a movie tomorrow.

B：No problem.

⑨ 不必 (búbì) ▶▶ ADV: don't have to, need not

例 我家離學校很近，不必坐公車。

Wǒ jiā lí xuéxiào hěn jìn, búbì zuò gōngchē.

Wǒ jiā lí syuésiào hěn jìn, búbì zuò gōngchē.

My house is very close to the school, so I don't have to take a bus.

⑩ 藥 (yào) ▶▶ N: medicine, drug, remedy（M: 顆 kē）

例 他生病了，每天要吃三顆藥。

Tā shēngbìngle, měitiān yào chī sānkē yào.

Tā shēngbìngle, měitiān yào chīh sānkē yào.

He's sick; he must take three pills every day.

⑪ 就 (jiù / jiòu) ▶▶ ADV: (indicating immediacy)

例 聽說他下個月五號就回國了。

Tīngshuō tā xiàgeyuè wǔhào jiù huíguóle.

Tīngshuō tā siàgeyuè wǔhào jiòu huéiguóle.

I heard he will go back to his home country on the fifth of next month.

⑫ 沒事兒 (méishìr / méishìhr)

▶▶ IE: never mind, it doesn't matter, it's nothing, that's all right

例 A：怎麼了？不舒服嗎？

B：沒ㄇㄟˊ事ㄕˋ兒ㄦ。

A：Zěnmele? Bùshūfú ma?

B：Méishìr.

B：Méishìhr.

A：What's wrong? Don't you feel well?

B：It's nothing.

---

13 好ㄏㄠˇ了ㄌㄜ (hǎole) ▸▸ SV: to be well again, recover

例 我ㄨㄛˇ的ㄉㄜ頭ㄊㄡˊ痛ㄊㄨㄥˋ已ㄧˇ經ㄐㄧㄥ好ㄏㄠˇ了ㄌㄜ，不ㄅㄨˋ必ㄅㄧˋ吃ㄔ藥ㄧㄠˋ了ㄌㄜ。

Wǒde tóutòng yǐjīng hǎole, búbì chīyàole.

Wǒde tóutòng yǐjīng hǎole, búbì chīhyàole.

My headache has already been cured; I don't need to take medicine any more.

---

14 放ㄈㄤˋ假ㄐㄧㄚˋ (fàngjià) ▸▸ VO: to have vacation, to be on holiday

例 你ㄋㄧˇ知ㄓ道ㄉㄠˋ我ㄨㄛˇ們ㄇㄣ什ㄕㄣˊ麼ㄇㄜ時ㄕˊ候ㄏㄡˋ放ㄈㄤˋ假ㄐㄧㄚˋ嗎ㄇㄚ？

Nǐ zhīdào wǒmen shénme shíhòu fàngjià ma?

Nǐ jhīhdào wǒmen shénme shíhhòu fàngjià ma?

Do you know when it is our vacation will start?

---

15 打ㄉㄚˇ算ㄙㄨㄢˋ (dǎsuàn) ▸▸ V: to plan

例 明ㄇㄧㄥˊ年ㄋㄧㄢˊ他ㄊㄚ打ㄉㄚˇ算ㄙㄨㄢˋ去ㄑㄩˋ法ㄈㄚˇ國ㄍㄨㄛˊ學ㄒㄩㄝˊ法ㄈㄚˇ文ㄨㄣˊ。

Míngnián tā dǎsuàn qù Fǎguó xué Fǎwén.

Míngnián tā dǎsuàn cyù Fǎguó syué Fǎwún.

He's planning to go to France next year to study French.

---

16 鄉ㄒㄧㄤ下ㄒㄧㄚˋ (xiāngxià / siāngsià) ▸▸ N: countryside

例 我ㄨㄛˇ父ㄈㄨˋ母ㄇㄨˇ家ㄐㄧㄚ在ㄗㄞˋ鄉ㄒㄧㄤ下ㄒㄧㄚˋ，那ㄋㄚˋ裡ㄌㄧˇ的ㄉㄜ風ㄈㄥ景ㄐㄧㄥˇ很ㄏㄣˇ美ㄇㄟˇ。

Wǒ fùmǔ jiā zài xiāngxià, nàlǐ de fēngjǐng hěnměi.

Wǒ fùmǔ jiā zài siāngsià, nàlǐ de fōngjǐng hěnměi.

My parents' home is in the countryside; the scenery there is very beautiful.

17 也許 (yěxǔ / yěsyǔ) ▸▸ ADV: perhaps, maybe, might

例 明天我很忙，也許不能來。

Míngtiān wǒ hěnmáng, yěxǔ bùnénglái.

Míngtiān wǒ hěnmáng, yěsyǔ bùnénglái.

Tomorrow I'm very busy and may not be able to come.

18 可能 (kěnéng) ▸▸ ADV/SV: possibly / to be possible

例 他覺得不舒服，可能感冒了。

Tā juéde bù shūfú, kěnéng gǎnmàole.

Tā jyuéde bù shūfú, kěnéng gǎnmàole.

He feels uncomfortable. It's possible he has a cold.

例 A：他每天都來上課，今天沒來，也許
　　生病了。

B：很可能。

A：Tā měitiān dōu lái shàngkè, jīntiān méilái, yěxǔ shēngbìngle.

A：Tā měitiān dōu lái shàngkè, jīntiān méilái, yěsyǔ shēngbìngle.

B：Hěn kěnéng.

A：He comes to class every day, but today he didn't. It's possible he's sick.

B：It's quite possible.

19 山 (shān) ▸▸ N: mountain（M: 座 zuò）

20 滑雪 (huáxuě / huásyuě) ▸▸ VO: to ski

例 他滑雪滑得很好，你可以請他教你。

Tā huáxuě huáde hěnhǎo, nǐ kěyǐ qǐng tā jiāo nǐ.

Tā huásyuě huáde hěnhǎo, nǐ kěyǐ cǐng tā jiāo nǐ.

He skis very well; you can ask him to teach you.

雪 (xuě / syuě) ▸▸ N: snow（M: 場 chǎng）

下雪 (xiàxuě / siàsyuě) ▸▸ VO: to snow

21 得ㄉㄟˇ (děi) ▸▸ ADV: must, have to

例 太ㄊㄞˋ晚ㄨㄢˇ了ㄌㄜ，我ㄨㄛˇ得ㄉㄟˇ走ㄗㄡˇ了ㄌㄜ。

Tài wǎnle, wǒ děi zǒule.

It's too late; I must go.

22 特ㄊㄜˋ別ㄅㄧㄝˊ (tèbié) ▸▸ ADV: especially

例 她ㄊㄚ做ㄗㄨㄛˋ的ㄉㄜ中ㄓㄨㄥ國ㄍㄨㄛˊ菜ㄘㄞˋ特ㄊㄜˋ別ㄅㄧㄝˊ好ㄏㄠˇ吃ㄔ。

Tā zuòde Zhōngguó cài tèbié hǎochī.

Tā zuòde Jhōngguó cài tèbié hǎochīh.

The Chinese food she makes is extremely good.

23 小ㄒㄧㄠˇ心ㄒㄧㄣ (xiǎoxīn / siǎosīn) ▸▸ SV: to be careful

例 外ㄨㄞˋ面ㄇㄧㄢˋ下ㄒㄧㄚˋ雪ㄒㄩㄝˇ了ㄌㄜ，走ㄗㄡˇ路ㄌㄨˋ要ㄧㄠˋ小ㄒㄧㄠˇ心ㄒㄧㄣ。

Wàimiàn xiàxuěle, zǒulù yào xiǎoxīn.

Wàimiàn siàsyuěle, zǒulù yào siǎosīn.

It's snowing outside; (you) must be careful walking.

心ㄒㄧㄣ (xīn / sīn) ▸▸ N: heart

24 放ㄈㄤˋ心ㄒㄧㄣ (fàngxīn / fàngsīn) ▸▸ SV/VO: to be at ease, not worry

例 爸ㄅㄚˋ爸ㄅㄚ不ㄅㄨˋ放ㄈㄤˋ心ㄒㄧㄣ她ㄊㄚ一ㄧˊ個ㄍㄜ人ㄖㄣˊ去ㄑㄩˋ外ㄨㄞˋ國ㄍㄨㄛˊ。

Bàba bú fàngxīn tā yígerén qù wàiguó.

Bàba bú fàngsīn tā yígerén cyù wàiguó.

Her father is worried about her going to a foreign country alone.

SUPPLEMENTARY VOCABULARY

25 頭ㄊㄡˊ (tóu) ▸▸ N: head

26 痛ㄊㄨㄥˋ (tòng) ▸▸ SV: to hurt, to be in pain

例 我ㄨㄛˇ的ㄉㄜ頭ㄊㄡˊ有ㄧㄡˇ一ㄧˋ點ㄉㄧㄢˇ痛ㄊㄨㄥˋ，可ㄎㄜˇ是ㄕˋ我ㄨㄛˇ不ㄅㄨˋ想ㄒㄧㄤˇ吃ㄔ藥ㄧㄠˋ。

Wǒde tóu yǒu yìdiǎn tòng, kěshì wǒ bùxiǎng chīyào.

Wǒde tóu yǒu yìdiǎn tòng, kěshìh wǒ bùsiǎng chīhyào.

My head hurts a little, but I don't want to take any medicine.

---

27 壞了 (huàile) ▸▸ SV: to be broken, out of order

例 爸爸的車壞了，不能開了。

Bàbade chē huàile, bùnéng kāile.

My father's car has broken down; it can't be driven.

壞 (huài) ▸▸ SV: to be bad

例 那個電影裡沒有真的壞人。

Nèige diànyǐng lǐ méiyǒu zhēnde huàirén.

Nèige diànyǐng lǐ méiyǒu jhēnde huàirén.

There's no truly bad person in that movie.

---

28 忘 (wàng) ▸▸ V: to forget

例 我忘了他姓什麼了。

Wǒ wàngle tā xìng shénme le.

Wǒ wàngle tā sìng shénme le.

I forgot what his surname is.

SYNTAX PRACTICE

1 Question Words as Indefinites

In Chinese, question words are often used as indefinites to mean "anything," "anyone," or "anywhere." In English, these indefinites can also be used in a negative form, such as "nothing," "not much," "not many," "not very," etc.

1. 你說什麼？   What did you say?

　　我沒說什麼。   I did not say anything.

2. 你有什麼事嗎？

Do you have anything (you want me to help with)?

我沒什麼事。

I have nothing (of the sort).

3. 你這個週末要到哪裡去玩？

Where do you want to go play this weekend?

我不想到哪裡去玩，

I don't want to go anywhere.

我要在家休息。

I want to take a rest at home.

4. 有誰要喝咖啡嗎？

Does anyone want to drink coffee?

沒有，我們都要喝茶。

No. We all want tea instead.

5. 你們學校有多少外國學生？

How many foreign students are there in your school?

沒有多少。

Not many.

6. 他給了你多少錢？

How much money did he give you?

沒給多少。

Not much.

7. 你有幾個外國朋友？

How many foreign friends do you have?

沒有幾個。

Not many.

8. 那幾個學生在做什麼？

What are those (few) students doing?

他們在跳舞。

They are dancing.

9. 那裡夏天熱不熱？

Is the summer hot there?

不怎麼熱。

Not very hot.

10. 你喜歡看電視嗎？

Do you like to watch TV?

我不怎麼喜歡。

Not very much.

1 你要到哪裡去？

2 你有什麼東西？

3 你有多少錢？

4 你喜歡吃日本菜嗎？

5 你昨天跟誰去看電影了？

6 外面有幾輛車？

7 那裡很冷嗎？

8 你買了多少書？

9 昨天你到哪裡去玩了？

10 你在做什麼？

2 Change of Status with the Particle 了

The addition of 了 to any type of stative verb or verb in its affirmative or negative form indicates that a new condition or state of affairs has occurred.

I.

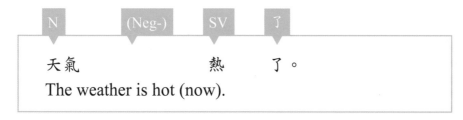

N	(Neg-)	SV	了
天氣		熱	了。

The weather is hot (now).

1. 現在東西都貴了。

2. 他的孩子都大了。

3. 我的錶壞了，所以我來晚了。

4. 我昨天覺得不舒服，今天好了。

5. 醫生說她沒什麼病，我就放心了。

II.

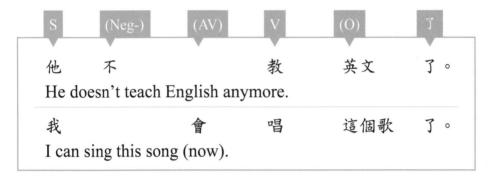

S	(Neg-)	(AV)	V	(O)	了
他	不		教	英文	了。

He doesn't teach English anymore.

我		會	唱	這個歌	了。

I can sing this song (now).

1. 我忘了他姓什麼了。

2. 你還要茶嗎？

　謝謝，我不要了。

3. 現在我會說一點兒中國話了。

4. 時候不早了，我得走了。

5. 你還有別的事嗎？

　沒有了。

Answer the following questions with the change of status 了.

1 明天是星期六，你還來上課嗎？

2 天氣還熱嗎？

3 他還不會寫中文字嗎？

4 你還會唱那個歌嗎？

5 他們還要喝酒嗎？

6 你還不會開車嗎？

7 你還喜歡跳舞嗎？

8 你還不舒服嗎？

9 外面還下雨嗎？

10 現在還放假嗎？

3 Imminent Action with the Particle 了

If you want to indicate that an action or affair will soon occur, then add a 了 at the end of the sentence. In addition, **快，快要，要** or **就（要）** are often placed in front of the verb.

Ⅰ.

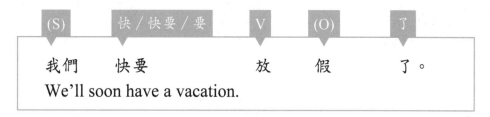

1. 快要上課了。
2. 冬天快到了。
3. 他要回國了。
4. 火車快要開了。

Ⅱ. **When there is a time word before the verb, 就（要）can be used. This usage indicates that the speaker thinks that the action occurred earlier, perhaps earlier than expected.**

1. 爸爸就要回來了。
2. 我們馬上就要下課了。
3. 學校下個星期就要放假了。
4. 他下個月就要到歐洲去了。

Use a sentence to describe each picture.

1.

2.

3.

4.

5.

6.

 APPLICATION ACTIVITIES

1. Please imitate the teacher's sentence. Each student says one sentence.

1. 我沒做什麼。（S 沒 V 什麼）
2. 他沒有什麼事。（S 沒有什麼 O）
3. 我沒買多少東西。（S 沒 V 多少 O）
4. 那個電影不怎麼好看。（N 不怎麼 SV）

2. Each student talks about recent circumstances compared with previous situations.

e.g. 現在汽車多了。東西貴了。我是大學生了。

3 Each student talks about something that has already happened or is about to happen.

e.g. 已經上課了。快要下課了。

4 Situations

1. Conversation between the doctor and the patient.

2. Two students discuss their summer or winter vacation plans.

---

* 咳嗽 (késòu)：to cough
游泳 (yóuyǒng)：to swim
爬山 (páshān)：to hike (lit. "to climb a mountain")
打工 (dǎgōng)：to have a part time job

第 2 課

到那裡去怎麼走？

 DIALOGUE

Ⅰ

A：請問離這裡最近的郵局①在什麼地方？

B：你往②前面一直③走，到了第④二個十字路口⑤往右⑥轉⑦，經過⑧一家百貨公司⑨，再⑩走一會兒就到了。

A：走路去遠不遠？

B：不太遠。要是⑪走得快，只要十分鐘就夠了。

A：從這裡到那裡去有公共汽車嗎？

B：有，你可以坐三號公車。車站就在那邊。

A：謝謝你。

B：不謝。

II

(At the travel agency)

A：您好，請坐。

B：我打算下個月十號到美國去旅行，請您幫我買機票[12]。

A：您要到哪些城市[13]？

B：我要先到西部的洛杉磯[14] (Luòshānjī)*，再到東部的紐約 (Niǔyuē / Niǒuyuē)*跟華盛頓[15] (Huáshèngdùn)*。

A：好，我看看。七月十號有飛機從臺北經過[16]日本飛洛杉磯。

B：對不起，有沒有直飛[17]洛杉磯的？

A：有，可是是十一號上午的。

B：那也行。

A：然後[18]您再坐飛機到紐約去嗎？

B：是的，請你們也先[19]幫我買票。

A：好的。那您從紐約到華盛頓呢？

B：我跟紐約的朋友一塊兒開車去。
　　八月五號離開[20]華盛頓回臺北。

A：沒問題。八月五號下午三點從華盛頓起飛[21]，好嗎？

B：好的，謝謝。

A：不客氣[22]。

*
旅行社 (lǚxíngshè / lyǔsíngshè)：travel agency
洛杉磯 (Luòshānjī)：Los Angeles
紐約 (Niǔyuē / Niǒuyuē)：New York
華盛頓 (Huáshèngdùn)：Washington D. C.

I

A：ㄑㄧㄥˇ ㄨㄣˋ ㄌ一ˇ ㄓㄜˋ ㄌ一ˇ ㄉㄨㄟˋ ㄐ一ㄝˋ ㄅ一ˋ 一ˋ ㄐㄩˋ ㄗㄞˇ ㄕㄣˊ ㄇㄜ˙ ㄅ一ˋ ㄈㄤ？

B：ㄋ一ㄤˇ ㄅㄢˋ ㄑ一ㄢˊ 一ˋ ㄓˊ ㄗㄠˇ，ㄅ一ˋ ㄌ一ˋ ㄉ一ˋ ㄦˋ ㄍㄜˋ ㄕˋ ㄗˋ ㄉㄡˋ ㄎㄡˇ ㄨㄤˇ 一ㄡˇ ㄓㄨㄢˇ，ㄐㄧㄥ ㄍㄨㄛˋ 一ˋ ㄐ一ㄚ ㄎㄞ ㄏㄨㄛˋ ㄍㄨㄥ ㄙ，ㄗㄞˋ ㄗㄨˋ 一ˋ ㄏㄨˋ ㄦˋ ㄐㄩ ㄉㄠˋ ㄌㄜ˙。

A：ㄗㄡˇ ㄨˋ ㄑㄩˋ ㄩㄢˇ ㄅㄨˋ ㄩㄢˇ？

B：ㄅㄨˋ ㄊㄞˋ ㄩㄢˇ。一ˋ ㄗˋ ㄗㄡˇ ㄉㄜ˙ ㄎㄨㄞˋ，ㄓ 一ˋ ㄕˋ ㄈㄣ ㄓㄨㄥ ㄐ一ㄡˋ ㄍㄡˋ ㄌㄜ˙。

A：ㄎㄨㄥˇ ㄓㄜˋ ㄌ一ˋ ㄌ一ˋ ㄋㄚˋ ㄌ一ˋ ㄑ一ˇ 一ㄡˇ ㄍㄨㄥ ㄍㄨㄥ ㄑㄩˋ ㄔㄜ ㄇㄚ？

B：一ㄡˇ，ㄋ一ˇ ㄎㄜˇ 一ˇ ㄗㄨㄛˋ ㄏㄨㄛˋ ㄔㄜ ㄑㄩˋ。ㄔㄜ ㄓㄢˋ ㄐ一ㄡˋ ㄗㄞˋ ㄋㄟˋ ㄅ一ㄢ。

A：ㄒ一ㄝˋ ㄒ一ㄝˋ ㄋ一ˇ。

B：ㄅㄨˋ ㄒ一ㄝˋ。

II

(At the travel agency)

A：ㄋ一ˇ ㄏㄠˇ，ㄑㄧㄥˇ ㄗㄨㄛˋ。

B：ㄨㄛˇ ㄅㄚˇ ㄨㄛˇ ㄒ一ㄤˇ ㄍㄜˋ 一ㄝˋ ㄗˋ ㄏㄠˋ ㄉㄠˋ ㄇㄟˇ ㄍㄨㄛˊ ㄑㄩˋ ㄌㄩˇ ㄒ一ㄥˊ，ㄑㄧㄥˇ ㄋ一ˇ ㄅㄤ ㄨㄛˇ ㄉㄞˇ ㄐ一ˋ ㄆㄧㄠˋ。

A：ㄋ一ˇ 一ˋ ㄉㄠˋ ㄋㄚˇ ㄒ一ˇ ㄔㄥˊ ㄕˋ？

B：ㄨㄛˇ 一ˋ ㄒ一ㄠˇ ㄉㄢˋ ㄒ一ㄢ ㄅㄢˋ ㄌㄧˇ ㄑㄧㄢ ㄓㄥˋ，ㄗㄞˋ ㄉㄠˋ ㄙㄢ ㄉ一ˋ ㄋ一ˇ ㄐㄩ ㄏㄨㄚˊ ㄕㄥˋ ㄉㄨㄣˋ。

A：ㄏㄠˇ，ㄨㄛˇ ㄎㄢˋ ㄎㄢˋ。ㄑ一ㄝˊ ㄐㄩˋ ㄏㄨㄟˋ 一ˋ ㄈㄟ ㄐ一 ㄊㄨㄥˊ ㄊㄞˋ ㄅㄟˇ ㄐ一ㄝˊ ㄍㄨㄛˊ ㄖㄣˊ ㄈㄟ ㄉㄨㄛ ㄕˋ ㄐ一。

B：ㄅㄨˋ ㄅㄨˋ ㄑ 一，一ㄡˇ ㄇㄟˊ 一ㄡˇ ㄓˊ ㄈㄟ ㄉㄨㄛ ㄙㄢ ㄐ一ˋ ㄉㄜ˙？

A：ㄧㄡˇ，ㄎㄜˋ ㄕ ㄕˇ ㄕ ㄧ ㄏㄠˊ ㄤ ㄨˋ ㄉㄜ˙。

B：ㄋㄚ ㄧㄝˇ ㄒㄧㄥˊ。

A：ㄖㄢ ㄏㄡˋ ㄋ ㄋㄢ ㄨㄛˊ ㄅㄟ ㄐㄧ ㄌㄨ ㄋㄧㄡˇ ㄩ ㄑㄩˊ ㄇㄣ？

B：ㄕˋ ㄉㄜ˙，ㄑ ㄋㄧ ㄇㄣ ㄧ ㄒㄧㄢ ㄅ ㄨㄤ ㄛ ㄞ ㄠ。

A：ㄏㄠˇ ㄉㄜ˙。ㄋㄚ ㄋ ㄋㄨˊ ㄋㄚ ㄩ ㄉㄠ ㄏㄡˋ ㄕˇ ㄅㄨㄣ ㄋㄜ˙？

B：ㄨㄛˊ ㄍㄣ ㄋ ㄩ ㄉㄜ˙ ㄊㄞ ㄧ ㄧ ㄎㄨㄞ ㄦ ㄎㄞ ㄔ ㄑㄩ。ㄅㄚ ㄩㄝˇ ㄨˊ ㄏㄜ ㄌ ㄎㄨ ㄕˇ ㄊㄨㄛˊ ㄍㄨˇ ㄎㄞ。

A：ㄇㄨ ㄨ ㄊㄤˋ。ㄅㄚ ㄩㄝˇ ㄨˊ ㄏㄠ ㄒㄧˇ ㄩˇ ㄙ ㄉㄧㄢ ㄊㄠˋ ㄍㄨㄛˊ ㄕˇ ㄍㄨˊ ㄨㄟˊ ㄈㄟ，ㄏㄠˇ ㄇ ㄚ？

B：ㄏㄠˇ ㄉㄜ˙，ㄒㄧㄝˊ ㄒㄧㄝˊ。

A：ㄅㄨˊ ㄎㄜˋ ㄑㄧˋ。

Dì Èr Kè ▶ Dào Nàlǐ Qù Zěnme Zǒu?

(Pinyin)

Ⅰ

A：Qǐngwèn lí zhèlǐ zuì jìnde yóujú zài shénme dìfāng?

B：Nǐ wǎng qiánmiàn yìzhí zǒu, dàole dìèrge shízìlùkǒu wǎng yòu zhuǎn, jīngguò yìjiā bǎihuògōngsī, zài zǒu yìhuǐr jiù dàole.

A：Zǒulù qù yuǎn bùyuǎn?

B：Bútài yuǎn. Yàoshì zǒude kuài, zhǐyào shífēnzhōng jiù gòule.

A：Cóng zhèlǐ dào nàlǐ qù yǒu gōnggòngqìchē ma?

B：Yǒu, nǐ kěyǐ zuò sānhào gōngchē. Chēzhàn jiù zài nèibiān.

A：Xièxie nǐ.

B：Búxiè.

37

II

(At the travel agency)

A : Nín hǎo, qǐng zuò.

B : Wǒ dǎsuàn xiàgeyuè shíhào dào Měiguó qù lǚxíng, qǐng nín bāng wǒ mǎi
jīpiào.

A : Nín yào dào něixiē chéngshì?

B : Wǒ yào xiān dào xībùde Luòshānjī, zài dào dōngbùde Niǔyuē gēn
Huáshèngdùn.

A : Hǎo, wǒ kànkàn. Qīyuè shíhào yǒu fēijī cóng Táiběi jīngguò Rìběn fēi
Luòshānjī.

B : Duìbùqǐ, yǒu méiyǒu zhífēi Luòshānjī de?

A : Yǒu, kěshì shì shíyīhào shàngwǔde.

B : Nà yě xíng.

A : Ránhòu nín zài zuò fēijī dào Niǔyuē qù ma?

B : Shìde, qǐng nǐmen yě xiān bāng wǒ mǎi piào.

A : Hǎode. Nà nín cóng Niǔyuē dào Huáshèngdùn ne?

B : Wǒ gēn Niǔyuēde péngyǒu yíkuàr kāichē qù. Bāyuè wǔhào líkāi
Huáshèngdùn huí Táiběi.

A : Méi wèntí. Bāyuè wǔhào xiàwǔ sāndiǎn cóng Huáshèngdùn qǐfēi, hǎo ma?

B : Hǎode, xièxie.

A : Búkèqì.

 Dì Èr Kè ▶ Dào Nàlǐ Cyù Zěnme Zǒu?

(Tongyong)

A : Cǐngwùn lí jhèlǐ zuèi jìnde yóujyú zài shénme dìfāng?

B : Nǐ wǎng ciánmiàn yìzhíh zǒu, dàole dièrge shíhzìhlùkǒu wǎng yòu jhuǎn,
jīngguò yìjiā bǎihuògōngsīh, zài zǒu yìhuěir jiòu dàole.

A : Zǒulù cyù yuǎn bùyuǎn?

B : Bútài yuǎn. Yàoshìh zǒude kuài, jhǐhyào shíhfēnjhōng jiòu gòule.

A : Cóng jhèlǐ dào nàlǐ cyù yǒu gōnggòngcìchē ma?

B : Yǒu, nǐ kěyǐ zuò sānhào gōngchē. Chējhàn jiòu zài nèibiān.

A : Sièsie nǐ.

B : Búsiè.

II

(At the travel agency)

A : Nín hǎo, cǐng zuò.

B : Wǒ dǎsuàn siàgeyuè shíhhào dào Měiguó cyù lyǔsíng, cǐng nín bāng wǒ mǎi jīpiào.

A : Nín yào dào něisiē chéngshìh?

B : Wǒ yào siān dào sībùde Luòshānjī, zài dào dōngbùde Niǒuyuē gēn Huáshèngdùn.

A : Hǎo, wǒ kànkàn. Cīyuè shíhhào yǒu fēijī cóng Táiběi jīngguò Rìhběn fēi Luòshānjī.

B : Duèibùcǐ, yǒu méiyǒu jhíhfēi Luòshānjī de?

A : Yǒu, kěshìh shìh shíhyīhào shàngwǔde.

B : Nà yě síng.

A : Ránhòu nín zài zuò fēijī dào Niǒuyuē cyù ma?

B : Shìhde, cǐng nǐmen yě siān bāng wǒ mǎi piào.

A : Hǎode. Nà nín cóng Niǒuyuē dào Huáshèngdùn ne?

B : Wǒ gēn Niǒuyuēde péngyǒu yíkuàr kāichē cyù. Bāyuè wǔhào líkāi Huáshèngdùn huéi Táiběi.

A : Méi wùntí. Bāyuè wǔhào siàwǔ sāndiǎn cóng Huáshèngdùn cǐfēi, hǎo ma?

B : Hǎode, sièsie.

A : Búkècì.

LESSON 2 HOW DO I GET THERE?

 I

A : Excuse me, where is the post office nearest to here?

B : Walk straight ahead, and at the second intersection, turn right and go past a department store; keep going a little while longer and then you're there.

A : Is it far to walk?

B : Not very far. If you walk fast, ten minutes is enough time to get there.

A : Is there a bus from here to there?

B : Yes. You can take the number three bus. The bus stop is right over there.

A : Thank you.

B : Don't mention it.

 II

(At the travel agency)

A : Hello, please sit down.

B : On the tenth of next month I'm planning to go to America to travel. Please help me purchase my airplane tickets.

A : What are the cities that you want to go?

B : First I want to go to Los Angeles on the West Coast and then to New York and Washington D.C. on the East Coast.

A : OK, I'll have a look. On the tenth of July there is a flight from Taipei to Los Angeles via Japan.

B : I'm sorry. Is there a direct flight to Los Angeles?

A : Yes, but it's on the morning of the eleventh.

B : That's also fine.

A：Then you want to take another plane to New York?

B：Yes, please help me book a seat in advance.

A：Fine. How about from New York to Washington D.C.?

B：I'm going to drive there with a friend from New York. I'll leave Washington D.C. and return to Taipei on August the fifth.

A：No problem. August the fifth at three o'clock in the afternoon there's a flight leaving Washington. Is that all right?

B：That's good, thanks.

A：You're welcome.

NARRATION

　　美國是一個很大的國家。北邊是加拿大 (Jiānádà)＊，南邊是墨西哥 (Mòxīgē / Mòsīgē)＊，東邊、西邊都是海。美國有很多高山、大河，最大的一條河在中部，叫密西西比河(Mìxīxībǐhé / Mìsīsībǐhé)＊。大城市也很多，東部的紐約、華盛頓，西部的洛杉磯都是有名的大城。要是你坐飛機從東部到西部去，不經過中部的城市，直飛五個鐘頭就到了，很方便。要是開車，就要七、八天了。

＊
加拿大 (Jiānádà): Canada
墨西哥 (Mòxīgē / Mòsīgē): Mexico
密西西比河 (Mìxīxībǐhé / Mìsīsībǐhé): Mississippi River
太平洋 (Tàipíngyáng): Pacific Ocean
大西洋 (Dàxīyáng / Dàsīyáng): Atlantic Ocean

ㄇㄟˇ ㄍㄨㄛˊ ㄕˋ ㄧˊ ㄍㄜ˙ ㄏㄣˇ ㄉㄚˋ ㄉㄜ˙ ㄍㄨㄛˊ ㄐㄧㄚ。ㄅㄟˇ ㄅㄧㄢ ㄕˋ ㄐㄧㄚ ㄋㄚˊ ㄉㄚˋ，ㄋㄢˊ ㄅㄧㄢ ㄕˋ ㄇㄛˋ ㄒㄧ ㄍㄜ，ㄉㄨㄥ ㄅㄧㄢ、ㄒㄧ ㄅㄧㄢ ㄉㄡ ㄕˋ ㄏㄞˇ。ㄇㄟˇ ㄍㄨㄛˊ ㄧㄡˇ ㄏㄣˇ ㄉㄨㄛ ㄍㄠ ㄕㄢ，ㄉㄚˋ ㄏㄜˊ，ㄗㄨㄟˋ ㄉㄚˋ ㄉㄜ˙ ㄧˊ ㄊㄧㄠˊ ㄏㄜˊ ㄗㄞˋ ㄓㄨㄥ ㄅㄨˋ，ㄐㄧㄠˋ ㄇㄧˋ ㄒㄧ ㄒㄧ ㄅㄧˇ ㄏㄜˊ。ㄉㄚˋ ㄔㄥˊ ㄕˋ ㄧㄝˇ ㄏㄣˇ ㄉㄨㄛ，ㄉㄨㄥ ㄅㄨˋ ㄉㄜ˙ ㄋㄧㄡˇ ㄩㄝ、ㄏㄨㄚˊ ㄕㄥˋ ㄉㄨㄣˋ，ㄒㄧ ㄅㄨˋ ㄉㄜ˙ ㄌㄨㄛˋ ㄕㄢ ㄐㄧ ㄉㄡ ㄕˋ ㄧㄡˇ ㄇㄧㄥˊ ㄉㄜ˙ ㄉㄚˋ ㄔㄥˊ。ㄧㄠˋ ㄕˋ ㄋㄧˇ ㄗㄨㄛˋ ㄈㄟ ㄐㄧ ㄘㄥˊ ㄉㄨㄥ ㄅㄨˋ ㄉㄠˋ ㄒㄧ ㄅㄨˋ ㄑㄩˋ，ㄅㄨˋ ㄐㄧㄥ ㄍㄨㄛˋ ㄓㄨㄥ ㄅㄨˋ ㄉㄜ˙ ㄔㄥˊ ㄕˋ，ㄓˊ ㄈㄟ ㄨˇ ㄍㄜ˙ ㄓㄨㄥ ㄊㄡˊ ㄐㄧㄡˋ ㄉㄠˋ ㄌㄜ˙，ㄏㄣˇ ㄈㄤ ㄅㄧㄢˋ。ㄧˋ ㄕˋ ㄎㄞ ㄔㄜ，ㄐㄧㄡˋ ㄧㄠˋ ㄑㄧ、ㄅㄚ ㄊㄧㄢ ㄌㄜ˙。

Měiguó shì yíge hěn dàde guójiā. Běibiān shì Jiānádà, nánbiān shì Mòxīgē, dōngbiān, xībiān dōu shì hǎi. Měiguó yǒu hěn duō gāo shān, dà hé, zuì dàde yìtiáo hé zài zhōngbù, jiào Mìxīxībǐhé. Dà chéngshì yě hěn duō, dōngbùde Niǔyuē, Huáshèngdùn, xībùde Luòshānjī dōu shì yǒumíngde dàchéng. Yàoshì nǐ zuò fēijī cóng dōngbù dào xībù qù, bùjīngguò zhōngbùde chéngshì, zhífēi wǔge zhōngtóu jiù dàole, hěn fāngbiàn. Yàoshì kāichē, jiù yào qī, bā tiān le.

Měiguó shìh yíge hěn dàde guójiā. Běibiān shìh Jiānádà, nánbiān shìh Mòsīgē, dōngbiān, sībiān dōu shìh hǎi. Měiguó yǒu hěn duō gāo shān, dà hé, zuèi dàde yìtiáo hé zài jhōngbù, jiào Mìsīsībǐhé. Dà chéngshìh yě hěn duō, dōngbùde Niǒuyuē, Huáshèngdùn, sībùde Luòshānjī dōu shìh yǒumíngde dàchéng. Yàoshìh nǐ zuò fēijī cóng dōngbù dào sībù cyù, bùjīngguò jhōngbùde chéngshìh, jhíhfēi wǔge jhōngtóu jiòu dàole, hěn fāngbiàn. Yàoshìh kāichē, jiòu yào cī, bā tiān le.

America is a very large country. To its north is Canada, to its south is Mexico, and both to its east and west are oceans. America has many tall mountains and large rivers, the largest of which is located in the central region and is called the Mississippi River. There are also many large cities. In the east are New York and Washington D.C., and in the west is Los Angeles. All of these big cities are quite well-known. If you take a flight from the east to the west without stopping in any of the cities in the middle part of the country, it takes about five hours. It's very convenient. If you go by car, it will take seven or eight days.

VOCABULARY

1 郵局 (yóujú / yóujyú) ▶▶ N: post office

例 我家附近有郵局，就在書店旁邊。

Wǒ jiā fùjìn yǒu yóujú, jiù zài shūdiàn pángbiān.

Wǒ jiā fùjìn yǒu yóujyú, jiòu zài shūdiàn pángbiān.

There is a post office near my home, just beside the bookstore.

2 往 (wǎng) ▶▶ CV: to go toward

例 中國字應該從上往下寫。

Zhōngguó zì yīnggāi cóng shàng wǎng xià xiě.

Jhōngguó zìh yīnggāi cóng shàng wǎng sià siě.

Chinese characters should be written from the top to the bottom of the page.

3 一直 (yìzhí / yìjhíh) ▶▶ ADV: straight; constantly, continuously

例 往前面一直走，就到公車站了。

Wǎng qiánmiàn yìzhí zǒu, jiù dào gōngchēzhàn le.

Wǎng ciánmiàn yìjhíh zǒu, jiòu dào gōngchējhàn le.

Go straight ahead and you'll get right to the bus stop.

例 我一直想到歐洲去旅行，可是沒有時間。

Wǒ yìzhí xiǎng dào Ōuzhōu qù lǚxíng, kěshì méiyǒu shíjiān.

Wǒ yìjhíh siǎng dào Ōujhōu cyù lyǔsíng, kěshìh méiyǒu shíhjiān.

I've been constantly thinking about going to Europe to travel, but I don't have time.

4 第 (dì) ▶▶ DEM: a prefix for ordinal numbers

例 你覺得第一本書第幾課最有意思？

Nǐ juéde dìyīběn shū dìjǐkè zuì yǒuyìsi?

Nǐ juéde dìyīběn shū dìjǐkè zuèi yǒuyìsih?

Which lesson in the first book do you think was the most interesting?

5 十字路口 (shízìlùkǒu / shíhzìhlùkǒu) ▸▸ N (PW): intersection

路口 (lùkǒu) ▸▸ N: street entrance

6 右 (yòu) ▸▸ N: right

7 轉 (zhuǎn / jhuǎn) ▸▸ V: to turn

例 前面十字路口往右轉，就到他家了。

Qiánmiàn shízìlùkǒu wǎng yòu zhuǎn, jiù dào tājiā le.

Ciánmiàn shíhzìhlùkǒu wǎng yòu jhuǎn, jiòu dào tājiā le.

At the intersection up ahead turn right and you'll be at his house.

8 經過 (jīngguò) ▸▸ V: to pass by, to pass through

例 我每天都經過那家書店。

Wǒ měitiān dōu jīngguò nèijiā shūdiàn.

I go past that bookstore every day.

9 百貨公司 (bǎihuògōngsī / bǎihuògōngsīh)

▸▸ N: department store（M: 家 jiā）

例 那家百貨公司賣的東西都不怎麼便宜。

Nèijiā bǎihuògōngsī màide dōngxī dōu bù zěnme piányí.

Nèijiā bǎihuògōngsīh màide dōngsī dōu bù zěnme piányí.

All the things that department store sells aren't cheap at all.

10 再 (zài) ▸▸ ADV: then

例 吃了飯，再休息一一會兒，我就要走了。

Chīle fàn, zài xiūxí yìhuǐr, wǒ jiù yào zǒule.

Chīhle fàn, zài siōusí yìhuěir, wǒ jiòu yào zǒule.

After eating, and then resting for a while, I'll leave.

11 要是 (yàoshì / yàoshìh) ▸▸ CONJ: if

例 要是我有時間，就可以跟你去看電影。

Yàoshì wǒ yǒu shíjiān, jiù kěyǐ gēn nǐ qù kàn diànyǐng.

Yàoshìh wǒ yǒu shíhjiān, jiòu kěyǐ gēn nǐ cyù kàn diànyǐng.

If I have time, I can go with you to watch a movie.

12 幫 (bāng) ▸▸ V: to help, to assist

例 請你幫我買一張電影票。

Qǐng nǐ bāng wǒ mǎi yìzhāng diànyǐngpiào.

Cǐng nǐ bāng wǒ mǎi yìjhāng diànyǐngpiào.

Please help me buy a movie ticket.

幫忙 (bāngmáng) ▸▸ VO: to help someone do something

例 請你幫我一個忙，好不好？

Qǐng nǐ bāng wǒ yíge máng, hǎo bùhǎo?

Cǐng nǐ bāng wǒ yíge máng, hǎo bùhǎo?

Could you please do me a favor?

13 城市 (chéngshì / chéngshìh) ▸▸ N: city

例 你的國家東部有哪些大城市？

Nǐde guójiā dōngbù yǒu něixiē dà chéngshì?

Nǐde guójiā dōngbù yǒu něisiē dà chéngshìh?

What large cities are there in the eastern part of your country?

城 (chéng) ▸▸ N: city, city wall

市 (shì / shìh) ▸▸ BF: city municipality, market

14 西部 (xībù / sībù) ▸▸ N (PW): western part, western area

例 張先生打算下個月去德國西部旅行。

Zhāng Xiānshēng dǎsuàn xiàgeyuè qù Déguó xībù lǚxíng.

Jhāng Siānshēng dǎsuàn siàgeyuè cyù Déguó sībù lyǔsíng.

Mr. Zhang plans to travel in the western part of Germany.

西 (xī / sī) ▶▶ N: west

部 (bù) ▶▶ BF: part, area

15 東部 (dōngbù) ▶▶ N (PW): eastern part, eastern area

東 (dōng) ▶▶ N: east

16 臺 / 台北 (Táiběi) ▶▶ N: Taipei

例 台北在台灣北部，是一個大城市。

Táiběi zài Táiwān běibù, shì yíge dà chéngshì.

Táiběi zài Táiwān běibù, shìh yíge dà chéngshìh.

Taipei is in the northern part of Taiwan and is a large city.

北 (běi) ▶▶ N: north

17 直飛 (zhífēi / jhíhfēi) ▶▶ V: to fly directly

例 A：請問下個月十號有沒有直飛洛杉磯的飛機？

B：有，早上八點起飛。

A：Qǐngwèn xiàgeyuè shíhào yǒuméiyǒu zhífēi Luòshānjī de fēijī?

B：Yǒu, zǎoshàng bādiǎn qǐfēi.

A：Cǐngwùn siàgeyuè shíhhào yǒuméiyǒu jhíhfēi Luòshānjī de fēijī?

B：Yǒu, zǎoshàng bādiǎn cǐfēi.

A：Excuse me; is there a plane that flies directly to Los Angeles on the tenth of next month?

B：There is; it takes off at 8:00 a.m.

18 然後 (ránhòu) ▶▶ CONJ: and then

例 我下了課就去吃午飯，然後再去圖書館。

Wǒ xiàle kè jiù qù chī wǔfàn, ránhòu zài qù túshūguǎn.

Wǒ siàle kè jiòu cyù chīh wǔfàn, ránhòu zài cyù túshūguǎn.

Once I get out of class I eat lunch, and then I go to the library afterwards.

---

19 先 (xiān / siān) ▸▸ ADV: first, in advance, before

例 我先念書，然後再看電視。

Wǒ xiān niànshū, ránhòu zài kàn diànshì.

Wǒ siān niànshū, ránhòu zài kàn diànshìh.

I'm going to study first, and then watch TV.

---

20 離開 (líkāi) ▸▸ V: to leave

例 他什麼時候要離開德國？

Tā shénme shíhòu yào líkāi Déguó?

Tā shénme shíhhòu yào líkāi Déguó?

When is he going to leave Germany?

---

21 起飛 (qǐfēi / cǐfēi) ▸▸ V: to take off

例 趙老師坐的飛機今天下午三點起飛。

Zhào lǎoshī zuòde fēijī jīntiān xiàwǔ sāndiǎn qǐfēi.

Jhào lǎoshīh zuòde fēijī jīntiān siàwǔ sāndiǎn cǐfēi.

The flight Mr. Zhao is taking leaves today at three o'clock in the afternoon.

---

22 不客氣 (búkèqì / búkècì) ▸▸ IE: you're welcome

例 A：謝謝你幫我買機票。

B：不客氣 / 不謝。

A：Xièxie nǐ bāng wǒ mǎi jīpiào.

B：Búkèqì / Búxiè.

A：Sièsie nǐ bāng wǒ mǎi jīpiào.

B：Búkècì / Búsiè.

A：Thank you for helping me buy plane tickets.

B：You're welcome.

客氣 (kèqì / kècì) ▸▸ SV: to be polite

例 那個人很客氣，我們都喜歡他。

Nèige rén hěn kèqì, wǒmen dōu xǐhuān tā.

Nèige rén hěn kècì, wǒmen dōu sǐhuān tā.

That person is very polite; we all like him.

SUPPLEMENTARY VOCABULARY

23 南 (nán) ▸▸ N: south

例 那個學生的家在美國南部的鄉下。

Nèige xuéshēng de jiā zài Měiguó nánbù de xiāngxià.

Nèige syuéshēng de jiā zài Měiguó nánbù de siāngsià.

That student's home is in the countryside in the southern part of the United States.

24 海 (hǎi) ▸▸ N: ocean, sea

例 台灣東部海邊的風景真美。

Táiwān dōngbù hǎibiān de fēngjǐng zhēnměi.

Táiwān dōngbù hǎibiān de fōngjǐng jhēnměi.

The scenery on the eastern coast of Taiwan is truly beautiful.

25 高 (gāo) ▸▸ SV: to be tall, to be high

例 台灣最高的山是玉山 (Yùshān)*，冬天常下雪。

Táiwān zuì gāo de shān shì Yùshān, dōngtiān cháng xiàxuě.

Táiwān zuì gāo de shān shìh Yùshān, dōngtiān cháng siàsyuě.

Taiwan's tallest mountain is Mount Jade; in the winter it often snows there.

*

玉山 (Yùshān)：Mount Jade

26 河ㄏㄜˊ (hé) ▸ N: river

例 密ㄇㄧˋ西ㄒㄧ西ㄒㄧ比ㄅㄧˇ河ㄏㄜˊ是ㄕˋ美ㄇㄟˇ國ㄍㄨㄛˊ最ㄗㄨㄟˋ大ㄉㄚˋ的ㄉㄜ一ㄧ條ㄊㄧㄠˊ河ㄏㄜˊ。
Mìxīxībǐhé shì Měiguó zuìdàde yìtiáo hé.
Mìsīsībǐhé shìh Měiguó zuèidàde yìtiáo hé.
The Mississippi River is America's largest river.

27 條ㄊㄧㄠˊ (tiáo)

▸ M: measure word for long narrow things such as rivers, roads, fish, etc.

28 左ㄗㄨㄛˇ (zuǒ) ▸ N: left

例 飯ㄈㄢˋ廳ㄊㄧㄥ左ㄗㄨㄛˇ邊ㄅㄧㄢ的ㄉㄜ那ㄋㄟˋ個ㄍㄜ房ㄈㄤˊ間ㄐㄧㄢ是ㄕˋ書ㄕㄨ房ㄈㄤˊ。
Fàntīng zuǒbiān de nèige fángjiān shì shūfáng.
Fàntīng zuǒbiān de nèige fángjiān shìh shūfáng.
That room to the left of the dining room is the study.

29 街ㄐㄧㄝ (jiē) ▸ N: street

例 過ㄍㄨㄛˋ了ㄌㄜ那ㄋㄟˋ條ㄊㄧㄠˊ街ㄐㄧㄝ，就ㄐㄧㄡˋ到ㄉㄠˋ郵ㄧㄡˊ局ㄐㄩˊ了ㄌㄜ。
Guòle nèitiáo jiē, jiù dào yóujú le.
Guòle nèitiáo jiē, jiòu dào yóujyú le.
Once you cross that street you'll have arrived at the post office.

30 吧ㄅㄚ (ba) ▸ P: sentence final particle, indicating a request or suggestion

例 已ㄧˇ經ㄐㄧㄥ下ㄒㄧㄚˋ課ㄎㄜˋ了ㄌㄜ，我ㄨㄛˇ們ㄇㄣ走ㄗㄡˇ吧ㄅㄚ！
Yǐjīng xiàkèle, wǒmen zǒu ba!
Yǐjīng siàkèle, wǒmen zǒu ba!
Class already ended. Let's go!

SYNTAX PRACTICE

1 **Motion Toward a Place or a Direction with the Coverb 往**

（從PW/Direction）　　　　往PW/Direction V

從　　　飛機上　　　往下（面）看，很有意思。
Looking down from an airplane is very interesting.

1. 中國字應該從左往右，從上往下寫。
2. 從台北到紐約去，得往東飛。
3. 從我家的客廳往外看，可以看見大海。
4. 這些車都是往南（部）去的。
5. 你往右轉，過兩條街，就到百貨公司了。

State direction of each car according to the picture.

2 部 and 邊 Contrasted

The character 部 means part or section. It cannot refer to regions beyond the border. The character 邊 means side or border or region; therefore it is not possible to say 中邊。

部	東部	南部	西部	北部	中部	—	—
邊	東邊	南邊	西邊	北邊	—	右邊	左邊

1. 美國中部的大城市不多。
2. 我是南部人，不是北部人。
3. 我聽說美國東北部鄉下的風景很好。
4. 加拿大在美國北邊，墨西哥在南邊。
5. 郵局在我家旁邊。
6. 左邊的那本書是我的，右邊的是你的。
7. 夏天到海邊去玩的人不少。
8. 台灣的東邊、西邊都有海。

Please state the geographic positions of the cities, countries, and oceans pictured below.

53

3 Adverb Used as Correlative Connectors

Ⅰ. 要是……就…… (if... then...)

In Chinese rhetorical sentences, the "if " clause usually occurs before the main clause. In English sentences, "if " is essential, but the Chinese equivalent for "if " (要是) can be omitted; however, in Chinese, 就 is not left out very often. An exception to this trend is when the main statement is a question. In this case 就 is often omitted.

A.

要是　　你　去　，　我　就　去。
If you go, then I'll go.

B.

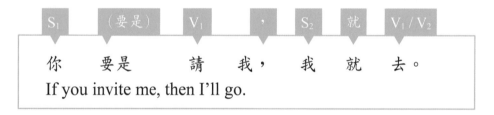

你　要是　　請　我，　我　就　去。
If you invite me, then I'll go.

1. 要是下雨，我就不去了。

2. 要是我到美國去，我就去看你。

3. 你要是生病了，你怎麼辦？

　　要是我生病了，我就去看醫生。

4. 姐姐，你的照相機在哪裡？

　　要是不在電視機右邊，就一定在左邊。

5. 要是你現在沒有事，請你幫我一個忙，好嗎？

　　好，你有什麼事？請說。

Answer the following questions.

1　要是你有很多錢，你要做什麼？

2　要是你不知道公車站在哪裡，你怎麼問別人？

3　要是你是老師，學生不喜歡念書，你怎麼辦？

4　要是你要到郵局去，可是不知道怎麼走，你怎麼問別人？

5　要是明天有考試，今天你還看電視嗎？

6　要是你不懂老師說的話，你怎麼辦？

Ⅱ. 先……再…… (first... then...)

A.

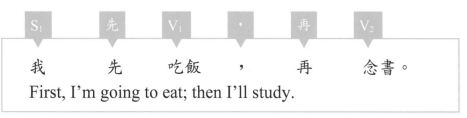

S₁	先	V₁	，	再	V₂
我	先	吃飯	，	再	念書。

First, I'm going to eat; then I'll study.

B.

| S₁ | 先 | V₁ | ， | S₂ | 再 | V₁ / V₂ |

你　先　說　，　我　再　說。

You speak first; then I'll speak.

1. 我們先喝一點酒，再吃飯吧。

2. 你應該先買票，再上車。

3. 我想先休息一會兒，然後再做飯。

4. 我先給你錢，你再去買吧。

5. 你先教我，我再教他，好不好？

Use「先……再……」to connect the two parts of each of the following sentences.

1 你說「請問」，問問題。

2 我回家，吃飯。

3 你想想，說話。

4 老師說，學生說。

5 你上車，我上車。

6 爸爸教哥哥，哥哥教弟弟。

APPLICATION ACTIVITIES

1 Look at the map and give directions.

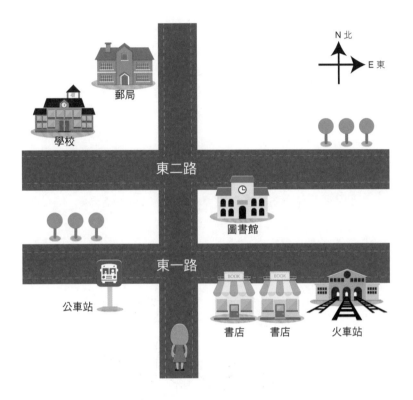

1 請問，公車站在哪裡？

2 請問，到火車站去，怎麼走？

3 請問，圖書館在哪裡？

4 請問，到郵局去，怎麼走？

5 請問，到學校去，怎麼走？

2 Where do you come from? Please describe the place's location and geographic circumstances.

3 Please make a tour plan.

4 Situation

Ask a passer-by for directions.

 **NOTES**

1 Compass direction: in Chinese, compass directions are expressed differently than in English. For instance, 東南 (east-south) and 西北 (west-north) are said in the opposite order of their English counterparts. Look at the chart below:

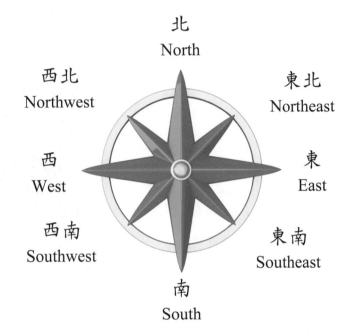

北
North

西北
Northwest

東北
Northeast

西
West

東
East

西南
Southwest

東南
Southeast

南
South

2 "如果(rúguǒ)……就……" is another pattern identical in both meaning and use to "要是……就……."

第 3 課

請您給我們介紹幾個菜①②

💬 **DIALOGUE**

I

（在飯館裡）

謝③：錢④先生，您喜歡吃什麼？您點菜⑤，好嗎？

錢：我什麼都吃，您點吧。

謝：我聽說這家飯館的魚⑥做得非常⑦好。

錢：那麼，我們就點一個魚吧。

謝〔對服務生⑧ (fúwùshēng)＊〕：先生，您能再給我們介紹幾個菜嗎？

服務生：好的，你們喜歡吃牛肉嗎？我們做的牛肉很有名⑨。

謝：我們點一個魚，一個牛肉，一個青菜⑩，再點一個雞湯⑪⑫，夠不夠？

錢：夠了，夠了。

謝：錢先生，您這個月在臺灣玩得好吧？

錢：太好了，朋友們都對我很好。

謝：回了美國，別忘了給我們寫信⑬，也請您替⑭我們問錢太太好⑮。

錢：一定，一定。

＊服務生 (fúwùshēng)：waiter, waitress

II

（在張家）

張先生：請坐，請坐。方先生，您想喝點什麼酒？

方先生：什麼酒都行。

張先生：方太太，您呢？⑯

方太太：謝謝，我一點兒酒都不能喝。

方先生：這麼多菜都是張太太您自己做的嗎？⑰⑱

張太太：是啊。可是做得不好。

張先生：沒什麼菜，你們多吃一點。

方太太：您別客氣，我們自己來。

方先生：張太太，您這些菜做得真好吃。

張太太：哪裡，哪裡。這個牛肉，您吃了沒有？⑲

方先生：我已經吃很多了。

張太太：那麼，您再喝碗熱湯吧。方太太，您也來一碗，好不⑳
　　　　好？

方太太：謝謝，我吃飽了，大家慢用。㉑㉒㉓

張先生：那麼，您吃點水果吧。㉔

I

(ㄗㄞˋ ㄈㄢˋ ㄍㄨㄢˇ ㄌㄧˇ)

ㄒㄧㄝˊ：ㄑㄧㄥˇ ㄒㄧㄢ ㄕㄥ，ㄋㄧㄢˊ ㄧˋ ㄒㄧㄠˋ ㄔ ㄕㄣ ㄇㄜ˙？ㄋㄧㄢˊ ㄌㄧㄢˇ ㄘㄞˋ，ㄏㄠˇ ㄇㄚ？

ㄑㄧㄢˊ：ㄨㄛˇ ㄕˋ ㄇㄜ˙ ㄉㄡ ㄔ，ㄋㄧㄢˊ ㄉㄧㄢˇ ㄅㄚ。

ㄒㄧㄝˊ：ㄨㄛˇ ㄜˋ ㄊㄨㄛˊ ㄓㄜ ㄐㄧㄚ ㄈㄢ ㄍㄨㄢˇ ㄉㄜ˙ ㄩˋ ㄨㄛˇ ㄉㄜ˙ ㄈㄟ ㄤˊ ㄏㄠˇ。

ㄑㄧㄢˊ：ㄚ ㄜ˙，ㄨㄛˇ ㄣ ㄐㄧㄡ ㄉㄧㄢˇ ㄧˊ ㄍㄜ ㄩˊ ㄅㄚ。

ㄒㄧㄝˊ（ ㄅㄨˋ ㄈㄨˊ ㄨˋ ㄕㄥ ）：ㄒㄧㄢ ㄕˋ，ㄋㄧㄢˊ ㄙㄥ ㄗㄞˋ ㄍㄨㄛˇ ㄇㄣ˙ ㄐㄧㄝ ㄕㄠ ㄧˋ ㄍㄜ ㄘㄞˋ ㄇㄚ˙？

ㄈㄨˊ ㄨˋ ㄕㄥ：ㄏㄠˇ ㄉㄜ˙，ㄋㄧˇ ㄇㄣˊ ㄧˊ ㄍㄨㄥˊ ㄔ ㄋㄧˊ ㄖㄡˋ ㄇㄚˊ ㄚ？ㄨㄛˇ ㄇㄣˊ ㄨㄛˇ ㄉㄜ˙ ㄋㄧˊ ㄖㄡˋ ㄖㄣˊ ㄏㄣˇ

　　　　 ㄧㄡˇ ㄇㄥˊ。

ㄒㄧㄝˊ：ㄨㄛˇ ㄇㄣˊ ㄉㄧㄢˇ ㄧˊ ㄍㄜ ㄩˊ，ㄧˊ ㄍㄜ ㄋㄧˊ ㄖㄡˋ，ㄧˊ ㄍㄜ ㄑㄧㄥˊ ㄘㄞˋ，ㄗㄞˋ ㄉㄧㄢˇ ㄧˊ ㄍㄜ

　　　　 ㄐㄧ ㄊㄤ，ㄍㄡ ㄅㄨˋ ㄍㄡˋ？

ㄑㄧㄢˊ：ㄍㄡˋ ㄌㄜ˙，ㄍㄡˋ ㄌㄜ˙。

ㄒㄧㄝˊ：ㄑㄧㄥˇ ㄒㄧㄢ ㄕㄥ，ㄋㄧㄢˊ ㄓㄜˋ ㄍㄜ ㄩˋ ㄗㄞˋ ㄊㄞˋ ㄨㄢˇ ㄨㄛˇ ㄉㄜ˙ ㄏㄠˇ ㄅㄚ？

ㄑㄧㄢˊ：ㄊㄞˊ ㄏㄠ ㄌㄜ˙，ㄕㄥˋ ㄧㄡˇ ㄇㄣˊ ㄅㄨˋ ㄅㄧˇ ㄨㄛˇ ㄏㄣ ㄏㄠˇ。

ㄒㄧㄝˊ：ㄏㄡˊ ㄌㄜ˙ ㄇㄣˊ ㄍㄨㄛˇ，ㄅㄝ ㄨㄛˇ ㄉㄜ˙ ㄍㄟ ㄨㄛˇ ㄇㄣˊ ㄒㄧㄢ ㄒㄧㄣˊ，ㄧㄝˇ ㄑㄧㄥˇ ㄋㄧㄢˊ ㄊㄞˊ ㄨㄛˇ ㄇㄣˇ ㄨㄢˇ

　　　　 ㄑㄧㄥˊ ㄊㄞˋ ㄊㄞˋ ㄏㄠˇ。

ㄑㄧㄢˊ：ㄧˋ ㄉㄧㄥˇ，ㄧˋ ㄉㄧㄥˇ。

II

(ㄗㄞˋ ㄓㄤ ㄐㄧㄚ)

ㄓㄤ ㄒㄧㄢ ㄕㄥ：ㄑㄧㄥˇ ㄗㄨㄛˋ，ㄑㄧㄥˇ ㄗㄨㄛˋ。ㄈㄤ ㄒㄧㄢ ㄕㄥ，ㄋㄧㄢˊ ㄒㄧㄤˋ ㄏㄜ ㄉㄧㄢˇ ㄕㄣ ㄇㄜ˙ ㄐㄧㄡˇ？

ㄈㄤ ㄒㄧㄢ ㄕㄥ：ㄕˊ ㄇㄣˊ ㄐㄧ ㄉㄧㄡ ㄒㄧㄥ。

ㄓㄤ ㄒㄧㄢ ㄕㄥ ： ㄈㄤ ㄊㄞˋ ㄊㄞ， ㄋㄧˇ ㄋㄜ˙？

ㄈㄤ ㄊㄞˋ ㄊㄞ ： ㄒㄧㄝˊ ㄒㄧㄝ˙， ㄨㄛˇ ㄧ ㄉㄧㄢˇ ㄦ ㄐㄧㄡˇ ㄉㄡ ㄅㄨˋ ㄋㄥˊ ㄏㄜ。

ㄈㄤ ㄒㄧㄢ ㄕㄥ ： ㄓㄜˋ ㄇㄜ˙ ㄉㄨㄛ ㄘㄞˋ ㄅㄞˇ ㄗˋ ㄓㄨㄛ ㄓㄤ ㄊㄞˋ ㄋㄧㄢˊ ㄕˋ ㄐㄧ ㄨㄛˇ ㄉㄜ˙ ㄇㄚ？

ㄓㄤ ㄊㄞˋ ㄊㄞ ： ㄕˋ ㄚˋ！ ㄎㄜˋ ㄕˋ ㄗㄨㄛˋ ㄉㄜ˙ ㄅㄨˋ ㄏㄠˇ。

ㄓㄤ ㄒㄧㄢ ㄕㄥ ： ㄇㄟˇ ㄋㄢˊ ㄇㄜ˙ ㄎㄜˋ， ㄋㄧˊ ㄇㄣ˙ ㄉㄨㄛ ㄔ ㄧ ㄉㄧㄢˇ ㄦ。

ㄈㄤ ㄊㄞˋ ㄊㄞ ： ㄋㄢˊ ㄅㄛ ㄎㄜˋ ㄑㄧ， ㄨㄛˇ ㄇㄣ˙ ㄗˋ ㄐㄧ ㄌㄞˊ。

ㄈㄤ ㄒㄧㄢ ㄕㄥ ： ㄓㄜˋ ㄊㄞˋ ㄊㄞ， ㄋㄧˊ ㄓㄜˋ ㄒㄧㄝ ㄎㄜˋ ㄗㄨㄛˋ ㄉㄜ˙ ㄓㄣ ㄏㄠˇ ㄔ。

ㄓㄤ ㄊㄞˋ ㄊㄞ ： ㄋㄚˇ ㄌㄧˇ， ㄋㄚˇ ㄌㄧˇ。 ㄓㄜˋ ㄍㄜ˙ ㄓㄡ ㄇㄛˋ， ㄋㄧˊ ㄔ ㄉㄜ˙ ㄇㄧˊ ㄇㄠˇ？

ㄈㄤ ㄒㄧㄢ ㄕㄥ ： ㄨㄛˇ ㄧˇ ㄐㄧ ㄔ ㄉㄜ˙ ㄏㄣˇ ㄉㄨㄛ ㄌㄜ˙。

ㄓㄤ ㄊㄞˋ ㄊㄞ ： ㄋㄚˇ ㄋㄜ˙， ㄋㄧˊ ㄗㄞˋ ㄏㄡˊ ㄖㄢˋ ㄊㄡ ㄅㄚ。 ㄈㄤ ㄊㄞˋ ㄊㄞ， ㄋㄧˊ ㄝˊ ㄌㄞˊ ㄧˊ ㄨㄢˇ， ㄏㄠˇ ㄅㄨˋ ㄏㄠˇ？

ㄈㄤ ㄊㄞˋ ㄊㄞ ： ㄒㄧㄝˊ ㄒㄧㄝ˙， ㄨㄛˇ ㄔ ㄅㄠˇ ㄌㄜ˙， ㄅㄨˋ ㄐㄧㄚ ㄇㄢ ㄩㄥˊ。

ㄓㄤ ㄒㄧㄢ ㄕㄥ ： ㄋㄚˇ ㄇㄜ˙， ㄋㄧˊ ㄔ ㄅㄧㄢˇ ㄕ˙ ㄍㄨˊ ㄅㄣ！

Dì Sān Kè ▸ Qǐng Nín Gěi Wǒmen Jièshào Jǐge Cài

(Pinyin)

I

(zài fànguǎnlǐ)

Xiè   : Qián Xiānshēng, nín xǐhuān chī shénme? Nín diǎncài, hǎo ma?

Qián   : Wǒ shénme dōu chī, nín diǎn ba.

Xiè   : Wǒ tīngshuō zhèijiā fànguǎnde yú zuòde fēicháng hǎo.

Qián   : Nàme, wǒmen jiù diǎn yíge yú ba.

Xiè (duì fúwùshēng) : Xiānshēng, nín néng zài gěi wǒmen jièshào jǐge cài ma?

Fúwùshēng : Hǎode, nǐmen xǐhuān chī niúròu ma? Wǒmen zuòde niúròu hěn yǒumíng.

Xiè : Wǒmen diǎn yíge yú, yíge niúròu, yíge qīngcài, zài diǎn yíge jītāng, gòu búgòu?

Qián : Gòule, gòule.

Xiè : Qián Xiānshēng, nín zhèige yuè zài Táiwān wánde hǎo ba?

Qián : Tài hǎo le, péngyǒumen dōu duì wǒ hěnhǎo.

Xiè : Huíle Měiguó, bié wàngle gěi wǒmen xiěxìn, yě qǐng nín tì wǒmen wèn Qián Tàitai hǎo.

Qián : Yídìng, yídìng.

(zài Zhāng jiā)

Zhāng Xiānshēng : Qǐng zuò, qǐng zuò. Fāng Xiānshēng, nín xiǎng hē diǎn shénme jiǔ?

Fāng Xiānshēng : Shénme jiǔ dōu xíng.

Zhāng Xiānshēng : Fāng Tàitai, nín ne?

Fāng Tàitai : Xièxie, wǒ yìdiǎr jiǔ dōu bùnéng hē.

Fāng Xiānshēng : Zhème duō cài dōu shì Zhāng Tàitai nín zìjǐ zuòde ma?

Zhāng Tàitai : Shì a! Kěshì zuòde bùhǎo.

Zhāng Xiānshēng : Méi shénme cài, nǐmen duō chī yìdiǎn.

Fāng Tàitai : Nín bié kèqì, wǒmen zìjǐ lái.

Fāng Xiānshēng : Zhāng Tàitai, nín zhèixiē cài zuòde zhēn hǎochī.

Zhāng Tàitai : Nǎlǐ, nǎlǐ. Zhèige niúròu, nín chīle méiyǒu?

Fāng Xiānshēng : Wǒ yǐjīng chīle hěn duō le.

Zhāng Tàitai : Nàme, nín zài hē wǎn rètāng ba. Fāng Tàitai, nín yě lái yìwǎn, hǎo bùhǎo?

Fāng Tàitai : Xièxie, wǒ chībǎole, dàjiā mànyòng.

Zhāng Xiānshēng : Nàme, nín chī diǎn shuǐguǒ ba!

Dì Sān Kè ⟩ Cǐng Nín Gěi Wǒmen Jièshào Jǐge Cài

(Tongyong)

 I

(zài fànguǎnlǐ)

Siè	: Cián Siānshēng, nín sǐhuān chīh shénme? Nín diǎncài, hǎo ma?
Cián	: Wǒ shénme dōu chīh, nín diǎn ba.
Siè	: Wǒ tīngshuō jhèijiā fànguǎnde yú zuòde fēicháng hǎo.
Cián	: Nàme, wǒmen jiòu diǎn yíge yú ba.
Siè (duèi fúwùshēng)	: Siānshēng, nín néng zài gěi wǒmen jièshào jǐge cài ma?
Fúwùshēng	: Hǎode, nǐmen sǐhuān chīh nióuròu ma? Wǒmen zuòde nióuròu hěn yǒumíng.
Siè	: Wǒmen diǎn yíge yú, yíge nióuròu, yíge cīngcài, zài diǎn yíge jītāng, gòu búgòu?
Cián	: Gòule, gòule.
Siè	: Cián Siānshēng, nín jhèige yuè zài Táiwān wánde hǎo ba?
Cián	: Tài hǎo le, péngyǒumen dōu duèi wǒ hěnhǎo.
Siè	: Huéile Měiguó, bié wàngle gěi wǒmen siěsìn, yě cǐng nín tì wǒmen wùn Cián Tàitai hǎo.
Cián	: Yídìng, yídìng.

 II

(zài Jhāng jiā)

Jhāng Siānshēng	: Cǐng zuò, cǐng zuò. Fāng Siānshēng, nín siǎng hē diǎn shénme jiǒu?
Fāng Siānshēng	: Shénme jiǒu dōu síng.
Jhāng Siānshēng	: Fāng Tàitai, nín ne?

Fāng Tàitai	: Sièsie, wǒ yìdiǎr jiǒu dōu bùnéng hē.
Fāng Siānshēng	: Jhème duō cài dōu shìh Jhāng Tàitai nín zìhjǐ zuòde ma?
Jhāng Tàitai	: Shìh a! Kěshìh zuòde bùhǎo.
Jhāng Siānshēng	: Méi shénme cài, nǐmen duō chīh yìdiǎn.
Fāng Tàitai	: Nín bié kècì, wǒmen zìhjǐ lái.
Fāng Siānshēng	: Jhāng Tàitai, nín jhèisiē cài zuòde jhēn hǎochīh.
Jhāng Tàitai	: Nǎlǐ, nǎlǐ. Jhèige nióuròu, nín chīhle méiyǒu?
Fāng Siānshēng	: Wǒ yǐjīng chīhle hěn duō le.
Jhāng Tàitai	: Nàme, nín zài hē wǎn rètāng ba. Fāng Tàitai, nín yě lái yìwǎn, hǎo bùhǎo?
Fāng Tàitai	: Sièsie, wǒ chīhbǎole, dàjiā mànyòng.
Jhāng Siānshēng	: Nàme, nín chīh diǎn shuěiguǒ ba!

LESSON 3 — PLEASE RECOMMEND SOME DISHES TO US

(Inside a restaurant)

Xie	: Mr. Qian, what would you like to eat? Please order yourself, OK?
Qian	: I eat everything. You go ahead and order.
Xie	: I heard that the fish in this restaurant is prepared very well.
Qian	: Well then, let's order a fish.
Xie (to the waiter)	: Sir, could you recommend a few dishes to us?
Waiter	: Very well. Do you like beef? Our beef dishes are very famous here.
Xie	: If we order a fish, a beef dish, a vegetable dish, and a chicken soup, will that be enough?
Qian	: Yes, that will be enough.
Xie	: Mr. Qian, did you enjoy yourself in Taiwan this month?
Qian	: It was great. All my friends were very nice to me.

Xie : When you return to America, don't forget to write us a letter and give our best regards to Mrs. Qian.

Qian : Of course, of course.

(At the Zhangs' home)

Mr. Zhang : Please sit down. Mr. Fang, what kind of wine would you like to drink?

Mr.Fang : Anything is fine.

Mr.Zhang : And you, Mrs. Fang?

Mrs. Fang : Thank you. I can't drink any wine at all.

Mr.Fang : Mrs. Zhang, did you cook all of this food yourself?

Mrs. Zhang : Yes, but it isn't very good.

Mr. Zhang : There's not much food. Please eat as much as you want.

Mrs. Fang : Don't be so polite. We can help ourselves.

Mr. Fang : Mrs. Zhang, this food you cooked is really delicious.

Mrs. Zhang : No, no. Did you try some of this beef?

Mr. Fang : I've already had a lot.

Mr. Zhang : Well, have another bowl of hot soup. Mrs. Fang, would you also like a bowl?

Mrs. Fang : Thank you. I've had enough. Everyone please take your time.

Mr. Zhang : Well then, have some fruit.

NARRATION

　　我有一個法國朋友，他非常喜歡吃臺灣菜，可是他一點
中文都不懂，也不會點菜。要是他一個人到臺灣飯館去，他
就請飯館裡的服務生給他介紹好吃的菜。因為他不會用筷
子㉕，所以用刀叉㉖跟湯匙㉗吃飯。有一天，我跟他一塊兒去吃
飯，我替他點了牛肉跟青菜，他都很愛吃，他跟我說臺灣人
都對他很客氣，也常常幫他很多忙。

ㄨㄛˇ ㄧㄡˇ ㄧˊ ㄍㄜ˙ ㄈㄚˇ ㄍㄨㄛˊ ㄆㄥˊ ㄧㄡˇ，ㄊㄚ ㄈㄟ ㄔㄤˊ ㄒㄧˇ ㄏㄨㄢ ㄔ ㄊㄞˊ ㄨㄢ ㄘㄞˋ，

ㄎㄜˇ ㄕˋ ㄊㄚ ㄧˋ ㄉㄧㄢˇ ㄓㄨㄥ ㄨㄣˊ ㄉㄡ ㄅㄨˋ ㄉㄨㄥˇ，ㄧㄝˇ ㄅㄨˊ ㄏㄨㄟˋ ㄉㄧㄢˇ ㄘㄞˋ。ㄧㄠˋ ㄕˋ ㄊㄚ ㄧˊ

ㄍㄜ˙ ㄖㄣˊ ㄉㄠˋ ㄊㄞˊ ㄨㄢ ㄈㄢˋ ㄍㄨㄢˇ ㄑㄩˋ，ㄊㄚ ㄐㄧㄡˋ ㄑㄧㄥˇ ㄈㄢˋ ㄍㄨㄢˇ ㄌㄧˇ ㄉㄜ˙ ㄈㄨˊ ㄨˋ ㄕㄥ ㄍㄟˇ ㄊㄚ

ㄐㄧㄝˋ ㄕㄠˋ ㄏㄠˇ ㄔ ㄉㄜ˙ ㄘㄞˋ。ㄧㄣ ㄨㄟˋ ㄊㄚ ㄅㄨˊ ㄏㄨㄟˋ ㄩㄥˋ ㄎㄨㄞˋ ㄗ˙，ㄙㄨㄛˇ ㄧˇ ㄩㄥˋ ㄉㄠ ㄔㄚ

ㄍㄣ ㄊㄤ ㄔˊ ㄔ ㄈㄢˋ。ㄧㄡˇ ㄧˋ ㄊㄧㄢ，ㄨㄛˇ ㄍㄣ ㄊㄚ ㄧˊ ㄎㄨㄞˋ ㄦ ㄑㄩˋ ㄔ ㄈㄢˋ，ㄨㄛˇ ㄊㄧˋ

ㄊㄚ ㄉㄧㄢˇ ㄌㄜ˙ ㄋㄧㄡˊ ㄖㄡˋ ㄍㄣ ㄑㄧㄥ ㄘㄞˋ，ㄊㄚ ㄉㄡ ㄏㄣˇ ㄞˋ ㄔ，ㄊㄚ ㄍㄣ ㄨㄛˇ ㄕㄨㄛ ㄊㄞˊ ㄨㄢ

ㄖㄣˊ ㄉㄡ ㄉㄨㄟˋ ㄊㄚ ㄏㄣˇ ㄎㄜˋ ㄑㄧˋ，ㄧㄝˇ ㄔㄤˊ ㄔㄤˊ ㄅㄤ ㄊㄚ ㄏㄣˇ ㄉㄨㄛ ㄇㄤˊ。

　　Wǒ yǒu yíge Fǎguó péngyǒu, tā fēicháng xǐhuān chī Táiwān cài, kěshì tā yìdiǎn Zhōngwén dōu bùdǒng, yě búhuì diǎn cài. Yàoshì tā yíge rén dào Táiwān fànguǎn qù, tā jiù qǐng fànguǎnlǐde fúwùshēng gěi tā jièshào hǎochīde cài. Yīnwèi tā búhuì yòng kuàizi, suǒyǐ yòng dāochā gēn tāngchí chīfàn. Yǒu yìtiān, wǒ gēn tā yíkuàr qù chīfàn, wǒ tì tā diǎnle niúròu gēn qīngcài, tā dōu hěn ài chī, tā gēn wǒ shuō Táiwān rén dōu duì tā hěn kèqì, yě chángcháng bāng tā hěn duō máng.

Wǒ yǒu yíge Fǎguó péngyǒu, tā fēicháng sǐhuān chīh Táiwān cài, kěshìh tā yìdiǎn Jhōngwún dōu bùdǒng, yě búhuèi diǎn cài. Yàoshìh tā yíge rén dào Táiwān fànguǎn cyù, tā jiòu cǐng fànguǎnlǐde fúwùshēng gěi tā jièshào hǎochīhde cài. Yīnwèi tā búhuèi yòng kuàizih, suǒyǐ yòng dāochā gēn tāngchíh chīhfàn. Yǒu yìtiān, wǒ gēn tā yíkuàr cyù chīhfàn, wǒ tì tā diǎnle nióuròu gēn cīngcài, tā dōu hěn ài chīh, tā gēn wǒ shuō Táiwān rén dōu duèi tā hěn kècì, yě chángcháng bāng tā hěn duō máng.

....

I have a French friend who loves to eat Taiwanese food, but he doesn't understand any Chinese at all and doesn't know how to order Taiwanese food. If he goes to a Taiwanese restaurant to eat, he asks the waiter in the restaurant to suggest some good dishes to him. Because he doesn't know how to use chopsticks, he uses a knife, fork, and spoon to eat. One day, I went out to eat with him and ordered a beef dish and some vegetables for him that he really enjoyed. He said to me that Taiwanese people were always very friendly towards him and often helped him out a lot.

VOCABULARY

1 給 (gěi) ▸▸ CV: for (the benefit of), to

例 冬天快來了，媽媽給孩子買了很多衣服。

Dōngtiān kuài láile, māma gěi háizi mǎile hěnduō yīfú.

Dōngtiān kuài láile, māma gěi háizih mǎile hěnduō yīfú.

Winter is approaching. Mother bought many outfits for her children.

2 介紹 (jièshào) ▸▸ V: to introduce

例 來，來，我給你們介紹介紹。這位是錢先生，這位是謝小姐。

Lái, lái, wǒ gěi nǐmen jièshào jièshào. Zhèiwèi shì Qián Xiānshēng, zhèiwèi shì Xiè Xiǎojiě.

Lái, lái, wǒ gěi nǐmen jièshào jièshào. Jhèiwèi shìh Cián Siānshēng, jhèiwèi shìh Siè Siǎojiě.

Come! Come! Let me introduce you to each other. This is Mr. Qian, and this is Miss Xie.

3 謝 (Xiè / Siè) ▸▸ N: a Chinese surname

4 錢 (Qián / Cián) ▸▸ N: a Chinese surname

5 點菜 (diǎncài) ▸▸ VO: to order food

例 我點的這個菜是麻婆豆腐(Mápódòufǔ)*。

Wǒ diǎnde zhèige cài shì Mápódòufǔ.

Wǒ diǎnde jhèige cài shìh Mápódòufǔ.

This dish I ordered is Mapo tofu.

---

*

麻婆豆腐 (Mápódòufǔ)：Mapo tofu

6 魚 (yú) ▸▸ N: fish （M: 條 tiáo）

例 媽媽做的這個魚非常好吃。

Māma zuò de zhèige yú fēicháng hǎochī.

Māma zuò de jhèige yú fēicháng hǎochīh.

This fish Mother made is extremely delicious.

7 非常 (fēicháng) ▸▸ ADV: very, extremely

例 台北的夏天非常熱，很多人喜歡去海邊玩。

Táiběide xiàtiān fēicháng rè, hěnduō rén xǐhuān qù hǎibiān wán.

Táiběide siàtiān fēicháng rè, hěnduō rén sǐhuān cyù hǎibiān wán.

Summer in Taipei is very hot. Many people like to go enjoy themselves at the beach.

8 對 (duì / duèi) ▸▸ CV: to, toward, for

例 他對人很客氣，所以有很多朋友。

Tā duì rén hěn kèqì, suǒyǐ yǒu hěnduō péngyǒu.

Tā duèi rén hěn kècì, suǒyǐ yǒu hěnduō péngyǒu.

He is very polite to people, so he has many friends.

例 寫中國字對外國人有一點難。

Xiě Zhōngguó zì duì wàiguórén yǒuyìdiǎn nán.

Siě Jhōngguó zìh duèi wàiguórén yǒuyìdiǎn nán.

For foreigners, writing Chinese characters is a bit hard.

9 牛肉 (niúròu / nióuròu) ▸▸ N: beef

例 這個漢堡(hànbǎo)*裡面是牛肉還是雞肉？

Zhèige hànbǎo lǐmiàn shì niúròu háishì jīròu?

Jhèige hànbǎo lǐmiàn shìh nióuròu háishìh jīròu.

Is that beef or chicken inside this burger?

*

漢堡 (hànbǎo)：hamburger, burger

牛 ㄋㄧㄡ (niú / nióu) ▶ N: cow, cattle（M: 頭 ㄊㄡ tóu）

肉 ㄖㄡ (ròu) ▶ N: meat

⑩ 青 ㄑㄧㄥ 菜 ㄘㄞ (qīngcài / cīngcài) ▶ N: vegetables, green vegetables

例 醫生說我應該多吃青菜，少吃肉。

Yīshēng shuō wǒ yīnggāi duō chī qīngcài, shǎo chī ròu.

Yīshēng shuō wǒ yīnggāi duō chīh cīngcài, shǎo chīh ròu.

The doctor said I should eat more greens and less meat.

⑪ 雞 ㄐㄧ (jī) ▶ N: chicken（M: 隻 ㄓ zhī / jhīh）

⑫ 湯 ㄊㄤ (tāng) ▶ N: soup

例 她感冒了，想喝一點雞湯。

Tā gǎnmàole, xiǎng hē yìdiǎn jītāng.

Tā gǎnmàole, siǎng hē yìdiǎn jītāng.

She caught a cold and wants to drink a bit of chicken soup.

⑬ 信 ㄒㄧㄣ (xìn / sìn) ▶ N: letter（M: 封 ㄈㄥ fēng / fōng）

例 你常常給朋友寫信嗎？

Nǐ chángcháng gěi péngyǒu xiěxìn ma?

Nǐ chángcháng gěi péngyǒu siěsìn ma?

Do you often write letters to your friends?

⑭ 替 ㄊㄧ (tì) ▶ CV: for, in place of, as a substitute for

例 我的中文不好，請你替我點菜，好嗎？

Wǒde Zhōngwén bùhǎo, qǐng nǐ tì wǒ diǎncài, hǎo ma?

Wǒde Jhōngwún bùhǎo, cǐng nǐ tì wǒ diǎncài, hǎo ma?

My Chinese isn't good. Please order food for me, OK?

⑮ 問 ㄨㄣ ……好 ㄏㄠ (wèn ... hǎo / wùn ... hǎo)

▶ IE: to wish someone well, to send best regards to someone

例 要是你看到方先生，請你替我問他好。

Yàoshì nǐ kàndào Fāng Xiānshēng, qǐng nǐ tì wǒ wèn tā hǎo.

Yàoshìh nǐ kàndào Fāng Siānshēng, cǐng nǐ tì wǒ wùn tā hǎo.

If you see Mr. Fang, please send him my best regards.

16 方 (Fāng) ▸▸ N: a Chinese surname

17 這麼 (zhème / jhème) ▸▸ ADV: so, like this

例 這輛汽車這麼貴，我不要買。

Zhèiliàng qìchē zhème guì, wǒ búyào mǎi.

Jhèiliàng cìchē jhème guèi, wǒ búyào mǎi.

This car is so expensive. I don't want to buy it.

那麼 (nàme) ▸▸ ADV: like that, in that way

18 自己 (zìjǐ / zìhjǐ) ▸▸ N: oneself, by oneself

例 這件衣服是你自己做的嗎？

Zhèijiàn yīfú shì nǐ zìjǐ zuòde ma?

Jhèijiàn yīfú shìh nǐ zìhjǐ zuòde ma?

Did you make this outfit yourself?

19 哪裡 (nǎlǐ) ▸▸ IE: an expression of modest denial: "No, no."

例 A：你畫的畫真好看。

B：哪裡，哪裡。

A：Nǐ huàde huà zhēn hǎokàn.

A：Nǐ huàde huà jhēn hǎokàn.

B：Nǎlǐ, nǎlǐ.

A：The picture you painted is beautiful.

B：Not really.

20 碗 (wǎn) ▸▸ M/N: measure word for servings of food; bowl

例 我吃了兩碗飯，已經飽了。

Wǒ chīle liǎngwǎn fàn, yǐjīng bǎo le.

Wǒ chīle liǎngwǎn fàn, yǐjīng bǎo le.

I've eaten two bowls of rice; I'm already full.

例 趙太太昨天在百貨公司買了十個新碗。

Zhào Tàitai zuótiān zài bǎihuògōngsī mǎile shíge xīnwǎn.

Jhào Tàitai zuótiān zài bǎihuògōngsīh mǎile shíhge sīnwǎn.

Yesterday Mrs. Zhao bought ten new bowls at the department store.

---

21 飽 (bǎo) ▶▶ SV: to be full (after eating)

例 我吃飽了，請您慢用。

Wǒ chībǎole, qǐng nín mànyòng.

Wǒ chīhbǎole, cǐng nín mànyòng.

I've had enough to eat. Please take your time and enjoy your meal.

例 A：王小姐，你好。

B：你好。你吃飽了嗎？

A：Wáng Xiǎojiě, nǐ hǎo.

B：Nǐ hǎo. Nǐ chībǎole ma?

A：Wáng Siǎojiě, nǐ hǎo.

B：Nǐ hǎo. Nǐ chīhbǎole ma?

A：Hello, Miss Wang.

B：Hello. Have you eaten? (When Chinese ask this question, they aren't always asking if you're full or not. This question is sometimes just a polite greeting meaning "How are you?")

---

22 大家 (dàjiā) ▶▶ N: everyone

例 下個月放假，我們大家一起去滑雪，好不好？

Xiàgeyuè fàngjià, wǒmen dàjiā yìqǐ qù huáxuě, hǎo bùhǎo?

Siàgeyuè fàngjià, wǒmen dàjiā yìcǐ cyù huásyuě, hǎo bùhǎo?

Next month we are on vacation. Let's all go skiing together, OK?

---

23 慢用 (mànyòng) ▶▶ IE: eat slowly (enjoy your meal)

用 (yòng) ▶▶ V/CV: to use; using, with

例 我的孩子很小，還不會用筷子。

Wǒde háizi hěnxiǎo, hái búhuì yòng kuàizi.

Wǒde háizih hěnsiǎo, hái búhuèi yòng kuàizih.

My child is very young and still doesn't know how to use chopsticks.

例 錢太太的女兒會用毛筆畫中國畫。

Qián Tàitai de nǚér huì yòng máobǐ huà Zhōngguó huà.

Cián Tàitai de nyǔér huèi yòng máobǐ huà Jhōngguó huà.

Mrs. Qian's daughter knows how to paint Chinese paintings with a brush.

有用 (yǒuyòng) ▶▶ SV: to be useful

例 我覺得學中國話對我很有用。

Wǒ juéde xué Zhōngguó huà duì wǒ hěn yǒuyòng.

Wǒ jyuéde syué Jhōngguó huà duèi wǒ hěn yǒuyòng

I think learning Chinese is very useful to me.

24 水果 (shuǐguǒ / shuěiguǒ) ▶▶ N: fruit

例 誰都喜歡吃水果。

Shéi dōu xǐhuān chī shuǐguǒ.

Shéi dōu sǐhuān chīh shuěiguǒ.

Everyone likes to eat fruit.

SUPPLEMENTARY VOCABULARY

25 筷子 (kuàizi / kuàizih) ▶▶ N: chopsticks（M: 雙 shuāng）

例 台灣人和日本人都用筷子吃飯。

Táiwān rén hàn Rìběn rén dōu yòng kuàizi chīfàn.

Táiwān rén hàn Rìhběn rén dōu yòng kuàizih chīhfàn.

Both Taiwanese and Japanese use chopsticks to eat.

26 刀叉 (dāochā) ▶▶ N: knife and fork

刀 (dāo) ▶▶ N: knife（M: 把 bǎ）

刀ㄉㄠ子ㄗ (dāozi / dāozih) ▸▸ N: knife（M: 把ㄅㄚ bǎ）

叉ㄔㄚ (chā) ▸▸ BF: fork

叉ㄔㄚ子ㄗ (chāzi / chāzih) ▸▸ N: fork（M: 把ㄅㄚ bǎ）

27 湯ㄊㄤ匙ㄔˊ (tāngchí / tāngchíh) ▸▸ N: soup spoon

例 我ㄨㄛˇ用ㄩㄥˋ筷ㄎㄨㄞˋ子ㄗ用ㄩㄥˋ得ㄉㄜ不ㄅㄨˋ好ㄏㄠˇ，我ㄨㄛˇ請ㄑㄧㄥˇ他ㄊㄚ們ㄇㄣ給ㄍㄟˇ我ㄨㄛˇ刀ㄉㄠ叉ㄔㄚ和ㄏㄢˋ湯ㄊㄤ匙ㄔˊ。

Wǒ yòng kuàizi yòngde bùhǎo, wǒ qǐng tāmen gěi wǒ dāochā hàn tāngchí.

Wǒ yòng kuàizih yòngde bùhǎo, wǒ cǐng tāmen gěi wǒ dāochā hàn tāngchíh.

I can't use chopsticks well; I asked them to give me a knife, fork, and spoon.

28 句ㄐㄩˋ (jù / jyù) ▸▸ M: measure word for sentences or phrases

例 這ㄓㄜˋ句ㄐㄩˋ話ㄏㄨㄚˋ，你ㄋㄧˇ念ㄋㄧㄢˋ得ㄉㄜ不ㄅㄨˋ太ㄊㄞˋ對ㄉㄨㄟˋ。

Zhèijù huà, nǐ niànde bútàiduì.

Jhèijyù huà, nǐ niànde bútàiduèi.

You didn't quite read this phrase correctly.

句ㄐㄩˋ子ㄗ (jùzi / jyùzih) ▸▸ N: sentence

例 你ㄋㄧˇ知ㄓ道ㄉㄠˋ這ㄓㄜˋ個ㄍㄜ句ㄐㄩˋ子ㄗ的ㄉㄜ意ㄧˋ思ㄙ嗎ㄇㄚ？

Nǐ zhīdào zhèige jùzi de yìsi ma?

Nǐ jhīhdào jhèige jyùzih de yìsih ma?

Do you know the meaning of this sentence?

29 封ㄈㄥ (fēng / fōng) ▸▸ M: measure word for letters

例 我ㄨㄛˇ看ㄎㄢˋ了ㄌㄜ他ㄊㄚ寫ㄒㄧㄝˇ的ㄉㄜ那ㄋㄚˋ封ㄈㄥ信ㄒㄧㄣˋ，知ㄓ道ㄉㄠˋ他ㄊㄚ下ㄒㄧㄚˋ個ㄍㄜ月ㄩㄝˋ要ㄧㄠˋ來ㄌㄞˊ台ㄊㄞˊ北ㄅㄟˇ。

Wǒ kànle tā xiěde nèifēng xìn, zhīdào tā xiàgeyuè yào lái Táiběi.

Wǒ kànle tā siěde nèifōng sìn, jhīhdào tā siàgeyuè yào lái Táiběi.

I read that letter he wrote. I know he's coming to Taipei next month.

30 毛筆 (máobǐ) ▸▸ N: brush pen（M: 枝 zhī / jhīh）

 SYNTAX PRACTICE

1 Inclusiveness and Exclusiveness (with Question Words as Indefinites)

If one wants to express an inclusive concept such as "everywhere," "everyone," and "everything," or an exclusive one like "nowhere," "no one," and "nothing," then (s)he must use a question word in conjunction with the adverb 都. In negative expressions, the adverb 也 can be used in place of 都.

A.

(S)	QW	(S)	都	V
他	什麼		都	知道。

He knows everything.

B.

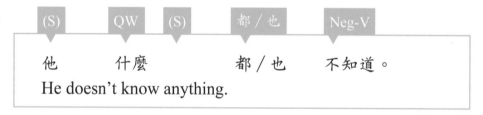

(S)	QW	(S)	都 / 也	Neg-V
他	什麼		都 / 也	不知道。

He doesn't know anything.

1. 誰都喜歡好東西。

2. 哪裡都有好人。

3. 他什麼時候都在家。

4. 你哪天去都行。

5. 這個菜，怎麼做都好吃。

6. 誰都不喜歡考試。

7. 昨天我哪裡也沒去。

8. 那些房子，哪所都不便宜。

Transform the following sentences into inclusive or exclusive forms.

1 我們都喜歡錢。

2 這裡有中國飯館，那裡也有中國飯館。

3 這本書不便宜，那本書也不便宜。

4 他有汽車、房子、電視……。

5 她早上、中午、下午、晚上都在學校。

6 那個小城裡沒有書店。

2 Exclusiveness Intensified (Not Even, Not at All)

If one wants to express a high degree of exclusiveness equivalent to the phrases "not even a little, " "not at all, " then "一-M-N" or 一點 must be placed in front of 都 or 也 in order to signify a very small amount. This sentence pattern is used for negative expressions.

I .

(S)	一-	M-	N	都／也	Neg-(AV)	V
我	一	個	歌	都／也	不會	唱。

I can't sing any song at all.

1. 昨天我很忙，一個字也沒寫。

2. 今天放假我一點事也沒有。

3. 我最近沒什麼錢，一件新衣服也沒買。

4. 王先生他們都去旅行了，現在家裡一個人都沒有。

5. 去年我在德國住了兩個月，可是一句德國話都不會說。

79

II.

(S)	一點	都 / 也	Neg-	SV
中文	一點	都 / 也	不	難。

Chinese isn't hard at all.

1. 我穿了很多衣服，一點都不冷。

2. 我覺得這個電影一點也不好看。

3. 我是八點鐘來的，一點也不晚。

4. 我昨天睡得很好，現在一點也不累。

5. 這所房子很新，只賣兩百萬，一點都不貴。

Transform the following sentences into exclusiveness intensified.

1 我沒有錢。

2 他不會寫中文字。

3 我們昨天沒喝酒。

4 我有很多時間，我不忙。

5 那個東西不好吃。

3 多 and 少 Used as Adverbs

Certain SV can be used as adverbs. When 多 becomes this kind of adverb, it means "more," and when 少 becomes an adverb, it means "less."

多 / 少	V	(NU-M)	(O)
多	吃	一點	菜。
Eat a little more.			
少	喝	一點	酒。
Drink a little less wine.			

1. 你應該多看書，少看電視。

2. 老師叫我們多說中文，少說英文。

3. 今天有很多朋友要來我家，我要多做一點菜。

4. 我少買了一張票，我再去買一張。

5. 做這個菜，得多放一點糖 (táng)*。

Give advice to these people with 多 or 少.

1.　　　　2.　　　　3.　　　　4.

1	＿＿＿＿＿＿	吃	＿＿＿＿＿＿	飯。
2	＿＿＿＿＿＿	喝	＿＿＿＿＿＿	水。
3	＿＿＿＿＿＿	看	＿＿＿＿＿＿	書。
4	＿＿＿＿＿＿	吃	＿＿＿＿＿＿	糖。

*

糖ㄊㄤ (táng)：sugar, candy

4 跟，給，替，用 and 對 as Coverbs

Ⅰ. 跟 (with, from, to) (lit. "to follow")

1. 他很喜歡跟孩子們玩。
2. 我不要跟她一塊兒去旅行。
3. 他的英文是跟英國老師學的。
4. 孩子常跟父母要錢買東西吃。
5. 他跟老師說他明天有事，不能來上課。

Ⅱ. 給〔for (the benefit of), to〕(lit. "to give")

1. 父母給孩子買了很多書。
2. 我給你做了一件衣服，你試試看。
3. 請你給我們介紹介紹台灣有名的地方。
4. 方太太很忙，可是每天給她先生做早飯。
5. 他給我寫了一封信，說他想學書法。

Ⅲ. 替 (for) (lit. "in place of", "as a substitute for")

1. 你不能去，我替你去吧。
2. 我不能替你寫功課 (gōngkè)*，你得自己寫。
3. 我不能跟你們去她家，請你替我問她好。
4. 我不會點菜，請你替我點。
5. 明天我不能來，你能替我教書嗎？
   沒問題。

* 功課 (gōngkè)：homework

IV．用 (with) (lit. "to use")

1. 台灣人用筷子吃飯，美國人用刀叉吃飯。

2. 我不會用毛筆寫字。

3. 小孩子喜歡用湯匙吃飯。

4. 我只學了三個月的中文，還不會用中文寫信。

5. 你用爸爸給你的那些錢買了什麼？

　　我買了很多書。

V．對 (to, toward, for) (lit. "facing")

1. 因為我幫了她一個忙，所以她對我說謝謝。

2. 他剛剛沒對我說什麼。

3. 不少台灣人對外國人很好。

4. 那個賣水果的對我不太客氣，所以我什麼都沒買。

5. 這本書對小孩子太難了。

6. 這本中文字典ㄗ丶ㄉㄧㄢˇ (zìdiǎn / zìhdiǎn)＊對我很有用。

Complete each sentence with a coverb.

1. 我＿＿＿＿＿＿＿張老師學中文。

2. 他＿＿＿＿＿＿＿你怎麼樣？

3. 誰＿＿＿＿＿＿＿你寫信？

4. 她＿＿＿＿＿＿＿筷子吃日本菜。

5. 這本書＿＿＿＿＿＿＿我們很容易。

6. 媽媽＿＿＿＿＿＿＿我們做了很多菜。

＊
字ㄗˋ典ㄉㄧㄢˇ (zìdiǎn / zìhdiǎn)：dictionary

7 我不能做那件事，請你＿＿＿＿＿＿＿我做。

8 那輛汽車你是＿＿＿＿＿＿＿多少錢買的？

9 這枝毛筆，是誰＿＿＿＿＿＿＿你買的？

10 我＿＿＿＿＿＿＿她一塊兒去看電影。

APPLICATION ACTIVITIES

> **1** Use the "(S) QW / 一-M-N / 一點都 (Neg-) V" structure to answer the teacher's questions. The faster you answer, the better.

1. 你有什麼？

2. 你喜歡吃什麼？

3. 什麼車便宜？

4. 你要到哪裡去？

5. 誰喜歡你？

6. 這枝筆你要給誰？

7. 你在說什麼？

8. 他給你什麼了？

9. 我們什麼時候去他家？

10. 你喝酒嗎？

11. 你懂幾句日本話？

12. 誰知道他叫什麼名字？

13. 你會唱什麼歌？

14. 哪裡有好人？

15. 我的錢不夠，應該怎麼辦？

16. 這兩個杯子，你要哪個？

17. 他有幾個弟弟？

18. 你們昨天去百貨公司買什麼了？

19. 他什麼時候在家？

20. 你累不累？

21. 星期天誰來了？

22. 你什麼時候不忙？

23. 那兩個人，哪個是你的老師？

24. 誰看了今天的報了？

25. 你會不會跳舞？

2 Translate the following sentences into Chinese.

1. I wrote her a letter.

2. The letter was written in Chinese.

3. Can you write a letter for me?

4. Why don't you speak to him?

5. Whom is he talking with?

6. I asked Miss Wang if she can teach for me tomorrow.

7. She said to me that she was very tired.

8. I live with two French students.

9. I don't know if it's convenient for you.

10. What do you eat Chinese food with?

11. Whom did you go to Japan with?

12. The book seller was very polite to me.

3 Situations

1. Two customers discuss the menu with a waiter.

菜單(càidān) MENU	
宮保雞丁 (gōngbǎo jīdīng)	Kung Pao Chicken
麻婆豆腐 (Mápódòufǔ)	Mapo Tofu
木須肉 (mùxū ròu / mùsyū ròu)	Mooshoo Pork
糖醋里肌 (tángcù lǐjī)	Sweet & Sour Pork
炒飯 (chǎofàn)	Fried Rice
炒麵 (chǎomiàn)	Fried Noodles
水餃 (shuǐjiǎo / shuěijiǎo)	Dumplings
牛肉麵 (niúròumiàn / nióuròumiàn)	Beef Noodles
餛飩湯 (húntúntāng)	Wonton Soup
酸辣湯 (suānlàtāng)	Hot and Sour Soup

2. Create a conversation between the host and guest(s).

1.

2.

 **NOTES**

1 　來 can be used as a substitute for a verb of concrete meaning.

　　　e.g. 我自己來。　　　　　I'll help myself to it.

　　　　　再來一碗。　　　　　One more bowl.

2 　"哪裡，哪裡" is used in reply to a compliment, meaning "not at all," or in response to an apology, meaning "it's nothing," conveying a polite response. "哪兒的話" can also be used to mean "don't mention it."

3 　Both 跟 and 對 have the meaning of "to," but 跟 can also be translated as "from." Therefore, it is correct to say "我跟他借了一千塊錢。" but incorrect to say "我對他借了一千塊錢。"

請她回來以後，給我打電話①②

DIALOGUE

Ⅰ

李：喂③，請問這裡是2321-1001嗎？

妹：是的，請問您找哪一位？

李：王美英小姐在家嗎？

妹：對不起，她不在。您是哪位？

李：我是她的朋友李文德。你是美英的妹妹吧？

妹：是的，您好。

李：你姐姐到哪裡去了？

妹：她到圖書館借書去了④。

李：她是什麼時候去的？

妹：她是十分鐘以前⑤去的。

李：你知道她什麼時候回來嗎？

妹：大概⑥五點半以後。

李：她到家的時候，麻煩⑦你請她給我打一個電話，好嗎？

妹：好的。請問您的電話是？

李：我的電話是2701-5426。麻煩你了，謝謝，再見。

妹：再見。

II

王：喂，請問李文德在不在？

李：我就是。美英，你回家了啊？

王：是啊，我剛剛到家。我妹妹告訴⑧我你來過電話⑨，有什麼事嗎？

李：我想學一點法文。我記得⑩你學過法文，對不對？

王：對啊，我念中學⑪的時候學過，兩年以前我又到法國去⑫學了兩個月。

李：你能不能給我介紹一位法文老師？

王：沒問題，我認識⑬好幾位法文老師。你打算每星期上幾次課⑭呢？

李：本來⑮我打算每星期上一次課，後來⑯我想一次恐怕⑰不夠，現在我決定⑱每星期上兩次課，你覺得怎麼樣？

王：我覺得很好。我替你問問，再給你打電話，好嗎？

李：好的，謝謝，再見。

王：再見。

ㄑㄧㄥˇ ㄊㄚ ㄏㄨㄞ ㄉㄞˋ ㄏㄡˊ，ㄍㄟˇ ㄨㄛˇ ㄉㄚˇ ㄉㄧㄢˋ ㄏㄨㄚˋ

I

ㄉㄧˋ：ㄨㄟˋ，ㄑㄧㄥˇ ㄨㄣˋ ㄓㄜˋ ㄌㄧˇ ㄕˋ 2321-1001 ㄇㄚ˙？

ㄇㄟˇ：ㄕˋ ㄉㄜ˙，ㄑㄧㄥˇ ㄨㄣˋ ㄋㄧㄣˊ ㄓㄠˇ ㄋㄚˇ ㄧˊ ㄨㄟˋ？

ㄉㄧˋ：ㄨㄤˊ ㄇㄟˋ ㄧˊ ㄒㄧㄥˊ ㄐㄧㄠˋ ㄗㄞˋ ㄐㄧㄚ ㄇㄚ˙？

ㄇㄟˇ：ㄅㄨˋ ㄅㄧˇ，ㄊㄚ ㄅㄨˊ ㄗㄞˋ。ㄋㄧㄣˊ ㄕˋ ㄋㄚˇ ㄨㄟˋ？

ㄉㄧˋ：ㄨㄛˇ ㄕˋ ㄊㄚ ㄉㄜˊ ㄆㄧ ㄧˊ ㄉㄚˋ ㄨㄤˊ ㄉㄜˊ。ㄋㄧˊ ㄕˋ ㄇㄟˊ ㄧˊ ㄉㄜˊ ㄇㄟˊ ㄇㄟ˙ ㄋㄚˊ？

ㄇㄟˇ：ㄕˋ ㄉㄜ˙，ㄋㄧˊ ㄏㄠˇ。

ㄉㄧˋ：ㄋㄧˊ ㄐㄧㄝ ㄐㄧˊ ㄉㄠˇ ㄋㄚˇ ㄉㄧˇ ㄑㄩ ㄉㄜ˙？

ㄇㄟˇ：ㄊㄚ ㄅㄠˇ ㄨㄨˋ ㄍㄨㄍ ㄐㄧㄝ ㄗㄨˊ ㄑㄩˋ ㄉㄜ˙。

ㄉㄧˋ：ㄊㄚ ㄕˊ ㄕˊ ㄇㄚ˙ ㄕˋ ㄏㄡˊ ㄑㄩˋ ㄉㄜ˙？

ㄇㄟˇ：ㄊㄚ ㄕˊ ㄗˋ ㄈㄣ ㄓㄥˇ ㄧˇ ㄑㄧㄢ ㄑㄩˋ ㄉㄜ˙。

ㄉㄧˋ：ㄋㄧˇ ㄓ ㄉㄠˋ ㄊㄚ ㄗㄣˇ ㄇㄚ˙ ㄕˊ ㄏㄡˊ ㄏㄨㄟˊ ㄌㄞˊ ㄇㄚ˙？

ㄇㄟˇ：ㄅㄚˋ ㄍㄞ ㄨˋ ㄉㄧㄢˇ ㄅㄢ ㄧˊ ㄏㄡˊ。

ㄉㄧˋ：ㄊㄚ ㄅㄠˇ ㄐㄧˋ ㄉㄜ˙ ㄧˇ ㄏㄡˊ，ㄇㄚˇ ㄈㄢˊ ㄋㄧˊ ㄑㄧㄥˇ ㄊㄚ ㄍㄟˇ ㄨㄛˇ ㄉㄚˇ ㄧˊ ㄍㄜ˙ ㄉㄧㄢˋ ㄏㄨㄚˋ，ㄏㄠˇ ㄇㄚ˙？

ㄇㄟˇ：ㄏㄠˇ ㄉㄜ˙。ㄑㄧㄥˇ ㄨㄣˋ ㄋㄧㄣˊ ㄉㄜ˙ ㄉㄧㄢˋ ㄏㄨㄚˋ ㄕˋ？

ㄉㄧˋ：ㄨㄛˇ ㄉㄜ˙ ㄉㄧㄢˋ ㄏㄨㄚˋ ㄕˋ 2701-5426。ㄇㄚˊ ㄈㄢˊ ㄋㄧˊ ㄉㄜ˙，ㄒㄧㄝˋ ㄒㄧㄝˋ，ㄗㄞˋ ㄐㄧㄢˋ。

ㄇㄟˇ：ㄗㄞˋ ㄐㄧㄢˋ。

II

ㄨㄤˊ：ㄨㄟˋ，ㄑㄧㄥˇ ㄉㄧˋ ㄨㄤˊ ㄉㄜˊ ㄗㄞ ㄅㄨˊ ㄗㄞˋ？

ㄉㄧˋ：ㄨㄛˇ ㄐㄧㄡ ㄕˋ。ㄇㄟˇ ㄧㄥˇ，ㄋㄧˊ ㄏㄨˇ ㄐㄧ ㄉㄜˊ ㄚ˙？

ㄨㄤ： ㄕˊ ㄚˋ，ㄨㄛ ㄊㄤ ㄊㄤ ㄍㄠ ㄐㄧㄚ。ㄨㄛ ㄇㄧㄥˊ ㄍㄟ ㄧˇ ㄍㄠ ㄍㄨ ㄜ ㄧ ㄌㄞ ㄨㄛ ㄋㄢˇ ㄏㄨㄚˋ，ㄧ ㄔˋㄧㄣ ˙ㄇㄜ ㄕ ㄚˊ？

ㄌㄧ： ㄨㄛ ㄒㄧㄤ ㄒㄧㄝ ㄧ ㄉㄧㄢˇ ㄇㄚˊ ㄈㄢ ㄋㄧㄣ。ㄨㄛ ㄐㄧ ˙ㄉㄜ ㄋㄧㄥˊ ㄒㄩㄝ ㄍㄨㄛˊ ㄈㄚˊ ㄋㄧㄣˋ，ㄋㄨ ㄅㄢ ㄅㄨˇ ㄨㄟˋ？

ㄨㄤ： ㄅㄨˋ ㄚˋ，ㄨㄛ ㄋㄢˊ ㄓㄥ ㄐㄧㄝ ㄊㄜ ㄕˊ ㄏㄡˋ ㄒㄧㄥ ㄍㄜ，ㄉㄢ ㄋㄧㄢˊ ㄧˇ ㄧㄢˋ ㄨㄛ ㄧㄡˇ ㄉㄠ ㄈㄚˋ ㄍㄨㄛ ㄑㄩ ㄒㄧㄝ ˙ㄉㄜ ㄉㄠ ˙ㄉㄜ ㄧㄝ。

ㄌㄧ： ㄋㄧˊ ㄋㄥˊ ㄋㄞ ㄍㄨ ㄨ ㄐㄧㄥ ㄕ ㄧˇ ㄧ ㄈ ㄈㄨㄣ ㄉㄠ ㄕ？

ㄨㄤ： ㄇㄟˋ ㄅㄣˇ ㄊㄤ，ㄨㄛ ㄖㄣ ㄕˋ ㄏㄡ ㄐㄧ ㄨㄛ ㄨ ㄌ ㄉㄠˋ ㄕ。ㄋㄚˊ ㄅㄚ ㄙㄨㄛ ㄇㄨ ㄒㄧㄥˊ ㄑㄧ ㄕ ㄐㄧ ㄎㄢ ˙ㄎㄜ？

ㄌㄧ： ㄅㄣˊ ㄌㄞ ㄨㄛ ㄉㄚ ㄙㄨㄢ ㄇㄧㄥ ㄒㄧㄢ ㄑㄧˋ ㄕㄤ ㄧ ㄅㄢ ˙ㄎㄜ，ㄏㄡ ㄉㄞˊ ㄨˊ ㄒㄧㄤ ㄧ ㄅㄢ ˙ㄉㄨㄥ ㄆㄚˊ ㄅㄨ ㄅㄨ ㄒㄧㄢˊ ㄗㄞˊ ㄨˋ ㄐㄧ ㄜˋ ㄇㄚ ㄒㄧ ㄑㄧ ㄕ ㄉㄤ ㄎㄢ ˙ㄎㄜ，ㄋㄧ ㄐㄩㄝ ˙ㄉㄜ ㄗㄣˇ ˙ㄇㄜ ㄧㄤ？

ㄨㄤ： ㄨㄛ ㄐㄩㄝ ˙ㄉㄜ ㄏㄣˇ ㄏㄠ。ㄨㄛ ㄊㄚˊ ㄋㄧ ㄨ ㄨˊ，ㄗ ㄍㄟ ㄋㄚˇ ㄅㄚ ㄉㄠ ㄏㄡˋ，ㄏㄜ ˙ㄇㄚ？

ㄌㄧ： ㄏㄠˋ ˙ㄉㄜ，ㄒㄧㄝˊ ㄊㄧㄝˋ，ㄗㄞ ㄐㄧㄢˋ。

ㄨㄤ： ㄗㄞˋ ㄐㄧㄢˋ。

Dì Sì Kè　Qǐng Tā Huílái Yǐhòu, Gěi Wǒ Dǎ Diànhuà

(Pinyin)

I

Lǐ　: Wéi, qǐngwèn zhèlǐ shì 2321-1001 ma?

Mèi : Shìde, qǐngwèn nín zhǎo nǎíwèi?

Lǐ　: Wáng Měiyīng Xiǎojiě zài jiā ma?

Mèi : Duìbùqǐ, tā búzài. Nín shì něiwèi?

Lǐ　: Wǒ shì tāde péngyǒu Lǐ Wéndé. Nǐ shì Měiyīngde mèimei ba?

Mèi : Shìde, nín hǎo.

Lǐ : Nǐ jiějie dào nǎlǐ qùle?

Mèi : Tā dào túshūguǎn jiè shū qùle.

Lǐ : Tā shì shénme shíhòu qù de?

Mèi : Tā shì shífēnzhōng yǐqián qù de.

Lǐ : Nǐ zhīdào tā shénme shíhòu huílái ma?

Mèi : Dàgài wǔdiǎnbàn yǐhòu.

Lǐ : Tā dào jiā de shíhòu, máfán nǐ qǐng tā gěi wǒ dǎ yíge diànhuà, hǎo ma?

Mèi : Hǎode. Qǐngwèn nín de diànhuà shì?

Lǐ : Wǒde diànhuà shì 2701-5426. Máfán nǐ le, xièxie, zàijiàn.

Mèi : Zàijiàn.

 II

Wáng : Wéi, qǐngwèn Lǐ Wéndé zài búzài?

Lǐ : Wǒ jiù shì. Měiyīng, nǐ huíjiā le a?

Wáng : Shì a, wǒ gānggāng dào jiā. Wǒ mèimei gàosù wǒ nǐ láiguò diànhuà, yǒu shénme shì ma?

Lǐ : Wǒ xiǎng xué yìdiǎn Fǎwén. Wǒ jìde nǐ xuéguò Fǎwén, duì búduì?

Wáng : Duì a, wǒ niàn zhōngxué de shíhòu xuéguò, liǎngnián yǐqián wǒ yòu dào Fǎguó qù xuéle liǎngge yuè.

Lǐ : Nǐ néng bùnéng gěi wǒ jièshào yíwèi Fǎwén lǎoshī?

Wáng : Méiwèntí, wǒ rènshì hǎojǐwèi Fǎwén lǎoshī. Nǐ dǎsuàn měi xīngqí shàng jǐcì kè ne?

Lǐ : Běnlái wǒ dǎsuàn měi xīngqí shàng yícì kè, hòulái wǒ xiǎng yícì kǒngpà búgòu, xiànzài wǒ juédìng měi xīngqí shàng liǎngcì kè, nǐ juéde zěnmeyàng?

Wáng : Wǒ juéde hěn hǎo. Wǒ tì nǐ wènwèn, zài gěi nǐ dǎ diànhuà, hǎo ma?

Lǐ : Hǎode, xièxie, zàijiàn.

Wáng : Zàijiàn.

Dì Sì Kè　Cǐng Tā Huéilái Yǐhòu, Gěi Wǒ Dǎ Diànhuà

(Tongyong)

 I

Lǐ　: Wéi, cǐngwùn jhèlǐ shìh 2321-1001 ma?

Mèi : Shìhde, cǐngwùn nín jhǎo nǎyíwèi?

Lǐ　: Wáng Měiyīng Siǎojiě zài jiā ma?

Mèi : Duèibùcǐ, tā búzài. Nín shìh něiwèi?

Lǐ　: Wǒ shìh tāde péngyǒu Lǐ Wúndé. Nǐ shìh Měiyīngde mèimei ba?

Mèi : Shìhde, nín hǎo.

Lǐ　: Nǐ jiějie dào nǎlǐ cyùle?

Mèi : Tā dào túshūguǎn jiè shū cyùle.

Lǐ　: Tā shìh shénme shíhhòu cyù de?

Mèi : Tā shìh shíhfēnjhōng yǐcián cyù de.

Lǐ　: Nǐ jhīhdào tā shénme shíhhòu huéilái ma?

Mèi : Dàgài wǔdiǎnbàn yǐhòu.

Lǐ　: Tā dào jiā de shíhhòu, máfán nǐ cǐng tā gěi wǒ dǎ yíge diànhuà, hǎo ma?

Mèi : Hǎode. Cǐngwùn nín de diànhuà shìh?

Lǐ　: Wǒde diànhuà shìh 2701-5426. Máfán nǐ le, sièsie, zàijiàn.

Mèi : Zàijiàn.

 II

Wáng : Wéi, cǐngwùn Lǐ Wúndé zài búzài?

Lǐ　　: Wǔ jiòu shìh. Měiyīng, nǐ huéijiā le a?

Wáng : Shìh a, wǒ gānggāng dào jiā. Wǒ mèimei gàosù wǒ nǐ láiguò diànhuà, yǒu shénme shìh ma?

Lǐ　　: Wǒ siǎng syué yìdiǎn Fǎwún. Wǒ jìde nǐ syuéguò Fǎwún, duèi búduèi?

Wáng : Duèi a, wǒ niàn jhōngsyué de shíhhòu syuéguò, liǎngnián yǐcián wǒ yòu dào Fǎguó cyù syuéle liǎngge yuè.

93

Lǐ : Nǐ néng bùnéng gěi wǒ jièshào yíwèi Fǎwún lǎoshīh?

Wáng : Méiwùntí, wǒ rènshìh hǎo jǐwèi Fǎwún lǎoshīh. Nǐ dǎsuàn měi sīngcí shàng jǐcìh kè ne?

Lǐ : Běnlái wǒ dǎsuàn měi sīngcí shàng yícìh kè, hòulái wǒ siǎng yícìh kǒngpà búgòu, siànzài wǒ jyuédìng měi sīngcí shàng liǎngcìh kè, nǐ jyuéde zěnmeyàng?

Wáng : Wǒ jyuéde hěn hǎo. Wǒ tì nǐ wùnwùn, zài gěi nǐ dǎ diànhuà, hǎo ma?

Lǐ : Hǎode, sièsie, zàijiàn.

Wáng : Zàijiàn.

 LESSON 4 PLEASE TELL HER TO GIVE ME A CALL WHEN SHE GETS BACK

 I

Li : Hello, excuse me, is this 2321–1001?

Sister : Yes, may I ask who you are looking for?

Li : Miss Meiying Wang. Is she at home?

Sister : I'm sorry, she's not here. Who is calling, please?

Li : I'm her friend, Wende Li. Are you Meiying's little sister?

Sister : Yes. Hi.

Li : Where did your big sister go?

Sister : She went to the library to borrow some books.

Li : When did she leave?

Sister : She left ten minutes ago.

Li : Do you know when she'll be back?

Sister : Probably after five thirty?

Li : When she comes home, would you please ask her to call me back?

Sister : OK. May I have your telephone number, please?

Li : My telephone number is 2701–5426. Sorry for troubling you. Thank

94

you, good-bye.

Sister : Good-bye.

Wang : Hello. Is Wende Li there?

Li : Speaking. Meiying, you're back home?

Wang : Yes, I just got back. My little sister told me you called. Is something the matter?

Li : I'm thinking of studying a little French. I remember you've studied French, right?

Wang : That's right. I studied it when I was in middle school, and two years ago I also went to France to study for two months.

Li : Can you introduce me to a French teacher?

Wang : No problem. I know quite a few French teachers. How many lessons a week do you want to take?

Li : Originally I thought I'd take one lesson a week, but then I was afraid that would not be enough, so now I want to take two lessons a week. What do you think?

Wang : I think that's very good. I'll ask around for you and give you a call back, OK?

Li : OK, thanks. Good-bye.

Wang : Good-bye.

NARRATION

　　今天下午王美英到圖書館借書去了。她不在家的時候，李文德給她打電話。是美英的妹妹接^⑲的。她告訴文德，美英五點半以後回來。文德麻煩她請美英回來的時候給他打一個電話，可是美英的妹妹六點鐘要去跟一個朋友見面^⑳，她怕不能告訴美英這件事^㉑，所以給美英留了一張字條^㉒：

姐姐：

　　差不多四點鐘的時候，李文德來過電話，他請你回家以後，馬上給他打一個電話，我想他有事找你，請別忘了！他的電話號碼是2701-5426^㉓。

妹留

5:20

ㄐㄧㄣ ㄊㄧㄢ ㄒㄧㄚˋ ㄨˇ ㄨㄤˊ ㄇㄟˇ ㄧㄥ ㄉㄠˋ ㄊㄨˊ ㄕㄨ ㄍㄨㄢˇ ㄐㄧㄝˋ ㄕㄨ ㄑㄩˋ ㄉㄜ˙ 。ㄊㄚ ㄅㄨˊ ㄗㄞˋ
ㄐㄧㄚ ㄉㄜ˙ ㄕˊ ㄏㄡˋ，ㄌㄧˇ ㄨㄣˊ ㄉㄜˊ ㄍㄟˇ ㄊㄚ ㄉㄚˇ ㄉㄧㄢˋ ㄏㄨㄚˋ。ㄕˋ ㄇㄟˇ ㄧㄥ ㄉㄜ˙ ㄇㄟˋ ㄇㄟ˙ ㄐㄧㄝ
ㄉㄜ˙。ㄊㄚ ㄍㄠˋ ㄙㄨˋ ㄨㄣˊ ㄉㄜˊ，ㄇㄟˇ ㄧㄥ ㄨˇ ㄉㄧㄢˇ ㄅㄢˋ ㄧˇ ㄏㄡˋ ㄏㄨㄟˊ ㄌㄞˊ。ㄨㄣˊ ㄉㄜˊ ㄇㄚˊ ㄈㄢˊ
ㄊㄚ ㄑㄧㄥˇ ㄇㄟˇ ㄧㄥ ㄏㄨㄟˊ ㄌㄞˊ ㄉㄜ˙ ㄕˊ ㄏㄡˋ ㄍㄟˇ ㄊㄚ ㄉㄚˇ ㄧˊ ㄍㄜ˙ ㄉㄧㄢˋ ㄏㄨㄚˋ，ㄎㄜˇ ㄕˋ ㄇㄟˇ ㄧㄥ
ㄉㄜ˙ ㄇㄟˋ ㄇㄟ˙ ㄌㄧㄡˋ ㄉㄧㄢˇ ㄓㄨㄥ ㄧㄠˋ ㄑㄩˋ ㄍㄣ ㄧˊ ㄍㄜ˙ ㄆㄥˊ ㄧㄡˇ ㄐㄧㄢˋ ㄇㄧㄢˋ，ㄊㄚ ㄆㄚˋ ㄅㄨˋ ㄋㄥˊ ㄍㄠˋ
ㄙㄨˋ ㄇㄟˇ ㄧㄥ ㄓㄟˋ ㄐㄧㄢˋ ㄕˋ，ㄙㄨㄛˇ ㄧˇ ㄍㄟˇ ㄇㄟˇ ㄧㄥ ㄌㄧㄡˊ ㄌㄜ˙ ㄧˊ ㄓㄤ ㄗˋ ㄊㄧㄠˊ：

> ㄐㄧㄝˇ ㄐㄧㄝ˙：
>
> ㄔㄚˋ ㄅㄨˋ ㄉㄨㄛ ㄙˋ ㄉㄧㄢˇ ㄓㄨㄥ ㄉㄜ˙ ㄕˊ ㄏㄡˋ，ㄌㄧˇ ㄨㄣˊ ㄉㄜˊ ㄌㄞˊ ㄍㄨㄛˋ ㄉㄧㄢˋ ㄏㄨㄚˋ，
> ㄊㄚ ㄑㄧㄥˇ ㄋㄧˇ ㄏㄨㄟˊ ㄐㄧㄚ ㄧˇ ㄏㄡˋ，ㄇㄚˇ ㄕㄤˋ ㄍㄟˇ ㄊㄚ ㄉㄚˇ ㄧˊ ㄍㄜ˙ ㄉㄧㄢˋ ㄏㄨㄚˋ，
> ㄨㄛˇ ㄒㄧㄤˇ ㄊㄚ ㄧㄡˇ ㄕˋ ㄓㄠˇ ㄋㄧˇ，ㄑㄧㄥˇ ㄅㄧㄝˊ ㄨㄤˋ ㄌㄜ˙！ㄊㄚ ㄉㄜ˙ ㄉㄧㄢˋ ㄏㄨㄚˋ
> ㄏㄠˋ ㄇㄚˇ ㄕˋ 2701-5426。
>
> ㄇㄟˋ ㄌㄧㄡˊ
> 5:20

Jīntiān xiàwǔ Wáng Měiyīng dào túshūguǎn jiè shū qùle. Tā búzài jiā
de shíhòu, Lǐ Wéndé gěi tā dǎ diànhuà, shì Měiyīngde mèimei jiēde. Tā
gàosù Wéndé, Měiyīng wǔdiǎnbàn yǐhò huílái. Wéndé máfán tā qǐng
Měiyīng huílái de shíhòu gěi tā dǎ yíge diànhuà, kěshì Měiyīngde mèimei
liùdiǎnzhōng yào qù gēn yíge péngyǒu jiànmiàn, tā pà bùnéng gàosù
Měiyīng zhèijiàn shì, suǒyǐ gěi Měiyīng liúle yìzhāng zìtiáo:

> Jiějie:
>
> Chàbùduō sìdiǎnzhōngde shíhòu, Lǐ Wéndé láiguò diànhuà, tā
> qǐng nǐ huíjiā yǐhòu, mǎshàng gěi tā dǎ yíge diànhuà, wǒ xiǎng tā
> yǒu shì zhǎo nǐ, qǐng bié wàngle! Tāde diànhuà hàomǎ shì 2701-
> 5426.
>
> Mèi liú
> 5:20

Jīntiān siàwǔ Wáng Měiyīng dào túshūguǎn jiè shū cyùle. Tā búzài jiā de shíhhòu, Lǐ Wúndé gěi tā dǎ diànhuà, shìh Měiyīngde mèimei jiē de. Tā gàosù Wúndé, Měiyīng wǔdiǎnbàn yǐhò huéi lái. Wúndé máfán tā cǐng Měiyīng huéilái de shíhhòu gěi tā dǎ yíge diànhuà, kěshìh Měiyīngde mèimei liòudiǎnjhōng yào cyù gēn yíge péngyǒu jiànmiàn, tā pà bùnéng gàosù Měiyīng jhèijiàn shìh, suǒyǐ gěi Měiyīng lióule yìjhāng zìhtiáo:

Jiějie:

    Chàbùduō sìh diǎnjhōngde shíhhòu, Lǐ Wúndé láiguò diànhuà, tā cǐng nǐ huéijiā yǐhòu, mǎshàng gěi tā dǎ yíge diànhuà, wǒ siǎng tā yǒu shìh jhǎo nǐ, cǐng bié wàngle! Tāde diànhuà hàomǎ shìh 2701-5426.

Mèi lióu

5:20

This afternoon Meiying Wang went to the library to borrow some books. While she was away, Wende Li called her, and Meiying's little sister picked up the call. She told Wende that Meiying would be back after 5:30. Wende asked her to ask Meiying to give him a call when she got back. However, Meiying's little sister wanted to go meet a friend at 6:00 and was afraid she wouldn't be able to give Meiying this message, so she left this note for her:

Big sister:

    Around four o'clock Wende Li called. He asked that you give him a call as soon as you get home. I think he wants to reach you for something. Please don't forget. His phone number is 2701-5426.

Sister

5:20

VOCABULARY

1 以ˇ後ˋ (yǐhòu) ▶ ADV (TW): after, afterwards

例 三ㄙ個ㄍ鐘ㄓ頭ㄊ以ˇ後ˋ，請ㄑ在ㄗ這ㄓ裡ㄌ等ㄉ我ˇ。

Sānge zhōngtóu yǐhòu, qǐng zài zhèlǐ děng wǒ.

Sānge jhōngtóu yǐhòu, cǐng zài jhèlǐ děng wǒ.

Wait for me here in three hours.

例 我ˇ現ㄒ在ㄗ學ㄒ中ㄓ文ˊ，以ˇ後ˋ可ˇ以ˇ跟ㄍ華ㄏ人ㄖ做ㄗ生ㄕ意ˋ。

Wǒ xiànzài xué Zhōngwén, yǐhòu kěyǐ gēn Huárén zuò shēngyì.

Wǒ siànzài syué Jhōngwún, yǐhòu kěyǐ gēn Huárén zuò shēngyì.

I'm studying Chinese now; later on I'll be able to do business with ethnic Chinese.

2 打ㄉ電ㄉ話ㄏ (dǎ diànhuà) ▶ VO: to make a phone call

例 昨ㄗ天ㄊ我ˇ給ㄍ他ㄊ打ㄉ了ㄌ一ˋ個ㄍ電ㄉ話ㄏ，請ㄑ他ㄊ替ㄊ我ˇ買ㄇ機ㄐ票ㄆ。

Zuótiān wǒ gěi tā dǎle yíge diànhuà, qǐng tā tì wǒ mǎi jīpiào.

Zuótiān wǒ gěi tā dǎle yíge diànhuà, cǐng tā tì wǒ mǎi jīpiào.

I gave him a call yesterday and asked him to buy plane tickets on my behalf.

電ㄉ話ㄏ (diànhuà) ▶ N: telephone, call

3 喂ㄨ (wéi) ▶ P: a common telephone or intercom greeting "hello"

例 A：喂ㄨ，請ㄑ問ㄨ這ㄓ裡ㄌ是ㄕ大ㄉ新ㄒ公ㄍ司ㄙ嗎ㄇ？

B：是ㄕ的ㄉ，您ㄋ要ㄧ找ㄓ哪ㄋ一ˋ位ㄨ？

A：Wéi, qǐngwèn zhèlǐ shì Dàxīngōngsī ma?

B：Shìde, nín yào zhǎo nǎyíwèi?

A：Wéi, cǐngwùn jhèlǐ shìh Dàsīngōngsīh ma?

B：Shìhde, nín yào jhǎo nǎyíwèi?

A : Hello. Excuse me, is this Daxin Company?

B : It is. May I ask whom you are looking for?

---

4 借 (jiè) ▸▸ V: to borrow, to lend

例 我的錢不夠，跟他借了一千塊錢。

Wǒ de qián búgòu, gēn tā jiè le yìqiān kuàiqián.

Wǒ de cián búgòu, gēn tā jiè le yìciān kuàicián.

My money's not enough; I borrowed a thousand dollars from him.

例 這枝筆不是我的，是愛美借我的。

Zhèizhī bǐ búshì wǒ de, shì Àiměi jiè wǒ de.

Jhèijhīh bǐ búshìh wǒ de, shìh Àiměi jiè wǒ de.

This pen isn't mine; it's a pen Amy lent me.

---

5 以前 (yǐqián / yǐcián) ▸▸ ADV (TW): before, ago, formerly

例 那個學生是三個禮拜以前來台灣的。

Nèige xuéshēng shì sānge lǐbài yǐqián lái Táiwān de.

Nèige syuéshēng shìh sānge lǐbài yǐcián lái Táiwān de.

That student came to Taiwan three weeks ago.

例 以前他不會做菜，現在做得非常好了。

Yǐqián tā búhuì zuòcài, xiànzài zuò de fēicháng hǎo le.

Yǐcián tā búhuèi zuòcài, siànzài zuò de fēicháng hǎo le.

He did not know anything about cooking before; now he cooks extremely well.

---

6 大概 (dàgài) ▸▸ ADV: probably

例 他大概生病了，所以沒來上課。

Tā dàgài shēngbìngle, suǒyǐ méilái shàngkè.

He's probably gotten sick, so he didn't come to class.

7 麻ㄇㄚˊ煩ㄈㄢˊ / ㄈㄢ˙ (máfán / máfan)

▶ SV/V/N: to be annoyed; to bother; an annoyance, troublesome

例 學ㄒㄩㄝˊ中ㄓㄨㄥ文ㄨㄣˊ很ㄏㄣˇ有ㄧㄡˇ意ㄧˋ思ㄙ，可ㄎㄜˇ是ㄕˋ寫ㄒㄧㄝˇ中ㄓㄨㄥ國ㄍㄨㄛˊ字ㄗˋ真ㄓㄣ麻ㄇㄚˊ煩ㄈㄢˊ。

Xué Zhōngwén hěn yǒuyìsi, kěshì xiě Zhōngguózì zhēn máfán.

Syué Jhōngwún hěn yǒuyìsih, kěshìh siě Jhōngguózìh jhēn máfán.

Studying Chinese is very interesting, but it's really troublesome to write Chinese characters.

例 張ㄓㄤ小ㄒㄧㄠˇ姐ㄐㄧㄝˇ很ㄏㄣˇ客ㄎㄜˋ氣ㄑㄧˋ，不ㄅㄨˋ喜ㄒㄧˇ歡ㄏㄨㄢ麻ㄇㄚˊ煩ㄈㄢˊ別ㄅㄧㄝˊ人ㄖㄣˊ。

Zhāng Xiǎojiě hěn kèqì, bùxǐhuān máfán biérén.

Jhāng Siǎojiě hěn kècì, bùsǐhuān máfán biérén.

Miss Zhang is very polite and doesn't like to bother other people.

煩ㄈㄢˊ (fán) ▶ SV/V: to be vexed, annoyed; to annoy

例 今ㄐㄧㄣ天ㄊㄧㄢ要ㄧㄠˋ做ㄗㄨㄛˋ的ㄉㄜ˙事ㄕˋ不ㄅㄨˋ少ㄕㄠˇ，他ㄊㄚ覺ㄐㄩㄝˊ得ㄉㄜ˙很ㄏㄣˇ煩ㄈㄢˊ。

Jīntiān yào zuò de shì bùshǎo, tā juéde hěn fán.

Jīntiān yào zuò de shìh bùshǎo, tā jyuéde hěn fán.

Today there are so many things to do; he feels annoyed.

例 我ㄨㄛˇ的ㄉㄜ˙頭ㄊㄡˊ很ㄏㄣˇ痛ㄊㄨㄥˋ，要ㄧㄠˋ休ㄒㄧㄡ息ㄒㄧˊ一ㄧˊ下ㄒㄧㄚˋ，現ㄒㄧㄢˋ在ㄗㄞˋ別ㄅㄧㄝˊ煩ㄈㄢˊ我ㄨㄛˇ。

Wǒde tóu hěntòng, yào xiūxí yíxià, xiànzài bié fán wǒ.

Wǒde tóu hěntòng, yào siōusí yísià, siànzài bié fán wǒ.

My head hurts a lot, and I want to rest a while. Don't bother me right now.

8 告ㄍㄠˋ訴ㄙㄨˋ (gàosù) ▶ V: to tell, to inform

例 我ㄨㄛˇ已ㄧˇ經ㄐㄧㄥ告ㄍㄠˋ訴ㄙㄨˋ老ㄌㄠˇ師ㄕ，我ㄨㄛˇ明ㄇㄧㄥˊ天ㄊㄧㄢ不ㄅㄨˋ能ㄋㄥˊ來ㄌㄞˊ了ㄌㄜ˙。

Wǒ yǐjīng gàosù lǎoshī, wǒ míngtiān bùnéng láile.

Wǒ yǐjīng gàosù lǎoshīh, wǒ míngtiān bùnéng láile.

I already told the teacher I can't come tomorrow.

9 過 (guò) ▸▸ P: a suffix indicating completion of an action, or completion of an action as an experience

例 我沒去過歐洲，打算明年去看看。

Wǒ méi qùguò Ōuzhōu, dǎsuàn míngnián qù kànkàn.

Wǒ méi cyùguò Ōujhōu, dǎsuàn míngnián cyù kànkàn.

I've never been to Europe. Next year I plan to go and see it.

10 記得 (jìde) ▸▸ V: to remember

例 我們十年以前一起學過書法，你還記得我嗎？

Wǒmen shínián yǐqián yìqǐ xuéguò shūfǎ, nǐ hái jìde wǒ ma?

Wǒmen shíhnián yǐcián yìcǐ syuéguò shūfǎ, nǐ hái jìde wǒ ma?

We studied calligraphy together ten years ago. Do you still remember me?

11 中學 (zhōngxué / jhōngsyué) ▸▸ N: middle school

12 又 (yòu) ▸▸ ADV: again (in the past)

例 上個星期，他的感冒剛好，現在又生病了。

Shàngge xīngqí, tāde gǎnmào gāng hǎo, xiànzài yòu shēngbìngle.

Shàngge sīngcí, tāde gǎnmào gāng hǎo, siànzài yòu shēngbìngle.

He just got over his cold last week. Now he's sick again.

13 認識 (rènshì / rènshìh) ▸▸ V: to recognize, to realize

例 我不認識那個人，他是你的朋友嗎？

Wǒ búrènshì nèige rén, tā shì nǐde péngyǒu ma?

Wǒ búrènshìh nèige rén, tā shìh nǐde péngyǒu ma?

I don't recognize that person. Is he your friend?

認得 (rènde) ▸▸ V: to know (as in to recognize)

14 次 (cì / cìh) ▶ M: measure word for an action or event's time

例 這是我第一次來法國，想要看的地方很多。

Zhèshì wǒ dìyīcì lái Fǎguó, xiǎngyào kàn de dìfāng hěnduō.

Jhèshìh wǒ dìyīcìh lái Fǎguó, siǎngyào kàn de dìfāng hěnduō.

This is the first time I've come to France. There are many places that I want to see.

15 本來 (běnlái) ▶ ADV: originally

例 他本來不會開車，現在會開了。

Tā běnlái búhuì kāichē, xiànzài huì kāile.

Tā běnlái búhuèi kāichē, siànzài huèi kāile.

Originally he didn't know how to drive, but now he does.

16 後來 (hòulái) ▶ ADV (TW): afterwards, later on

例 他說他本來記得那個電話號碼，可是後來忘了。

Tā shuō tā běnlái jìde nèige diànhuà hàomǎ, kěshì hòulái wàngle.

Tā shuō tā běnlái jìde nèige diànhuà hàomǎ, kěshìh hòulái wàngle.

He said that he remembered that phone number at first, but later on he forgot it.

17 恐怕 (kǒngpà) ▶ ADV : (I'm) afraid that, perhaps, probably

例 時間這麼晚了，謝太太恐怕不來了。

Shíjiān zhème wǎnle, Xiè Tàitai kǒngpà bùláile.

Shíhjiān jhème wǎnle, Siè Tàitai kǒngpà bùláile.

It's already so late; I'm afraid Mrs. Xie isn't coming.

怕 (pà) ▶ SV: to fear

例 學生都怕老師嗎？

Xuéshēng dōu pà lǎoshī ma?

Syuéshēng dōu pà lǎoshīh ma?

Are all students afraid of teachers?

18 決定 (juédìng / jyuédìng) ▸▸ V: to decide

例 弟弟決定明年去美國念書。

Dìdi juédìng míngnián qù Měiguó niànshū.

Dìdi jyuédìng míngnián cyù Měiguó niànshū.

My younger brother has decided to go to America next year to study.

SUPPLEMENTARY VOCABULARY

19 接電話 (jiē diànhuà)

▸▸ VO: to answer the phone, to pick up or take a call

例 沒有人接電話，大概他們都不在家。

Méiyǒu rén jiē diànhuà, dàgài tāmen dōu búzài jiā.

No one is answering the phone; that probably means nobody is home.

20 見面 (jiàn miàn) ▸▸ VO: to meet someone, to see someone

例 他去南部念書以後，我就不常跟他見面了。

Tā qù nánbù niànshū yǐhòu, wǒ jiù bùcháng gēn tā jiàn miàn le.

Tā cyù nánbù niànshū yǐhòu, wǒ jiòu bùcháng gēn tā jiàn miàn le.

I don't see him often now that he's gone to the south to study.

21 留 (liú / lióu) ▸▸ V: to leave (message, thing, etc.), to stay, to remain

例 我要去朋友家玩，所以給媽媽留了一張字條。

Wǒ yào qù péngyǒujiā wán, suǒyǐ gěi māma liúle yìzhāng zìtiáo.

Wǒ yào cyù péngyǒujiā wán, suǒyǐ gěi māma lióule yìjhāng zìhtiáo.

I'm going over to a friend's house, so I'm leaving my mom a note.

22 字條 (zìtiáo / zìhtiáo) ▸▸ N: a note

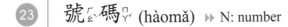

23 號碼 (hàomǎ) ▸▸ N: number

例 請告訴我你的電話號碼。

Qǐng gàosù wǒ nǐde diànhuà hàomǎ.

Cǐng gàosù wǒ nǐde diànhuà hàomǎ.

Please tell me your telephone number.

24 從前 (cóngqián / cóngcián) ▸▸ ADV (TW): formerly, in the past, used to

例 從前這裡的大樓不多，現在路的兩邊都是大樓了。

Cóngqián zhèlǐde dàlóu bùduō, xiànzài lùde liǎngbiān dōushì dàlóu le.

Cóngcián jhèlǐde dàlóu bùduō, siànzài lùde liǎngbiān dōushìh dàlóu le.

In the past, there were not many tall buildings here. Now there are skyscrapers on both sides of the road.

25 洗 (xǐ / sǐ) ▸▸ V: to wash

例 做菜以前別忘了洗手。

Zuòcài yǐqián bié wàngle xǐshǒu.

Zuòcài yǐcián bié wàngle sǐshǒu.

Don't forget to wash your hands before cooking.

26 手 (shǒu) ▸▸ N: hand（M: 隻 zhī / jhīh，雙 shuāng）

27 高興 (gāoxìng / gāosìng) ▸▸ SV: to be happy

例 今天你為什麼特別高興？

Jīntiān nǐ wèishénme tèbié gāoxìng?

Jīntiān nǐ wèishénme tèbié gāosìng?

Why are you so happy today?

28　頭ㄊㄡˊ (tóu)　▶ DEM: first, the top

例　這ㄓㄜˋ是ㄕˋ我ㄨㄛˇ頭ㄊㄡˊ一ㄧˋ次ㄘˋ來ㄌㄞˊ台ㄊㄞˊ灣ㄨㄢ。
Zhèshì wǒ tóuyícì lái Táiwān.
Jhèshìh wǒ tóuyícìh lái Táiwān.
This is the first time I've come to Taiwan.

29　義ㄧˋ大ㄉㄚˋ利ㄌㄧˋ (Yìdàlì)　▶ N: Italy

30　郵ㄧㄡˊ差ㄔㄞ (yóuchāi)　▶ N: mail carrier, postman

SYNTAX PRACTICE

1　General Relative Time (as an Adverb)

從前、以前、本來、後來、現在、以後 are adverbs. They are used like other time words.

從前 (formerly)
以前 (previously)
本來 (originally)
後來 (afterwards, later on)
現在 (now, at present)
以後 [(t)hereafter, afterwards]

1. 那個地方從前人不多，現在是大城市了。

2. 他以前很喜歡跳舞，現在不喜歡了。

3. 我以前常到那裡去，後來太忙了，就不常去了。

4. 他本來沒有錢，後來有錢了，汽車、房子都買了。

5. 她現在學日文，以後要到日本去做事。

Complete the following sentences.

1. 我本來記得那件事，＿＿＿＿＿＿＿＿＿＿＿＿。

2. 她從前住在英國，＿＿＿＿＿＿＿＿＿＿＿。

3. ＿＿＿＿＿＿＿＿＿＿＿，後來他不寫信了。

4. 以前我不喜歡吃牛肉，＿＿＿＿＿＿＿＿＿＿＿。

5. ＿＿＿＿＿＿＿＿＿＿＿，以後就會點菜了。

2　Specific Relative Time

"Specific relative time" precedes the main verb in the sentence.

Ⅰ.

A. 以前 (ago)

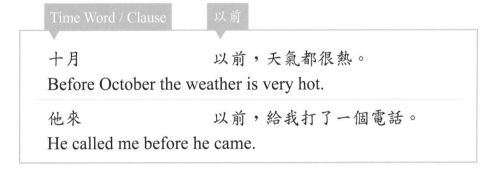

A Period of Time	以前

三個月　　　　　　　以前，他到日本去了。
He went to Japan three months ago.

B. 以前 (before)

Time Word / Clause	以前

十月　　　　　　　以前，天氣都很熱。
Before October the weather is very hot.

他來　　　　　　　以前，給我打了一個電話。
He called me before he came.

1. 半年以前，我一句中文也不懂。

2. 這件衣服是我五年以前買的，有一點舊了。

3. 我每天七點鐘以前起來。

4. 請你明天中午以前打電話給我。

5. 吃飯以前應該洗手。

6. 睡覺以前我常看一會兒書。

II. ……的時候 (in / at, when, while)

Time Word / Clause 的時候

夏天（的時候），到海邊去玩的人最多。
Summer is the time when most people go to the beach.

我小的時候，很喜歡在外面玩。
When I was small, I loved to play outside.

1. 每天下午五、六點鐘的時候，路上的車最多。

2. 他高興的時候常常唱歌。

3. 吃飯的時候，不可以看電視。

4. 台灣人接電話的時候，先說「喂」。

5. 放假的時候，我要去旅行。

6. 我們是念大學的時候認識的。

III.

A. 以後 (after, later)

A Period of Time　　　　　以後

半年　　　　　　　　　　以後，我要到法國去。
In half a year I will go to France.

B. 以後 (after)

Time Word / Clause	以後
六點鐘	以後，我一定在家。
I'll be home after six o'clock for sure.	
下（了）課	以後，我要去圖書館。
After class I will go to the library.	

1. 李先生現在不在，請你十分鐘以後再來。
2. 一年以後，你的華語一定說得很好了。
3. 九月以後，晚上就不熱了。
4. 我常常十二點鐘以後睡覺。
5. 吃了晚飯以後，她常常看電視。
6. 我下班以後就到他那裡去。

Use 以前／以後／的時候 to complete the following sentences.

1 開車_____不要開得太快。
2 他睡覺_____喝一點酒。
3 下課_____我要去吃午飯。
4 兩年_____她學了一點法文。
5 別人唱歌_____不要說話。
6 旅行_____他們覺得累。
7 買衣服_____得試試看。
8 考試_____他念了很多書。
9 我小_____喜歡看電視。
10 他借了我的東西_____很快就忘了。

3 次（or 回）as a Verbal Measure

Ⅰ. **"DEM-NU-次／回"** follows the time-when pattern and comes before the verb to indicate **"which time."**

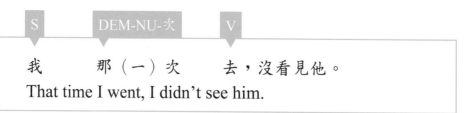

我 　　那（一）次　　去，沒看見他。
That time I went, I didn't see him.

1. 我頭一次吃法國菜是在朋友家吃的。
2. 我每一次看見他，他都在念書。
3. 這是我第一次學外國話。
4. 下次你來以前，別忘了給我打個電話。
5. 我這次到這裡來玩得很高興，也認識了很多朋友。

Ⅱ. **"NU-次／回"** can also follow the time-spent pattern and come after the verb to indicate **"how many times,"** but if the object is a person, then how many times always comes after the object.

請你　再說　一　　　次。
Please say it again.

1. 我跟他說了三次，他還是不記得。
2. 第一次做得不好，我又做了一次。
3. 她差不多每星期吃一次魚。
4. 他的孩子在美國念大學，所以他每年到美國去好幾次。
5. 我只教了他一次怎麼做那個菜，他就會做了。

Answer the following sentences.

1. 你第一次吃日本菜，是在哪裡吃的？
2. 上次你感冒是什麼時候？
3. 下次你要到哪裡去旅行？
4. 這次你去看他，跟他說了什麼？
5. 你頭一次看見他，你喜歡他嗎？
6. 你每次去買衣服的時候，你跟誰去？
7. 你每個星期上幾次中文課？
8. 去年你病了幾次？
9. 去年冬天你滑了幾次雪？
10. 上個禮拜你去圖書館借了幾次書？

4 Verbal Suffix 過 as a Marker of Experience

Ⅰ. **It can indicate an experience in the past, translated into English as "have (ever) before." When used, 了 is not needed.**

S	（沒）	V-	過	O
我	（沒）	吃	過	義大利菜。

I have (never) eaten Italian food.

1. 你以前見過他嗎？

   沒見過，這是我們第一次見面。

2. 你以前學過中文嗎？

   我小的時候學過一點。

3. 他來過美國嗎？

他三年以前來過一次。

4. 你在鄉下住過沒有？

　　住過，我喜歡那裡的風景。

5. 你看過日本電影嗎？

　　我沒看過。

II. It has a slightly stronger meaning of completed action than an ordinary sentence with 了 on the end of it. It can also be used together with 了 in affirmative statements and in some questions.

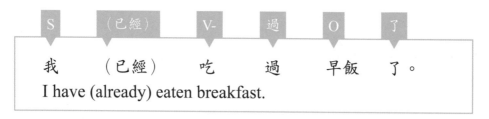

S	（已經）	V-	過	O	了
我	（已經）	吃	過	早飯	了。

I have (already) eaten breakfast.

1. 你跟他見過面了嗎？

　　見過了，他說他可以幫我忙。

2. 第三課你們學過了嗎？

　　已經學過了，現在我們念第四課了。

3. 今天郵差來過了沒有？

　　還沒來呢！

4. 你要不要看今天的報？

　　謝謝，我已經看過了。

5. 聽說那個電影不錯，你看了嗎？

　　我已經看過兩次了。

Look at the pictures and talk about your experience.

炒麵*

Answer the following questions according to this student's schedule.

SCHEDULE			
7:00	吃早飯	2:00	到圖書館去
7:30	看報	5:00	跟美英見面
8:00	上中文課	6:00	吃晚飯
9:00	到郵局去	7:00	看電視
10:00	寫中文字	8:00	給父母打電話
12:00	吃中飯		

*炒麵 (chǎomiàn)：fried noodles　　啤酒 (píjiǔ)：beer

（現在是下午一點鐘）

1 他吃過中飯了嗎？

2 他今天到郵局去過了嗎？

3 他已經跟美英見過面了嗎？

4 今天他已經上過中文課了嗎？

5 晚飯，他吃過了沒有？

6 他今天到圖書館去過了嗎？

7 今天的報，他看過了嗎？

8 今天他看過電視了沒有？

9 他給父母打過電話了嗎？

10 今天他寫過中文字了沒有？

APPLICATION ACTIVITIES

1 **Each student uses different time expressions to answer the following questions.**

e.g. 你什麼時候給他這本書？

· 我明天給他。

· 我下次跟他見面的時候給他。

· 我一個星期以後給他。

· 我明天上課以前給他。

1. 你每天什麼時候看報？

2. 你什麼時候要到法國去？

3. 你什麼時候給父母打電話？

4. 你什麼時候回家？

5. 你是什麼時候看見張老師的？

2 Each student shares 5 special experiences (for example, travel, food, language, etc.), and 3 situations with no experience having done something.

3 Situation

Call a friend on the phone and pretend you encounter a possible situation. (For example, you dialed the wrong number, the person called answers the phone, someone else answers the phone, etc.)

*

留話 (liú huà)：to leave a message

第 5 課

華語跟法語①一樣好聽②

DIALOGUE

I

A：你學過法語嗎？

B：學過。

A：有人說法語是世界③上最好聽的語言④，你說呢？

B：我覺得華語跟法語一樣好聽。

A：華語的語法⑤很容易學，法語呢？

B：法語的語法比華語難多了⑥，可是法國字沒有中國字那麼難寫。

A：法文跟英文有很多字很像⑦，是嗎？

B：是啊，所以有的美國人覺得法文很容易學，就像日本人覺得中國字好寫一樣。

Ⅱ

張：王先生，好久不見，您是什麼時候回來的？

王：我是上星期回來的。

張：這幾年您在國外一切⑧都好吧？

王：都好，您呢？

張：我也很好。

王：您好像⑨比以前瘦⑩了一點。

張：是嗎？也許因為最近比較忙⑪吧。

王：張太太好嗎？

張：她很好，謝謝。

王：您的兩個孩子有多大了？

張：女兒十歲⑫，兒子八歲了。

王：日子⑬過得真快啊！他們的功課⑭都很好吧？

張：姐姐念書比弟弟念得好。弟弟聰明得很⑮，可是沒有姐姐那麼用功⑯。

王：放心，他還小，過幾年就好了。

I

A：ㄋㄧˇ　ㄒㄩㄝˊ　ㄍㄨㄛˋ　ㄈㄚˇ　ㄩˇ　ㄇㄚ˙　？

B：ㄒㄩㄝˊ　ㄍㄨㄛˋ　。

A：一ㄡˇ　ㄖㄣˊ　ㄕㄨㄛ　ㄈㄚˇ　ㄩˇ　ㄕˋ　ㄕˋ　ㄐㄧㄝˋ　ㄕㄤˋ　ㄗㄨㄟˋ　ㄏㄠˇ　ㄊㄧㄥ　ㄉㄜ˙　ㄩˇ　一ㄢˊ，ㄋㄧˇ　ㄕㄨㄛ　ㄋㄜ˙　？

B：ㄨㄛˇ　ㄐㄩㄝˊ　ㄉㄜ˙　ㄍㄨㄛˊ　ㄩˇ　ㄍㄣ　ㄈㄚˇ　ㄩˇ　一ˊ　一ㄤ　ㄏㄠˇ　ㄊㄧㄥ　。

A：ㄏㄨㄚˋ　ㄩˇ　ㄉㄜ˙　ㄩˇ　ㄈㄚˇ　ㄖㄨㄥˊ　一ˋ　ㄒㄩㄝˊ，ㄏㄞˊ　ㄕˋ　ㄋㄢˊ，ㄕˋ　ㄚ˙　？

B：ㄈㄚˇ　ㄩˇ　ㄉㄜ˙　ㄩˇ　ㄈㄚˇ　ㄅㄨˇ　ㄍㄨㄛˇ　ㄋㄢˊ　ㄉㄨㄛ　ㄉㄜ˙，ㄎㄜˇ　ㄕˋ　ㄈㄚ　ㄕㄥ　ㄇㄟˊ　一ㄡˇ　ㄍㄨㄛˊ　ㄕˋ　ㄋㄧ　ㄇㄚ˙　ㄋㄢˊ　ㄒㄧㄝˇ　。

A：ㄈㄚˋ　ㄨㄣˊ　ㄍㄣ　一ㄥ　ㄨㄣˊ　一　ㄏㄣˊ　ㄅㄧˋ　ㄕˋ　ㄏㄣˇ　ㄒㄧㄤ，ㄕˋ　ㄅㄚ˙　？

B：ㄕˋ　ㄚ˙，ㄍㄨㄛˇ　一　一ㄡˇ　ㄉㄜ˙　ㄇㄟˊ　ㄍㄨㄟ　ㄖㄣˊ　ㄐㄧㄝˋ　ㄉㄜ˙　ㄈㄚˇ　ㄨㄣˊ　ㄏㄨㄛˋ　一　一ㄝˋ，ㄐㄧㄡˋ　ㄒㄧㄤ　ㄖㄣˊ　ㄅㄣˋ　ㄖㄣˊ　ㄐㄧㄝˊ　ㄉㄜ˙　ㄓㄨㄛ　ㄍㄨㄛˇ　一　ㄍㄠˇ　一ㄝˋ　一　一ㄤ　。

II

ㄓㄤ：ㄨㄤˊ　一ㄢ　ㄕㄥ，ㄏㄠˇ　ㄐㄧㄡˇ　ㄅㄨˊ　ㄐㄧㄢˋ，ㄋㄧˇ　ㄕˋ　ㄈㄣˊ　ㄖˋ　ㄕˋ　ㄏㄡˋ　ㄍㄨㄟ　ㄌㄞˊ　ㄉㄜ˙　？

ㄨㄤ：ㄨㄛˇ　ㄕˋ　ㄕㄤ　ㄒㄧㄥ　ㄑㄧ　ㄏㄨㄟˊ　ㄌㄞˊ　ㄉㄜ˙　。

ㄓㄤ：ㄓㄜˋ　ㄐㄧ　ㄋㄧㄢˊ　ㄋㄧㄢˊ　ㄗㄞ　ㄍㄨㄛˊ　ㄨㄞˋ　一ˋ　ㄑㄧㄝˊ　ㄉㄡ　ㄏㄠˇ　ㄅㄚ　？

ㄨㄤ：ㄉㄡ　ㄏㄠˇ，ㄋㄧˇ　ㄋㄜ˙　？

ㄓㄤ：ㄨㄛˇ　一ˇ　ㄏㄣ　ㄏㄠˇ　。

ㄨㄤ：ㄋㄧˇ　ㄏㄠˇ　ㄒㄧㄤˋ　ㄅ一ˇ　一ˇ　ㄑㄧㄢˊ　ㄕㄡˋ　ㄉㄜ˙　一ˋ　ㄉㄧㄢˇ　。

ㄓㄤ：ㄕˋ　ㄇㄚ˙？一ㄝˇ　ㄒㄩˇ　一ㄣ　ㄨㄟˋ　ㄍㄨㄥˋ　一ˋ　ㄐㄧㄠ　ㄇㄤˊ　ㄚ˙　。

ㄨㄤ：ㄓㄤ　ㄊㄞˋ　ㄊㄞˋ　ㄏㄠˇ　ㄇㄚ˙　？

ㄓㄤ：ㄊㄚ　ㄏㄣˇ　ㄏㄠˇ，ㄒㄧㄝˋ　ㄒㄧㄝˋ　。

ㄨㄤ： ㄋㄧㄣ ㄊㄜ ㄌㄤ ㄍㄜ ㄌㄞ ㄕ ㄧㄡ ㄗㄜ ㄚ ㄌㄜ ？

ㄓㄤ： ㄋㄩˊ ㄦˊ ㄕ ㄙㄟ ， ㄦ ㄗ ㄅ ㄙㄟ ㄌㄜ 。

ㄨㄤ： ㄇ ㄗ ㄍㄨㄛ ㄓㄣ ㄎㄨㄞ ㄚ ！ ㄊㄧㄣ ㄅ ㄍㄨㄛ ㄆㄡ ㄏㄣ ㄏㄠ ㄅ ？

ㄓㄤ： ㄐㄧㄝ ㄐㄩ ㄋㄢ ㄕㄨ ㄧˇ ㄅ ㄧ ㄧ ㄅㄢ ㄊㄜ ㄍㄠ 。 ㄅ ㄧˇ ㄅ ㄊㄡ ㄇ ㄅ ㄧㄣ ， ㄎ ㄕ ㄇ
　　　ㄧㄡ ㄐㄧㄝ ㄐㄩ ㄋㄢ ㄋㄧ ㄐㄧ ㄍㄨㄛ 。

ㄨㄤ： ㄈㄤ ㄒㄧㄣ ， ㄊㄚ ㄏㄞ ㄒㄧㄠ ， ㄍㄛ ㄧ ㄅㄢ ㄋㄧㄡ ㄍㄠ ㄌㄜ 。

Dì Wǔ Kè　Huáyǔ Gēn Fǎyǔ Yíyàng Hǎotīng

(Pinyin)

I

A： Nǐ xuéguò Fǎyǔ ma?

B： Xuéguò.

A： Yǒurén shuō Fǎyǔ shì shìjièshàng zuì hǎotīngde yǔyán, nǐ shuō ne?

B： Wǒ juéde Huáyǔ gēn Fǎyǔ yíyàng hǎotīng .

A： Huáyǔde yǔfǎ hěn róngyìxué, Fǎyǔ ne?

B： Fǎyǔ de yǔfǎ bǐ Huáyǔ nánduōle, kěshì Fǎguó zì méiyǒu Zhōngguó zì
　　nàme nánxiě.

A： Fǎwén gēn Yīngwén yǒu hěnduō zì hěn xiàng, shì ma?

B： Shì a, suǒyǐ yǒude Měiguó rén juéde Fǎwén hěn róngyì xué, jiù xiàng
　　Rìběn rén juéde Zhōngguó zì hǎoxiě yíyàng.

II

Zhāng： Wáng Xiānshēng, hǎojiǔ bújiàn, nín shì shénme shíhòu huílái de?

Wáng ： Wǒ shì shàngxīngqí huílái de.

Zhāng： Zhè jǐnián nín zài guówài yíqiè dōu hǎo ba?

Wáng ： Dōu hǎo, nín ne?

Zhāng： Wǒ yě hěn hǎo.

Wáng : Nín hǎoxiàng bǐ yǐqián shòule yìdiǎn.

Zhāng : Shì ma? Yěxǔ yīnwèi zuìjìn bǐjiào máng ba.

Wáng : Zhāng Tàitai hǎo ma?

Zhāng : Tā hěn hǎo, xièxie.

Wáng : Nínde liǎngge háizi yǒu duódà le?

Zhāng : Nǚér shí suì, érzi bā suì le.

Wáng : Rìzi guòde zhēn kuài a! Tāmende gōngkè dōu hěn hǎo ba?

Zhāng : Jiějie niànshū bǐ dìdi niànde hǎo. Dìdi cōngmíng dehěn, kěshì méiyǒu jiějie nàme yònggōng.

Wáng : Fàngxīn, tā hái xiǎo, guò jǐnián jiù hǎole.

 Dì Wǔ Kè Huáyǔ Gēn Fǎyǔ Yíyàng Hǎotīng

(Tongyong)

A : Nǐ syuéguò Fǎyǔ ma?

B : Syuéguò.

A : Yǒurén shuō Fǎyǔ shìh shìhjièshàng zuèi hǎotīngde yǔyán, nǐ shuō ne?

B : Wǒ jyuéde Huáyǔ gēn Fǎyǔ yíyàng hǎotīng.

A : Huáyǔde yǔfǎ hěn róngyìsyué, Fǎyǔ ne?

B : Fǎyǔ de yǔfǎ bǐ Huáyǔ nánduōle, kěshìh Fǎguó zìh méiyǒu Jhōngguó zìh nàme nánsiě.

A : Fǎwún gēn Yīngwún yǒu hěnduō zìh hěn siàng, shìh ma?

B : Shìh a, suǒyǐ yǒude Měiguó rén jyuéde Fǎwún hěn róngyì syué, jiòu siàng Rìhběn rén jyuéde Jhōngguó zìh hǎosiě yíyàng.

Jhāng : Wáng Siānshēng, hǎojiǒu bújiàn, nín shìh shénme shíhhòu huéilái de?

Wáng : Wǒ shìh shàngsīngcí huéilái de.

Jhāng : Jhè jǐnián nín zài guówài yícìè dōu hǎo ba?

Wáng : Dōu hǎo, nín ne?

Jhāng : Wǒ yě hěn hǎo.

Wáng : Nín hǎosiàng bǐ yǐcián shòule yìdiǎn.

Jhāng : Shìh ma? Yěsyǔ yīnwèi zuèijìn bǐjiào máng ba.

Wáng : Jhāng Tàitai hǎo ma?

Jhāng : Tā hěn hǎo, sièsie.

Wáng : Nínde liǎngge háizih yǒu duódà le?

Jhāng : Nyǔér shíh suèi, érzih bā suèi le.

Wáng : Rìhzih guòde jhēn kuài a! Tāmende gōngkè dōu hěn hǎo ba?

Jhāng : Jiějie niànshū bǐ dìdi niànde hǎo. Dìdi cōngmíng dehěn, kěshìh
méiyǒu jiějie nàme yònggōng.

Wáng : Fàngsīn, tā hái siǎo, guò jǐnián jiòu hǎole.

 LESSON 5 CHINESE SOUNDS AS MELODIOUS AS FRENCH

Ⅰ

A : Have you ever studied French before?

B : Yes, I have.

A : Some people say French is the most pleasant-sounding language in the
world, what do you say?

B : I think Chinese sounds as nice as French.

A : Chinese grammar is very easy to learn. What about French?

B : French grammar is much more difficult than Chinese grammar, but
writing French isn't as difficult as writing Chinese.

A : Many words in French and English are similar, right?

B : That's right, so some Americans think French is very easy to learn, just
like Japanese think Chinese is easy to write.

II

Zhang : Mr. Wang, long time no see. When did you come back?

Wang : I came back last week.

Zhang : Has everything been all right these last few years that you have been abroad?

Wang : Everything's been fine, and you?

Zhang : I've also been fine.

Wang : It seems like you are a little slimmer than before.

Zhang : Really? Perhaps it's because I've been busier than usual lately.

Wang : How is Mrs. Zhang?

Zhang : She is very well, thank you.

Wang : How old are your two kids now?

Zhang : My daughter is ten, and my son is eight.

Wang : Boy! Time really flies. Is their schoolwork going well?

Zhang : Big sister is doing better than her little brother. Little brother is very smart, but he doesn't work as hard as his sister.

Wang : Don't worry. He's still young. He'll be fine in a few years.

NARRATION

　　我朋友王大明的年紀^⑰跟我一樣大，都是二十歲。他比我高，也比我瘦。最近，他學校的功課忙得不得了^⑱，所以他更^⑲瘦了。

　　王大明很聰明，也很用功，會說很多國語言。我也跟他學了一點，可是沒有他說得那麼好。我喜歡跟他一塊兒去旅行，因為他會說那麼多國語言，到世界上很多地方去都很方便。

ㄨㄛˇ ㄆㄥˊ ㄧㄡˇ ㄨㄤˊ ㄉㄚˋ ㄇㄧㄥˊ ㄉㄜ ㄋㄧㄢˊ ㄐㄧˋ ㄍㄣ ㄨㄛˇ ㄧˊ ㄧㄤˋ ㄉㄚˋ, ㄉㄡ ㄕˋ ㄦˋ ㄕˊ
ㄙㄨㄟˋ。ㄊㄚ ㄅㄧˇ ㄨㄛˇ ㄍㄠ, ㄧㄝˇ ㄅㄧˇ ㄨㄛˇ ㄕㄡˋ。ㄗㄨㄟˋ ㄐㄧㄣˋ, ㄊㄚ ㄒㄩㄝˊ ㄒㄧㄠˋ ㄉㄜ ㄍㄨㄥ ㄎㄜˋ ㄇㄤˊ
ㄉㄜ ㄅㄨˋ ㄉㄜˊ ㄌㄧㄠˇ, ㄙㄨㄛˇ ㄧˇ ㄊㄚ ㄍㄥˋ ㄕㄡˋ ㄌㄜ。

ㄨㄤˊ ㄉㄚˋ ㄇㄧㄥˊ ㄏㄣˇ ㄘㄨㄥ ㄇㄧㄥˊ, ㄧㄝˇ ㄏㄣˇ ㄩㄥˋ ㄍㄨㄥ, ㄏㄨㄟˋ ㄕㄨㄛ ㄏㄣˇ ㄉㄨㄛ ㄍㄨㄛˊ ㄩˇ ㄧㄢˊ。
ㄨㄛˇ ㄧㄝˇ ㄍㄣ ㄊㄚ ㄒㄩㄝˊ ㄌㄜ ㄧˋ ㄉㄧㄢˇ, ㄎㄜˇ ㄕˋ ㄇㄟˊ ㄧㄡˇ ㄊㄚ ㄕㄨㄛ ㄉㄜ ㄋㄚˋ ㄇㄜ ㄏㄠˇ。ㄨㄛˇ
ㄒㄧˇ ㄏㄨㄢ ㄍㄣ ㄊㄚ ㄧˊ ㄎㄨㄞˋ ㄦ ㄑㄩˋ ㄌㄩˇ ㄒㄧㄥˊ, ㄧㄣ ㄨㄟˋ ㄊㄚ ㄏㄨㄟˋ ㄕㄨㄛ ㄋㄚˋ ㄇㄜ ㄉㄨㄛ ㄍㄨㄛˊ ㄩˇ
ㄧㄢˊ, ㄉㄠˋ ㄕˋ ㄐㄧㄝˋ ㄕㄤˋ ㄏㄣˇ ㄉㄨㄛ ㄉㄧˋ ㄈㄤ ㄑㄩˋ ㄉㄡ ㄏㄣˇ ㄈㄤ ㄅㄧㄢˋ。

Wǒ péngyǒu Wáng Dàmíngde niánjì gēn wǒ yíyàng dà, dōu shì èrshí suì. Tā bǐ wǒ gāo, yě bǐ wǒ shòu. Zuìjìn, tā xuéxiàode gōngkè mángde bùdéliǎo, suǒyǐ tā gèng shòu le.

Wáng Dàmíng hěn cōngmíng, yě hěn yònggōng, huì shuō hěn duō guó yǔyán. Wǒ yě gēn tā xuéle yìdiǎn, kěshì méiyǒu tā shuōde nàme hǎo. Wǒ xǐhuān gēn tā yíkuàr qù lǚxíng, yīnwèi tā huì shuō nàme duō guó yǔyán, dào shìjièshàng hěn duō dìfāng qù dōu hěn fāngbiàn.

Wǒ péngyǒu Wáng Dàmíngde niánjì gēn wǒ yíyàng dà, dōu shìh èrshíh suèi. Tā bǐ wǒ gāo, yě bǐ wǒ shòu. Zuèijìn, tā syuésiàode gōngkè mángde bùdéliǎo, suǒyǐ tā gèng shòu le.

Wáng Dàmíng hěn cōngmíng, yě hěn yònggōng, huèi shuō hěn duō guó yǔyán. Wǒ yě gēn tā syuéle yìdiǎn, kěshìh méiyǒu tā shuōde nàme hǎo. Wǒ sǐhuān gēn tā yíkuàr cyù lyǔsíng, yīnwèi tā huèi shuō nàme duō guó yǔyán, dào shìhjièshàng hěn duō dìfāng cyù dōu hěn fāngbiàn.

My friend Daming Wang is the same age as I am – twenty years old. He's taller and thinner than I am. Lately he has been extremely busy with his schoolwork, so he's gotten even skinnier.

Daming Wang is very intelligent and studious, and can speak many languages. I've studied with him a little, but I can't speak as well as he can. I like to travel with him because he can speak so many languages, and this makes it very easy to go to many places all over the world.

VOCABULARY

1 華語 (Huáyǔ) ▸▸ N: the Chinese language

例 現在世界上會說華語的人比以前多了。

Xiànzài shìjièshàng huì shuō Huáyǔ de rén bǐ yǐqián duōle.

Siànzài shìhjièshàng huèi shuō Huáyǔ de rén bǐ yǐcián duōle.

Right now the number of people in the world who can speak Chinese is greater than before.

語 (yǔ) ▸▸ BF: language

法語 (Fǎyǔ) ▸▸ N: French language

2 一樣 (yíyàng) ▸▸ SV/ADV: to be the same, identical

例 他昨天買的這兩枝筆一樣。

Tā zuótiān mǎide zhè liǎngzhī bǐ yíyàng.

Tā zuótiān mǎide jhè liǎngjhīh bǐ yíyàng.

These two pens he bought yesterday are identical.

例 我跟我哥哥一樣高，可是不一樣胖。

Wǒ gēn wǒ gēge yíyàng gāo, kěshì bùyíyàng pàng.

Wǒ gēn wǒ gēge yíyàng gāo, kěshìh bùyíyàng pàng.

I'm the same height as my older brother, but we are not equally fat.

樣 (yàng) ▸▸ BF/M: appearance, shape; kind of, type of

樣子 (yàngzi / yàngzih) ▸▸ N: appearance, shape, model, pattern

例 李小姐今天穿的那件衣服樣子很好看。

Lǐ Xiǎojiě jīntiān chuānde nèijiàn yīfú yàngzi hěn hǎokàn.

Lǐ Siǎojiě jīntiān chuānde nèijiàn yīfú yàngzih hěn hǎokàn.

The style of that outfit Miss Li is wearing today is beautiful.

3 世界 (shìjiè / shìhjiè) ▶ N: the world

例 世界上最高的大樓在哪裡？

Shìjièshàng zuìgāode dàlóu zài nǎlǐ?

Shìhjièshàng zuèigāode dàlóu zài nǎlǐ?

Where is the tallest building in the world?

4 語言 (yǔyán) ▶ N: language

例 世界上最難學的語言是哪國話？

Shìjièshàng zuì nánxuéde yǔyán shì něiguó huà?

Shìhjièshàng zuèi nánsyuéde yǔyán shìh něiguó huà?

Which country has the world's most difficult language to learn?

5 語法 (yǔfǎ) ▶ N: grammar

例 華語的語法不難，可是寫漢字比較難。

Huáyǔ de yǔfǎ bùnán, kěshì xiě Hànzì bǐjiào nán.

Huáyǔ de yǔfǎ bùnán, kěshìh siě Hànzìh bǐjiào nán.

Chinese grammar is not difficult, but writing Chinese characters is rather more difficult.

辦法 (bànfǎ) ▶ N: method, way of doing something

例 學語言最好的辦法是多聽、多說。

Xué yǔyán zuìhǎode bànfǎ shì duōtīng duōshuō.

Syué yǔyán zuèihǎode bànfǎ shìh duōtīng duōshuō.

The best way to learn a language is to listen to it more and speak it more.

6 比 (bǐ) ▶ V/CV: to compare; compared to, than

例 請你比一比這兩個地方的天氣。

Qǐng nǐ bǐyìbǐ zhè liǎngge dìfāngde tiānqì.

Cǐng nǐ bǐyìbǐ jhè liǎngge dìfāngde tiāncì.

Please compare the climates of these two areas.

例 他每天念五個小時的書，比我用功多了。

Tā měitiān niàn wǔ ge xiǎoshí de shū, bǐ wǒ yònggōng duōle.

Tā měitiān niàn wǔ ge siǎoshíh de shū, bǐ wǒ yònggōng duōle.

He studies every day for five hours; he's a lot more hard-working than I am.

---

7 像 (xiàng / siàng) ▶ SV/V: to be alike, to be like; to resemble

例 那個孩子跟他父親很像。

Nèige háizi gēn tā fùqīn hěnxiàng.

Nèige háizih gēn tā fùcīn hěnsiàng.

That child is a lot like his father.

例 台灣的冬天不像日本那麼冷。

Táiwānde dōngtiān búxiàng Rìběn nàme lěng.

Táiwānde dōngtiān búsiàng Rìhběn nàme lěng.

Taiwan's winter isn't as cold as Japan's.

---

8 一切 (yíqiè / yíciè) ▶ N: all, everything

例 我在台北一切都好，請您放心。

Wǒ zài Táiběi yíqiè dōuhǎo, qǐng nín fàngxīn.

Wǒ zài Táiběi yíciè dōuhǎo, cǐng nín fàngsīn.

All is well with me in Taipei. Please put your mind at ease.

---

9 好像 (hǎoxiàng / hǎosiàng) ▶ ADV/V: to seem, to be likely, to be like

例 他一句話也沒說，好像不太高興。

Tā yíjùhuà yě méishuō, hǎoxiàng bútài gāoxìng.

Tā yíjyùhuà yě méishuō, hǎosiàng bútài gāosìng.

He hasn't said a word. It seems he's not too happy.

例 張先生唱歌的樣子好像歌星 (gēxīng)*。

---

* 歌星 (gēxīng / gēsīng)：pop star, famous singer

Zhāng Xiānshēng chànggē de yàngzi hǎoxiàng gēxīng.

Jhāng Siānshēng chànggē de yàngzih hǎosiàng gēsīng.

Mr. Zhang sounds like a famous singer when he sings.

---

10 瘦 (shòu) ▸▸ SV: to be thin

例 天氣太熱，我吃得很少，所以瘦了。

Tiānqì tài rè, wǒ chīde hěn shǎo, suǒyǐ shòule.

Tiāncì tài rè, wǒ chīhde hěn shǎo, suǒyǐ shòule.

The weather has been too hot; I've been eating very little and so have gotten thinner.

---

11 比較 (bǐjiào) ▸▸ ADV/V: comparatively; to compare

例 今天的天氣好像比較冷。

Jīntiān de tiānqì hǎoxiàng bǐjiào lěng.

Jīntiān de tiāncì hǎosiàng bǐjiào lěng.

The weather today seems to be relatively colder.

例 請你比較一下這兩種手機 (shǒujī)* 有什麼不一樣。

Qǐng nǐ bǐjiào yíxià zhè liǎngzhǒng shǒujī yǒu shénme bùyíyàng.

Cǐng nǐ bǐjiào yísià jhè liǎngjhǒng shǒujī yǒu shénme bùyíyàng.

Please compare these two kinds of cell phones to see what their differences are.

---

12 歲 (suì / suèi) ▸▸ M: measure word for age, years old

例 他兒子今年六歲，要念小學了。

Tā érzi jīnnián liù suì, yào niàn xiǎoxué le.

Tā érzih jīnnián liòu suèi, yào niàn siǎosyué le.

His son is six years old this year and is going to attend elementary school.

手機 (shǒujī)：mobile phone

⑬ 日子 (rìzi / rìhzih) ▸▸ N: day (date), days (time)

例 日子過得真快，我來台灣已經三年了。
Rìzi guòde zhēnkuài, wǒ lái Táiwān yǐjīng sānnián le.
Rìhzih guòde jhēnkuài, wǒ lái Táiwān yǐjīng sānnián le.
The days truly go by quickly. I've already been in Taiwan for three years now.

⑭ 功課 (gōngkè) ▸▸ N: schoolwork, homework

例 文德的功課很好，要是你有問題，可以問他。
Wéndéde gōngkè hěnhǎo, yàoshì nǐ yǒu wèntí, kěyǐ wèn tā.
Wúndéde gōngkè hěnhǎo, yàoshìh nǐ yǒu wùntí, kěyǐ wùn tā.
Wende's schoolwork is very good. If you have any questions, you can ask him.

例 這個週末我有很多功課，不能去玩。
Zhèige zhōumò wǒ yǒu hěnduō gōngkè, bùnéng qù wán.
Jhèige jhōumò wǒ yǒu hěnduō gōngkè, bùnéng cyù wán.
I have a lot of homework this weekend and can't go out to play.

⑮ 聰明 (cōngmíng) ▸▸ SV: to be intelligent

例 聰明的學生功課都好嗎？
Cōngmíngde xuéshēng gōngkè dōu hǎo ma?
Cōngmíngde syuéshēng gōngkè dōu hǎo ma?
Do intelligent students always do well in their studies?

⑯ 用功 (yònggōng) ▸▸ SV: to be studious, industrious, to be hard-working

例 老師喜歡用功的學生。
Lǎoshī xǐhuān yònggōngde xuéshēng.
Lǎoshīh sǐhuān yònggōngde syuéshēng.
Teachers like hard-working students.

SUPPLEMENTARY VOCABULARY

17 年紀 (niánjì) ▸▸ N: age

例 他父母年紀都大了，不常去旅行。

Tā fùmǔ niánjì dōu dàle, bùcháng qù lǚxíng.

Tā fùmǔ niánjì dōu dàle, bùcháng cyù lyǔsíng.

Both of his parents are old. They don't go traveling often.

18 不得了 (bùdéliǎo)

▸▸ SV: to be extremely, to be exceedingly (hot, cold, wet, etc.)

例 那家商店的東西貴得不得了。

Nèijiā shāngdiàn de dōngxī guìde bùdéliǎo.

Nèijiā shāngdiàn de dōngsī guèide bùdéliǎo.

That store's things are exceedingly expensive.

19 更 (gèng) ▸▸ ADV: even more, still more

例 這個菜很好吃，那個菜更好吃。

Zhèige cài hěn hǎochī, nèige cài gèng hǎochī.

Jhèige cài hěn hǎochīh, nèige cài gèng hǎochīh.

This dish is delicious, (but) that dish is even better.

20 極了 (jíle) ▸▸ BF: utmost, extremely

例 王先生買的那個新錶五萬塊，貴極了。

Wáng Xiānshēng mǎide nèige xīn biǎo wǔwànkuài, guì jíle.

Wáng Siānshēng mǎide nèige sīn biǎo wǔwànkuài, guèi jíle.

That new watch that Mr. Wang bought was fifty thousand dollars, extremely expensive.

21 胖 (pàng) ▸▸ SV: to be fat

例 他來台灣以前很瘦,現在胖了。

Tā lái Táiwān yǐqián hěnshòu, xiànzài pàngle.

Tā lái Táiwān yǐcián hěnshòu, siànzài pàngle.

He was very thin before he came to Taiwan; now he's gotten fat.

22 長 (cháng) ▸▸ SV: to be long

例 這條河比那條長三公里。

Zhèitiáo hé bǐ nèitiáo cháng sān gōnglǐ.

Jhèitiáo hé bǐ nèitiáo cháng sān gōnglǐ.

This river is three kilometers longer than that one.

23 矮 (ǎi) ▸▸ SV: to be short (opp. 高 gāo)

例 我比弟弟大兩歲,可是比他矮一點。

Wǒ bǐ dìdi dà liǎngsuì, kěshì bǐ tā ǎiyìdiǎn.

Wǒ bǐ dìdi dà liǎngsuèi, kěshìh bǐ tā ǎiyìdiǎn.

I'm two years older than my brother, but I'm a bit shorter than him.

24 多(麼) (duó (me)) ▸▸ QW/ADV: how; used to ask or indicate the extent or degree of a quality (e.g., "how nice," "how ugly," etc.)

例 A:你有多(麼)高?
B:我有一百六十公分。

A : Nǐ yǒu duó (me) gāo?

B : Wǒ yǒu yìbǎi liùshí gōngfēn.

B : Wǒ yǒu yìbǎi liòushíh gōngfēn.

A : How tall are you?

B : I'm 160 centimeters tall.

例 你看,這件衣服多(麼)好看啊!

Nǐ kàn, zhèijiàn yīfú duó (me) hǎokàn a!

Nǐ kàn, jhèijiàn yīfú duó (me) hǎokàn a!

Look at how beautiful this outfit is!

25 公分 (gōngfēn) ▸▸ M: centimeter

> 例 大文有一百八十五公分高，他是我們班最高的。
>
> Dàwén yǒu yìbǎi bāshí wǔ gōngfēn gāo, tā shì wǒmen bān zuìgāode.
>
> Dàwún yǒu yìbǎi bāshíh wǔ gōngfēn gāo, tā shìh wǒmen bān zuèigāode.
>
> Dawen is 185 centimeters tall. He is the tallest in our class.

26 公里 (gōnglǐ) ▸▸ M: kilometer

里 (lǐ) ▸▸ M: Chinese mile

英里 (yīnglǐ) ▸▸ M: mile (American measurement)

27 公尺 (gōngchǐ / gōngchǐh) ▸▸ M: meter

尺 (chǐ / chǐh) ▸▸ M/N: a unit for measuring length; a ruler

英尺 (yīngchǐ / yīngchǐh) ▸▸ M: foot

28 重 (zhòng / jhòng) ▸▸ SV: to be heavy

> 例 這個桌子比那個重多了。
>
> Zhèige zhuōzi bǐ nèige zhòngduōle.
>
> Jhèige jhuōzih bǐ nèige jhòngduōle.
>
> This table is much heavier than that one.

29 公斤 (gōngjīn) ▸▸ N: kilogram

30 笨 (bèn) ▸▸ SV: to be stupid

> 例 他說自己比較笨，所以得用功念書。
>
> Tā shuō zìjǐ bǐjiào bèn, suǒyǐ děi yònggōng niànshū.
>
> Tā shuō zìhjǐ bǐjiào bèn, suǒyǐ děi yònggōng niànshū.
>
> He says he himself is rather stupid, so he must study diligently.

31 短ㄉㄨㄢˇ (duǎn) ▸▸ SV: to be short (opp. 長ㄔㄤˊ cháng)

例 他ㄊㄚ 每ㄇㄟˇ次ㄘˋ 給ㄍㄟˇ我ㄨㄛˇ 寫ㄒㄧㄝˇ的ㄉㄜ 信ㄒㄧㄣˋ 都ㄉㄡ 很ㄏㄣˇ 短ㄉㄨㄢˇ。

Tā měicì gěi wǒ xiě de xìn dōu hěnduǎn.

Tā měicìh gěi wǒ siě de sìn dōu hěnduǎn.

Every time he writes me a letter it is very short.

 SYNTAX PRACTICE

1 Stative Verbs with Intensifying Complements

得很 / 極了 / 得不得了 can be placed at the end of stative verbs to indicate an extreme condition.

N	SV	Complement
他	高興	得很。

He is very happy.

| 他 | 高興 | 極了。 |

He is extremely happy.

| 他 | 高興 | 得不得了。 |

He is ecstatic.

1. 這個菜好吃得很，你多吃一點。

2. 他家離學校遠得很，坐捷運 (jiéyùn) *得一個多小時。

3. 那件事麻煩極了，我得請朋友幫忙。

4. 她唱歌唱得好極了，好像歌星 (gēxīng / gēsīng)。

*
捷運ㄐㄧㄝˊㄩㄣˋ (jiéyùn)：rapid transit system, subway

5. 他哥哥聰明得不得了，會說好幾種語言。

6. 他小的時候不太喜歡吃東西，瘦得不得了。

Answer the following questions with SV＋Complement.

1 那位醫生客氣嗎？

2 學中文有意思嗎？

3 跳舞容易不容易？

4 這件衣服舒服嗎？

5 那個電影好看嗎？

6 他開車開得快不快？

2　Similarity and Disparity

Ⅰ. **If you want to compare the difference between two or more people, affairs, or things, then the "A 跟 B（不）一樣 SV" pattern is used.**

A.

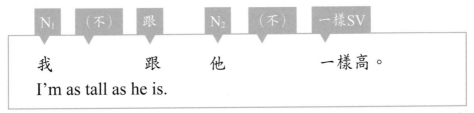

N₁	（不）	跟	N₂	（不）	一樣SV

我　　　　跟　　他　　　　一樣高。
I'm as tall as he is.

B.

S₁	(VO)	(V-得)	跟／像	S₂	(V-得)	一樣	SV
他	寫字，	寫得	跟	你		一樣	好。
他	寫字，		跟	你	寫得	一樣	好。

He writes as well as you do.

1. 今天的天氣跟昨天的一樣熱。

2. 這件衣服跟那件不一樣長。

3. 今天我來得跟你一樣早。

4. 他吃飯，吃得跟我一樣多，可是他不胖。

5. 我說日本話，能像日本人說得一樣快。

6. 他用筷子，跟台灣人用得一樣好。

Ⅱ. **If you want to have a positive or negative comparison between the difference of two or more persons, affairs, or things, then the sentence pattern "A（沒）有／（不）像 B 那麼／這麼 SV" is used.**

A.

N₁	（沒）有／（不）像	N₂	那麼／這麼	SV
我	沒有	他	那麼	高。
我	不像	他	那麼	高。

I'm not quite as tall as he is.

B.

S₁	(VO)	(V-得)	（沒）有／（不）像	S₂	(V-得)	那麼／這麼 SV
他	寫字	寫得	沒有	你		這麼好。
他	寫字		不像	你	寫得	這麼好。

He doesn't write quite as well as you do.

1. 這個屋子沒有那個那麼大。

2. 我姐姐不像我這麼瘦。

3. 你走路走得沒有他那麼快。

4. 去年下雨沒有今年下得這麼多。

5. 他說德國話，有你說得這麼好。

6. 女孩子吃飯，不像男孩子吃得那麼多。

Look at the pictures and complete the sentences below.

1.
張先生 張太太

2.

3.
弟弟 姐姐 哥哥

4.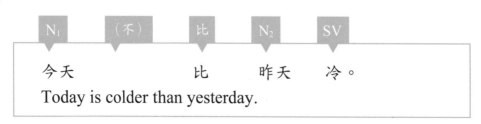
小車
大車

1　張先生＿＿＿＿＿張太太一樣＿＿＿＿＿，可是不一樣＿＿＿＿＿，張太太＿＿＿＿＿＿＿＿＿張先生＿＿＿＿＿＿＿＿＿胖。

2　這本書跟那本書＿＿＿＿＿＿＿＿＿＿＿＿＿貴，這本書＿＿＿＿＿＿＿＿＿那本那麼＿＿＿＿＿。

3　他們三個人都＿＿＿＿＿＿＿＿＿＿＿＿＿高，弟弟＿＿＿＿＿＿＿＿＿姐姐那麼高，姐姐沒有＿＿＿＿＿＿＿＿＿那麼高，＿＿＿＿＿＿＿＿＿最矮，＿＿＿＿＿＿＿＿＿最高。

4　大車跟小車開得不＿＿＿＿＿＿＿＿＿快，小車開得＿＿＿＿＿＿＿＿＿＿＿＿大車＿＿＿＿＿＿＿＿＿快。

3　Comparison

I .

N₁	（不）	比	N₂	SV

今天　　　　　　比　昨天　冷。

Today is colder than yesterday.

Ⅱ.

S₁	(VO)	(V-得)	(不)	比	S₂	(V-得)	SV
你	說話	說得		比	我		快。
你	說話，			比	我	說得	快。

You speak faster than I do.

1. 他比我忙，我沒有他那麼忙。

2. 雞肉貴，牛肉比雞肉更（or 還）貴。

3. 他不比我矮，他跟我一樣高。

4. 他寫字，寫得比我好。

5. 我學外國話，比我朋友學得慢。

6. 你們兩個人，誰做飯做得好？

   她做得比我好。

Make sentences with 比.

1. 牛肉貴。

   魚便宜。

2. 中國大。

   日本小。

3. 南部熱。

   北部不熱。

4. 學中國話容易。

   學中國字難。

5. 他走得快。

   我走得慢。

6 他八點鐘來。

　你十點鐘來。

7 他們學得慢。

　我們學得快。

8 哥哥吃得多。

　弟弟吃得少。

4　Measuring Age, Length, Height, Distance, etc.

N	（有）	多（麼）	NU-M	SV
你	有	多（麼）		高？

How tall are you?

我	有		一百八十公分	高。

I'm 180 cm.

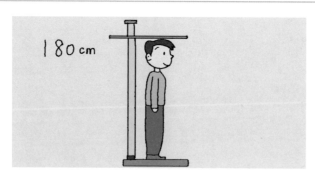

1. 你多大了？（你幾歲了？）

　我十八歲了。

2. 方伯伯，您有多大年紀了？

　我七十五歲了。

3. 世界上最長的河有多長？

　有六千八百多公里長。

4. 台灣最高的山有多高？
   有三千多公尺高。

5. 你家離學校有多遠？
   差不多有兩英里。

6. 你買的那條魚有多重？多大？
   有一公斤重，差不多這麼大。

Make questions according to the answers given.

1 這條路有二十公里長。

2 我家離火車站有三公里遠。

3 那個房子有三公尺高。

4 他弟弟十六歲。

5 謝太太的孩子有八公斤。

6 他父親七十歲了。

5 Degree of Comparison

If you want to compare the levels of two or more persons, affairs, or things, all sentences use the pattern "A 比 B+SV+Complement."

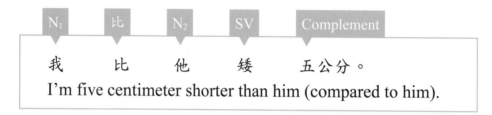

| N₁ | 比 | N₂ | SV | Complement |

我　　　比　　他　　矮　　五公分。

I'm five centimeter shorter than him (compared to him).

1. 今天比昨天熱多了。

2. 姐姐比我胖兩公斤。

3. 你家的房子比我的大得多。

4. 我不笨，我比他們聰明多了。

5. 這件衣服比那件短很多。

6. 走這條路比那條近一點。

7. 舊車比新車便宜多少？

　　舊車比新車便宜十萬塊錢。

8. 你姐姐比你大幾歲？

　　她比我大三歲。

Look at the pictures and make sentences with 比.

1.

$1000 $800

2.

2 hrs   20 min

3.

30 m   4 m

4.

190公分   150公分

5.

100公斤   50公斤

6.

APPLICATION ACTIVITIES

1 Student A uses "N 有多 SV?" to ask a question.
Student B answers and asks student C a similar question.

2 Compare and discuss the relative differences in the
weight, dimensions, and age of people and / or objects
in the classroom.

3 Each student draws four different figures on his his/her paper, and gives them names. Then the other students should ask questions and from the answers guess each figure's shape.

4 Two students are from different places or countries and argue about which place is better in terms of climate, size, scenery, cost of living, etc.

NOTES

1　Although 語言 means "language" and refers specifically to spoken language, terms such as 華語 ("Chinese language") and 中國話 ("Chinese") are often used interchangeably, as are 法語 ("French language") and 法國話 ("French"), etc.

2　"過幾年就好了"
The expression "過 Time Span 就好了" indicates that the previously mentioned situation or circumstance will have seen improvement after the specified amount of time has passed.

LESSON 第 6 課

歡迎①你們搬②來

DIALOGUE

I

林③：您好。

陳④：您好。

林：您住在二樓啊？我是剛搬來的。我姓林。

陳：噢，歡迎，歡迎。我們姓陳。您住在幾樓？

林：我就住在三樓。您要出去⑤嗎？

陳：是啊，我去超級市場買點東西⑥。

林：您走路去嗎？遠不遠？

陳：不太遠，從這裡去，只要五分鐘，很方便。您也要出去嗎？

林：我到學校去接孩子⑦。

陳：您每天自己接送⑧孩子嗎？

林：平常⑨早上我先生送他去，中午我去接他回來。

陳：那麼，您快去吧。

林：好的。有空的時候，歡迎你們上來坐坐⑩。

陳：一定，一定。有什麼需要我們幫忙⑪的，也請不要客氣。

林：好，謝謝。我走了⑫，改天再談⑬。

陳：再見。

Ⅱ

A：請問，王大年先生住在這裡嗎？

B：您找王先生啊？他已經搬家了。

A：您知道他搬到哪裡去了嗎？

B：他搬到郊區⑭去了。我有他的新地址⑮，我上樓去給您拿⑯。請進來坐一會兒⑰吧。

A：我不進去了。我就在門口等吧。

B：那麼，請等一等，我馬上就拿給您。

A：謝謝。

ㄉㄧˋ ㄌㄡˋ ㄎㄜˋ | ㄏㄨㄢ ㄧㄥˊ ㄋㄧˇ ㄇㄣˊ ㄅㄢ ㄌㄞˊ

I

ㄌㄧㄣˊ： ㄋㄧˇ ㄏㄠˇ。

ㄔㄣˊ： ㄋㄧˇ ㄏㄠˇ。

ㄌㄧㄣˊ： ㄋㄧˇ ㄓㄨˋ ㄗㄞˋ ㄦˋ ㄌㄡˊ ㄚ˙？ ㄨㄛˇ ㄕˋ ㄤ ㄅㄢ ㄌㄞˊ ㄉㄜ˙。 ㄨㄛˇ ㄒㄧㄥˋ ㄌㄧㄣˊ。

ㄔㄣˊ： ㄡˋ，ㄏㄨㄢ ㄧㄥˊ，ㄏㄨㄢ ㄧㄥˊ。 ㄨㄛˇ ㄅㄣˇ ㄒㄧㄥˋ ㄔㄣˊ。 ㄋㄧˇ ㄓㄨˋ ㄗㄞˋ ㄐㄧ ㄌㄡˊ？

ㄌㄧㄣˊ： ㄨㄛˇ ㄐㄧㄡˋ ㄓㄨˋ ㄗㄞˋ ㄙ ㄌㄡˊ。 ㄋㄧˇ ㄧˋ ㄍㄠˋ ㄨˇ ㄑㄩˊ ㄇㄚ˙？

ㄔㄣˊ： ㄕˋ ㄚ˙，ㄨㄛˇ ㄑㄩˋ ㄔㄥˊ ㄐㄧ ㄕˋ ㄤˇ ㄇㄞˇ ㄅㄨˋ ㄒㄧ。

ㄌㄧㄣˊ： ㄋㄧˇ ㄗㄡˇ ㄌㄨˋ ㄑㄩˋ ㄇㄚ˙？ ㄐㄩ ㄅㄨˊ ㄐㄩ ㄢ？

ㄔㄣˊ： ㄅㄨˋ ㄊㄞˋ ㄩㄢˇ，ㄎㄨㄞˋ ㄓㄜ ㄉㄧ ㄑㄩ，ㄓˇ ㄧㄠˋ ㄨˇ ㄈㄣ ㄓㄨㄥ，ㄏㄣˇ ㄈㄤ ㄅㄧㄢˋ。 ㄋㄧˇ ㄧㄝˇ ㄧㄠˋ ㄨˇ ㄑㄩˋ ㄇㄚ˙？

ㄌㄧㄣˊ： ㄨㄛˇ ㄉㄠˋ ㄒㄧㄝˋ ㄒㄧㄠˋ ㄑㄩ ㄐㄧㄝˋ ㄏㄞˊ ㄗ˙。

ㄔㄣˊ： ㄋㄧˇ ㄇㄟˊ ㄊㄞˊ ㄗˋ ㄐㄧ ㄐㄧㄝˋ ㄍㄨㄛˋ ㄏㄞˊ ㄗ˙ ㄚ˙？

ㄌㄧㄣˊ： ㄆㄟˊ ㄤˋ ㄠˋ ㄤ ㄨㄛˇ ㄒㄧ ㄗㄢˇ ㄙㄥ ㄊㄧ ㄑㄩ，ㄓㄨˋ ㄨˇ ㄨㄛˇ ㄑㄩ ㄐㄧㄝˋ ㄊㄚ ㄏㄨㄟˊ ㄌㄞˊ。

ㄔㄣˊ： ㄋㄚˇ ㄇㄛ˙，ㄋㄧˇ ㄎㄨㄞˋ ㄑㄩˋ ㄅㄚ。

ㄌㄧㄣˊ： ㄏㄠˇ ㄉㄜ˙。 ㄧˋ ㄏㄡˋ ㄑㄧㄥˊ ㄕˋ ㄏㄟˇ，ㄏㄨㄢ ㄧㄥ ㄋㄧˇ ㄇㄣˊ ㄕˋ ㄌㄞˊ ㄗㄨㄛˋ ㄗㄨㄛˋ。

ㄔㄣˊ： ㄧˋ ㄌㄧㄥˊ，ㄧˋ ㄌㄧㄥˊ。 ㄧˋ ㄗ ㄇㄣˊ ㄒㄧ ㄧ ㄋㄧˇ ㄇㄣˊ ㄅㄢ ㄇㄣ ㄉㄧ˙，ㄧㄝˇ ㄑㄧㄥˊ ㄋㄧˇ ㄠˋ ㄎㄢ ㄑㄧ。

ㄌㄧㄣˊ： ㄏㄠˇ，ㄒㄧㄝˇ ㄒㄧㄝˇ。 ㄨㄛˇ ㄗㄞˇ ㄉㄟ˙，ㄍㄜ ㄊㄧㄢ ㄗㄞˋ ㄊㄢˊ。

ㄔㄣˊ： ㄗㄞˋ ㄐㄧㄢˋ。

II

Ａ： ㄑㄧㄥˊ ㄨㄣˋ，ㄨ ㄅㄚ ㄋㄧˇ ㄒㄧ ㄕˇ ㄓㄨˋ ㄗㄞˋ ㄓㄜˋ ㄌㄧ˙ ㄚ？

B：ㄋㄧㄣˊ ㄓㄨˋㄨㄤˋ ㄒㄧㄢ ㄕㄥ ㄚ˙？ㄊㄚ 一ˊ ㄐㄧㄢ ㄅㄚ ㄐㄧㄚ ㄉㄜ˙。

A：ㄋㄧㄣˊ ㄓ ㄅㄠˇ ㄊㄚ ㄅㄣ ㄅㄠˇ ㄋㄚ 一 ㄩˋ ㄉㄜ˙ ㄇㄚˊ？

B：ㄊㄚ ㄅㄢ ㄅㄠˇ ㄐㄧㄡ ㄑㄩ ㄑㄩˋ ㄉㄜ˙。ㄨㄛˇ 一ㄡ ㄊㄚ ㄉㄜˋ ㄒㄧ ㄅ一 ㄓˋ，ㄨㄛˇ ㄤ ㄧㄡˇ ㄑㄩˇ ㄍㄨㄟ ㄋㄧㄣˊ ㄋㄚˊ。ㄑ一ㄣˋ ㄐ一 ㄉㄞˇ ㄗㄨㄛˇ 一 ㄏㄨㄟˋ ㄦˊ ㄅㄚˊ。

A：ㄨㄛˇ ㄅㄣˇ ㄐㄧㄣ ㄑㄩˇ ㄉㄜ˙。ㄨㄛˇ ㄐㄧㄣ ㄗㄞ ㄇㄣˊ ㄎㄞ ㄌㄞˇ ㄅㄚˇ。

B：ㄋㄚˊ ㄇㄜ˙，ㄑㄧㄥˊ ㄉㄥˇ 一 ㄉㄥˇ，ㄨㄛˇ ㄇㄚˊ ㄕㄤ ㄧㄡˇ ㄐㄧㄚ ㄨㄟˇ ㄋㄧㄣˊ。

A：ㄒㄧㄝˋ ㄒㄧㄝˋ。

 Dì Liù Kè　Huānyíng Nǐmen Bānlái

(Pinyin)

Lín 　 : Nín hǎo.

Chén : Nín hǎo.

Lín 　 : Nín zhùzài èrlóu a? Wǒ shì gāng bānlái de. Wǒ xìng Lín.

Chén : Òu, huānyíng, huānyíng. Wǒmen xìng Chén. Nín zhùzài jǐlóu?

Lín 　 : Wǒ jiù zhùzài sānlóu. Nín yào chūqù ma?

Chén : Shì a, wǒ qù chāojíshìchǎng mǎi diǎn dōngxī.

Lín 　 : Nín zǒulù qù ma? Yuǎn bùyuǎn?

Chén : Bú tài yuǎn, cóng zhèlǐ qù, zhǐ yào wǔfēnzhōng, hěn fāngbiàn. Nín yě yào chūqù ma?

Lín 　 : Wǒ dào xuéxiào qù jiē háizi.

Chén : Nín měitiān zìjǐ jiē sòng háizi ma?

Lín 　 : Píngcháng zǎoshàng wǒ xiānshēng sòng tā qù, zhōngwǔ wǒ qù jiē tā huílái.

Chén : Nàme, nín kuài qù ba.

Lín 　 : Hǎode. Yǒukòng de shíhòu, huānyíng nǐmen shànglái zuòzuò.

Chén : Yídìng, yídìng. Yǒu shénme xūyào wǒmen bāngmáng de, yě qǐng
　　　　búyào kèqì.

Lín 　 : Hǎo, xièxie. Wǒ zǒule, gǎitiān zài tán.

Chén : Zàijiàn.

II

A : Qǐngwèn, Wáng Dànián Xiānshēng zhùzài zhèlǐ ma?

B : Nín zhǎo Wáng Xiānshēng a? Tā yǐjīng bānjiāle.

A : Nín zhīdào tā bāndào nǎlǐ qùle ma?

B : Tā bāndào jiāoqū qùle. Wǒ yǒu tāde xīn dìzhǐ, wǒ shànglóu qù gěi nín
　　ná. Qǐng jìnlái zuò yìhuǐr ba.

A : Wǒ bújìnqùle. Wǒ jiù zài ménkǒu děng ba.

B : Nàme, qǐng děngyìděng, wǒ mǎshàng jiù nágěi nín.

A : Xièxie.

 Dì Liòu Kè Huānyíng Nǐmen Bānlái

(Tongyong)

 I

Lín 　 : Nín hǎo.

Chén : Nín hǎo.

Lín 　 : Nín jhùzài èrlóu a? Wǒ shìh gāng bānlái de. Wǒ sìng Lín.

Chén : Òu, huānyíng, huānyíng. Wǒmen sìng Chén. Nín jhùzài jǐlóu?

Lín 　 : Wǒ jiòu jhùzài sānlóu. Nín yào chūcyù ma?

Chén : Shìh a, wǒ cyù chāojíshìhchǎng mǎi diǎn dōngsī.

Lín 　 : Nín zǒulù cyù ma? Yuǎn bùyuǎn?

Chén : Bú tài yuǎn, cóng jhèlǐ cyù, jhǐh yào wǔfēnjhōng, hěn fāngbiàn. Nín yě
　　　　yào chūcyù ma?

Lín 　 : Wǒ dào syuésiào cyù jiē háizih.

Chén : Nín měitiān zìhjǐ jiē sòng háizih ma?

149

Lín : Píngcháng zǎoshàng wǒ siānshēng sòng tā cyù, jhōngwǔ wǒ cyù jiē tā huéilái.

Chén : Nàme, nín kuài cyù ba.

Lín : Hǎode. Yǒukòng de shíhhòu, huānyíng nǐmen shànglái zuòzuò.

Chén : Yídìng, yídìng. Yǒu shénme syūyào wǒmen bāngmáng de, yě cǐng búyào kècì.

Lín : Hǎo, sièsie. Wǒ zǒule, gǎitiān zài tán.

Chén : Zàijiàn.

A : Cǐngwùn, Wáng Dànián Siānshēng jhùzài jhèlǐ ma?

B : Nín jhǎo Wáng Siānshēng a? Tā yǐjīng bānjiāle.

A : Nín jhīhdào tā bāndào nǎlǐ cyùle ma?

B : Tā bāndào jiāocyū cyùle. Wǒ yǒu tāde sīn dìjhǐh, wǒ shànglóu cyù gěi nín ná. Cǐng jìnlái zuò yìhuěir ba.

A : Wǒ bújìncyùle. Wǒ jiòu zài ménkǒu děng ba!

B : Nàme, cǐng děngyìděng, wǒ mǎshàng jiòu nágěi nín.

A : Sièsie.

LESSON 6   WELCOME TO THE NEIGHBORHOOD

Lin : Hello.

Chen : Hello.

Lin : Do you live on the second floor? I just moved here. My last name is Lin.

Chen : Oh, welcome, welcome. We're the Chens. What floor do you live on?

150   Lin : I live on the third floor. Are you going out?

Chen : Yes, I'm going to the supermarket to buy a few things.

Lin : Are you going to walk there? Is it far?

Chen : Not very far. It only takes about five minutes to get there from here. It's very convenient. Are you also going out?

Lin : I'm going to school to pick up my child.

Chen : Do you go by yourself every day to pick up and send off your child?

Lin : Normally my husband takes him to school in the morning, and at noon I bring him back.

Chen : Well, you'd better get going.

Lin : All right. When you have some free time, you are welcome to come up for a visit.

Chen : Sure, sure. If you need any help, please don't hesitate to ask.

Lin : Fine, thank you. I'm off. See you another day.

Chen : Good-bye.

A : Excuse me, does Mr. Danian Wang live here?

B : You're looking for Mr. Wang? He has already moved.

A : Do you know where he has moved to?

B : He moved to the suburbs. I have his new address. I'll go upstairs to get it for you. Please come in and sit down for a bit.

A : I won't go inside. I'll just wait here at the entrance.

B : In that case, please wait a minute. I'll go get it right away.

A : Thank you.

NARRATION

　　陳先生陳太太搬家了，他們的新家在郊區，可是買東西很方便，因為陳家附近有一個超級市場。平常他們都走路去買東西。

　　他們給了我他們的新地址，歡迎我過去坐坐。我也買了一些盤子⑱、碗，要送給他們。我想這些都是每天要用的東西。可是最近家裡的事很多，我沒有空自己送去，所以我決定寄⑲給他們。

ㄔㄣˊ ㄒㄧㄢ ㄕㄥ ㄔㄣˊ ㄊㄞˋ ㄊㄞ ㄅㄢ ㄐㄧㄚ ㄌㄜ˙，ㄊㄚ ㄇㄣ˙ ㄉㄜ˙ ㄒㄧㄣ ㄐㄧㄚ ㄗㄞˋ ㄐㄧㄠ ㄑㄩ，ㄎㄜˇ ㄕˋ ㄇㄞˇ ㄉㄨㄥ ㄒㄧ ㄏㄣˇ ㄈㄤ ㄅㄧㄢˋ，ㄧㄣ ㄨㄟˋ ㄔㄣˊ ㄐㄧㄚ ㄈㄨˋ ㄐㄧㄣˋ ㄧㄡˇ ㄧˊ ㄍㄜˋ ㄔㄠ ㄐㄧˊ ㄕˋ ㄔㄤˇ。ㄆㄧㄥˊ ㄔㄤˊ ㄊㄚ ㄇㄣ˙ ㄉㄡ ㄗㄡˇ ㄌㄨˋ ㄑㄩˋ ㄇㄞˇ ㄉㄨㄥ ㄒㄧ。

ㄊㄚ ㄇㄣ˙ ㄍㄟˇ ㄌㄜ˙ ㄨㄛˇ ㄊㄚ ㄇㄣ˙ ㄉㄜ˙ ㄒㄧㄣ ㄉㄧˋ ㄓˇ，ㄏㄨㄢ ㄧㄥˊ ㄨㄛˇ ㄍㄨㄛˋ ㄑㄩˋ ㄗㄨㄛˋ ㄗㄨㄛˋ。ㄨㄛˇ ㄧㄝˇ ㄇㄞˇ ㄌㄜ˙ ㄧˋ ㄒㄧㄝ ㄆㄢˊ ㄗ˙、ㄨㄢˇ，ㄧㄠˋ ㄙㄨㄥˋ ㄍㄟˇ ㄊㄚ ㄇㄣ˙。ㄨㄛˇ ㄒㄧㄤˇ ㄓㄜˋ ㄒㄧㄝ ㄉㄡ ㄕˋ ㄇㄟˇ ㄊㄧㄢ ㄧㄠˋ ㄩㄥˋ ㄉㄜ˙ ㄉㄨㄥ ㄒㄧ。ㄎㄜˇ ㄕˋ ㄗㄨㄟˋ ㄐㄧㄣˋ ㄐㄧㄚ ㄌㄧˇ ㄉㄜ˙ ㄕˋ ㄏㄣˇ ㄉㄨㄛ，ㄨㄛˇ ㄇㄟˊ ㄧㄡˇ ㄎㄨㄥˋ ㄗˋ ㄐㄧˇ ㄙㄨㄥˋ ㄑㄩˋ，ㄙㄨㄛˇ ㄧˇ ㄨㄛˇ ㄐㄩㄝˊ ㄉㄧㄥˋ ㄐㄧˋ ㄍㄟˇ ㄊㄚ ㄇㄣ˙。

Chén Xiānshēng Chén Tàitai bānjiāle. Tāmende xīn jiā zài jiāoqū, kěshì mǎi dōngxī hěn fāngbiàn, yīnwèi Chénjiā fùjìn yǒu yíge chāojíshìchǎng. Píngcháng tāmen dōu zǒulù qù mǎi dōngxī.

Tāmen gěile wǒ tāmende xīn dìzhǐ, huānyíng wǒ guòqù zuòzuò. Wǒ yě mǎile yìxiē pánzi, wǎn, yào sònggěi tāmen. Wǒ xiǎng zhèixiē dōu shì měitiān yào yòngde dōngxī. Kěshì zuìjìn jiālǐde shì hěn duō, wǒ méiyǒukòng zìjǐ sòngqù, suǒyǐ wǒ juédìng jìgěi tāmen.

Chén Siānshēng Chén Tàitai bānjiāle. Tāmende sīn jiā zài jiāocyū, kěshìh mǎi dōngsī hěn fāngbiàn, yīnwèi Chénjiā fùjìn yǒu yíge chāojíshìhchǎng. Píngcháng tāmen dōu zǒulù cyù mǎi dōngsī.

Tāmen gěile wǒ tāmende sīn dìjhǐh, huānyíng wǒ guòcyù zuòzuò. Wǒ yě mǎile yìsiē pánzih, wǎn, yào sònggěi tāmen. Wǒ siǎng jhèisiē dōu shìh měitiān yào yòngde dōngsī. Kěshìh zuèjìn jiālǐde shìh hěn duō, wǒ méiyǒukòng zìhjǐ sòngcyù, suǒyǐ wǒ jyuédìng jìgěi tāmen.

. . . .

Mr. and Mrs. Chen have moved. Their new house is in the suburbs, but shopping is very convenient because there is a supermarket near their home. Usually they walk there to buy things.

They gave me their new address and said I was welcome to come by for a visit. I bought some plates and bowls to give to them. I think these are things one can use around the house every day. But recently I've had a lot to do around the house, so I haven't had any free time to bring them over myself. Therefore I've decided to mail them to them.

VOCABULARY

1 歡迎 (huānyíng) ▸▸ SV/IE: welcome

> 我很歡迎你們來我家玩。
>
> Wǒ hěn huānyíng nǐmen lái wǒ jiā wán.
>
> I very much welcome you to come to my home.

> 王先生、王太太，歡迎，歡迎，請進。
>
> Wáng Xiānshēng, Wáng Tàitai, huānyíng, huānyíng, qǐngjìn.
>
> Wáng Siānshēng, Wáng Tàitai, huānyíng, huānyíng, cǐngjìn.
>
> Mr. Wang, Mrs. Wang, welcome! Welcome! Please come in.

2 搬 (bān) ▸▸ V: to move

> 陳老師上個月已經搬到英國去了。
>
> Chén lǎoshī shànggeyuè yǐjīng bāndào Yīngguó qùle.
>
> Chén lǎoshīh shànggeyuè yǐjīng bāndào Yīngguó cyùle.
>
> Teacher Chen already moved to Britain last month.

搬家 (bānjiā) ▸▸ VO: to move (one's house)

> 你什麼時候要搬家？需不需要我幫忙？
>
> Nǐ shénme shíhòu yào bānjiā? Xū bùxūyào wǒ bāngmáng?
>
> Nǐ shénme shíhhòu yào bānjiā? Syū bùsyūyào wǒ bāngmáng?
>
> When are you going to move? Do you need me to help?

3 林 (Lín) ▸▸ N: a common Chinese surname

4 陳 (Chén) ▸▸ N: a common Chinese surname

5 出去 (chūqù / chūcyù) ▸ DC: to go out, to leave

例 愛美不在家，她剛出去了。

Àiměi búzài jiā, tā gāng chūqùle.

Àiměi búzài jiā, tā gāng chūcyùle.

Amy isn't home. She just went out.

出 (chū) ▸ V: to go or come out

出來 (chūlái) ▸ DC: to come out

6 超級市場 (chāojíshìchǎng / chāojíshìhchǎng) /
超市 (chāoshì / chāoshìh) ▸ N: supermarket

例 離這裡最近的超級市場在哪裡？

Lí zhèlǐ zuìjìnde chāojíshìchǎng zài nǎlǐ?

Lí jhèlǐ zuèijìnde chāojíshìhchǎng zài nǎlǐ?

Where is the nearest supermarket from here?

市場 (shìchǎng / shìhchǎng) ▸ N: market

場 (chǎng) ▸ BF: site, spot, field

機場 (jīchǎng) ▸ N: airport

7 接 (jiē) ▸ V: to receive (someone), to pick up (someone)

例 我今天下午要去機場接朋友。

Wǒ jīntiān xiàwǔ yàoqù jīchǎng jiē péngyǒu.

Wǒ jīntiān siàwǔ yàocyù jīchǎng jiē péngyǒu.

I'm going to the airport this afternoon to pick up a friend.

8 送 (sòng) ▸ V: to escort, to deliver, to send off, to present

例 時間不早了，我開車送你回家吧！

Shíjiān bù zǎo le, wǒ kāichē sòng nǐ huíjiā ba!

Shíhjiān bù zǎo le, wǒ kāichē sòng nǐ huéijiā ba!

It's getting late. I'll drive you home!

例 這張桌子，請你送到他家去。

Zhèizhāng zhuōzi, qǐng nǐ sòngdào tājiā qù.

Jhèijhāng jhuōzih, cǐng nǐ sòngdào tājiā cyù.

Please deliver this table to his home.

例 林小姐不在家，她到機場送朋友去了。

Lín Xiǎojiě búzài jiā, tā dào jīchǎng sòng péngyǒu qùle.

Lín Siǎojiě búzài jiā, tā dào jīchǎng sòng péngyǒu cyùle.

Miss Lin isn't home. She went to the airport to see off her friend.

例 這張畫是朋友送我的。

Zhèizhāng huà shì péngyǒu sòng wǒ de.

Jhèijhāng huà shìh péngyǒu sòng wǒ de.

This painting is the one my friend gave to me.

9 平常 (píngcháng) ▶ ADV/SV: generally, ordinarily, usually; to be ordinary

例 平常晚上我十點睡覺。

Píngcháng wǎnshàng wǒ shídiǎn shuìjiào.

Píngcháng wǎnshàng wǒ shíhdiǎn shuèijiào.

I usually go to bed at ten o'clock in the evening.

例 在台北坐捷運 (jiéyùn) 上班、上課很平常。

Zài Táiběi zuò jiéyùn shàngbān, shàngkè hěn píngcháng.

In Taipei it is quite common to take the rapid transit system to get to work or class.

10 有空 (yǒukòng) ▶ VO: to have free time, to be free

例 有空的時候，我常跟朋友去看電影。

Yǒukòng de shíhòu, wǒ cháng gēn péngyǒu qù kàn diànyǐng.

Yǒukòng de shíhhòu, wǒ cháng gēn péngyǒu cyù kàn diànyǐng.

In my free time I often go with friends to the movies.

空 (kòng) ▶ N: free time

⑪ 需要 (xūyào / syūyào)

▸▸ V/AV/N: to need, to require; need to; need, requirement

例 每個人都需要朋友。

Měige rén dōu xūyào péngyǒu.

Měige rén dōu syūyào péngyǒu.

Every person needs friends.

例 大明生病了，需要休息幾天。

Dàmíng shēngbìngle, xūyào xiūxí jǐtiān.

Dàmíng shēngbìngle, syūyào siōusí jǐtiān.

Daming is sick. He needs to rest for a few days.

例 你有什麼需要，可以打電話給我。

Nǐ yǒu shénme xūyào, kěyǐ dǎ diànhuà gěi wǒ.

Nǐ yǒu shénme syūyào, kěyǐ dǎ diànhuà gěi wǒ.

If there's anything you need, you can call me.

⑫ 改天 (gǎitiān) ▸▸ ADV (TW): another day

例 我得走了，改天再見。

Wǒ děi zǒule, gǎitiān zàijiàn.

I've got to go. See you later.

改 (gǎi) ▸▸ V: to change, to alter, to correct

⑬ 談 (tán) ▸▸ V: to talk about

例 我很累，今天不想談這件事。

Wǒ hěn lèi, jīntiān bùxiǎng tán zhèijiàn shì.

Wǒ hěn lèi, jīntiān bùsiǎng tán jhèijiàn shìh.

I'm very tired. I don't want to talk about this matter today.

談話 (tánhuà) ▸▸ VO: to talk

例 他們在書房裡談話，你等一下再進去。

Tāmen zài shūfánglǐ tánhuà, nǐ děngyíxià zài jìnqù.

Tāmen zài shūfánglǐ tánhuà, nǐ děngyísià zài jìncyù.

They are talking in the study. Wait a moment before you go in.

14 郊區 (jiāoqū / jiāocyū) ▸▸ N: suburbs

例 趙先生的家在郊區，他每天開車到市區上班。

Zhào Xiānshēng de jiā zài jiāoqū, tā měitiān kāichē dào shìqū shàngbān.

Jhào Siānshēng de jiā zài jiāocyū, tā měitiān kāichē dào shìhcyū shàngbān.

Mr. Zhao's home is in the suburbs. He drives into the city every day for work.

（地）區 ((dì)qū / (dì)cyū) ▸▸ N: district, area, region

市區 (shìqū / shìhcyū) ▸▸ N: urban area, urban district

15 地址 (dìzhǐ / dìjhǐh) ▸▸ N: address

例 我沒有他的地址，不能寄東西給他。

Wǒ méiyǒu tāde dìzhǐ, bùnéng jì dōngxī gěi tā.

Wǒ méiyǒu tāde dìjhǐh, bùnéng jì dōngsī gěi tā.

I don't have his address; I can't mail him anything.

16 拿 (ná) ▸▸ V: to bring, to carry (by hand)

例 這杯咖啡，請你拿給她。

Zhèibēi kāfēi, qǐng nǐ nágěi tā.

Jhèibēi kāfēi, cǐng nǐ nágěi tā.

Please take this cup of coffee and give it to her.

17 進來 (jìnlái) ▸▸ DC: come in

例 歡迎，歡迎，請進來坐坐。

Huānyíng, huānyíng, qǐng jìnlái zuòzuò.

Huānyíng, huānyíng, cǐng jìnlái zuòzuò.

Welcome, welcome. Please come in and sit for a while.

進 (jìn) ▶▶ V: move forward, enter

進去 (jìnqù / jìncyù) ▶▶ DC: go in

請進 (qǐngjìn / cǐngjìn) ▶▶ IE: come in, please

SUPPLEMENTARY VOCABULARY

18 盤子 (pánzi / pánzih) ▶▶ N: plate

盤 (pán) ▶▶ M: measure word for trays, plates, dishes

19 寄 (jì) ▶▶ V: to mail

例 昨天你寄給媽媽什麼東西？

Zuótiān nǐ jìgěi māma shénme dōngxī?

Zuótiān nǐ jìgěi māma shénme dōngsī?

What things did you mail to your mother yesterday?

20 跑 (pǎo) ▶▶ V: to run

例 我弟弟比我矮，可是他跑得比我快。

Wǒ dìdi bǐ wǒ ǎi, kěshì tā pǎode bǐ wǒ kuài.

Wǒ dìdi bǐ wǒ ǎi, kěshìh tā pǎode bǐ wǒ kuài.

My younger brother is shorter than me, but he runs faster than me.

21 放 (fàng) ▶▶ V: to put, to place (something)

例 這些盤子，請你放在桌子上。

Zhèixiē pánzi, qǐng nǐ fàngzài zhuōzi shàng.

Jhèisiē pánzih, cǐng nǐ fàngzài jhuōzih shàng.

Please put these plates on top of the table.

22 出門 (chūmén) ▸▸ VO: to go outside, to go out

例 星期天我不常出門，我喜歡在家看電視。

Xīngqítiān wǒ bùcháng chūmén, wǒ xǐhuān zàijiā kàn diànshì.

Sīngcítiān wǒ bùcháng chūmén, wǒ sǐhuān zàijiā kàn diànshìh.

I don't often go out on Sundays. I like to watch television at home.

23 頁 (yè) ▸▸ M: measure word for page

24 行 (háng) ▸▸ M: measure word for lines, rows

例 你說的那個語法在第幾頁第幾行？

Nǐ shuōde nèige yǔfǎ zài dìjǐyè dìjǐháng?

Nǐ shuōde nèige yǔfǎ zài dìjǐyè dìjǐháng?

What page and which line is the grammar you're talking about on?

 SYNTAX PRACTICE

1 Directional Compounds (DC)

來 / 去 can be suffixed to some verbs. In this case they lose their original meaning of "to come / to go." Rather, they indicate that the action is coming towards, or going away from the speaker.

Ⅰ. **Action Verb＋來 / 去**

走來	walk (here)	走去	walk (there)
搬來	move (here)	搬去	move (there)
開來	drive (here)	開去	drive (there)
跑來	run (here)	跑去	run (there)
拿來	take (here)	拿去	take (there)
送來	send (here), etc.	送去	send (there), etc.

1. 我是昨天搬來的。

2. 他從學校跑來告訴我這件事。

3. 我買的東西，百貨公司已經都送來了。

4. 這個東西，要是你喜歡，就拿去吧！

Ⅱ. Directional Verb (DV)＋來／去

上來	come up	下來	come down	進來	come in
出來	come out	過來	come over	回來	come back
起來	get up / rise				
上去	go up	下去	go down	進去	go in
出去	go out	過去	go over	回去	go back

1. 現在下課了，你可以進去了。

2. 他從樓上下來跟我說了幾句話。

3. 他們在那裡做什麼？我們過去看看吧！

4. 有空的時候，請過來玩。

Ⅲ. Verb＋Directional Verb＋來／去

走回去	go back on foot	跑進來	run in (here)
搬上去	move up (there)	拿起來	pick up
站起來	stand up, etc.		

走出來　　　　　跑上去　　　　　拿起來　　　　　站起來

163

1. 歡迎你搬回來。

2. 地上的那枝筆，請你拿起來。

3. 你應該站起來說話。

4. 下了課，孩子都跑出去玩了。

IV. Verb + Directional Verb

坐下	sit down	放下	put down	穿上	put on
走開	leave / get out / go away			拿走	take away, etc.

坐下　　　　　　　放下　　　　　　　穿上

1. 你不舒服，快坐下！不要站起來。

2. 他放下這些書，就走了。

3. 這些刀叉，我還要用，請你別拿走。

4. 路上車子多，走開！別在這裡玩。

Look at the pictures and complete the sentences below.

1.

2.

3.

4.

5.

6.

1 他從外面＿＿＿＿＿＿＿＿＿。

2 他從樓上＿＿＿＿＿＿＿＿。

3 她從屋子裡＿＿＿＿＿＿＿。

4 他從樓下＿＿＿＿＿＿＿＿。

5 她要＿＿＿＿＿＿＿＿＿＿。

6 他要＿＿＿＿＿＿＿＿＿＿＿。

Complete the following sentences with 來 or 去.

1 要是你喜歡這個東西，就拿＿＿＿＿＿＿＿＿＿。

2 我在家做事，不能出＿＿＿＿＿＿＿＿。

3 他要搬＿＿＿＿＿＿＿＿跟我們住。

4 他從樓上下＿＿＿＿＿＿＿＿跟我談話。

⑤ 我還要睡覺，不要起＿＿＿＿＿＿＿＿＿＿。

⑥ 她給我打電話，要我過＿＿＿＿＿＿＿＿＿＿。

⑦ 我現在需要那個東西，你能不能馬上送＿＿＿＿＿＿＿＿。

⑧ 他們在那間屋子裡等你進＿＿＿＿＿＿＿＿＿。

⑨ 請大家都站起＿＿＿＿＿＿＿＿。

⑩ 沒有公車，我不能回＿＿＿＿＿＿＿＿＿。

2 Directional Compounds with Objects

When a directional compound occurs with an object, the object is often inserted between the directional verb and 來 / 去.

V	DV	N	來 / 去	(Purpose)
我	走	回	家 來	吃飯。

I walked home for dinner.

1. 她父母搬回鄉下去了。

2. 他跑上樓去找朋友了。

3. 公車站在那邊，你得過街去等車。

4. 她出門去買東西了。

5. 他拿起筆來寫了幾個字。

Insert the nouns given into the directional compounds.

① 跑下來（樓）　　⑥ 走上去（五樓）

② 搬回去（台北）　⑦ 拿起來（書）

③ 開上去（山）　　⑧ 走過來（街）

④ 拿進去（客廳）　⑨ 回去（英國）

⑤ 送回去（家）　　⑩ 出去（門）

3 在，到，給 Used as Post Verbs (PV)

Ⅰ. Verb-在

When 在 is used as a suffix to some verbs, it refers to the place "in," "at," or "on" which that action takes place.

S	V-在	PW
他	住在	三樓。

He lives on the third floor.

1. 我就住在學校附近，上課很方便。

2. 上中文課的時候，他常常坐在前面。

3. 照相的時候，高的站在後面，矮的站在前面。

4. 我買的水果，你放在哪裡了？

Ⅱ. Verb-到

When 到 is used as a suffix to verbs of action, it must take a place word or a time phrase for its object. If the object is a place word, 來／去 is often placed after the place word.

A.

S	V-到	PW	來／去
他	走到	學校	來。

He walks to school.

1. 你跑到哪裡去了？

2. 我要搬到郊區去。

3. 他已經回到德國去了。

4. 這些書，請你拿到書房去。

B.

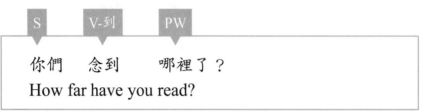

S	V-到	PW

你們　念到　哪裡了？
How far have you read?

1. 我們念到第六課了。
2. 昨天我說到哪裡了？
3. 這本書我看到第九十八頁了。
4. 她唱到第三行，就不想唱了。

C.

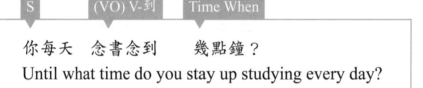

S	(VO) V-到	Time When

你每天　念書念到　幾點鐘？
Until what time do you stay up studying every day?

1. 新年你們放假，放到幾號？
2. 昨天我看電視，看到十二點鐘。
3. 我玩到六點鐘，就得回家。
4. 他在那裡住到二〇一五年，就搬家了。

Ⅲ. Verb-給

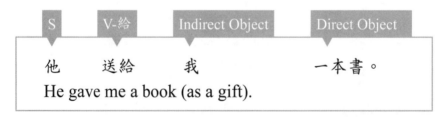

S	V-給	Indirect Object	Direct Object

他　送給　我　　　一本書。
He gave me a book (as a gift).

1. 他的錢不夠，我借給他一千塊。
2. 這是他賣給我的，不是送給我的。

3. 那件衣服，請你拿給我看看。

4. 這封信是陳先生寄給我的。

Fill in the blanks with 在, 到, or 給.

1 她弟弟跑＿＿＿＿＿＿外面去了。

2 那三本書，我拿＿＿＿＿＿＿書房去了。

3 你住＿＿＿＿＿＿哪裡？

4 明天考試，考＿＿＿＿＿＿第十七課。

5 她媽媽送＿＿＿＿＿＿她一輛汽車。

6 我昨天念書，念＿＿＿＿＿＿夜裡一點鐘。

7 他借＿＿＿＿＿＿我一本書。

8 這封信，我要寄＿＿＿＿＿＿日本去。

9 這些東西，我要寄＿＿＿＿＿＿我妹妹。

10 他喜歡坐＿＿＿＿＿＿後面。

11 這首歌，我唱＿＿＿＿＿＿他聽了。

12 我們放假放＿＿＿＿＿＿下個星期一。

4 快 and 慢 in Imperative Sentences

一點（兒）is often added to 快 or 慢 to express a greater or lesser degree.

I. As an Adverb Used Before the Verb

A.

快　　V (O)

快　　走！
Hurry! Get going!

B.

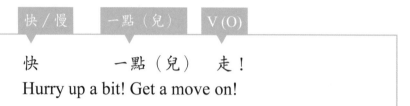

快　　　一點（兒）　　走！
Hurry up a bit! Get a move on!

1. 不早了，快起來吧！
2. 別玩了，快做功課！
3. 別說話，快一點寫字。
4. 別急，慢一點說。

Ⅱ. As an Adverb Used After the Verb

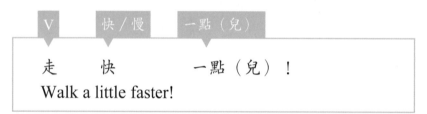

走　　快　　　一點（兒）！
Walk a little faster!

1. 別開得太快，請你開慢一點（兒）。
2. 我的華語不好，請你說慢一點（兒）。

What do you say when ...?

1 孩子吃飯吃得太慢，我對他說：「＿＿＿＿＿＿＿。」

2 他開車開得太快，我對他說：「＿＿＿＿＿＿＿。」

3 老師說得太快，我對老師說：「＿＿＿＿＿＿＿。」

4 吃飯的時候到了，孩子還在看電視，我要他來吃飯，我對
他說：「＿＿＿＿＿＿＿。」

5 時候不早了，他還在睡覺，我對他說：「＿＿＿＿＿＿＿。」

6 下雨了，他在房子外面，我對他說：「＿＿＿＿＿＿＿。」

APPLICATION ACTIVITIES

1　**Look at the following pictures and respond.**

2　**Situations**

1. **An old student and a new student meet at the dormitory entrance and talk.**

2. **You go to a friend's dormitory room, and your friend is not there. Talk to the student who opens the door.**

171

第 7 課

你要把這張畫掛在哪裡？

DIALOGUE

I

爸爸：文美，我們把沙發 (shāfā)* 放在客廳當中，你看怎麼樣？

媽媽：我覺得最好放在窗戶旁邊，那裡比較亮。

爸爸：好。那，我把電視機搬過來，放在沙發對面吧！

大明：媽，這張畫掛在哪裡呢？

媽媽：把它掛在樓上你的臥房裡。你把這個檯燈也帶上去。

大明：好。

爸爸：文美，盤子、碗，你都搬進來了嗎？

媽媽：已經都搬到廚房，放在碗櫃裡了。

爸爸：我再把這個書架搬到書房去，就好了。

大明：媽，我已經把畫掛上了，還有什麼需要搬的嗎？

媽媽：都搬得差不多了，天也快黑了，我們先一塊兒出去吃飯吧！

大明：好極了，我已經餓得不得了了。

媽媽：大明，你看你的手多髒啊！快去把手洗洗。

爸爸：文美，把汽車鑰匙拿給我，我先到車庫把車開出來。

沙發 (shāfā)：sofa

Ⅱ

（從飯館回家以後）

爸爸：忙了一天了，文美，快坐下休息休息吧！

媽媽：好，我把廚房的燈關上^⑳就來。

媽媽（從廚房走過來）：這是你的茶。要不要吃點水果？

爸爸：不用了^㉑，有茶就行了。

媽媽：打開^㉒電視看看有什麼新聞^㉓吧！

爸爸：是啊，今天還沒看報呢。

大明：媽，下星期我可以把同學帶回家來玩嗎^㉔？

媽媽：當然^㉕可以，以後歡迎他們常來玩。

Ⅱ

（從飯館回家以後）

爸爸：忙了一天了，文美，快坐下休息休息吧！

媽媽：好，我把廚房的燈關上[20]就來。

媽媽（從廚房走過來）：這是你的茶。要不要吃點水果？

爸爸：不用了[21]，有茶就行了。

媽媽：打開[22]電視看看有什麼新聞[23]吧！

爸爸：是啊，今天還沒看報呢。

大明：媽，下星期我可以把同學帶回家來玩嗎[24]？

媽媽：當然[25]可以，以後歡迎他們常來玩。

ㄋㄧㄠˇ ㄅㄚˇ ㄟˋ ㄓㄤ ㄏㄨㄚˊ ㄍㄨㄟˋ ㄗㄞˋ ㄋㄚˇ ㄌㄧˇ？

Ⅰ

ㄅㄚˊ ㄅㄚ˙：ㄨㄣˊ ㄇㄟˋ，ㄨㄛ˙ ㄅㄣˇ ㄚˊ ㄚˊ ㄚ ㄤˋ ㄞˇ ㄅㄛˋ ㄊㄤˊ ㄅㄤ ㄓㄥˋ，ㄋㄧ ㄎㄢ ㄢˇ ㄇ˙
　　　　ㄧㄤ？

ㄇㄚ ㄇㄚ˙：ㄨㄛˋ ㄐㄩㄝ ㄉㄜ˙ ㄗㄨ ㄠˇ ㄤˇ ㄞˊ ㄈㄨˋ ㄗ ㄔㄤˊ ㄏ ㄆㄡ ㄅㄣ，ㄋㄚ ㄌㄧˇ ㄅㄧˇ ㄐㄧ ㄌㄧㄠˋ。

ㄅㄚˊ ㄅㄚ˙：ㄏㄠˇ。ㄋ ㄚˋ，ㄨㄛ˙ ㄚˊ ㄅㄢˇ ㄕ ㄐㄧ ㄅㄣ ㄍㄨˇ ㄌㄞˊ，ㄤˋ ㄞˊ ㄕ ㄈㄨ ㄇㄨˊ
　　　　ㄅㄣ！

ㄉㄧ ㄇㄧㄥˊ：ㄇㄚ，ㄓㄤ ㄍㄨㄟˋ ㄗ ㄋㄚˋ ㄚ ㄌㄧˇ ㄋㄜ˙？

ㄇㄚ ㄇㄚ˙：ㄅㄣ ㄊㄤˋ ㄍㄨ ㄞˊ ㄅ ㄢ ㄋㄚˇ ㄚˊ ㄨˋ ㄈㄛˋ ㄌㄧˇ。ㄋㄧ ㄧㄚˇ ㄟˇ ㄍㄜ ㄞˇ ㄙㄥ ㄝˊ
　　　　ㄅㄞˇ ㄕ ㄑㄩˋ。

ㄉㄚˊ ㄇㄧㄥˊ：ㄏㄠˇ。

ㄅㄚˊ ㄅㄚ˙：ㄨㄣˊ ㄇㄟˋ，ㄆㄞˊ ㄕ˙ ㄟˋ ㄨˇ，ㄋㄧˇ ㄅㄛˇ ㄢ ㄐㄧㄣ ㄌㄞˊ ㄉㄜ˙ ㄇ˙？

ㄇㄚ ㄇㄚ˙：ㄧ ㄐㄧㄥ ㄅㄛˇ ㄅㄣ ㄔˊ ㄈㄤ，ㄈㄤˊ ㄗ ㄨㄞˊ ㄅㄧˇ ㄌㄧˇ。

ㄅㄚˊ ㄅㄚ˙：ㄨㄛ˙ ㄗㄞˋ ㄅㄢ ㄓㄤˇ ㄕ ㄐㄧㄣ ㄅㄣˋ ㄕˊ ㄈㄤˊ ㄑㄩˋ，ㄐㄧㄡ ㄏㄡ ㄍㄠˋ ㄌㄧˇ。

ㄉㄧ ㄇㄧㄥˊ：ㄇㄚ，ㄨㄛˇ ㄧˇ ㄐㄧㄣ ㄅㄚˇ ㄏㄨㄚˊ ㄍㄨㄟˋ ㄕˊ ㄅㄞˇ，ㄏㄞˇ ㄏㄡˋ ㄕˋ ㄇˊ ㄒㄧ ㄅㄧㄣˇ ㄅㄞˇ
　　　　ㄇㄚ˙？

ㄇㄚˊ ㄇㄚ˙：ㄅㄡ ㄅㄣˊ ㄅㄚˊ ㄨˋ ㄉㄨㄛˋ ㄉㄜ˙，ㄊㄧㄢˇ ㄧㄝˊ ㄎㄨㄞˇ ㄏㄨㄚˊ ㄟˇ ㄉㄜ˙，ㄨㄛˇ ㄇㄣˊ ㄒㄧ ㄧˇ ㄎㄞˋ ㄦ
　　　　ㄔㄨ ㄑㄩˋ ㄔˊ ㄈㄢˇ ㄅㄚ！

ㄉㄧ ㄇㄧㄥˊ：ㄏㄠˇ ㄐㄧˇ ㄌㄜ˙，ㄨㄛˇ ㄧ ㄐㄧㄥ ㄜˊ ㄉㄜ˙ ㄅㄨˋ ㄉㄜˊ ㄌㄧㄠˇ ㄉㄜ˙。

ㄇㄚˊ ㄇㄚ˙：ㄉㄧˋ ㄇㄧㄥ˙，ㄋㄧˊ ㄏㄞˊ ㄋㄧˊ ㄉㄜˊ ㄕ ㄅㄟˇ ㄗㄞˋ ㄉㄤˇ！ㄎㄨㄞˇ ㄑㄩˋ ㄒㄧˇ ㄕㄡ ㄒㄧˇ ㄒㄧ。

ㄅㄚˊ ㄅㄚ˙：ㄨㄣˊ ㄇㄟˋ，ㄅㄟˇ ㄑ˙ ㄔ˙ ㄧㄠˇ ㄕˋ ㄋㄚˇ ㄍㄨˇ ㄨㄛˋ，ㄨㄛˇ ㄒㄧㄢ ㄉㄠˋ ㄅㄞˇ ㄑㄩˋ ㄐㄧㄚ ㄔ
　　　　ㄎㄞ ㄔㄨ ㄌㄞˊ。

II

（ㄊㄡˊ　ㄉㄢˋ　ㄍㄠ　ㄍㄠˋ　ㄐㄧㄚ　ㄧˇ　ㄏㄡ）

ㄅㄚˋ　ㄅㄚ˙：ㄇㄤˊ　ㄉㄜ˙　ㄧ　ㄊㄢˊ　ㄉㄜ˙，ㄨㄣˊ　ㄇㄟˇ，ㄨㄛˋ　ㄨㄛˊ　ㄒㄧㄚ　ㄒㄧㄡ　ㄧ　ㄒㄧㄡ　ㄒㄧㄣ！

ㄇㄚ　ㄇㄚ˙：ㄏㄠˇ，ㄨㄛˊ　ㄅㄚˋ　ㄔㄨ　ㄈㄤ˙　ㄉㄜ˙　ㄍㄨㄛˋ　ㄕ　ㄐㄧ　ㄌㄞ˙。

ㄇㄚ　ㄇㄚ˙（ㄊㄡˊ　ㄔㄨ　ㄈㄡ　ㄗㄞ　ㄍㄨㄛˊ　ㄌㄞ）：ㄓㄜ　ㄕ　ㄋㄧ　ㄉㄜ˙　ㄔ　ㄚ˙。ㄧ　ㄠˋ　ㄨˊ　ㄠ　ㄔ　ㄅㄢ　ㄕㄨ˙

　　　　　　　　　　　　　　ㄍㄨㄛˊ？

ㄅㄚˋ　ㄅㄢˊ：ㄅ　ㄩㄥ　ㄉㄜ˙，ㄧ　ㄔ　ㄐㄧ　ㄒㄧㄚ　ㄉㄜ˙。

ㄇㄚ　ㄇㄚ˙：ㄅㄚˇ　ㄎㄞ　ㄅㄧㄠˊ　ㄕ　ㄎㄢ　ㄎㄢ　ㄧ　ㄗㄢ˙　ㄅㄜ　ㄒㄧㄣ　ㄨㄢˊ　ㄅㄚ！

ㄅㄚˋ　ㄅㄣˊ：ㄕˋ　ㄚˋ，ㄐㄧㄣ　ㄊㄢ　ㄏㄞ　ㄇㄟ　ㄎㄢ　ㄅㄢ　ㄉㄜ˙。

ㄅㄚˇ　ㄇㄥˊ：ㄇㄚ，ㄒㄧㄚˊ　ㄒㄧㄥˊ　ㄑㄧ　ㄨㄛˊ　ㄎㄢ　ㄧ　ㄅㄧㄣ　ㄊㄜˋ　ㄒㄧㄣˊ　ㄅㄧ˙　ㄐㄧㄚˊ　ㄌㄚˊ　ㄨㄣˊ？

ㄇㄚ　ㄇㄣˊ：ㄉㄤ　ㄖㄢˊ　ㄎㄜˊ　ㄧˇ，ㄧˇ　ㄏㄡˋ　ㄍㄨˊ　ㄥ　ㄊㄚ　ㄇㄣˊ　ㄔ　ㄉㄞ　ㄨㄢˊ。

Dì Qī Kè

Nǐ Yào Bǎ Zhèizhāng Huà Guàzài Nǎlǐ?

(Pinyin)

I

Bàba : Wénměi, wǒmen bǎ shāfā fàngzài kètīng dāngzhōng, nǐ kàn zěnmeyàng?

Māma : Wǒ juéde zuìhǎo fàngzài chuānghù pángbiān, nàlǐ bǐjiào liàng.

Bàba : Hǎo. Nà, wǒ bǎ diànshìjī bānguòlái, fàngzài shāfā duìmiàn ba!

Dàmíng : Mā, zhèizhāng huà guàzài nǎlǐ ne?

Māma : Bǎ tā guàzài lóushàng nǐde wòfánglǐ. Nǐ bǎ zhèige táidēng yě dàishàngqù.

Dàmíng : Hǎo.

Bàba : Wénměi, pánzi, wǎn, nǐ dōu bānjìnláile ma?

Māma : Yǐjīng dōu bāndào chúfáng, fàngzài wǎnguìlǐ le.

Bàba : Wǒ zài bǎ zhèige shūjià bāndào shūfáng qù, jiù hǎole.

Dàmíng : Mā, wǒ yǐjīng bǎ huà guàshàngle, háiyǒu shénme xūyào bānde ma?

Māma : Dōu bānde chàbùduōle, tiān yě kuài hēile, wǒmen xiān yíkuàir chūqù chīfàn ba!

Dàmíng : Hǎojíle, wǒ yǐjīng ède bùdéliǎole.

Māma : Dàmíng, nǐ kàn nǐde shǒu duó zāng a! Kuài qù bǎ shǒu xǐxǐ.

Bàba : Wénměi, bǎ qìchē yàoshi nágěi wǒ, wǒ xiān dào chēkù qù bǎ chē kāichūlái.

(cóng fànguǎn huílái yǐhòu)

Bàba : Mángle yìtiān le, Wénměi, kuài zuòxià xiūxí xiūxí ba!

Māma : Hǎo, wǒ bǎ chúfángde dēng guānshàng jiù lái.

Māma (cóng chúfáng zǒuguòlái) : Zhè shì nǐde chá. Yào búyào chī diǎn shuǐguǒ?

Bàba : Búyòngle, yǒu chá jiù xíngle.

Māma : Dǎkāi diànshì kànkàn yǒu shénme xīnwén ba!

Bàba : Shì a, jīntiān hái méi kàn bào ne.

Dàmíng : Mā, xiàxīngqī wǒ kěyǐ bǎ tóngxué dàihuíjiā lái wán ma?

Māma : Dāngrán kěyǐ, yǐhòu huānyíng tāmen cháng lái wán.

 Dì Cī Kè Nǐ Yào Bǎ Jhèijhāng Huà Guàzài Nǎlǐ?

(Tongyong)

Bàba : Wúnměi, wǒmen bǎ shāfā fàngzài kètīng dāngjhōng, nǐ kàn zěnmeyàng?

Māma : Wǒ jyuéde zuèihǎo fàngzài chuānghù pángbiān, nàlǐ bǐjiào liàng.

Bàba : Hǎo. Nà, wǒ bǎ diànshìhjī bānguòlái, fàngzài shāfā duèimiàn ba!

Dàmíng : Mā, jhèijhāng huà guàzài nǎlǐ ne?

Māma : Bǎ tā guàzài lóushàng nǐde wòfánglǐ. Nǐ bǎ jhèige táidēng yě dàishàngcyù.

Dàmíng : Hǎo.

Bàba : Wúnměi, pánzih, wǎn, nǐ dōu bānjìnláile ma?

Māma : Yǐjīng dōu bāndào chúfáng, fàngzài wǎnguèilǐ le.

Bàba : Wǒ zài bǎ jhèige shūjià bāndào shūfáng cyù, jiòu hǎole.

Dàmíng : Mā, wǒ yǐjīng bǎ huà guàshàngle, háiyǒu shénme syūyào bānde ma?

Māma : Dōu bānde chàbùduōle, tiān yě kuài hēile, wǒmen siān yíkuàir cyù chīhfàn ba!

Dàmíng : Hǎojíle, wǒ yǐjīng ède bùdéliǎole.

Māma : Dàmíng, nǐ kàn nǐde shǒu duó zāng a! Kuài cyù bǎ shǒu sǐsǐ.

Bàba : Wúnměi, bǎ cìchē yàoshih nágěi wǒ, wǒ siān dào chēkù cyù bǎ chē kāichūlái.

(cóng fànguǎn huéilái yǐhòu)

Bàba : Mángle yìtiān le, Wúnměi, kuài zuòsià siōusí siōusí ba!

Māma : Hǎo, wǒ bǎ chúfángde dēng guānshàng jiòu lái.

Māma (cóng chúfáng zǒuguòlái) : Jhè shìh nǐde chá. Yào búyào chīh diǎn shuěiguǒ?

Bàba : Búyòngle, yǒu chá jiòu síngle.

Māma : Dǎkāi diànshìh kànkàn yǒu shénme sīnwún ba!

Bàba : Shìh a, jīntiān hái méi kàn bào ne.

Dàmíng : Mā, siàsīngcí wǒ kěyǐ bǎ tóngsyué dàihuéijiā lái wán ma?

Māma : Dāngrán kěyǐ, yǐhòu huānyíng tāmen cháng lái wán.

LESSON 7 — WHERE DO YOU WANT TO HANG THIS PAINTING?

 I

Father : Wenmei, what do you think if we move the sofa to the center of the living room?

Mother : I think it would be best if we put it over by the window. It's brighter over there.

Father : OK, so I will move the TV and put it opposite the sofa.

Daming : Mom, where do you want to hang this painting?

Mother : Hang it in your bedroom upstairs. Take this lamp up there also.

Daming : OK.

Father : Wenmei, did you bring in all the plates and bowls already?

Mother : I already took them to the kitchen and put them in the cabinet.

Father : Then I'll move this bookshelf into the study and that's it.

Daming : Mom, I already hung up the painting. What else still needs to be moved?

Mother : Just about everything has been moved in. It'll be getting dark soon. Let's first go out together for something to eat.

Daming : Great, I'm already really hungry.

Mother : Daming, look at how dirty your hands are! Go quickly and wash them.

Father : Wenmei, give me the car keys. I'll first go to the garage and drive the car out.

 II

(After returning home from the restaurant)

Father : It's been a busy day. Wenmei, hurry up and come sit down to rest for a while.

178

Mother　: OK. I'll come as soon as I turn off the kitchen light.

Mother (after walking out of the kitchen) : Here is your tea. Would you like to eat a little fruit?

Father　: Don't bother. Tea is fine.

Mother　: Turn on the television. See if there's any news on.

Father　: Right, I still haven't read the paper today.

Daming : Mom, next week can I bring my classmates for a visit?

Mother　: Of course you can. From now on, they are welcome to come over often for a visit.

NARRATION

　　我跟很多同學住在學校的宿舍㉖裡。有一個同學很麻煩，我們都不喜歡他。他常把衣服脫下來㉗，就扔㉘在地上、床上，不掛在衣櫃裡，書也不放在書架上，把燈打開了以後，就不記得關上，出去也不關門。

　　他喜歡在床上吃東西，吃飽了以後，就把髒盤子、髒碗都放在床底下。我們常常得幫他洗碗、掛衣服、關燈、關門。他給我們這麼多麻煩，當然我們都不喜歡跟他住在一塊兒。

ㄨㄛˇ ㄍㄣ ㄏㄣˇ ㄉㄨㄛ ㄊㄨㄥˊ ㄒㄩㄝˊ ㄓㄨˋ ㄗㄞˋ ㄒㄩㄝˊ ㄒㄧㄠˋ ˙ㄉㄜ ㄙㄨˋ ㄕㄜˋ ㄌㄧˇ 。ㄧㄡˇ ㄧˊ ˙ㄍㄜ ㄊㄨㄥˊ ㄒㄩㄝˊ ㄏㄣˇ ㄇㄚˊ ㄈㄢˊ ，ㄨㄛˇ ˙ㄇㄣ ㄉㄡ ㄅㄨˋ ㄒㄧˇ ㄏㄨㄢ ㄊㄚ 。ㄊㄚ ㄔㄤˊ ㄅㄚˇ ㄧ ㄈㄨˊ ㄊㄨㄛ ㄒㄧㄚˋ ㄌㄞˊ ，ㄐㄧㄡˋ ㄖㄥ ㄗㄞˋ ㄉㄧˋ ㄕㄤˋ 、ㄔㄨㄤˊ ㄕㄤˋ ，ㄅㄨˊ ㄍㄨㄚˋ ㄗㄞˋ ㄧ ㄍㄨㄟˋ ㄌㄧˇ 。ㄕㄨ ㄧㄝˇ ㄅㄨˊ ㄈㄤˋ ㄗㄞˋ ㄕㄨ ㄐㄧㄚˋ ㄕㄤˋ 。ㄅㄚˇ ㄉㄥ ㄉㄚˇ ㄎㄞ ˙ㄌㄜ ㄧˇ ㄏㄡˋ ，ㄐㄧㄡˋ ㄅㄨˊ ㄐㄧˋ ˙ㄉㄜ ㄍㄨㄢ ㄕㄤˋ ，ㄔㄨ ㄑㄩˋ ㄧㄝˇ ㄅㄨˋ ㄍㄨㄢ ㄇㄣˊ 。

ㄊㄚ ㄒㄧˇ ㄏㄨㄢ ㄗㄞˋ ㄔㄨㄤˊ ㄕㄤˋ ㄔ ㄉㄨㄥ ㄒㄧ ，ㄔ ㄅㄠˇ ˙ㄌㄜ ㄧˇ ㄏㄡˋ ，ㄐㄧㄡˋ ㄅㄚˇ ㄗㄤ ㄆㄢˊ ˙ㄗ 、ㄗㄤ ㄨㄢˇ ㄉㄡ ㄈㄤˋ ㄗㄞˋ ㄔㄨㄤˊ ㄉㄧˇ ㄒㄧㄚˋ 。ㄨㄛˇ ˙ㄇㄣ ㄔㄤˊ ㄔㄤˊ ㄉㄟˇ ㄅㄤ ㄊㄚ ㄒㄧˇ ㄨㄢˇ 、ㄍㄨㄚˋ ㄧ ㄈㄨˊ 、ㄍㄨㄢ ㄉㄥ 、ㄍㄨㄢ ㄇㄣˊ 。ㄊㄚ ㄍㄟˇ ㄨㄛˇ ˙ㄇㄣ ㄓㄜˋ ˙ㄇㄜ ㄉㄨㄛ ㄇㄚˊ ㄈㄢˊ ，ㄉㄤ ㄖㄢˊ ㄨㄛˇ ˙ㄇㄣ ㄉㄡ ㄅㄨˋ ㄒㄧˇ ㄏㄨㄢ ㄍㄣ ㄊㄚ ㄓㄨˋ ㄗㄞˋ ㄧˊ ㄎㄨㄞˋㄦ 。

Wǒ gēn hěn duō tóngxué zhùzài xuéxiàode sùshèlǐ. Yǒu yíge tóngxué hěn máfán, wǒmen dōu bù xǐhuān tā. Tā cháng bǎ yīfú tuōxiàlái, jiù rēngzài dìshàng, chuángshàng, búguàzài yīguìlǐ. Shū yě búfàngzài shūjiàshàng. Bǎ dēng dǎkāile yǐhòu, jiù bújìde guānshàng, chūqù yě bùguān mén.

Tā xǐhuān zài chuángshàng chī dōngxī. Chībǎole yǐhòu, jiù bǎ zāng pánzi, zāng wǎn dōu fàngzài chuáng dǐxià. Wǒmen chángcháng děi bāng tā xǐ wǎn, guà yīfú, guān dēng, guān mén. Tā gěi wǒmen zhème duō máfán, dāngrán wǒmen dōu bùxǐhuān gēn tā zhùzài yíkuàr.

Wǒ gēn hěn duō tóngsyué jhùzài syuésiàode sùshèlǐ. Yǒu yíge tóngsyué hěn máfán, wǒmen dōu bù sǐhuān tā. Tā cháng bǎ yīfú tuōsiàlái, jiòu rēngzài dìshàng, chuángshàng, búguàzài yīguèilǐ. Shū yě búfàngzài shūjiàshàng. Bǎ dēng dǎkāile yǐhòu, jiòu bújìde guānshàng, chūcyù yě bùguān mén.

Tā sǐhuān zài chuángshàng chīh dōngsī. Chīhbǎole yǐhòu, jiòu bǎzāng pánzih, zāng wǎn dōu fàngzài chuáng dǐsià. Wǒmen chángcháng děi bāng tā sǐ wǎn, guà yīfú, guān dēng, guān mén. Tā gěi wǒmen jhème duō máfán, dāngrán wǒmen dōu bùsǐhuān gēn tā jhùzài yíkuàr.

....

I live with many classmates in the school dormitory. There is one classmate who is a real pain. None of us likes him. When he takes off his clothes, he often throws them on the floor or on the bed. He doesn't hang them in the closet. He also never puts his books on the bookshelf. After he turns on the light, he forgets to turn it off, and when he goes out, he doesn't close the door.

He likes to eat in bed, and after eating he puts the dirty plates and bowls under the bed. We often have to help him clean his bowls, hang up his clothes, turn off the lights, and shut the door. He gives us so much trouble, so of course we don't like living with him.

VOCABULARY

① 把 (bǎ) ▸ CV: "把" is a coverb indicating the handling of something. "把" itself cannot be translated directly into English. It is used to draw attention to the object (rather than the subject) of a sentence.

例 請你把這張畫拿到客廳去。

Qǐng nǐ bǎ zhèizhāng huà nádào kètīng qù.

Cǐng nǐ bǎ jhèijhāng huà nádào kètīng cyù.

Please take this painting to the living room.

② 掛 (guà) ▸ V: to hang

例 她把新買的衣服掛在衣櫃裡了。

Tā bǎ xīn mǎi de yīfú guàzài yīguìlǐ le.

Tā bǎ sīn mǎi de yīfú guàzài yīguèilǐ le.

She hung the newly-bought clothes in the wardrobe.

③ 當中 (dāngzhōng / dāngjhōng) ▸ N (PW): middle, in the center

例 李先生家的客廳當中有一張大桌子。

Lǐ Xiānshēng jiā de kètīng dāngzhōng yǒu yìzhāng dà zhuōzi.

Lǐ Siānshēng jiā de kètīng dāngjhōng yǒu yìjhāng dà jhuōzih.

There is a large table in the center of Mr. Li's living room.

④ 最好 (zuìhǎo / zuèihǎo) ▸ ADV: best, better to

例 你下星期不能來，最好早一點告訴老師。

Nǐ xiàxīngqí bùnéng lái, zuìhǎo zǎoyìdiǎn gàosù lǎoshī.

Nǐ siàsīngcí bùnéng lái, zuèihǎo zǎoyìdiǎn gàosù lǎoshīh.

It's best to tell the teacher in advance you won't be able to come next week.

5 窗戶 (chuānghù) ▸▸ N: window

6 亮 (liàng) ▸▸ SV: to be sunny, to be bright

例 我房間有兩個大窗戶，平常很亮。
Wǒ fángjiān yǒu liǎngge dà chuānghù, píngcháng hěnliàng.
My room has two large windows; it's usually very bright.

7 對面 (duìmiàn / duèimiàn) ▸▸ N (PW): the other side, place across from

例 那家百貨公司的對面有捷運站 (jiéyùnzhàn / jiéyùnjhàn) * 。
Nèijiā bǎihuògōngsī de duìmiàn yǒu jiéyùnzhàn.
Nèijiā bǎihuògōngsīh de duèimiàn yǒu jiéyùnjhàn.
There is a subway station across from that department store.

8 它 (tā) ▸▸ PN: it

9 臥房 (wòfáng) ▸▸ N: bedroom（M: 間 jiān）

10 檯燈 (táidēng)
▸▸ N: desk lamp, table lamp, reading lamp（M: 盞 zhǎn / jhǎn）

例 A：臥房裡的檯燈呢？
B：我把它放在客廳的桌子上了。
A：Wòfáng lǐ de táidēng ne?
B：Wǒ bǎ tā fàngzài kètīng de zhuōzi shàngle.
B：Wǒ bǎ tā fàngzài kètīng de jhuōzih shàngle.
A：What about the desk lamp in the bedroom?
B：I put it on top of the table in the living room.

燈 (dēng) ▸▸ N: lamp, light

* 捷運站 (jiéyùnzhàn / jiéyùnjhàn)：
metro station, subway station

11 帶 (dài) ▸▸ V: to bring

例 今天我忘了帶錢來，你可以借我五百塊嗎？

Jīntiān wǒ wàngle dài qián lái, nǐ kěyǐ jiè wǒ wǔbǎikuài ma?

Jīntiān wǒ wàngle dài cián lái, nǐ kěyǐ jiè wǒ wǔbǎikuài ma?

I forgot to bring my money with me today. Could you lend me five hundred dollars?

12 廚房 (chúfáng) ▸▸ N: kitchen

13 碗櫃 (wǎnguì / wǎnguèi) ▸▸ N: (kitchen) cabinet, cupboard

例 請你把碗和盤子放在廚房的碗櫃裡。

Qǐng nǐ bǎ wǎn hàn pánzi fàngzài chúfáng de wǎnguìlǐ.

Cǐng nǐ bǎ wǎn hàn pánzih fàngzài chúfáng de wǎnguèilǐ.

Please put the bowls and plates in the cabinet.

櫃 (guì / guèi) ▸▸ BF: cabinet

衣櫃 (yīguì / yīguèi) ▸▸ N: closet

櫃子 (guìzi / guèizih) ▸▸ N: cabinet, sideboard

14 書架 (shūjià) ▸▸ N: bookshelf, bookcase

例 書架上的書，有的是我的，有的是姐姐的。

Shūjiàshàng de shū, yǒude shì wǒde, yǒude shì jiějiede.

Shūjiàshàng de shū, yǒude shìh wǒde, yǒude shìh jiějiede.

Of the books on the bookshelf, some are mine, while some are my sister's.

架 (jià) ▸▸ BF: shelf, stand

架子 (jiàzi / jiàzih) ▸▸ N: frame, stand, rack, shelf

15 黑 (hēi) ▶▶ SV: to be dark

例 天已經黑了，我們回家吧！

Tiān yǐjīng hēile, wǒmen huíjiā ba!

Tiān yǐjīng hēile, wǒmen huéijiā ba!

It's already dark. Let's go home!

16 餓 (è) ▶▶ SV: to be hungry

例 我現在還不餓，不想吃東西。

Wǒ xiànzài hái bú è, bùxiǎng chī dōngxī.

Wǒ siànzài hái bú è, bùsiǎng chīh dōngsī.

Right now I'm still not hungry; I don't want to eat anything.

17 髒 (zāng) ▶▶ SV: to be dirty

例 你的手很髒，快去洗洗。

Nǐde shǒu hěn zāng, kuài qù xǐxǐ.

Nǐde shǒu hěn zāng, kuài cyù sǐsǐ.

Your hands are very dirty. Go and wash them quickly.

18 鑰匙 (yàoshi / yàoshih) ▶▶ N: key（M: 把 bǎ）

19 車庫 (chēkù) / 車房 (chēfáng) ▶▶ N: garage

例 這把汽車鑰匙，你拿去車庫給爸爸。

Zhèibǎ qìchē yàoshi, nǐ náqù chēkù gěi bàba.

Jhèibǎ cìchē yàoshih, nǐ nácyù chēkù gěi bàba.

Take this car key to the garage and give it to dad.

20 關上 (guānshàng) ▶▶ DC: to close, to shut; to turn off

例 太冷了，請把窗戶關上。

Tài lěng le, qǐng bǎ chuānghù guānshàng.

Tài lěng le, cǐng bǎ chuānghù guānshàng.

It's too cold. Please shut the window.

關 (guān) ▸▸ V: to close, to turn off

21 不用 (búyòng) ▸▸ AV: need not, don't have to

例 這件事，你不用說了，我已經知道了。
Zhèijiàn shì, nǐ búyòng shuōle, wǒ yǐjīng zhīdàole.
Jhèijiàn shìh, nǐ búyòng shuōle, wǒ yǐjīng jhīhdàole.
You don't have to say anything about this matter. I already know.

例 明天我自己能去機場，不用麻煩你送我去。
Míngtiān wǒ zìjǐ néngqù jīchǎng, búyòng máfán nǐ sòng wǒ qù.
Míngtiān wǒ zìhjǐ néngcyù jīchǎng, búyòng máfán nǐ sòng wǒ cyù.
I can go to the airport tomorrow by myself. There's no need to trouble your escorting me.

22 打開 (dǎkāi) ▸▸ DC: to turn on, to switch on

例 天黑了，請把燈打開。
Tiān hēile, qǐng bǎ dēng dǎkāi.
Tiān hēile, cǐng bǎ dēng dǎkāi.
It's dark. Please turn on the light.

23 新聞 (xīnwén / sīnwún) ▸▸ N: news

聞 (wén / wún) ▸▸ V: to smell, to listen

24 同學 (tóngxué / tóngsyué) ▸▸ N: classmate

例 我的同學每天看英文報，知道很多外國新聞。
Wǒde tóngxué měitiān kàn Yīngwénbào, zhīdào hěnduō wàiguó xīnwén.
Wǒde tóngsyué měitiān kàn Yīngwúnbào, jhīhdào hěnduō wàiguó sīnwún.
My classmate reads English newspapers every day; he's familiar with a lot of news abroad.

25 當然 (dāngrán) ▸▸ ADV: of course

例 他昨天搬家，忙了一天，今天當然很累。

Tā zuótiān bānjiā, máng le yìtiān, jīntiān dāngrán hěnlèi.

Tā zuótiān bānjiā, máng le yìtiān, jīntiān dāngrán hěnlèi.

He was busy all day yesterday moving. Of course he is tired today.

SUPPLEMENTARY VOCABULARY

26 宿舍 (sùshè) ▸▸ N: dormitory

例 弟弟下個禮拜要搬到學校宿舍去住。

Dìdi xiàge lǐbài yào bāndào xuéxiào sùshè qù zhù.

Dìdi siàge lǐbài yào bāndào syuésiào sùshè cyù jhù.

My younger brother will move into the school dormitory next week.

27 脫下來 (tuōxiàlái / tuōsiàlái) ▸▸ DC: to take off

例 你穿的這件衣服很髒，快脫下來。

Nǐ chuānde zhèijiàn yīfú hěn zāng, kuài tuōxiàlái.

Nǐ chuānde jhèijiàn yīfú hěn zāng, kuài tuōsiàlái.

The clothes you are wearing are very dirty. Hurry up and take them off.

脫 (tuō) ▸▸ V: to take or to cast off

28 扔 (rēng) ▸▸ V: to throw, to toss, to cast

例 別把衣服扔在床上，快掛在衣櫃裡。

Biébǎ yīfú rēngzài chuángshàng, kuài guàzài yīguìlǐ.

Biébǎ yīfú rēngzài chuángshàng, kuài guàzài yīguèilǐ.

Don't throw your clothes on the bed. Hang them in the wardrobe quickly.

SYNTAX PRACTICE

把 Construction

When the 把 construction is used, the main verb is always a transitive verb and takes an object. The object must be moved up in front of the main verb, and the main verb must be followed by a complement in order to call attention on the object rather than the subject.

The negative adverbs 別，沒，不 must be placed before 把 in a negative sentence. When you want to stress the result of having dealt with something, then 給 can be placed in front of the main verb.

In a sentence with the 把 construction, the object pointed out by 把 is usually a definite person, affair, or thing.

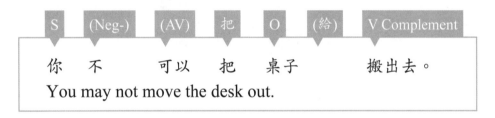

S	(Neg-)	(AV)	把	O	(給)	V Complement
你	不	可以	把	桌子		搬出去。

You may not move the desk out.

I.

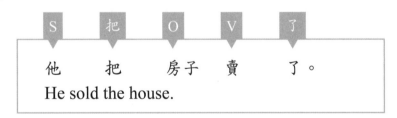

S	把	O	V	了
他	把	房子	賣	了。

He sold the house.

1. 兩個小時以前，我已經把車鑰匙給他了。
2. 誰把我的茶喝了？

   他把你的茶喝了。
3. 對不起，我把那件事給忘了。
4. 我把藥吃了，就睡覺了。

Ⅱ.

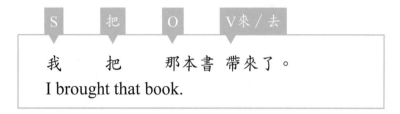

1. 已經上課了，你把大明叫來。

2. 我開車去把他接來了。

3. 她把你需要的東西都買來了。

4. 我已經替你把東西送去了。

Ⅲ.

1. 請你把桌上的書拿起來。

2. 快把髒衣服脫下來洗洗。

3. 我把他說的都寫下來了。

4. 請把你的意思說出來。

Ⅳ.

1. 我要把這本書帶回國去。

2. 你可以把車開進車庫去。

3. 不早了，我去學校把孩子接回家來。

4. 她不舒服，我把她送回家去了。

V.

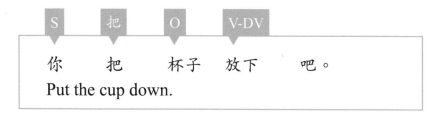

你　把　杯子　放下　吧。
Put the cup down.

1. 出去的時候，請你把門關上。

2. 屋子裡很熱，我把窗戶打開了。

3. 別把我的筆拿走，我還要寫字。

4. 外面冷，快把衣服穿上！

VI.

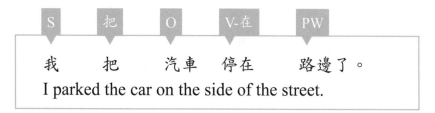

我　把　汽車　停在　路邊了。
I parked the car on the side of the street.

1. 你把那本書放在哪裡了？

　　放在書架上了。

2. 請你把名字跟地址寫在這裡。

3. 我把那張畫掛在飯廳裡了。

4. 別把衣服扔在床上。

VII.

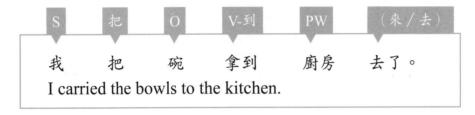

1. 我把孩子送到學校去。
2. 我們把這張床搬到樓上去吧。
3. 老師說不可以把狗帶到學校來。
4. 爸爸把車開到公司去了。

VIII.

1. 我把那本書借給朋友了。
2. 他把舊車賣給同學了。
3. 她要把這張畫送給別人。
4. 麻煩您把那個錶拿給我看看。

IX.

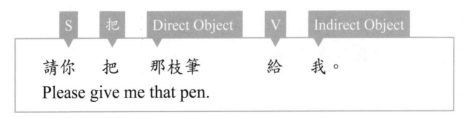

1. 他把昨天買水果的錢都給我了。

2. 我已經把那本新書給他了。

3. 別把這件事告訴別人。

4. 請把你的電話號碼告訴我。

X.

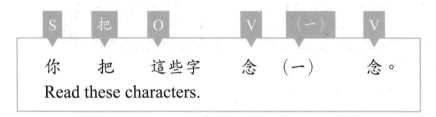

你　把　這些字　念　（一）　念。
Read these characters.

1. 上課以前，把第七課看看。

2. 要是今天有空，我要把衣服洗一洗。

3. 今天我要把學過的那幾課再念一念。

4. 你應該再把這個問題想一想。

XI.

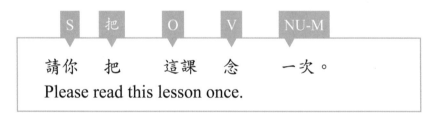

請你　把　這課　念　一次。
Please read this lesson once.

1. 他把話說了一半，就不說了。

2. 你再把這件事跟他說一次。

3. 我把這一課的每一個字寫了十次。

4. 老師叫我把這些句子多念幾次。

Change the following sentences into the 把 construction.

1. 他拿起那個杯子來了。
2. 快接他來。
3. 窗戶，我都打開了。
4. 我忘了他的名字了。
5. 我可以借給你我的照相機。
6. 別拿走我們的東西。
7. 你應該看一看書。
8. 他吃了早飯，就去上班了。
9. 那個椅子，我要搬出去。
10. 那件事，王先生沒說給我聽。
11. 請你告訴我你的電話號碼，好不好？
12. 那張畫，你掛在哪裡了？

APPLICATION ACTIVITIES

1 Every student makes a request regarding the pen by using the 把 construction. The other students will carry out the request while saying what they are doing.

2 How do you say it?

1. Ask a clerk to show you a camera.

2. Ask a friend to close the door when he leaves.

3. Ask your roommate to turn on the light.

4. Ask a classmate not to forget to bring the book to school the next day.

5. Ask your roommate to wash the fruit.

3 Situation

Three classmates rent an apartment. The conversation involves furniture arrangement.

 **NOTES**

---

1   The 把 construction is a kind of disposal form of sentence pattern. It is used to stress or emphasize special objects and what is done to them.

e.g.   他把車開到學校去了。   He drove the car to school.

他開車到學校去了。   He drove to school.

2

Verbs expressing feelings or emotions, sensory verbs, and verbs indicating being/existing or possession cannot use the 把 construction. The reason in this case is that it is impossible for the subject to dispose of the object in the manner indicated by the verb phrase.

e.g.

我喜歡他。	I like him.
我把他喜歡。	(incorrect)
他沒看見我。	He didn't see me.
他把我沒看見。	(incorrect)
他哥哥在家。	His elder brother is at home.
他哥哥把家在。	(incorrect)
我有錢。	I have money.
我把錢有。	(incorrect)

第 8 課

他們在樓下等著我們呢①

I

真真：愛美，你好了沒有？②

文德他們已經來了，

在樓下等著我們呢。

愛美：我在化妝③，還沒換衣服呢④。

真真：快一點吧！你要穿哪件衣服？要不要我幫你拿？

愛美：我想穿那件黃色的，在櫃子裡掛著呢⑤。

真真：這件衣服真漂亮⑥，是新的嗎？

愛美：不是，是我去年買的，很久沒穿了。

真真：你快去換吧。

愛美：好，請你在這裡等一等。

（幾分鐘以後）

愛美：好了，我們可以走了，你看我穿這雙⑦白⑧皮鞋⑨，可以嗎？

真真：可以，這雙鞋樣子不錯。

愛美：外面涼不涼⑩？要不要帶外套⑪？

真真：我想不用了。我們走吧。

II

李：趙太太，好久不見，請進，請進。您今天怎麼有空來？

趙：我早就想來看你們了，可是總是⑫沒有時間。

李：是啊，大家都忙。

趙：就您一個人在家嗎？李先生呢？

李：他出去買點東西，一會兒就回來。小兒子到同學家去了。

趙：門口停著一輛⑬藍色的汽車，是你們的嗎？好漂亮啊！

李：那是我們新買⑭的車，原來⑮那輛紅色的給大兒子開了。

趙：我一年多沒看見您大兒子了。他現在念幾年級⑯？

李：他已經念大學二年級了。現在住校⑰，每學期只回來一、兩
　　次。

趙：您父母都好吧？還在南部住著嗎？

李：他們都好，夏天的時候來住了兩個多月，可是北部冬天太
　　冷，他們不願意⑱住在這裡。

趙：年紀大的人都怕冷，我父母也一樣。

I

ㄓㄣ ㄓㄣ：ㄞˋ ㄇㄟˋ，ㄋㄧˇ ㄏㄠˇ ㄉㄜ˙ ㄇㄟˊ ㄧㄡ？ㄨㄛˇ ㄉㄜ˙ ㄚ ㄋㄧˊ ㄧˇ ㄐㄧㄥ ㄌㄞˊ ㄌㄜ˙，ㄗㄞˋ ㄌㄡˋ
　　　　ㄒㄧㄚˋ ㄉㄥˇ ㄓㄜ ㄨㄛˇ ㄇㄣˊ ㄋㄜ˙。

ㄞˋ ㄇㄟˋ：ㄛˋ ㄗㄞˋ ㄋㄚˋ ㄓㄤ，ㄞˋ ㄇㄟˋ ㄏㄨㄢˊ ㄧˇ ㄈㄨˋ ㄋㄜ˙。

ㄓㄣ ㄓㄣ：ㄎㄨㄞˋ ㄧˋ ㄉㄢˇ ㄅㄚ！ㄋㄧˇ ㄧˊ ㄔㄨㄢˊ ㄋㄟˋ ㄐㄧˋ ㄧ ㄈㄨˋ？ㄧˇ ㄅㄣˇ ㄧˋ ㄨㄛˇ ㄅㄣˇ ㄋㄧˇ
　　　　ㄋㄚˇ？

ㄞˋ ㄇㄟˋ：ㄨㄛˇ ㄒㄧㄤˇ ㄔㄨㄢˊ ㄋㄟˋ ㄐㄧˋ ㄏㄨㄥˊ ㄙㄜˋ ㄉㄜ˙，ㄗㄞˋ ㄍㄨˇ ˙ㄗ ㄉㄞˋ ㄍㄨˋ ㄓㄜ ㄉㄜ˙。

ㄓㄣ ㄓㄣ：ㄓㄟˋ ㄐㄧㄢˋ ㄧ ㄈㄨˋ ㄓㄣ ㄆㄧㄠˋ ㄉㄤˋ，ㄕˋ ㄒㄧㄣ ㄉㄜ˙ ㄚ？

ㄞˋ ㄇㄟˋ：ㄅㄨˋ ㄕˋ，ㄕˋ ㄛˇ ㄑㄩ ㄋㄧㄢˊ ㄉㄞˋ ㄉㄜ˙，ㄏㄣˇ ㄐㄧㄡˋ ㄇㄧˇ ㄔㄨㄢˊ ㄉㄜ˙。

ㄓㄣ ㄓㄣ：ㄋㄧˊ ㄊㄞˊ ㄑㄩ ㄏㄨㄢˊ ㄅㄚ。

ㄞˋ ㄇㄟˋ：ㄏㄠˇ，ㄑㄧㄥˇ ㄋㄧˇ ㄗㄞˋ ㄓㄜ ㄌㄧˇ ㄉㄥˇ ㄧˊ ㄉㄥˇ。

（ㄐㄧˇ ㄈㄣ ㄓㄨㄥ ㄧˇ ㄏㄡˋ）

ㄞˋ ㄇㄟˋ：ㄏㄠˇ ㄌㄜ˙，ㄨㄛˇ ㄇㄣˊ ㄎㄟ ㄧ ㄗㄡˇ ㄌㄜ˙，ㄋㄧˊ ㄎㄢˋ ㄛˇ ㄔㄨㄢˊ ㄓㄟˋ ㄕㄨㄤ ㄅㄞˊ ㄆㄧˊ ㄒㄧㄝˊ，
　　　　ㄎㄟˇ ㄧˇ ˙ㄚ？

ㄓㄣ ㄓㄣ：ㄎㄟˇ ㄧˇ，ㄓㄟˋ ㄕㄨㄤ ㄒㄧㄝˊ ㄧˊ ˙ㄗ ㄅㄨˇ ㄉㄨㄛˊ。

ㄞˋ ㄇㄟˋ：ㄨㄞˋ ㄇㄧㄢ ㄉㄤˋ ㄅㄨˋ ㄉㄤˋ？ㄧˇ ㄅㄨˇ ㄧˇ ㄉㄞˋ ㄨˋ ㄊㄠˇ？

ㄓㄣ ㄓㄣ：ㄨㄞˇ ㄒㄧㄤˇ ㄅㄣ ㄩˇ ㄉㄜ˙。ㄨㄛˇ ㄇㄣˊ ㄗㄡˇ ˙ㄅㄚ。

II

ㄉㄧˋ：ㄓㄠ ㄊㄞˊ ㄊㄞˊ，ㄏㄠˇ ㄐㄧㄡˇ ㄨˋ ㄐㄧㄢˋ，ㄑㄧㄥˇ ㄐㄧㄣˋ，ㄑㄧㄥˇ ㄐㄧㄣˋ。ㄋㄚˇ ㄐㄧㄣˋ ㄊㄞˊ ㄗㄣˇ ˙ㄇㄜ ㄧㄡˋ
　　　ㄎㄨㄥˇ ㄌㄞˊ？

ㄓㄠˋ：ㄨㄛˇ ㄗㄞˋ ㄐㄧㄚ ㄒㄧㄤ ㄉㄞˋ ㄎㄞ ㄋㄧˊ ㄉㄜ˙，ㄊㄛˇ ㄕˋ ㄗㄨㄛˊ ㄕˇ ㄇㄟˇ ㄧㄡ ㄕˋ ㄐㄧㄢˇ。

ㄉㄧ：ㄕ ㄚˊ，ㄅㄚ ㄐㄧㄚ ㄉㄡ ㄇㄤ。

ㄓㄠ：ㄐㄧㄡ ㄋㄧㄢˊ ㄍㄜ˙ ㄖㄢ ㄗㄞ ㄐㄧㄚ ㄇㄚ？ㄉㄧ ㄒㄧㄢ ㄕㄥ ㄋㄜˊ？

ㄉㄧ：ㄊㄚ ㄔㄨ ㄑㄩ ㄇㄞ ㄅㄨˋ ㄒㄧ，ㄧ ㄏㄨㄟˇ ㄦ ㄐㄧㄡ ㄏㄨㄟ ㄌㄞˊ。ㄒㄧㄠ ㄦˊ ㄗ˙ ㄅㄠ ㄊㄡˊ ㄒㄧㄝˊ ㄐㄧㄚ ㄑㄩ ㄌㄜ˙。

ㄓㄠ：ㄇㄧㄣ ㄎㄡˇ ㄊㄜ ㄓㄜ ㄧˊ ㄉㄧㄤ ㄅㄢˊ ㄙ ㄉㄜˊ ㄑ ㄔㄜˊ，ㄕ ㄕˊ ㄋㄢˊ ㄋㄣˊ ㄉㄜˊ ㄋㄚ？ㄏㄠˇ ㄅㄠ ㄌㄤ ㄚ！

ㄉㄧ：ㄋㄚ ㄕˊ ㄨㄛˇ ㄋㄣˊ ㄒㄧㄢ ㄇㄤ ㄉㄜˊ ㄔㄜˊ，ㄐㄧㄢ ㄐㄧㄢ ㄋㄟˊ ㄌㄤˊ ㄏㄨㄟ ㄙㄨㄛ ㄉㄜˊ ㄍㄟ ㄅㄚ ㄦˊ ㄗ˙ ㄎㄞ ㄌㄜ˙。

ㄓㄠ：ㄨㄛˊ ㄧˊ ㄋㄧㄢˊ ㄅㄨㄛˇ ㄇㄟ ㄎㄢ ㄐㄧ ㄋㄢˊ ㄅㄢ ㄚ ㄦˊ ㄗ˙ ㄌㄜ˙。ㄊㄚ ㄒㄧ ㄋㄞˇ ㄋㄢˊ ㄐㄧ ㄋㄢˊ ㄐㄧ？

ㄉㄧ：ㄊㄚ ㄧˊ ㄐㄧㄥ ㄋㄚˋ ㄅㄚˋ ㄒㄧㄝˊ ㄦˊ ㄐㄧ ㄌㄜ˙。ㄒㄧ ㄋㄞˊ ㄓ ㄒㄧㄠ，ㄒㄧㄝˊ ㄑㄧˊ ㄓ ㄏㄨㄟˊ
ㄌㄞˇ ㄧˊˊ、ㄌㄤˊ ㄇ。

ㄓㄠ：ㄋㄧㄣˊ ㄈㄨˊ ㄇㄨˊ ㄅㄨˋ ㄏㄠˊ ㄅˊ？ㄏㄞˇ ㄗㄞ ㄋㄢˊ ㄅㄨ ㄓ ㄓㄜ ㄇㄚ？

ㄉㄧ：ㄊㄚ ㄇㄣˊ ㄅㄡ ㄏㄨˊ，ㄒㄧㄚˊ ㄊㄧㄢ ㄉㄜ˙ ㄕˊ ㄏㄡˇ ㄓ ㄉㄜˊ ㄌㄤˊ ㄍㄨㄛˇ ㄐㄩㄝ，ㄎ ㄕˊ ㄏㄨㄟˊ
ㄅㄨˇ ㄉㄨㄥˊ ㄋㄞˊ ㄊㄥˊ ㄌㄧ˙，ㄊㄚˊ ㄅㄨ ㄐㄩˊ ㄧˊ ㄓˊ ㄗㄞ ㄓㄜ ㄌㄧˇ。

ㄓㄠ：ㄋㄢˊ ㄐㄧㄤ ㄧˊ ㄖㄢˊ ㄅㄡˊ ㄆㄡˊ ㄚˊ ㄅㄥˊ，ㄨㄛˇ ㄈㄨˊ ㄇㄨˊ ㄧˊ ㄧˊㄤ。

Dì Bā Kè — Tāmen Zài Lóuxià Děngzhe Wǒmen Ne

(Pinyin)

I

Zhēnzhēn : Àiměi, nǐ hǎole méiyǒu? Wéndé tāmen yǐjīng láile, zài lóuxià
děngzhe wǒmen ne.

Àiměi : Wǒ zài huàzhuāng, hái méihuàn yīfú ne.

Zhēnzhēn : Kuài yìdiǎn ba! Nǐ yào chuān něijiàn yīfú? Yào búyào wǒ bāng nǐ
ná?

Àiměi   : Wǒ xiǎng chuān nèijiàn huángsède, zài guìzilǐ guàzhe ne.

Zhēnzhēn : Zhèijiàn yīfú zhēn piàoliàng, shì xīnde ma?

Àiměi   : Búshì, shì wǒ qùnián mǎi de, hěn jiǔ méichuānle.

Zhēnzhēn : Nǐ kuài qù huàn ba.

Àiměi   : Hǎo, qǐng nǐ zài zhèlǐ děngyìděng.

(jǐfēnzhōng yǐhòu)

Àiměi   : Hǎole, wǒmen kěyǐ zǒule. Nǐ kàn wǒ chuān zhèishuāng bái píxié, kěyǐ ma?

Zhēnzhēn : Kěyǐ, zhèishuāng xié yàngzi búcuò.

Àiměi   : Wàimiàn liáng bùliáng? Yào búyào dài wàitào?

Zhēnzhēn : Wǒ xiǎng búyòngle. Wǒmen zǒu ba.

Lǐ   : Zhào Tàitai, hǎo jiǔ bújiàn, qǐng jìn, qǐng jìn. Nín jīntiān zěnme yǒukòng lái?

Zhào : Wǒ zǎo jiù xiǎng lái kàn nǐmen le, kěshì zǒngshì méiyǒu shíjiān.

Lǐ   : Shì a, dàjiā dōu máng.

Zhào : Jiù nín yíge rén zài jiā ma? Lǐ Xiānshēng ne?

Lǐ   : Tā chūqù mǎi diǎn dōngxī, yìhuǐr jiù huílái. Xiǎo érzi dào tóngxué jiā qùle.

Zhào : Ménkǒu tíngzhe yíliàng lánsède qìchē, shì nǐmende ma? Hǎo piàoliàng a!

Lǐ   : Nà shì wǒmen xīn mǎide chē, yuánlái nèiliàng hóngsède gěi dà érzi kāile.

Zhào : Wǒ yìniánduō méikànjiàn nín dà érzi le. Tā xiànzài niàn jǐniánjí?

Lǐ   : Tā yǐjīng niàn dàxué èrniánjí le. Xiànzài zhùxiào, měixuéqí zhǐ huílái yì, liǎngcì.

Zhào : Nín fùmǔ dōu hǎo ba? Hái zài nánbù zhùzhe ma?

Lǐ   : Tāmen dōu hǎo, xiàtiānde shíhòu lái zhùle liǎnggeduō yuè, kěshì běibù dōngtiān tài lěng, tāmen búyuànyì zhùzài zhèlǐ.

Zhào : Niánjì dàde rén dōu pà lěng, wǒ fùmǔ yě yíyàng.

Dì Bā Kè　Tāmen Zài Lóusià Děngjhe Wǒmen Ne

(Tongyong)

I

Jhēnjhēn : Àiměi, nǐ hǎole méiyǒu? Wúndé tāmen yǐjīng láile, zài lóusià děngjhe wǒmen ne.

Àiměi : Wǒ zài huàjhuāng, hái méihuàn yīfú ne.

Jhēnjhēn : Kuài yìdiǎn ba! Nǐ yào chuān něijiàn yīfú? Yào búyào wǒ bāng nǐ ná?

Àiměi : Wǒ siǎng chuān nèijiàn huángsède, zài guèizihlǐ guàjhe ne.

Jhēnjhēn : Jhèijiàn yīfú jhēn piàoliàng, shìh sīnde ma?

Àiměi : Búshìh, shìh wǒ cyùnián mǎi de, hěn jiǒu méichuānle.

Jhēnjhēn : Nǐ kuài cyù huàn ba.

Àiměi : Hǎo, cǐng nǐ zài jhèlǐ děngyìděng.

(jǐfēnjhōng yǐhòu)

Àiměi : Hǎole, wǒmen kěyǐ zǒule. Nǐ kàn wǒ chuān jhèishuāng bái písié, kěyǐ ma?

Jhēnjhēn : Kěyǐ, jhèishuāng sié yàngzih búcuò.

Àiměi : Wàimiàn liáng bùliáng? Yào búyào dài wàitào?

Jhēnjhēn : Wǒ siǎng búyòngle. Wǒmen zǒu ba.

II

Lǐ : Jhào Tàitai, hǎo jiǒu bújiàn, cǐng jìn, cǐng jìn. Nín jīntiān zěnme yǒukòng lái?

Jhào : Wǒ zǎo jiòu siǎng lái kàn nǐmen le, kěshìh zǒngshìh méiyǒu shíhjiān.

Lǐ : Shìh a, dàjiā dōu máng.

Jhào : Jiòu nín yíge rén zài jiā ma? Lǐ Siānshēng ne?

Lǐ : Tā chūcyù mǎi diǎn dōngsī, yìhuěir jiòu huéilái. Siǎo érzih dào tóngsyué jiā cyùle.

203

Jhào : Ménkǒu tíngjhe yíliàng lánsède cìchē, shìh nǐmende ma? Hǎo piàoliàng a!

Lǐ : Nà shìh wǒmen sīn mǎide chē, yuánlái nèiliàng hóngsède gěi dà érzih kāile.

Jhào : Wǒ yìniánduō méikànjiàn nín dà érzih le. Tā siànzài niàn jǐniánjí?

Lǐ : Tā yǐjīng niàn dàsyué èrniánjí le. Siànzài jhùsiào, měisyuécí jhǐh huéilái yì, liǎngcìh.

Jhào : Nín fùmǔ dōu hǎo ba? Hái zài nánbù jhùjhe ma?

Lǐ : Tāmen dōu hǎo, siàtiānde shíhhòu lái jhùle liǎnggeduō yuè, kěshìh běibù dōngtiān tài lěng, tāmen búyuànyì jhùzài jhèlǐ.

Jhào : Niánjì dàde rén dōu pà lěng, wǒ fùmǔ yě yíyàng.

LESSON 8 THEY ARE WAITING FOR US DOWNSTAIRS

Zhenzhen : Amy, are you ready? Wende and the group are already here. They are downstairs waiting for us.

Amy : I'm putting on make-up. I'm not dressed yet.

Zhenzhen : Hurry up! What do you want to wear? Do you want me to help you get it?

Amy : I think I will wear the yellow one. It is hanging in the closet.

Zhenzhen : This one is really pretty. Is it new?

Amy : No, I bought it last year. I haven't worn it in a long time.

Zhenzhen : Hurry and put it on.

Amy : OK. Please wait here a minute.

(after a few minutes)

Amy : OK, let's go. Look at this pair of white leather shoes I am wearing. Are they OK?

Zhenzhen : Yes, their style is good.

Amy　　　: Is it cool outside? Should I bring a coat?

Zhenzhen : I don't think you need one. Let's go.

Li　　: Mrs. Zhao, long time no see. Please come in. Come in. What brings you here today?

Zhao : I've wanted to come see you for a long time, but I never have the time.

Li　　: Yes, everyone is very busy.

Zhao : Are you the only one home? What about Mr. Li?

Li　　: He went out to buy a few things; he'll be back soon. Our smallest son went over to a classmate's house.

Zhao : There is a blue car parked at the entrance. Is it yours? It's beautiful!

Li　　: That's our newly purchased car. We gave our original red car to our eldest son to drive.

Zhao : I haven't seen your eldest son for more than a year. What year of school is he studying?

Li　　: He is already in his second year of college. He lives at school now and only comes home once or twice a semester.

Zhao : Are your parents well? Are they still living down south?

Li　　: They are both fine. During the summer they came and spent over two months here, but the northern winters are too cold, so they don't want to live here.

Zhao : All old people dread the cold. My parents are the same.

NARRATION

故　事[19]

　　從前，在一個小城裡，住著一位老先生。他是一個很好的人，大家都喜歡他。有一天，他在家門口站著，一個穿著白衣服的人走過來，對他說：「我知道你是一個好人，現在我要給你一封信，明天你帶著這封信，往西一直走，就可以到一個最好的地方了。」

　　第二天，老人帶著他的東西跟這封信出門了。他在路上走著走著，忽然[20]從路邊跑出來一個強盜 (qiángdào / ciángdào)*，要老人把東西都給他。老人說：「我什麼都可以給你，可是這封信我不能給你。」老人把這封信的故事說給強盜聽。強盜聽了以後，也要這封信。老人沒辦法，只好說：「好吧[21]，我撕 (sī / sīh)* 給你一部分[22]。」

*
強盜 (qiángdào / ciángdào)：robber
撕 (sī / sīh)：to tear

　　他們一塊兒在路上走著，強盜說：「我做過很多壞事，可是你給我的這一部分太小，你應該再給我一點。」老人說：「好吧，我再給你一點。」

　　他們到了一個地方，裡面非常漂亮，綠色的草地上開著㉓很多顏色㉕的花㉖，門口站著一個人。老人把信拿給他看。那個人看了以後說：「歡迎，歡迎，請進。」強盜也把信拿出來，可是他不能進去。你知道為什麼嗎？

207

ㄍㄨˋ　ㄕˋ

ㄎㄨㄥˊ　ㄑㄧㄢˊ，ㄗㄞ一　ㄍㄜ　ㄒㄧㄠ　ㄔㄥˊ　ㄌㄧˇ，ㄓㄨㄛˋ　ㄓㄜ˙　一　ㄨㄟˋ　ㄌㄠˇ　ㄒㄧㄢ　ㄕㄥ。ㄊㄚ
一　ㄍㄜ˙　ㄏㄣˊ　ㄏㄠˇ　ㄉㄜ˙　ㄖㄣ，ㄅㄚ　ㄐㄧㄡˋ　ㄅㄢ　ㄒㄧ　ㄏㄨㄢˋ　ㄊㄚ。ㄧㄡˇ　一　ㄊㄧㄢ，ㄊㄚ　ㄞˋ　ㄐㄧㄚ　ㄖㄣ
ㄎㄡˇ　ㄓㄢ　ㄓㄜ˙，一　ㄍㄜ˙　ㄔㄨㄥˊ　ㄓㄜ˙　ㄅㄞˊ　ㄈㄨˊ　ㄉㄜ˙　ㄖㄣ　ㄍㄨˋ　ㄌㄞˊ，ㄉㄨㄟ　ㄊㄚ　ㄕㄨㄛ：
「ㄨㄛˇ　ㄓ　ㄉㄠ　ㄋㄧˇ　ㄕˋ　一　ㄍㄜˊ　ㄏㄣˊ　ㄒㄧㄢˊ　ㄨㄛˇ　ㄍㄠ　ㄟ一　ㄈㄣˊ，ㄇㄧㄥˊ
ㄊㄧㄢ　ㄋㄧˇ　ㄅㄞˊ　ㄓㄜ˙　ㄓ　ㄈㄣ　ㄒㄧㄣ，ㄨㄤˊ　一　ㄓ　ㄗㄡˇ，ㄐㄧ　ㄎㄢˋ　一　ㄍㄜ　一　ㄍㄨㄟˋ
ㄏㄠˇ　ㄌㄜ˙　一　ㄤ　ㄌㄜ˙。」

ㄅㄟ　ㄦ　ㄊㄧㄢ，ㄌㄠˇ　ㄕㄢ　ㄞˊ　ㄊㄧㄢ　ㄉㄚ˙　ㄉㄡˇ　ㄒㄧˊ　ㄓ　ㄈㄣˊ　ㄒㄧ　ㄔㄨ　ㄖㄣˊ
ㄉㄜ˙。ㄊㄚ　ㄗㄞ　ㄉㄞ　ㄕˇ　ㄗㄞ　ㄓˋ　ㄗㄞ　ㄓㄜ˙，ㄏㄨ　ㄖㄢˊ　ㄎㄨ　ㄍㄨˊ　ㄉㄨㄢ　ㄅㄠˋ　ㄞ　一　ㄍㄜˊ
ㄑㄧㄤˊ　ㄍㄠˇ，一　ㄌㄠˇ　ㄌㄣˇ　ㄅㄚ　ㄍㄨㄛˊ一　ㄊㄡ　ㄍㄟ　ㄒㄧㄚ。ㄌㄠˇ　ㄖㄣˊ　ㄕㄨㄛ：「ㄨㄛˇ　ㄕˋ　ㄋ˙　ㄅㄡ
ㄎㄜˊ　ㄍㄨˊ　ㄋ，ㄎㄞ　ㄕˋ　ㄓ　ㄈㄣ　ㄒㄧ　ㄛ　ㄅㄣ　ㄕㄥ　ㄍㄨㄟˊ　ㄋ。」ㄌㄠˇ　ㄕㄢ　ㄅㄣ　ㄓ　ㄈㄣ
ㄒㄧㄣ　ㄉㄜ˙　ㄍㄨˇ　ㄕˇ　ㄗㄨˊ　ㄍㄨˊ　ㄑㄧ　ㄌㄞˊ　ㄊㄜ˙。ㄑㄧ　ㄌㄠˇ　ㄊㄚ　ㄌㄜ˙　一　ㄏㄡˇ，ㄝ　ㄠˋ　ㄓ　ㄈㄣˊ
ㄒㄧㄣ。ㄌㄠˇ　ㄖㄣ　ㄇㄣ　ㄈㄚˋ，ㄓˋ　ㄏㄠˇ　ㄕㄨㄛ：「ㄏㄠˇ　ㄅㄢ，ㄨㄛˇ　ㄙˋ　ㄍㄟ　ㄋ一一　ㄈㄨˊ
ㄈㄣ。」

ㄊㄚ　ㄇ˙　一　ㄎㄨㄞˊ　ㄦ　ㄞˊ　ㄨㄤˊ　ㄍㄡ　ㄓㄜ˙，ㄑㄧㄤˊ　ㄍㄠˇ　ㄕㄨㄛ：「ㄨㄛˇ　ㄗˊ　ㄍㄨˇ　ㄏˊ
ㄅㄨㄛˇ　ㄏㄨㄛ　ㄕˋ，ㄎㄜˊ　ㄕˋ　ㄋ　ㄍㄟˇ　ㄨㄛˇ　ㄉㄜ˙　ㄓㄜ˙　一　ㄍㄨ　ㄈㄣ　ㄊㄧㄠˊ，ㄋ一一　ㄥˊ　ㄞˊ
ㄍㄨㄟˊ一　ㄅㄜˇ　一　ㄉㄢ。」ㄌㄠˇ　ㄖㄣˊ　ㄕㄨㄛ：「ㄏㄠˇ　ㄅㄚ，ㄨㄛˊ　ㄞˊ　ㄍㄟˇ　ㄋ一一　ㄅㄢˊ。」

ㄊㄚ　ㄇ˙　ㄌㄠˇ　ㄉㄜ˙　一　ㄍㄜˊ　ㄈㄤˊ，ㄌㄧˋ　ㄇㄧㄢˊ　ㄈㄤˊ　ㄍㄠˇ　ㄌㄤˋ，ㄉㄩ　ㄌㄜ˙　ㄉㄜ˙
ㄎㄜ　ㄅㄞ　ㄕˇ　ㄎㄞ　ㄓㄜ˙　ㄏㄨㄛˊ　ㄇㄢˊ　ㄙˊ　ㄌㄜ˙　ㄏㄨˊ，ㄇˊ　ㄎㄞ　ㄓˋ　ㄓㄜ˙一　ㄍㄨㄟˊ　ㄖㄣ。ㄌㄠˇ
ㄖㄣ　ㄅㄣ　ㄒㄧ　ㄋ一　ㄍㄨˊ　ㄊㄜ˙　ㄎㄢˋ。ㄋˋ　ㄍㄜˊ　ㄖㄣ　ㄎㄞ　ㄉㄢˋ　一　ㄏㄡˇ　ㄕㄨㄛ：「ㄏㄨㄟ　ㄥˊ，ㄏㄨˊ
一ˇ，ㄑㄧˊ　ㄐㄩˊ　ㄋ。」ㄑㄧㄤˊ　ㄍㄠ　ㄝˊ　ㄐㄧㄚ　ㄋ一　ㄔˊ　ㄌㄞˊ，ㄎㄟ　ㄕˋ　ㄊㄚ　ㄅㄟ　ㄋ一　ㄐㄧㄣˊ　ㄑㄩˊ。
ㄋ一　ㄓ　ㄉㄠˋ　ㄨ　ㄕˋ　ㄇ˙　ㄇㄚ？

Gùshì

Cóngqián zài yíge xiǎochénglǐ, zhùzhe yíwèi lǎo xiānshēng. Tā shì yíge hěn hǎode rén, dàjiā dōu xǐhuān tā. Yǒu yìtiān, tā zài jiā ménkǒu zhànzhe, yíge chuānzhe bái yīfúde rén zǒuguòlái, duì tā shuō: "Wǒ zhīdào nǐ shì yíge hǎo rén, xiànzài wǒ yào gěi nǐ yìfēng xìn, míngtiān nǐ dàizhe zhèifēng xìn, wǎng xī yìzhí zǒu, jiù kěyǐ dào yíge zuì hǎode dìfāng le."

Dìèrtiān, lǎo rén dàizhe tāde dōngxī gēn zhèifēng xìn chūménle. Tā zài lùshàng zǒuzhe zǒuzhe, hūrán cóng lùbiān pǎochūlái yíge qiángdào, yào lǎo rén bǎ dōngxī dōu gěi tā. Lǎo rén shuō: "Wǒ shénme dōu kěyǐ gěi nǐ, kěshì zhèifēng xìn wǒ bùnéng gěi nǐ." Lǎo rén bǎ zhèifēng xìnde gùshì shuōgěi qiángdào tīng. Qiángdào tīngle yǐhòu, yě yào zhèifēng xìn. Lǎo rén méibànfǎ, zhǐhǎo shuō: "Hǎo ba, wǒ sīgěi nǐ yíbùfèn."

Tāmen yíkuàr zài lùshàng zǒuzhe, qiángdào shuō: "Wǒ zuòguò hěn duō huàishì, kěshì nǐ gěi wǒde zhè yíbùfèn tài xiǎo, nǐ yīnggāi zài gěi wǒ yìdiǎn," Lǎo rén shuō : "Hǎo ba, wǒ zài gěi nǐ yìdiǎn."

Tāmen dàole yíge dìfāng, lǐmiàn fēicháng piàoliàng, lǜsède cǎodìshàng kāizhe hěn duō yánsède huā, ménkǒu zhànzhe yíge rén. Lǎo rén bǎ xìn nágěi tā kàn. Nèige rén kànle yǐhòu shuō: "Huānyíng, huānyíng, qǐng jìn." Qiángdào yě bǎ xìn náchūlái, kěshì tā bùnéng jìnqù. Nǐ zhīdào wèishénme ma?

Gùshìh

Cóngcián zài yíge siǎochénglǐ, jhùjhe yíwèi lǎo siānshēng. Tā shìh yíge hěn hǎode rén, dàjiā dōu sǐhuān tā. Yǒu yìtiān, tā zài jiā ménkǒu jhàn jhe, yíge chuānjhe bái yīfúde rén zǒuguòlái, duèi tā shuō: "Wǒ jhīhdào nǐ shìh yíge hǎo rén, siànzài wǒ yào gěi nǐ yìfōng sìn, míngtiān nǐ dàijhe jhèifōng sìn, wǎng sī yìjhíh zǒu, jiòu kěyǐ dào yíge zuèi hǎode dìfāng le."

Dièrtiān, lǎo rén dàijhe tāde dōngsī gēn jhèifōng sìn chūménle. Tā zài lùshàng zǒujhe zǒujhe, hūrán cóng lùbiān pǎochūlái yíge ciángdào, yào lǎo rén bǎ dōngsī dōu gěi tā. Lǎo rén shuō: "Wǒ shénme dōu kěyǐ gěi nǐ, kěshìh jhèifōng sìn wǒ bùnéng gěi nǐ." Lǎo rén bǎ jhèifōng sìnde gùshìh shuōgěi ciángdào tīng. Ciángdào tīngle yǐhòu, yě yào jhèifōng sìn. Lǎo rén méibànfǎ, jǐhhǎo shuō: "Hǎo ba, wǒ sīhgěi nǐ yíbùfèn."

Tāmen yíkuàr zài lùshàng zǒujhe, ciángdào shuō: "Wǒ zuòguò hěn duō huàishìh, kěshìh nǐ gěi wǒde jhè yíbùfèn tài siǎo, nǐ yīnggāi zài gěi wǒ yìdiǎn," Lǎo rén shuō : "Hǎo ba, wǒ zài gěi nǐ yìdiǎn."

Tāmen dàole yíge dìfāng, lǐmiàn fēicháng piàoliàng, lyùsède cǎodìshàng kāijhe hěn duō yánsède huā, ménkǒu jhànjhe yíge rén. Lǎo rén bǎ sìn nágěi tā kàn. Nèige rén kànle yǐhòu shuō: "Huānyíng, huānyíng, cǐng jìn." Ciángdào yě bǎ sìn náchūlái, kěshìh tā bùnéng jìncyù. Nǐ jhīhdào wèishénme ma?

STORY

A long time ago in a small town there lived an old man. He was a very good person. Everyone liked him. One day, as he was standing in the doorway of his house, a man dressed in white came over and said, "I know you are a good man. Now I want to give you a letter. Tomorrow, take this letter, go straight west, and you can end up in a better place."

The next day the old man carried his things and the letter and left. He was walking down the road when suddenly a robber ran out from the side of the road, wanting the old man to give him his things. The old man said, "I can give you everything, but I cannot give you this letter." The old man told the robber the story about the letter. After the robber listened to the story, he also wanted the letter. The old man could do nothing but say, "OK, I will tear it and give you a part."

Together they walked down the road, and the robber said, "I have done many bad things, but the piece you gave me is too small. You must give me more." The old man said, "OK, I will give you a little more."

They came to a place. Inside was very beautiful. Many colored flowers were blooming on the green lawn. A man stood at the gate. The old man gave him the letter. The man looked at it and said, "Welcome, welcome. Please come in." The robber also handed him the letter, but he could not go in. Do you know why?

VOCABULARY

1 著 (zhe / jhe) ▸▸ P: a verbal suffix, indicating that the action or state is continuing

例 別在外面站著，快進來吧！
Bié zài wàimiàn zhànzhe, kuài jìnlái ba.
Bié zài wàimiàn jhànjhe, kuài jìnlái ba.
Don't keep standing outside; come in quickly!

2 好了 (hǎole) ▸▸ SV: to be ready

例 你好了嗎？我們得走了。
Nǐ hǎole ma? Wǒmen děi zǒule.
Are you ready? We must go.

3 化妝 (huàzhuāng / huàjhuāng) ▸▸ VO: to put on make-up

例 趙太太出門以前，一定化妝。
Zhào Tàitai chūmén yǐqián, yídìng huàzhuāng.
Jhào Tàitai chūmén yǐcián, yídìng huàjhuāng.
Before Mrs. Zhao goes out, she must put on make-up.

4 換 (huàn) ▸▸ V: to change

例 姐姐在換衣服，請在客廳等一會兒。
Jiějie zài huàn yīfú, qǐng zài kètīng děng yìhuǐr.
Jiějie zài huàn yīfú, cǐng zài kètīng děng yìhuěir.
My older sister is changing clothes. Please wait a while in the living room.

5 黃色 (huángsè) ▸▸ N: yellow

例 那件黃色的衣服比這件藍色的貴一千塊。
Nèijiàn huángsè de yīfú bǐ zhèijiàn lánsè de guì yìqiānkuài.
Nèijiàn huángsè de yīfú bǐ jhèijiàn lánsè de guèi yìciānkuài.

That yellow outfit is one thousand dollars more expensive than this blue one.

黃 (huáng) ▸▸ SV: to be yellow

色 (sè) ▸▸ BF: color

6 漂亮 (piàoliàng) ▸▸ SV: to be beautiful, to be pretty

例 你今天穿的鞋子很漂亮。

Nǐ jīntiān chuānde xiézi hěn piàoliàng.

Nǐ jīntiān chuānde siézih hěn piàoliàng.

The shoes you are wearing today are very beautiful.

7 雙 (shuāng) ▸▸ M: pair of

例 小姐，請再給我們一雙筷子。

Xiǎojiě, qǐng zài gěi wǒmen yìshuāng kuàizi.

Siǎojiě, cǐng zài gěi wǒmen yìshuāng kuàizih.

Miss, please give us another pair of chopsticks.

8 白 (bái) ▸▸ SV: to be white

例 門口的那隻大白狗叫 Lucky。

Ménkǒu de nèizhī dàbáigǒu jiào Lucky.

Ménkǒu de nèijhīh dàbáigǒu jiào Lucky.

That large white dog at the gate is called Lucky.

9 皮鞋 (píxié / písié) ▸▸ N: leather shoes（M: 雙 shuāng）

例 這雙黑皮鞋是我昨天新買的。

Zhèishuāng hēi píxié shì wǒ zuótiān xīn mǎide.

Jhèishuāng hēi písié shìh wǒ zuótiān sīn mǎide.

I bought this new pair of black leather shoes yesterday.

皮 (pí) ▸▸ N: leather

鞋 (xié / sié) ▸▸ N: shoe

鞋子 (xiézi / siézih) ▸▸ N: shoe

⑩ 涼 (liáng) ▸▸ SV: to be cool

例 外面很涼，最好把外套穿上。

Wàimiàn hěn liáng, zuìhǎo bǎ wàitào chuānshàng.

Wàimiàn hěn liáng, zuèihǎo bǎ wàitào chuānshàng.

It's quite cool outside. It's best to put on your coat.

涼快 (liángkuài) ▸▸ SV: to be (pleasantly) cool

例 昨天晚上下了一場雨，今天涼快多了。

Zuótiān wǎnshàng xiàle yìchǎng yǔ, jīntiān liángkuài duōle.

Zuótiān wǎnshàng siàle yìchǎng yǔ, jīntiān liángkuài duōle.

It rained last night, and today is much cooler.

⑪ 外套 (wàitào) ▸▸ N: overcoat（M: 件 jiàn）

例 小美冬天的時候，總是穿著那件紅色的外套。

Xiǎoměi dōngtiān de shíhòu, zǒngshì chuānzhe nèijiàn hóngsède wàitào.

Siǎoměi dōngtiān de shíhhòu, zǒngshìh chuānjhe nèijiàn hóngsède wàitào.

In the winter Little Mei is always wearing that red coat.

套 (tào) ▸▸ M: measure word for suit, set of clothes, books, furniture, etc.

⑫ 總是 (zǒngshì / zǒngshìh) ▸▸ ADV: always, without exception

例 我每次看見他，他總是在念書。

Wǒ měicì kànjiàn tā, tā zǒngshì zài niànshū.

Wǒ měicìh kànjiàn tā, tā zǒngshìh zài niànshū.

Every time I see him, he's always studying.

13　藍 (lán) ▸ SV: to be blue

例　大明很會畫畫，把藍色的海，綠色的山都畫得美極了。

Dàmíng hěn huì huàhuà, bǎ lánsè de hǎi, lǜsè de shān dōu huàde měijíle.

Dàmíng hěn huèi huàhuà, bǎ lánsè de hǎi, lyùsè de shān dōu huàde měijíle.

Daming really knows how to paint; he paints the blue seas and green mountains all so beautifully.

14　原來 (yuánlái) ▸ ADV: originally, formerly

例　我原來不喜歡吃牛肉，現在很喜歡吃了。

Wǒ yuánlái bùxǐhuān chī niúròu, xiànzài hěn xǐhuān chīle.

Wǒ yuánlái bùsǐhuān chīh nióuròu, siànzài hěn sǐhuān chīhle.

Originally I didn't like to eat beef, but now I like it a lot.

15　紅 (hóng) ▸ SV: to be red

例　中國人新年的時候，愛穿紅色的衣服。

Zhōngguó rén xīnnián de shíhòu, ài chuān hóngsè de yīfú.

Jhōngguó rén sīnnián de shíhhòu, ài chuān hóngsè de yīfú.

Chinese love to wear red clothing during the New Year celebration.

16　年級 (niánjí) ▸ N/M: grade in school

17　住校 (zhù xiào / jhù siào) ▸ VO: to live on campus

例　我們大學一年級的學生都可以住校。

Wǒmen dàxué yìniánjí de xuéshēng dōu kěyǐ zhù xiào.

Wǒmen dàsyué yìniánjí de syuéshēng dōu kěyǐ jhù siào.

All of our university's freshmen can live on campus.

18 願意˙ (yuànyì) ▸▸ AV: be willing, want to, like to

例 我˙很˙願意˙幫˙你˙忙˙，可˙是˙今˙天˙我˙沒˙有˙空˙。

Wǒ hěn yuànyì bāng nǐ máng, kěshì jīntiān wǒ méiyǒu kòng.

Wǒ hěn yuànyì bāng nǐ máng, kěshìh jīntiān wǒ méiyǒu kòng.

I really want to help you, but today I don't have any free time.

SUPPLEMENTARY VOCABULARY

19 故事˙ (gùshì / gùshìh) ▸▸ N: story

例 小˙的˙時˙候˙，我˙喜˙歡˙聽˙媽˙媽˙說˙故˙事˙。

Xiǎo de shíhòu, wǒ xǐhuān tīng māma shuō gùshì.

Siǎo de shíhhòu, wǒ sǐhuān tīng māma shuō gùshìh.

When I was young, I liked listening to the stories my mom would tell.

20 忽然˙ (hūrán) ▸▸ ADV: suddenly

例 早˙上˙出˙門˙的˙時˙候˙，天˙氣˙非˙常˙好˙，下˙午˙忽˙然˙下˙雨˙了˙。

Zǎoshàng chūmén de shíhòu, tiānqì fēicháng hǎo, xiàwǔ hūrán xiàyǔle.

Zǎoshàng chūmén de shíhhòu, tiāncì fēicháng hǎo, siàwǔ hūrán siàyǔle.

The weather was great when I went out this morning, but in the afternoon it suddenly started raining.

21 只好˙ (zhǐhǎo / jhǐhhǎo) ▸▸ ADV: have no choice but to

例 車˙壞˙了˙，我˙們˙只˙好˙走˙路˙回˙家˙了˙。

Chē huàile, wǒmen zhǐhǎo zǒulù huíjiāle.

Chē huàile, wǒmen jhǐhhǎo zǒulù huéijiāle.

The car is broken down, so we have to walk home.

22 部分 (bùfèn) ▸▸ N: part, section

例 這一課語法的部分，我還不太懂，你能教我嗎？

Zhèyíkè yǔfǎ de bùfèn, wǒ hái bútài dǒng, nǐ néng jiāo wǒ ma?

Jhèyíkè yǔfǎ de bùfèn, wǒ hái bútài dǒng, nǐ néng jiāo wǒ ma?

I don't really understand the grammar part of this lesson. Can you teach me it?

大部分 (dàbùfèn) ▸▸ N: the most part

例 老師教過的字，我大部分都記得。

Lǎoshī jiāoguòde zì, wǒ dàbùfèn dōu jìde.

Lǎoshīh jiāoguòde zìh, wǒ dàbùfèn dōu jìde.

I remember most of the words the teacher taught.

23 綠 (lù / lyù) ▸▸ SV: to be green

24 草地 (cǎodì) ▸▸ N: lawn（M: 片 piàn）

草 (cǎo) ▸▸ N: grass（M: 棵 kē）

25 顏色 (yánsè) ▸▸ N: color

例 這張畫上的顏色很多。

Zhèizhāng huàshàng de yánsè hěnduō.

Jhèijhāng huàshàng de yánsè hěnduō.

There are many colors in this painting.

26 開花 (kāihuā) ▸▸ VO: to bloom, to blossom

例 春天到了，草地上的花都開了。

Chūntiān dàole, cǎodìshàngde huā dōu kāile.

Spring has arrived. All the flowers on the lawn have blossomed.

開 (kāi) ▸▸ V: to bloom, to blossom

花 (huā) ▸▸ N: flower（M: 朵 duǒ）

217

㉗ 黑板 (hēibǎn) ▸▸ N: blackboard（M: 塊 kuài）

例 老師把那本新書的名字寫在黑板上。

Lǎoshī bǎ nèiběn xīnshū de míngzi xiězài hēibǎn shàng.

Lǎoshīh bǎ nèiběn sīnshū de míngzih siězài hēibǎn shàng.

The teacher wrote the name of that new book on the blackboard.

黑 (hēi) ▸▸ SV: to be black

㉘ 戴 (dài) ▸▸ V: to wear (hat, watch, jewelry etc.)

例 他戴的那個錶是媽媽送給他的。

Tā dàide nèige biǎo shì māma sònggěi tāde.

Tā dàide nèige biǎo shìh māma sònggěi tāde.

That watch he is wearing is one his mother gave him.

SYNTAX PRACTICE

1 The Verbal Suffix 著 Used as a Marker of Continuity

I . V-著 indicates the continuity of an action or state.

A.

S	V-著	(O)	呢
我	聽著		呢。

I'm listening.

1. 外面下著雨呢，你別出去了吧。

2. 快去吧，他在那裡等著你呢。

3. 我父母還在鄉下住著呢，不想搬到台北來。

4. 他在那裡站著呢，你看見了嗎？

　 看見了。

B.

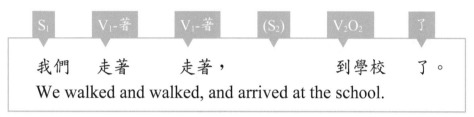

|S₁|V₁-著|V₁-著|(S₂)|V₂O₂|了|
|我們|走著|走著，| |到學校|了。|

We walked and walked, and arrived at the school.

1. 我們談著談著，公車來了。

2. 我走著走著，忽然下雨了。

3. 我們說著說著，他回來了。

4. 我們唱著唱著，忘了時間了。

Ⅱ. **V-著 indicates that a state (which came into being as a result of a certain action) is continuing (i.e. remains unchanged).**

A.

|N/PW|V-著|(NU-M)|N|
|他的手裡|拿著|一枝|筆。|

He is holding a pen in his hand.

1. 書架上放著好幾本書。

2. 客廳裡掛著一張風景畫。

3. 黑板上寫著幾個句子。

4. 他戴著一個很貴的錶。

5. 她今天穿著一件紅衣服。

B.

N	（在 PW）	V-著（呢）

筆　　　在 桌子上　　放著 呢。

The pen is lying on the table.

1. 門開著呢，快關上吧。

2. 我的車在車庫裡停著，我去開過來。

3. 那件外套在衣櫃裡掛著，我去拿來。

4. 他跟客人在客廳裡坐著呢。

5. 我的筆呢？

　　在你手裡拿著呢！

Ⅲ. V-著 is used in imperative sentences. (It is a request or an order, asking someone to maintain a certain state.)

S	V-著(O)

你　　　拿著這個，我去買票。

You take this. I'll go buy tickets.

1. 你坐著，別站起來。

2. 你們看著黑板，別看書。

3. 你在這裡等著，我馬上回來。

4. 你得記著這件事，別忘了。

5. 你聽著，我在跟你說話呢。

IV. V / SV-著 **acts as an adverb to show the manner or circumstance which accompanies the action that is indicated by the main verb.**

S	V₁-著	(O₁)	V₂	O₂
他	看著	報	吃	早飯。

He reads the newspaper while eating breakfast.

1. 你可以坐著說，不必站起來。

2. 她總是聽著歌走路。

3. 我試著用中文寫一封信給老師。

4. 小孩子怕黑，所以開著燈睡覺。

5. 我忙著到學校來，忘了吃早飯了。

Please describe the living room.

Fill in the blanks with V- 著 (O).

1. 快去吧，你朋友＿＿＿＿＿你呢。

2. 窗戶＿＿＿＿＿呢，所以房間裡很冷。

3. 車庫裡＿＿＿＿＿兩輛車。

4. 你的茶在桌子上＿＿＿＿＿呢。

5. 我＿＿＿＿＿，忽然覺得不太舒服。

6. 她＿＿＿＿＿新衣服去跳舞了。

7. 他常常＿＿＿＿＿開車。

8. 別＿＿＿＿＿說話。

9. 老師＿＿＿＿＿上課。

10. 他喜歡＿＿＿＿＿吃飯。

2 Time Elapsed

In affirmative sentences, time-spent phrases are placed after the main verbs. However, if the desire is to indicate that the action hasn't occurred for quite some time, then the time-elapsed is placed before the main verb.

I.

S	(AV)	Time Elapsed	Neg-	VO
我	能	一天	不	吃飯，
	不能	一天	不	喝水。

I can go without eating for one day, but I can't go without drinking for one day.

1. 我不能一天不睡覺。

2. 要是三個月不下雨，水就不夠了。

3. 要是我一年不說中文，大概就都忘了。

II.

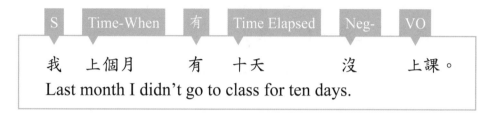

1. 他下星期有三天不能來上班。

2. 我上個月有好幾天沒在家吃飯。

3. 他因為生病，去年有半年沒做事。

III.

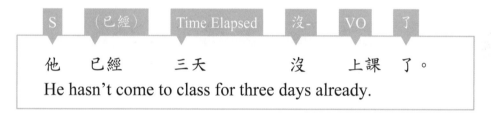

1. 你多久沒看見文德了？

　差不多三年沒看見他了。

2. 我已經一年沒給她寫信了。

3. 那個地方已經兩個月沒下雨了。

Answer the following questions.

1 你多久沒去市場了？

2 你多久沒看電影了？

3 你多久沒去旅行了？

4 你多久沒跳舞了？

⑤ 你多久沒照相了？

⑥ 上個星期你有幾天沒上課？

⑦ 你上個星期有幾天沒看電視？

⑧ 你去年有多久沒住在家裡？

⑨ 要是一個月不看報，你覺得怎麼樣？

⑩ 要是一年不下雨，你想我們還有水喝嗎？

⑪ 你能不能一天不說話？

⑫ 你能不能一個月不看書？

APPLICATION ACTIVITIES

1 Each student uses "V- 著" to make a sentence describing someone or something in the class.

e.g.　教室 (jiàoshì / jiàoshih)* 裡放著很多桌子椅子。老師在前面站著上課。

---

*
教室 (jiàoshì / jiàoshìh)：classroom

2 **What color do you think each part of the outfit is?**

帽子
(màozi / màozih)
hat

運動衫
(yùndòngshān)
sports shirt

褲子
(kùzi / kùzih)
pants

襪子
(wàzi / wàzih)
socks

襯衫
(chènshān)
shirt / blouse

裙子
(qúnzi / cyúnzih)
skirt

3 **Each student asks a question using "S 多久沒 VO 了" to a classmate. The classmate answers and then uses the same format to ask another classmate.**

4 **Situation**

A person goes to visit a friend. The two discuss each other's family situation.

 **NOTES**

The difference between "V 著 O" and "在 VO"
"在 VO" indicates the action (not state) is in progress at a certain time.
"V 著 O" indicates either an action or a state is continuing. "著" as a subordinate marker usually does not stand alone like "在". "著" is often followed by "呢" or a main part of the discourse.

e.g. 她在穿鞋。	She is putting on her shoes.
她穿著一雙新鞋。	She is wearing a pair of new shoes.
外面在下雨。	It's raining outside.
外面下著雨呢。	It's raining outside.

LESSON

第 9 課

這個盒子裝得下嗎？

 **DIALOGUE**

I

文德：真真，愛美，你們在忙什麼？準備明天野餐的東西嗎？

愛美：是啊，我們在做沙拉 (shālā)＊。

文德：需要我幫忙嗎？

愛美：好啊，請你從碗櫃裡拿兩個盒子給我，我要裝沙拉跟炸雞。

文德：你看用這兩個盒子，裝得下嗎？

愛美：我想裝得下。真真，我們上次買的紙杯、紙盤，你放在哪裡了？

＊
沙拉 (shālā)：salad

227

真真：我忘了，噢，我想起來了，在那個櫃子裡，我去拿出來。

愛美：先把這些東西放在袋子⑦裡吧。別忘了帶刀叉。

文德：明天也要烤肉⑧嗎？

愛美：對啊，肉在冰箱⑨裡放著呢。

文德：我們這次還是到公園去野餐⑩嗎？

真真：是啊，你想得出更好的地方來嗎？

文德：為什麼不去海邊呢？

真真：現在海邊大概還太冷，風⑪也太大。

愛美：文德，不早了，你快回去睡覺吧，要不然⑫，你明天早上
　　　起不來，我們就不等你了。

文德：好，好，好。真真，愛美，晚安⑬。明天見。

真真、愛美：明天見。

228

II

（在公園裡）

愛美：肉烤好了，文德呢？

真真：他跟那些孩子玩起來了。

愛美：他們好像玩得好高興啊。

愛美：文德，你要不要過來吃一片^⑭烤肉？

文德：好，我來了。這個肉烤得好香^⑮啊！

愛美：那你就多吃幾片吧。真真，你也再來一片吧。

真真：我吃不下了，我只想喝汽水^⑯。

文德：汽水在哪裡呢？我也好渴^⑰。

愛美：汽水在麵包^⑱旁邊。文德，你也幫真真拿一罐^⑲吧。

文德：好。真真，這罐汽水，我幫你打開了，拿去吧。

真真：謝謝。

文德：我們休息一會兒，一起過去玩吧。

ㄓㄟˋ ㄍㄜˋ ㄏㄜˊ ㄗˇ ㄓㄨㄤ ㄉㄜˊ ㄒㄧㄚˋ ㄇㄚ？

Ⅰ

ㄨㄞˋ ㄆㄛˊ：ㄓㄣ ㄓㄣ，ㄉㄞˋ ㄇㄟˋ，ㄋㄧˇ ㄇㄣˊ ㄗㄞˋ ㄋㄚˇ ㄦˊ ㄋㄜ˙？ㄓㄜˋ ㄅㄟˇ ㄇㄥˊ ㄊㄧㄢ ㄧㄝˇ ㄔㄢ ㄉㄜ˙ ㄎㄨㄥ ㄒㄧ ㄚˊ？

ㄉㄞˋ ㄇㄟˋ：ㄕˋ ㄚ˙，ㄨㄛˋ ㄇㄣˊ ㄗㄞˋ ㄨㄞˋ ㄕˋ ㄉㄚˋ ㄚˊ。

ㄨㄞˋ ㄆㄛˊ：ㄒㄩ ㄧ ㄨㄛˇ ㄆㄛˊ ㄇㄣˊ？

ㄉㄞˋ ㄇㄟˋ：ㄏㄠˋ ㄚ˙，ㄑㄥ ㄧ ㄨㄛˋ ㄢ ㄨㄛˇ ㄧ ㄚˊ ㄉㄤ ㄜ ㄜˊ ㄗˋ ㄟ ㄨㄛˊ，ㄨㄛˋ ㄧㄠˋ ㄓㄤ ㄕˊ ㄉㄚˋ ㄍㄢ ㄓㄚˊ ㄐㄧ。

ㄨㄞˋ ㄆㄛˊ：ㄋㄧˇ ㄎㄢ ㄐㄩ ㄓㄜ ㄉㄤ ㄍ ㄏㄜ ㄗˋ，ㄓㄤ ㄉㄜˊ ㄒㄧㄚˋ ㄚˊ？

ㄉㄞˋ ㄇㄟˋ：ㄨㄛˋ ㄒㄧㄤ ㄓㄨㄤ ㄉㄜˊ ㄒㄧㄚˊ。ㄓㄣ ㄓㄣ，ㄨㄛˋ ㄇㄣˊ ㄕ ㄎㄞ ㄇㄢ ㄉㄜ˙ ㄓㄟˋ ㄅㄟˇ、ㄓㄜ ㄆㄥ，ㄋㄧˇ ㄈㄢ ㄋㄟˊ ㄌㄞ ㄉㄚˋ ㄧ ㄍㄜ˙？

ㄓㄣ ㄓㄣ：ㄨㄛˋ ㄨ ㄉㄞˋ，ㄡˋ，ㄨㄛˋ ㄒㄧㄢ ㄑㄧ ㄉㄞˋ ㄉㄜˊ，ㄗㄞˋ ㄋㄟˋ ㄍㄜˇ ㄍㄨˋ ㄗˋ ㄧˇ，ㄨㄛˋ ㄑㄩˋ ㄋㄟˊ ㄔㄨˋ ㄉㄞˋ。

ㄉㄞˋ ㄇㄟˋ：ㄒㄧㄢ ㄅㄧㄢ ㄚˊ ㄓㄣ ㄒㄧㄤ ㄉㄨㄥ ㄒㄧ ㄈㄢ ㄉㄞˋ ㄗˋ ㄌㄧˋ ㄅㄣˊ。ㄅㄟˋ ㄨˋ ㄉㄜ˙ ㄌㄞˊ ㄉㄚˋ ㄔㄚˊ。

ㄨㄞˋ ㄆㄛˊ：ㄇㄥˊ ㄊㄢ ㄧㄝˇ ㄧ ㄎㄠ ㄖㄨˋ ㄇㄚ˙ ㄚˊ？

ㄉㄞˋ ㄇㄟˋ：ㄉㄨˋ ㄚ˙，ㄖㄡˋ ㄗㄞˋ ㄅㄣ ㄒㄧㄤˊ ㄉㄧ ㄌㄧㄤˊ ㄉㄜ˙ ㄋㄜ˙。

ㄨㄞˋ ㄆㄛˊ：ㄨㄛˋ ㄇㄣˊ ㄓㄜ ㄎㄞ ㄏㄨ ㄕˋ ㄉㄚˋ ㄍㄨˋ ㄐㄩㄢ ㄑㄩˋ ㄧㄝˇ ㄔㄢ ㄇㄚ˙？

ㄓㄣ ㄓㄣ：ㄕˋ ㄚ˙，ㄋㄧˇ ㄒㄧㄤ ㄉㄜˊ ㄔㄨ ㄍㄥ ㄍㄠ ㄉㄜˊ ㄧ ㄒㄧㄤ ㄉㄞˋ ㄇㄚ˙？

ㄨㄞˋ ㄆㄛˊ：ㄟ ㄕˊ ㄇㄚ˙ ㄅㄟˊ ㄑㄩˋ ㄎㄞˇ ㄅㄟˊ ㄋㄜ˙？

ㄓㄣ ㄓㄣ：ㄒㄧㄢ ㄎㄞˊ ㄏㄞˊ ㄅㄟˊ ㄚˊ ㄎㄞˋ ㄍㄞˇ ㄏㄜ ㄊㄤ ㄌㄧˊ，ㄈㄥˊ ㄧㄝˇ ㄊㄧㄢ ㄚˊ。

ㄉㄞˋ ㄇㄟˋ：ㄨㄟˊ ㄉㄜˊ，ㄅㄧ ㄗˋ ㄉㄜ˙，ㄋㄧˇ ㄎㄨˇ ㄏㄨ ㄑㄩˇ ㄕㄨˋ ㄐㄩˋ ㄅㄣˇ ㄧˊ ㄧㄣˊ ㄖㄨˋ，ㄋㄧˇ ㄇㄥˊ ㄊㄢ ㄗㄞˋ ㄕˋ ㄑㄧ ㄅㄣ ㄉㄚˋ，ㄨㄛˋ ㄇㄣˊ ㄐㄧ ㄅㄣ ㄋㄨˇ ㄧˊ ㄌㄜ˙。

ㄨㄞˋ ㄆㄛˊ：ㄏㄠˇ，ㄏㄠˋ，ㄏㄠˋ。ㄓㄣ ㄓㄣ，ㄉㄞˋ ㄇㄟˋ，ㄨㄢˊ ㄋ。ㄇㄥˊ ㄊㄢ ㄐㄧㄣˊ。

ㄓㄣ ㄓㄣ、ㄞ ㄇㄟ：ㄇㄣ ㄊㄢ ㄐㄢ。

II

（ㄗㄞ ㄍㄨㄥ ㄐㄩㄢ ㄌㄧ）

ㄞ ㄇㄟ：ㄡ ㄎㄠ ㄏㄤ ㄉㄜ，ㄨㄣ ㄅㄜ ㄜ？

ㄓㄣ ㄓㄣ：ㄊㄚ ㄍㄢ ㄋㄛ ㄒㄧㄝ ㄞ ㄕ ㄨㄢ ㄧ ㄞ ㄉㄜ。

ㄞ ㄇㄟ：ㄊㄚ ㄇㄣ ㄏㄠ ㄒㄧㄤ ㄇㄜ ㄍㄠ ㄍㄠ ㄒㄧㄥ ㄚ。

ㄞ ㄇㄟ：ㄨㄣ ㄅㄜ，ㄋㄛ ㄧ ㄅㄟ ㄧ ㄍㄜ ㄉㄜ ㄔ ㄧ ㄆㄢ ㄍㄠ ㄡ？

ㄨㄣ ㄅㄜ：ㄏㄠ，ㄛ ㄞ ㄉㄜ。ㄓㄜ ㄍㄜ ㄡ ㄎㄜ ㄉㄜ ㄏㄠ ㄒㄧㄤ ㄚ！

ㄞ ㄇㄟ：ㄋㄧ ㄋㄧ ㄐㄧ ㄅㄟ ㄔ ㄐㄧ ㄆㄢ ㄅㄚ。ㄓㄣ ㄓㄣ，ㄋㄧ ㄧㄝ ㄞ ㄉㄞ ㄧ ㄆㄢ ㄅㄚ。

ㄓㄣ ㄓㄣ：ㄛ ㄔ ㄨ ㄒㄧㄚ ㄉㄜ，ㄛ ㄓ ㄒㄧㄤ ㄜ ㄑㄧ ㄕㄨ。

ㄨㄣ ㄅㄜ：ㄑㄧ ㄕㄨ ㄞ ㄋㄟ ㄉㄜ ㄉㄜ？ㄛ ㄧ ㄍㄠ ㄎㄜ。

ㄞ ㄇㄟ：ㄑㄧ ㄕㄨ ㄗㄞ ㄇㄣ ㄆㄢ ㄆㄤ ㄅㄢ。ㄨㄣ ㄅㄜ，ㄋㄧ ㄧㄝ ㄤ ㄓㄣ ㄓㄣ ㄋㄚ ㄧ ㄍㄨㄢ ㄅㄚ。

ㄨㄣ ㄅㄜ：ㄏㄠ。ㄓㄣ ㄓㄣ，ㄓ ㄍㄨㄢ ㄑㄧ ㄕㄨ，ㄛ ㄅㄟ ㄋㄧ ㄉㄚ ㄎㄞ ㄉㄜ，ㄋㄧ ㄑㄧ ㄅㄟ。

ㄓㄣ ㄓㄣ：ㄒㄧㄝ ㄒㄧㄝ。

ㄨㄣ ㄅㄜ：ㄛ ㄇㄣ ㄒㄧ ㄒㄧ ㄧ ㄏㄨ ㄦ，ㄧ ㄑㄧ ㄍㄨㄣ ㄑㄩ ㄅㄚ。

Dì Jiǔ Kè | Zhèige Hézi Zhuāngdexià Ma?

(Pinyin)

I

Wéndé : Zhēnzhēn, Àiměi, nǐmen zài máng shénme? Zhǔnbèi míngtiān yěcānde dōngxī ma?

Àiměi : Shì a, wǒmen zài zuò shālā.

Wéndé : Xūyào wǒ bāngmáng ma?

Àiměi   : Hǎo a, qǐng nǐ cóng wǎnguìlǐ ná liǎngge hézi gěi wǒ, wǒ yào
            zhuāng shālā gēn zhájī.

Wéndé   : Nǐ kàn yòng zhè liǎngge hézi, zhuāngdexià ma?

Àiměi   : Wǒ xiǎng zhuāngdexià. Zhēnzhēn, wǒmen shàngcì mǎide zhǐbēi,
            zhǐpán, nǐ fàngzài nǎlǐ le?

Zhēnzhēn : Wǒ wàngle. Òu, wǒ xiǎngqǐláile, zài nèige guìzilǐ, wǒ qù náchūlái.

Àiměi   : Xiān bǎ zhèixiē dōngxī fàngzài dàizilǐ ba. Bié wàngle dài dāochā.

Wéndé   : Míngtiān yě yào kǎoròu ma?

Àiměi   : Duì a, ròu zài bīngxiānglǐ fàngzhe ne.

Wéndé   : Wǒmen zhèicì háishì dào gōngyuán qù yěcān ma?

Zhēnzhēn : Shì a, nǐ xiǎngdechū gèng hǎode dìfāng lái ma?

Wéndé   : Wèishénme búqù hǎibiān ne?

Zhēnzhēn : Xiànzài hǎibiān dàgài hái tài lěng, fēng yě tài dà.

Àiměi   : Wéndé, bùzǎole, nǐ kuài huíqù shuìjiào ba, yàobùrán, nǐ míngtiān
            zǎoshàng qǐbùlái, wǒmen jiù bùděng nǐ le.

Wéndé   : Hǎo, hǎo, hǎo. Zhēnzhēn, Àiměi, wǎnān. Míngtiān jiàn.

Zhēnzhēn & Àiměi : Míngtiān jiàn.

 II

(zài gōngyuánlǐ)

Àiměi   : Ròu kǎohǎole, Wéndé ne?

Zhēnzhēn : Tā gēn nèixiē háizi wánqǐláile.

Àiměi   : Tāmen hǎoxiàng wánde hǎo gāoxìng a.

Àiměi   : Wéndé, nǐ yào búyào guòlái chī yípiàn kǎoròu?

Wéndé   : Hǎo, wǒ láile. Zhèige ròu kǎode hǎo xiāng a!

Àiměi   : Nà nǐ jiù duō chī jǐpiàn ba. Zhēnzhēn, nǐ yě zài lái yípiàn ba.

Zhēnzhēn : Wǒ chībúxiàle, wǒ zhǐ xiǎng hē qìshuǐ.

Wéndé   : Qìshuǐ zài nǎlǐ ne? Wǒ yě hǎo kě.

Àiměi   : Qìshuǐ zài miànbāo pángbiān. Wéndé, nǐ yě bāng Zhēnzhēn ná
            yíguàn ba.

232

Wéndé 　　 : Hǎo. Zhēnzhēn, zhèiguàn qìshuǐ, wǒ bāng nǐ dǎkāile, náqù ba.

Zhēnzhēn : Xièxie.

Wéndé 　　 : Wǒmen xiūxí yìhuǐr, yìqǐ guòqù wán ba.

 Dì Jiǒu Kè 　 Jhèige Hézih Jhuāngdesià Ma?

(Tongyong)

 I

Wúndé 　　 : Jhēnjhēn, Àiměi, nǐmen zài máng shénme? Jhǔnbèi míngtiān yěcānde dōngsī ma?

Àiměi 　　 : Shìh a, wǒmen zài zuò shālā.

Wúndé 　　 : Syūyào wǒ bāngmáng ma?

Àiměi 　　 : Hǎo a, cǐng nǐ cóng wǎnguèilǐ ná liǎngge hézih gěi wǒ, wǒ yào jhuāng shālā gēn jhájī.

Wúndé 　　 : Nǐ kàn yòng jhè liǎngge hézih, jhuāngdesià ma?

Àiměi 　　 : Wǒ siǎng jhuāngdesià. Jhēnjhēn, wǒmen shàngcìh mǎide jhǐhbēi, jhǐhpán, nǐ fàngzài nǎlǐ le?

Jhēnjhēn : Wǒ wàngle. Òu, wǒ siǎngcǐláile, zài nèige guèizihlǐ, wǒ cyù náchūlái.

Àiměi 　　 : Siān bǎ jhèisiē dōngsī fàngzài dàizihlǐ ba. Bié wàngle dài dāochā.

Wúndé 　　 : Míngtiān yě yào kǎoròu ma?

Àiměi 　　 : Duèi a, ròu zài bīngsiānglǐ fàngjhe ne.

Wúndé 　　 : Wǒmen jhèicìh háishìh dào gōngyuán cyù yěcān ma?

Jhēnjhēn : Shìh a, nǐ siǎngdechū gèng hǎode dìfāng lái ma?

Wúndé 　　 : Wèishénme búcyù hǎibiān ne?

Jhēnjhēn : Siànzài hǎibiān dàgài hái tài lěng, fōng yě tài dà.

Àiměi 　　 : Wúndé, bùzǎole, nǐ kuài huéicyù shuèijiào ba, yàobùrán, nǐ míngtiān zǎoshàng cǐbùlái, wǒmen jiòu bùděng nǐ le.

Wúndé 　　 : Hǎo, hǎo, hǎo. Jhēnjhēn, Àiměi, wǎnān. Míngtiān jiàn.

Jhēnjhēn & Àiměi : Míngtiān jiàn.

II

(zài gōngyuánlǐ)

Àiměi : Ròu kǎohǎole, Wúndé ne?

Jhēnjhēn : Tā gēn nèisiē háizih wáncǐláile.

Àiměi : Tāmen hǎosiàng wánde hǎo gāosìng a.

Àiměi : Wúndé, nǐ yào búyào guòlái chīh yípiàn kǎoròu?

Wúndé : Hǎo, wǒ láile. Jhèige ròu kǎode hǎo siāng a!

Àiměi : Nà nǐ jiòu duō chīh jǐpiàn ba. Jhēnjhēn, nǐ yě zài lái yípiàn ba.

Jhēnjhēn : Wǒ chīhbúsiàle, wǒ jhǐh siǎng hē cìshuěi.

Wúndé : Cìshuěi zài nǎlǐ ne? Wǒ yě hǎo kě.

Àiměi : Cìshuěi zài miànbāo pángbiān. Wúndé, nǐ yě bāng Jhēnjhēn ná yíguàn ba.

Wúndé : Hǎo. Jhēnjhēn, jhèiguàn cìshuěi, wǒ bāng nǐ dǎkāile, nácyù ba.

Jhēnjhēn : Sièsie.

Wúndé : Wǒmen siōusí yìhuěir, yìcǐ guòcyù wán ba.

LESSON 9 ⟩ IS THIS BOX BIG ENOUGH?

Wende : Zhenzhen, Amy, what are you busy doing? Are you getting the things ready for tomorrow's picnic?

Amy : Yes, we are making salad.

Wende : Do you need my help?

Amy : OK, please get two containers from the cabinet and give them to me. I want to fill them with salad and fried chicken.

Wende : Do you think these two boxes are big enough?

Amy : I think they will hold enough. Zhenzhen, where did you put the paper cups and plates we bought last time?

234

Zhenzhen : I forgot. Oh, I remember, in that cabinet. I will get them.

Amy : First put these things in a bag. Don't forget to bring knives and forks.

Wende : Are we also having a barbecue tomorrow?

Amy : Yes, the meat is in the refrigerator.

Wende : Are we going to have the picnic in the park this time, too?

Zhenzhen : That's right. Can you think of a better place?

Wende : Why not go to the beach?

Zhenzhen : The beach is probably still too cold right now, and also too windy.

Amy : Wende, it's late. You hurry home and go to bed; otherwise, you will not be able to wake up tomorrow, and we will not wait for you.

Wende : OK, OK. Zhenzhen, Amy, good night. See you tomorrow.

Amy & Zhenzhen : See you tomorrow.

(In the park)

Amy : The barbecued meat is ready. Where is Wende?

Zhenzhen : He started playing with the children.

Amy : They look like they are enjoying themselves.

Amy : Wende, do you want to come over and have a piece of meat?

Wende : OK, I'm coming. This barbecue smells good!

Amy : Then have some more. Zhenzhen, you have another piece, too.

Zhenzhen : I can't eat any more. I just want to drink some soda.

Wende : Where is the soda? I'm also quite thirsty.

Amy : The soda is next to the bread. Wende, help Zhenzhen get a can, too.

Wende : OK. Zhenzhen, I've opened this can of soda for you. Here, take it.

Zhenzhen : Thank you.

Wende : Let's rest a while and then go play together.

NARRATION

弟弟的日記[20]

五月十八日　星期日

今天天氣很好，有一點風，不冷也不熱，爸媽決定帶哥哥跟我一塊兒到山上去野餐。我們準備了很多好吃的東西，有炸雞、麵包、水果、沙拉、汽水……，因為一個大袋子裝不下，所以我們每人都拿一個袋子。

那個山很高，我們怕上不去，先把車開到一半的地方，然後下車，走上去。中午到了山上，每個人都已經餓了，把袋子放下，我們就開始野餐[21]。可是東西太多，我們吃了一半，就吃不下了。吃過飯，我們休息了一會兒，就下山了。到家的時候，天已經黑了。

今天玩得真高興，可是有一點累。晚上我要早一點睡覺，要不然明天早上我一定起不來。

ㄅㄧˋ ˙ㄉㄧ ˙ㄉㄜ ㄖˋ ㄐㄧˋ

ㄨˇㄩㄝ ㄕˊㄅㄚˊ ㄖˋ　ㄒㄧㄥˊㄑㄧˊ ㄖˋ

ㄐㄧㄣ ㄊㄢ ㄊㄢ ㄑㄧ ㄏㄣˇ ㄏㄠˇ，ㄧㄡˋ ㄧ ㄉㄧㄢ ㄈㄥ，ㄅㄨ ㄌㄥˇ ㄝ ㄅㄛ˙，ㄅㄚ ㄅㄚ
ㄐㄩㄝ ㄉㄧㄥˇ ㄉㄞˋ ㄍㄜ ㄍㄜˋ ㄍㄣ ㄨㄛˇ ㄧ ㄎㄨㄞˋ ㄦ ㄍㄠˋ ㄕㄢ ㄓㄤ ㄑㄩˋ ㄝ ㄩˊㄢ。ㄨㄛˇ ˙ㄇㄣ ㄓㄨㄣˇ ㄅㄟˋ
˙ㄌㄜ ㄏㄣˇ ㄉㄨㄛ ㄏㄠˇ ˙ㄔ ˙ㄉㄜ ㄉㄨㄥ ㄒㄧ，ㄧㄡˋ ㄐㄧㄚ ㄧ 、ㄇㄢˊ ㄊㄡˊ 、ㄕㄨˋ ㄍㄨㄛˇ 、ㄕㄚ ㄌㄚ 、ㄑㄧˋ
ㄕㄨˇ……，ㄧㄣ ㄨㄟˋ ㄧ ˙ㄍㄜ ㄉㄞˋ ˙ㄗ ㄓㄨㄤ ㄅㄨˋ ㄒㄧㄚˋ，ㄙㄨㄛˇ ㄧˇ ㄨㄛˇ ˙ㄇㄣ ㄧㄡˋ ㄈㄢ ㄌㄡˊ
ㄋㄚˇ ㄧˇ ˙ㄍㄜ ㄉㄞˋ ˙ㄗ。

ㄋㄟˇ ˙ㄍㄜ ㄕㄢˋ ㄏㄢ ㄍㄠˇ，ㄨㄛˇ ˙ㄇㄣ ㄆㄚˊ ㄕㄤˋ ㄅㄨˋ ㄑㄩˊ，ㄒㄧㄢ ㄅㄚˊ ㄔㄜ ㄎㄞ ㄉㄠˋ ㄧ
ㄅㄢˋ ˙ㄉㄜ ㄉㄧˋ ㄈㄤˊ，ㄖㄢˋ ㄏㄡˋ ㄒㄧㄚˇ ㄔㄜ，ㄗㄡˇ ㄕㄤˋ ㄑㄩˋ。ㄓㄜˋ ㄨˇ ㄍㄜˊ ˙ㄉㄜ ㄖㄢˇ ㄕㄤˋ，ㄇㄟˇ
ㄍㄜˊ ˙ㄉㄜ ㄧ ㄐㄩㄝˊ ˙ㄉㄜ，ㄅㄚ ㄌㄚˋ ˙ㄗ ㄔㄜ ㄒㄧㄚˋ，ㄨㄛˇ ˙ㄇㄣ ㄐㄩㄝˊ ˙ㄉㄜ ㄕˊ ˙ㄧㄝ ㄔㄞˊ。
ㄎㄜˇ ㄕˋ ㄅㄨˋ ㄒㄧ ㄊㄧㄢ ㄎㄨㄛˋ，ㄨㄛˇ ˙ㄇㄣ ㄔ ˙ㄉㄜ ㄧ ㄅㄢˇ，ㄐㄩㄝ ㄔ ㄅㄨˋ ㄒㄧㄚˋ ˙ㄌㄜ。ㄔㄜ ˙ㄍㄜ
ㄈㄢˋ，ㄨㄛˇ ˙ㄇㄣ ㄒㄧㄡˇ ㄒㄧ ˙ㄌㄜ ㄧ ㄏㄨㄟˇ ㄦ，ㄐㄧㄡˋ ㄒㄧㄚˋ ㄕㄢ ˙ㄉㄜ。ㄍㄠˋ ㄐㄧㄚ ˙ㄉㄜ ㄕˊ ㄏㄡˋ，
ㄊㄧㄢ ㄧˇ ㄐㄧㄥ ㄏㄟ ˙ㄌㄜ。

ㄐㄧㄣ ㄊㄢ ㄨㄢˊ ˙ㄉㄜ ㄓㄣ ㄍㄠ ㄒㄧㄥˋ，ㄎㄜˇ ㄕˋ ㄧㄡˋ ㄧ ㄉㄧㄢ ㄌㄟˋ。ㄨㄛˇ ㄒㄧㄤ ㄒㄧㄚˋ ㄧㄠˋ
ㄗㄞˋ ㄧˇ ㄉㄧㄢ ㄕㄨˋ ㄐㄧㄚˋ，ㄧ ㄍㄨㄥ ㄖㄢˊ ㄇㄥ ㄊㄢ ㄗㄞˋ ㄕㄨˋ ㄨㄛˇ ㄧˇ ㄉㄧㄢ ㄑㄧˊ ㄅㄨˋ ㄌㄞˊ。

Dìdide Rìjì

Wǔyuè Shíbārì Xīngqírì

Jīntiān tiānqì hěn hǎo, yǒu yìdiǎn fēng, bùlěng yě búrè, bàmā juédìng dài gēge gēn wǒ yíkuàr dào shānshàng qù yěcān. Wǒmen zhǔnbèile hěn duō hǎochīde dōngxī, yǒu zhájī, miànbāo, shuǐguǒ, shālā, qìshuǐ…, yīnwèi yíge dà dàizi zhuāngbúxià, suǒyǐ wǒmen měirén dōu ná yíge dàizi.

Nèige shān hěn gāo, wǒmen pà shàngbúqù, xiān bǎ chē kāidào yíbànde dìfāng, ránhòu xià chē, zǒushàngqù. Zhōngwǔ dàole shānshàng, měige rén dōu yǐjīng èle, bǎ dàizi fàngxià, wǒmen jiù kāishǐ yěcān. Kěshì dōngxī tài duō, wǒmen chīle yíbàn, jiù chībúxiàle. Chīguò fàn, wǒmen xiūxíle yìhuǐr, jiù xiàshān le. Dào jiā de shíhòu, tiān yǐjīng hēile.

Jīntiān wánde zhēn gāoxìng, kěshì yǒu yìdiǎn lèi. Wǎnshàng wǒ yào zǎo yìdiǎn shuìjiào, yàobùrán míngtiān zǎoshàng wǒ yídìng qǐbùlái.

....

Dìdide Rìhjì

Wǔyuè Shíhbārìh Sīngcírìh

Jīntiān tiāncì hěn hǎo, yǒu yìdiǎn fōng, bùlěng yě búrè, bàmā jyuédìng dài gēge gēn wǒ yíkuàr dào shānshàng cyù yěcān. Wǒmen jhǔnbèile hěn duō hǎochīhde dōngsī, yǒu jhájī, miànbāo, shuěiguǒ, shālā, cìshuěi …, yīnwèi yíge dà dàizih jhuāngbúsià, suǒyǐ wǒmen měirén dōu ná yíge dàizih.

Nèige shān hěn gāo, wǒmen pà shàngbúcyù, siān bǎ chē kāidào yíbànde dìfāng, ránhòu sià chē, zǒushàngcyù. Jhōngwǔ dàole shānshàng, měige rén dōu yǐjīng èle, bǎ dàizih fàngsià, wǒmen jiòu kāishǐh yěcān. Kěshìh dōngsī tài duō, wǒmen chīhle yíbàn, jiòu chīhbúsiàle. Chīhguò fàn, wǒmen siōusíle yìhuěir, jiòu siàshān le. Dào jiā de shíhhòu, tiān yǐjīng hēile.

Jīntiān wánde jhēn gāosìng, kěshìh yǒu yìdiǎn lèi. Wǎnshàng wǒ yào zǎo yìdiǎn shuèijiào, yàobùrán míngtiān zǎoshàng wǒ yídìng cǐbùlái.

MY YOUNG BROTHER'S DIARY

May 18, Sunday

The weather was very nice today. There was a little wind, and it wasn't too hot or too cold. Mom and Dad decided to take my older brother and me to the mountains for a picnic. We prepared a lot of good things to eat, including fried chicken, bread, fruit, salad, sodas, etc. Because it wouldn't all fit into one big bag, we each took a bag.

The mountain was very high. We were afraid that we wouldn't be able to make it to the top, so we first drove the car halfway up, then got out and climbed up. We arrived at the top of the mountain at noon, and everyone was hungry, so we put our bags down and began to eat. But we had brought so many things to eat that after eating only half, we couldn't eat any more. After we ate, we rested for a little while, and then went back down the mountain. It was already dark when we got home.

I really enjoyed myself today, but I'm a little tired. Tonight I think I'll go to bed a little earlier. Otherwise, I won't be able to get up tomorrow morning.

VOCABULARY

1 盒子 (hézi / hézih) ▸▸ N: box, case

例 這個盒子太小，裝不下三個麵包。

Zhèige hézi tàixiǎo, zhuāng bú xià sānge miànbāo.

Jhèige hézih tàisiǎo, jhuāng bú sià sānge miànbāo.

This box is too small; it can't fit three breads.

盒 (hé) ▸▸ M: box of

2 裝 (zhuāng / jhuāng) ▸▸ V: to fill, to load

例 這個盒子要裝什麼東西？

Zhèige hézi yào zhuāng shénme dōngxī?

Jhèige hézih yào jhuāng shénme dōngsī?

What do you want to fill this box with?

3 準備 (zhǔnbèi / jhǔnbèi) ▸▸ V/N: to prepare, to intend; preparations

例 旅行以前應該準備一點藥。

Lǚxíng yǐqián yīnggāi zhǔnbèi yìdiǎn yào.

Lyǔsíng yǐcián yīnggāi jhǔnbèi yìdiǎn yào.

Before traveling you should prepare some medication.

例 考試以前，我的準備不夠，所以考得很差。

Kǎoshì yǐqián, wǒde zhǔnbèi búgòu, suǒyǐ kǎode hěnchā.

Kǎoshìh yǐcián, wǒde jhǔnbèi búgòu, suǒyǐ kǎode hěnchā.

I didn't prepare enough before the test, so I did poorly on it.

4 野餐 (yěcān) ▸▸ V/N: to picnic; picnic

例 春天我喜歡跟同學去公園野餐。

Chūntiān wǒ xǐhuān gēn tóngxué qù gōngyuán yěcān.

Chūntiān wǒ sǐhuān gēn tóngsyué cyù gōngyuán yěcān.

In the spring I like to go on picnics in the park with my classmates.

餐 (cān) ▸▸ M/BF: measure word for meal; food, meal

西餐 (xīcān / sīcān) ▸▸ N: western (style) food

5 炸雞 (zhájī / jhájī) ▸▸ N: fried chicken

炸 (zhá / jhá) ▸▸ V: to deep fry

例 我最喜歡吃媽媽炸的雞。
Wǒ zuì xǐhuān chī māma zhá de jī.
Wǒ zuèi sǐhuān chīh māma jhá de jī.
I like my mom's fried chicken best.

6 紙 (zhǐ / jhǐh) ▸▸ N: paper（M: 張 zhāng / jhāng）

例 請你把公司的地址寫在這張紙上。
Qǐng nǐ bǎ gōngsīde dìzhǐ xiězài zhèizhāng zhǐshàng.
Cǐng nǐ bǎ gōngsīhde dìjhǐh siězài jhèijhāng jhǐhshàng.
Please write your company's address on this paper.

7 袋子 (dàizi / dàizih) ▸▸ N: bag, sack

例 我把剛買的水果都裝在袋子裡了。
Wǒ bǎ gāngmǎide shuǐguǒ dōu zhuāngzài dàizilǐ le.
Wǒ bǎ gāngmǎide shuěiguǒ dōu jhuāngzài dàizihlǐ le.
I filled the bag with the fruits I just bought.

袋 (dài) ▸▸ M: bag of

口袋 (kǒudài) ▸▸ N: pocket

8 烤肉 (kǎoròu) ▸▸ N: barbecue (lit.roast meat)

例 我已經吃了很多片烤肉，吃不下了。
Wǒ yǐjīng chīle hěnduō piàn kǎoròu, chī bú xià le.
Wǒ yǐjīng chīhle hěnduō piàn kǎoròu, chīh bú sià le.
I've already eaten several slices of barbecued meat; I can't eat any more.

烤 (kǎo) ▸▸ V: to roast, to toast, to bake

9 冰箱 (bīngxiāng / bīngsiāng) ▸▸ N: refrigerator

例 請把這盒沙拉 (shālā) 放在冰箱裡。
Qǐng bǎ zhèihé shālā fàngzài bīngxiānglǐ.
Cǐng bǎ jhèihé shālā fàngzài bīngsiānglǐ.
Please put this box of salad in the refrigerator.

冰 (bīng) ▸▸ N/SV: ice; to be frozen

箱 (xiāng / siāng) ▸▸ M: box of, trunk of

烤箱 (kǎoxiāng / kǎosiāng) ▸▸ N: oven

箱子 (xiāngzi / siāngzih) ▸▸ N: box, trunk, case

10 公園 (gōngyuán) ▸▸ N: (public) park

例 天氣不錯，我們去公園走走吧！
Tiānqì búcuò, wǒmen qù gōngyuán zǒuzǒu ba.
Tiāncì búcuò, wǒmen cyù gōngyuán zǒuzǒu ba.
The weather is nice. Let's go for a walk in the park!

11 風 (fēng / fōng) ▸▸ N: wind

例 別出去，外面風很大。
Bié chūqù, wàimiàn fēng hěn dà.
Bié chūcyù, wàimiàn fōng hěn dà.
Don't go out. It's very windy outside.

12 要不然 (yàobùrán) ▸▸ CONT: otherwise

例 你得用功，要不然老師會不高興。
Nǐ děi yònggōng, yàobùrán lǎoshī huì bùgāoxìng.
Nǐ děi yònggōng, yàobùrán lǎoshīh huèi bùgāosìng.
You must be studious, otherwise the teacher will be unhappy.

13 晚安 (wǎnān) ▸▸ IE: good night

例 我要回房間睡覺了，爸媽晚安。

Wǒ yào huí fángjiān shuìjiàole, bà mā wǎnān.

Wǒ yào huéi fángjiān shuèijiàole, bà mā wǎnān.

I'm going back to my room to sleep. Good night, Mom and Dad.

14 片 (piàn) ▸▸ M: slice, piece of (usually of something thin and flat)

例 我做的三明治 (sānmíngzhì / sānmíngjhìh)有三片麵包，兩片肉。

Wǒ zuò de sānmíngzhì yǒu sānpiàn miànbāo, liǎngpiàn ròu.

Wǒ zuò de sānmíngjhìh yǒu sānpiàn miànbāo, liǎngpiàn ròu.

The sandwiches I make have three slices of bread and two slices of meat.

15 香 (xiāng / siāng) ▸▸ SV: to be scented, to be fragrant

例 爸爸買的這個炸雞好香啊！

Bàba mǎide zhèige zhájī hǎoxiāng a!

Bàba mǎide jhèige jhájī hǎosiāng a!

This fried chicken that my father bought smells so good!

16 汽水 (qìshuǐ / cìshuěi) ▸▸ N: soda pop, carbonated drink

17 渴 (kě) ▸▸ SV: to be thirsty

例 請給我一杯汽水，我渴得不得了了。

Qǐng gěi wǒ yìbēi qìshuǐ, wǒ kěde bùdéliǎo.

Cǐng gěi wǒ yìbēi cìshuěi, wǒ kěde bùdéliǎo.

Please give me a glass of soda pop. I'm extremely thirsty.

18 麵包 (miànbāo) ▸▸ N: bread

例 法國麵包跟德國麵包有什麼不一樣？

Fǎguó miànbāo gēn Déguó miànbāo yǒu shénme bùyíyàng?

What differences do French bread and German bread have?

麵 (miàn) ▸▸ N: flour, dough, noodle

19 罐 (guàn) ▸▸ M: jar of or can of

例 這兩罐咖啡是朋友送給我的。

Zhè liǎngguàn kāfēi shì péngyǒu sònggěi wǒ de.

Jhè liǎngguàn kāfēi shìh péngyǒu sònggěi wǒ de.

These two cans of coffee were given to me by a friend.

罐子 (guànzi / guànzih) ▸▸ N: jar, canister, tin

SUPPLEMENTARY VOCABULARY

20 日記 (rìjì / rìhjì) ▸▸ N: diary

21 開始 (kāishǐ / kāishǐh) ▸▸ V: to start, to begin

例 你是什麼時候開始用中文寫日記的？

Nǐshì shénme shíhòu kāishǐ yòng Zhōngwén xiě rìjì de?

Nǐshìh shénme shíhhòu kāishǐh yòng Jhōngwún siě rìhjì de?

When did you begin using Chinese to write a diary?

22 包 (bāo) ▸▸ V/M: to wrap, to contain; package of, parcel of

例 我把這件衣服包起來，再裝在盒子裡吧！

Wǒ bǎ zhèijiàn yīfú bāoqǐlái, zài zhuāngzài hézilǐ ba!

Wǒ bǎ jhèijiàn yīfú bāocǐlái, zài jhuāngzài hézihlǐ ba!

Let me wrap up this outfit and then put it in the box!

例 妹妹生日的時候，媽媽給她買了一大
包水果糖。

Mèimei shēngrì de shíhòu, māma gěi tā mǎile yídàbāo
shuǐguǒtáng.

Mèimei shēngrìh de shíhhòu, māma gěi tā mǎile yídàbao shuěiguǒtáng.

When it was my little sister's birthday, my mom bought her a big
bag of fruit candies.

23 糖 (táng) ▸▸ N: candy, sugar

例 喝咖啡的時候，你放不放糖？

Hē kāfēi de shíhòu, nǐ fàng búfàng táng?

Hē kāfēi de shíhhòu, nǐ fàng búfàng táng?

Do you add sugar when you drink coffee?

24 大人 (dàrén) ▸▸ N: adult

例 炸雞、烤肉，大人小孩都愛吃。

Zhájī, kǎoròu, dàrén xiǎohái dōu àichī.

Jhájī, kǎoròu, dàrén siǎohái dōu àichīh.

Both adults and children love eating fried chicken and barbecue.

25 聲音 (shēngyīn) ▸▸ N: sound, voice

例 這是什麼聲音？外面下雨了嗎？

Zhèshì shénme shēngyīn? Wàimiàn xiàyǔle ma?

Jhèshìh shénme shēngyīn? Wàimiàn siàyǔle ma?

What is this sound? Is it raining outside?

26 打 (dǎ) ▸▸ V: to fight, to hit, to beat

例 哥哥跟弟弟因為一點小事打起來了，
媽媽很生氣。

Gēge gēn dìdi yīnwèi yìdiǎn xiǎoshì dǎqǐlái le, māma hěn shēngqì.

Gēge gēn dìdi yīnwèi yìdiǎn siǎoshìh dǎcǐlái le, māma hěn shēngcì.

My big brother and little brother started to fight over a trivial matter.
Mom is really mad.

27 怎ㄗˇ麼ㄇˊ (zěnme) ▸ ADV(QW): how is it that, why

例 昨ㄗㄨㄛˊ天ㄊㄧㄢ你ㄋㄧˇ怎ㄗˇ麼ㄇˊ沒ㄇㄟˊ來ㄌㄞˊ考ㄎㄠˇ試ㄕˋ？感ㄍㄢˇ冒ㄇㄠˋ了ㄌㄜ嗎ㄇㄚ？

Zuótiān nǐ zěnme méilái kǎoshì? Gǎnmào le ma?

Zuótiān nǐ zěnme méilái kǎoshìh? Gǎnmào le ma?

Why didn't you come take the test yesterday? Did you catch a cold?

SYNTAX PRACTICE

1 Resultative Compounds (RC)

Ⅰ. Actual Form

Actual resultative compounds indicate that the result has been attained. Resultative Endings (RE) can be directional compounds, stative verbs, or verbs.

Affirmative:

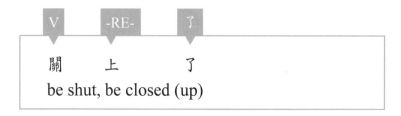

關　　上　　了
be shut, be closed (up)

Negative:

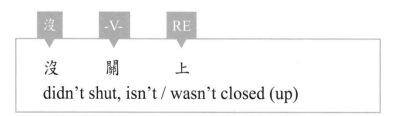

沒　關　　上
didn't shut, isn't / wasn't closed (up)

Ⅱ. Potential Form

This pattern indicates that the result of the action can or cannot be attained. Sentences using the 把 construction cannot use this form.

Affirmative:

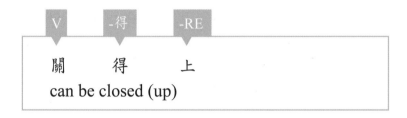

V	-得	-RE
關	得	上

can be closed (up)

Negative:

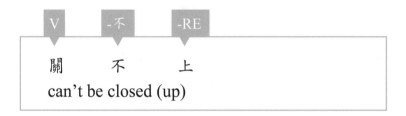

V	-不	-RE
關	不	上

can't be closed (up)

2 Directional Endings Used as Resultative Endings

Directional complements 來，去，上來，進去，etc. can be used as resultative complements, and their original meanings will not change. In addition, in the potential form, the ending 來 or 去 is not pronounced neutral tone.

上 下 進 出 過 回	得 / 不	來 去	can / can't	come go	up down in out over back
起	得 / 不	來	can / can't	get	up

走 跑 拿 搬 開 etc.	得 / 不	上來 / 上去 下來 / 下去 進來 / 進去 出來 / 出去 過來 / 過去 回來 / 回去	can / can't	walk run take move drive etc.	up here / up there down here / down there in here / in there out here / out there over here / over there back here / back there
站 拿 搬	得 / 不	起來	can / can't	stand pick move	up
拿 搬 帶 開 etc.	得 / 不	走	can / can't	take move carry drive etc.	away
關	得 / 不	上	can / can't	close	up
掛	得 / 不	上	can / can't	hang	up
穿 戴 寫	得 / 不	上	can / can't	put put write	on
打	得 / 不	開	can / can't	open	up
包	得 / 不	起來	can / can't	wrap	up

1. 路上車太多，小孩子一個人過不去。

2. 門關著呢，我們進不去。

3. 你到南部去，三天回得來嗎？
   回得來。

4. 那個山很高，汽車開得上去開不上去？
   開不上去。

5. 門太小，桌子恐怕搬不進來吧？
   搬得進來。

6. 我太累，要是坐下，就一定站不起來了。

7. 我已經帶了很多東西，這些東西這次我帶不走了。

8. 沒有鑰匙，別人開不走我的汽車。

9. 我戴不上這個錶，請你幫我戴上。

10. 這張紙溼ㄕ (shī / shíh)* 了，寫不上字。

11. 那個窗戶壞了，打不開了。

12. 紙太小，東西太大，我包不起來。

Rewrite the underlined parts of the following sentences using resultative compounds.

1 那個山很高，他們<u>沒辦法上去</u>。

2 那個大櫃子，她一個人<u>沒辦法搬上來</u>。

3 車子壞了，<u>沒辦法開走</u>，所以停在路上。

4 那張畫很大，你一個人<u>能掛上</u>嗎？

5 她家很遠，<u>沒辦法走回去</u>。

6 風太大，小孩子<u>沒辦法關上</u>窗戶。

7 雨下得不大，我們<u>能回去</u>。

8 五點鐘太早，我<u>沒辦法起來</u>。

9 沒有鑰匙，我<u>沒辦法打開</u>這個門。

10 那個東西，要是<u>沒辦法包起來</u>，就裝在袋子裡吧。

* 溼ㄕ (shī / shíh)：to be wet

3 Some Extended Uses of Directional Complements as Resultative Complements

Ⅰ. - 下 indicates either downward motion of the action or the capacity of the topic.

1. 我吃飽了，吃不下了。
2. 天氣太熱，我吃不下飯。
3. 孩子吃了很多糖，所以現在吃不下飯了。
4. 這所房子住不下八個人。
5. 要是一張紙寫不下，可以用兩張紙寫。
6. 四個大人，兩個孩子，一輛車坐得下嗎？坐得下。

Ⅱ. - 起

A. to be able to afford to

1. 這種照相機不貴，我買得起。
2. 那所大學很有名，可是有的學生念不起。
3. 我們坐不起飛機，所以自己開車去。
4. 這家飯館的菜好吃，可是太貴，我吃不起。
5. 在這裡看醫生太貴，我看不起。

B. 看得起 (to have high opinion of)
   看不起 (to despise, to look down upon)

   1. 別看不起沒錢的人。

   2. 你看得起那些對父母不好的人嗎？

C. 對得起 (to have a clear conscience toward)
   對不起 (to have a guilty conscience toward)

   1. 別做對不起朋友的事。

   2. 你覺得你對得起你的父母嗎？

Ⅲ. -出來

A. to make out by seeing, hearing, eating, smelling, etc.

   1. 我看不出來她幾歲。

   2. 這是什麼聲音，你聽得出來嗎？

      我聽得出來，這是飛機起飛的聲音。

   3. 我吃不出來這是什麼肉。

B. 想出來 (to think up, to think of an idea)

   1. 這是誰想出來的辦法？

      是我想出來的。

2. 我想了半天，可是想不出好辦法來。

IV. - 起來

A. to start to

1. 你看，外面下起雨來了。

2. 那兩個孩子玩著玩著，打起來了。

3. 你本來不是學法文嗎？怎麼又學起中文來了？

   法文太難了，我不想學了。

B. 想起來 (to recall, to call to mind)

1. 她叫什麼名字？我想不起來了。

   我也忘了。噢，我想起來了，她叫謝美真。

2. 他看見這些孩子，就想起小時候的朋友來了。

Answer the following questions.

1. 這個屋子住得下四個人嗎？

2. 三碗飯，你吃得下嗎？

3. 你看得出來他是哪國人嗎？

4. 要是你想不起來朋友的電話號碼了，你怎麼辦？

5. 你為什麼學起中文來了？

6. 這個辦法是誰想出來的？

7. 為什麼你今天吃不下飯？

8. 在電話裡，朋友聽得出你的聲音來嗎？

9. 一張紙寫不下這麼多字，怎麼辦？

10. 新車比較好，你為什麼要買舊車？

APPLICATION ACTIVITIES

1 Answer the following questions.

1. 為什麼有的時候你早上起不來？

2. 那所房子，為什麼他們進不去？

3. 他為什麼明天回不來？

4. 我們為什麼有的時候吃不下飯？

5. 你怎麼知道那個人是日本人？

6. 哪些事你想不起來了？

7. 你看不起什麼樣的人？

2 **Talk about your point of view and experience.**

1. 你喜歡野餐嗎？為什麼？
2. 你覺得一年裡頭，什麼時候去野餐最好？
3. 你覺得到什麼地方去野餐最有意思？
4. 你覺得跟誰一塊兒去野餐最有意思？
5. 去野餐以前應該準備什麼？
6. 野餐的時候，你喜歡吃什麼？

3 **Situation**

Student A invites student B to go on a picnic.

我跑不了^①那麼遠

 **DIALOGUE**

I

A：你怎麼了？不舒服啊？臉色^②不太好。

B：我昨天夜裡沒睡好，今天有一點頭疼^③。

A：你常常睡不好嗎？

B：是啊，有的時候在床上躺了^④一、兩個鐘頭還睡不著^⑤。

A：我想是因為^⑥你白天念書太緊張^⑦了；再說^⑧，你大概也不常運動^⑨。

B：你現在到哪裡去？

A：我要去運動場^⑩打網球^⑪，你去不去？

B：我不能去。我明天要考試，還沒準備好呢。

　　我要去圖書館看書。

A：打完^⑫了球，再去吧。

B：不行，我怕我念不完。

A：那麼，後天星期六^⑬你有沒有事？

　　我們一塊兒打打球，怎麼樣？

B：好，後天早上我去找你。

255

Ⅱ

A：好熱啊！要不要休息一會兒？

B：好啊，昨天下了一天的雨，沒想到今天天氣這麼好。

A：是啊，空氣好像也特別乾淨⑭。⑮

B：你的網球打得真不錯，常練習⑯嗎？

A：不常練習。大家功課都忙，總是找不到人跟我一塊兒打。

B：那你平常都做什麼運動呢？

A：冬天我每天慢跑⑰或是⑱打籃球⑲，夏天就去游泳⑳。

B：慢跑是一種很好的運動。你每天跑多少公里？

A：我每天差不多跑三公里。

B：我有的時候也慢跑，可是我跑不了那麼遠。

A：你渴不渴？要不要去喝點什麼？

B：好，走吧！

🔊 ㄅ一ˋ ㄕˋ ㄎㄜ˙　　ㄨㄛˇ ㄆㄠˇ ㄅㄨˋ ㄌㄧㄠˇ ㄋㄚˋ ㄇㄜ˙ ㄩㄢˇ

Ⅰ

A： ㄋ一ˇ ㄕㄣˊ ㄇㄜ˙ ㄌㄜ˙？ㄅㄨˋ ㄕㄨ ㄈㄨˊ ㄚ˙？ㄌ一ㄢˇ ㄙㄜˋ ㄅㄨˋ ㄊㄞˋ ㄏㄠˇ。

B： ㄨㄛˇ ㄗㄨㄛˊ ㄊ一ㄢ 一ㄝˋ ㄌ一ˇ ㄇㄟˊ ㄕㄨㄟˋ ㄏㄠˇ，ㄐ一ㄣ ㄊ一ㄢ 一ㄡˇ 一ˋ ㄉ一ㄢˇ ㄊㄡˊ ㄊㄥˊ。

A： ㄋ一ˇ ㄔㄤˊ ㄔㄤˊ ㄕˊ ㄅㄟˋ ㄏㄠˇ ㄚ˙？

B： ㄕˋ ㄚ˙，一ㄡˇ ㄉㄜ˙ ㄕˊ ㄏㄡˋ ㄗㄠˇ ㄔㄤˊ ㄔㄤˊ ㄉㄜ˙ 一、ㄌ一ㄤˇ ㄍㄜ˙ ㄓㄨㄥ ㄊㄡˊ ㄏㄞˊ ㄏㄨㄟˋ ㄨㄛˇ ㄓㄠˇ。

A： ㄨㄛˇ ㄒ一ㄤˇ ㄕˋ 一ㄣ ㄨㄟˋ ㄋ一ˇ ㄅㄨˋ ㄊ一ㄢˇ ㄋ一ㄢˊ ㄕㄨㄟˋ ㄐ一ㄤˇ ㄓㄜ˙ ㄌㄜ˙；ㄞ ㄧㄡˇ，ㄋ一ˇ 一ㄚ ㄍㄞ 一ㄝˇ ㄅㄨˋ ㄔㄤˊ ㄩㄣˋ ㄉㄨㄥˋ。

B： ㄋ一ˇ ㄒ一ㄢˇ ㄗㄞˋ 一ˇ ㄨㄛˇ ㄋ一ˇ ㄅㄨˋ ㄊ一ㄢˇ ㄋ一ˇ ㄉㄧˊ ㄑㄩˋ？

A： ㄨㄛˇ 一ㄠˋ ㄑㄩˋ ㄐㄩˋ ㄅㄨˋ ㄔㄤˊ ㄧㄤˇ ㄤˊ ㄑㄧㄡˇ，ㄋ一ˇ ㄑㄩˋ ㄅㄨˋ ㄑㄩˋ？

B： ㄨㄛˇ ㄅㄨˋ ㄋㄥˊ ㄑㄩˋ。ㄨㄛˇ ㄇㄧㄥˊ ㄊ一ㄢ 一ㄠˋ ㄎㄠˇ ㄕˋ，ㄏㄞˊ ㄇㄣ ㄓㄨㄣˇ ㄅㄟˋ ㄏㄠˇ ㄋㄜ˙。ㄨㄛˇ 一ㄠˋ ㄑㄩˋ ㄊㄨˊ ㄕㄨ ㄍㄨㄢˇ ㄎㄢˋ ㄕㄨ。

A： ㄉㄚˇ ㄨㄞˋ ㄉㄜ˙ ㄑ一ㄢˊ，ㄗㄞˋ ㄑㄩˋ ㄅㄚ˙。

B： ㄅㄨˋ ㄒ一ㄥˊ，ㄨㄛˇ ㄆㄚˊ ㄅㄨˋ ㄋㄚˋ ㄇㄜ˙ ㄩㄢˇ。

A： ㄋㄚˋ ㄇㄜ˙，ㄏㄡˋ ㄊ一ㄢ ㄒ一ㄥˇ ㄑ一 ㄌ一ㄢˊ ㄋ一ˇ 一ㄡˇ ㄇㄟˊ 一ˇ ㄕˋ？ㄨㄛˇ ㄇㄣ 一ˋ ㄎㄨㄞˋ ㄦˊ ㄅㄚˋ ㄅㄚˋ ㄑㄩˋ，ㄗㄞˋ ㄇㄜ˙ 一ㄤˋ？

B： ㄏㄠˇ，ㄏㄡˋ ㄊ一ㄢ ㄗㄠˇ ㄕㄤˋ ㄨㄛˇ ㄑㄩˋ ㄓㄠˇ ㄋ一ˇ。

Ⅱ

A： ㄏㄠˇ ㄖㄜˋ ㄚ˙！一ㄠˋ ㄅㄨˋ 一ㄠˋ ㄑㄩˋ 一ㄡˊ 一ˇ ㄒ一ˋ ㄏㄨㄟˇ ㄦˊ？

B： ㄏㄠˇ ㄚ˙，ㄗㄨㄛˊ ㄊ一ㄢ ㄒ一ˇ ㄌㄜ˙ 一ˋ ㄊ一ㄢ ㄉㄜ˙ ㄩˋ，ㄇㄧㄥˊ ㄒ一ㄤˇ ㄗㄠˇ ㄐ一ㄡˋ ㄊ一ㄢ ㄊ一ㄢ ㄑ一 ㄓㄜ˙ ㄇ一ㄥˇ ㄏㄠˇ。

A：ㄕㄚˊ，ㄨㄛˇ ㄑㄧˊ ㄏㄠˋ ㄒㄧㄤ ㄧㄝˇ ㄊㄜˋ ㄅㄧㄝˊ ㄍㄜˋ ㄐㄧㄥ。

B：ㄋㄧˇ ㄉㄜ˙ ㄨㄤˇ ㄑㄧㄡˊ ㄉㄚˇ ㄉㄜ˙ ㄓㄣ ㄅㄨˊ ㄘㄨㄛˋ，ㄔㄤˊ ㄌㄞˊ ㄒㄧㄚˊ ㄇㄚˇ？

A：ㄅㄨˋ ㄔㄤˊ ㄌㄞˊ ㄒㄧ。ㄅㄚˊ ㄐㄩˊ ㄍㄨㄛˋ ㄎㄡˇ ㄇㄞˊ，ㄨㄛˇ ㄓㄠˋ ㄅㄨˋ ㄍㄠˋ ㄖㄣˊ ㄍㄜˊ ㄨㄛˊ ㄧˊ ㄎㄨㄞˋ ㄦˊ ㄉㄚˋ。

B：ㄋㄚˊ ㄧˇ ㄆㄥˊ ㄔㄤˊ ㄉㄡ ㄗ ㄇˊ ㄐㄩ ㄅㄨ ㄉㄜˊ？

A：ㄅㄨˋ ㄊㄨㄥ ㄒㄧㄝ ㄇㄣ ㄊㄧㄢ ㄌㄜ˙ ㄏㄛˊ ㄕ ㄅㄧ ㄉㄧㄢ ㄑㄧㄡˊ，ㄒㄧㄚ ㄊㄧㄢ ㄐㄩ ㄑㄧˇ ㄩㄥˊ。

B：ㄇㄢˇ ㄆㄠˊ ㄕˋ ㄧˊ ㄓˊ ㄏㄜˊ ㄏㄛˊ ㄉㄜ˙ ㄌㄜ˙ ㄅㄧㄥˊ。ㄋㄧˇ ㄇㄟˊ ㄊㄧㄢ ㄆㄠˇ ㄅㄟˊ ㄕ ㄍㄜˊ ㄌㄧˇ？

A：ㄨㄛˊ ㄇㄟˇ ㄊㄧㄢ ㄐㄧㄚ ㄑㄧㄡ ㄍㄜˊ ㄙㄢ ㄍㄨㄥ ㄌㄧˇ。

B：ㄨㄛˇ ㄧˋ ㄉㄜˊ ㄕˋ ㄏㄟˊ ㄧˊ ㄇㄢˊ ㄆㄠˊ，ㄎㄜˊ ㄕˋ ㄨㄛˊ ㄆㄠˇ ㄅㄨˋ ㄌㄧㄠˇ ㄋㄚˋ ㄇㄜ˙ ㄩㄢˇ。

A：ㄋㄧˇ ㄎㄜˊ ㄅㄨˋ ㄎㄜˋ ㄧˇ ㄅㄚˇ ㄅㄨˊ ㄒㄧㄥˊ ㄍㄜˊ ㄕˇ ㄅㄣ ㄇㄜ˙？

B：ㄏㄠˇ，ㄗㄡˇ ㄅㄚ˙。

Dì Shí Kè ▶ Wǒ Pǎobùliǎo Nàme Yuǎn

(Pinyin)

I

A：Nǐ zěnmele? Bùshūfú a? Liǎnsè bútài hǎo.

B：Wǒ zuótiān yèlǐ méi shuìhǎo, jīntiān yǒuyìdiǎn tóuténg.

A：Nǐ chángcháng shuìbùhǎo ma?

B：Shì a, yǒude shíhòu zài chuángshàng tǎngle yì, liǎngge zhōngtóu hái shuìbùzháo.

A：Wǒ xiǎng shì yīnwèi nǐ báitiān niànshū tài jǐnzhāngle; zàishuō, nǐ dàgài yě bùcháng yùndòng.

B：Nǐ xiànzài dào nǎlǐ qù?

A：Wǒ yào qù yùndòngchǎng dǎ wǎngqiú, nǐ qù búqù?

B：Wǒ bùnéng qù. Wǒ míngtiān yào kǎoshì, háiméi zhǔnbèihǎo ne. Wǒ yào qù túshūguǎn kànshū.

258

A：Dǎwánle qiú, zài qù ba.

B：Bù xíng, wǒ pà wǒ niànbùwán.

A：Nàme, hòutiān xīngqíliù nǐ yǒu méiyǒu shì? Wǒmen yíkuàr dǎdǎqiú
zěnmeyàng?

B：Hǎo, hòutiān zǎoshàng wǒ qù zhǎo nǐ.

A：Hǎo rè a! Yào búyào xiūxí yìhuǐr?

B：Hǎo a, zuótiān xiàle yìtiānde yǔ, méixiǎngdào jīntiān tiānqì zhème hǎo.

A：Shì a, kōngqì hǎoxiàng yě tèbié gānjìng.

B：Nǐde wǎngqiú dǎde zhēn búcuò, cháng liànxí ma?

A：Bùcháng liànxí. Dàjiā gōngkè dōu máng, zǒngshì zhǎobúdào rén gēn wǒ
yíkuàr dǎ.

B：Nà nǐ píngcháng dōu zuò shénme yùndòng ne?

A：Dōngtiān wǒ měitiān mànpǎo huòshì dǎ lánqiú, xiàtiān jiù qù yóuyǒng.

B：Mànpǎo shì yìzhǒng hěn hǎode yùndòng. Nǐ měitiān pǎo duōshǎo gōnglǐ?

A：Wǒ měitiān chàbùduō pǎo sān gōnglǐ.

B：Wǒ yǒude shíhòu yě mànpǎo, kěshì wǒ pǎobùliǎo nàme yuǎn.

A：Nǐ kě bùkě? Yào búyào qù hē diǎn shénme?

B：Hǎo, zǒu ba.

 Dì Shíh Kè Wǒ Pǎobùliǎo Nàme Yuǎn

(Tongyong)

A：Nǐ zěnmele? Bùshūfú a? Liǎnsè bútài hǎo.

B：Wǒ zuótiān yèlǐ méi shuèihǎo, jīntiān yǒuyìdiǎn tóuténg.

A：Nǐ chángcháng shuèibùhǎo ma?

B：Shìh a, yǒude shíhhòu zài chuángshàng tǎngle yì, liǎngge jhōngtóu hái
shuèibùjháo.

A : Wǒ siǎng shìh yīnwèi nǐ báitiān niànshū tài jǐnjhāngle; zàishuō, nǐ dàgài
    yě bùcháng yùndòng.

B : Nǐ siànzài dào nǎlǐ cyù?

A : Wǒ yào cyù yùndòngchǎng dǎ wǎngcióu, nǐ cyù búcyù?

B : Wǒ bùnéng cyù. Wǒ míngtiān yào kǎoshìh, háiméi jhǔnbèihǎo ne. Wǒ yào
    cyù túshūguǎn kànshū.

A : Dǎwánle cióu, zài cyù ba.

B : Bù síng, wǒ pà wǒ niànbùwán.

A : Nàme, hòutiān sīngcíliòu nǐ yǒu méiyǒu shìh? Wǒmen yíkuàr dǎdǎcióu
    zěnmeyàng?

B : Hǎo, hòutiān zǎoshàng wǒ cyù jhǎo nǐ.

 II

A : Hǎo rè a! Yào búyào siōusí yìhuěir?

B : Hǎo a, zuótiān siàle yìtiānde yǔ, méisiǎngdào jīntiān tiāncì jhème hǎo.

A : Shìh a, kōngcì hǎosiàng yě tèbié gānjìng.

B : Nǐde wǎngcióu dǎde jhēn búcuò, cháng liànsí ma?

A : Bùcháng liànsí. Dàjiā gōngkè dōu máng, zǒngshìh jhǎobúdào rén gēn wǒ
    yíkuàr dǎ.

B : Nà nǐ píngcháng dōu zuò shénme yùndòng ne?

A : Dōngtiān wǒ měitiān mànpǎo huòshìh dǎ láncióu, siàtiān jiòu cyù
    yóuyǒng.

B : Mànpǎo shìh yìjhǒng hěn hǎode yùndòng. Nǐ měitiān pǎo duōshǎo
    gōnglǐ?

A : Wǒ měitiān chàbùduō pǎo sān gōnglǐ.

B : Wǒ yǒude shíhhòu yě mànpǎo, kěshìh wǒ pǎobùliǎo nàme yuǎn.

A : Nǐ kě bùkě? Yào búyào cyù hē diǎn shénme?

B : Hǎo, zǒu ba.

LESSON 10 ▶ **I CAN'T RUN THAT FAR**

I

A : What's the matter with you? Aren't you feeling well? You don't look very well. (lit. "The color of your face doesn't look well.")

B : Last night I didn't sleep very well. Today I have a slight headache.

A : Do you often not sleep well?

B : Yes, sometimes I lie awake in bed for one or two hours and still can't sleep.

A : I think it's because during the day you get all worked up from studying. What's more, you probably don't exercise very often.

B : Where are you going now?

A : I'm going to the courts (lit."sports field") to play tennis. Do you want to go?

B : I can't go. I have a test tomorrow and I still haven't prepared well enough. I'm going to the library to study.

A : Go study after you play tennis.

B : No way, I'm afraid I can't get finished.

A : In that case, the day after tomorrow is Saturday. Do you have any plans? We could play tennis together. How about that?

B : All right. I'll see you in the morning the day after tomorrow.

II

A : Boy! It is hot! Do you want to rest for a bit?

B : OK. Yesterday it rained the whole day. I didn't think today's weather would be so nice.

A : Yes, it also seems like the air is especially clean.

B : You play tennis quite well. Do you practice often?

A : Not very often. Everyone has a lot of homework. I can hardly ever find anyone to play with.

B : Well, what sport do you normally do?

A : In the winter I jog or play basketball every day; in the summer I go swimming.

B : Jogging is a very good form of exercise. How many kilometers do you run every day?

A : I run about three kilometers every day.

B : I also go jogging sometimes, but I can't run that far.

A : Are you thirsty? Want to go drink something?

B : OK, let's go.

NARRATION

　　我非常喜歡運動，每天慢跑兩公里，每星期打一次網球，夏天常游泳[21]，所以我身體不錯，很少感冒，夜裡也睡得著。

　　我的朋友知明跟我不一樣，他很少運動，所以常常頭疼、感冒，也容易緊張。每次我要他跟我一塊兒去慢跑，他總是說，他的功課太多，做不完，或是找不到運動衣、運動鞋。要是我找他一塊兒去游泳，他就說他太胖，學不會游泳。我真是對他沒辦法。

ㄨㄛˇ ㄈㄟ ㄔㄤˊ ㄒㄧˇ ㄏㄨㄢ ㄩㄣˋ ㄉㄨㄥˋ，ㄇㄟˇ ㄊㄧㄢ ㄇㄢˋ ㄆㄠˇ ㄌㄧㄤˇ ㄍㄨㄥ ㄌㄧˇ，ㄇㄟˇ ㄒㄧㄥ ㄑㄧˊ
ㄉㄚˇ ㄧˊ ㄘˋ ㄨㄤˇ ㄑㄧㄡˊ，ㄒㄧㄚˋ ㄊㄧㄢ ㄔㄤˊ ㄧㄡˊ ㄩㄥˇ，ㄙㄨㄛˇ ㄧˇ ㄕㄣ ㄊㄧˇ ㄅㄨˊ ㄘㄨㄛˋ，ㄏㄣˇ ㄕㄠˇ
ㄍㄢˇ ㄇㄠˋ，ㄧㄝˋ ㄌㄧˇ ㄧㄝˇ ㄕㄨㄟˋ ㄉㄜ˙ ㄓㄠˊ。

ㄨㄛˇ ㄉㄜ˙ ㄆㄥˊ ㄧㄡˇ ㄓ ㄇㄧㄥˊ ㄍㄣ ㄨㄛˇ ㄅㄨˋ ㄧˊ ㄧㄤˋ，ㄊㄚ ㄏㄣˇ ㄕㄠˇ ㄩㄣˋ ㄉㄨㄥˋ，ㄙㄨㄛˇ
ㄧˇ ㄔㄤˊ ㄔㄤˊ ㄊㄡˊ ㄊㄥˊ，ㄍㄢˇ ㄇㄠˋ，ㄧㄝˇ ㄖㄨㄥˊ ㄧˋ ㄐㄧㄣˇ ㄓㄤ。ㄇㄟˇ ㄘˋ ㄨㄛˇ ㄧㄠˋ ㄊㄚ ㄍㄣ
ㄨㄛˇ ㄧˊ ㄎㄨㄞˋ ㄦ ㄑㄩˋ ㄇㄢˋ ㄆㄠˇ，ㄊㄚ ㄗㄨㄥˇ ㄕˋ ㄕㄨㄛ，ㄊㄚ ㄉㄜ˙ ㄍㄨㄥ ㄎㄜˋ ㄊㄞˋ ㄉㄨㄛ，ㄗㄨㄛˋ ㄅㄨˋ
ㄨㄢˊ，ㄏㄨㄛˋ ㄕˋ ㄓㄠˇ ㄅㄨˊ ㄉㄠˋ ㄩㄣˋ ㄉㄨㄥˋ ㄧ、ㄩㄣˋ ㄉㄨㄥˋ ㄒㄧㄝˊ。ㄧㄠˋ ㄕˋ ㄨㄛˇ ㄓㄠˇ ㄊㄚ ㄧˊ ㄎㄨㄞˋ
ㄦ ㄑㄩˋ ㄧㄡˊ ㄩㄥˇ，ㄊㄚ ㄐㄧㄡˋ ㄕㄨㄛ ㄊㄚ ㄊㄞˋ ㄆㄤˋ，ㄒㄩㄝˊ ㄅㄨˊ ㄏㄨㄟˋ ㄧㄡˊ ㄩㄥˇ。ㄨㄛˇ ㄓㄣ ㄕˋ ㄉㄨㄟˋ
ㄊㄚ ㄇㄟˊ ㄅㄢˋ ㄈㄚˇ。

Wǒ fēicháng xǐhuān yùndòng, měitiān mànpǎo liǎng gōnglǐ, měi xīngqí dǎ yícì wǎngqiú, xiàtiān cháng yóuyǒng, suǒyǐ shēntǐ búcuò , hěn shǎo gǎnmào, yèlǐ yě shuìdezháo.

Wǒde péngyǒu Zhīmíng gēn wǒ bùyíyàng, tā hěn shǎo yùndòng, suǒyǐ chángcháng tóuténg, gǎnmào, yě róngyì jǐnzhāng. Měicì wǒ yào tā gēn wǒ yíkuàr qù mànpǎo, tā zǒngshì shuō, tāde gōngkè tài duō, zuòbùwán, huòshì zhǎobúdào yùndòngyī, yùndòngxié. Yàoshì wǒ zhǎo tā yíkuàr qù yóuyǒng, tā jiù shuō tā tài pàng, xuébúhuì yóuyǒng. Wǒ zhēnshì duì tā méibànfǎ.

Wǒ fēicháng sǐhuān yùndòng, měitiān mànpǎo liǎng gōnglǐ, měi sīngcí dǎ yícìh wǎngcióu, siàtiān cháng yóuyǒng, suǒyǐ shēntǐ búcuò , hěn shǎo gǎnmào, yèlǐ yě shuèidejháo.

Wǒde péngyǒu Jhīhmíng gēn wǒ bùyíyàng, tā hěn shǎo yùndòng, suǒyǐ chángcháng tóuténg, gǎnmào, yě róngyì jǐnjhāng. Měicìh wǒ yào tā gēn wǒ yíkuàr cyù mànpǎo, tā zǒngshìh shuō, tāde gōngkè tài duō, zuòbùwán, huòshìh jhǎobúdào yùndòngyī, yùndòngsié. Yàoshìh wǒ jhǎo tā yíkuàr cyù yóuyǒng, tā jiòu shuō tā tài pàng, syuébúhuèi yóuyǒng. Wǒ jhēnshìh duèi tā méibànfǎ.

I really love sports. I jog two kilometers every day. Once every week I play tennis, and in the summer I often go swimming. So, I am in good shape, and I seldom catch colds, and sleep well at night.

My friend Zhiming is different from me. He seldom does sports, so he often has headaches, colds and gets nervous easily. Every time I want him to go running with me, he always says he has too much homework, and he hasn't finished it, or he can't find his exercise clothes or his sports shoes. If I look for him to go swimming, he says he's too fat and he can't learn to swim. I really can't do anything about him.

VOCABULARY

1 了 (liǎo) ▸ RE: used at the end of a verb to indicate ability or completion

例 我們三個人吃不了五個菜。

Wǒmen sānge rén chībùliǎo wǔge cài.

Wǒmen sānge rén chīhbùliǎo wǔge cài.

The three of us can't eat five dishes.

2 臉色 (liǎnsè) ▸ N: color (of face), facial expression

例 明美最近常運動,臉色比以前好多了。

Míngměi zuìjìn cháng yùndòng, liǎnsè bǐ yǐqián hǎo duō le.

Míngměi zuèijìn cháng yùndòng, liǎnsè bǐ yǐcián hǎo duō le.

Lately Mingmei exercises often; she looks much better than before.

例 陳先生的生意有問題,所以這幾天臉色不太好。

Chén Xiānshēng de shēngyì yǒu wèntí, suǒyǐ zhè jǐ tiān liǎnsè bútàihǎo.

Chén Siānshēng de shēngyì yǒu wùntí, suǒyǐ jhè jǐ tiān liǎnsè bútàihǎo.

Business has been problematic for Mr. Chen, so these days he hasn't looked well.

臉 (liǎn) ▸ N: face

3 疼 (téng) ▸ SV: to ache, to be pain, to be sore

例 我感冒了,頭疼得不得了。

Wǒ gǎnmàole, tóu téngde bùdéliǎo.

I have a cold and a terrible headache.

4 躺 (tǎng) ▸ V: to lie down, to recline

例 他常常躺著看書,看著看著就睡著了。

Tā chángcháng tǎngzhe kànshū, kànzhe kànzhe jiù shuìzháo le.

Tā chángcháng tǎngjhe kànshū, kànjhe kànjhe jiòu shuèijháo le.

He often reads lying down and falls asleep reading.

---

5 著 (zháo / jháo) ▸▸ RE: used at the end of a verb to indicate success or attainment

例 我晚上喝了很多茶，所以睡不著。

Wǒ wǎnshàng hēle hěnduō chá, suǒyǐ shuìbùzháo.

Wǒ wǎnshàng hēle hěnduō chá, suǒyǐ shuèibùjháo.

I drank a lot of tea in the evening, so I couldn't sleep.

---

6 白天 (báitiān) ▸▸ N: daytime

例 我的房間很亮，白天不用開燈。

Wǒde fángjiān hěn liàng, báitiān búyòng kāidēng.

My room is very bright; I need not turn on the light during the day.

---

7 緊張 (jǐnzhāng / jǐnjhāng) ▸▸ SV: to be nervous, to be tense

例 上次考試，我太緊張，所以沒考好。

Shàngcì kǎoshì, wǒ tài jǐnzhāng, suǒyǐ méi kǎo hǎo.

Shàngcìh kǎoshìh, wǒ tài jǐnjhāng, suǒyǐ méi kǎo hǎo.

I was too nervous during the last test, so I didn't do well.

---

8 再說 (zàishuō) ▸▸ ADV: moreover, what's more, besides

例 他很聰明，再說也很用功，所以功課很好。

Tā hěn cōngmíng, zàishuō yě hěn yònggōng, suǒyǐ gōngkè hěn hǎo.

He's very intelligent, and, what's more, he's also quite industrious, so his schoolwork is very good.

---

9 運動 (yùndòng) ▸▸ N/V: sport, exercise; to exercise

例 你常做什麼運動？打球還是慢跑？

Nǐ cháng zuò shénme yùndòng? Dǎqiú háishì mànpǎo?

Nǐ cháng zuò shénme yùndòng? Dǎcióu háishìh mànpǎo?

What sport do you usually play? Do you play ball or jog?

267

例 要是我白天運動一下，晚上就睡得比較好。

Yàoshì wǒ báitiān yùndòng yíxià, wǎnshàng jiù shuì de bǐjiào hǎo.

Yàoshìh wǒ báitiān yùndòng yísià, wǎnshàng jiòu shuèi de bǐjiào hǎo.

If I exercise a bit during the day, I sleep relatively better at night.

動 (dòng) ▶▶ V/RE: to move; to be moved

例 大家別動，我給你們照張相。

Dàjiā bié dòng, wǒ gěi nǐmen zhào zhāng xiàng.

Dàjiā bié dòng, wǒ gěi nǐmen jhào jhāng siàng.

Everyone, don't move; I'll take a picture of you.

例 我好累，走不動了，我們休息一下吧！

Wǒ hǎo lèi, zǒubúdòngle, wǒmen xiūxí yíxià ba!

Wǒ hǎo lèi, zǒubúdòngle, wǒmen siōusí yísià ba!

I'm very tired and can't walk any more. Let's rest for a moment!

10 打球 (dǎqiú / dǎcióu)

▶▶ VO: to play or hit a ball, to play ball (basketball, tennis etc.) games

例 白天運動場上有很多學生在打網球。

Báitiān yùndòngchǎngshàng yǒu hěnduō xuéshēng zài dǎ wǎngqiú.

Báitiān yùndòngchǎngshàng yǒu hěnduō syuéshēng zài dǎ wǎngcióu.

During the day there are many students on the sports field playing tennis.

球 (qiú / cióu) ▶▶ N: ball

11 網球 (wǎngqiú / wǎngcióu) ▶▶ N: tennis

網 (wǎng) ▶▶ N: net

網路 (wǎnglù) ▶▶ N: internet

12 完 (wán) ▶▶ RE: to finish, to complete (something)

> 例 今天的功課，我已經做完了。
> Jīntiānde gōngkè, wǒ yǐjīng zuòwánle.
> I already finished today's homework.

13 後天 (hòutiān) ▶▶ ADV/N (TW): the day after tomorrow

> 例 後天放假，我打算跟朋友去海邊烤肉。
> Hòutiān fàngjià, wǒ dǎsuàn gēn péngyǒu qù hǎibiān kǎoròu.
> Hòutiān fàngjià, wǒ dǎsuàn gēn péngyǒu cyù hǎibiān kǎoròu.
> The day after tomorrow is a holiday. I plan to go to the beach with my friends to have a barbecue.

14 空氣 (kōngqì / kōngcì) ▶▶ N: air

> 例 郊區的車子少，空氣比市區乾淨。
> Jiāoqū de chēzi shǎo, kōngqì bǐ shìqū gānjìng.
> Jiāocyū de chēzih shǎo, kōngcì bǐ shìhcyū gānjìng.
> There are fewer cars in the suburbs; the air is cleaner than in the city.

15 乾淨 (gānjìng) ▶▶ SV: to be clean

> 例 這件衣服太髒了，洗不乾淨了。
> Zhèijiàn yīfú tài zāngle, xǐbùgānjìngle.
> Jhèijiàn yīfú tài zāngle, sǐbùgānjìngle.
> This outfit is too dirty to be cleaned properly.

乾 (gān) ▶▶ SV: to be dry

16 練習 (liànxí / liànsí) ▶▶ V/N: to practice, to drill or practice; exercise

> 例 我不常練習打網球，所以打得沒有哥哥那麼好。
> Wǒ bùcháng liànxí dǎ wǎngqiú, suǒyǐ dǎde méiyǒu gēge nàme hǎo.
> Wǒ bùcháng liànsí dǎ wǎngcióu, suǒyǐ dǎde méiyǒu gēge nàme hǎo.

I don't practice playing tennis often, so I don't play as well as my older brother.

例 這課的練習不難，我很快就寫完了。

Zhèikède liànxí bùnán, wǒ hěnkuài jiù xiěwán le.

Jhèikède liànsí bùnán, wǒ hěnkuài jiòu siěwán le.

The exercises in this chapter aren't hard; I finished writing them very quickly.

17 慢跑 (mànpǎo) ▸▸ N/V: jogging; to jog

例 方小姐每天在公園慢跑三公里。

Fāng Xiǎojiě měitiān zài gōngyuán mànpǎo sān gōnglǐ.

Fāng Siǎojiě měitiān zài gōngyuán mànpǎo sān gōnglǐ.

Miss Fang jogs three kilometers in the park every day.

18 或是 (huòshì / huòshih) ▸▸ CONJ: or, either ... or

例 烤肉或是炸雞，我都喜歡。

Kǎoròu huòshì zhájī, wǒ dōu xǐhuān.

Kǎoròu huòshih jhájī, wǒ dōu sǐhuān.

Whether it's roast meat or fried chicken, I like them both.

19 籃球 (lánqiú / láncióu) ▸▸ N: basketball

20 游泳 (yóuyǒng) ▸▸ VO/N: to swim; swimming

例 他游泳游得很好，籃球也打得不錯。

Tā yóuyǒng yóude hěnhǎo, lánqiú yě dǎde búcuò.

Tā yóuyǒng yóude hěnhǎo, láncióu yě dǎde búcuò.

He swims very well and is also pretty good at basketball.

游 (yóu) ▸▸ V: to swim

SUPPLEMENTARY VOCABULARY

21 身體 (shēntǐ) ▶▶ N: body, health

例 多吃青菜、水果對身體好。

Duō chī qīngcài, shuǐguǒ duì shēntǐ hǎo.

Duō chīh cīngcài, shuěiguǒ duèi shēntǐ hǎo.

Eating more green vegetables and fruits is good for your health.

22 清楚 (qīngchǔ / cīngchǔ) ▶▶ SV: to be clear

例 黑板上的字太小，我看不清楚。

Hēibǎnshàngde zì tàixiǎo, wǒ kànbùqīngchǔ.

Hēibǎnshàngde zìh tàisiǎo, wǒ kànbùcīngchǔ.

The characters on the blackboard are too small; I can't see them clearly.

23 長 (zhǎng / jhǎng) ▶▶ V: to grow (up)

例 因為他小時候常運動，所以長得很高。

Yīnwèi tā xiǎoshíhòu cháng yùndòng, suǒyǐ zhǎngde hěn gāo.

Yīnwèi tā siǎoshíhhòu cháng yùndòng, suǒyǐ jhǎngde hěn gāo.

Because he exercised often as a child, he grew up to be very tall.

24 瓶 (píng) ▶▶ M/BF: bottle of, jar of, vase of

例 我買了兩瓶汽水，這瓶請你喝。

Wǒ mǎi le liǎngpíng qìshuǐ, zhèipíng qǐng nǐ hē.

Wǒ mǎi le liǎngpíng cìshuěi, jhèipíng cǐng nǐ hē.

I bought two bottles of soda – this one is my treat to you.

瓶子 (píngzi / píngzih) ▶▶ N: bottle

SYNTAX PRACTICE

1 Stative Verbs Used as Resultative Endings

I. -清楚，-乾淨，-大，-高，-快，-對，-錯，etc.

1. 她說話聲音太小，我常常聽不清楚。
2. 這件衣服這麼髒，洗得乾淨嗎？
   也許洗得乾淨，我試試看。
3. 他的孩子都已經長大了。
4. 母親對孩子說：「要是你不吃青菜，就長不高。」
5. 她穿著那麼高的鞋子，當然跑不快。
6. 這個字，我總是念不對。
7. 你又說錯了，請你再說一次。

II. -好 indicates satisfaction or completion.

1. 這件事太難，我想小孩子做不好。
2. 後天的考試，你準備好了沒有？
   我還沒準備好呢。
3. 他剛到外國的時候，吃不好也睡不好，所以瘦了。
4. 媽，我已經把功課寫好了，可以出去玩嗎？

III. -飽 indicates satisfaction of appetite.

1. 你吃飽了沒有？
   我吃飽了，您慢吃。
2. 只吃青菜沙ㄕㄚ拉ㄌㄚ (shālā)，你吃得飽嗎？
   我吃不飽。

Complete the following sentences.

1. 幾年不見，他長＿＿＿＿＿＿＿＿了。

2. 報上的字太小，我看＿＿＿＿＿＿＿＿。

3. 用毛筆寫字，我寫＿＿＿＿＿＿＿＿。

4. 對不起，我寫＿＿＿＿＿＿＿＿了你的名字。

5. 你先把手洗＿＿＿＿＿＿＿＿，再吃飯。

6. 我老了，學中文學＿＿＿＿＿＿＿＿。

7. 昨天夜裡太熱，我沒睡＿＿＿＿＿＿＿＿，所以今天很累。

8. 一碗飯太少，我吃＿＿＿＿＿＿＿＿。

9. 野餐的東西，我都準備＿＿＿＿＿＿＿＿了。

10. 這個字，你沒寫＿＿＿＿＿＿＿＿，請你再寫一次。

2 Action Verbs Used as Resultative Endings

Ⅰ. -見 indicates perception of what is seen, heard, and smelled.

1. 請你把燈打開，要不然我什麼都看不見。
2. 對不起，我沒聽見你叫我。

Ⅱ. -懂 indicates comprehension of what is seen, read, or heard.

1. 那個電影，我看了，可是沒看懂。
2. 這封信是用德文寫的，我看不懂。

3. 你聽得懂聽不懂日本話？

   我一句也聽不懂。

Ⅲ. -到 indicates arrival or attainment.

1. 我太矮，要是站在後面，什麼都看不到（or 看不見）。

2. 從我家到學校，十分鐘走不到。

3. 別把藥放在孩子拿得到的地方。

4. 我知道我應該多運動，可是做不到。

5. 我沒想到你的中文說得這麼好。

6. 在市區，常常找不到（找不著）地方停車。

IV. -著 indicates success or attainment.

1. 因為我喝了很多茶，所以睡不著。

2. 這件事，我自己能做，用不著請別人幫忙。

3. 我很久沒見著（or 見到）他了。

4. 早一點去吧！要不然恐怕買不著（or 買不到）票。

Ⅴ. -完 indicates completion.

1. 這本書，一年念得完念不完？
   我想念得完。
2. 我每天有做不完的事，忙得不得了。
3. 那本書，我還沒看完，不能借你。
4. 你喝得完這瓶酒嗎？
   我一個人喝不完。

Ⅵ. -了 indicates ability or completion.

1. 明天我有事，恐怕去不了。
2. 你開車去海邊，半個鐘頭到得了嗎？
   半個鐘頭一定到得了。
3. 他忘不了他的第一個女朋友。
4. 爸爸點的菜太多，我們吃不了（or 吃不完）。
5. 我一個人拿不了這些東西，請你幫我拿一點，好嗎？

VII. **-動 indicates movement.**

1. 我走不動了，休息一會兒吧！

2. 這個箱子很重，小孩子拿不動。

3. 這個櫃子，你一個人大概搬不動。

3 **Auxiliary Verb Used as Resultative Endings**

· 學會 (master, learned)

1. 每個人都學得會開車嗎？

   聽說有的人學不會。

2. 我學過游泳，可是我太緊張，所以沒學會。

Complete the following sentences.

1 那本書太難了，我看＿＿＿＿＿＿＿。

2 那裡人太多，我沒看＿＿＿＿＿＿他。

3 聽說那個電影很好，恐怕買＿＿＿＿＿票。

4 一百個字，五分鐘寫＿＿＿＿＿＿。

5 我家離學校很近，用＿＿＿＿＿＿＿＿開車去。

6 這課，今天念＿＿＿＿＿＿＿＿。

7 他們說話的聲音很大，我睡＿＿＿＿＿＿＿＿。

8 我一個人搬＿＿＿＿＿＿＿＿那個大桌子。

9 我找＿＿＿＿＿＿＿＿我的書了，怎麼辦？

10 學中文以前，我沒想＿＿＿＿＿＿＿＿中文這麼有意思。

11 要是你不用功，你就學＿＿＿＿＿＿＿＿。

12 孩子太多，媽媽哪裡也去＿＿＿＿＿＿＿＿。

13 兩個人吃＿＿＿＿＿＿＿＿五個菜。

14 他很忙，我不常見＿＿＿＿＿＿＿＿他。

15 坐飛機從美國到台灣去，一天到＿＿＿＿＿＿＿＿。

16 他要我每天早上慢跑一個鐘頭，我做＿＿＿＿＿＿＿＿。

17 他說英文說得太快，我聽＿＿＿＿＿＿＿＿。

18 東西太多，我想你一個人拿＿＿＿＿＿＿＿＿。

19 我忘＿＿＿＿＿＿＿＿他說的那些話。

20 已經走了兩個鐘頭了，我真走＿＿＿＿＿＿＿＿了。

APPLICATION ACTIVITIES

1　Answer the following questions

1. 你為什麼要我再說一次？

2. 他為什麼跑不快？

3. 你為什麼睡不著？

4. 小孩子為什麼不能自己洗衣服？

5. 我要你寫「一」，你為什麼寫「七」？

6. 那本書，你為什麼沒看完？

7. 他為什麼買不到衣服？

8. 明天你為什麼來不了？

9. 為什麼有的人學不好外國話？

10. 還有很多菜，你為什麼不吃了？

11. 你昨天為什麼沒睡好？

12. 你為什麼要自己告訴他那件事？

13. 他為什麼用不著自己做飯？

14. 你為什麼戴著眼鏡 (yǎnjìng)* 看電視？

15. 你為什麼要開燈？

16. 你為什麼要我說英文？

17. 你為什麼不能一個人搬那個冰箱？

18. 你去停車，為什麼去了這麼久？

19. 為什麼有的人學不會開車？

20. 今天考試，你為什麼沒準備好？

21. 你為什麼要我幫你拿一部分的書？

22. 下課以後，為什麼他半個鐘頭到不了家？

*
眼鏡 (yǎnjìng)：glasses

2 Talk about the sport you like.

籃球

網球

足(zú)球*

棒(bàng)球*

排(pái)球*

*

足球 (zúqiú / zúcióu)：soccer, foot ball（ V：踢 tī ）
棒球 (bàngqiú / bàngcióu)：baseball（ V：打 dǎ ）
排球 (páiqiú / páicióu)：volley ball（ V：打 dǎ ）

游ㄧㄡˊ泳ㄩㄥˇ

慢ㄇㄢˋ跑ㄆㄠˇ

3 Situation

Two students meet at the gym or athletic field and talk about exercise.

第11課

我們好好兒地慶祝慶祝①②

DIALOGUE

I

A：下個月五號是你二十一歲的生日③，
　我們應該好好兒地慶祝慶祝。

B：我想開一個舞會④，請朋友們到我家來玩。我正想⑤問你能不
　能幫我忙⑥呢？

A：當然可以，你打算請多少人呢？

B：二十幾個人。不知道我應該準備多少吃的東西。

A：我想你可以準備一個大一點的蛋糕⑦，再買些水果跟點心⑧。

B：都是甜的⑨恐怕不太好吧？我可以請我媽媽做一點鹹的⑩中國
　點心。

A：那就更好了。包子⑪、春捲ㄔㄨㄣㄐㄩㄢˇ (chūnjuǎn / chūnjyuǎn)* 都不錯。

B：水果呢？買什麼最好？

A：買葡萄⑫跟西瓜⑬吧。橘子⑭現在還有一點酸⑮。

B：準備什麼飲料⑯呢？

A：我想想看。噢，有一種水果酒，味道⑰酸酸甜甜的，加一點⑱
　冰塊⑲，大家一定都喜歡。

B：好，就這麼決定吧。

春ㄔㄨㄣ捲ㄐㄩㄢˇ (chūnjuǎn / chūnjyuǎn)：spring roll

Ⅱ

C：前天的舞會，你們玩得怎麼樣？

D：噢，好玩極了。

C：參加的人多不多？

D：不少。那天的女孩子，個個都漂亮。

C：小王也去了嗎？

D：他當然去了，還帶著女朋友呢。

C：他女朋友是不是瘦瘦高高的，臉圓圓的？

D：對啊，眼睛大大的。

C：那我以前見過一次。小李、小張也都去了嗎？

D：都去了。我們大家在一塊兒又唱又跳，好有意思。可惜你
　　沒去。

C：是啊，這次我有事去不了，下次我一定參加。

ㄅ一ˋ ㄕˋ 一 ㄎㄜ　　ㄨㄛˋ ㄇㄣ ㄏㄠˇ ㄏㄠˇ ㄦ ㄊㄜ ㄌㄥˊ ㄓㄨˋ ㄑㄩˋ ㄓㄨ

I

A: ㄒ一ㄚˋ ㄍㄜ ㄐㄩˋ ㄨˇ ㄏㄠˋ ㄕˋ ㄋ一ˇ ㄦ ㄕˋ 一 ㄍㄡˋ ㄌㄜ˙ ㄕˋ ㄖˋ，ㄨㄛˇ ㄇㄣ 一 ㄍㄜ ㄏㄠˇ ㄏㄠˇ
ㄦ ㄉㄜ˙ ㄑㄩˋ ㄓㄨˋ ㄑㄩˋ ㄓㄨˋ。

B: ㄨㄛˇ ㄒ一ㄤˇ ㄎㄞ 一 ㄍㄜ ㄨˇ ㄏㄨㄟˋ，ㄑㄧㄥˊ ㄆㄡˊ 一 ㄅ一ˋ ㄌㄜ˙ ㄓˋ ㄖˋ ㄇㄞˊ。ㄨㄛˇ ㄓˋ ㄒ一ㄤˇ
ㄨㄣ ㄋ一ˇ ㄋㄞˊ ㄅ一ㄥˋ ㄅ一ㄥˊ ㄅㄣˋ ㄊㄤˊ ㄜ˙ ㄊㄤˊ ㄊㄜ˙。

A: ㄉㄤ ㄖㄢˊ ㄎㄜ 一ˇ，ㄋ一ˇ ㄉㄚˇ ㄙㄨˋ ㄑ一ˇ ㄆㄞˋ ㄕˋ ㄖˋ ㄇㄜ˙？

B: ㄦ ㄕˋ ㄐ一ˇ ㄍㄜ ㄖㄢˊ。ㄅㄨˋ ㄓˋ ㄨㄛˇ 一 ㄍㄞˋ ㄓㄨˋ ㄅㄨˋ ㄍㄨˋ ㄔ ㄉㄨㄥ ㄒ一。

A: ㄨㄛˇ ㄒ一ㄤˇ ㄋ一ˇ ㄎㄞ 一ˇ ㄓㄨˋ ㄆ一ˊ 一 ㄍㄜ ㄅ一ˇ 一ˇ ㄅ一ㄢˊ ㄉㄜ˙ ㄉ一ㄢ ㄍㄠ，ㄗㄞˋ ㄇㄞˇ ㄒ一ㄝˊ ㄏㄨㄛˇ ㄍㄨㄛˇ
ㄍㄣ ㄉ一ㄢˇ ㄒ一ㄣ。

B: ㄅㄡˋ ㄕˋ ㄊㄧㄢˊ ㄉㄜ˙ ㄎㄨㄥ ㄆㄨˊ ㄅㄣ ㄊ一ˊ ㄏㄠˇ ㄋ？ㄨㄛˇ ㄎㄞˇ 一 ㄑ一ˇ ㄨ ㄇㄚˊ 一ㄚˊ ㄨㄛˇ 一ˊ ㄅ一ㄢˇ
ㄒ一ㄢˇ ㄉㄜ˙ ㄓㄨˋ ㄉ一ㄢˋ ㄒ一ㄢ。

A: ㄋㄚˇ ㄐㄧ ㄍㄨ ㄏㄠˇ ㄉㄜ˙。ㄅㄠˇ ㄕˊ、ㄔㄨㄢ ㄐㄩˋ ㄉㄡˋ ㄨㄛˋ ㄎㄜ˙。

B: ㄙㄨˊ ㄍㄨㄛ˙ ㄋㄜ˙？ㄇㄚˊ ㄕˊ ㄇㄜ˙ ㄗㄨˊ ㄏㄨˇ？

A: ㄇㄞˊ ㄆㄨˊ ㄊㄠˊ ㄍㄣ ㄒ一 ㄍㄨㄚ ㄍㄨㄚ。ㄐㄩ ㄖˊ ㄒ一ㄢ ㄗㄞ ㄏㄨˋ 一ˋ ㄅ一ㄢ ㄙㄢˊ。

B: ㄓㄨˋ ㄅㄟˇ ㄖˇ ㄇㄣ ㄅㄣˊ ㄌㄧㄠˋ ㄉㄜ˙？

A: ㄨㄛˇ ㄒ一ㄤ ㄒ一ㄤ ㄎㄢˇ。ㄡˋ，一ㄡˇ 一 ㄓㄨˋ ㄙㄨˊ ㄍㄨㄛˊ ㄐ一ㄡˇ，ㄨˇ ㄅㄟ ㄙㄤˊ ㄙㄤ ㄊ一ㄢˋ ㄊ一ㄢˋ ㄉ一ㄤ˙ ，
ㄐ一ㄚˋ 一 ㄌ一ㄢ ㄅ一ㄥ ㄆㄨㄞˇ，ㄅ一ˇ ㄐ一ㄚˋ 一ˊ ㄌ一ㄤ ㄉㄚ ㄒ一ˊ ㄏㄨㄢ。

B: ㄏㄠˇ，ㄐㄡ ㄓㄜˋ ㄇㄜˊ ㄐㄩㄝ ㄉㄧㄥˋ。

II

C: ㄑ一ㄢ ㄊㄢˊ ㄉㄜ˙ ㄨˇ ㄏㄨㄟˋ，ㄋ一ˇ ㄇㄣ ㄨˇ ㄉㄜ˙ ㄗㄣ ㄇㄜˊ 一ㄤˋ？

D: ㄡˋ，ㄏㄨˇ ㄏㄨㄛˋ ㄐ一 ㄌㄜ˙。

C：ㄊㄞ ㄐㄚ ˙ㄉㄜ ㄖㄨㄛ ㄅㄨㄛ ？

D：ㄅㄨ ㄕㄠ 。 ㄟ ㄊㄞ ˙ㄉㄜ ㄋㄩ ㄞˊ ˙ㄗ ， ㄍㄜ ㄍㄜ ㄅㄡ ㄊㄠ ㄌㄤ 。

C：ㄒㄧㄠ ㄨㄤ ㄧㄝ ㄑㄩ ˙ㄉㄜ ˙ㄇㄚ ？

D：ㄊㄚ ㄉㄤ ㄖㄢ ㄑㄩ ˙ㄉㄜ ， ㄏㄞ ㄅㄞ ㄓ ㄋㄚ ㄆㄧㄥ ㄧㄡ ˙ㄉㄜ !

C：ㄊㄚ ㄋㄩ ㄋㄥ ㄅㄨ ㄋㄥ ㄕˊ ㄨ ㄕ ㄗ ㄍㄜ ㄍㄜ ˙ㄉㄜ ， ㄅㄧㄢ ㄐㄩ ㄐㄩ ˙ㄅㄚ ？

D：ㄅㄨ ˙ㄚ ， ㄧ ㄅㄞ ㄐㄧ ㄅㄚ ㄅㄚ ˙ㄉㄜ 。

C：ㄋㄚ ㄨㄛ ㄧ ㄅㄞ ㄅㄞ ㄑㄩ ㄐㄧ ㄍㄨ ㄧ ㄔㄞ 。 ㄒㄧㄠ ㄉㄧ 、 ㄒㄧㄠ ㄓ ㄧ ㄅㄟ ㄑㄩ ˙ㄉㄜ ˙ㄚ ？

D：ㄅㄡ ㄑㄩ ˙ㄉㄜ 。 ㄨㄛ ˙ㄇㄣ ㄐㄧㄚ ㄐㄩ ㄗㄞ ㄧ ㄎㄨㄞ ㄦ ㄧㄡ ㄔ ㄧㄡ ㄊㄡ ㄒㄧㄠ ， ㄏㄠ ˙ㄉㄜ ㄧ
ㄙ 。 ㄎㄜ ㄒㄧ ㄋㄟ ㄑㄩ 。

C：ㄕ ˙ㄚ ， ㄓ ㄊㄞ ㄨㄛ ㄧ ㄕ ㄑㄩ ㄅㄟ ㄌㄜ ， ㄒㄧㄚ ㄘ ㄨㄛ ㄧ ㄅㄧㄥ ㄅㄞ ㄐㄧㄚ 。

Dì Shíyī Kè — Wǒmen Hǎohǎorde Qìngzhù Qìngzhù

(Pinyin)

I

A：Xiàge yuè wǔhào shì nǐ èrshíyī suì de shēngrì, wǒmen yīnggāi hǎohǎorde qìngzhù qìngzhù.

B：Wǒ xiǎng kāi yíge wǔhuì, qǐng péngyǒumen dào wǒ jiā lái wán. Wǒ zhèng xiǎng wèn nǐ néng bùnéng bāng wǒ máng ne.

A：Dāngrán kěyǐ, nǐ dǎsuàn qǐng duōshǎo rén ne?

B：Èrshíjǐge rén. Bùzhīdào wǒ yīnggāi zhǔnbèi duōshǎo chīde dōngxī.

A：Wǒ xiǎng nǐ kěyǐ zhǔnbèi yíge dà yìdiǎnde dàngāo, zài mǎi xiē shuǐguǒ gēn diǎnxīn.

B：Dōu shì tiánde kǒngpà bútài hǎo ba? Wǒ kěyǐ qǐng wǒ māma zuò yìdiǎn xiánde Zhōngguó diǎnxīn.

A：Nà jiù gèng hǎole. Bāozi, chūnjuǎn dōu búcuò.

B : Shuǐguǒ ne? Mǎi shénme zuì hǎo?

A : Mǎi pútáo gēn xīguā ba. Júzi xiànzài hái yǒu yìdiǎn suān.

B : Zhǔnbèi shénme yǐnliào ne?

A : Wǒ xiǎngxiǎng kàn. Òu, yǒu yìzhǒng shuǐguǒjiǔ, wèidào suānsuān tiántiánde, jiā yìdiǎn bīngkuài, dàjiā yídìng dōu xǐhuān.

B : Hǎo, jiù zhème juédìng ba.

 II

C : Qiántiānde wǔhuì, nǐmen wánde zěnmeyàng?

D : Òu, hǎowánjíle.

C : Cānjiāde rén duō bùduō?

D : Bùshǎo. Nèitiānde nǚháizi, gège dōu piàoliàng.

C : Xiǎo Wáng yě qùle ma?

D : Tā dāngrán qùle, hái dàizhe nǚpéngyǒu ne.

C : Tā nǚpéngyǒu shì búshì shòushòu gāogāode, liǎn yuányuánde?

D : Duì a, yǎnjīng dàdàde.

C : Nà wǒ yǐqián jiànguò yícì. Xiǎo Lǐ, Xiǎo Zhāng yě dōu qùle ma?

D : Dōu qùle. Wǒmen dàjiā zài yíkuàr yòu chàng yòu tiào, hǎo yǒuyìsi. Kěxí nǐ méiqù.

C : Shì a, zhèicì wǒ yǒu shì qùbùliǎo, xiàcì wǒ yídìng cānjiā.

  Dì Shíhyī Kè Wǒmen Haǒhaǒrde Cìngjhù Cìngjhù

(Tongyong)

I

A : Siàge yuè wǔhào shìh nǐ èrshíhyī suèi de shēngrìh, wǒmen yīnggāi hǎohǎorde cìngjhù cìngjhù.

B : Wǒ siǎng kāi yíge wǔhuèi, cǐng péngyǒumen dào wǒ jiā lái wán. Wǒ jhèng siǎng wùn nǐ néng bùnéng bāng wǒ máng ne.

A： Dāngrán kěyǐ, nǐ dǎsuàn cǐng duōshǎo rén ne?

B： Èrshíhjǐge rén. Bùjhīhdào wǒ yīnggāi jhǔnbèi duōshǎo chīhde dōngsī.

A： Wǒ siǎng nǐ kěyǐ jhǔnbèi yíge dà yìdiǎnde dàngāo, zài mǎi siē shuěiguǒ gēn diǎnsīn.

B： Dōu shìh tiánde kǒngpà bútài hǎo ba? Wǒ kěyǐ cǐng wǒ māma zuò yìdiǎn siánde Jhōngguó diǎnsīn.

A： Nà jiòu gèng hǎole. Bāozih, chūnjyuǎn dōu búcuò.

B： Shuěiguǒ ne? Mǎi shénme zuèi hǎo?

A： Mǎi pútáo gēn sīguā ba. Jyúzih siànzài hái yǒu yìdiǎn suān.

B： Jhǔnbèi shénme yǐnliào ne?

A： Wǒ siǎngsiǎng kàn. Duèile, yǒu yìjhǒng shuěiguǒjiǒu, wèidào suānsuān tiántiánde, jiā yìdiǎn bīngkuài, dàjiā yídìng dōu sǐhuān.

B： Hǎo, jiòu jhème jyuédìng ba.

Ⅱ

C： Ciántiānde wǔhuèi, nǐmen wánde zěnmeyàng?

D： Òu, hǎowánjíle.

C： Cānjiāde rén duō bùduō?

D： Bùshǎo. Nèitiānde nyǔháizih, gège dōu piàoliàng.

C： Siǎo Wáng yě cyùle ma?

D： Tā dāngrán cyùle, hái dàijhe nyǔpéngyǒu ne.

C： Tā nyǔpéngyǒu shìh búshìh shòushòu gāogāode, liǎn yuányuánde?

D： Duèi a, yǎnjīng dàdàde.

C： Nà wǒ yǐcián jiànguò yícìh. Siǎo Lǐ, Siǎo Jhāng yě dōu cyùle ma?

D： Dōu cyùle. Wǒmen dàjiā zài yíkuàr yòu chàng yòu tiào, hǎo yǒuyìsih. Kěsí nǐ méicyù.

C： Shìh a, jhèicìh wǒ yǒu shìh cyùbùliǎo, siàcìh wǒ yídìng cānjiā.

LESSON 11

LET'S HAVE A NICE CELEBRATION

 I

A : The fifth of next month is your twenty-first birthday. We should have a nice celebration.

B : I want to have a dance party and invite friends over to my house. I was just thinking of asking you if you could help me.

A : Of course I can. How many people were you thinking of inviting?

B : Over twenty people. I don't know how much food I should prepare.

A : I think you can prepare a larger cake and buy some fruit and snacks.

B : Those are all sweet. Perhaps that's not very good. I could ask my mother to make some salty Chinese snacks.

A : That's even better. Pork buns and spring rolls are both pretty good.

B : What about fruit? What kinds would be the best to buy?

A : Buy some grapes and watermelon. Right now tangerines are still a little sour.

B : What drinks should be prepared?

A : Let me think. Oh, there's a type of fruit wine that tastes sweet and sour. If we add a little ice cubes to it, everyone will surely like it.

B : Good, then it's settled.

 II

C : How was the dance party you went to the day before yesterday?

D : Oh, it was a great deal of fun.

C : Were there a lot of people there?

D : Quite a few. That day every one of the girls was pretty.

C : Did Little Wang also go?

D : Of course he went, and he brought a girlfriend.

C : Was his girlfriend tall and slender with a round face?

D : Right, her eyes were very big.

C : I've seen her once before. Did Little Li and Little Zhang also go?

D : Yes. They all went. We all sang and danced together. It was a lot of fun. It's a pity you didn't go.

C : Yes. This time I had something I had to do, so I couldn't go. Next time I'll come along for sure.

NARRATION

　　我男朋友高高瘦瘦的，又聰明又用功，籃球也打得很好。我們認識了兩年了，他一直對我很好。下星期六是他二十二歲的生日，我打算給他好好兒地慶祝慶祝，開一個生日舞會，請朋友們都來參加。

　　我要自己做一個大大的蛋糕，還要買西瓜、葡萄、橘子跟蘋果㉗，做一大盤酸酸甜甜的水果沙拉，當然也要準備很多飲料。

　　我沒告訴我男朋友開舞會的事，所以他一點也不知道。我想，到了下星期六的晚上，他一定特別高興。

ㄨㄛˇ ㄋㄢˊ ㄆㄥˊ ㄧㄡˇ ㄍㄠ ㄍㄠ ㄕㄡˋ ㄕㄡˋ ˙ㄉㄜ，ㄧㄡˋ ㄘㄨㄥ ㄇㄧㄥˊ ㄧㄡˋ ㄩㄥˋ ㄍㄨㄥ，ㄌㄢˊ ㄑㄧㄡˊ ㄧㄝˇ ㄉㄚˇ ˙ㄉㄜ ㄏㄣˇ ㄏㄠˇ。ㄨㄛˇ ˙ㄇㄣ ㄖㄣˋ ㄕ˙ ㄌㄜ ㄌㄧㄤˇ ㄋㄧㄢˊ ˙ㄌㄜ，ㄊㄚ ㄧ ㄓˊ ㄉㄨㄟˋ ㄨㄛˇ ㄏㄣˇ ㄏㄠˇ。ㄒㄧㄚˋ ㄒㄧㄥ ㄑㄧ ㄌㄧㄡˋ ㄕˋ ㄊㄚ ㄦˋ ㄕˊ ㄦˋ ㄙㄨㄟˋ ˙ㄉㄜ ㄕㄥ ㄖˋ，ㄨㄛˇ ㄉㄚˇ ㄙㄨㄢˋ ㄍㄟˇ ㄊㄚ ㄏㄠˇ ㄏㄠˇ ㄦ˙ ˙ㄉㄜ ㄑㄧㄥˋ ㄓㄨˋ ㄑㄧㄥˋ ㄓㄨˋ，ㄎㄞ ㄧˊ ˙ㄍㄜ ㄕㄥ ㄖˋ ㄨˇ ㄏㄨㄟˋ，ㄑㄧㄥˇ ㄆㄥˊ ㄧㄡˇ ˙ㄇㄣ ㄉㄡ ㄌㄞˊ ㄘㄢ ㄐㄧㄚ。

ㄨㄛˇ ㄧㄠˋ ㄗˋ ㄐㄧˇ ㄗㄨㄛˋ ㄧˊ ˙ㄍㄜ ㄉㄚˋ ㄉㄚˋ ˙ㄉㄜ ㄉㄢˋ ㄍㄠ，ㄏㄞˊ ㄧㄠˋ ㄇㄞˇ ㄒㄧ ㄍㄨㄚ、ㄆㄨˊ ㄊㄠˊ、ㄐㄩˊ ˙ㄗ ㄍㄣ ㄆㄧㄥˊ ㄍㄨㄛˇ，ㄗㄨㄛˋ ㄧˊ ㄉㄚˋ ㄆㄢˊ ㄙㄨㄢ ㄙㄨㄢ ㄊㄧㄢˊ ㄊㄧㄢˊ ˙ㄉㄜ ㄕㄨㄟˇ ㄍㄨㄛˇ ㄕㄚ ㄌㄚ，ㄉㄤ ㄖㄢˊ ㄧㄝˇ ㄧㄠˋ ㄓㄨㄣˇ ㄅㄟˋ ㄏㄣˇ ㄉㄨㄛ ㄧㄣˇ ㄌㄧㄠˋ。

ㄨㄛˇ ㄇㄟˊ ㄍㄠˋ ㄙㄨˋ ㄨㄛˇ ㄋㄢˊ ㄆㄥˊ ㄧㄡˇ ㄎㄞ ㄨˇ ㄏㄨㄟˋ ˙ㄉㄜ ㄕˋ，ㄙㄨㄛˇ ㄧˇ ㄊㄚ ㄧˋ ㄉㄧㄢˇ ㄧㄝˇ ㄅㄨˋ ㄓ ㄉㄠˋ。ㄨㄛˇ ㄒㄧㄤˇ，ㄉㄠˋ ˙ㄌㄜ ㄒㄧㄚˋ ㄒㄧㄥ ㄑㄧ ㄌㄧㄡˋ ˙ㄉㄜ ㄨㄢˇ ㄕㄤˋ，ㄊㄚ ㄧˊ ㄉㄧㄥˋ ㄊㄜˋ ㄅㄧㄝˊ ㄍㄠ ㄒㄧㄥˋ。

Wǒ nánpéngyǒu gāogāo shòushòude, yòu cōngmíng yòu yònggōng, lánqiú yě dǎde hěn hǎo. Wǒmen rènshìle liǎngnián le, tā yìzhí duì wǒ hěn hǎo. Xià xīngqíliù shì tā èrshíèr suì de shēngrì, wǒ dǎsuàn gěi tā hǎohǎorde qìngzhù qìngzhù, kāi yíge shēngrì wǔhuì, qǐng péngyǒumen dōu lái cānjiā.

Wǒ yào zìjǐ zuò yíge dàdàde dàngāo, hái yào mǎi xīguā, pútáo, júzi gēn píngguǒ, zuò yídàpán suānsuān tiántiánde shuǐguǒ shālā, dāngrán yě yào zhǔnbèi hěn duō yǐnliào.

Wǒ méigàosù wǒ nánpéngyǒu kāi wǔhuìde shì, suǒyǐ tā yìdiǎn yě bùzhīdào. Wǒ xiǎng, dàole xià xīngqíliùde wǎnshàng, tā yídìng tèbié gāoxìng.

Wǒ nánpéngyǒu gāogāo shòushòude, yòu cōngmíng yòu yònggōng, láncióu yě dǎde hěn hǎo. Wǒmen rènshìhle liǎngnián le, tā yìjhíh duèi wǒ hěn hǎo. Sià sīngcíliòu shìh tā èrshíhèr suèi de shēngrìh, wǒ dǎsuàn gěi tā hǎohǎorde cìngjhù cìngjhù, kāi yíge shēngrìh wǔhuèi, cǐng péngyǒumen dōu lái cānjiā.

Wǒ yào zìhjǐ zuò yíge dàdàde dàngāo, hái yào mǎi sīguā, pútáo, jyúzih gēn píngguǒ, zuò yídàpán suānsuān tiántiánde shuěiguǒ shālā, dāngrán yě yào jhǔnbèi hěn duō yǐnliào.

Wǒ méigàosù wǒ nánpéngyǒu kāi wǔhuèide shìh, suǒyǐ tā yìdiǎn yě bùjhīhdào. Wǒ siǎng, dàole sià sīngcíliòude wǎnshàng, tā yídìng tèbié gāosìng.

....

My boyfriend is tall and skinny, intelligent and hard working, and plays basketball very well. We've known each other for two years and he's always been very good to me. Next Saturday is his twenty-second birthday. I'm planning to give him a nice celebration by having a dance party and inviting all his friends over.

I want to make a big birthday cake myself and buy some watermelons, grapes, tangerines, and apples to make a big plate of sweet and sour fruit salad. Of course I'm also going to prepare a lot of drinks.

I haven't told my boyfriend that there is going to be a dance party, so he doesn't know a thing about it. I think that when next Saturday night comes, he'll be especially happy.

VOCABULARY

1 好好 / 好兒地 (hǎohǎorde / haǒhāorde)

▸▸ ADV: in a proper way, to the best of one's ability, seriously, carefully, nicely

例 學生應該好好兒地練習學過的語法。

Xuéshēng yīnggāi hǎohǎorde liànxí xuéguò de yǔfǎ.

Syuéshēng yīnggāi hǎohāorde liànsí syuéguò de yǔfǎ.

Students should thoroughly practice previously studied grammar.

地 (de)

▸▸ P: a particle usually added to the end of an adjective to form an adverbial phrase

例 時間不夠，我很快地就吃完了飯。

Shíjiān búgòu, wǒ hěnkuàide jiù chī wánle fàn.

Shíhjiān búgòu, wǒ hěnkuàide jiòu chīh wánle fàn.

There wasn't enough time, so I ate quickly.

2 慶祝 (qìngzhù / cìngjhù) ▸▸ V: to celebrate

例 明天是你女朋友的生日，你們打算怎麼慶祝？

Míngtiān shì nǐ nǚpéngyǒu de shēngrì, nǐmen dǎsuàn zěnme qìngzhù?

Míngtiān shìh nǐ nyǔpéngyǒu de shēngrìh, nǐmen dǎsuàn zěnme cìngjhù?

Tomorrow is your girlfriend's birthday. How do you plan to celebrate?

祝 (zhù / jhù)

▸▸ V: to wish (someone good health, good luck, etc.), to offer good wishes

例 祝你考試考得好。

Zhù nǐ kǎoshì kǎode hǎo.

Jhù nǐ kǎoshìh kǎode hǎo.

Good luck on your test.

3 生日 (shēngrì / shēngrìh) ▸▸ N: birthday

4 開 (kāi) ▸▸ V: to hold an event

5 舞會 (wǔhuì / wǔhuèi) ▸▸ N: dance party

例 昨天是他二十歲的生日，朋友給他開了一個舞會。

Zuótiān shì tā èrshísuì de shēngrì, péngyǒu gěi tā kāile yíge wǔhuì.

Zuótiān shìh tā èrshíhsuèi de shēngrìh, péngyǒu gěi tā kāile yíge wǔhuèi.

Yesterday was his 20th birthday. His friends held a dance party for him.

會 (huì / huèi) ▸▸ N: meeting

開會 (kāihuì / kāihuèi) ▸▸ VO: to have a meeting

例 他們公司每個星期一早上開會。

Tāmen gōngsī měige xīngqíyī zǎoshàng kāihuì.

Tāmen gōngsīh měige sīngcíyī zǎoshàng kāihuèi.

Their office has a meeting every Monday morning.

茶會 (cháhuì / cháhuèi) ▸▸ N: a tea party

6 正 (zhèng / jhèng) ▸▸ ADV: just (now), right (now)

例 我正想出門，沒想到下起雨來了。

Wǒ zhèng xiǎng chūmén, méixiǎngdào xiàqǐyǔ lái le.

Wǒ jhèng siǎng chūmén, méisiǎngdào siàcǐyǔ lái le.

I was just about to go out without knowing it would suddenly start raining.

7 蛋糕 (dàngāo) ▸▸ N: cake

姐姐做的水果蛋糕真好吃。

Jiějie zuòde shuǐguǒ dàngāo zhēn hǎochī.

Jiějie zuòde shuěiguǒ dàngāo jhēn hǎochīh.

The fruit cake my sister makes is really delicious.

蛋 (dàn) ▸▸ N: egg

8 點心 (diǎnxīn / diǎnsīn) ▸▸ N: a snack, light refreshment

我要買一些點心帶去朋友家。

Wǒ yào mǎi yìxiē diǎnxīn dàiqù péngyǒujiā.

Wǒ yào mǎi yìsiē diǎnsīn dàicyù péngyǒujiā.

I want to buy a few snacks to take to my friend's house.

9 甜 (tián) ▸▸ SV: to be sweet

這個蛋糕太甜了，不要吃太多。

Zhèige dàngāo tàitiánle, búyào chī tàiduō.

Jhèige dàngāo tàitiánle, búyào chīh tàiduō.

This cake is too sweet. Don't eat too much.

10 鹹 (xián / sián) ▸▸ SV: to be salty

我喜歡吃鹹的中國點心。

Wǒ xǐhuān chī xiánde Zhōngguó diǎnxīn.

Wǒ sǐhuān chīh siánde Jhōngguó diǎnsīn.

I like to eat salty Chinese snacks.

11 包子 (bāozi / bāozih) ▸▸ N: steamed bun

這個包子是甜的還是鹹的？

Zhèige bāozi shì tiánde háishì xiánde?

Jhèige bāozih shìh tiánde háishìh siánde?

Is this steamed bun sweet or salty?

12 葡萄 (pútáo) ▸▸ N: grape

13 西瓜 (xīguā / sīguā) ▸▸ N: watermelon

14 橘子 (júzi / jyúzih) ▸▸ N: orange, tangerine

例 台灣人常常夏天吃西瓜、葡萄，冬天吃橘子。

Táiwānrén chángcháng xiàtiān chī xīguā, pútáo, dōngtiān chī júzi.

Táiwānrén chángcháng siàtiān chīh sīguā, pútáo, dōngtiān chīh jyúzih.

Taiwanese often eat watermelon and grapes in the summer and tangerines in the winter.

15 酸 (suān) ▸▸ SV: to be sour

例 有的人不太愛吃酸的東西。

Yǒuderén bútài ài chī suānde dōngxī.

Yǒuderén bútài ài chīh suānde dōngsī.

Some people don't like to eat sour things very much.

16 飲料 (yǐnliào) ▸▸ N: soft drink, beverage

例 慢跑以後，我常喝運動飲料。

Mànpǎo yǐhòu, wǒ cháng hē yùndòng yǐnliào.

I often drink sports drinks after jogging.

17 味道 (wèidào) ▸▸ N: taste, flavor, smell, odor

例 她做的糖醋魚 (tángcùyú)*，味道好極了。

Tā zuò de tángcùyú wèidào hǎojíle.

The sweet-and-sour fish she makes tastes extremely good.

18 加 (jiā) ▸▸ V: to add to

例 天氣冷了，加件衣服再出門吧！

Tiānqì lěngle, jiā jiàn yīfú zài chūmén ba!

Tiāncì lěngle, jiā jiàn yīfú zài chūmén ba!

The weather's gotten cold. Wear an extra piece of clothing when you go out!

*

糖醋魚 (tángcùyú)：sweet and sour fish

19 冰塊 (bīngkuài) ▸▸ N: ice cube

> 例　我喝可樂 (kělè) 的時候，一定加冰塊。
> Wǒ hē kělè de shíhòu, yídìng jiā bīngkuài.
> Wǒ hē kělè de shíhhòu yídìng jiā bīngkuài.
> **I definitely add ice cubes when I drink cola.**

20 前天 (qiántiān / ciántiān) ▸▸ ADV/N (TW): the day before yesterday

> 例　你前天是跟誰去參加舞會的？
> Nǐ qiántiān shì gēn shéi qù cānjiā wǔhuì de?
> Nǐ ciántiān shìh gēn shéi cyù cānjiā wǔhuèi de?
> **With whom did you go to the dance party the day before yesterday?**

21 好玩（兒）(hǎowán / hǎowár) ▸▸ SV: to be interesting, to be full of fun

> 例　很多外國人都說台灣南部的海邊很好玩。
> Hěnduō wàiguórén dōu shuō Táiwān nánbù de hǎibiān hěn hǎowán.
> Hěnduō wàiguórén dōu shuō Táiwān nánbù de hǎibiān hěn hǎowán.
> **Many foreigners say that the beaches in the southern part of Taiwan are lots of fun.**

22 參加 (cānjiā) ▸▸ V: to attend, to participate

> 例　明天的茶會，你參不參加？
> Míngtiānde cháhuì, nǐ cān bùcānjiā?
> Míngtiānde cháhuèi, nǐ cān bùcānjiā?
> **Are you going to attend tomorrow's tea party?**

23 圓 (yuán) ▸▸ SV: to be round, to be circular

> 例　臉圓圓的那位小姐是誰？
> Liǎn yuányuánde nèiwèi xiǎojiě shì shéi?
> Liǎn yuányuánde nèiwèi siǎojiě shìh shéi?
> **Who's that young woman with the round face?**

(24) 眼睛 (yǎnjīng) ▸▸ N: eye（M: 隻 zhī / jhīh，雙 shuāng）

例 躺在床上看書對眼睛不好。

Tǎngzài chuángshàng kànshū duì yǎnjīng bùhǎo.

Tǎngzài chuángshàng kànshū duèi yǎnjīng bùhǎo.

Reading in bed is bad for the eyes.

(25) 又 (yòu) ▸▸ ADV: moreover, furthermore, more

例 那種點心又香又甜，我吃了好幾個。

Nèizhǒng diǎnxīn yòu xiāng yòu tián, wǒ chīle hǎojǐge.

Nèijhǒng diǎnsīn yòu siāng yòu tián, wǒ chīhle hǎojǐge.

That kind of pastry is both fragrant and sweet, so I ate many of it.

(26) 可惜 (kěxí / kěsí) ▸▸ ADV/SV: to be a pity; too bad

例 那個地方很美，可惜我們去的那天天氣不好。

Nèige dìfāng hěnměi, kěxí wǒmen qùde nèitiān tiānqì bùhǎo.

Nèige dìfāng hěnměi, kěsí wǒmen cyùde nèitiān tiāncì bùhǎo.

That place is very beautiful. It's a pity the weather was bad that day that we went.

例 昨天的舞會真有意思，你沒參加，很可惜。

Zuótiān de wǔhuì zhēn yǒu yìsi, nǐ méi cānjiā, hěn kěxí.

Zuótiān de wǔhuèi jhēn yǒu yìsih, nǐ méi cānjiā hěn kěsí.

The dance yesterday was truly interesting. It's a pity you didn't attend.

SUPPLEMENTARY VOCABULARY

(27) 蘋果 (píngguǒ) ▸▸ N: apple

例 英文有句話說：每天吃一個蘋果，就不用看醫生了。

Yīngwén yǒu jù huà shuō: Měitiān chī yíge píngguǒ, jiù búyòng kàn yīshēng le.

Yīngwún yǒu jyù huà shuō: Měitiān chīh yíge píngguǒ, jiòu búyòng kàn yīshēng le.

There is a saying in English that goes: "An apple a day keeps the doctor away."

28 鼻子 (bízi / bízih) ▸▸ N: nose

29 嘴 (zuǐ / zuěi) ▸▸ N: mouth（M: 張 zhāng / jhāng）

例 這個孩子的鼻子像爸爸，嘴像媽媽。
Zhèige háizi de bízi xiàng bàba, zuǐ xiàng māma.
Jhèige háizih de bízih siàng bàba, zuěi siàng māma.
This child's nose resembles his father's, while his mouth resembles his mother's.

30 李子 (lǐzi / lǐzih) ▸▸ N: plum

例 李子的味道酸酸甜甜的。
Lǐzide wèidào suānsuān tiántián de.
Lǐzihde wèidào suānsuān tiántián de.
A plum's flavor is sour and sweet.

31 笑 (xiào / siào) ▸▸ V: to smile, to laugh, to laugh at

例 他很客氣，總是笑著說話。
Tā hěn kèqì, zǒngshì xiàozhe shuōhuà.
Tā hěn kècì, zǒngshìh siàojhe shuōhuà.
He's very polite. He always smiles when he speaks.

例 我說中文說錯的時候，請別笑我。
Wǒ shuō Zhōngwén shuō cuò de shíhòu, qǐng bié xiào wǒ.
Wǒ shuō Jhōngwún shuō cuò de shíhhòu, cǐng bié siào wǒ.
When I make mistakes speaking Chinese, please don't laugh at me.

笑話 (xiàohuà / siàohuà) ▸▸ N: joke

SYNTAX PRACTICE

1 Reduplication of Stative Verbs

A. Monosyllabic SVs

When a reduplicated stative verb still retains the characteristics of a stative verb, then a 的 must be added after it. When this reduplicated form is an adverb modifying a verb, 地 can be inserted between the adverb and the verb. 兒 can be added to the reduplicated stative verb, and the second syllable of the reduplicated stative verb is usually changed to the first tone.

| 大大的眼睛 | big eyes |
| 好好(兒)地做 | do well, carefully do something |

B. Disyllabic SVs (XY→XXYY)

When a reduplicated form of this type still retains the characteristics of a stative verb, a 的 should be added after it. When this reduplicated form is an adverb modifying a verb, 地 can be inserted between the adverb and the verb.

| 乾乾淨淨的衣服 | spotless clothing |
| 高高興興地玩 | play happily |

Ⅰ. As Predicates

1. 他的鼻子高高的，嘴小小的。

2. 西瓜外面綠綠的，裡面紅紅的。

3. 這個點心甜甜的，很好吃。

4. 那些孩子每天都高高興興的。

5. 他的東西都乾乾淨淨的。

II. As Modifiers of a Noun

1. 那個大大的蘋果是日本蘋果。
2. 我喜歡胖胖的孩子。
3. 那個紅紅圓圓的水果叫李子。
4. 誰都喜歡漂漂亮亮的衣服。
5. 這雙鞋還好好(兒)的，你為什麼不穿了？
   因為太小了。

III. As Predicate Complements

1. 她每天都穿得漂漂亮亮的。
2. 他站得遠遠的，不願意過來。
3. 他在信上寫得清清楚楚的。
4. 孩子們本來玩得好好兒的，後來打起來了。
5. 你學得好好兒的，怎麼不學了？
   時間不夠了。

IV. As Adverbials

1. 好好兒（地）走，別跑！
2. 美美最近常沒來上課，老師要跟她好好兒（地）談談。
3. 還早呢，你可以慢慢兒（地）做。
4. 他總是客客氣氣地跟別人說話。
5. 你放心，那件事我已經清清楚楚地告訴他了。

Change the stative verb into a reduplicated form.

1 小杯子

2 熱湯

3 漂亮的小姐

4 鼻子高

5 很香的炸雞

6 掛得很高

7 很客氣地說

8 穿得很乾淨

9 快走

10 慢吃

2 Reduplication of Verbs

A. Monosyllabic Verbs

| 看（一）看 | have a look, take a look |
| 看了（一）看 | took a look |

B. Disyllabic Verbs (XY→XYXY)

| 休息休息 | take a rest, take a break |

1. 雨停了，我們出去走走吧。

2. 那輛汽車不便宜，可是他想了想，就買了。

3. 吃晚飯以後，我喜歡喝喝茶，看看書。

4. 去法國旅行的事，你可以問問你的朋友。

5. 請你給我們介紹介紹台灣好玩的地方。

Change the verb into a reduplicated form.

1. 我要坐一會兒。
2. 請你等我。
3. 我們得好好兒地打算。
4. 請你們幫忙。
5. 他想學德文。
6. 我想跟你談話。
7. 你應該休息。
8. 明天要考試，今天晚上得準備。
9. 我游泳游得不好，應該練習。
10. 下個禮拜三是你的生日，我們一塊兒慶祝吧！

3 Reduplication of Measure Words

The reduplication of measure words conveys the meaning of the English word "each."

1. 我買的蘋果，個個都甜。
2. 現在家家都有電視。
3. 那些菜，盤盤都好吃。
4. 她的衣服，件件都漂亮。
5. 他年年都到美國去玩。

Complete the following sentences with reduplicated measure words.

1. 他畫的畫，＿＿＿＿＿＿＿＿＿＿都美。
2. 我的朋友，＿＿＿＿＿＿＿＿＿都會打網球。
3. 你的鞋，＿＿＿＿＿＿＿＿＿都很乾淨。

④ 他們家的屋子，＿＿＿＿＿＿＿＿都大。

⑤ 上個禮拜，＿＿＿＿＿＿＿＿都下雨。

⑥ 你賣的東西，＿＿＿＿＿＿＿＿都便宜。

⑦ 那裡的飯館，＿＿＿＿＿＿＿＿都好。

⑧ 那個國家的河，＿＿＿＿＿＿＿＿都不長。

---

4 **Sentences with Adverbs 又 and 也 Used as Correlative Conjunctions**

"N 又 SV 又 SV" and "N 也 SV 也 SV" both have the same meaning of "both...and". However, of the two patterns, "N 也 SV 也 SV" is used much less often. N 又 (AV) V₁ O₁, 又 (AV) V₂O₂" and "N 也 (AV) V₁O₁, 也 (AV) V₂ O₂" have the same meaning. However, when 又 is used, the mood is stronger than when 也 is used. Also, when 又 is used, the subject of V₁ and V₂ is the same person or thing, whereas when 也 is used the subject may not be the same.

Ⅰ. 又……又 (both...and)

A.

N	又	SV₁	又	SV₂
她	又	聰明	又	漂亮。

She is both intelligent and beautiful.

1. 這家飯館的菜又便宜又好吃，所以生意好得不得了。

2. 老師寫的句子又清楚又容易，學生很快就懂了。

3. 那個地方又遠又不方便，去的人不多。

4. 這種葡萄又酸又不好吃，我不要買。

5. 在台北坐捷運又快又方便。

B.

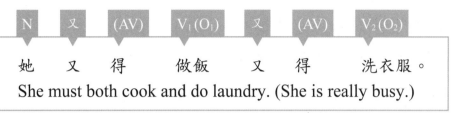

她　又　得　　做飯　又　得　　洗衣服。

She must both cook and do laundry. (She is really busy.)

1. 他們又說又笑，高興極了。

2. 你又跑又跳，當然覺得熱。

3. 他們又吃又喝，忘了時間了。

4. 我又教書又念書，累得不得了。

5. 他又有汽車又有房子，一定很有錢。

Ⅱ. 也……也 **(both...and)**

A.

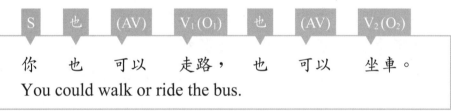

你　也　可以　　走路，　也　可以　　坐車。

You could walk or ride the bus.

1. 你喜歡甜的點心還是鹹的？

   我也喜歡甜的，也喜歡鹹的。

2. 這兩個蘋果，一個大，一個小，你要哪個？

   我也要大的，也要小的。

3. 你想學什麼？

   我也想學法文，也想學德文。

4. 你們學說話還是學寫字？

我們也學說話，也學寫字。

5. 那所中學都是男學生嗎？

那所中學也有男學生，也有女學生。

B.

N₁	也	SV/AV-V-O,	N₂	也	SV/AV-V-O

你　也　忙，　　　我　也　忙。
Both you and I are busy.

她　也　愛唱歌，　　我　也　愛唱歌。
Both she and I like to sing.

1. 這個季節，西瓜也甜，葡萄也甜。

2. 那家飯館的包子也好吃，牛肉麵也好吃。

3. 他也不喜歡喝酒，我也不喜歡喝酒。

4. 那本日文書，小張也看不懂，小李也看不懂。

5. 上個週末，父親也在家，母親也在家。

Make sentences with the 又……又 pattern.

1. 他、高、瘦
2. 蛋糕、香、甜
3. 飛機、快、舒服
4. 小孩子、跑、跳
5. 她、唱歌、跳舞
6. 他有電視、照相機

Make sentences with the 也……也 pattern.

1. 他要吃魚、吃肉。
2. 我喜歡看電影，她喜歡看電影。
3. 哥哥會游泳，妹妹會游泳。
4. 我們學說話、學寫字。
5. 他有兒子、女兒。
6. 老師不舒服，學生不舒服。

✏️ APPLICATION ACTIVITIES

1 Please describe what the child looks like.

頭髮 (tóufǎ)：hair

眼睛

鼻子

耳朵 (ěrduo)：ear

嘴

2 If someone does not know what "watermelon" or "apple" is, how would you describe them?

3 Situations

1. **Two students discuss how to have a dance party.**

2. **A conversation between two people who meet at a dance party.**

3. **A person returning from a party describes the party to someone who did not attend.**

第12課

錶①讓我②給弄丟③了

DIALOGUE

Ⅰ

大明：小愛，你怎麼了？出了什麼事了？④

小愛：我爸媽送我的新錶讓我給弄丟了。

大明：是怎麼弄丟的？你是不是摘下來放在哪裡了？⑤

小愛：我下了課去洗手的時候摘下來的，可是忘了放在哪裡了。

大明：你到洗手間⑥去看過了嗎？

小愛：看過了，可是不在那裡。

大明：別著急，慢慢找。

小愛：我已經找了半天了，還找不著，怎麼辦呢？

（小愛說著說著，哭起來了。）⑦

大明：別哭，別哭，再好好兒想想。是不是放在書包裡了？⑧再
　　　找找吧。你口袋裡的東西是什麼？是不是錶？

小愛：啊！就是我的錶。奇怪⑨，我怎麼沒想到呢？

大明：你真是太糊塗⑩
　　　了。快戴上吧，
　　　別再弄丟了。

小愛：下次我要小心
　　　一點了。

II

王先生：警察先生，我的汽車被偷了。

警　察：是在哪裡被偷的？

王先生：一個鐘頭以前我把車停在路邊，到銀行去辦事，出來
　　　　的時候就發現汽車不見了。

警　察：車上有什麼重要的東西嗎？

王先生：有一個照相機和一支手機，我下車的時候忘了帶下來。

警　察：請您把您的姓名、地址、電話跟汽車的顏色、號碼什
　　　　麼的寫在這張紙上，我們想辦法給您找。

王先生：希望很快就能找到。沒有汽車真不方便。

警　察：是啊，我們一有消息，馬上就給您打電話。

王先生：好的，謝謝。

311

ㄅㄧˋ ㄕˋ ㄦˊ ㄎㄜ ㄜ　▷　ㄅㄠˋ ㄖㄤˇ ㄨㄛˇ ㄍㄟˇ ㄋㄥˊ ㄉㄡˋ ㄜ

I

ㄅㄚ ㄇㄧㄥˊ：ㄒㄧㄠˋ ㄞˋ，ㄋㄧˇ ㄕㄣ ㄇㄜ˙ ㄜˊ？ㄔㄨ ㄜ˙ ㄕㄣ ㄇㄜ˙ ㄕˋ ㄜ˙？

ㄒㄧㄠˋ ㄞˋ：ㄨㄛˇ ㄅㄚ ㄇㄚ ㄙㄨㄥˋ ㄨㄛˇ ㄜ˙ ㄒㄧ ㄅㄠ ㄖˋ ㄨˋ ㄍㄟ ㄋㄨㄥˊ ㄉㄡˋ。

ㄅㄚ ㄇㄧㄥˊ：ㄕˋ ㄗㄣ ㄇㄜ˙ ㄋㄨㄥˊ ㄉㄡˋ ㄜ˙？ㄋㄧˇ ㄕˋ ㄅㄨˋ ㄕˋ ㄓㄞ ㄒㄧㄚ ㄞˋ ㄤˇ ㄞˋ ㄚˇ ㄧ ㄜ˙？

ㄒㄧㄠˋ ㄞˋ：ㄨㄛˇ ㄒㄧㄚ ㄅㄢˋ ㄑㄩ ㄒㄧ ㄕㄡ ㄜ˙ ㄕˊ ㄏㄡˋ ㄓㄞ ㄒㄧㄚ ㄉㄞ，ㄎㄜˇ ㄕˋ ㄨˇ ㄉㄜˋ
ㄈㄤ ㄗㄞ ㄋㄚˋ ㄉㄞˋ。

ㄅㄚ ㄇㄧㄥˊ：ㄋㄧˇ ㄋㄚˋ ㄒㄧㄚ ㄕˋ ㄐㄧㄡ ㄑㄩˇ ㄍㄢˇ ㄍㄨㄛˊ ㄉㄜˋ ㄅㄚ˙？

ㄒㄧㄠˋ ㄞˋ：ㄎㄢˋ ㄍㄨㄛˊ ㄉㄜˋ，ㄎㄜˇ ㄕˋ ㄅㄨˋ ㄗㄞ ㄋㄚˋ ㄧˊ。

ㄅㄚ ㄇㄧㄥˊ：ㄅㄧㄝ ㄓㄠ ㄐㄧˊ，ㄇㄢˇ ㄇㄢ˙ ㄓㄠˇ。

ㄒㄧㄠˋ ㄞˋ：ㄨㄛˇ ㄧˋ ㄐㄧ ㄓㄠˋ ㄉㄜˋ ㄅㄢˇ ㄊㄧㄢ ㄉㄜˋ，ㄏㄞˊ ㄓㄠˋ ㄨˊ ㄓㄠˋ，ㄗㄣ ㄇㄜ˙ ㄅㄢˋ ㄋㄜ˙？

（ㄒㄧㄠˋ ㄞˋ ㄓㄨㄛˊ ㄓㄜˋ ㄓㄨㄛˊ ㄓㄜˋ，ㄎㄡ ㄑㄧˋ ㄉㄞˋ ㄉㄜˋ。）

ㄅㄚ ㄇㄧㄥˊ：ㄅㄧㄝ ㄎㄨ，ㄅㄧㄝ ㄎㄨ，ㄗㄞˋ ㄏㄠˇ ㄏㄠˇ ㄦˊ ㄒㄧㄤˇ ㄒㄧㄤˇ。ㄕˋ ㄅㄨˊ ㄕˋ ㄖㄤˊ ㄞˋ ㄨˊ ㄠ
ㄉㄜˋ ㄜ˙？ㄗㄞˋ ㄓㄜ ㄓㄜ ㄅㄢˇ。ㄋㄧˇ ㄎㄞ ㄉㄜˋ ㄉㄜˋ ㄉㄡˋ ㄒㄧˋ ㄕˋ ㄕㄣ ㄇㄜ˙？ㄕˋ
ㄎㄟ ㄕˋ ㄅㄠˋ？

ㄒㄧㄠˋ ㄞˋ：ㄚˋ！ㄐㄧㄡˋ ㄕˋ ㄨㄛˇ ㄉㄜˋ ㄅㄧ。ㄑㄧˋ ㄍㄨ，ㄨㄛˇ ㄖㄣˇ ㄇㄟ ㄇㄟ ㄒㄧㄤˇ ㄊㄠˋ ㄋㄜ˙？

ㄅㄚ ㄇㄧㄥˊ：ㄋㄧˋ ㄓㄣ ㄕˋ ㄊㄤˇ ㄏㄨˊ ㄊㄨˊ ㄉㄜˋ。ㄎㄨㄞˋ ㄉㄞˇ ㄗˇ ㄎㄣ，ㄅㄧ ㄗㄞˋ ㄋㄨㄥˊ ㄉㄡˋ ㄜ˙。

ㄒㄧㄠˋ ㄞˋ：ㄒㄧㄚ ㄘˋ ㄨㄛˇ ㄧˋ ㄒㄧㄥ ㄒㄧㄣ ㄧˋ ㄉㄧㄢˇ ㄜ˙。

II

ㄨㄤˊ ㄒㄧㄢ ㄕㄥ：ㄐㄧㄥ ㄔㄚ ㄒㄧㄢ ㄕㄥ，ㄨㄛˇ ㄉㄜˋ ㄑㄧ ㄔㄜ ㄅㄟ ㄊㄡˋ ㄉㄜˋ。

ㄐㄧㄥ ㄔㄚ：ㄕˋ ㄗㄞˋ ㄋㄚˇ ㄅㄧ ㄅㄟ ㄊㄡˋ ㄜ˙？

ㄨㄤˊ ㄒㄧㄢ ㄕㄥ：ㄧˋ ㄍㄜˊ ㄓㄨˋ ㄊㄡˋ ㄧˋ ㄑㄧ ㄨㄛˇ ㄅㄟ ㄔㄚ ㄊㄚ ㄗㄞˇ ㄉㄞˋ ㄎㄣˇ，ㄅㄧˋ ㄇㄧˇ ㄏㄚ ㄑㄩ

ㄅㄢ　ㄕ，ㄔㄨ　ㄌㄞ　ㄌㄜ　ㄕˊ　ㄏㄡˋ　ㄐㄧㄡˋ　ㄈㄚ　ㄒㄧㄢ　ㄑㄧㄝˊ　ㄔㄨ　ㄅㄨ　ㄐㄧㄢ　ㄌㄜ。

ㄐㄥˊ　ㄔㄚˊ：ㄜˊ　ㄤˋ　ㄧㄡˇ　ㄕˊ　ㄇㄜ˙　ㄓㄠˋ　ㄉㄜ˙　ㄅㄨˋ　ㄒㄧˇ　ㄧㄚ？

ㄨㄤˊ　ㄒㄧㄢ　ㄕㄥ：ㄧㄡˇ　ㄧˊ　ㄍㄜˋ　ㄒㄧㄠˇ　ㄐㄧ　ㄏㄞˊ　ㄧ　ㄓㄨㄢ　ㄐㄧ，ㄨㄛˇ　ㄒㄧㄚˋ　ㄔㄜ　ㄉㄜ˙　ㄕˊ　ㄏㄡˋ

　　　　　　ㄨㄤˊ　ㄌㄜ˙　ㄉㄞˋ　ㄒㄧㄚˋ　ㄌㄞˊ。

ㄐㄥˊ　ㄔㄚˊ：ㄑㄧㄢˊ　ㄋㄧㄢˊ　ㄅㄧㄢ　ㄋㄧㄢˊ　ㄉㄜ˙　ㄒㄧㄠˇ　ㄇㄞˋ、ㄅㄛˊ　ㄓ˙、ㄅㄧˇ　ㄏㄜˊ　ㄍㄟˇ　ㄑㄧ　ㄔㄜ˙　ㄧˊ　ㄉㄧㄢˇ　

　　　　　　ㄙㄜˋ、ㄏㄠˇ　ㄇㄚ　ㄕㄣˇ　ㄕㄣˊ　ㄉㄜ˙　ㄒㄧ　ㄗㄞˇ　ㄓㄜˋ　ㄓㄜˋ　ㄌㄧˇ　ㄕㄤˋ，ㄨˇ　ㄇㄣˊ　ㄒㄧㄣ　ㄈㄚˊ

　　　　　　ㄍㄟˇ　ㄋㄧㄢˊ　ㄓㄠˋ。

ㄨㄤˊ　ㄒㄧㄢ　ㄕㄥ：ㄒㄧ　ㄨˇ　ㄏㄨㄛˇ　ㄏㄡˋ　ㄐㄧ　ㄋㄧㄢˊ　ㄓˋ　ㄉㄠˋ。ㄇㄟˇ　ㄧˊ　ㄑㄧ　ㄔㄜ˙　ㄓㄣˋ　ㄅㄨˋ　ㄈㄣ　ㄅㄨˊ。

ㄐㄥˊ　ㄔㄚˊ：ㄕˋ　ㄚˋ，ㄨㄛˇ　ㄉㄣˇ　ㄧ　ㄧㄡˇ　ㄒㄧㄠˇ　ㄒㄧ，ㄇㄚˇ　ㄕㄤˋ　ㄐㄧㄡˋ　ㄍㄟˇ　ㄋㄧㄢˊ　ㄉㄚˇ　ㄉㄧㄢˋ　ㄏㄨㄚˋ。

ㄨㄤˊ　ㄒㄧㄢ　ㄕㄥ：ㄏㄠˇ　ㄉㄜ˙，ㄒㄧㄝˋ　ㄒㄧㄝˋ。

Dì Shíér Kè　Biǎo Ràng Wǒ Gěi Nòngdiūle

(Pinyin)

I

Dàmíng : Xiǎo Ài, nǐ zěnmele? Chūle shénme shì le?

Xiǎo Ài : Wǒ bàmā sòng wǒde xīn biǎo ràng wǒ gěi nòngdiūle.

Dàmíng : Shì zěnme nòngdiū de? Nǐ shì búshì zhāixiàlái fàngzài nǎlǐ le?

Xiǎo Ài : Wǒ xiàle kè qù xǐ shǒu de shíhòu zhāixiàlái de, kěshì wàngle
　　　　　fàngzài nǎlǐ le.

Dàmíng : Nǐ dào xǐshǒujiān qù kànguòle ma?

Xiǎo Ài : Kànguòle, kěshì búzài nàlǐ.

Dàmíng : Bié zhāojí, mànmàn zhǎo.

Xiǎo Ài : Wǒ yǐjīng zhǎole bàntiān le, hái zhǎobùzháo, zěnmebàn ne?

(Xiǎo Ài shuōzhe shuōzhe, kūqǐláile.)

Dàmíng : Biékū, biékū. Zài hǎohǎor xiǎngxiǎng. Shì búshì fàng zài shūbāolǐ
　　　　　le? Zài zhǎozhǎo ba. Nǐ kǒudàilǐde dōngxī shì shénme? Shì búshì

313

biǎo?

Xiǎo Ài ： A! Jiù shì wǒde biǎo. Qíguài, wǒ zěnme méixiǎngdào ne?

Dàmíng ： Nǐ zhēnshì tài hútú le. Kuài dàishàng ba, bié zài nòngdiūle.

Xiǎo Ài ： Xiàcì wǒ yào xiǎoxīn yìdiǎn le.

II

Wáng Xiānshēng ： Jǐngchá Xiānshēng, wǒde qìchē bèi tōule.

Jǐngchá ： Shì zài nǎlǐ bèi tōu de?

Wáng Xiānshēng ： Yíge zhōngtóu yǐqián wǒ bǎ chē tíngzài lùbiān, dào yínháng qù bàn shì, chūlái de shíhòu jiù fāxiàn qìchē bújiànle.

Jǐngchá ： Chēshàng yǒu shénme zhòngyàode dōngxī ma?

Wáng Xiānshēng ： Yǒu yíge zhàoxiàngjī hàn yìzhī shǒujī, wǒ xiàchē de shíhòu wàngle dài xiàlái.

Jǐngchá ： Qǐng bǎ nínde xìngmíng, dìzhǐ, diànhuà gēn qìchēde yánsè, hàomǎ shénmede xiězài zhèizhāng zhǐ shàng, wǒmen xiǎng bànfǎ gěi nín zhǎo.

Wáng Xiānshēng ： Xīwàng hěn kuài jiù néng zhǎodào. Méiyǒu qìchē zhēn bùfāngbiàn.

Jǐngchá ： Shì a, wǒmen yì yǒu xiāoxí, mǎshàng jiù gěi nín dǎ diànhuà.

Wáng Xiānshēng ： Hǎode, xièxie.

 Dì Shíhèr Kè ｜ Biǎo Ràng Wǒ Gěi Nòngdiōule

(Tongyong)

 I

Dàmíng ： Siǎo Ài, nǐ zěnmele? Chūle shénme shìh le?

Siǎo Ài ： Wǒ bàmā sòng wǒde sīn biǎo ràng wǒ gěi nòngdiōule.

Dàmíng ： Shìh zěnme nòngdiōu de? Nǐ shìh búshìh jhāisiàlái fàngzài nǎlǐ le?

Siǎo Ài : Wǒ siàle kè cyù sǐ shǒu de shíhhòu jhāisiàlái de, kěshìh wàngle
fàngzài nǎlǐ le.

Dàmíng : Nǐ dào sǐshǒujiān cyù kànguòle ma?

Siǎo Ài : Kànguòle, kěshìh búzài nàlǐ.

Dàmíng : Bié jhāojí, mànmàn jhǎo.

Siǎo Ài : Wǒ yǐjīng jhǎole bàntiān le, hái jhǎobùjháo, zěnmebàn ne?

(Siǎo Ài shuōjhe shuōjhe, kūcǐláile.)

Dàmíng : Biékū, biékū. Zài hǎohǎor siǎngsiǎng. Shìh búshìh fàng zài
shūbāolǐ le? Zài jhǎojhǎo ba. Nǐ kǒudàilǐde dōngsī shìh shénme?
Shìh búshìh biǎo?

Siǎo Ài : A! Jiòu shìh wǒde biǎo. Cíguài, wǒ zěnme méisiǎngdào ne?

Dàmíng : Nǐ jhēnshìh tài hútú le. Kuài dàishàng ba, bié zài nòngdiōule.

Siǎo Ài : Siàcìh wǒ yào siǎosīn yìdiǎn le.

Ⅱ

Wáng Siānshēng : Jǐngchá Siānshēng, wǒde cìchē bèi tōule.

Jǐngchá : Shìh zài nǎlǐ bèi tōu de?

Wáng Siānshēng : Yíge jhōngtóu yǐcián wǒ bǎ chē tíng zài lùbiān, dào yínháng
cyù bàn shìh, chūlái de shíhhòu jiòu fāsiàn cìchē bújiànle.

Jǐngchá : Chēshàng yǒu shénme jhòngyàode dōngsī ma?

Wáng Siānshēng : Yǒu yíge jhàosiàngjī hàn yìjhīh shǒujī, wǒ siàchē de
shíhhòu wàngle dài siàlái.

Jǐngchá : Cǐng bǎ nínde sìngmíng, dìjhǐh, diànhuà gēn cìchēde
yánsè, hàomǎ shénmede siě zài jhèijhāng jhǐh shàng,
wǒmen siǎng bànfǎ gěi nín jhǎo.

Wáng Siānshēng : Sīwàng hěn kuài jiòu néng jhǎodào. Méiyǒu cìchē jhēn
bùfāngbiàn.

Jǐngchá : Shìh a, wǒmen yì yǒu siāosí, mǎshàng jiòu gěi nín dǎ
diànhuà.

Wáng Siānshēng : Hǎode, sièsie.

LESSON 12 > I GOT MY WATCH LOST

 I

Daming : Little Ai, what's wrong? What's going on?

Little Ai : I lost the new watch my parents gave me.

Daming : How did you lose it? Did you take it off and put it somewhere?

Little Ai : After class I went to wash my hands, and I took it off, but I can't remember where I put it.

Daming : Did you go look in the washroom?

Little Ai : I did, but it's not there.

Daming : Don't get upset. Take your time looking for it.

Little Ai : I've already looked for a long time and still haven't found it. What can I do?

(As she talks, she starts to cry.)

Daming : Don't cry; don't cry. Think carefully again. Did you put it in your schoolbag? Look again. What's that thing in your pocket? Is it a watch?

Little Ai : Hey, it's my watch. Funny, why didn't I think of that?

Daming : You're really too foolish. Hurry up and put it on. Don't lose it again.

Little Ai : Next time I'll be a little more careful.

 II

Mr. Wang   : Officer, my car has been stolen.

Police Officer : Where was it stolen?

Mr. Wang   : An hour ago I parked my car on the side of the road and went to the bank to take care of some business. When I came out, I discovered my car was gone.

Police Officer : Was there anything important in the car?

Mr. Wang　　 : There were camera and a mobile phone. When I got out of the car I forgot to take them with me.

Police Officer : Please write down your name, address, telephone number, the color of your car, license plate number, and anything else (of relevance) on this paper. We'll do our best to find it for you.

Mr. Wang　　 : I hope it will be found very soon. Not having a car is really a hassle.

Police Officer : Yes, as soon as we hear anything, we'll give you a call.

Mr. Wang　　 : OK. Thank you.

NARRATION

　　小王家被偷了。昨天白天他家裡的人都去上班、上學的時候，小偷把他家的門弄壞了，偷走了電視、照相機、畫，還有一些錢什麼的。小王回家一發現就馬上打電話報警了。

　　我聽到這個消息以後，打電話到小王家，是小王媽媽接的電話。她說家裡讓小偷弄得又亂又髒㉔，還有一些東西被打破㉕了，說著說著就哭起來了。我真希望警察快一點幫他們找到丟了的東西。

ㄒㄧㄠ ㄨㄤ ㄐㄧㄚ ㄅㄟ ㄊㄡ ㄌㄜ。ㄗㄨㄛ ㄊㄧㄢ ㄅㄞ ㄊㄧㄢ ㄊㄚ ㄐㄧㄚ ㄉㄜ ㄖㄣ ㄉㄡ ㄑㄩ ㄕㄤ ㄅㄢ、ㄕㄤ ㄒㄩㄝ ㄉㄜ ㄕ ㄏㄡ，ㄒㄧㄠ ㄊㄡ ㄅㄚ ㄊㄚ ㄐㄧㄚ ㄉㄜ ㄇㄣ ㄋㄨㄥ ㄏㄨㄞ ㄌㄜ，ㄊㄡ ㄗㄡ ㄌㄜ ㄉㄧㄢ ㄕ、ㄓㄠ ㄒㄧㄤ ㄐㄧ、ㄏㄨㄚ，ㄏㄞ ㄧㄡ ㄧ ㄒㄧㄝ ㄑㄧㄢ ㄕㄣ ㄇㄜ ㄉㄜ。ㄒㄧㄠ ㄨㄤ ㄏㄨㄟ ㄐㄧㄚ ㄧ ㄈㄚ ㄒㄧㄢ ㄐㄧㄡ ㄇㄚ ㄕㄤ ㄉㄚ ㄉㄧㄢ ㄏㄨㄚ ㄅㄠ ㄐㄧㄥ ㄌㄜ。

ㄨㄛ ㄊㄧㄥ ㄉㄠ ㄓㄟ ㄍㄜ ㄒㄧㄠ ㄒㄧ ㄧ ㄏㄡ，ㄉㄚ ㄉㄧㄢ ㄏㄨㄚ ㄉㄠ ㄒㄧㄠ ㄨㄤ ㄐㄧㄚ，ㄕ ㄒㄧㄠ ㄨㄤ ㄇㄚ ㄇㄚ ㄐㄧㄝ ㄉㄜ ㄉㄧㄢ ㄏㄨㄚ。ㄊㄚ ㄕㄨㄛ ㄐㄧㄚ ㄌㄧ ㄖㄤ ㄒㄧㄠ ㄊㄡ ㄋㄨㄥ ㄉㄜ ㄧㄡ ㄌㄨㄢ ㄧㄡ ㄗㄤ，ㄏㄞ ㄧㄡ ㄧ ㄒㄧㄝ ㄉㄨㄥ ㄒㄧ ㄅㄟ ㄉㄚ ㄆㄛ ㄌㄜ，ㄕㄨㄛ ㄓㄜ ㄕㄨㄛ ㄓㄜ ㄐㄧㄡ ㄎㄨ ㄑㄧ ㄌㄞ ㄌㄜ。ㄨㄛ ㄓㄣ ㄒㄧ ㄨㄤ ㄐㄧㄥ ㄔㄚ ㄎㄨㄞ ㄧ ㄉㄧㄢ ㄅㄤ ㄊㄚ ㄇㄣ ㄓㄠ ㄉㄠ ㄉㄧㄡ ㄌㄜ ㄉㄜ ㄉㄨㄥ ㄒㄧ。

Xiǎo Wáng jiā bèi tōule. Zuótiān báitiān tā jiāde rén dōu qù shàngbān, shàngxué de shíhòu, xiǎotōu bǎ tā jiāde mén nònghuàile, tōuzǒule diànshì, zhàoxiàngjī, huà, háiyǒu yìxiē qián shénmede. Xiǎo Wáng huíjiā yì fāxiàn jiù mǎshàng dǎ diànhuà bàojǐngle.

Wǒ tīngdào zhèige xiāoxí yǐhòu, dǎ diànhuà dào Xiǎo Wáng jiā, shì Xiǎo Wáng māma jiēde diànhuà. Tā shuō jiālǐ ràng xiǎotōu nòngde yòu luàn yòu zāng, háiyǒu yìxiē dōngxī bèi dǎpòle, shuōzhe shuōzhe jiù kūqǐláile. Wǒ zhēn xīwàng jǐngchá kuài yìdiǎn bāng tāmen zhǎodào diūlede dōngxī.

Siǎo Wáng jiā bèi tōule. Zuótiān báitiān tā jiāde rén dōu cyù shàngbān, shàngsyué de shíhhòu, siǎotōu bǎ tā jiāde mén nònghuàile, tōuzǒule diànshìh, jhàosiàngjī, huà, háiyǒu yìsiē cián shénmede. Siǎo Wáng huéijiā yì fāsiàn jiòu mǎshàng dǎdiànhuà bàojǐngle.

Wǒ tīngdào jhèige siāosí yǐhòu, dǎ diànhuà dào Siǎo Wáng jiā, shìh Siǎo Wáng māma jiēde diànhuà. Tā shuō jiālǐ ràng siǎotōu nòngde yòu luàn yòu zāng, háiyǒu yìsiē dōngsī bèi dǎpòle, shuōjhe shuōjhe jiòu kūcǐláile. Wǒ jhēn sīwàng jǐngchá kuài yìdiǎn bāng tāmen jhǎodào diōulede dōngsī.

....

Little Wang's house was burglarized. During the day yesterday, when everyone had gone to work or school, a thief broke in the door of their house and stole their television, a camera, paintings, and some money, etc. As soon as Little Wang came home and discovered this, he immediately called the police.

I called Little Wang's family after I heard the news. Little Wang's mother answered the phone. She said that the thief had made a big mess and had even broken some things. She began to cry while she was speaking. I really hope the police can help them locate the things that were stolen from them soon.

VOCABULARY

1 讓 (ràng) ▸▸ CV/V: used in a passive sentence structure to introduce the agent; to let, to allow, to permit, to make

例 我買的那塊蛋糕讓妹妹吃完了。
Wǒ mǎide nèikuài dàngāo ràng mèimei chīwánle.
Wǒ mǎide nèikuài dàngāo ràng mèimei chīhwánle.
That slice of cake I bought was eaten by my little sister.

例 現在太晚了，媽媽不讓我出去。
Xiànzài tàiwǎnle, māma bú ràng wǒ chūqù.
Siànzài tàiwǎnle, māma bú ràng wǒ chūcyù.
It's too late right now. Mom won't let me go out.

2 弄 (nòng) ▸▸ V: a generalized verb meaning do, make, get, fix, etc.

例 爸爸新買的手機讓弟弟弄壞了。
Bàba xīnmǎide shǒujī ràng dìdi nònghuàile.
Bàba sīnmǎide shǒujī ràng dìdi nònghuàile.
The new mobile phone my dad bought was broken by my little brother.

3 丟 (diū / diōu) ▸▸ V: to lose (something), to throw

例 他的錶丟了，在附近找了半天還是找不到。
Tāde biǎo diūle, zài fùjìn zhǎole bàntiān háishì zhǎobúdào.
Tāde biǎo diōule, zài fùjìn jhǎole bàntiān háishìh jhǎobúdào.
He lost his watch. He's searched nearby for it for a long time but still can't find it.

例 這張紙很髒，丟了吧。
Zhèizhāng zhǐ hěnzāng, diūle ba.
Jhèijhāng jhǐh hěnzāng, diōule ba.
This piece of paper is very dirty. Throw it away.

4 出事 (chūshì / chūshìh) ▸▸ VO: to have an accident

例 小美那麼著急地跑出去，出了什麼事？

Xiǎoměi nàme zhāojíde pǎo chūqù, chūle shénme shì?

Siǎoměi nàme jhāojíde pǎo chūcyù, chūle shénme shìh?

Little Mei ran out in such a hurry. What was the matter?

5 摘 (zhāi / jhāi) ▸▸ V: to take off

例 洗手的時候，我一定把錶摘下來。

Xǐ shǒu de shíhòu, wǒ yídìng bǎ biǎo zhāixiàlái.

Sǐ shǒu de shíhhòu, wǒ yídìng bǎ biǎo jhāisiàlái.

When I wash my hands, I always take off my watch.

6 洗手間 (xǐshǒujiān / sǐshǒujiān) ▸▸ N: washroom, restroom

例 請問女生的洗手間在哪裡？

Qǐngwèn nǚshēng de xǐshǒujiān zài nǎlǐ?

Cǐngwùn nyǔshēng de sǐshǒujiān zài nǎlǐ?

Excuse me, where is the women's restroom?

7 哭 (kū) ▸▸ V: to cry

例 你的眼睛紅紅的，好像剛哭過，怎麼了？

Nǐde yǎnjīng hónghóngde, hǎoxiàng gāng kūguò, zěnmele?

Nǐde yǎnjīng hónghóngde, hǎosiàng gāng kūguò, zěnmele?

Your eyes are all red, and it looks as though you've just cried. What's wrong?

8 書包 (shūbāo) ▸▸ N: schoolbag, bookbag

例 大文喜歡把手機放在書包裡。

Dàwén xǐhuān bǎ shǒujī fàngzài shūbāolǐ?

Dàwún sǐhuān bǎ shǒujī fàngzài shūbāolǐ?

Dawen likes to put his cell phone in his bookbag.

⑨ 奇怪 (qíguài / cíguài) ▸ SV: to be strange, to be unusual

例 今年的冬天一點也不冷，真奇怪。

Jīnnián de dōngtiān yìdiǎn yě bùlěng, zhēn qíguài.

Jīnnián de dōngtiān yìdiǎn yě bùlěng, jhēn cíguài.

Winter this year hasn't been cold at all. It's truly strange.

怪 (guài) ▸ SV: to be strange, to be odd, to be unusual

例 你的聲音怪怪的，是不是感冒了？

Nǐde shēngyīn guàiguàide, shì búshì gǎnmào le?

Nǐde shēngyīn guàiguàide, shìh búshìh gǎnmào le?

Your voice is strange. Is it that you caught a cold?

⑩ 糊 / 胡塗 (hútú) ▸ SV: to be bewildered, to be mixed up, to be confused

例 我真糊塗，今天又忘了帶書來學校。

Wǒ zhēn hútú, jīntiān yòu wàngle dài shū lái xuéxiào.

Wǒ jhēn hútú, jīntiān yòu wàngle dài shū lái syuésiào.

I'm really mixed up. Today I forgot to bring my books to school again.

例 他昨天說下星期二開會，後來又說不必開了，真把我弄糊塗了。

Tā zuótiān shuō xià xīngqíèr kāihuì, hòulái yòu shuō búbì kāi le, zhēn bǎ wǒ nòng hútú le.

Tā zuótiān shuō sià sīngcíèr kāihuèi, hòulái yòu shuō búbì kāi le, jhēn bǎ wǒ nòng hútú le.

Yesterday he said we'd have a meeting next Tuesday, but later he said there was no need to have one. He's really got me confused.

⑪ 警察 (jǐngchá) ▸ N: police officer

警察局 (jǐngchájú / jǐngchájyú) ▸ N: police department

報警 (bàojǐng) ▸ VO: to report something to the police

例 車丟了的時候，一定要去報警。

Chē diūle de shíhòu, yídìng yào qù bàojǐng.

Chē diūle de shíhhòu, yídìng yào cyù bàojǐng.

When you can't find your car (lit. "When you lose your car"), you should always report it to the police.

---

12 被 (bèi) ▸▸ CV: a passive voice indicator similar to "by"

例 哥哥的房間被小狗弄亂了，讓他很生氣。

Gēge de fángjiān bèi xiǎogǒu nòng luànle, ràng tā hěn shēngqì.

Gēge de fángjiān bèi siǎogǒu nòng luànle, ràng tā hěn shēngcì.

My older brother's room was messed up by the puppy. It made him very angry.

---

13 偷 (tōu) ▸▸ V: to steal, to burglarize

例 我的手機被偷了，我要去報警。

Wǒde shǒujī bèi tōule, wǒ yào qù bàojǐng.

Wǒde shǒujī bèi tōule, wǒ yào cyù bàojǐng.

My mobile phone was stolen. I'm going to report it to the police.

小偷 (xiǎotōu / siǎotōu) ▸▸ N: thief, burglar

---

14 銀行 (yínháng) ▸▸ N: bank（M: 家 jiā）

例 我家附近的銀行被搶了，所以來了很多警察。

Wǒjiā fùjìn de yínháng bèi qiǎngle, suǒyǐ láile hěnduō jǐngchá.

Wǒjiā fùjìn de yínháng bèi ciǎngle, suǒyǐ láile hěnduō jǐngchá.

The bank near my house was robbed, so a lot of police officers showed up.

---

15 發現 (fāxiàn / fāsiàn) ▸▸ V: to discover

例 你是什麼時候發現你的錶丟了的？

Nǐ shì shénme shíhòu fāxiàn nǐde biǎo diūle de?

Nǐ shìh shénme shíhhòu fāsiàn nǐde biǎo diūle de?

When did you discover you had lost your watch?

16 不見了 (bújiànle) ▶▶ IE: (something) is gone, missing, vanished

例 我剛剛把手機放在桌子上，怎麼不見了？

Wǒ gānggāng bǎ shǒujī fàngzài zhuōzi shàng, zěnme bújiànle?

Wǒ gānggāng bǎ shǒujī fàngzài jhuōzih shàng, zěnme bújiànle?

I just now put my cell phone on the table. How come it's disappeared?

17 重要 (zhòngyào / jhòngyào) ▶▶ SV: to be important, to be vital

例 學好中國話，對我很重要。

Xuéhǎo Zhōngguóhuà, duì wǒ hěn zhòngyào.

Syuéhǎo Jhōngguóhuà, duèi wǒ hěn jhòngyào.

It's very important for me to learn Chinese well.

18 支 (zhī / jhīh) ▶▶ M: measure word for long, thin, inflexible objects

19 手機 (shǒujī) ▶▶ N: mobile phone, cell phone

20 姓名 (xìngmíng / sìngmíng) ▶▶ N: full name

例 考試的時候，別忘了寫你的姓名。

Kǎoshì de shíhòu, biéwàngle xiě nǐde xìngmíng.

Kǎoshìh de shíhhòu, biéwàngle siě nǐde sìngmíng.

When you take a test, don't forget to write your full name.

21 什麼的 (shénmede) ▶▶ N: etc., and so on

例 鹹的點心裡面，包子、春捲什麼的，我都愛吃。

Xiánde diǎnxīn lǐmiàn, bāozi, chūnjuǎn shénmede, wǒ dōu ài chī.

Siánde diǎnsīn lǐmiàn, bāozih, chūnjyuǎn shénmede, wǒ dōu ài chīh.

As far as salty snacks go – pork buns, spring rolls, etc. – I love to eat all of them.

22 希望 (xīwàng / sīwàng) ▸▸ SV/N: to hope, to wish; hope

例 我希望大家明天都能來一起慶祝美美的生日。

Wǒ xīwàng dàjiā míngtiān dōu néng lái yìqǐ qìngzhù Měiměide shēngrì.

Wǒ sīwàng dàjiā míngtiān dōu néng lái yìcǐ cìngjhù Měiměide shēngrìh.

I hope that tomorrow everyone can come celebrate Meimei's birthday together.

例 學好中文是他的新年新希望。

Xuéhǎo Zhōngwén shì tāde xīnnián xīn xīwàng.

Syuéhǎo Jhōngwún shìh tāde sīnnián sīn sīwàng.

To learn Chinese well is his new year's resolution.

23 消息 / (xiāoxí, xiāoxi / siāosí, siāosi) ▸▸ N: news, information

例 我一直沒有他的消息，不知道他最近怎麼樣。

Wǒ yìzhí méiyǒu tāde xiāoxí, bùzhīdào tā zuìjìn zěnmeyàng?

Wǒ yìjhíh méiyǒu tāde siāosí, bùjhīhdào tā zuèijìn zěnmeyàng?

I never hear anything about him. I don't know how he's doing these days.

SUPPLEMENTARY VOCABULARY

24 亂 (luàn) ▸▸ SV: to be messy

例 弟弟的臥房總是又亂又髒，讓媽媽很不高興。

Dìdi de wòfáng zǒngshì yòu luàn yòu zāng, ràng māma hěn bù gāoxìng.

Dìdi de wòfáng zǒngshìh yòu luàn yòu zāng, ràng māma hěn bù gāosìng.

My little brother's bedroom is both messy and dirty. It makes my mom very unhappy.

25　打破 (dǎpò) ▶▶ RC: to break

例 你知道這個窗戶是誰打破的嗎？

Nǐ zhīdào zhèige chuānghù shì shéi dǎpò de ma?

Nǐ jhīhdào jhèige chuānghù shìh shéi dǎpò de ma?

Do you know who broke this window?

破 (pò) ▶▶ SV: to be broken

例 你的衣服怎麼破了？快點換一件。

Nǐde yīfú zěnme pòle? Kuàidiǎn huàn yíjiàn.

Nǐde yīfú zěnme pòle? Kuàidiǎn huàn yíjiàn.

Why are your clothes torn? Hurry up and change.

26　搶 (qiǎng / ciǎng) ▶▶ V: to rob, to snatch, to grab

例 她從銀行出來的時候，錢就被搶了。

Tā cóng yínháng chūlái de shíhòu, qián jiù bèi qiǎngle.

Tā cóng yínháng chūlái de shíhhòu, cián jiòu bèi ciǎngle.

When she came out of the bank, her money was snatched from her.

27　生氣 (shēngqì / shēngcì) ▶▶ SV/VO: to be angry; to take offense

例 你這麼不客氣地跟他說話，讓他很生氣。

Nǐ zhème búkèqìde gēn tā shuōhuà, ràng tā hěn shēngqì.

Nǐ jhème búkècìde gēn tā shuōhuà, ràng tā hěn shēngcì.

You speaking so rudely to him made him very angry.

例 對不起，我錯了，請你別生我的氣。

Duìbùqǐ, wǒ cuòle, qǐng nǐ bié shēng wǒde qì.

Duèibùcǐ, wǒ cuòle, cǐng nǐ bié shēng wǒde cì.

I'm sorry. I made a mistake. Please don't be angry with me.

SYNTAX PRACTICE

1 **Passive Voice Sentences with Coverbs 被, 讓, or 叫**

This type of sentence pattern begins with the thing being acted upon and the agent of the action occurs after 被 / 讓 / 叫. In Chinese the passive sentence carries a less general meaning than in English. It is often used to indicate a bad result.

Ⅰ.

Patient	被 / 讓 / 叫	Agent	（給） V (+ Complement)
那枝筆	被	孩子	給 弄 壞了。

That pen was broken by the child.

1. 我的書被他帶回家去了，所以不能寫功課。
2. 你說得不清楚，我讓你給弄糊塗了。
3. 那件新外套叫我給弄髒了。
4. 弟弟被哥哥打了，所以哭了。
5. 他偷東西的時候被別人看見了，所以警察很快就來了。
6. 張先生放在鞋盒裡的錢被太太發現了。
7. 我要請朋友吃的點心都叫弟弟妹妹給吃完了。
8. 對不起，那個漂亮的杯子讓我給打破了。

Ⅱ. **When 被 is used, the agent noun can be omitted.**

Patient	被	V + (Complement)
我的車	被	偷 了。

My car was stolen.

1. 十字路口的那家銀行昨天被搶了。

2. 我不在家的時候，窗戶被打破了。

3. 我想買的那件又便宜又好看的衣服，很快就被買走了。

Transform the following sentences into the passive voice.

1 壞人把我的照相機偷走了。

2 哥哥把我的茶喝完了。

3 林先生把你的東西拿走了。

4 他把你的杯子打破了。

5 他把我弄糊塗了。

6 小貓把我的衣服弄髒了。

7 我把電視弄壞了。

8 她弟弟把她的汽車開走了。

2 Causative Sentences with Verbs 讓 or 叫

In causative sentences with verbs 讓 or 叫, the object of the first clause is the subject of the second clause.

In the sentence pattern "S_1 讓／叫　O_1",　　　S_2 is the doer of the V_2, not S_1.
　　　　　　　　　　　　　　　　|
　　　　　　　　　　　　　　$S_2V_2O_2$

In the sentence pattern "S_1 讓／叫　O_1",　　　the subject experiencing or
　　　　　　　　　　　　　　　　|　　　　feeling the state indicated by the
　　　　　　　　　　　　　S_2(A)SV　　　SV is S_2, not S_1.

Ⅰ.

他　叫　　我　回　家。
He let me go home.

1. 上課第一天，老師叫我們買這本書。
2. 有的父母不讓孩子看太多電視。
3. 考試的時候，老師不讓學生看手機。
4. 你叫我買的飲料，我都買好了。
5. 野餐以前，媽媽叫你準備哪些東西？
   她叫我準備三ㄙㄢ明ㄇㄧㄥ治ㄓ (sānmíngzhì / sānmíngjhìh)、水果、汽水什麼的。

Ⅱ.

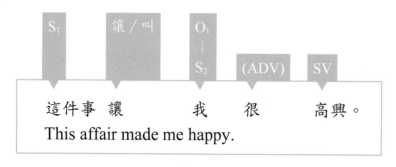

這件事 讓　　我　很　　高興。
This affair made me happy.

1. 孩子太晚回家，讓父母很生氣。
2. 他做事太慢，真叫人著急。
3. 今天不冷不熱，讓人覺得很舒服。
4. 每次考試都讓我非常緊張。

Change the following sentences using 叫 or 讓.

1. 老師對學生說：「你們回家。」
2. 爸爸對孩子說：「你去拿那本書。」
3. 媽媽對小美說：「你寫功課。」
4. 老師對大明說：「別睡覺！」

Answer the following questions.

1. 要是你很累，休息一會兒以後，讓你覺得怎麼樣？
2. 今天的天氣讓你覺得怎麼樣？
3. 坐飛機讓你覺得怎麼樣？
4. 跳舞讓你覺得怎麼樣？
5. 看電視讓你覺得怎麼樣？

3　Sentences with Correlative Conjunctions 一……就…… (just as soon as, whenever)

In Chinese, if you want to indicate "just as soon as" or "whenever," then in front of the verb in a dependent clause you should add 一，and in front of the verb in the subsequent clause add the adverb **就** (note that this adverb must occur after the subject). When the subjects of these two clauses are the same, then often one subject is omitted.

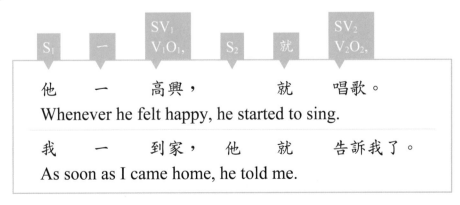

S₁	一	SV₁ V₁O₁,	S₂	就	SV₂ V₂O₂,
他	一	高興，		就	唱歌。

Whenever he felt happy, he started to sing.

| 我 | 一 | 到家， | 他 | 就 | 告訴我了。 |

As soon as I came home, he told me.

1. 媽媽太晚來接孩子，孩子一看見她，就哭起來了。
2. 我一到家，就接到愛美的電話了。
3. 弟弟一玩手機，就忘了吃飯。
4. 他累了一天，一上床，就睡著了。
5. 春天一到，花就開了。
6. 我一唱歌，他們就都走了。
7. 天氣一熱，我就覺得不舒服。
8. 孩子一生病，父母就著急。

Complete the following sentences with the 一……就 pattern.

1. 弟弟生氣；弟弟哭
2. 他考試；他緊張
3. 老師來；學生坐下
4. 警察來：小偷跑走了
5. 我感冒；我不舒服
6. 他說外國話；別人笑
7. 我上了火車；火車開了
8. 她不運動；她胖了

✎ APPLICATION ACTIVITIES

1 Answer the following questions using 叫, 讓, or 被.

(Try to give various answers.)

1. 那個小孩子為什麼哭了？

2. 他的汽車怎麼了？

3. 那家商店出了什麼事了？

4. 你的照相機呢？

5. 他為什麼很生氣？

6. 什麼事讓你緊張？

7. 什麼事讓他覺得那麼高興？

8. 你小的時候，你父母不讓你做什麼？

9. 父母常常叫孩子做什麼？

10. 老師叫學生做什麼？

2 Situations

1. A student loses something and tells a classmate about it.

2. A victim of theft reports the crime to the police.

 NOTES

Both 讓 and 被 can indicate the passive voice, but their uses are slightly different. When 讓 is used as the passive voice, the agent that goes after it can never be omitted, whereas when 被 is used, the agent can be omitted (in this case 被 would immediately be followed by the verb).

LESSON

第13課

恭喜恭喜①

DIALOGUE

I

明遠：德風，生日快樂②！

德風：明遠，你來了！歡迎，歡迎！

明遠：對不起，我有點事情③，現在才④來。這是我送給你的一點小禮物⑤，希望你喜歡。

德風：謝謝，謝謝！來，來，來，先喝點飲料吧。

明遠：好，我自己來。祝你身體健康⑥，萬事如意⑦！

德風：謝謝！桌子上有蛋糕跟點心，請隨便吃，別客氣⑧！

明遠：好，我不會客氣。李新他們都來了嗎？

德風：他們早就來了，在後面院子裡烤肉⑨呢。

明遠：那一定很熱鬧⑩，我去看看。

II

李新：明遠，你也來了啊！

明遠：我剛剛才到。你們來了很久了吧？

李新：我們三點鐘就來了。好久沒看見你了，你在忙些什麼啊？

明遠：我忙著找工作啊！⑪

李新：找到了嗎？

明遠：我在電腦公司⑫找到了一份工作⑬。

李新：那真不錯！恭喜，恭喜！現在工作好像越來越難找了⑭。

明遠：是啊，我找了好久才找到。

李新：什麼時候開始上班呢？

明遠：他們昨天才通知⑮我的，下星期一就要上班了。你呢？畢業⑯以後打算做什麼？

李新：我打算先到國外去旅行，回來再念研究所⑰。

明遠：你出國以前，我們找個時間好好地聊聊⑱吧。

李新：沒問題，我最近都有空，隨時⑲都可以。

ㄉㄧˋ ㄕˊ ㄙㄢ ㄎㄜˋ ▶ ㄍㄨㄥ ㄒㄧˇ ㄍㄨㄥ ㄒㄧˇ

I

ㄇㄧㄥˊ ㄩㄢˊ：ㄅㄛˊ ㄈㄥ，ㄕ ㄖˋ ㄎㄨㄞˋ ㄌㄜ˙！

ㄅㄛˊ ㄈㄥ：ㄇㄧㄥˊ ㄩㄢˊ，ㄋㄧˇ ㄌㄞˊ ㄌㄜ˙！ㄏㄨㄢ ㄧㄥˊ，ㄏㄨㄢ ㄧㄥˊ！

ㄇㄧㄥˊ ㄩㄢˊ：ㄅㄨˋ ㄅㄨˋ ㄑㄧˋ，ㄨㄛˇ ㄧㄡˋ ㄌㄞˊ ㄕˋ ㄑㄧㄥˊ，ㄒㄧㄢ ㄗㄞˋ ㄎㄞ ㄌㄞˋ。ㄓㄜˋ ㄕˋ ㄨㄛˇ ㄙㄨㄥˋ ㄍㄟˇ
　　ㄋㄧ˙ ㄉㄜ˙ ㄧ ㄉㄧㄢˇ ㄒㄧㄠˇ ㄌㄧˇ ㄨˋ，ㄒㄧ ㄨㄤˋ ㄋㄧˇ ㄒㄧˇ ㄏㄨㄢ。

ㄅㄛˊ ㄈㄥ：ㄒㄧㄝˋ ㄒㄧㄝˋ，ㄒㄧㄝˋ ㄒㄧㄝˋ！ㄌㄞˊ，ㄌㄞˊ，ㄌㄞˊ，ㄒㄧㄢ ㄏㄜ ㄅㄟ ㄧˇ ㄌㄧˇ ㄅㄚ。

ㄇㄧㄥˊ ㄩㄢˊ：ㄏㄠˇ，ㄨㄛˇ ㄗˋ ㄐㄧˇ ㄌㄞˊ。ㄓㄜˋ ㄋㄢˊ ㄕㄣ ㄊㄤˊ ㄐㄧㄢˇ ㄎㄤ，ㄎㄠˋ ㄕˋ ㄖˋ ㄨˋ ㄧˋ！

ㄅㄛˊ ㄈㄥ：ㄒㄧㄝˋ ㄒㄧㄝˋ！ㄓㄜˋ ㄗ ㄕ ㄧˋ ㄅㄟˋ ㄍㄨˇ ㄍㄨ ㄌㄞˊ ㄒㄧㄣ，ㄑㄧㄥ ㄍㄨˋ ㄅㄟ ㄔˊ，ㄅㄟˇ ㄎㄢ
　　ㄑㄧˋ！

ㄇㄧㄥˊ ㄩㄢˊ：ㄏㄠˇ，ㄨㄛˇ ㄅㄨˋ ㄨㄟˋ ㄎㄜˋ ㄑㄧˋ。ㄌㄚˇ ㄒㄧ ㄊㄧㄢ ㄋㄧㄢˊ ㄅㄛˇ ㄌㄞˇ ㄉㄜ˙ ㄇㄚˇ？

ㄅㄛˊ ㄈㄥ：ㄚ ㄋㄧˊ ㄗㄠˇ ㄐㄧㄡˋ ㄌㄞˊ ㄌㄜ˙，ㄗㄞˋ ㄏㄜˋ ㄇㄧㄥˊ ㄩㄢˊ ㄗ ㄌㄞˇ ㄎㄠˋ ㄖˋ ㄋㄜ˙。

ㄇㄧㄥˊ ㄩㄢˊ：ㄋㄚˇ ㄧˋ ㄌㄞˊ ㄏㄜ ㄖˋ ㄋㄚˊ，ㄨㄛˇ ㄑㄩˋ ㄎㄢˋ ㄎㄢˋ。

II

ㄉㄚˋ ㄒㄧㄣ：ㄇㄧㄥˊ ㄩㄢˊ，ㄋㄧˇ ㄧㄝˇ ㄌㄞˊ ㄌㄜ˙ ㄚ！

ㄇㄧㄥˊ ㄩㄢˊ：ㄨㄛˇ ㄍㄤ ㄍㄤ ㄎㄞˊ ㄉㄠˇ。ㄋㄧˇ ㄇㄣ˙ ㄌㄞˊ ㄌㄜ˙ ㄏㄣˇ ㄐㄧㄡˇ ㄌㄜ˙ ㄅㄚ？

ㄉㄚˋ ㄒㄧㄣ：ㄨㄛˇ ㄇㄣ˙ ㄙㄢ ㄉㄧㄢˇ ㄓㄨㄥ ㄐㄧㄡˋ ㄌㄞˊ ㄌㄜ˙。ㄏㄠˋ ㄐㄧㄡˇ ㄇㄟˊ ㄎㄢˋ ㄐㄧㄢˋ ㄋㄧˇ ㄌㄜ˙，ㄋㄧˇ ㄗˋ ㄇㄤˊ
　　ㄒㄧㄝˊ ㄕˊ ㄇㄜ˙ ㄚ？

ㄇㄧㄥˊ ㄩㄢˊ：ㄨㄛˇ ㄇㄤˊ ㄓㄜ˙ ㄓㄠˇ ㄍㄨㄛˋ ㄚ！

ㄉㄚˋ ㄒㄧㄣ：ㄓㄠˇ ㄉㄠˋ ㄌㄜ˙ ㄇㄚ？

ㄇㄧㄥˊ ㄩㄢˊ：ㄨㄛˇ ㄗˋ ㄅㄢˇ ㄋㄢˊ ㄍㄨˇ ㄙㄢ ㄓㄠˇ ㄉㄠˋ ㄌㄜ˙ ㄧˋ ㄈㄣ ㄍㄨㄥ ㄗㄨㄛˋ。

ㄉㄚˋ ㄒㄧㄣ：ㄋㄚˇ ㄓㄣ ㄅㄨˋ ㄘㄨㄛˋ！ㄍㄨㄥ ㄒㄧˇ，ㄍㄨㄥ ㄒㄧˇ！ㄒㄧㄢ ㄗㄞˋ ㄍㄨㄛˋ ㄋㄧㄢˊ ㄋㄧˇ ㄒㄧㄤˇ ㄩㄢˊ ㄌㄞˊ ㄧㄢˊ。

ㄋㄞˇ ㄓㄠˋ ㄉㄜ˙ 。

ㄇㄧㄥˊ ㄩㄢˇ ： ㄕˊ ㄚˋ ， ㄨㄛˇ ㄓㄠˋ ㄉㄜ˙ ㄏㄠˊ ㄐㄧㄡˇ ㄎㄞˋ ㄓㄠˋ ㄉㄠˋ 。

ㄉㄧˊ ㄒㄧㄣ ： ㄕㄣˊ ㄇㄜ˙ ㄕˋ ㄏㄡˋ ㄎㄞˋ ㄕˋ ㄕㄤ ㄎㄢˇ ㄋㄜ˙ ？

ㄇㄧㄥˊ ㄩㄢˇ ： ㄊㄚ ㄇㄣˊ ㄗㄨㄛˇ ㄊㄢ ㄎㄜˇ ㄎㄜˋ ㄓㄜ ㄨㄛˇ ㄉㄜ˙ ， ㄒㄧ ㄒㄧㄥ ㄑㄧˋ ㄧ ㄐㄧㄡˇ ㄧㄠˋ ㄕㄤ ㄎㄢ ㄉㄜ˙ 。
ㄋㄧˇ ㄋㄜ˙ ？ ㄅㄧ ㄧ ㄧˋ ㄏㄡˋ ㄌㄧˇ ㄙㄨㄥ ㄗㄨㄛˊ ㄕㄣˊ ㄉㄜ˙ ？

ㄉㄧˊ ㄒㄧㄣ ： ㄨㄛˇ ㄅㄚˇ ㄙㄨㄢ ㄎㄠˋ ㄉㄜˊ ㄙㄨㄢˊ ㄎㄢˇ ㄑㄧˊ ㄐㄩ ㄒㄧㄥˇ ， ㄍㄜ ㄅㄞˇ ㄕㄣˇ ㄋㄞˊ ㄎㄢ ㄐㄧㄡˇ ㄙㄨㄥˊ 。

ㄇㄧㄥˊ ㄩㄢˇ ： ㄋㄧˇ ㄔㄨㄣˊ ㄧˋ ㄑㄧ ， ㄨㄛˇ ㄇㄧˊ ㄓㄠˋ ㄍㄜˊ ㄕˋ ㄐㄧˊ ㄏㄡˇ ㄉㄜ˙ ㄎㄜˊ ㄌㄧˇ ㄔㄨㄚˋ 。

ㄉㄧˊ ㄒㄧㄣ ： ㄇㄨˋ ㄏㄨˋ ㄊㄤ ， ㄨㄛˇ ㄗㄨˋ ㄐㄩˇ ㄅㄣ ㄧˇ ㄎㄞˇ ㄙㄥ ㄕˊ ㄅㄣˋ ㄎㄞˇ ㄧˋ 。

Dì Shísān Kè　Gōngxǐ Gōngxǐ

(Pinyin)

I

Míngyuǎn ： Défēng, shēngrì kuàilè!

Défēng　 ： Míngyuǎn, nǐ láile! Huānyíng, huānyíng!

Míngyuǎn ： Duìbùqǐ, wǒ yǒu diǎn shìqíng, xiànzài cái lái. Zhè shì wǒ sònggěi
　　　　　　 nǐ de yìdiǎn xiǎo lǐwù, xīwàng nǐ xǐhuān.

Défēng　 ： Xièxie, xièxie! Lái, lái, lái xiān hē diǎn yǐnliào ba.

Míngyuǎn ： Hǎo, wǒ zìjǐ lái. Zhù nǐ shēntǐ jiànkāng, wànshìrúyì!

Défēng　 ： Xièxie! Zhuōzishàng yǒu dàngāo gēn diǎnxīn, qǐng suíbiàn chī,
　　　　　　 bié kèqì!

Míngyuǎn ： Hǎo, wǒ búhuì kèqì. Lǐ Xīn tāmen dōu láile ma?

Défēng　 ： Tāmen zǎo jiù láile, zài hòumiàn yuànzilǐ kǎoròu ne.

Míngyuǎn ： Nà yídìng hěn rènào, wǒ qù kànkàn.

II

Lǐ Xīn　 ： Míngyuǎn, nǐ yě láile a!

Míngyuǎn ： Wǒ gānggāng cái dào. Nǐmen láile hěnjiǔle ba?

Lǐ Xīn　　　: Wǒmen sāndiǎnzhōng jiù láile. Hǎojiǔ méikànjiàn nǐ le, nǐ zài máng xiē shénme a?

Míngyuǎn : Wǒ mángzhe zhǎo gōngzuò a!

Lǐ Xīn　　　: Zhǎodàole ma?

Míngyuǎn : Wǒ zài diànnǎo gōngsī zhǎodàole yífèn gōngzuò.

Lǐ Xīn　　　: Nà zhēn búcuò! Gōngxǐ, gōngxǐ! Xiànzài gōngzuò hǎoxiàng yuèláiyuè nánzhǎole.

Míngyuǎn : Shì a, wǒ zhǎole hǎojiǔ cái zhǎodào.

Lǐ Xīn　　　: Shénme shíhòu kāishǐ shàngbān ne?

Míngyuǎn : Tāmen zuótiān cái tōngzhī wǒ de, xià xīngqíyī jiù yào shàngbān le. Nǐ ne? Bìyè yǐhòu dǎsuàn zuò shénme?

Lǐ Xīn　　　: Wǒ dǎsuàn xiān dào wàiguó qù lǚxíng, huílái zài niàn yánjiùsuǒ.

Míngyuǎn : Nǐ chūguó yǐqián, wǒmen zhǎoge shíjiān hǎohǎode liáoliáo ba.

Lǐ Xīn　　　: Méiwèntí, wǒ zuìjìn dōu yǒukòng, suíshí dōu kěyǐ.

 Dì Shíhsān Kè Gōngsǐ Gōngsǐ

(Tongyong)

Míngyuǎn : Défōng, shēngrìh kuàilè!

Défōng　　: Míngyuǎn, nǐ láile! Huānyíng, huānyíng!

Míngyuǎn : Duèibùcǐ, wǒ yǒu diǎn shìhcíng, siànzài cái lái. Jhè shìh wǒ sònggěi nǐ de yìdiǎn siǎo lǐwù, sīwàng nǐ sǐhuān.

Défōng　　: Sièsie, sièsie! Lái, lái, lái siān hē diǎn yǐnliào ba.

Míngyuǎn : Hǎo, wǒ zìhjǐ lái. Jhù nǐ shēntǐ jiànkāng, wànshìhrúyì!

Défōng　　: Sièsie! Jhuōzihshàng yǒu dàngāo gēn diǎnsīn, cǐng suéibiàn chīh, bié kècì!

Míngyuǎn : Hǎo, wǒ búhuèi kècì. Lǐ Sīn tāmen dōu láile ma?

Défōng　　: Tāmen zǎo jiù láile, zài hòumiàn yuànzihlǐ kǎoròu ne.

Míngyuǎn : Nà yídìng hěn rènào, wǒ cyù kànkàn.

Lǐ Sīn : Míngyuǎn, nǐ yě láile a!

Míngyuǎn : Wǒ gānggāng cái dào. Nǐmen láile hěnjiǒule ba?

Lǐ Sīn : Wǒmen sāndiǎnjhōng jiòu láile. Hǎojiǒu méikànjiàn nǐ le, nǐ zài máng siē shénme a?

Míngyuǎn : Wǒ mángjhe jhǎo gōngzuò a!

Lǐ Sīn : Jhǎodàole ma?

Míngyuǎn : Wǒ zài diànnǎo gōngsīh jhǎodàole yífèn gōngzuò.

Lǐ Sīn : Nà jhēn búcuò! Gōngsǐ, gōngsǐ! Siànzài gōngzuò hǎosiàng yuèláiyuè nánjhǎole.

Míngyuǎn : Shìh a, wǒ jhǎole hǎojiǒu cái jhǎodào.

Lǐ Sīn : Shénme shíhhòu kāishǐh shàngbān ne?

Míngyuǎn : Tāmen zuótiān cái tōngjhīh wǒ de, sià sīngcíyī jiòu yào shàngbān le. Nǐ ne? Bìyè yǐhòu dǎsuàn zuò shénme?

Lǐ Sīn : Wǒ dǎsuàn siān dào wàiguó cyù lyǔsíng, huéilái zài niàn yánjiòusuǒ.

Míngyuǎn : Nǐ chūguó yǐcián, wǒmen jhǎoge shíhjiān hǎohǎode liáoliáo ba.

Lǐ Sīn : Méiwùntí, wǒ zuèijìn dōu yǒukòng, suéishíh dōu kěyǐ.

 LESSON 13 **CONGRATULATIONS**

Mingyuan : Defeng, happy birthday!

Tefeng : Mingyuan, you've come. Welcome, welcome.

Mingyuan : Sorry, I had something to do, so I could only come now. Here is a little present I want to give to you. I hope you'll like it.

Tefeng : Thank you, thank you. Come, come, come. Have something to drink.

Mingyuan : Fine, I'll help myself. I wish you good health and that you get whatever your heart desires.

Tefeng : Thank you. There's cake and snacks on the table. Please eat whatever you want. Don't be polite.

Mingyuan : All right, I won't be polite. Have Xin Li and the others already arrived?

Tefeng : Yes, they've already been here quite a while. They are barbecuing in the backyard.

Mingyuan : Well, that sounds like fun. I'll go have a look.

Xin Li : Mingyuan, you came, too!

Mingyuan : I only just arrived. Have you been here long?

Xin Li : We came at three o'clock. We have not seen you in a long time. What have you been doing?

Mingyuan : I've been busy looking for a job.

Xin Li : Have you found anything?

Mingyuan : I found a job at a computer company.

Xin Li : That's not bad at all. Congratulations! Nowadays it seems like jobs are harder and harder to find.

Mingyuan : Yes, I only found it after looking for a long time.

Xin Li : When do you start work?

Mingyuan : They informed me only yesterday, and I start work next Monday. What about you? What are you planning to do after you graduate?

Xin Li : I plan to first travel abroad, and after I get back, I'll start graduate school.

Mingyuan : Before you leave, let's find time to sit down and have a good talk.

Xin Li : No problem. I have a lot of free time now, so any time is fine.

NARRATION

一封信

爸爸、媽媽：

　　您二位好！我來臺北上研究所已經半年多了，認識了不少新朋友，中文也越來越進步了^⑳，請你們放心。下星期一是爸爸的生日，我買了一個生日禮物寄給爸爸，希望您這幾天就可以接到。要是禮物晚一、兩天才到，也請爸爸不要生氣。妹妹中學畢業了，請替我恭喜她。我原來打算七月回美國，可是現在想在放暑假的時候打兩個月工^㉑，所以決定寒假^㉒的時候再回去看你們。^㉓

　　祝

身體健康

女兒心樂　上

六月十二日

ㄧˋ ㄈㄥ ㄒㄧㄣ

ㄅㄚˋ ㄅㄚ˙、ㄇㄚ ㄇㄚ˙：

　ㄋㄧㄣˊ ㄦˋ ㄨㄟˋ ㄏㄠˇ！ㄨㄛˇ ㄌㄞˊ ㄊㄞˊ ㄅㄟˇ ㄕㄤˋ ㄧㄢˊ ㄐㄧㄡˋ ㄙㄨㄛˇ ㄧˇ ㄐㄧㄥ ㄅㄢˋ ㄋㄧㄢˊ ㄉㄨㄛ˙ ㄌㄜ，ㄖㄣˋ ㄕˋ ㄉㄜ˙ ㄅㄨˋ ㄕㄠˇ ㄒㄧㄣ ㄆㄥˊ ㄧㄡˇ，ㄓㄨㄥ ㄨㄣˊ ㄧㄝˇ ㄩㄝˋ ㄌㄞˊ ㄩㄝˋ ㄐㄧㄣˋ ㄅㄨˋ ㄌㄜ˙，ㄑㄧㄥˇ ㄋㄧˇ ㄇㄣ˙ ㄈㄤˋ ㄒㄧㄣ。ㄒㄧㄚˋ ㄒㄧㄥ ㄑㄧˊ ㄧ ㄕˋ ㄅㄚˋ ㄅㄚ˙ ㄉㄜ˙ ㄕㄥ ㄖˋ，ㄨㄛˇ ㄇㄞˇ ㄌㄜ˙ ㄧˊ ㄍㄜ˙ ㄕㄥ ㄖˋ ㄌㄧˇ ㄨˋ ㄐㄧˋ ㄍㄟˇ ㄅㄚˋ ㄅㄚ˙，ㄒㄧ ㄨㄤˋ ㄋㄧㄣˊ ㄓㄜˋ ㄐㄧˇ ㄊㄧㄢ ㄐㄧㄡˋ ㄎㄜˇ ㄧˇ ㄐㄧㄝ ㄉㄠˋ。ㄧㄠˋ ㄕˋ ㄌㄧˇ ㄨˋ ㄨㄢˇ ㄧ、ㄌㄧㄤˇ ㄊㄧㄢ ㄘㄞˊ ㄉㄠˋ，ㄧㄝˇ ㄑㄧㄥˇ ㄅㄚˋ ㄅㄚ˙ ㄅㄨˊ ㄧㄠˋ ㄕㄥ ㄑㄧˋ。ㄇㄟˋ ㄇㄟ˙ ㄓㄨㄥ ㄒㄩㄝˊ ㄅㄧˋ ㄧㄝˋ ㄌㄜ˙，ㄑㄧㄥˇ ㄊㄧˋ ㄨㄛˇ ㄍㄨㄥ ㄒㄧˇ，ㄅㄛˊ ㄕㄤˋ ㄒㄧㄢ ㄗㄞˋ ㄒㄧㄤˇ ㄕˋ ㄐㄧㄝˊ ㄉㄠˋ ㄕㄡˋ ㄉㄠˋ ㄑㄩ ㄐㄧㄢˋ ㄋㄧㄣ˙。

ㄓㄨˋ
ㄊㄧˇ ㄐㄧㄢˋ ㄎㄤ

ㄋㄩˇ ㄦˊ ㄒㄧㄣ ㄉㄜˊ　ㄕㄤˋ
ㄉㄡˋ ㄩㄝˋ ㄕˊ ㄦˋ ㄖˋ

Yìfēng Xìn

Bàba, Māma:

　　Nín èrwèi hǎo! Wǒ lái Táiběi shàng yánjiùsuǒ yǐjīng bànniánduō le, rènshìle bùshǎo xīn péngyǒu, Zhōngwén yě yuèláiyuè jìnbùle, qǐng nǐmen fàngxīn. Xià xīngqíyī shì bàbade shēngrì, wǒ mǎile yíge shēngrì lǐwù jìgěi bàba, xīwàng nín zhè jǐ tiān jiù kěyǐ jiēdào. Yàoshì lǐwù wǎn yì, liǎng tiān cái dào, yě qǐng bàba búyào shēngqì. Mèimei zhōngxué bìyèle, qǐng tì wǒ

gōngxǐ tā. Wǒ yuánlái dǎsuàn qīyuè huí Měiguó, kěshì xiànzài xiǎng zài
fàng shǔjià de shíhòu dǎ liǎnggeyuègōng, suǒyǐ juédìng hánjià de shíhòu
zài huíqù kàn nǐmen.

    zhù
Shēntǐ jiànkāng

Nǚér Xīnlè shàng
Liùyuè shíèrrì

. . . .

Yìfōng Sìn

Bàba, Māma:

    Nín èrwèi hǎo! Wǒ lái Táiběi shàng yánjiòusuǒ yǐjīng bànniánduō le,
rènshìhle bùshǎo sīn péngyǒu, Jhōngwún yě yuèláiyuè jìnbùle, cǐng nǐmen
fàngsīn. Sià sīngcíyī shìh bàbade shēngrìh, wǒ mǎile yíge shēngrìh lǐwù
jìgěi bàba, sīwàng nín jhè jǐ tiān jiòu kěyǐ jiēdào. Yàoshìh lǐwù wǎn yì,
liǎng tiān cái dào, yě cǐng Bàba búyào shēngcì. Mèimei jhōngsyué bìyèle,
cǐng tì wǒ gōngsǐ tā. Wǒ yuánlái dǎsuàn cīyuè huéi Měiguó, kěshìh siànzài
siǎng zài fàng shǔjià de shíhhòu dǎ liǎnggeyuègōng, suǒyǐ jyuédìng hánjià
de shíhhòu zài huéicyù kàn nǐmen.

    jhù
Shēntǐ jiànkāng

Nyǔér Sīnlè shàng
Liòuyuè shíhèrrìh

A LETTER

Mom and Dad,

How are you two? I've already been in Taipei for graduate school for more than half a year now. I've made quite a few friends, and my Chinese is getting better and better, so please put your minds at ease. Next Monday is Dad's birthday. I bought a birthday present and sent it to Dad. I hope you will receive it in the next few days. If it arrives one or two days late, Dad, please don't be angry. Little sister graduated from high school. Please congratulate her for me. Originally I had planned to come home in July, but now I think I'll work for two months during summer vacation, so I've decided to come home during winter vacation to see all of you. Wishing you all good health.

Your daughter,
Xinle
June 12th

VOCABULARY

1 恭喜 (gōngxǐ / gōngsǐ) ▸▸ V: to congratulate

例 恭喜，恭喜，祝你新年快樂，萬事如意。
Gōngxǐ, gōngxǐ, zhù nǐ xīnnián kuàilè, wànshìrúyì.
Gōngsǐ, gōngsǐ, jhù nǐ sīnnián kuàilè, wànshìhrúyì.
Congratulations! I wish you a happy new year. May all your wishes come true!

2 快樂 (kuàilè) ▸▸ SV: to be happy

例 祝你生日快樂，這是我送你的小禮物。
Zhù nǐ shēngrì kuàilè, zhè shì wǒ sòng nǐ de xiǎo lǐwù.
Jhù nǐ shēngrìh kuàilè, jhè shìh wǒ sòng nǐ de siǎo lǐwù.
I wish you a happy birthday. This is a little present for you.

3 事情 (shìqíng / shìhcíng)
▸▸ N: affair, something to do, a matter, event（M: 件 jiàn）

例 我父母每天都有做不完的事情，忙得不得了。
Wǒ fùmǔ měitiān dōu yǒu zuòbùwán de shìqíng, mángde bùdéliǎo.
Wǒ fùmǔ měitiān dōu yǒu zuòbùwán de shìhcíng, mángde bùdéliǎo.
My parents have tons of work to do every day. They are extremely busy.

4 才 (cái) ▸▸ ADV: not until, only then, only, merely

例 我沒買到機票，所以下個月才到日本去。
Wǒ méi mǎidào jīpiào, suǒyǐ xiàgeyuè cái dào Rìběn qù.
Wǒ méi mǎidào jīpiào, suǒyǐ siàgeyuè cái dào Rìhběn cyù.
I wasn't able to buy the plane tickets (in time), so I won't go to Japan until next month.

例 別^{ㄅㄧㄝˊ}著^{ㄓㄠ}急^{ㄐㄧˊ}，現^{ㄒㄧㄢˋ}在^{ㄗㄞˋ}才^{ㄘㄞˊ}七^{ㄑㄧ}點^{ㄉㄧㄢˇ}半^{ㄅㄢˋ}，還^{ㄏㄞˊ}沒^{ㄇㄟˊ}上^{ㄕㄤˋ}課^{ㄎㄜˋ}呢^{ㄋㄜ}！

Bié zhāojí, xiànzài cái qīdiǎnbàn, háiméi shàngkè ne!

Bié jhāojí, siànzài cái cīdiǎnbàn, háiméi shàngkè ne!

Don't be in a hurry. It's only seven thirty. Class hasn't started yet.

---

5 禮^{ㄌㄧˇ}物^{ㄨˋ} (lǐwù) ▸▸ N: present, gift

例 他^{ㄊㄚ}把^{ㄅㄚˇ}我^{ㄨㄛˇ}送^{ㄙㄨㄥˋ}給^{ㄍㄟˇ}他^{ㄊㄚ}的^{ㄉㄜ}生^{ㄕㄥ}日^{ㄖˋ}禮^{ㄌㄧˇ}物^{ㄨˋ}弄^{ㄋㄨㄥˋ}丟^{ㄉㄧㄡ}了^{ㄌㄜ}。

Tā bǎ wǒ sònggěi tāde shēngrì lǐwù nòngdiūle.

Tā bǎ wǒ sònggěi tāde shēngrìh lǐwù nòngdiōule.

He lost the birthday present I gave to him.

---

6 健^{ㄐㄧㄢˋ}康^{ㄎㄤ} (jiànkāng) ▸▸ SV/N: to be healthy, in good physical condition; health

例 他^{ㄊㄚ}身^{ㄕㄣ}體^{ㄊㄧˇ}很^{ㄏㄣˇ}健^{ㄐㄧㄢˋ}康^{ㄎㄤ}，很^{ㄏㄣˇ}少^{ㄕㄠˇ}生^{ㄕㄥ}病^{ㄅㄧㄥˋ}。

Tā shēntǐ hěn jiànkāng, hěnshǎo shēngbìng.

He is very healthy and rarely gets sick.

---

7 萬^{ㄨㄢˋ}事^{ㄕˋ}如^{ㄖㄨˊ}意^{ㄧˋ} (wànshìrúyì / wànshìhrúyì)

▸▸ IE: get everything your heart desires

---

8 隨^{ㄙㄨㄟˊ}便^{ㄅㄧㄢˋ} (suíbiàn / suéibiàn)

▸▸ ADV/SV/IE: whatever, wherever, whenever, do as one pleases

例 歡^{ㄏㄨㄢ}迎^{ㄧㄥˊ}，歡^{ㄏㄨㄢ}迎^{ㄧㄥˊ}，請^{ㄑㄧㄥˇ}隨^{ㄙㄨㄟˊ}便^{ㄅㄧㄢˋ}坐^{ㄗㄨㄛˋ}，別^{ㄅㄧㄝˊ}客^{ㄎㄜˋ}氣^{ㄑㄧˋ}。

Huānyíng, huānyíng, qǐng suíbiàn zuò, bié kèqì.

Huānyíng, huānyíng, cǐng suéibiàn zuò, bié kècì.

Welcome. Welcome. Please sit wherever you like. Don't be polite.

例 週^{ㄓㄡ}末^{ㄇㄛˋ}在^{ㄗㄞˋ}家^{ㄐㄧㄚ}的^{ㄉㄜ}時^{ㄕˊ}候^{ㄏㄡˋ}，我^{ㄨㄛˇ}總^{ㄗㄨㄥˇ}是^{ㄕˋ}穿^{ㄔㄨㄢ}得^{ㄉㄜ}很^{ㄏㄣˇ}隨^{ㄙㄨㄟˊ}便^{ㄅㄧㄢˋ}。

Zhōumò zàijiā de shíhòu, wǒ zǒngshì chuānde hěn suíbiàn.

Jhōumò zàijiā de shíhhòu, wǒ zǒngshìh chuānde hěn suéibiàn.

I wear whatever when I'm at home on the weekends.

例 A：你^{ㄋㄧˇ}想^{ㄒㄧㄤˇ}吃^ㄔ飯^{ㄈㄢˋ}還^{ㄏㄞˊ}是^{ㄕˋ}麵^{ㄇㄧㄢˋ}？

B：隨^{ㄙㄨㄟˊ}便^{ㄅㄧㄢˋ}。

A：Nǐ xiǎng chī fàn háishì miàn?

B：Suíbiàn.

A：Nǐ siǎng chīh fàn háishìh miàn?

B：Suéibiàn.

A：Do you want to eat (food with) rice or noodles?

B：Whichever.

9 院子 (yuànzi / yuànzih) ▶ N: courtyard, patio

例 春天的時候，我們常在院子裡喝茶，聊天。

Chūntiān de shíhòu, wǒmen cháng zài yuànzilǐ hēchá, liáotiān.

Chūntiān de shíhhòu, wǒmen cháng zài yuànzihlǐ hēchá, liáotiān.

In the spring we often drink tea and chat in the courtyard.

10 熱鬧 (rènào) ▶ SV: to be lively, to be fun, to be bustling with noise

例 那裡有很多人，又唱又跳，很熱鬧，我們過去看看吧！

Nàlǐ yǒu hěnduō rén, yòu chàng yòu tiào, hěn rènào, wǒmen guòqù kànkàn ba!

Nàlǐ yǒu hěnduō rén, yòu chàng yòu tiào, hěn rènào, wǒmen guòcyù kànkàn ba!

There are a lot of people over there both singing and dancing. It's very lively. Let's go over and have a look!

11 工作 (gōngzuò) ▶ N/V: work; to work（M: 份 fèn）

例 現在大學畢業的人太多，工作很難找。

Xiànzài dàxué bìyè de rén tàiduō, gōngzuò hěnnán zhǎo.

Siànzài dàsyué bìyè de rén tàiduō, gōngzuò hěnnán jhǎo.

There are too many college graduates now, so it's quite hard to find a job.

例 我每天從早上九點工作到下午五點。

Wǒ měitiān cóng zǎoshàng jiǔdiǎn gōngzuò dào xiàwǔ wǔdiǎn.

Wǒ měitiān cóng zǎoshàng jiǒudiǎn gōngzuò dào siàwǔ wǔdiǎn.

Every day I work from 9:00 a.m. to 5:00 p.m.

---

12 電腦 (diànnǎo) ▶▶ N: computer

例 現在要是不會用電腦，恐怕找不到工作。

Xiànzài yàoshì búhuì yòng diànnǎo, kǒngpà zhǎobúdào gōngzuò.

Siànzài yàoshìh búhuèi yòng diànnǎo, kǒngpà jhǎobúdào gōngzuò.

I'm afraid it's impossible to find work right now if you can't use a computer.

---

13 份 (fèn) ▶▶ M: measure word for publications (newspapers, magazines), jobs, etc.

例 我買了一份英文報、一份中文報。

Wǒ mǎile yífèn Yīngwén bào, yífèn Zhōngwén bào.

Wǒ mǎile yífèn Yīngwún bào, yífèn Jhōngwún bào.

I bought one English newspaper and one Chinese newspaper.

---

14 越來越…… (yuèláiyuè...) ▶▶ PT: more and more

例 天越來越黑，恐怕要下雨了。

Tiān yuèláiyuè hēi, kǒngpà yào xiàyǔ le.

Tiān yuèláiyuè hēi, kǒngpà yào siàyǔ le.

The sky is getting darker and darker. I'm afraid it's going to rain.

越……越…… (yuè...yuè...) ▶▶ PT: the more... the more...

例 他告訴我們他的錢被搶的事，越說越生氣。

Tā gàosù wǒmen tāde qián bèiqiǎng de shì, yuèshuōyuè shēngqì.

Tā gàosù wǒmen tāde cián bèiciǎng de shìh, yuèshuōyuè shēngcì.

As he was telling us how his money got robbed, he got more and more angry.

15 通知 (tōngzhī / tōngjhīh) ▸▸ V: to inform, to notify

例 我去報警的時候，警察說一有我電腦的消息，就馬上通知我。

Wǒ qù bàojǐng de shíhòu, jǐngchá shuō yì yǒu wǒ diànnǎo de xiāoxí, jiù mǎshàng tōngzhī wǒ.

Wǒ cyù bàojǐng de shíhhòu, jǐngchá shuō yì yǒu wǒ diànnǎo de siāosí, jiòu mǎshàng tōngjhīh wǒ.

When I went to file a police report, the officer said he'd notify me immediately as soon as he had any news regarding my computer.

16 畢業 (bìyè) ▸▸ VO: to graduate from a school

例 大明是三年級的學生，大學還沒畢業呢。

Dàmíng shì sānniánjí de xuéshēng, dàxué háiméi bìyè ne.

Dàmíng shìh sānniánjí de syuéshēng, dàsyué háiméi bìyè ne.

Daming is a junior; he still hasn't graduated from university.

17 研究所 (yánjiùsuǒ / yánjiòusuǒ) ▸▸ N: the graduate school

例 大學畢業以後，我打算念研究所。

Dàxué bìyè yǐhòu, wǒ dǎsuàn niàn yánjiùsuǒ.

Dàsyué bìyè yǐhòu, wǒ dǎsuàn niàn yánjiòusuǒ.

After graduating from college, I plan to attend graduate school.

研究 (yánjiù / yánjiòu) ▸▸ V: to research, to study

例 這件事有點麻煩，得好好地研究研究。

Zhèijiàn shì yǒudiǎn máfán, děi hǎohǎode yánjiù yánjiù.

Jhèijiàn shìh yǒudiǎn máfán, děi hǎohǎode yánjiòu yánjiòu.

This matter is a bit troublesome. It must be studied carefully.

18 聊 (liáo) ▸▸ V: to talk, to chat

例 你們在聊什麼？聊得這麼高興。

Nǐmen zài liáo shénme? Liáode zhème gāoxìng.

Nǐmen zài liáo shénme? Liáode jhème gāosìng.

What are you talking about that's got you all so happy?

聊天 (liáotiān) ▶▶ VO: to have a chat, to talk leisurely

---

19 隨時 (suíshí / suéishíh) ▶▶ ADV: at any time

例 我們是好朋友，要是有問題，隨時都可以來找我。

Wǒmen shì hǎopéngyǒu, yàoshì yǒu wèntí, suíshí dōu kěyǐ lái zhǎo wǒ.

Wǒmen shìh hǎopéngyǒu, yàoshìh yǒu wùntí, suéishíh dōu kěyǐ lái jhǎo wǒ.

We are good friends. If you have any problems, you can come to me at any time.

SUPPLEMENTARY VOCABULARY

20 進步 (jìnbù) ▶▶ V: to make progress, to improve

例 最近他很用功，中文進步得很快。

Zuìjìn tā hěn yònggōng, Zhōngwén jìnbù de hěnkuài.

Zuèijìn tā hěn yònggōng, Jhōngwún jìnbù de hěnkuài.

Lately he's been quite studious. His Chinese has improved very quickly.

21 暑假 (shǔjià) ▶▶ N: summer vacation

例 我們學校的暑假從七月一號放到八月三十一號。

Wǒmen xuéxiào de shǔjià cóng qīyuè yīhào fàngdào bāyuè sānshíyī hào.

Wǒmen syuésiào de shǔjià cóng cīyuè yīhào fàngdào bāyuè sānshíhyī hào.

Our school's summer break is from July 1st to August 31st.

22 打ㄉㄚˇ工ㄍㄨㄥ (dǎgōng) ▸▸ VO: to have a part time job

例 因ㄧㄣ為ㄨㄟˋ暑ㄕㄨˇ假ㄐㄧㄚˋ很ㄏㄣˇ長ㄔㄤˊ，所ㄙㄨㄛˇ以ㄧˇ我ㄨㄛˇ常ㄔㄤˊ去ㄑㄩˋ打ㄉㄚˇ工ㄍㄨㄥ。

Yīnwèi shǔjià hěn cháng, suǒyǐ wǒ cháng qù dǎgōng.

Yīnwèi shǔjià hěn cháng, suǒyǐ wǒ cháng cyù dǎgōng.

Because summer vacation is quite long, I often do part time work.

23 寒ㄏㄢˊ假ㄐㄧㄚˋ (hánjià) ▸▸ N: winter vacation

例 今ㄐㄧㄣ年ㄋㄧㄢˊ寒ㄏㄢˊ假ㄐㄧㄚˋ我ㄨㄛˇ打ㄉㄚˇ算ㄙㄨㄢˋ回ㄏㄨㄟˊ國ㄍㄨㄛˊ看ㄎㄢˋ父ㄈㄨˋ母ㄇㄨˇ。

Jīnnián hánjià wǒ dǎsuàn huíguó kàn fùmǔ.

Jīnnián hánjià wǒ dǎsuàn huéiguó kàn fùmǔ.

This winter break I plan to return to my country to see my parents.

SYNTAX PRACTICE

1 The Adverbs 再，才，and 就 Contrasted

我想（先）吃了飯，再去。	I think I'll eat first, then go.
我吃了飯，才去。	I won't go until I have eaten.
我吃了飯，就去。	After I eat, I'll go.

Ⅰ．再 is used only in connection with a contemplated action, expressing a plan, suggestion, request, or command.

A. Means "(first) ... then"

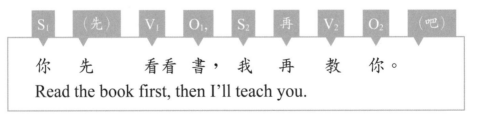

S₁	（先）	V₁	O₁,	S₂	再	V₂	O₂	（吧）

你 先 看看 書，我 再 教 你。
Read the book first, then I'll teach you.

1. 我打算先去圖書館借書，再去超市買菜。
2. 你先休息一下，再開始工作吧。
3. 我先打一個電話，再跟你聊，好不好？
   好啊。
4. 你先把手洗乾淨，再吃飯。

B. Means "not ... until"

S	Time-expression	再	V	O	（吧）
你	明天	再	寫	信	吧。

Don't write a letter until tomorrow.

1. 今年一直很忙，我想明年春天再去旅行。
2. 快上課了，我們下課以後再談吧。
3. 能不能跟你去旅行，我今天晚上再告訴你，好不好？
   好，沒問題。
4. 馬上就要吃飯了，現在別吃蛋糕，等吃完飯再吃。

Ⅱ. 才 is used in both contemplated and completed actions, expressing a plan, statement, or imperative condition. In the 才 sentence, the 是……的 pattern (not 了) can be used to indicate completed action, and the particle 呢 can be used to indicate contemplated action.

A. Means "not ... until, " "then and only then"

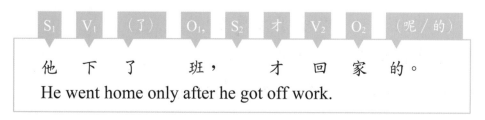

S₁	V₁	（了）	O₁,	S₂	才	V₂	O₂	（呢／的）
他	下	了	班，		才	回	家	的。

He went home only after he got off work.

1. 我關了電腦，才睡覺。

2. 他畢了業，才要出國呢。

3. 我到了家，才發現手機不見了的。

4. 他吃了藥，才上床休息的。

B. Means "not ... until," indicating an action takes or took place later than expected

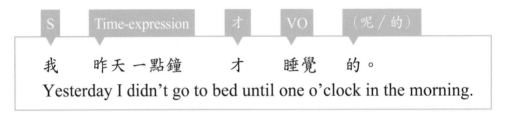

S	Time-expression	才	VO	（呢／的）
我	昨天一點鐘	才	睡覺	的。

Yesterday I didn't go to bed until one o'clock in the morning.

1. 請你等一下，他六點鐘才下班呢。

2. 你怎麼現在才來？舞會早就開始了。

   對不起，我太忙了。

3. 我們十分鐘以前才決定去吃義大利麵的。

4. 他找工作找了兩年，上個月才開始上班的。

C. Means "then and only then"

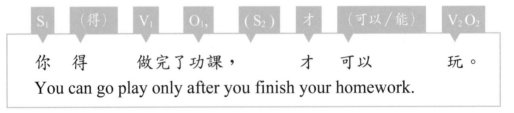

S₁	（得）	V₁	O₁,	（S₂）	才	（可以／能）	V₂O₂
你	得	做完了功課，			才	可以	玩。

You can go play only after you finish your homework.

1. 我得先買票，才可以進去看電影。

2. 你到了十八歲才可以喝酒。

3. 我得給他錢，他才願意幫我搬家。

4. 媽媽說孩子得吃了飯，才可以吃糖。

Ⅲ. 就 is used in both contemplated and completed actions, expressing a plan, request, command, statement, or condition.

A. Indicates the immediacy of the next action (see L.11).

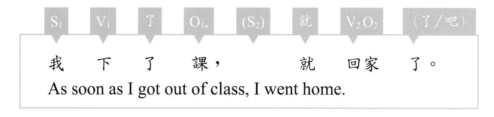

| S₁ | V₁ | 了 | O₁, | (S₂) | 就 | V₂O₂ | (了/吧) |

我 下 了 課， 就 回家 了。
As soon as I got out of class, I went home.

1. 我每天到了家，就做功課。

2. 他吃了早飯，就去打工了。

3. 我吃了那個菜，馬上就不舒服了。

4. 她畢了業，就開始工作了。

B. Indicates an action takes or took place sooner or earlier than expected.

| S | Time-expression | 就 | VO | (了) |

我 今天五點鐘 就 起來 了。
Today I go up at five o'clock.

1. 小王被搶的事，我昨天就知道了。

2. 他很聰明，二十歲就大學畢業了。

3. 我跟小林念大學以前就認識了。

4. 陳小姐不住在這裡，她半年以前就搬家了。

C. Means " (if) ... then"

| （要是） | S₁ | V₁ | O₁, | (S₂) | 就 | V₂(O₂) |

要是　　　我　　有　　　時間，　我　　　就　參加。

(If) I have time, then I will attend.

1. 要是你喜歡這件外套，你就買。

2. 要是我有錢，我就去歐洲旅行。

3. 要是明天不下雨，我就去公園慢跑。

4. 這個語法，要是你還不懂，我就再說一次。

Complete the following sentences with 再／才／就**.**

1　媽媽對小孩說：「你做完功課，＿＿＿＿＿＿看電視。」

2　九點上班，我六點＿＿＿＿＿＿起床了。

3　現在我很累，等一會兒＿＿＿＿＿＿做，好不好？

4　他畢了業，＿＿＿＿＿＿去旅行呢。

5　要是你不舒服，＿＿＿＿＿＿去休息吧。

6　我今天很忙，我打算明天＿＿＿＿＿＿去。

7　他上星期＿＿＿＿＿＿從英國回來的。

8　你先洗手，＿＿＿＿＿＿吃水果。

9　這件事很重要，我現在＿＿＿＿＿＿給他打電話。

10　她昨天晚上十二點＿＿＿＿＿＿回家的。

Answer the following questions using 再／才／就.

1 你剛起床嗎？

2 你今年大學畢業嗎？

3 十二歲可以開車嗎？

4 你現在要回家嗎？

5 你朋友要回家，可是外面下雨呢，你說什麼？

6 你們剛剛開始學中文吧？

7 你什麼時候要到法國去旅行？

8 今天你好像很累，為什麼？

9 老師說明天考試，可是你希望下星期考，你對老師說什麼？

10 你跟朋友打球，你打累了，想休息一會兒，你說什麼？

2 **Sentences with 越……越…… as Correlative Conjunctions**

越 is a fixed adverb, it must be placed after the subject.

Ⅰ. 越來越 (getting more and more)

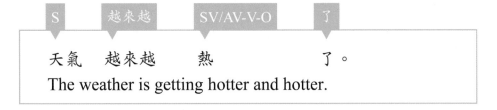

S	越來越	SV/AV-V-O	了

天氣　越來越　　熱　　　　　了。
The weather is getting hotter and hotter.

1. 好久不見，李太太的孩子越來越高了。

2. 心樂在台灣住了半年，中文越來越好了。

3. 不會用電腦的人越來越少了。

4. 我越來越喜歡學跳舞了。

Ⅱ. 越……越……(the more ... the more)

S₁	越	SV₁/V₁,	S₁/S₂	越	SV₂/V₂	（了）

他　越　說　　　　　　越　快。

The more he speaks, the faster he gets.

1. 那首歌，我越聽越喜歡。

2. 天氣越熱，去游泳的人越多。

3. 姐姐每天練習網球，所以越打越好。

4. 我越吃越胖，我得少吃一點兒了。

Transform the following sentences into the 越來越 or 越 …… 越 pattern.

1. 這幾天的天氣比上禮拜冷。

2. 那個地方的房子比以前多了。

3. 你的身體比以前健康了。

4. 她比以前愛說笑話了。

5. 雨下得比剛剛大了。

6. 你寫字，寫得比以前好了。

7. 你跑得比以前快了。

8. 我看了很多次，更喜歡了。

APPLICATION ACTIVITIES

1 Answer the following questions.

1. 你是什麼時候開始學中文的？

2. 你學中文學了多久了？

3. 你為什麼要學中文？

4. 你覺得說中國話跟寫中國字，哪個難？

5. 學會中文以後，你打算做什麼？

6. 生日的時候，你喜歡別人送你什麼禮物？為什麼？

7. 你打過工嗎？請你談談打工的經驗 (jīngyàn)[*]。

8. 你有沒有台灣朋友？你跟他們說什麼話？

9. 你學過別的外文嗎？

10. 明年你還打算學中文嗎？

2 Please discuss what you know about politeness and Chinese blessings.

[*]
經ㄐㄧㄥ驗ㄧㄢˋ (jīngyàn)：experience

3 Please talk about your country's birthday traditions.

4 Situation

A conversation between guests and hosts at a birthday party.

INDEX I
GRAMMATICAL TERMS
語ㄩˇ法ㄈㄚˇ術ㄕㄨˋ語ㄩˇ

本書的詞類標記參考耶魯大學（Yale University）1996年出版的 *Dictionary of Spoken Chinese*。

標記	英文名稱	中文名稱	詞類特徵	範例
ADV	**Adverb**	副詞	修飾動詞或副詞，出現於動詞或副詞之前。	很、剛、明天、大概
AT	**Attributive**	定語	修飾名詞，以「定語＋的」的形式出現於名詞之前。	錯、男、單身、彩色
AV	**Auxiliary Verb**	助動詞	修飾或補充主要動詞的意義，出現於主要動詞之前。	能、要、可以、應該
BF	**Bound Form**	黏著形式	本身無法獨立成詞，需和其他成分搭配，組成一個詞。	包「子」、花「兒」、北「部」、好「極了」
CONJ	**Conjunction**	連詞	連接名詞或句子。	跟、和、可是、而且
CV	**Coverb**	動介詞	出現於名詞之前，修飾後面所接的動詞，功能和介詞相當。	從、在、把、關於
DC	**Directional Compound**	趨向複合詞	表示動作的方向，由趨向動詞和表示趨向的結果複合詞尾（RE）組成。	進來、出去、打開、脫下來
DEM	**Demonstrative Pronoun**	指示代詞	指稱特定對象的名詞性成分，可出現於量詞或「數詞＋量詞」的組合之前。	這、第、每、另外
V	**Verb**	動詞	用來表示動作或事件，能單獨成為謂語（predicate），也能接賓語或補語。	吃、看、介紹、覺得
I	**Interjection**	嘆詞	表示說話者的感覺或情緒。	嗯、哇、哦、哎呀

標記	英文名稱	中文名稱	詞類特徵	範例
IE	**Idiomatic Expression**	慣用表達	表示特殊的意義和用法，出現於特定的情境，如問候、祝賀或表示禮貌等。	對不起、好久不見、大驚小怪、吃喝玩樂
M	**Measure**	量詞	表示單位或分類的名詞性成分，後面通常接名詞。	個、本、張、件
N	**Noun**	名詞	表示具體或抽象的事物。	書、年、商店、圖書館
NU	**Number**	數詞	表示計算和測量數量的名詞。	五、百、一些、多少
ON	**Onomatopoetic Term**	擬聲詞	模仿自然聲音的詞。	噓
P	**Particle**	助詞	表示語法意義，本身無法單獨出現。	嗎、呢、了、著
PN	**Pronoun**	代詞	表示已提過的名詞，後面接「的」可組成所有格。	我、他、您、他們
PT	**Pattern**	句型	在句中具有固定搭配形式的成分，表示特定意義。	越…越…、動不動就…、只要…就…、不但…而且…
PW	**Place Word**	處所詞	表示地點的名詞，也可作為副詞。	這裡、外面、附近、當中
QW	**Question Word**	疑問詞	表示疑問的詞。	哪、誰、多少、怎麼
RC	**Resultative Compound**	結果複合詞	表示動作或狀態的結果，由動詞或狀態動詞和結果複合詞尾（RE）組成，中間通常可插入「～得～」和「～不～」。	打開、打破、受不了、背下來
RE	**Resultative Ending**	結果複合詞尾	表示動作結果的動詞性成分。	完、著、光、飽
SV	**Stative Verb**	狀態動詞	表示主語性質或狀態的動詞性成分，可受程度副詞（如「很」）修飾。	高、怕、方便、希望
TW	**Time Word**	時間詞	表示時間的名詞，也可作為副詞。	剛剛、上午、從前、後來
VO	**Verb-Object Compound**	動賓複合詞	經常互相搭配而形成一個動詞的動賓組合。	生氣、開車、上課、走路

INDEX II

WORD LISTS
詞彙列表

363

bǐ	比ㄅ(比)	V/CV: to compare; compared to, than	5
bǐjiào	比ㄅ較ㄐ(比较)	ADV/V: comparatively; to compare	5
bìng	病ㄅ(病)	N: illness, disease	1
bīng	冰ㄅ(冰)	N/SV: ice; to be frozen	9
bīngkuài	冰ㄅ塊ㄎ(冰块)	N: ice cube	11
bìngle	病ㄅ了ㄌ(病了)	V: to become ill	1
bīngxiāng / bīngsiāng	冰ㄅ箱ㄒ(冰箱)	N: refrigerator	9
bìyè	畢ㄅ業ㄧ(毕业)	VO: to graduate from a school	13
bízi / bízih	鼻ㄅ子ㄗ(鼻子)	N: nose	11
bù	部ㄅ(部)	BF: part, area	2
búbì	不ㄅ必ㄅ(不必)	ADV: don't have to, need not	1
bùdéliǎo	不ㄅ得ㄉ了ㄌ(不得了)	SV: to be extremely, to be exceedingly (hot, cold, wet, etc.)	5
bùfèn	部ㄅ分ㄈ(部分)	N: part, section	8
bújiànle	不ㄅ見ㄐ了ㄌ(不见了)	IE: (something) is gone, missing, vanished	12
búkèqì / búkècì	不ㄅ客ㄎ氣ㄑ(不客气)	IE: you're welcome	2
búyòng	不ㄅ用ㄩ(不用)	AV: need not, don't have to	7

C

cái	才ㄘ(才)	ADV: not until, only then, only, merely	13
cān	餐ㄘ(餐)	M/BF: measure word for meal; food, meal	9
cānjiā	參ㄘ加ㄐ(参加)	V: to attend, to participate	11
cǎo	草ㄘ(草)	N: grass	8
cǎodì	草ㄘ地ㄉ(草地)	N: lawn	8
chā	叉ㄔ(叉)	BF: fork	3
cháhuì / cháhuèi	茶ㄔ會ㄏ(茶会)	N: a tea party	11
cháng	長ㄔ(长)	SV: to be long	5
chǎng	場ㄔ(场)	BF: site, spot, field	6
chāojíshìchǎng / chāojíshìhchǎng	超ㄔ級ㄐ市ㄕ場ㄔ(超级市场)	N: supermarket	6
chāoshì / chāshìh	超ㄔ市ㄕ(超市)	N: supermarket	

dǎkāi	打開(打开)	DC: to turn on, to switch on	7
dàn	蛋(蛋)	N: egg	11
dàngāo	蛋糕(蛋糕)	N: cake	11
dāngrán	當然(当然)	ADV: of course	7
dāngzhōng / dāngjhōng	當中(当中)	N (PW): middle, in the center	7
dāo	刀(刀)	N: knife	3
dāochā	刀叉(刀叉)	N: knife and fork	3
dāozi / dāozih	刀子(刀子)	N: knife	3
dǎpò	打破(打破)	RC: to break	12
dǎqiú / dǎcióu	打球(打球)	VO: to play or hit a ball, to play ball (basketball, tennis etc.), games	10
dàrén	大人(大人)	N: adult	9
dǎsuàn	打算(打算)	V: to plan	1
de	地(地)	P: a particle usually added to the end of an adjective to form an adverbial phrase	11
děi	得(得)	ADV: must, have to	1
dēng	燈(灯)	N: lamp, light	7
dì	第(第)	DEM: a prefix for ordinal numbers	2
diǎncài	點菜(点菜)	VO: to order food	3
diànhuà	電話(电话)	N: telephone, call	4
diànnǎo	電腦(电脑)	N: computer	13
diǎnxīn / diǎnsīn	點心(点心)	N: a snack, light refreshment	11
diū / diōu	丟(丢)	V: to lose (something), to throw	12
dìzhǐ / dìjhǐh	地址(地址)	N: address	6
dòng	動(动)	V/RE: to move; to be moved	10
dōng	東(东)	N: east	2
dōngbù	東部(东部)	N (PW): eastern part, eastern area	2
duǎn	短(短)	SV: to be short	5
duì / duèi	對(对)	CV: to, toward, for	3
duìmiàn / duèimiàn	對面(对面)	N (PW): the other side, place across from	7
duó (me)	多(麼) [多(么)]	QW/ADV: how; used to ask or indicate the extent or degree of a quality (e.g., "how nice," "how ugly,"etc.)	5

gōngjīn	公斤(公斤)	N: kilogram	5
gōngkè	功課(功课)	N: schoolwork, homework	5
gōnglǐ	公里(公里)	M: kilometer	5
gōngxǐ / gōngsǐ	恭喜(恭喜)	V: to congratulate	13
gōngyuán	公園(公园)	N: (public) park	9
gōngzuò	工作(工作)	N/V: work; to work	13
guà	掛(挂)	V: to hang	7
guài	怪(怪)	SV: to be strange, to be odd, to be unusual	12
guān	關(关)	V: to close, to turn off	7
guàn	罐(罐)	M: jar of or can of	9
guānshàng	關上(关上)	DC: to close, to shut; to turn off	7
guànzi / guànzih	罐子(罐子)	N: jar, canister, tin	9
guì / guèi	櫃(柜)	BF: cabinet	7
guìzi / guèizih	櫃子(柜子)	N: cabinet, sideboard	7
guò	過(过)	P: a suffix indicating completion of an action, or completion of an action as an experience	4
gùshì / gùshìh	故事(故事)	N: story	8

H

hǎi	海(海)	N: ocean, sea	2
háng	行(行)	M: measure word for lines, rows	6
hánjià	寒假(寒假)	N: winter vacation	13
hǎohǎorde	好好兒地 (好好儿地)	ADV: in a proper way, to the best of one's ability, seriously, carefully, nicely	11
hǎole	好了(好了)	SV: to be well again, recover / SV: to be ready	1 / 8
hàomǎ	號碼(号码)	N: number	4
hǎowán	好玩(好玩)	SV: to be interesting, to be full of fun	11
hǎoxiàng/ hǎosiàng	好像(好像)	ADV/V: to seem, to be likely, to be like	5
hé	河(河)	N: river	2
hé	盒(盒)	M: box of	9
hēi	黑(黑)	SV: to be dark	7

hēibǎn	黑板（黑板）	N: blackboard	8
hézi / hézih	盒子（盒子）	N: box, ease	9
hóng	紅（红）	SV: to be red	8
hòulái	後來（后来）	ADV (TW): afterwards, later on	4
hòutiān	後天（后天）	ADV/N (TW): the day after tomorrow	10
huā	花（花）	N: flower	8
huài	壞（坏）	SV: to be bad	1
huàile	壞了（坏了）	SV: to be broken, out of order	1
huàn	換（换）	V: to change	8
huáng	黃（黄）	SV: to be yellow	8
huángsè	黃色（黄色）	N: yellow	8
huānyíng	歡迎（欢迎）	SV/IE: welcome	6
huáxuě / huásyuě	滑雪（滑雪）	VO: to ski	1
Huáyǔ	華語（华语）	N: the Chinese language	5
huàzhuāng / huàjhuāng	化妝（化妆）	VO: to put on make-up	8
huì / huèi	會（会）	N: meeting	11
huòshì / huòshìh	或是（或是）	CONJ: or, either...or	10
hūrán	忽然（忽然）	ADV: suddenly	8
hútú	糊塗（胡涂）	SV: to be bewildered, to be mixed up, to be confused	12

J

jì	寄（寄）	V: to mail	6
jī	雞（鸡）	N: chicken	3
jià	架（架）	BF: shelf, stand	7
jiā	加（加）	V: to add to	11
jiànkāng	健康（健康）	SV/N: to be healthy, in good physical condition; health	13
jiànmiàn	見面（见面）	VO: to meet someone, to see someone	4
jiāoqū / jiāocyū	郊區（郊区）	N: suburbs	6
jiàzi / jiàzih	架子（架子）	N: frame, stand, rack, shelf	7
jīchǎng	機場（机场）	N: airport	6

jìde	記得（记得）	V: to remember	4
jiē	街（街）	N: street	2
jiē	接（接）	V: to receive (someone), to pick up (someone)	6
jiē diànhuà	接電話（接电话）	VO: to answer the phone, to pick up or take a call	4
jiè	借（借）	V: to borrow, to lend	4
jièshào	介紹（介绍）	V: to introduce	3
jíle	極了（极了）	BF: utmost, extremely	5
jìn	進（进）	V: move forward, enter	6
jìnbù	進步（进步）	V: to make progress, to improve	13
jǐngchá	警察（警察）	N: police officer	12
jīngguò	經過（经过）	V: to pass by, to pass through	2
jìnlái	進來（进来）	DC: come in	6
jìnqù / jìncyù	進去（进去）	DC: go in	6
jǐnzhāng / jǐnjhāng	緊張（紧张）	SV: to be nervous, to be tense	10
jiù / jiòu	就（就）	ADV:(indicating immediacy)	1
jù / jyù	句（句）	M: measure word for sentences or phrases	3
juédìng / jyuédìng	決定（决定）	V: to decide	4
júzi / jyúzih	橘子（橘子）	N: orange, tangerine	11
jùzi / jyùzih	句子（句子）	N: sentence	3

K

kāi	開（开）	V: to bloom, to blossom V: to hold an event	8 11
kāihuā	開花（开花）	VO: to bloom, to blossom	8
kāihuì / kāihuèi	開會（开会）	VO: to have a meeting	11
kāishǐ / kāishǐh	開始（开始）	V: to start, to begin	9
kǎo	烤（烤）	V: to roast, to toast, to bake	9
kǎoròu	烤肉（烤肉）	N: barbecue (lit. roast meat)	9
kǎoxiāng / kǎosiāng	烤箱（烤箱）	N: oven	9
kě	渴（渴）	SV: to be thirsty	9

kěnéng	可能（可能）	ADV/SV: possibly / to be possible	1
kèqì / kècì	客氣（客气）	SV: to be polite	2
kěxí / kěsí	可惜（可惜）	ADV/SV: to be a pity; too bad	11
kòng	空（空）	N/SV: free time	6
kǒngpà	恐怕（恐怕）	ADV: (I'm) afraid that, perhaps, probably	4
kōngqì / kōngcì	空氣（空气）	N: air	10
kǒudài	口袋（口袋）	N: pocket	9
kū	哭（哭）	V: to cry	12
kuàilè	快樂（快乐）	SV: to be happy	13
kuàizi / kuàizih	筷子（筷子）	N: chopsticks	3

L

lán	藍（蓝）	SV: to be blue	8
lánqiú / láncióu	籃球（篮球）	N: basketball	10
lǐ	里（里）	M: Chinese mile	5
liǎn	臉（脸）	N: face	10
liàng	亮（亮）	SV: to be sunny, to be bright	7
liáng	涼（凉）	SV: to be cool	8
liángkuài	涼快（凉快）	SV: to be (pleasantly) cool	8
liǎnsè	臉色（脸色）	N: color (of face), facial expression	10
liànxí / liànsí	練習（练习）	V/N: to practice, to drill or practice; exercise	10
liáo	聊（聊）	V: to talk, to chat	13
liǎo	了（了）	RE: used at the end of a verb to indicate ability or completion	10
lǐbài	禮拜（礼拜）	N: week	1
lǐbàitiān	禮拜天（礼拜天）	N: Sunday	1
líkāi	離開（离开）	V: to leave	2
Lín	林（林）	N: a common Chinese surname	6
liú / lióu	留（留）	V: to leave (message, thing, etc.), to stay, to remain	4
lǐwù	禮物（礼物）	N: present, gift	13
lǐzi / lǐzih	李子（李子）	N: plum	11
lǜ / lyù	綠（绿）	SV: to be green	8

| luàn | 亂(乱) | SV: to be messy | 12 |
| lùkǒu | 路口(路口) | N: street entrance | 2 |

M

máfán	麻煩(麻烦)	SV/V/N: to be annoyed; to bother; an annoyance, troublesome	4
mànpǎo	慢跑(慢跑)	N/V: jogging; to jog	10
mànyòng	慢用(慢用)	IE: eat slowly (enjoy your meal)	3
máobǐ	毛筆(毛笔)	N: brush pen	3
méiguānxi / méiguānsi	沒關係 (没关系)	IE: no problem, never mind, it doesn't matter	1
méishìr / méishìhr	沒事兒 (没事儿)	IE: never mind, it doesn't matter, it's nothing, that's all right	1
miàn	麵(面)	N: flour, dough, noodle	9
miànbāo	麵包(面包)	N: bread	9

N

ná	拿(拿)	V: to bring, to carry (by hand)	6
nǎlǐ	哪裡(哪里)	IE: an expression of modest denial: "NO, no."	3
nàme	那麼(那么)	ADV: like that, in that way	3
nán	南(南)	N: south	2
niánjí	年級(年级)	N/M: grade in school	8
niánjì	年紀(年纪)	N: age	5
niú / nióu	牛(牛)	N: cow, cattle	3
niúròu/nióuròu	牛肉(牛肉)	N: beef	3
nòng	弄(弄)	V: a generalized verb meaning do, make, get, fix, etc.	12

P

pà	怕(怕)	SV: to fear	4
pán	盤(盘)	M: measure word for trays, plates, dishes	6
pàng	胖(胖)	SV: to be fat	5

ránhòu	然後（然后）	CONJ: and then	2
rènào	熱鬧（热闹）	SV: to be lively, to be fun, to be bustling with noise	13
rènde	認得（认得）	V: to know (as in to recognize)	4
rēng	扔（扔）	V: to throw, to toss, to cast	7
rènshì / rènshìh	認識（认识）	V: to recognize, to realize	4
rìjì / rìhjì	日記（日记）	N: diary	9
rìzi / rìhzih	日子（日子）	N: day (date), days (time)	5
ròu	肉（肉）	N: meat	3

S

sè	色（色）	BF: color	8
shān	山（山）	N: mountain	1
shémede	什麼的（什么的）	N: etc., and so on	12
shēngbìng	生病（生病）	VO: to become ill, to be sick	1
shēngqì / shēngcì	生氣（生气）	SV/VO: to be angry; to take offense	12
shēngrì / shēngrìh	生日（生日）	N: birthday	11
shēngyīn	聲音（声音）	N: sound, voice	9
shēntǐ	身體（身体）	N: body, health	10
shì / shìh	市（市）	BF: city municipality, market	2
shìchǎng / shìhchǎng	市場（市场）	N: market	6
shìjiè / shìhjiè	世界（世界）	N: the world	5
shìqíng / shìhcíng	事情（事情）	N: affair, something to do, a matter, event	13
shìqū / shìhcyū	市區（市区）	N: urban area, urban district	6
shízìlùkǒu / shíhzìhlùkǒu	十字路口（十字路口）	N (PW): intersection	2
shòu	瘦（瘦）	SV: to be thin	5
shǒu	手（手）	N: hand	4
shǒujī	手機（手机）	N: mobile phone, cell phone	12
shuāng	雙（双）	M: pair of	8
shūbāo	書包（书包）	N: schoolbag, bookbag	12
shūfú	舒服（舒服）	SV: to be comfortable, well	1

tóngxué / tóngsyué	同學（同学）	N: classmate	7
tōngzhī / tōngjhīh	通知（通知）	V: to inform, to notify	13
tóu	頭（头）	N: head DEM: first, the top	1 4
tōu	偷（偷）	V: to steal, to burglarize	12
tuō	脫（脱）	V: to take or to cast off	7
tuōxiàlái / tuōsiàlái	脫下來 （脱下来）	DC: to take off	7

W

wàitào	外套（外套）	N: overcoat	8
wán	完（完）	RE: to finish, to complete (something)	10
wǎn	碗（碗）	M/N: measure word for servings of food; bowl	3
wǎnān	晚安（晚安）	IE: good night	9
wàng	忘（忘）	V: to forget	1
wǎng	往（往）	CV: to go toward	2
wǎng	網（网）	N: net	10
wǎngqiú / wǎngcióu	網球（网球）	N: tennis	10
wǎnglù	網路（网路）	N: internet	10
wǎnguì / wǎnguèi	碗櫃（碗柜）	N: (kitchen) cabinet, cupboard	7
wànshìrúyì / wànshìhrúyì	萬事如意 （万事如意）	IE: get everything your heart desires	13
wéi	喂（喂）	P: a common telephone or intercom greeting "hello"	4
wèidào	味道（味道）	N: taste, flavor, smell, odor	11
wén / wún	聞（闻）	V: to smell, to listen	7
wèn……hǎo/ wùn……hǎo	問……好 （问……好）	IE: to wish someone well, to send best regards to someone	3
wòfáng	臥房（卧房）	N: bedroom	7
wǔhuì / wǔhuèi	舞會（舞会）	N: dance party	11

X

Y

yàng	樣(样)	BF/M: appearance, shape; kind of, type of	5
yǎnjīng	眼睛(眼睛)	N: eye	11
yàngzi / yàngzih	樣子(样子)	N: appearance, shape, model, pattern	5
yánjiù / yánjiòu	研究(研究)	V: to research, to study	13
yánjiùsuǒ / yánjiòusuǒ	研究所 (研究所)	N: the graduate school	13
yánsè	顏色(颜色)	N: color	8
yào	藥(药)	N: medicine	1
yàobùrán	要不然 (要不然)	CONJ: otherwise	9
yàoshi / yàoshih	鑰匙(钥匙)	N: key	7
yàoshì / yàoshìh	要是(要是)	CONJ: if	2
yè	頁(页)	M: measure word for page	6
yěcān	野餐(野餐)	V/N: to picnic; picnic	9
yěxǔ / yěsyǔ	也許(也许)	ADV: perhaps, maybe, might	1
Yìdàlì	義大利 (义大利)	N: Italy	4
yīguì / yīguèi	衣櫃(衣柜)	N: closet	7
yǐhòu	以後(以后)	ADV (TW): after, afterwards	4
yīngchǐ / yīngchǐh	英尺(英尺)	M: foot	5
yīnglǐ	英里(英里)	M: mile (American measurement)	5
yínháng	銀行(银行)	N: bank	12
yǐnliào	飲料(饮料)	N: soft drink, beverage	11
yǐqián / yǐcián	以前(以前)	ADV (TW): before, ago, formerly	4
yíqiè / yíciè	一切(一切)	N: all, everything	5
yīshēng	醫生(医生)	N: doctor	1
yíyàng	一樣(一样)	SV/ADV: to be the same, identical	5
yìzhí / yìjhíh	一直(一直)	ADV: straight; constantly, continuously	2
yòng	用(用)	V/CV: to use; using, with	3
yònggōng	用功(用功)	SV: to be studious, industrious, to be hard-working	5
yóu	游(游)	V: to swim	10
yòu	右(右)	N: right	2

Z

zhe / jhe	著ㄓㄜ˙(着)	P: a verbal suffix, indicating that the action or the state is continuing	8
zhème / jhème	這ㄓㄜˋ麼ㄇㄜ˙(这么)	ADV: so, like this	3
zhèng / jhèng	正ㄓㄥˋ(正)	ADV: just (now), right (now)	11
zhī / jhīh	支ㄓ(支)	M: measure word for long, thin, inflexible objects	12
zhífēi / jhíhfei	直ㄓˊ飛ㄈㄟ(直飞)	V: to fly directly	2
zhǐ / jhǐh	紙ㄓˇ(纸)	N: paper	9
zhǐhǎo / jhǐhhǎo	只ㄓˇ好ㄏㄠˇ(只好)	ADV: have no choice but to	8
zhòng / jhòng	重ㄓㄨㄥˋ(重)	SV: to be heavy	5
zhōngxué / jhōngsyué	中ㄓㄨㄥ學ㄒㄩㄝˊ(中学)	N: middle school	4
zhòngyào / jhòngyào	重ㄓㄨㄥˋ要ㄧㄠˋ(重要)	SV: to be important, to be vital	12
zhōumò / jhōumò	週ㄓㄡ末ㄇㄛˋ(周末)	N: weekend	1
zhù / jhù	祝ㄓㄨˋ(祝)	V: to wish (someone good health, good luck, etc.), to offer good wishes	11
zhuǎn / jhuǎn	轉ㄓㄨㄢˇ(转)	V: to turn	2
zhuāng / jhuāng	裝ㄓㄨㄤ(装)	V: to fill, to load	9
zhǔnbèi / jhǔnbèi	準ㄓㄨㄣˇ備ㄅㄟˋ(准备)	V/N: to prepare, to intend; preparations	9
zhùxiào / jhùsiào	住ㄓㄨˋ校ㄒㄧㄠˋ(住校)	VO: to live on campus	8
zìjǐ / zìhjǐ	自ㄗˋ己ㄐㄧˇ(自己)	N: oneself, by oneself	3
zìtiáo / zìhtiáo	字ㄗˋ條ㄊㄧㄠˊ(字条)	N: a note	4
zǒngshì / zǒngshìh	總ㄗㄨㄥˇ是ㄕˋ(总是)	ADV: always, without exception	8
zuǐ / zuěi	嘴ㄗㄨㄟˇ(嘴)	N: mouth	11
zuìhǎo / zuèihǎo	最ㄗㄨㄟˋ好ㄏㄠˇ(最好)	ADV: best, better to	7
zuǒ	左ㄗㄨㄛˇ(左)	N: left	2

INDEX
SYNTAX PRACTICE
語ㄩˇ法ㄈㄚˇ練ㄌㄧㄢˋ習ㄒㄧˊ

LESSON 7

- 把 Construction

LESSON 8

I. Verbal Suffix 著 Used as a Marker of Continuity
II. Time Elapsed

LESSON 9

I. Resultative Compounds (RC)
II. Directional Endings Used as Resultative Endings
III. Some Extended Uses of Directional Complements as Resultative Complements

LESSON 10

I. Stative Verbs Used as Resultative Endings
II. Action Verbs Used as Resultative Endings
III. Auxiliary Verb Used as Resultative Endings

LESSON 11

I. Reduplication of stative Verbs
II. Reduplication of Verbs
III. Reduplication of Measure Words
IV. Sentences with Adverb 又 and 也 Used as Correlative Conjunctions

LESSON 12

I. Passive Voice Sentences with Coverbs 被, 讓, or 叫
II. Causative Sentences with Verbs 讓 or 叫
III. Sentences with Correlative Conjunctions 一……就…… (Just as Soon as, Whenever)

LESSON 13

I. The Adverbs 再, 才, and 就 Contrasted
II. Sentences with 越……越…… as Correlative Conjunctions

國家圖書館出版品預行編目(CIP)資料

新版實用視聽華語 / 王淑美等作. -- 三版. -- 臺北市：教育部, 2017.09
　　冊；　公分
ISBN 978-986-05-1196-3（第1冊：平裝附數位影音光碟）
ISBN 978-986-05-1197-0（第2冊：平裝附數位影音光碟）
ISBN 978-986-05-1198-7（第3冊：平裝附數位影音光碟）
ISBN 978-986-05-1199-4（第4冊：平裝附數位影音光碟）
ISBN 978-986-05-1200-7（第5冊：平裝附數位影音光碟）
1.漢語 2.讀本
802.86　　　　　　　　　　　　　　　　　　　　　　105023553

《新版實用視聽華語》　（二）

作　　　者◎王淑美・盧翠英・陳夜寧
顧　　　問◎葉德明・曹逢甫
主　　　編◎謝佳玲
編修委員◎盧翠英・王淑美・許敏淑
插　　　圖◎漢斯
封面設計◎斐類設計
排版設計◎菩薩蠻
著作財產權人◎教育部
地　　　址◎(100)台北市中正區中山南路5號
電　　　話◎(02)7736-7990
傳　　　真◎(02)3343-7994
網　　　址◎http://www.edu.tw

發 行 人◎陳秋蓉
出版發行◎正中書局股份有限公司
地　　　址◎(231)新北市新店區復興路43號4樓
電　　　話◎(02)8667-6565
傳　　　真◎(02)2218-5172
郵政劃撥◎0009914-5
網　　　址◎http://www.ccbc.com.tw
　　　　　　E-mail:service@ccbc.com.tw
門 市 部◎(231)新北市新店區復興路43號4樓
電　　　話◎(02)8667-6565
傳　　　真◎(02)2218-5172

政府出版品展售處
教育部員工消費合作社
地　　　址◎(100)台北市中正區中山南路5號
電　　　話◎(02)2356-6054
五南文化廣場
地　　　址◎(400)台中市中山路6號
電　　　話◎(04)2226-0330#20、21
國立教育資料館
地　　　址◎(106)台北市大安區和平東路一段181號
電　　　話◎(02)2351-9090#125

出版日期◎西元2017年9月三版1刷
ISBN 978-986-05-1197-0
GPN 1010600026
定價／780元

◎本書保留所有權利

　　如欲利用本書全部或部分內容者，須徵求著作財產權人同意或書面授權，請逕洽教育部。

CHENG CHUNG
BOOK CO.,LTD.